La Araucana

Letras Hispánicas

Alonso de Ercilla

La Araucana

Edición de Isaías Lerner

CATEDRA

LETRAS HISPANICAS

© Ediciones Cátedra, S. A., 1993
Telémaco, 43. 28027 Madrid
Depósito legal: M. 3426-1993
ISBN: 84-376-1151-2
Printed in Spain
Impreso en Selecciones Gráficas
Carretera de Irún, km. 11,500 - Madrid

Introducción

D. ALONSO DE ERCILLA.

Caballero de Santiago: nació en Madrid á 7 de
Agosto de 1533: Poeta Heroico tan dulce como valeroso Soldado: compuso El Poema de la Araucana
y falleció despues del Año de 1596.

Alonso de Ercilla.

El género de la poesía épica volvió a atraer el interés de los escritores españoles durante los siglos XVI y XVII y la respuesta del público lector fue entusiasta y sostenida. En el periodo áureo se escribieron alrededor de doscientos poemas épicos de tema religioso, histórico y literario[1]. Las razones de este renovado interés son ciertamente múltiples y complejas, pero sin duda dos parecen tener particular importancia. La primera es la nueva difusión en el Renacimiento de las obras y los géneros practicados por las literaturas clásicas, a través de ediciones y comentarios modernos y de nuevas traducciones. La segunda, que es más bien el resultado de la primera, es la aparición en Italia de obras como el *Orlando Furioso* (1532) de Ariosto, que ofrecían nuevas posibilidades de renovación artística y temática para un género inmovilizado por el prestigio de las obras maestras grecolatinas. Automáticamente, éstas modelaban, a través de la obligatoriedad de su imitación, las claras coordenadas formales del género. La propuesta presente en la obra de Ariosto no careció de controversia[2], pero estas preocupaciones teóricas no parece que tuvieran gran repercusión inicial en España. En efecto, la polémica sobre Ariosto, previa a la publicación de *La Araucana,* se centró más bien alrededor de las carac-

[1] Cfr. F. Pierce, «La poesía épica española del Siglo de Oro», en *Edad de Oro* IV (1985), págs. 87-106, y su ya clásico *La poesía épica del Siglo de Oro,* Madrid, Gredos, 1968, particularmente el Apéndice A, «Catálogo cronológico de poemas publicados entre 1500 y 1700».

[2] V. Bernard Weinberg, *A History of Literary Criticism in the Italian Renaissance,* Chicago, 1961.

terísticas que la materia caballeresca otorgaba a esta nueva forma de la poesía épica. Estas novedades temáticas no se aplicaban a los poemas de corte histórico en general, y a *La Araucana* en particular. En todo caso, la centralidad política de España en el siglo XVI es probable que haya contribuido, en no escasa medida, a la creación de nuevos poemas de contenido histórico relacionados con el pasado nacional, mediato e inmediato. Las hazañas guerreras de las armas españolas ofrecían, pues, tema propicio para el desarrollo vernáculo del género, en la variante renacentista. En verdad, los hechos políticos y militares del momento permitían la elaboración de episodios de un atractivo literario por lo menos similar al de las fantasías inventadas del *Orlando*. Además, la temática religiosa dio lugar a buen número de textos con temas bíblicos y sobre la Virgen María, la vida de Cristo o vidas de santos. De hecho, el primer texto épico renacentista en lengua castellana publicado en el siglo XVI es la *Christo patia* (1552) de Juan de Quirós[3] y, como advierte Pierce, uno de los últimos de este florecimiento de la épica en el XVI y el XVII, es *La Christiada* de Juan Francisco de Encisso y Monzón, de 1694.

La Araucana pertenece, dentro de los poemas de tema histórico, al subgrupo de los que corresponden a la materia de América. El descubrimiento, la exploración y la conquista de un continente nuevo para la experiencia europea generó en España y en castellano, una veintena de poemas a lo largo de los siglos áureos. El de don Alonso de Ercilla, inspirado en los hechos de la conquista de Chile, de la que fue testigo y actor durante gran parte de su permanencia en territorio americano, es por cierto, el

---

[3] Cfr. Pierce, *op. cit.*, págs. 221. Para la anónima *Relación de la conquista y del descubrimiento que hizo el gobernador don Francisco Pizarro en demanda de las provincias y reinos que agora llamamos Nueva Castilla,* escrita probablemente hacia 1537, según su moderno editor, F. Rand Morton; cfr. *ibíd.,* páginas 208-209. Sin embargo, aunque se trata probablemente del primer poema sobre América, literariamente se ubica mejor dentro de la tradición correspondiente a la poesía del siglo XV influida por la escuela de Juan de Mena.

que ha recibido la consagración de la crítica y el aprecio permanente de los lectores desde su aparición hasta nuestros días.

La vida

El tema americano ofrecía sorprendentes novedades para la renovación épica y fue precisamente el poema de Ercilla, de materia americana, el que logró combinar de modo más acabado, probablemente gracias al carácter inédito de su tema, las novedades formales de la épica italiana renacentista con los principios de la poética grecolatina. A la elaboración de su extenso texto dedicó su autor más de veinte años y en él volcó toda su voluntad de escritor pues, excepto cuatro obras breves de tono menor, *La Araucana* es su único poema[4]. Este largo proceso de escritura se realiza durante el periodo más activo de su vida pública y ciertamente fuera del escenario de los hechos que el poema narra, pues Ercilla vivió en Chile un poco menos de dos años y en el territorio de América desde 1555 a 1563 solamente[5]. Sin embargo, la experiencia

---

[4] Las cuatro composiciones son: una *Glosa* que publicó por primera vez Juan J. López de Sedano en el tomo II (1770) de su *Parnaso español* (1768-78); un romance sobre la batalla naval contra la armada francesa frente a las islas Azores, en 1582, aparecido en el *Elogio al retrato del excelentísimo señor don Álvaro de Bazán...* de Cristóbal Mosquera de Figueroa, impreso en Lisboa en 1586 y, en versión más extensa, en la *Segunda Parte del Romancero General de* Miguel de Madrigal, Valladolid, 1605 (Cfr. Canto XXXVII, n. 15 para bibliografía); dos sonetos en respuesta a dos de autores desconocidos, que atacaban la Tercera Parte de su poema, publicados por Z. Bélaygue en *BH* 2,2 (1900), págs. 80-84. Cfr. José Toribio Medina, *Vida de Ercilla,* Madrid, FCE, 1948, 31, págs. 132-134 y 139-141 respectivamente. Se trata de la reedición de la biografía que apareció en el tomo 2, 1916, de la edición del Centenario, Santiago de Chile, 1910-1918. Buena parte de los datos biográficos de Ercilla mencionados en este Prólogo siguen o se apoyan en los que da Medina en su estudio. Véase tb. Aquila, *Alonso de Ercilla y Zúñiga a basic bibliography,* Londres, 1975.

[5] Cfr. Medina, *op. cit.,* 91.

americana se transformó en el centro de su actividad literaria y configuró el modelo imaginario de su épica.

Vida y obra se entrelazan íntimamente en el caso de Ercilla y, como consecuencia, un doble proceso de apropiación y adaptación de características únicas da lugar a *La Araucana*. Nacida como obra de carácter histórico, como narración de hechos inéditos en territorios desconocidos, entre naciones ignoradas por la historia clásica y medieval, y en los que el narrador tuvo activa participación, su poetización se apoya en la tradición retórica y genérica más prestigiosa del mundo cultural al que perteneció Ercilla: la épica renacentista y latina. Obra y autor comparten, en medida semejante, las vertientes de novedad y acatamiento a la tradición de modo ejemplar.

En efecto, Ercilla representa, como Garcilaso y, tal vez por su más larga vida, de modo más perfecto, el modelo del cortesano renacentista y sus valores: cultivo de las armas y las letras con paralela y singular maestría; ejercicio de la función pública y defensa de los ideales de gobierno que definen la política imperial; aceptación y activa participación en los cambios sociales y económicos que aseguran la permanencia y afianzamiento en el poder del grupo social al que pertenece. La vida de Ercilla ofrece uno de los ejemplos más ilustres de los nuevos modelos de vida, tal como los comprendieron en Europa los más esclarecidos de su clase.

Don Alonso de Ercilla y Zúñiga nació en Madrid el 7 de agosto de 1533, de padres de origen vizcaíno según declara en su poema (XXVII,30). Su padre, Fortunio García de Ercilla fue magistrado y miembro del Real Consejo y murió cuando don Alonso contaba poco más de un año de edad. Su madre, doña Leonor de Zúñiga debió encargarse de la educación de sus hijos. En 1548 pasó al servicio de la infanta doña María, hermana de Felipe II, en calidad de guardadamas, con motivo de su casamiento con Maximiliano, rey de Hungría y de Bohemia; entonces debió conseguir que su hijo menor, don Alonso, fuera admitido como paje del príncipe Felipe, el futuro Felipe II. Desde entonces, y hasta su muerte, Ercilla le sirvió incondicionalmente y le dedicó las tres Partes de su poema. Esta dedicatoria no fue un acto de adulación o de cortesía. Fue la corroboración de la idea central de su poema: el soberano sería el mejor lector de la empresa que mejor definía el propósito de su reinado.

Como paje del príncipe Felipe, Ercilla completó su educación en los clásicos y los modernos. *La Araucana* refleja, en todo caso, un conocimiento pormenorizado de autores latinos, medievales y renacentistas así como aguda conciencia de los debates ideológicos y políticos de su tiempo. Además, su privilegiada posición de servicio le permitió completar el aprendizaje cultural en los numerosos viajes en los que acompañó al príncipe Felipe por Europa: la visita a centros culturales y políticos; el encuentro con personajes de vasta cultura y de gran poder e influencia dentro y fuera de la Corte de los Austria. Italia, Flandes, Germania reaparecerán mencionados en su poema, muy particularmente desde la perspectiva emocionante de la recapitulación de servicios, al final del poema (XXXVII,66 y 67) expresamente dirigida por la voz poética a su narratario[6].

Volvió a acompañar al príncipe en su viaje a Inglaterra en 1554. Allí debió llevar la noticia de la rebelión en el Perú y de la muerte del gobernador de Chile, Pedro de Valdivia, por los araucanos. Felipe tenía ya a su cargo la regencia de los asuntos de Indias y nombró en Londres a don Andrés Hurtado de Mendoza virrey del Perú. También allí designó gobernador adelantado en el territorio de Chile a Jerónimo de Alderete para suceder a Valdivia (XIII,8 y 9)[7].

---

[6] Otras menciones se encuentran en el Canto XXVII, en la famosa «Descripción de muchas provincias, montes, ciudades famosas por natura y por guerra...».

[7] Alderete había sido enviado por Valdivia a España para negociar con el príncipe la gobernación por vida de Chile y su sucesión; en Inglaterra consiguió esta merced y, enterado de la muerte de Valdivia, «con buenos terceros que tuvo, y por crédito que el rey tenía de su persona, le hizo merced dalle la gobernación de Chile, ansí como la tenía Valdivia, y más un hábito de Santiago y título de Adelantado» (Alonso de Góngo-

13

Ercilla solicitó licencia del príncipe para pasar a Indias en compañía del recién nombrado Adelantado (XIII,30)[8]. Con él viajó al nuevo continente a fines de 1555. Llegado a Panamá «que es y ha sido sepultura de cristianos» según opina el capitán Góngora Marmolejo en el ya citado lugar, don Jerónimo de Alderete enfermó de calenturas y murió en la isla de Taboga, en el golfo de Panamá, sobre el océano Pacífico[9].

Ercilla continuó su viaje al Perú y debió acompañar al nuevo virrey del Perú en su solemne entrada a Lima, la Ciudad de los Reyes, en junio de 1556. Ya sea a petición de «muchos hombres principales», según dice Góngora Marmolejo o de «Aquellos que de Chile habían venido» como señala Ercilla (XIII,11 y ss.); ya sea, como advierte G. de Vivar «porque los procuradores que habían enviado estaban diferentes: porque unos pedían a Francisco de Villagrá y otros pedían a Francisco de Aguirre» (capítulo CXXX, pág. 235), el virrey nombró gobernador y capitán general de las provincias de Chile a su hijo, don García Hurtado de Mendoza. Con él se embarcó Ercilla hacia Chile y llegó al puerto de La Serena en julio de 1557, con cinco navíos, en la expedición de socorro más importante que hasta entonces se había despachado a esas tierras. La expedición siguió hacia el sur y volvió a tocar tierra en una isla frente al cerro de Penco. Varias semanas después pasó el grupo a tierra firme y construyó el fuerte

---

ra Marmolejo, *Historia de Chile,* cap. XXIII, BAE, t. CXXXI, págs. 123-124. Cfr. ahora, Gerónimo de Vivar, *Crónica y relación copiosa y verdadera de los Reinos de Chile,* Berlín, Colloquium Verlag, 1979, ed. de L. Sáez-Godoy, págs. 199 y 235).

[8] Cfr. la Dedicatoria de la prínceps de la Primera Parte, Madrid, Pierres Cossin, 1569: «... que siendo paje de V. M. en Inglaterra, después de muchos años que mi padre, criado de V. M. y de su Consejo era muerto, y asimismo mi madre guarda mayor de las damas de la Emperatriz doña María, viéndome huérfano de padres, y tan mozo, llegando a la sazón la nueva de la rebelión de Francisco Hernández en el Perú, con la voluntad que siempre tuve de servir a V. M., y con su licencia y gracia, me dispuse a tan largo camino y así pasé en aquel reino...».

[9] Cfr. XIII,30.

de Penco, no lejos del lugar donde anteriormente había sido fundada la ciudad de Concepción, ya para entonces abandonada y destruida (Canto VII y Vivar, cap. CXIX, páginas 208 y ss.). En esta instancia es donde comienza la etapa *épica* de la experiencia americana de Ercilla, que hará coincidir con la de su actividad literaria (XVII,34), a partir de entonces, inseparables. El mundo americano motivará su voluntad creadora y hasta el final de su vida, las letras conformarán un aspecto importante de su horizonte vital, ya sea como poeta, ya sea, años más tarde, como lector oficioso, desde su cargo de examinador de libros.

En Chile, participará en numerosos combates, algunos de los cuales poetizará en *La Araucana:* la batalla de Biobío (XXII,25 y ss.), la de Millarapué (XXV y XXVI), tal vez la más sangrienta de todas, la de la cuesta de Purén (XXVIII) en la que el narrador se hace protagonista central de uno de los hechos decisivos que definirá la batalla (estr. 63-68). Desde el fuerte de Tucapel, levantado por los españoles en breve tiempo (XXVI,39) en «...la bajada y sitio desdichado / do Valdivia fundó la casa fuerte / y le dieron después infame muerte», debió haber tomado parte en otras acciones y combates de los que el poema no hace descripción pormenorizada (XXX,26-27). La última gran batalla que se describe en el poema y en la que debió haber participado Ercilla es la de la «posta de Ongolmo» (XXX,40). Traicionado por el yanacona Andresillo, según el poema, el jefe araucano Caupolicán sufre una derrota decisiva. Trece caciques son matados con artillería «para ejemplar castigo y escarmiento» (XXXII,20). Sólo quedaba por conseguir la captura del jefe rebelde, Caupolicán, captura en la que Ercilla tomará parte. No presenciará, en cambio, su ajusticiamiento, que la voz poética condena firmemente. Ercilla, en ese tiempo, cumplía con otro aspecto de su experiencia americana: el de descubridor y explorador de nuevas tierras. Los Cantos XXXV y XXXVI, intensamente personales, describen las grandes dificultades de la expedición al sur, emprendida por don García Hurtado de Mendoza, en cumplimiento de lo requerido por el Rey al gobernador nombrado, Jerónimo Alderete. La expedición se proponía llegar hasta el Estrecho de Magallanes por tierra, pero probablemente sólo alcanzaron a llegar al actual canal de Chacao, frente a la isla de Chiloé (XXXVI,32). A ella cruza con gran esfuerzo Ercilla «con hasta diez amigos compañeros / gente gallarda, brava y arriscada», recorren las cercanías de la playa a la ventura y vuelven al continente después de dejar grabada en «el tronco que vi de más grandeza» noticia del desembarco y la fecha: 28 de febrero de 1558.

Vuelto a la Imperial con la compañía expedicionaria, Ercilla se ve envuelto en un incidente durante una «justa y desafío» entre jóvenes caballeros que le costó grave amenaza de ajusticiamiento e «impertinente» prisión durante «gran tiempo». Debió ser injusto el castigo pues el texto lo menciona dos veces con términos duros, acusando al juez de «celeridad» (XXXVI,33,34 y 36,7-8; XXXVII,70). Todavía participó Ercilla en nuevas escaramuzas, asaltos y batallas (XXXVI,35) pero como el agravio, «... más fresco cada día / me estimulaba siempre y me roía» (XXXVI,36) decide acelerar la partida hacia Perú. En Lima presenta información de sus servicios a Felipe II a fin de obtener unas rentas de repartimientos para poder sufragar los gastos incurridos durante su estada en Chile. Algo más tarde, el virrey lo nombrará gentilhombre lanza, con lo que pasó a formar parte de un cuerpo militar que servía de escolta al virrey. A pesar de ello y de la concesión por parte de Felipe II de un repartimiento de indios, decide volver a España. Después de una detención en Tierra Firme «por una enfermedad larga y estraña» (XXXVI,40), zarpa para España adonde llega a mediados de 1563. Nunca más regresará a América.

Los acontecimientos que narra el poema se escriben o vuelven a ser escritos a partir de lo que debió apuntar en el escenario de los hechos. Es imposible saber cuánto fue lo que Ercilla compuso en Chile. Pero el tiempo transcurrido hasta la publicación de la Primera Parte, en 1569, hace pensar en una larga y laboriosa tarea de pulimiento y reconstrucción de lo que escribió «muchas veces en cuero por falta de papel, y en pedazos de cartas, de algunos tan pequeños que apenas cabían seis versos, que no me costó después poco trabajo juntarlos», como advierte en el Prólogo a los lectores de la princeps de la Primera Parte. Tampoco parece posible determinar cuánto de lo que escribió «entre las mismas armas, en el poco tiempo que dieron lugar a ello»[10] pasó a la versión final del poema. Las afirmaciones de Ercilla sobre el proceso de escritura no creo que deban entenderse literalmente sino más bien como una reafirmación del valor documental de su texto artístico.

En cambio, es posible afirmar que el alejamiento de los lugares de las acciones bélicas y el tiempo transcurrido en el ámbito cultural de la Corte hasta la publicación del texto, debieron sin duda influir en el resultado final y cambiar la perspectiva ideológica de la narración de los hechos. La vuelta a España significó, para Ercilla, su nueva ubicación en el mundo central de influencias y poder; el principio de numerosos viajes, oficiales y personales, que menciona en la Tercera Parte del poema (XXXVI,40); el arreglo de su situación económica; su casamiento con María de Bazán, dama de la tercera esposa de Felipe II, Isabel de Valois, que fue celebrado en Palacio en 1570; su ingreso en la Orden de Santiago (1571).

La aparición de la Primera Parte fue recibida con entusiasmo por lectores y críticos y cimentó la fama literaria de Ercilla. Cuando en 1578 apareció la Segunda Parte, se reimprimió ese mismo año no solamente en Madrid, por el mismo Pierres Cossin, editor de la Primera, sino que en el mismo año volvió a salir una tercera edición en Zaragoza, por Iuan Soler,, que ya había sacado la Primera Parte el año antes. Ercilla siguió activamente unido a las vicisitudes de la Política de Felipe II y debió tener alguna participación en la campaña de Portugal pues consta que estuvo en Lisboa en 1582 y 1583 y a esta acción dedica el

---

[10] Cfr. Dedicatoria de la edición de Madrid, 1569.

Canto XXXVII y último de su poema en la versión más larga. También se presume, sin certeza, que se hubiera hallado en la batalla naval de las Azores, mencionada en XXXVII,17.

Por esos años debió comenzar su tarea de examinador de libros. Se conservan veintiún aprobaciones firmadas por Ercilla y se sabe de otras dos. La más antigua que se conoce es de 1580 para las *Obras* de Garcilaso de la Vega con las anotaciones de Fernando de Herrera[11]. Probablemente Ercilla debió escribir otras, de obras que no llegaron a publicarse. Se unía así, en la vida de Ercilla, el privilegio social y económico a la influencia artística, tanto por el valor intrínseco de su obra como por los contactos y amistades literarias que originarían estas aprobaciones.

En su ya mencionada *Vida,* Medina estudió minuciosamente y con cierta incomodidad, las numerosas y complejas actividades financieras y comerciales de Ercilla, que lo muestran interesado en joyas, objetos de oro y plata y obras de arte y en operaciones de préstamo. Esta intensa actividad no es otra cosa sino el temprano signo de la clara conciencia de nuevos órdenes económicos, que valoraban la actividad financiera y la adquisición de dinero por encima de la posesión de tierras y títulos. Ercilla pudo así aumentar rápidamente su capital y en los años finales de su vida se vio poseedor de cuantiosos bienes. Las melancólicas quejas al final del poema (XXXVII,70-74) deben entenderse como una fórmula retórica del autor que apunta a la vanidad de las cosas del mundo que se buscan con afán de éxito.

La Tercera Parte de *La Araucana* apareció impresa por Pedro Madrigal en Madrid en 1589. Las tres Partes juntas se publicaron a fines de ese año y el siguiente. Probablemente fue la última corregida por su autor, pero no su última actividad como escritor, pues la versión más extensa de su texto apareció póstumamente en 1597. En efecto,

---

[11] Véase la Ilustración I, «Aprobaciones de Ercilla» de la mencionada edición del Centenario de José T. Medina, ahora reproducida en la *Vida* citada en la nota 4.

18

don Alonso de Ercilla murió en Madrid en 1594 a los 61 años, tal vez ocupado entre otras cosas, en preparar una Cuarta Parte de su poema. En 1595 sus restos fueron sepultados nuevamente en Ocaña, en el monasterio de monjas carmelitas fundado por su viuda.

La obra

Mucho de lo que poetiza *La Araucana* tiene como observador, cronista y activo participante al propio Ercilla; por está razón los hechos de la vida de su autor interesan para la comprensión de su obra. Realmente, no sería exagerado considerar *La Araucana* como una especie de autobiografía parcial, en tanto que el narrador es también protagonista y en tanto que aspectos no necesariamente autobiográficos se corresponden, sin embargo, con sistemas ideológicos e ideales culturales que reflejan los de su autor. Además, los elementos de la trama que componen la narración de la historia no son materia comprobable, pero las referencias geográficas y culturales de Chile y sus habitantes, los hechos bélicos, fueron tenidos por auténticos desde muy temprano y durante mucho tiempo, puesto que las fuentes del propio Ercilla para los hechos en los que no participó personalmente no nos son completamente conocidos[12]. Separar lo documental de lo ornamental ha preocupado a los críticos literarios y a los historiadores hasta hoy. Sin embargo, en muchos casos otras fuentes documentales contemporáneas confirman la autenticidad de los hechos guerreros en general, aunque disputan cuestiones de detalle en el poema. Los lectores contemporáneos, además, no tuvieron dificultad en

---

[12] Véase J. Durand, «Caupolicán, clave historial y épica de *La Araucana*» *Revue de Littérature Comparée* LII,2-3-4 (1978), págs. 367-389, especialmente 370-371. Ercilla menciona la existencia de una «historia cierta» de Chile escrita en latín por el humanista aragonés Juan Cristóbal Calvete de Estrella (IV,70,1). En cambio, no recuerda en ningún pasaje a Gerónimo de Vivar, cuya *Crónica...* parece haber leído (XXV, n. 57).

19

celebrar conjuntamente estos dos elementos que consideraban pertinentes en la poesía heroica de corte histórico. Así, el capitán Juan Gómez de Almagro, presente en dos acciones del poema[13], en su Aprobación de la Primera Parte, editada al final del volumen impreso por Pierres Cossin, después de elogiar en el poema las «buenas maneras de hablar que en él se muestra por tan elegante estilo y modo de proceder», advierte a los lectores acerca de la verdad de lo que el poema narra «así en el discurso de la guerra y batallas y cosas notables, como en la descripción y sitios de la tierra y costumbres de los indios; y esto puedo decir como hombre que ha estado en ella más de veintisiete años, siendo de los primeros que entraron a conquistarla»[14]. Por su parte, Antonio de León Pinelo, en su *Epítome de la Biblioteca Oriental y Occidental, Náutica y Geográfica* de 1629, la «primera bibliografía del Nuevo Mundo» según Agustín Millares Carlo[15] hace figurar a *La Araucana* entre las «Historias del reino de Chile», junto con la de Gerónimo de Vivar, entonces manuscrita (pág. 85 de la edición facsimilar citada). En verdad, las obras históricas sobre los primeros años de la conquista de Chile sólo comenzaron a publicarse a partir del siglo XIX, de modo que el poema de Ercilla funcionó como documento durante más de tres siglos[16].

Así, pues, *La Araucana* ofrece la novedad de ser un poema épico sobre sucesos históricos contemporáneos, cuya veracidad está avalada por la presencia testimonial del autor-actor-narrador, o por la búsqueda personal, por parte del narrador, de fuentes fidedignas que confirmen

---

[13] En el Canto IV, es uno de los famosos catorce que luchan contra las fuerzas de Lautaro en Tucapel y de cuya suerte no se conoce nada hasta que vuelve a aparecer en el Canto XV y último, octava 35.

[14] Cfr. la última página, s. n., de la edición facsimilar hecha sobre el ejemplar de Archer M. Huntington, Nueva York, De Vinne Press, 1902.

[15] Cfr. su edición facsimilar, Washington. Unión Panamericana, 1958.

[16] Cfr. Giorgio Antei, «L'Invenzione del Regno del Cile», en *La imagen del indio en la Europa moderna*, Sevilla, CSIC, 1990, págs. 237-288.

la verdad histórica de los hechos, aun aquellos que por incluir elementos de lo maravilloso cristiano, necesitan menos pruebas de veracidad (IX,18-19). Esta característica fundamental debería apartar el texto de Ercilla de la tradición «novelesca» del *Orlando,* pero *La Araucana* utiliza buen número de los elementos formales con que la obra de Ariosto renovó la épica en el Renacimiento. En efecto, Ercilla optó por un poema sin un héroe central único; su relato se desarrolla sin una estricta adherencia a la unidad de acción y mezcla, además, diversos tipos de materias. Por ello, acepta interrupciones en el relato, y la mezcla de distintas acciones lo define como un texto no rígidamente atenido a reglas ni teorías tradicionales sobre el género. No hay, pues, rechazo de la nueva épica de tipo ariostesco en la inicial declaración de propósitos artísticos de la primera octava del Canto I de la Primera Parte, sino más bien, afirmación de la veracidad histórica del tema sobre el que el poema ha de tratar[17]. En todo caso, los elementos mencionados son los que merecieron juicios más severos, o los que más calurosamente fueron defendidos en nombre de la modernidad, en la polémica sobre el género épico que se desarrolló en Italia después de la publicación del *Orlando furioso.* Pero desde los aspectos formales y de estructura ya mencionados, a los que debe añadirse la elección de la forma métrica (octavas reales) y el uso de exordios o introducciones de temas morales a los Cantos, hasta la imitación de episodios o recursos de estilo analizados desde temprano por la crítica, es la de Ariosto, tal vez, la influencia más importante en la composición de *La Araucana.* Sin embargo, como el propósito histórico de Ercilla es tan radicalmente distinto, es necesario recordar otras deudas y otras lecturas.

Lucano, poeta latino nacido en Córdoba en el año 39 y muerto en el año 65, es autor de un poema conocido con el nombre de *Farsalia.* Este poema épico en diez libros na-

---

[17] Cfr. además, XV,1-5, en donde se deplora la ausencia de tema amoroso en su texto. Para este tipo de declaración, véase nota correspondiente en el texto del Canto I.

rra las luchas entre César y Pompeyo por el poder (la batalla que tuvo lugar en Farsalia ocupa el Canto Séptimo solamente) y ya desde la antigüedad se discutía su consideración como texto histórico o literario, un poco como sucedería, significativamente, con *La Araucana*. En el Renacimiento, la *Farsalia* recibió renovada atención por parte de filólogos y humanistas, como Pomponio Leto, quien escribió unas anotaciones a su texto; en España, Nebrija y Juan Luis Vives, entre otros, se ocuparan de ella y fue traducida al español por Martin Lasso de Oropesa hacia 1530 y sin duda leída en español, o en el original latino, por Ercilla[18]. De esta lectura deriva un buen número de rasgos retóricos que adquieren nuevo propósito en las octavas de nuestro poema; Ercilla también comparte con Lucano la falta de predilección por el elemento maravilloso mitológico en la narración de los acontecimientos bélicos y su sustitución por lo onírico o lo mágico, y esto, en pocas instancias; de Lucano también debe proceder la insistencia en la representación de acciones bélicas morbosamente sangrientas y de brutal violencia, que despiertan en el lector, simultáneamente, respulsión y compasión. Finalmente, Ercilla prefirió el modelo de Lucano al decidirse por la narración de una extensa campaña militar; en efecto, el poeta latino fue atacado por algunos teóricos posteriores a *La Araucana,* precisamente por no haber reducido su poema al relato de un solo acontecimiento en beneficio de la unidad y de la artificiosidad poética[19].

Pero la lectura de Lucano necesariamente remite a Virgilio y Ercilla rinde frecuente homenaje a la *Eneida* en numerosos pasajes que hemos señalado en nota al texto. Se trata de una nueva utilización de recursos y elementos unidos a una tradición retórica, más que, fiel copia de

---

[18] Para una temprana traducción, encargada por Alfonso el Sabio, véase Víctor-José Herrero, «Influencia de Lucano en la obra de Alfonso el Sabio. Una traducción anónima e inédita», *Revista de Archivos, Bibliotecas y Museos* LXVII,2 (1959), págs. 697-715.

[19] Cfr. B. Weinberg, *op. cit.,* pág. 1019.

una y no podía ser de otra manera puesto que Ercilla contaba con la competencia de lectores entrenados en el conocimiento del modelo épico que era también el de Lucano.

A estos textos hay que añadir la tradición de los poemas narrativos de los autores del siglo XV, particularmente Juan de Mena y su escuela, y las nuevas posibilidades discursivas abiertas por poetas italianizantes como Garcilaso. Sobre esta compleja tradición, de la que solamente hemos mencionado los componentes principales, Ercilla elaborará un texto intensamente original que inaugura un nuevo ciclo épico en las letras castellanas.

En sus treinta y siete Cantos, *La Araucana* narra la conquista española de las tierras araucanas dentro del territorio que hoy ocupa Chile, desde el gobierno de Pedro de Valdivia y los orígenes de la rebelión araucana hasta la derrota indígena por el gobernador don García Hurtado de Mendoza. En la tradición de la épica de corte histórico, Ercilla añade al relato de la rebelión indígena, elementos ficticios que alejan el poema de lo particular histórico y lo insertan en lo universal poético; mediante descripciones y profecías, relatos amorosos y episodios alejados de la acción central, las veinte batallas, asaltos, encuentros y correrías, ya minuciosamente descritos, ya apenas mencionados, adquieren una dimensión épica que otorga a esta campaña acaecida en los confines del mundo conocido un intenso carácter literario.

Por cierto, estas razones literarias que guían la constitución del relato histórico, quedan, al menos una vez, claramente explicitadas, cuando el mago Fitón advierte al narrador (XXIII,73) que ya que los acontecimientos de Arauco ocurren en tierra,

> sólo te falta una naval batalla,
> con que será tu historia autorizada,
> y escribirás las cosas de la guerra,
> así de mar también como de tierra.

Por esto, el Canto XXIV está dedicado a la narración de la batalla de Lepanto, que ocurrirá posteriormente al momento del relato[20]. Como también tiene razones poéticas la coincidencia de fechas para el asalto al fuerte de la Concepción y la batalla de San Quintín en el Canto XVIII, que Belona muestra al narrador en sueños. Pero, hay también razones de carácter conceptual o ideológico.

La idea de la conquista y, parcialmente, de la presencia española en América que se refleja en *La Araucana*, llega a sus lectores a través de la experiencia cortesana de su autor, pues la Primera Parte se imprimió casi seis años después de la vuelta de Ercilla a España y de varios viajes dentro y fuera de España, como hemos señalado. La decisión de dedicar la obra a Felipe II y hacerlo su narratario, su mejor lector, puso en acción una compleja tarea de selección, reordenamiento y pulimiento del material recogido en Chile, sin importar en que momento Ercilla tomó esta decisión[21].

El poema se convierte así en un texto exaltador del imperio. La conquista del territorio araucano se transforma en parte de un diseño y un designio más general y modifica su enfoque. No se trata de las aventuras guerreras de un puñado de soldados en el extremo sur de un continente nuevo y desconocido sino de hechos centrales en la idea misma del gobierno de Felipe II. El mismo Ercilla lo declara de modo explícito en el prólogo «Al lector» de la Segunda Parte, aparecida en 1578:

> ... autorizándole con escribir en él el alto principio que el Rey nuestro señor dio a sus obras con el asalto y entrada de Sanquintín, por habernos dado otro aquel mismo día los araucanos en el fuerte de la Concepción. Asimismo trato del rompimiento de la batalla naval que el señor don Juan de Austria venció en Lepanto. Y no es poco atrevimiento querer poner dos cosas tan grandes en lugar

---

[20] Esta narración, por lo demás, sigue muy de cerca el texto de la *Relación*... de Fernando de Herrera, a quien, ciertamente, Ercilla habría de aprobar las *Anotaciones* a Garcilaso en 1580, como ya hemos señalado.

[21] Al Rey se dirige la voz poética numerosas veces indirectamente, además de las treinta y tres referencias directas en el texto. Cfr. F. Pierce, *Alonso de Ercilla y Zúñiga*, 56.

tan humilde; pero todo lo merecen los araucanos, pues ha
más de treinta años que sustentan su opinión, sin jamás
habérseles caído las armas de las manos, no defendiendo
grandes ciudades y riquezas, pues de su voluntad ellos
mismos han abrasado las casas y haciendas que tenían,
por no dejar qué gozar al enemigo; mas sólo defienden
sus terrones secos (aunque muchas veces humedecidos
con nuestra sangre) y campos incultos y pedregosos.
Y siempre permaneciendo en su firme propósito y entereza, dan materia larga a los escritores.

Este triunfo no llega, pues, sino después de grandes esfuerzos y pérdidas de vidas, por la dura resistencia heroica de los araucanos y terminará por ser transitorio. Como
se recuerda en el poema (I,53), antes de la llegada de los
españoles, los mismos Ingas debieron reconocer «la fuerza... / que en la provincia indómita se encierra». Los españoles aprenderán a reconocer esta feroz voluntad de
independencia a lo largo del poema de Ercilla y la jornada de la conquista quedará como obra inconclusa en la
historia y en el poema. En efecto, en el Canto XXXIV, la
muerte de Caupolicán («... afrentosa muerte impertinente», XXXIV,35,1) no acobarda a los araucanos sino que
los «llena de nueva rabia y mayor ira» (XXXIV,35,8) y
los reúne en asamblea para elegir el nuevo jefe; el relato
queda suspendido en el momento en que Colocolo «sagaz
y astuto viejo» que representa, ya desde el segundo Canto
del poema, la voz de la cordura y de la razón política, se
dirige otra vez a la asamblea (XXXIV,43). Dos Cantos
más tarde, después del viaje de exploración a las tierras
desconocidas del sur, el narrador retoma el episodio para
abandonarlo inmediatamente en favor de la guerra con
Portugal (XXXVI,42-43). Queda así la trama abierta y la
posibilidad de una continuación que relatará «los asaltos,
encuentros y batallas, / que es menester lugar para contallas». La hazaña de la conquista del territorio araucano y
de sus habitantes queda definida como una aventura ina-
cabada o inacabable. Si por un lado, la legendaria resistencia araucana obedece a razones literarias justificadas
por el género en el que la obra se inscribe, por el otro, las

25

fuentes históricas posteriores dan un valor profético no intencional a las octavas de Ercilla. En efecto, la resistencia de los araucanos se prolongó durante largo tiempo y el inaugural latinismo *indómito* que Ercilla acuña para los habitantes de Arauco mantiene su validez a lo largo de los años de la colonia y aún después[22]. Si los personajes que protagonizan en *La Araucana* las escenas bélicas más cruentas y de heroísmo sobrehumano, son invención que recrea magistralmente para estos escenarios inéditos la tradición de los modelos greco-latinos, los mismos topónimos reaparecen en el marco histórico del XVIII para dar testimonio de nuevos alzamientos de los primitivos pobladores de Chile. Desde su primera manifestación, épica e historia irán sólidamente unidas en el territorio más austral del imperio español.

Las ocho batallas y encuentros de la Primera Parte tienen lugar antes de la llegada del narrador a tierras americanas y la narración de estos hechos se apoya en las noticias recogidas por el propio Ercilla probablemente en fuentes escritas, como mencionamos antes, o en fuentes orales, españolas y araucanas, según se asegura en el poema mismo (por ejemplo, IX,18-19) haciendo explícita la historicidad de los acontecimientos no presenciados. Los encuentros de esta Primera Parte resultan en la derrota española de modo que Ercilla solamente podrá dar testimonio directo del triunfo de las armas de Felipe II. Excepto la frustrada batalla de La Imperial «por permisión divina» (IX,10 y ss.) y un encuentro no descrito «por no haber caso en esto señalado» de «corredores» españoles con el campo de Lautaro (XI,42-43), los demás encuentros ofrecen largo tratamiento descriptivo, con alternancia de escenas de conjunto y batallas cuerpo a cuerpo, individualizadoras de actos de heroísmo personal, tanto por parte de los guerreros araucanos como españoles. El poema se inicia con el relato de las costumbres y características de la sociedad araucana, con datos sobre la crian-

---

[22] Véase mi «América y la poesía áurea: la versión de Ercilla», en *Edad de oro* X, 1991, págs. 125-140, especialmente 128-129.

za, la educación, las características guerreras y las tradiciones de los habitantes. Responde esto menos a la tradición genérica y más a las circunstancias novedosas del escenario, completamente desconocido para sus lectores. *La Araucana* comparte este rasgo imperativamente contextualizador con los francamente históricos de los cronistas y así se ubica de manera directa e inmediata en la nueva realidad de América, punto de vista que no abandonará el poema en ningún momento. En cambio, los elementos épicos se hallan presentes de manera fundamental en los cuadros de batalla cuerpo a cuerpo en los que personajes individuales enfrentan la muerte con heroísmo y fortaleza prodigiosas.

En la Primera Parte sobresale, en este aspecto, la figura de Lautaro cuya muerte (XIV,16-17) anticipa la de todos los araucanos en la última batalla de esta Primera Parte, que funciona, en el plano literario, como el preludio a la derrota del campo araucano que se repetirá inexorablemente a lo largo de las dos Partes restantes. En efecto, si se exceptúa el encuentro en la cuesta de Purén donde catorce españoles a caballo consiguen desbaratar temporalmente la emboscada tendida por los araucanos, la Primera Parte relata la sucesión de derrotas de los soldados españoles, desde la muerte de Valdivia (Canto III) hasta la llegada a Chile de don García Hurtado de Mendoza (Canto XIII). Sin embargo, aún el encuentro de la cuesta de Purén, por la intervención de Lautaro, termina en derrota y muerte de la mitad de ellos (IV,49 y ss.). En efecto, este «...hijo de un cacique conocido / que a Valdivia de paje le servía» (III,34,1-2), hace su aparición en el poema en el Canto III, cuando arenga en el momento de la derrota inminente a los araucanos y lanzándose «entre el hierro español» consigue transformar el encuentro en una victoria importante en la que Valdivia caerá preso y morirá, después de la batalla, de un golpe de «ferrado leño» que le asesta el viejo Leocato (III,67). Por esta victoria, el capitán general, Caupolicán, nombra a Lautaro su capitán y su teniente (III,84). Como en otros modelos literarios, particularmente en las novelas de caballerías, el nombre de Lautaro se mantiene oculto en el texto hasta ese momento, pues lo individualizará, fundamentalmente, su actuación personal y su capacidad de mando. Prácticamente todo el relato bélico de la Primera Parte está dominado por las actuaciones de Lautaro, y su estatura heroica no conoce concesión literaria ni teológica alguna. Incluso su muerte, precedida por premoniciones oníricas de antiguo cuño, en la única escena de intimidad emocional que el poema ensaya,

> con la bella Guacolda enamorada,
> a quien él de encendido amor amaba,
> y ella por él no menos se abrasaba

(XXIII,43,6-8)

se resuelve rápida y fríamente. Lautaro no padecerá prisión o humillante muerte indigna; ni siquiera lo vence un soldado español: lo matará una flecha anónima de indios comarcanos amigos de los españoles que

> con sus pintados arcos acudieron,
> que con estrema fuerza y prestas manos
> gran número de tiros despidieron

(XIV,16,4-6)

En su vida, como en su muerte, Lautaro personifica la tradición indígena que la voz poética canta para instalarla en la historia de la Conquista. Otro será el destino del capitán general Caupolicán quien apenas participa de los hechos bélicos hasta el Canto XXV, en la batalla de Millarapue y luego, en la campaña contra el fuerte de Ongolmo, Cantos XXX a XXXII, en que se vuelve a distinguir por su calidad de estratega. En verdad, el poema resalta su figura como personaje activo y de extraordinaria dignidad guerrera y humana, particularmente en dos momentos: en su aparición (Canto II) y en su captura y muerte (Cantos XXXIII y XXXIV). Su conversión religiosa (XXXIV,18) y su condena a vil muerte, que adquiere carácter simbólico de martirio, marcan la reescritura cristiana de la historia de América. De un modo profundo y significativo, *La Araucana* exalta con Caupolicán y en su muerte, y desde el límite austral del imperio, el nuevo orden que impone la presencia europea en el Nuevo Mundo. Esto explica la situación central de este personaje, a pesar de que sus acciones guerreras son comparativamente menos sobresalientes y a pesar de que la versión final y más extensa del poema termina no con su muerte sino con la expansión europea de los dominios de Felipe II, como corresponde a la ideología que estructura su composición.

En efecto, desde su aparición, Caupolicán se destaca por su fuerza física y su talento. Como los héroes míticos, una marca física lo destaca entre los demás:

> tenía un ojo sin luz de nacimiento
> como un fino granate colorado,
> pero lo que en la vista le faltaba,
> en la fuerza y esfuerzo le sobraba.

(II,46,5-8)

La octava siguiente lo define a través de una serie adjetiva que ocupa toda la estrofa, con ocho adjetivos en enumeración asindética en los versos 6 y 7 que exaltan sus virtudes físicas e intelectuales. La prueba del leño lo dota de la fuerza física incomparable que autoriza su mando. Esta prueba también la registra la *Crónica...* de Gerónimo de Vivar, aunque ubicándola después de la muerte de Valdivia, atribuida a Caupolicán, llamado aquí Teopolicán[23]. A pesar de las diferencias de detalle, es obvio que ambos autores debieron inspirarse en fuentes orales co-

---

[23] Cfr. cap. CXVII de la edición de L. Sáez-Godoy, pág. 206. Para un análisis de las diferencias entre el relato de *La Araucana* y el de la *Crónica...* de Vivar, véase el artículo de J. Durand, «Caupolicán, clave historial y épica de *La Araucana*» ya citado, págs. 379 y ss.

munes para las que debemos suponer una interpretación española de los hechos.

Caupolicán guiará las acciones de los araucanos desde una distancia jerárquica que le otorga el alto mando obtenido en prueba irrefutable de resistencia física, sinónima de capacidad de mando y que adquiere intensa presencia al final de la obra. Su voz, entonces, reviste acentos proféticos que, como ya hemos señalado, no desmentirá la historia:

> No pienses que aunque muera aquí a tus manos,
> ha de faltar cabeza en el Estado,
> que luego habrá otros mil Caupolicanos
> mas como yo ninguno desdichado;

(XXXIV,10,1-4)

Su condena a muerte por empalamiento, su camino al lugar de la ejecución

> Descalzo, destocado, a pie, desnudo,
> dos pesadas cadenas arrastrando,
> con una soga al cuello y grueso nudo,
> de la cual el verdugo iba tirando,

(XXXIV,20,1-4)

y el rechazo final de indigna ayuda o inferior verdugo crean uno de los momentos de auténtica grandeza trágica en *La Araucana*.

Pero otros personajes araucanos, a medida que avanza el poema, se destacan también por su personalidad marcadamente singular. La Primera Parte concede mayor espacio a los hechos heroicos que, en circunstancias adversas, son capaces de ejecutar los españoles: en primer lugar, Valdivia, en el Canto II; los catorce de la Fama, en el Canto IV o el genovés Andrea, Cantos XIV y XV. Sin embargo, cuando la adversidad se apodera del campo araucano, los hechos de valor sobrehumano se adjudican a los guerreros araucanos. A todos, en principio, los distingue el esfuerzo guerrero; pero mientras que el valor de los españoles parece motivado por la codicia, la aventura o el honor, el de los araucanos nace del amor al suelo patrio. Al mismo tiempo, los guerreros araucanos de actuación destacada se van perfilando con nítidos rasgos de personalidad.

El puelche Rengo, desde su primera aparición (IX,94 y ss.) muestra su temeridad no desprovista de cierto humor macabro y espíritu violento tanto en la batalla como en las justas (Cantos X y XI) de modo que su disputa con Tucapel se prolonga a lo largo de las tres Partes hasta el Canto XXX, sin que impida que se socorran mutuamente cuando se trata de defenderse de los españoles en batalla (Canto XXV,65 y ss.).

Mallén representa el ejemplo paradigmático del honor guerrero cuando prefiere morir por su propia espada a ser el único sobreviviente de la primera derrota araucana del poema y ser tomado por cobarde (XV,49 y ss.).

Cuando cae preso después de la batalla cerca del cerro de Andalicán, Galbarino se distingue tanto por su valor como por su conmovedora expresividad; ésta le permite transformar el castigo deshonroso que lo mutila como a un ladrón y lo deja sin manos (XXII,45 y ss.), en estímulo para lanzar nuevamente a la batalla a los araucanos. Así, en una arenga que utiliza todos los recursos de la elocuencia y retórica de tradición clásica, se dirige al «senado araucano» para animarlo a reanudar la batalla incesante contra las «bastardas gentes extranjeras» (XXIII,7,6) y vengar las ajenas injurias:

> Mirad mi cuerpo aquí despedazado,
> miembro del vuestro, que por más afrenta
> me envían lleno de injurias al senado
>
> (XXIII,8,1-3)

Todavía luchará denodadamente en Millarapue y exigirá «un fin honroso de una honrosa espada» (XXVI,28,7).

A pesar de la oposición de Ercilla, es, en cambio, deshonrosamente condenado a morir colgado junto con otros once caciques; no deja de amenazar a los españoles hasta último momento o de insultar al cacique que solicita clemencia después de su conversión (*ibíd., 33-37*), en ejemplo último de elocuencia desesperada.

Por otra parte, el poema prepara la posibilidad de una continuación cuando deja en suspenso el destino último de algunos personajes guerreros; en la recapitulación previa a la expedición al sur, cuando los araucanos tratan de elegir nuevo capitán general después de la muerte de Caupolicán, se nombran los probables protagonistas de la continuación:

> Si hubiese de escribir la bravería
> de Tucapel, de Rengo y Lepomande,
> Orompello, Lincoya y Lepobía,
> Purén, Cayocupil y Mareande,
> en un espacio largo no podría
> y fuera menester libro más grande,
> que cada cual con hervoroso afecto
> pretende allí y espira a ser electo.

Todos son nombres de personajes de actuación destacada en el poema, como hemos visto en el caso de Rengo y Tucapel. Todos ellos tienen dimensiones de heroísmo que se ajustan a las exigencias del género épico. Otro tanto puede decirse de los personajes femeninos que en todos los casos se adaptan a los ejemplos de actuación propuestos por la tradición literaria greco-latina y la relectura de la épica renacentista representada por el *Orlando furioso*: Guacolda, ya mencionada, del Canto XII y XIV; Tegualda, en el Canto XX; Glaura en el Canto XXVIII; Lauca del Canto XXXII y aun Fresia, la mujer de Caupolicán, en el Canto XXXIII, reformulan, para el relato americano, los modelos literarios más prestigiosos y no parecen responder al recuerdo de acontecimientos históricos[24].

---

[24] Cfr. para las fuentes de estos episodios, Lía Schwartz, «Tradición literaria y heroínas indias en *La Araucana*», *RIb* 81 (octubre-diciembre de 1972), págs. 615-625.

Precisamente, la fidelidad de Lauca es la que permite el relato de la «verdadera historia y vida de Dido» e instala en una clara categoría de personaje a su doble araucano. En cambio, la oblicua mención a las madres de los mejores niños que luego serán caciques (I,13) y la presencia de mujeres en las tropas araucanas (X,3 y ss.), son probablemente confirmación de funciones sociales históricas: criar los hijos que serán los mejores soldados y acompañarlos a la batalla, cuando sea necesario. En efecto, hay numerosas menciones en las crónicas e historias de Indias de la participación activa de las mujeres indígenas en las luchas contra los españoles, no solamente entre los araucanos[25]. No se trata, sin embargo, de una caracterización realista que subraya la alteridad sino un rasgo que tienen en común con las mujeres españolas, desde doña Mencía de Nidos (VII,20,1), en la misma *Araucana,* hasta doña Isabel de Guevara en el Río de la Plata, y que define la condición existencial de la situación de guerra. En la épica de carácter histórico, los hechos de los personajes corresponden a los rasgos definitorios del género literario; los hechos de las personas como material comprobable, se corresponden con los datos de la historia. A lo largo de las tres Partes, estos elementos se integran sin contradicción aparente para los lectores a los que se dirigía Ercilla y para los historiadores que debieron apoyarse en los datos del poema hasta la publicación, en el siglo XIX, de otros textos de carácter exclusivamente histórico.

Las caracterizaciones de los españoles son menos numerosas pero en el caso de los más importantes, hábilmente elaboradas y correspondientes a una voluntad documental más precisa. La conducta de Valdivia es analizada con dura franqueza al considerarla dominada por rasgos indignos de un guerrero y conductor: codicia sin freno y causa principal de la guerra (III,3), falta de justi-

---

[25] Cfr. A. Salas, *Las armas de la Conquista,* Buenos Aires, Emecé, 1950, págs. 383-384. Véase tb. del mismo autor, *Crónica florida del mestizaje de las Indias,* Buenos Aires, Losada, 1960, págs. 147 y ss., especialmente pág. 151.

cia (I,65-68), pereza y negligencia (II,90). Su valor en la batalla y su espíritu en la adversidad son incuestionables, pero este reparto de virtudes y defectos no debe entenderse modernamente como un esfuerzo de objetividad, pues otra conducta en la batalla era impensable en los códigos en que el texto se inscribe, de modo que la imagen que se intenta ofrecer es negativa. Don García Hurtado de Mendoza, hijo del Marqués de Cañete, virrey del Perú y por él nombrado gobernador de Chile (XIII,14-15), es alternativamente un gobernador elocuente (XXI,52-57), un capitán valiente (XXXV,5-6) y un enemigo compasivo (XXI,56); es también un reformador de la justicia y restaurador de la ley (XXX,31) como su padre, el virrey del Perú (XII,78 y ss. y XIII,5-6), pero puede reaccionar de modo brutal en el castigo, que se convierte en escarmiento inútil y cruel (XXVI,22), o convertirse en juez acelerado con el propio Ercilla (XXXVI,33 y XXXVII,70). Sin embargo, este esfuerzo de imparcialidad fue mal visto por los panegiristas tempranos de la obra de don García: Mariño de Libera (*Crónica...,* P. 1, cap. XI, BAE, CXXXI, 396b) y C. Suárez de Figueroa en su *Hechos de don García Hurtado de Mendoza, Quarto Marqués de Cañete* de 1613[26].

Francisco de Villagrán, a pesar de asumir el mando a la muerte de Valdivia, desaparece al final de la Primera Parte, después de actos de valor guerrero característicos, para dar mayor visibilidad a la actuación de don García, y a pesar de que su actuación en Chile será mucho más prolongada que la del hijo del virrey del Perú. Como él, el resto de los españoles dará extraordinarias muestras de heroísmo pero la dimensión humana del sufrimiento y de la diversidad del comportamiento en la batalla, de la solidaridad y el miedo, del desprecio por el dolor y de la cobardía que genera la proximidad de la muerte segura se refugia en el anonimato de las escenas de conjunto o en la deliberada focalización instantánea de un acto de coraje individual registrado en una octava.

---

[26] Cfr. F. Pierce, *La poesía épica del Siglo de Oro,* Madrid, Gredos, 1968, págs. 36-37.

Así pues, la técnica descriptiva va de cuadros generales intensificadores de las muertes y heridas cruentas y de la determinación inconmovible de ambos grupos, a descripciones de combates individuales, que ejemplifican el valor personal y las dimensiones heroicas de los contrincantes. Acumulación de epítetos, estructuras sintácticas paralelísticas, comparaciones de la tradición clásica, empleo de un léxico latinizante y cultista, dan una calidad expresiva a la narración de batallas, sin paralelo en la poesía española anterior. La acción se narra a partir de ritmos diferenciados, en que pausas puramente descriptivas, que se centran en las acciones generales, se alternan con acciones vertiginosas a cargo de individuos, enunciadas a través de acumulaciones verbales que intensifican el valor hiperbólico y la resistencia física de imposible igualación. La descategorización heroica, es decir, la dimensión simplemente humana, se introduce con el ingrediente de la crueldad ante los indefensos o el miedo generador de cobardías y egoísmos, presentes en ambos bandos. Fuera de comparaciones que incluyen invariablemente elementos de la naturaleza para subrayar la ciega fuerza que guía la violencia, los recursos poéticos generan una sensación de inmediatez a través de la descripción de carácter informativo con que se dan los cruentos resultados de los golpes de maza, la puntería de las lanzas, el corte de las espadas. Sin duda, Ercilla acude a las fórmulas retóricas derivadas, directa o indirectamente, de Virgilio y Lucano. Pero lo que crea en el lector la notable sensación de que Ercilla narra hechos que había presenciado, es el justo tono de crueldad que emana de las descripciones en que la desmembración de los cuerpos cosifica a los combatientes. Esta precisión descriptiva permite crear, a su vez, una corriente de simpatía por el vencido en el lector y ha dado a *La Araucana* un prestigio humanitario que hoy asociamos con ideales pacifistas. Ciertamente, el narrador expresa su repugnancia por ciertas formas de la crueldad bélica, sin embargo, a medida que el poema avanza, el propósito de exaltación del ideal imperial se irá haciendo más evidente.

Por otra parte, la escasa concesión a lo maravilloso y a las intervenciones divinas en los hechos de la historia (Canto IX, por ejemplo) se debe entender como homenaje a la tradición literaria en que se inscribe el género épico. A su vez, permite la actualización del propósito de historicidad insistentemente enunciado en el texto, mediante firmes referencias al cuidado con que se ha verificado, y mediante declaraciones de los propios indígenas sobre la verdad del suceso milagroso y la exactitud de la fecha: 23 de abril de 1554 (IX,18). Si por un lado se cristianiza el recurso narrativo de las intervenciones divinas, por el otro, el recurso del testimonio de los indígenas y de los españoles, puede garantizar la objetividad documental.

Ya hemos señalado que los quince Cantos de la Primera Parte narran hazañas de los araucanos que Ercilla ha oído y a las que se acerca como narrador, con la experiencia adquirida en hechos similares que él mismo protagonizará más tarde. Por ello, estas historias de otros adquieren una sensación de experiencia vivida, a pesar de su formulación retórica y de sus deudas literarias. Que la última batalla de la Primera Parte coincida con la llegada del narrador a la escena de los hechos y sea también la primera verdadera derrota de los araucanos en el texto, es por demás simbólico. Como en todas las otras acciones de su vida de servidor del rey, Ercilla será exclusivo testigo de victorias, como se ha advertido antes. No era desproporcionado que dedicara a Felipe II las tres Partes y que lo convirtiera en su interlocutor por excelencia: a él se dirige con frecuencia en el texto y él es el lector ideal del triunfo de sus ejércitos. Ercilla decide ser, con plena conciencia de propósito, el cantor oficial del imperio y a ello dedica gran parte de su vida política y de su vida literaria. Por esto, en la Segunda Parte, la perspectiva o el ángulo desde el cual se narra la campaña de Chile deberá ser ampliado. El valor testimonial podrá venir del más apartado lugar de las tierras conquistadas, pero la voz poética se alza desde tales latitudes como símbolo de la unidad universal del poder. De aquí que entre en el poema el relato de hechos semejantes en otras regiones del imperio.

En la Segunda Parte, los Cantos que describen la batalla de San Quintín (Canto XVIII) y la de Lepanto (Canto XXIV), universalizan y unifican el propósito político del monarca: el poder francés (San Quintín), el poder turco (Lepanto), los territorios araucanos, aparecen en el espacio poético utópico como sometidos, en pie de igualdad, al dominio de Felipe II. Desde la mirada europea, la periférica epopeya americana solamente adquiere existencia real cuando aparece unida a acontecimientos cercanos a la política central. Por ello, los recursos comunes del género se multiplican y el tema se amplía para dar lugar a episodios alejados de la pacificación de la revuelta araucana, que deja de monopolizar la acción. En efecto, las dos batallas de escenario europeo se introducen mediante el viejo recurso épico de la aparición mitológica (ausente en la Primera Parte) en San Quintín, o el de los recursos mágicos del hechicero Fitón para Lepanto, pues los abruptos y vertiginosos cambios de tiempo y espacio así lo requerían. Ambos episodios están conectados entre sí porque una misteriosa dama vestida de blanco (Canto XVIII,29) profetiza no solamente episodios históricos sino que adelanta la presencia de Lepanto en el poema mismo (XVIII,60-63) y datos de la futura vida personal del narrador (XVIII,70-72). El mismo mago Fitón ejemplifica el más claro homenaje a las fuentes épicas latinas en los objetos que utiliza en sus redomas (XXIII,48-54) y los conjuros a «la caterva infernal» (XXIII,80-83). Cuando reaparece en los Cantos XXVI y XXVII, la deuda con la tradición literaria de España se reactualiza mediante el recurso de la descripción del orbe, tomado de Juan de Mena, pero de tradición más antigua. Sin embargo, desde el escenario americano, esta visión mágica y celeste, adquiere una dimensión y una óptica no previstas por el poeta del siglo xv. Desde la centralidad de España (en la que es posible distinguir la minúscula patria ancestral del narrador en Vizcaya) se nombran y se describen las tierras conocidas y las desconocidas, que serán descubiertas cuando Dios lo permita, para que «sus secretos se engrandezcan» (Canto XXVII,52).

La Tercera Parte del poema es la más breve pues sólo contiene ocho Cantos en la versión más extensa. En ella la narración se desprende aún más del propósito inicial de relatar la conquista de Arauco. Más aún, el poeta advierte que otro escritor hará el relato de «otros muchos encuentros de importancia» (XXX,26) y de otra batalla «sangrienta de ambas partes y reñida» (*ibíd.*, 27). Al mismo tiempo, la explicación de la derrota araucana abandona las razones bélicas y da lugar a razones psicológicas: el vencimiento de Caupolicán será causado por la traición de un yanacona, Andresillo. En verdad, la conducta de los personajes araucanos será generadora de recuerdos y paralelos de la tradición europea, como en el caso de la extensa interpolación de la defensa de Dido, reina de Cartago (ciento dos octavas desde la 44 del Canto XXXII hasta la 54 del Canto XXXIII) debida a la presencia de Lauca, que se transforma en símbolo de la fidelidad conyugal, como Dido, a la que defiende, contra Virgilio, el protagonista y narrador de *La Araucana*. Asimismo, la vuelta del narrador a España, en la versión más extensa que aquí reproducimos, hace menos violenta la introducción de los hechos de la campaña de Portugal, sin necesidad de recurrir a la mediación de actos mágicos. Las últimas cuatro octavas del Canto XXVI y el Canto XXXVII y último, son un comentario sobre la justicia de la guerra y, en especial, la justificación de la de Portugal. Los problemas del derecho de los pueblos, que no habían despertado ninguna necesidad de justificación en la sangrienta campaña chilena, resultan de obligatoria mención en territorio europeo. Ercilla no duda nunca de la validez y legitimidad de la posesión imperial de las nuevas tierras americanas. Muestra simpatía genuina por la rebeldía indígena y desprecio por la codicia y arrogante temeridad de Valdivia, o la ligereza en la administración de la justicia por parte de don García Hurtado de Mendoza, pero no le cabe la menor duda acerca del carácter providencial de la empresa americana. La toma de Portugal, en cambio, necesita justificarse más cuidadosamente mediante el derecho internacional. La colonización y sujeción de los araucanos, por su carácter redentor, solemnizado por apariciones celestiales cuidadosamente documentadas, no necesita justificación en el plano poético. Por cierto, la narración ha ido adquiriendo tono más personal a medida que el escenario americano se ensangrienta de modo cada vez más violento. El asalto al fuerte español en Ongolmo (Cantos XXX a XXXIII) se convierte en un caso agónico de conciencia para el narrador, en que luchan sentimientos de clemencia y odio (XXXI,49-50); de lástima y justicia, según la entiende el vencedor; de aceptación final del orden constituido, que juzga válido que «todo le es justo y lícito al que vence» (XXXII,5), no sin dejar sentada la protesta por el estrago que la guerra causa en el suelo araucano, estrago «en parte justo y lastimoso en todo» (*ibíd.*).

El heroísmo, por otra parte, continúa manteniendo las dimensiones que exige el imaginario épico y se reparte igualmente entre ambos campos, aunque algunos actos individuales permiten una caracterización multidimensional, como en el caso de Tucapel y Rengo, en los que la rivalidad proverbial servirá para dar extraordinario brillo y suspenso de corte ariostesco al Canto final de la Segunda Parte. En la derrota, el valor araucano adquiere dimensiones hiperbólicas y la represión española multiplica desmesuradamente la crueldad. El discurso literario que adapta los modelos clásicos se convierte en la única forma posible que permite la plasmación literaria de esta historia y los recursos retóricos de larga tradición se intercambian para dar libertad a la expresión de la experiencia. Así, paradójicamente, los moldes literarios se transforman en fórmula de flexibilidad para expresar sin restricciones el recuento de la peripecia americana de la voz poética. De este modo es posible reconocer, por ejemplo, en la partida de los catorce españoles del fuerte de Penco, ante la ansiedad y la súplica de las mujeres, el ilustre modelo virgiliano (*Eneida* VIII,556-7 y 592-3) a través de una adaptación compleja. En IV,94,6, Villagrán es comparado con César al cruzar el Rubicón y pronunciará las palabras que Suetonio le atribuye al romano.

Pero en X,39 el araucano Rengo se transforma en nuevo Heracles, vencedor de Anteo, cuando derrota a Cayeguán levantándolo en el aire. El valor de Lautaro no encuentra comparación entre los ejemplos que ofrece la historia antigua (III,42-43) y la polémica de antiguos y modernos adquiere nuevo vigor con ejemplos desconocidos hasta entonces. El motivo épico por antonomasia de la descripción y revista de ejércitos y armaduras da lugar a la reescritura americana del célebre mito del delfín enamorado, de compleja tradición greco-latina, pues la coraza de Gualemo (XXI,34,6-8) estaba recubierta

> ... de una piel dura y pelosa
> de un caballo marino que su padre
> había muerto en defensa de la madre.

Las escenas de batalla de crudo realismo que insiste en las descripciones cruentas, evocadoras de las técnicas de Lucano, se reproducen en ambos bandos, y ambos bandos ejercitan las crueldades que caracterizan las guerras históricas. Así, el saco de Concepción por los araucanos (Canto VII) ofrece el rigor descriptivo que vuelve a aparecer para el saco de San Quintín por las tropas españolas en Francia (Canto XVIII). Lautaro castiga a los soldados que desobedecen sus órdenes (VII,41,2) con el mismo suplicio al que los españoles condenan a Caupolicán. Como los motivos, también los recursos expresivos se apoyan en una rica tradición literaria. Ya hemos señalado la presencia de Virgilio, Lucano, Ariosto y Garcilaso entre los autores más cercanos a los ideales artísticos de Ercilla. En el caso de Ariosto, puede añadirse, a los elementos ya mencionados más arriba, cierto elemento humorístico, a veces algo macabro, que permite hablar de la guerra en términos lúdicos (II,22,2; IV,96,3; XI,42,5; XX,11,5; XXIV,65,3-4; XXV,51,3; XXVIII,70,1); o a Lautaro asustar «con una baraúnda y vocería» a su propio campo (VIII,9-10) o al campo español con un solo caballo alborotado (XI,48-52).

40

De los recursos retóricos más frecuentes, la comparación o símil sobresale por su abundancia y capacidad expresiva. En la versión completa se cuentan más de un centenar y en la *Elocuencia española en arte* (1604), de Bartolomé Jiménez Patón, celebró este rasgo retórico del poema; Ercilla le dio nueva expresividad al extenderlo a más de una unidad estrófica y al renovarlo temática y léxicamente.

Así el símil venatorio, de larga tradición clásica[27], se renueva a través de Garcilaso (Égloga II,1666-1669) y el esfuerzo de huida de Valdivia y un clérigo, atrapados en medio de los araucanos, se compara al de los jabalíes y los lebreles (III,62). En IV,13 la imagen se invierte y se renueva: los españoles pasan a ser los cazadores y los araucanos se transforman en la liebre perseguida, como colectivo de la multitudinaria rebelión araucana. Vuelve a rehacerse el símil cinegético primero en XXII,38-39, aplicado a Rengo, y notablemente enriquecido y dinamizado con repeticiones, acumulaciones y paralelismos. Asimismo, la comparación taurina hace una de sus primeras apariciones en los textos literarios a través de *La Araucana;* no solamente el toro como paradigma de la furia animal, sino también como elemento de la fiesta urbana, en el juego de toros. El símil aparece varias veces más: en VI,53 se combina con la imagen de angustia en el mundo del sueño e integra el motivo temático de la lidia con una imagen literaria de ilustre antecedente petrarquesco y, al mismo tiempo, de poderosa modernidad[28]; en XXV,66-67 une, en su construcción, el homenaje a Garcilaso («cuánto corta una espada en un rendido») con novedades léxicas de gran interés que renuevan el modelo y el recurso *(desjarretar, turbamulta)*. En otros casos la renovación resulta de la novedad léxica exclusivamente, como cuando el símil animalístico se apoya en la imagen del

---

[27] Cfr. «América y la poesía épica áurea: La versión de Ercilla», en *Edad de Oro* X (1991), págs. 125-140, especialmente 130 y ss.

[28] Cfr. mi «Ercilla y la formación del discurso poético áureo», de próxima aparición.

41

caimán hambriento (III,24) con empleo literario temprano de este probable americanismo, que lleva instantáneamente al lector al inédito mundo caribe a través de un recurso retórico de larga tradición literaria.

Otro uso retórico frecuente es el de las acumulaciones tanto verbales como nominales; es un recurso que se encuentra en los textos de los clásicos latinos y del que también se hallan numerosos ejemplos en la lírica del siglo xv. El hallazgo de Ercilla es su empleo consumado en las escenas de batalla, ejercitado ya por Ariosto, con el que Ercilla consigue reproducir el desordenado dinamismo de la lucha a través de este elemento intensificador. Los ejemplos verbales son numerosos, y los hemos señalado en las notas correspondientes. En general son trimembres (ya en II,75,7) pero Ercilla extiende el uso hiperbólicamente a series cuatrimembres (IX,77,3) que pueden repetirse en dos versos seguidos (VIII,50,5-6), a la mezcla de formas verbales simples y compuestas (XXII,13,6-7) y a series pentamembres en variantes que acentúan doblemente la buscada conciencia de su uso (IV,39,2 y XXII,38,7, por ejemplo, que ofrece, además una variante tetramembre con cambio en el cuarto verbo, en XIV,31,3).

Las acumulaciones nominales pueden ser sustantivas o adjetivas y tienen, en la mayor parte de los casos, valor encarecedor. La forma más frecuente es la tripartita, que a veces se repite en el verso siguiente (XI,35,7-8); pero aparecen también ejemplos de estructura tetramembre (XIV,19,8) y aun series de cinco (XXX,45,7) y siete unidades (XXX,48,5-6) con carácter superlativo. Todavía es posible encontrar casos en que el recurso se extiende a gran parte de la unidad métrica o, finalmente, llega a apoderarse de ella para poder expresar de modo intenso una síntesis de hechos, la caracterización de un personaje o la ansiedad de la voz poética ante sus propias limitaciones expresivas para narrar el horror de los hechos bélicos (XX,5); en el caso de la caracterización de personajes, la acumulación adjetiva tiene su expresión más elocuente en XXX,43, en donde se intenta dar de modo hiperbólico las dimensiones de la perfidia que la traición a la patria supone. Como corresponde al modelo mítico que la épica favorece, la razón de la derrota debe fundirse en una causa única, siempre indigna del valor guerrero desplegado por los dos bandos y que permite la caída trágica del héroe; en otras palabras, debe personificarse en un ser único, capaz de una debilidad indigna o de una traición paradigmática. La objetivación debe, pues, su significación negativa a la simple fuerza de su acumulación en el espacio de la unidad estrófica. El araucano Pran, por cuya credulidad es derrotado Caupolicán, queda caracterizado con dieciocho adjetivos en asíndeton, precedidos por uno, *artificioso* 'hábil', que funciona como calificativo colectivo cuya significación general despliega la enumeración que sigue, pero que adquiere valor irónico final, pues será engañado por el traidor Andresillo.

El tercer recurso retórico fundamental en el discurso poético de Ercilla, muy unido al de la acumulación y al de la enumeración, es el de la repetición, en las variadas formas que es posible encontrar en la poesía (y también en la prosa) de los siglos áureos. Por cierto, el gusto por este uso retórico está algo alejado de las prácticas modernas y, en verdad, su abandono posterior contribuyó a que los críticos actuales lo evaluaran con hostilidad. Sin embargo, sólo mediante una consideración histórica de las prácticas retóricas renacentistas y barrocas será posible entender su validez. Ercilla emplea la repetición en todas sus variantes, desde la repetición de igualdad estricta hasta la sinonimia.

En el primer tipo, conviene recordar casos de repetición en contacto inmediato: el de la geminación simple de carácter superlativo como en XXXII,40,1 o XXV,69,2 y aun XX,24,7); el de repeticiones anafóricas («quien... quien...» como en XIV,12 o XV,41), algunas de larga tradición épica («tanto... tanto...» de XXI,19) y presentes ya en el *Poema del Cid*. También recurre Ercilla al uso de la repetición con oscilación semántica, variante que añade la participación activa del lector competente y evita su consideración como simple pleonasmo. En cambio, genera el placer por la riqueza verbal, que va siempre acompañada de una firme conciencia de renovación expresiva. Por ello, el tipo de repetición más frecuente es el de la sinonimia, con más de un centenar de ejemplos; pero los de repetición con oscilación semántica y los de repetición etimologizadora merecen también consideración especial por su variedad y abundancia, como se verá en la anotación correspondiente.

En la repetición etimologizadora, la abundancia de casos permite incluir no sólo palabras con cambios morfológicos sino repeticiones de la raíz de un vocablo, como los casos de *traductio* con derivados y compuestos. En estos tipos también abundan los juegos polisémicos y las oscilaciones de significado; nuevamente la competencia clásica del lector hace posible la captura de los diversos niveles de significación.

Precisamente esta abundancia, como resultado de juegos sinonímicos, explica, parcialmente, la presencia de cultismos, latinismos y neologismos, no solamente por creación, como en el caso de derivados y compuestos, sino también por apropiación de americanismos derivados de las lenguas indígenas de América, que resultan así incorporados a la lengua lieraria. En este sentido, el léxico de *La Araucana* no sólo es sorprendente por su abundancia, sino porque su simple presencia otorgó a muchas de las novedades el prestigio necesario para que permanecieran en el discurso literario de la Edad de Oro y, de esta manera, en muchos casos, aseguraron su ingreso al vocabulario general del castellano, en el que continúan vivos hasta nuestros días. Los casos más interesantes, que se han documentado con la mayor consistencia posible en las notas correspondientes, son los de los cultismos, con los que el poema adquiere la materia expresiva consustanciada con la épica de tradición clásica y confirma, en su reconocimiento por parte del lector, la deuda y homenaje a la literatura latina, particularmente Virgilio, Lucano y también Ovidio. Ello se refleja, en su aspecto más simple, en la adopción de formas cultas frente a las romanceadas más usuales en la época, como en el caso de *edicto* (XXX,36,3) u *homicida* (I,25,2 y I,31,1) o en la adopción de un duplicado culto, como en *débito* en vez de *deuda* (I,14,4). Sin embargo, los casos más interesantes, porque literaturizan a los personajes araucanos y les otorgan, en el plano expresivo, estatura épica correspondiente al paradigma clásico, son los neologismos de estirpe clásica como el epíteto paradigmático que designará en adelante a los araucanos, *indómito* (I,47,7), que Ercilla toma de Ovidio y no tiene uso literario castellano anterior[29]; también son cultismos nuevos *pertinacia* (XIX,9,3), el ya mencionado *turbamulta* (XXV,66,3); *preeminente* (I,13,8); *instable* (IX,30,2); *pusilánime* (XXI,9,5); *mínimo* (XV,7,8) *retahíla* (XXXV,9,7); *exorbitante* (XXXV,28,7) y muchos otros que las notas correspondientes registran en el texto de las tres Partes. Otro tanto puede decirse del vocabulario bélico, naturalmente, y marinero, que tanto contribuyó a la formación inicial del léxico americano, y de los que *La Araucana* abunda en novedades que quedarán incorporadas a la lengua literaria y sobrevivirán en el vocabulario corriente según la permanencia de los objetos o acciones que designen. Por cierto, los neologismos, cultistas o no, son solamente un aspecto de la riqueza verbal del poema de Ercilla; otro lo constituye la presencia de indigenismos americanos[30]. *La Araucana* inicia, además, una característica que luego continuarán otros poemas épicos de tema americano: a partir de la edición de Madrid de 1589-90 añadió Ercilla un vocabulario «de algunas dudas que se pueden ofrecer en esta obra» al final del poema y antes de la *Tabla de cosas notables* porque, «algunos vocablos o nombres (que aunque de indios, son tan recebidos y usados en aquella tierra de los nuestros, que no los han mudado en nuestro lenguaje)». Allí se explican veintidós nombres, incluidos algunos geográficos y nombres propios de personas y dioses, no todos indígenas. En los más de veinte mil versos del poema, sólo pueden registrarse,

---

[29] Cfr. el ya citado artículo de *Edad de Oro* X, pág. 129.
[30] Véase el «Apéndice» a la Introducción de la edición de Morínigo-Lerner, I, págs. 91-97, escrito por Marcos A. Morínigo.

sin embargo, poco más de una docena de indigenismos, algunos suficientemente arraigados en el vocabulario común castellano como para que estén ausentes de este vocabulario final. Ninguno de ellos es araucano. Siete son quechuas y aimaras, hecho que encuentra explicación en el arraigo que el léxico del Perú tenía entre los pobladores españoles; los demás son caribes, centroamericanos y mexicanos, como índice del dominio del léxico aprendido en el contacto inicial con América. Unos, como *tiburón, cacique* (el indigenismo más frecuente en el texto) o *maíz,* han permanecido en el uso general. Otros, como *arcabuco,* hallaron lugar en el léxico de la poesía barroca para desaparecer después del empleo general. Las denominaciones de animales, como es frecuente, se universalizaron: *vicuña* (XVI,37,3), el ya mencionado *tiburón* (XXXIII,54,5), *alpaca* (XVI,37,3, en donde aparece con la forma *paco*). En general, y probablemente porque la denominación de objetos nuevos con vocablos castellanos simplificaba la comprensión más rápida del texto y evitaba explicaciones poéticamente inadecuadas, Ercilla sustituyó buen número de vocablos aborígenes por los correspondientes castellanos a pesar de que no había razones retóricas que impidieran el uso en la épica de vocablos nuevos o extranjeros[31]. Así, en la enumeración de las armas indígenas de I,18 *maza barreada* es probablemente la *macana* indígena, palabra de origen taíno ya documentada en Gonzalo Fernández de Oviedo, que los españoles ayudaron a difundir por todo el continente y se incorporó tempranamente a las lenguas andinas. Aunque no la conocieron los pobladores primitivos de América hasta la llegada de los europeos, en el poema aparece *espada* como arma indígena; así, en I,50,8 como sinécdoque por *armas* siguiendo la expresión correspondiente a la tradición guerrera de los pueblos conocidos. El mismo procedimiento aparece en combinación con los vocablos indígenas en el ya mencionado verso en XVI,37,3: «pacos, vicuñas, tigres y leo-

---

[31] Véase Bernard Weinberg, *A History of Literary Criticism in the Italian Renaissance,* Chicago, University of Chicago Press, 1974, I, pág. 206.

nes», en el que denominaciones que debió conocer Ercilla, como *jaguar* y *puma* son sustituidas respectivamente por *tigre* y *león,* más afines al léxico épico tradicional; es también el caso de la «lanuda oveja» de XXXVI,15,7, en la expedición al Sur, ofrecida por los habitantes a los expedicionarios, que sin duda debe referirse a la *llama* de esas regiones, como es probable que a ella también se refiera «...la piel del carnero vedijosa» de XXXVI,18,6.

En cuanto a la flora americana, solamente está presente a través del genérico *bejuco,* varias veces mencionado, y de la «frutilla coronada» en el extremo sur del territorio (XXXV,44,3). En verdad, el poema no se detiene en descripciones paisajísticas que reproducen el contexto de los hechos históricos, más allá de la mención necesaria a las acciones bélicas, como corresponde al género en que se inscribe el poema. Hay, en cambio, menciones de escenarios no referenciales y altamente estilizados en los pasajes más adecuados al marco literario[32]. En cambio, el motivo clásico del paso de las horas se traslada al hemisferio sur con la mención muy apropiada de la constelación del Crucero, es decir, la Cruz del Sur (XX,78,3). La sorpresa europea ante el caudal y la fuerza de los ríos de América, provocadores de muchos accidentes y muertes de inexpertos jinetes y soldados, tiene adecuado eco en dos menciones del río Nibequetén (I,60,3 y XXI,32,6). Por cierto, ya Mariño de Lobera en su *Crónica*... señala que el cruce de los ríos de Chile debe considerarse como una de las mejores «hazañas memorables»... «porque según vemos en las historias, se cuenta en ellas por gran cosa haber algunos ejércitos pasado tal y cual río, que en comparación de los que hay en Indias son pequeños arroyos» (BAE CXXXI,319a). A continuación el cronista hace una larga descripción de los ríos y compara su fuerza y caudal con los de Europa y Asia para exaltar el valor de la hazaña americana frente a las de la historia clásica. El ejemplo

---

[32] Cfr. R. Perelmuter-Pérez, «El paisaje idealizado en *La Araucana*», *HR* 54, 2 (1986), págs. 129-146.

ilustra la necesidad de recurrir a otros textos para descubrir el paisaje de variedad inédita e inverosímil de las tierras de América. Serán los cronistas, desde el *Sumario* de Oviedo (1526), los encargados de las descripciones más cuidadosas y fieles de este mundo nuevo para la experiencia europea. A *La Araucana* le estará reservada la recuperación, para la historia y para la literatura, de la lucha y resistencia de los pobladores de Chile. A su vez, su gran éxito entre los lectores cultos de su tiempo, permitió no solamente la aparición de una continuación y, en verdad, la constitución de un grupo temático americano dentro del género[33], sino también la expansión de los episodios del poema a otros géneros. En efecto, el romancero acogió los incidentes guerreros y amorosos que el poema narra en sus tres Partes y los difundió en versiones más cercanas al gusto de un público más amplio, hasta formar un subgrupo especial entre los romances históricos y líricos[34]. Esta nueva serie comenzó a formarse muy temprano, y hoy es posible datar la versión más antigua conocida de uno de ellos, que narra el episodio de Lautaro y Guacolda, como copiada apenas trece años después de la publicación de la Primera Parte, es decir hacia 1582. Pero es probable que esta copia provenga de un pliego suelto anterior[35].

Otro tanto sucedió en el teatro. Por lo menos Lope de Vega, Ricardo de Turia, Luis de Belmonte Bermúdez, Gaspar de Ávila y Francisco González de Bustos escribieron comedias de corte histórico y novelesco inspiradas en episodios o personajes del poema de Ercilla, a lo largo del

[33] Diego de Santisteban Osorio, *La Araucana,* Partes IV y V, Salamanca, 1597, y nueva edición en Barcelona, 1598. Cfr. F. Pierce, *La poesía épica...*, pág. 339, y del mismo autor, *Alonso de Ercilla y Zúñiga,* página 112.

[34] Cfr. Patricio Lerzundi, *Romances basados en «La Araucana»,* Madrid, Playor, 1978.

[35] Cfr. *Cancionero de Poesías Varias,* edición de José J. Labrador Herraiz y Ralph A. Di Franco, Madrid, Editorial Patrimonio Nacional, 1989, especialmente páginas XXII y XXIII y texto en 249.

siglo XVII[36]. Esta flexibilidad genérica de la materia va unida a una infrecuente capacidad de atraer la atención de diversos tipos de lectores a lo largo del tiempo. La fama permanente de *La Araucana* ha sido estudiada con detenimiento por José T. Medina en la Ilustración XX «Juicio de *La Araucana*» de su edición; por Frank Pierce en sus dos libros ya citados y por Marcos A. Morínigo en la «Introducción» de la edición de 1979. Cabe añadir que la adhesión de críticos y lectores fue cambiando de significado en los nuevos contextos históricos. Si para los contemporáneos el poema fue fuente de inspiración, modelo de recursos retóricos y fuente de datos históricos, en el siglo XVIII los compiladores del *Diccionario de Autoridades* recurrieron en más de doscientas ocasiones a *La Araucana* para autorizar significaciones no sólo de palabras, sino también de expresiones o frases hechas correspondientes a la edición de XXXV Cantos de 1589-90[37]. Sin embargo, ya a finales del mismo siglo y principios del XIX, cuando la situación de las colonias había cambiado o estaba cambiando rápidamente, hay testimonio de la lectura del poema con otros sentidos, menos estéticos, por lo menos desde nuestra perspectiva. Así, don Pedro Agustín Girón, marqués de las Amarillas, escribe en sus *Recuerdos (1778-1837)* que cuando comenzó a estudiar con su preceptor, el padre Scio de San Miguel, ilustre traductor al castellano de la Vulgata, «me hizo aprender los rudimentos principales de geografía en los versos de *La Araucana*, en el episodio que le lleva a hacer la descripción de la tierra»[38]. El valor informativo del poema persistía en las clases dirigentes a pesar de los considerables avances científicos y metodológicos del movimiento enciclopedista y a pesar de que *La Araucana* se inspira, naturalmente, más en la nomenclatura legada por Estrabón que en la

---

[36] Cfr. Patricio C. Lerzundi, *La conquista de Chile en el teatro del Siglo de Oro*, Michigan, University Microfilm International, 1979.

[37] Cfr. mi «Neologismos y cultismos en *La Araucana*» próximo a aparecer.

[38] Pamplona, EUNSA, 1978, I, págs. 66-67.

realidad de su propio tiempo. Lo que seguía atrayendo al preceptor de los jóvenes aristócratas era precisamente el orden geográfico del mundo desde la perspectiva del cantor de un poder literalmente imperial, poder que el autor de los *Recuerdos* vería desintegrarse en sus años de madurez.

En el siglo XIX, por otra parte, como resultado de la independencia de los territorios americanos, *La Araucana* obtuvo el paradójico honor de transformarse en el poema épico nacional de Chile. Esto fue posible por la intrínseca plurisignificación del texto de Ercilla. Necesitada la naciente república de un pasado nativo, mítico e ilustre, establecido por el modelo virgiliano y capaz de afianzar la conciencia nacional frente a España, *La Araucana* se ofrecía como un documento irremplazable. Por su parte, las clases dirigentes se sintieron también justamente herederas de la actitud triunfalista de los conquistadores que el poema exaltaba al mismo tiempo, y la rebelión indígena, a pesar de los urgentes problemas del propio momento histórico, quedó transferida a los hechos del pasado.

A su vez, un buen número de críticos contemporáneos ha enfocado nuevamente su interés hacia una lectura indianista y crítica de la conducta de los conquistadores. De aquí que la propuesta fundamental del poema en el momento de la escritura, que no podía ser sino la defensa de la ocupación española del continente, se entienda hoy como ambivalencia. La lucha por la justicia en el trato con los araucanos, el motivo de la guerra justa, o la condena de la guerra, el reconocimiento de las diferencias culturales, son elementos que ubican con mayor comodidad el texto de Ercilla en los códigos de la cultura actual pero que tenían una dimensión vivencial diferente en los lectores para los que Ercilla escribía, y que compartían con él posturas políticas idénticas. Por lo demás, estas reflexiones aparecen con notable frecuencia en los textos cronísticos de la época y no son característica exclusiva de la *La Araucana*. En cambio, es rasgo genérico indudable, más allá de las circunstancias históricas que los justifiquen, el encarecimiento del heroísmo enemigo y la exaltación épica del adversario, que no conviene confundir con versiones modernas de la solidaridad.

Esta extraordinaria capacidad para multiplicar y resemantizar su mensaje, para renovar y universalizar su propuesta poética, explica, en gran medida, además de la intrínseca calidad literaria de su discurso, la permanencia de *La Araucana* en el interés de los lectores y en la curiosidad de los estudiosos. *La Araucana* ocupa una posición central en los textos canónicos del Renacimiento español, en los de la naciente literatura castellana de América y en los de la literatura nacional de Chile, prueba de la universalidad de su fama.

Esta edición

Se publica aquí la versión más extensa del poema de Ercilla según apareció por primera vez en Madrid por el licenciado Castro en 1597. En efecto, esta edición contiene todo el episodio de la expedición al Sur que se narra a partir de la octava 45 del Canto XXXIV hasta la 66, todo el nuevo Canto XXXV (cincuenta octavas) y las primeras 43 octavas del nuevo Canto XXXVI, que muy probablemente habría de formar parte de la continuación prometida (XXXVI,43). A pesar de que la última edición publicada en vida del autor, la de Madrid, 1589-1590 es considerada por Medina «como la más autorizada»[39], no hay razones para dudar de la autoría de los versos añadidos en 1597 y de las correcciones al texto de la de Madrid, 1589-1590 que esta edición ofrece. Contra el juicio de José Durand, agudo conocedor de Ercilla[40], creemos que esta edición póstuma, precisamente porque rescata el material no incluido en las anteriores, merece ser considerada la versión completa hasta el momento de la muerte de su autor, pues no conviene olvidar que Ercilla murió en 1594, es decir, cuatro años después de la publicación de la versión de 35 Cantos. Además, ninguna reserva seria de carácter textual puede basarse en criterios puramente estéticos, ya que éstos son, necesariamente subjetivos. Los

---

[39] Cfr. su *Vida...*, pág. 138 de la edición citada.
[40] «*La Araucana* en sus 35 Cantos originales», *Anuario de Letras* XVI (1978), págs. 291-294.

de Durand se apoyan en elementos tan discutibles como las consideraciones sobre la estructura de la obra y la presencia o la ausencia de determinados personajes. En cuanto a los argumentos ecdóticos esgrimidos, como puede ser el caso del suceso del encarcelamiento del narrador-autor que Ercilla parece repetir en los versos añadidos (XXXVI,33-34), y del que ya había hecho mención en el original Canto XXXV, conviene concluir que las recapitulaciones son frecuentes en textos épicos extensos. En *La Araucana* misma, son rasgo característico de los pasajes en los que se retoma el relato de acciones pasadas. Estamos, pues, ante un fragmento importante que, por cierto, Ercilla no tuvo tiempo de completar como parte independiente o cuarta y fue añadido por los editores, conocedores de los proyectos literarios y, probablemente, de la voluntad de Ercilla.

Nuestra edición reproduce el texto del ejemplar que posee la New York Public Library. Hemos corregido erratas evidentes, como cuando el texto imprime en una palabra, letras obviamente cambiadas o equivocadas, sin mencionarlas directamente en nota; pero las hemos señalado cada vez que podían haber pasado inadvertidas, a menos que se reparara en la falta de significado claro. Por otra parte, hemos conservado toda lectura cuyo sentido puede ser interpretado sin forzar el significado del verso o de la estrofa, aunque suene o parezca extraño al lector moderno por razones sintácticas diferentes del uso actual o por significados hoy desconocidos u olvidados.

Hemos modernizado la acentuación y la puntuación para hacer más comprensible el texto, atendiendo a unidades lógicas; en cuanto a la ortografía, hemos conservado la original de los nombres propios, porque no siempre se ajusta a las reglas ortográficas del vocabulario común; hemos mantenido, asimismo, las contracciones observadas por la tipografía del siglo XVI. En cambio, en todo lo demás, hemos modernizado el texto cuando ello no afecta a la fonética de la época.

En el aparato de notas hemos incluido notas textuales, cada vez que nuestro texto se aparta notablemente de las ediciones príncipes de cada una de las partes o de la de Madrid 1589-1590. Es decir, en los casos de alteración del texto que conlleva alteración de significado. El lector interesado en una compulsa completa de variantes puede consultar el apéndice de Variantes textuales en la edición de Morínigo-Lerner.

La anotación léxica ha procurado aclarar significados y dar noticia histórica y geográfica de acontecimientos o lugares que resulten alejados del conocimiento del lector actual. Cuando ha sido posible, hemos relacionado los usos léxicos de Ercilla con la documentación conocida acerca de la aparición de la palabra en otros textos literarios contemporáneos o anteriores, de modo que fuera evidente la centralidad de este poema en el desarrollo del discurso poético áureo. También hemos aclarado construcciones gramaticales alejadas de los usos actuales, pero que recuperan la lengua literaria de los poetas de los siglos XVI y XVII, y figuras retóricas de frecuente uso en estos autores clásicos. Por esto también hemos aclarado alusiones mitológicas y referencias literarias que vinculan el texto de Ercilla con los antecedentes ilustres del género: fundamentalmente, Virgilio, Lucano y Ariosto; pero también Ovidio y Juan de Mena, entre otros clásicos y españoles, sin olvidar la deuda con Garcilaso de la Vega. Esta exploración del diálogo que *La Araucana* establece con otros textos no constituye un fin en sí mismo, de relativa utilidad. Más bien aspira a contextualizar el poema de modo que las alusiones, vivas para los lectores contemporáneos de su escritura, pueden ser recreadas en los parámetros culturales del lector actual. De este modo, se hará, creemos, más evidente el doble proceso de adhesión y recreación de la tradición épica que define el poema de Ercilla.

Bibliografía

EDICIONES

En la Ilustración X de la edición del poema preparada por José Toribio Medina se detallan las características de cuarenta y ocho ediciones aparecidas hasta 1910, fecha de la publicación del primer tomo de la de Medina. August J. Aquila amplía el número a setenta y cuatro hasta 1968. Añádanse ahora:

Santiago de Chile: Editorial Francisco de Aguirre, 1977, estudio preliminar de Eduardo Solar Correa y edición de Olivio Lazzarín Dante (Cfr. *Inter-American Review of Bibliography* XXIX, 1 [1979], 92-93).

Madrid: Castalia, 1979, edición, introducción bibliográfica y crítica, bibliografía y notas de Marcos A. Morínigo e Isaías Lerner, 2 vols.

BIBLIOGRAFÍAS

August J. AQUILA, *Alonso de Ercilla y Zúñiga: a basic bibliography*, Londres, Grant & Cutler, 1975. Contiene la recopilación más completa hasta 1972 de ediciones, traducciones, otras obras de Ercilla, estudios críticos y otros textos relacionados con *La Araucana*. F. Pierce, en su libro sobre Ercilla de 1984, completa este repertorio con una selección de estudios aparecidos posteriormente. Añadimos aquí trabajos no incluidos en estas dos obras.

ALBARRACÍN SARMIENTO, Carlos, «El poeta y su rey en *La Araucana*», *Filología* 21,1 (1986), págs. 99-116.

ALEGRÍA, Fernando, «Neruda y *La Araucana*», en Andrew P. Debicki y Enrique Pupo Walker, eds., *Estudios de literatura hispanoamericana en honor de José J. Arrom*, North Carolina, 1974, págs. 193-200.

ÁLVAREZ VILELA, Ángel, «Histoire et fiction dans *La Araucana*», *Études de Lettres* 2 (1986), págs. 39-67.

AMOR Y VÁZQUEZ, José, «Ercilla y sus lectores», en *Actas del VI Congreso Internacional de la Asociación de Lingüística y Filología de la América Latina*, México, UNAM, 1988, págs. 935-949.

ANDERSON IMBERT, Enrique, «El punto de vista narrativo en *La Araucana* de Ercilla», *Boletín de la Academia Argentina de Letras* 53, 207-208 (1988), págs. 71-90.

ANTEI, Giorgio, «L'invenzione del Regno del Cile», en *La imagen del indio en la Europa moderna*, Sevilla, CSIC, 1990, págs. 237-288.

AQUILA, August J., «Ercilla's» Concept of the Ideal Soldier», *Hispania* 60 (1977), págs. 68-75.

BOCAZ, Aura S., «El personaje de Tegualda, uno de los narradores de *La Araucana*», *Boletín de Filología* 27 (1976), págs. 7-27.

CEVALLOS, Francisco Javier, «Don Alonso de Ercilla and the American Indian: History and Myth», *REH* 23, 3 (1989), págs. 1-20.

COROMINAS, Juan M., *Castiglione y «La Araucana»: Estudio de una influencia*, Madrid, 1980.

— «Cervantes y Ercilla», en Michael D. McGaha, ed., *Cervantes and the Renaissance*, Easton, PA, 1980.

CUEVA, Agustín, «El espejismo heroico de la Conquista», *Casa de las Américas* 110 (1978), págs. 29-40.

DAVIES, Gareth A., *«La Araucana* and the Question of Ercilla's Converso Origins», en F. W. Hodcroft *et alii*, ed., *Medieval and Renaissance Studies on Spain and Portugal in Honour of P. E. Russell*, Oxford, 1981, págs. 86-108.

DURAND, José, «Caupolicán, clave historial y épica en *La Araucana*», *Revue de Littérature Comparée* LII, 2-3-4 (1978), páginas 367-369.

— *«La Araucana* en sus 35 cantos originales», *Anuario de Letras* 17 (1978), págs. 291-294.

«Ercilla y Camões», en Biblioteca Nacional de Madrid, Fundación Calouste Gulbenkian, *IV Centenario de «Os Lusiadas» de Camões, 1572-1972,* Madrid, 1972, págs. 229-233.

GERLI, E. Michael, «Elysium and the Cannibals: History and Humanism in *La Araucana,* en Bruno Damiani, ed., *Renaissance and Golden Age Essays in Honor of D. W. McPheeters,* Potomac, MD, 1986, págs. 82-93.

GITLIZ, David M., «Hacia una definición empírica de la aliteración», *NRFH* 22 (1973), págs. 85-90.

HAYES, Aden W., «Fitón's Aleph, Ercilla's World», *Revista de Estudios Hispánicos* 15, 3 (1981), págs. 349-363.

HEATHCOTE, A. A., *«La Araucana:* Ercilla and Lope de Vega», en John England, ed., *Hispanic Studies in Honour of Frank Pierce Presented by Former and Present Members of Hispanic Studies of the University of Sheffield,* Sheffield, 1980, páginas 77-89.

JANIK, Dieter, «La valoración múltiple del indio en *La Araucana* de Alonso de Ercilla», en *La imagen del indio en la Europa moderna,* Sevilla, CSIC, 1990, págs. 237-288.

LAGOS C., Jorge, «Los *shifters* en *La Araucana», Estudios Filológicos* 21 (1986), págs. 45-67.

LAGOS, Ramona, «El incumplimiento de la programación épica en *La Araucana», Cuadernos Americanos* 238, 5 (1981), páginas 157-191.

LEAL, Luis, *«La Araucana* y el problema de la literatura nacional», *Vórtice* 1,1 (1974), págs. 68-73.

LERNER, Isaías, «Para los contextos ideológicos de *La Araucana»,* en Lía Schwartz e Isaías Lerner, eds., *Homenaje a Ana María Barrenechea,* Madrid, 1984, págs. 261-270.

— «Pero Mexía en Alonso de Ercilla», *BHS* 60,2 (1983), páginas 129-134.

— «Texto literario, documento histórico: *La Araucana»,* en Fundación Sánchez-Albornoz, *Memoria 1987-1988,* Ávila, 1988, págs. 39-55.

— «Don Alonso de Ercilla y Zúñiga», en Carlos A. Solé y María Abreu, eds., *Latin-American Writers* I, Nueva York, Scribners, 1989, págs. 23-32.

— «América y la poesía épica áurea», *Edad de Oro* X (1991), págs. 125-139.

57

LERZUNDI, Patricio C., *Romances basados en «La Araucana»*, Madrid, 1978.

MEJÍAS-LÓPEZ, William, «Alonso de Ercilla y los problemas de los indios chilenos: algunas prerrogativas legales presentes en *La Araucana*», *BHS* 669 (1992), págs. 1-10.

— «El Fitón de Alonso de Ercilla ¿shamán araucano?» *Atenea* 462 (1990) 97-117.

MELCZER, Willy, *The «Winged Vesell» Variations on the Journey of the Epic Hero in Late Sixteenth-Century Literature*, Michigan, University Microfilms International, 1969.

MORÍNIGO, Marcos A., «Lo que Ercilla vio de la guerra araucana», en Karl-Hermann Körner y Klaus Ruhl, eds., *Studia Iberica*, Berna, Festschrift für Hans Flasche, 1973, páginas 427-440.

PASTOR, Beatriz, *Discurso narrativo de la conquista de América*, Cuba, 1983; tercera parte, V: «Alonso de Ercilla y la emergencia de una conciencia hispanoamericana», págs. 451-570.

PERELMUTER-PÉREZ, Rosa, «El paisaje idealizado en *La Araucana*», *RH* 54,2 (1986), págs. 129-146.

PIERCE, Franck, *Alonso de Ercilla y Zúñiga*, Amsterdam, 1984.

— «The Fame of *La Araucana*», *BHS* 59,3 (1982), páginas 230-236.

SENO, Ariella dal, «L'umanesimo etnografico e *L'Araucana* di Alonso de Ercilla», en *Tre Studi sulla Cultura Spagnola*, Milán, 1967, págs. 7-72.

WENTZLAFF-EGGEBERT, Christian, *«La Araucana como poema épico»*, en Frauke Gewecke, eds., *Estudios de literatura española y francesa: siglos XVI y XVII. Homenaje a Horst Bader*, Barcelona, 1984, págs. 219-236.

PRIMERA, SEGUNDA Y TERCERA PARTES
DE

LA ARAUCANA

de don Alonso de Ercilla y Zúñiga,
Caballero de la Orden de Santiago,
Gentilhombre de la Cámara
de la Magestad del Emperador

Dirigidas al Rey don Felipe nuestro señor

En Madrid, En casa del licenciado Castro
Año de 1597

A costa de Miguel Martínez

PRIVILEGIO PARA EL REINO DE CASTILLA

El Rey

POR CUANTO por parte de vos, don Alonso de Ercilla y Zúñiga, nos fue fecha relación que habíades compuesto la Tercera Parte de LA ARAUCANA y juntádola con la Primera y Segunda, en que se acaban de escribir las guerras de la provincia de Chili hasta vuestro tiempo, y por ser obra provechosa para la noticia de aquella tierra, suplicándonos os mandásemos dar licencia para imprimir las dichas tres Partes de las cuales hicistes presentación, y privilegio por veinte años o por el tiempo que fuésemos servido o como la nuestra merced fuese; lo cual visto por los del nuestro Consejo, por cuanto en el dicho libro se hicieron las diligencias que la premática por Nos fecha sobre la impresión de los libros dispone, fue acordado que debíamos mandar dar esta nuestra célula en la dicha razón, e Nos tuvímoslo por bien; por la cual, por os hacer bien y merced, os damos licencia y facultad para que vos o la persona que vuestro poder hubiere, y no otra alguna, podáis hacer imprimir y vender el dicho libro que de suso se hace mención en todos estos nuestros reinos de Castilla, por tiempo y espacio de diez años, que corran y se cuenten desde el día de la data desta nuestra cédula, so pena que la persona o personas que sin tener vuestro poder lo imprimiere o vendiere o hiciere imprimir o vender, pierda la impresión que hiciere con los moldes y aparejos della, y más incurra en pena de cincuenta mil maravedís cada vez que lo contrario hiciere, la cual dicha pena sea la tercia parte para la persona que lo acusare y la otra tercia parte para el juez que lo sentenciare y la otra tercia parte para nuestra cámara y fisco con tanto que todas las veces que hobiéredes de hacer imprimir el dicho libro, durante el dicho tiempo de los dichos diez años, le traigáis al nuestro Consejo juntamente con el original que en él fue visto, que va rubricado cada plana y firmado al fin del de Juan Gallo de Andrada, nuestro escribano de cámara de los que residen en el nuestro Consejo, para que se vea si la dicha impresión está conforme a él o traigáis fe en pública forma de como, por corretor nombrado por nuestro mandado, se vio y corrigió la dicha impresión por el dicho original y se imprimió conforme a él, y quedan impresas las erratas por él apuntadas para cada un libro de los que ansí fueren impresos, para que se os tase el precio que por cada volumen hobiéredes de haber, so pena de caer e incurrir en las penas contenidas en las leyes y premáticas de nuestros reinos. Y mandamos a los del nuestro Consejo y a otras cualesquier justicias que guarden y cumplan y ejecuten esta nuestra cédula y lo en ella contenido. Fecha en San Lorenzo, a trece días del mes de mayo de mil y quinientos y ochenta y nueve años. YO EL REY. Por mandado del Rey nuestro señor. Iuan Vázquez.

PRIVILEGIO DE ARAGÓN

Nos Don Felipe, por la gracia de Dios, Rey de Castilla, de Aragón, de León, de las dos Sicilias, de Jerusalén, de Portugal, de Hungría, de Dalmacia, de Croacia, de Navarra, de Granada, de Toledo, de Valencia, de Galicia, de Mallorcas, de Sevilla, de Cerdeña, de Córdoba, de Córcega, de Murcia, de Jaén, de los Algarbes, de Algecira, de Gibraltar, de las Islas de Canaria, de las Indias Orientales y Ocidentales, Islas y Tierra Firme del mar Océano, Archiduque de Austria, Duque de Borgoña, de Brabante, de Milán, de Atenas y Neopatria, Conde de Abspug, de Flandes, de Tirol, de Barcelona, de Rosellón y Cerdaña, Marqués de Oristán y Conde de Gociano. Por cuanto por parte de vos, Don Alonso de Ercilla y Zúñiga, caballero de la Orden de Santiago, gentilhombre de la Cámara del Emperador, mi sobrino, se nos ha hecho relación que con vuestro trabajo e ingenio habéis compuesto un libro intitulado *Tercera parte de La Araucana* y que lo deseáis hacer imprimir en los nuestros reinos de la Corona de Aragón, suplicándonos os mandásemos dar licencia para ello con la prohibición acostumbrada y por el tiempo que fuéremos servido; e Nos, teniendo consideración a vuestros grandes servicios, valor y partes, habiendo sido reconocido el dicho libro por nuestro mandato, con tenor de las presentes, de nuestra cierta ciencia y real autoridad, deliberadamente y consulta, damos licencia, permiso y facultad a vos el dicho don Alonso de Ercilla y Zúñiga y a la persona que vuestro poder tuviere, que podáis imprimir o hacer imprimir al impresor o impresores que quisiére-

63

des el dicho libro intitulado *Tercera Parte de La Araucana*, con las otras dos partes o sin ellas, en todos los dichos nuestros reinos y señoríos de la Corona de Aragón, y vender en ellos así los que hubiéredes impreso o hecho imprimir en los dichos reinos como fuera dellos en otras cualesquier partes y esto por tiempo de diez años; prohibiendo, según que con las presentes prohibimos y vedamos, que ninguna otra persona los pueda imprimir, ni hacer imprimir ni vender, ni llevarlos, impresos de otras partes a vender a los dichos nuestros reinos y señoríos sino vos o quien vuestro poder tuviere, por el dicho tiempo de diez años del día de la data de las presentes contaderos, so pena de docientos florines de oro de Aragón y perdimento de moldes y libros, dividiera en tres iguales partes: una a nuestros reales cofres, otra para vos el dicho don Alonso, y la tercera para el acusador; con esto, empero: que los libros que hubiéredes impreso y hiciéredes imprimir no los podáis vender hasta que hayáis traído en este nuestro S. S. R. Consejo, que cabe Nos reside, uno dellos, para que se compruebe con el original que queda en poder del noble don Miguel Clemente, nuestro protonotario, y se vea si la dicha impresión está conforme con el original que ha sido mostrado y aprobado. Mandando con el mismo tenor de las presentes a cualesquiera lugartenientes y capitanes generales, regente de la Cancellería, regente el oficio y portantveces de nuestro General Gobernador, Justicia de Aragón y sus lugartenientes, Bailes generales, Zalmedinas, Vegueres, Sotvegueres, Justicias, Jurados, Alguaciles, Vergueros, Porteros y otros cualesquier oficiales y ministros nuestros, mayores y menores, en los dichos reinos y señoríos de la Corona de Aragón constituidos y constituideros y a sus lugartenientes o regentes los dichos oficios, so encurrimiento de nuestra ira e indignación y pena de mil florines de Aragón, de bienes del que lo contrario hiciere exigideros y a nuestros Reales cofres aplicaderos, que la presente nuestra licencia y prohibición y todo lo en ella contenido os tengan, guarden y cumplan, tener, guardar y cumplir hagan sin contradición alguna, y no permitan ni den lugar que sea hecho lo contrario en manera alguna, si, demás de nuestra ira e indignación, en la pena sobredicha desean no incurrir. En testimonio de lo cual mandamos despachar las presentes con nuestro sello Real en el dorso selladas. Dat. en el monesterio de San Lorenzo el Real, a veintitrés días del mes de septiembre, año del nacimiento de Nuestro Señor de mil y quinientos y ochenta y nueve.—YO EL REY.

V. Frigola Vicechancellarius. V. Comes, Generalis Thesaurarius. V. Quintana Regens. V. Campis Regens. V. Marzilla Regens. V. Pellicer Regens. V. Clemens pro Conservatore Generali.

Dominus Rex mandavit mihi don Michaeli Clementi visa per Frigola Vicechancellarium, Comitem generalem Thesaurarium, Campi, Marzilla, Quintana & Pellicer Regentes Chancellariam, & me pro Conservatore Generali.

TASA

Está tasado en siete reales cada cuerpo desta Araucana, Primera y Segunda y Tercera Parte como consta, por la fee de tasa firmada del Secretario Juan Gallo de Andrada. Su fecha en Madrid a once días del mes de Enero de MDXC años.

PRIVILEGIO DE PORTUGAL

Eu el rej faço saber a os que este albala virem, que eu ej por bem e me praz que pessoa alguã naõ possa em meus reynos e senhorios de Portugal, imprimir nem vender a Primeira, Segunda e Terceira Parte da *Araucana,* que dom Alonso de Erzilla e Çuñiga tem composto, e em que acaba de escreber as guerras da Provincia de Chili ate o seu tempo; nem as possa trazer de fora impressas, senaõ elle dito dom Alonso ou quem sua comissão tiver, e isto por tempo de dez annos soomente, que se começaraõ da feitura deste em diante: sob pena de qualquer pessoa que imprimir ou fizer imprimir as ditas tres Partes da *Araucana,* ou trouxer de fora impressas ou vender sem consentimento do dito dom Alonso, perder todos os volumes que dos ditos livros tiver e que forem echados, e mais pagar sincoenta mil reis: a metade pera quem acusar. E mando a todas as justiças e oficiaes a que este albala for mostrado, e o conhecimento de le pertenecer, que o cumprão e guardem e façaõ inteiramente comprir como se nele contem; posto que naõ seja passado pela Chancelarja e o efeito dele aja de durar mai de hũ anno, sem embargo das ordenazões do segundo libro, titulo vinte, que o contrairo dispoem; e este albara se imprimira no começo dos ditos volumes, ou no cabo.—Antonio Moniz da Fonsequa o fez em Madrid, aos 30 de novembro de 1589.—REY.

PRÓLOGO

Si PENSARA que el trabajo que he puesto en la obra me había de quitar tan poco el miedo de publicarla sé cierto de mí que no tuviera ánimo para llevarla al cabo. Pero considerando ser la historia verdadera y de cosas de guerra, a las cuales hay tantos aficionados, me he resuelto en imprimirla, ayudando a ello las importunaciones de muchos testigos que en lo más dello se hallaron, y el agravio que algunos españoles recibirían quedando sus hazañas en perpetuo silencio, faltando quien las escriba, no por ser ellas pequeñas, pero porque la tierra es tan remota y apartada y la postrera que los españoles han pisado por la parte del Pirú, que no se puede tener della casi noticia, y por el mal aparejo y poco tiempo que para escribir hay con la ocupación de la guerra, que no da lugar a ello; y así, el que pude hurtar, le gasté en este libro, el cual, porque fuese más cierto y verdadero, se hizo en la misma guerra y en los mismos pasos y sitios, escribiendo muchas veces en cuero por falta de papel, y en pedazos de cartas, algunos tan pequeños que apenas cabían seis versos, que no me costó después poco trabajo juntarlos; y por esto y por la humildad con que va la obra, como criada en tan pobres pañales, acompañándola el celo y la intención con que se hizo, espero que será parte para poder sufrir quien la leyere las faltas que lleva. Y si a alguno le pareciere que me muestro algo inclinado a la parte de los araucanos, tratando sus cosas y valentías más estendidamente de lo que para bárbaros se requiere, si queremos mirar su crianza, costumbres, modos de guerra y ejercicio della, veremos que muchos no les han hecho ventaja, y que son pocos los que con tan gran constancia y firmeza han defendido su tierra contra tan fieros enemigos como son los españoles. Y, cierto, es cosa de admiración que no poseyendo los araucanos más de veinte leguas de término, sin tener en todo él pueblo formado, ni muro, ni casa fuerte para su reparo, ni armas, a lo menos defensivas, que la prolija guerra y los españoles las han gastado y consumido, y en tierra no áspera, rodeada de tres pueblos españoles y dos plazas fuertes en medio della, con puro valor y porfiada determinación hayan redimido y sustentado su libertad, derramando en sacrificio della tanta sangre así suya como de españoles, que con verdad se puede decir haber pocos lugares que no estén della teñidos y poblados de huesos, no faltando a los muertos quien les suceda en llevar su opinión adelante; pues los hijos, ganosos de la venganza de sus muertos padres, con la natural rabia que los mueve y el valor que dellos heredaron, acelerando el curso de los años, antes de tiempo tomando las armas se ofrecen al rigor de la guerra, y es tanta la falta de gente por la mucha que ha muerto en esta demanda, que para hacer más cuerpo y henchir los escuadrones, vienen también las mujeres a la guerra, y peleando algunas veces como varones, se entregan con grande ánimo a la muerte. Todo esto he querido traer para prueba y en abono del valor destas gentes, digno de mayor loor del que yo le podré dar con mis versos. Y pues, como dije arriba, hay agora en España cantidad de personas que se hallaron en muchas cosas de las que aquí escribo, a ellos remito la defensa de mi obra en esta parte, y a los que la leyeren se la encomiendo.

SONETO A DON ALONSO DE ERCILLA

Parten corriendo con ligero paso
Marón de mantua y de Smirna Homero,
cada cual procurando ser primero
en la difícil cumbre del Parnaso.

Van de la Italia Ariosto, el culto Tasso
y del pueblo famoso del ibero
Boscán, Mendoza célebre y sincero
y el ilustre y divino Garcilasso.

Vais después dellos, generoso Ercilla,
y aunque en tiempo primero que vos fueron
pasáis delante a todos fácilmente.

Apolo en veros tal se maravilla,
y antes que a todos los que allá subieron
con lauro os ciñe la sagrada frente.

SONETO DE FRAY ALONSO DE CARVAJAL, DE LA ORDEN
DE LOS MÍNIMOS, EN MODO DE DIÁLOGO

—¿Quién sube por la escala de discretos?
—Don Alonso es, de Ercilla el animoso.
—Decidme: ¿dónde va tan presuroso?
—A dar subido lustre a sus concetos.

—¿Es éste el que no alcanzan los perfetos?
—Él es, que al más fecundo hace medroso,
—¿Qué causa es la que lleva este famoso?
—Mostrarnos el valor de sus decretos.

—Pues nadie lo entendiera en este caso.
—Ninguno, ni vendrá ya quien lo entienda.
—Estraño debe ser su estilo y arte.

—Es tal, que ya se estiende hasta el ocaso.
—Luego, ¿daránle el lauro sin contienda?
—Sí, que es Virgilio en verso, en armas Marte.

SONETO DEL DOCTOR GERÓNIMO DE PORRAS,
CATEDRÁTICO EN LA UNIVERSIDAD DE ALCALÁ,
A DON ALONSO DE ERCILLA

Claro señor, que ilustras y celebras
la gloria de las armas españolas
del Indo mar a las Esperias olas,
del Scítico a las líbicas culebras,

y a Muerte robas las vitales hebras
que siega como flacas amapolas;
haces que Mantua no se alabe a solas,
y al invidioso la esperanza quiebras:

no solamente aplican sus oídos
al dulce són de tu glorioso cuento
Neptuno, Doris, Melicerta y Glauco,

mas aun reciben gusto los vencidos
de oír loar con tan suave acento
los vencedores del famoso Arauco.

SONETO DEL MARQUÉS DE PEÑAFIEL A DON ALONSO
DE ERCILLA

Gloria lleváis del bárbaro trofeo
con pluma honrando al que vencéis con lanza,
y lo que en tiempo y muerte no se alcanza
alcanza en vida el inmortal deseo.

Voláis de Arauco hasta el mar Egeo,
y con ínclito triunfo y alabanza,
libre de alteración y de mudanza,
de lejos veis las aguas del Leteo.

Tanto Ercilla valéis vivo y presente,
que de Zoylo el infernal veneno
jamás prevaricó la gloria vuestra.

Dais gloria a Arauco y vais de gente en gente
con lauro ufano y de alabanzas lleno,
que el premio es vuestro y la ventura nuestra.

Soneto de la señora Doña Leonor de Yeiz, señora
de la baronía de Rafales, a Don Alonso
de Ercilla

Mil bronces para estatuas ya forjados,
mil lauros de tus obras premio honroso
te ofrece España, Ercilla generoso,
por tu pluma y tu lanza tan ganados.

Hónrese tu valor entre soldados,
invidie tu nobleza el valeroso
y busque en ti el poeta más famoso
lima para sus versos más limados.

Derrame por el mundo tus loores
la fama, y eternice tu memoria
porque jamás el tiempo la consuma.

Gocen ya, sin temor de que hay mayores,
tus hechos y tus libros de igual gloria,
pues la han ganado igual la espada y pluma.

Araucana nação mais venturosa,
mais que cuantas og'ha de gloria dina,
pois na prosperidade e na ruina
sempre enuejada estais, nunca enuejosa.

Se enresta ¡oh illustre Alonso! a temerosa
lanza, se arranca a espada que fulmina,

73

creyó que julgareis que determina
s'o conquistar a terra bellicosa.

Faraa, mas não temais essa mão forte,
que se vos tira a liberdade e a vida,
ella vos pagara bẽ largamente.

Qu'a troco du'a breve e honrada morte,
Cõ seu divino estillo, esclarecida
deixara vossa fama eternamente.

AL REY, NUESTRO SEÑOR

Como todas mis obras de su principio están ofrecidas a V.M., ésta, como necesitada, acude al amparo que ha menester.

Suplico a V. M. sea servido de pasar los ojos por ella que con merced tan grande, demás de dejarla V. M. ufana, quedará autorizada y seguro de que ninguno se le atreva.

Guarde Nuestro Señor la Católica persona de V. M.

Don Alonso de Ercilla y Zúñiga

[Handwritten at top of page:]

— Ariosto
Le Donne, i cavallieri, l'arme, gli amore,
le cortesie, l'audaci imprese io canto.

CANTO PRIMERO

EL CUAL DECLARA EL ASIENTO Y DESCRIPCIÓN DE LA PRO-
VINCIA DE CHILE Y ESTADO DE ARAUCO, CON LAS COSTUM-
BRES Y MODOS DE GUERRA QUE LOS NATURALES TIENEN; Y
ASIMISMO TRATA EN SUMA LA ENTRADA Y CONQUISTA QUE
LOS ESPAÑOLES HICIERON HASTA QUE ARAUCO SE COMENZÓ
A REBELAR

[Handwritten note: Rechazo]

No LAS damas, amor, no gentilezas
de caballeros canto enamorados,
ni las muestras, regalos y ternezas
de amorosos afectos y cuidados;
— mas el valor, los hechos, las proezas
de aquellos españoles esforzados,
que a la cerviz de Arauco no domada
pusieron duro yugo por la espada[1].

Cosas diré también harto notables
de gente que a ningún rey obedecen,

---

[1] Esta decisión de tratar sólo hechos guerreros de carácter histórico
se pondrá en cuestión en la primera estrofa del Canto «quinceno y último» de esta Primera Parte. Para las relaciones con Ariosto, a quien Ercilla imita a pesar de la diversidad de materia, v. Chevalier, 150-1 y, con
opinión contraria poco convincente, A. Prieto, *La poesía española del siglo
XVI,* Madrid, Cátedra, 1987, 820 y ss. Para la «estrecha analogía» de esta
estrofa con la primera de la traducción de Boyardo hecha por Hernando
de Acuña, v. H. de Acuña, *Varias poesías,* ed. de Luis F. Díaz Larios, Madrid, Cátedra, 41. Para semejante procedimiento ya en Juan de Padilla, el
Cartujano, v. Lida de Malkiel, 428

temerarias empresas memorables
que celebrarse con razón merecen,
raras industrias[2], términos loables
que más los españoles engrandecen
pues no es el vencedor más estimado
de aquello en que el vencido es reputado[3].

Suplícoos, gran Felipe, que mirada
esta labor, de vos sea recebida,
que, de todo favor necesitada,
queda con darse a vos favorecida[4].
Es relación sin corromper sacada
de la verdad, cortada a su medida;
no despreciéis el don, aunque tan pobre,
para que autoridad mi verso cobre[5].

Quiero a señor tan alto dedicarlo,
porque este atrevimiento lo sostenga,
tomando esta manera de ilustrarlo[6],
para que quien lo viere en más lo tenga;
y si esto no bastare a no tacharlo[7],

---

[2] *industria* 'maña, diligencia' (Cov.); *término* 'conducta' (*Aut.* con textos de Cervantes y Lope; DCECH).

[3] Los dos últimos versos los recordará Cervantes en el *Quijote* II,14 rehaciéndolos: «Y tanto el vencedor es más honrado / cuanto más el vencido es reputado.»

[4] *favor ... favorecida* para este tipo de repetición etimologizadora muy frecuente en Ercilla y de tradición clásica, cfr. Lausberg, par. 648-649. En efecto, se encuentra a lo largo de las tres Partes numerosos casos no sólo de geminación, sino también de repeticiones triples: XVI,67,7-8 «justa, justificando, injusta»; XXVII,52,1-3-5: «cubiertas ... descubiertas ... encubiertas».

[5] Nótese cómo la *Dedicatoria* de 1597 emplea palabras semejantes a las de esta estrofa de 1569. Por otra parte, es el motivo que cierra el Canto II y el del exordio moral del Canto III. Para la *relación* y su identificación con la «enunciación del discurso histórico», cfr. W. Mignolo, *Elementos para una teoría del texto literario,* pág. 232. Cfr. IV, n. 102.

[6] *ilustrar* 'ennoblecer' (*Aut.*), 'engrandecer', como luego en 17,7; es cultismo ya presente en Mena (C. C. Smith, 255) y muy usado en el siglo XVI a partir de Garcilaso (Egl. 2,1179) y el propio Ercilla: Herrera, etc. Cfr. D. Alonso, pág. 57 y Vilanova I,453.

[7] *tachar* 'poner falta' (Cov.), y ya en textos medievales.

a lo menos confuso se detenga
pensando que, pues va a Vos dirigido,
que debe de llevar algo escondido.

Y haberme en vuestra casa yo criado[8],   5
que crédito me da por otra parte,
hará mi torpe estilo delicado,
y lo que va sin orden, lleno de arte;
así, de tantas cosas animado,
la pluma entregaré al furor de Marte:
dad orejas[9], Señor, a lo que digo,
que soy de parte dello buen testigo[10].

Chile, fértil provincia y señalada[11]
en la región antártica famosa,
de remotas naciones respetada
por fuerte, principal y poderosa;
la gente que produce es tan granada,
tan soberbia, gallarda y belicosa,
que no ha sido por rey jamás regida
ni a estranjero dominio sometida.

Es Chile norte sur de gran longura,
costa del nuevo mar, del Sur[12] llamado,

---

[8] En 1548, a los quince años de edad, Ercilla entró al servicio del entonces príncipe don Felipe como paje. Cfr. Medina, *Vida,* pág. 22.

[9] *dar oreja* 'prestar atención' (*Aut.,* con este texto de Ercilla). Se trata de la expresión que Ariosto reformula del tópico clásico horaciano. Para su insistente uso en la poesía italiana y española del XVI y XVII, Vilanova, I, 266-268. El sintagma *attentam aurem* (Horacio, *Sátiras,* I,1, v. 19) en VII,33,5; VIII,67,8 y XXIII,37,8.

[10] El narrador participará en las acciones del poema a partir de XII,69-70, como allí se declara. Para su función como testigo dentro de la economía general del poema, v. Marcos A. Morínigo, «Lo que Ercilla vio de la guerra araucana» en Körner, Karl-Hermann & Klaus Rühl, eds., *Studia Iberica: Festschrift für Hans Flasche,* Berna, Franke, 1973, páginas 427-440.

[11] *señalado* 'insigne, grande'. *Aut.* define el vocablo *granado* que aparece en el verso 5 de la octava: «grande, crecido y señalado. Lat. *Insignis*».

[12] *Mar del Sur* el Océano Pacífico, visto por primera vez en Panamá en 1513 por la expedición al mando de Vasco Núñez de Balboa. El *longura*

tendrá del leste a oeste de angostura
cien millas, por lo más ancho tomado;
bajo del polo Antártico en altura
de veinte y siete grados, prolongado
hasta do el mar Océano y chileno[13]
mezclan sus aguas por angosto seno.

Y estos dos anchos mares, que pretenden,
pasando de sus términos, juntarse,
baten las rocas, y sus olas tienden,
mas esles impedido el allegarse;
por esta parte al fin la tierra hienden
y pueden por aquí comunicarse.
Magallanes, Señor, fue el primer hombre
que, abriendo este camino, le dio nombre[14].

Por falta de pilotos, o encubierta
causa, quizá importante y no sabida,
esta secreta senda descubierta
quedó para nosotros escondida;
ora sea yerro de la altura cierta,
ora que alguna isleta, removida
del tempestuoso mar y viento airado
encallando en la boca, la ha cerrado[15].

del verso anterior aparece frecuentemente en los textos hasta el siglo XVII, junto con *longitud* que terminará por reemplazarlo.

[13] Es decir el Océano Atlántico y el Pacífico.

[14] Según Antonio Pigafetta en su *Relación del Primer Viaje Alrededor del Mundo,* llamaron al estrecho primeramente «Estrecho Patagónico», pero este nombre no hizo fortuna, sino el de su descubridor. Cfr. edición de la *Bibliotheca Indiana* I, Madrid, Aguilar, 1957,31.

[15] Madrid, 1569: «del viento airado y fiero mar acaso / encallando en la boca cerró el paso.» Se hace eco de esta estrofa, para afirmar la existencia del estrecho y los navegantes que lo atravesaron después de Magallanes, el Padre Joseph de Acosta, *Historia natural y moral de las Indias* (Sevilla, 1590) l.III, c. 10,67-68, BAE, vol. 63. Madrid, Atlas, 195. Cfr. Carlos R. Keller «El tercer mundo. Comentarios sobre dos octavas reales de don Alonso de Ercilla» *BAChH* 23 (1961) 48-77, especialmente 73 y ss., y A. Gerbi. *La Natura delle Indie Nove,* Milán, Riccardi, 1975, 135.

80

Digo que norte sur corre la tierra,
y báñala del oeste la marina[16];
a la banda de leste va una sierra
que el mismo rumbo mil leguas camina;
en medio es donde el punto de la guerra
por uso y ejercicio más se afina.
Venus y Amón[17] aquí no alcanzan parte,
sólo domina el iracundo Marte.

Pues en este distrito demarcado,
por donde su grandeza es manifiesta,
está a treinta y seis grados el Estado
que tanta sangre ajena y propia cuesta;
éste es el fiero pueblo no domado
que tuvo a Chile en tal estrecho[18] puesta,
y aquel que por valor y pura guerra
hace en torno temblar toda la tierra.

Es Arauco, que basta, el cual sujeto
lo más deste gran término tenía
con tanta fama, crédito y conceto[19],
que del un polo al otro se estendía,
y puso al español en tal aprieto
cual presto se verá en la carta[20] mía;
veinte leguas contienen sus mojones[21],
poséenla diez y seis fuertes varones.

---

[16] *marina* 'costa', 'la parte de la tierra inmediata al mar' (*Aut.*).

[17] *Amón*. El texto, por errata obvia, tras «Amán»; reproducimos la lectura de la princeps de la Primera Parte (1569), así como Madrid, 1589-90, que hace referencia al hijo incestuoso de Lot (Génesis 19,38), es decir, al amor impuro, por oposición a Venus, diosa de la belleza y del amor. Ambos, a su vez, se oponen a Marte del verso siguiente, dios romano de la guerra y símbolo de la violencia.

[18] *estrecho* usado como sustantivo 'peligro, riesgo' (Cov. con la expresión *estar puesto en estrecho*); *puesta* concuerda gramaticalmente con *tierra* omitido, pero mencionado en la estrofa anterior y dos versos más abajo.

[19] *conceto* por *concepto* 'opinión' (T.L.).

[20] *carta* 'hoja' (T.L.) y aquí, por extensión 'texto'. Cfr. XXXIII, n. 20.

[21] *mojón* 'la señal que se pone para dividir los términos' (*Aut.*) y en el

De diez y seis caciques[22] y señores
es el soberbio Estado poseído,
en militar estudio los mejores
que de bárbaras madres han nacido;
reparo de su patria y defensores,
ninguno en el gobierno preferido.
Otros caciques hay, mas por valientes
son éstos en mandar los preeminentes[23].

Sólo al señor de imposición le viene
servicio personal de sus vasallos,
y en cualquiera ocasión cuando conviene
puede por fuerza al débito[24] apreamiallos;
pero así obligación el señor tiene
en las cosas de guerra dotrinallos
con tal uso, cuidado y diciplina,
que son maestros después desta dotrina.

En lo que usan los niños en teniendo   15
habilidad y fuerza provechosa,
es que un trecho seguido ha[25] de ir corriendo
por una áspera cuesta pedregosa
y al puesto y fin del curso[26] revolviendo,
le dan al vencedor alguna cosa.

---

texto, hace referencia más que a una propiedad en particular, a los límites del territorio araucano.

[22] *cacique* es indigenismo taíno de Santo Domingo difundido por los
españoles en el resto de América y ya usado por Colón en 1492 (Friederici, DCECH).

[23] *preeminente* era cultismo poco usual en el XVI; tal vez sea ésta la documentación más temprana de su uso literario. Cfr. *Aut.* con textos del
XVII y DCECH, que cita los mismos autores. *Preminencia* en I,17,1.

[24] *débito* es documentación temprana de este duplicado culto de *deuda*
(DCECH trae datos algo posteriores).

[25] El verbo en singular concuerda con un sobreentendido «cada
niño».

[26] *curso* «... o corso, el lugar donde suelen correr por fiestas y desafíos»
(Cov.); *revolver* 'dar vuelta entera' (*Aut.*).

82

Vienen a ser tan sueltos[27] y alentados
que alcanzan por aliento[28] los venados.

Y desde la niñez al ejercicio
los apremian por fuerza y los incitan,
y en el bélico estudio y duro oficio,
entrando en más edad, los ejercitan.
Si alguno de flaqueza da un indicio,
del uso militar lo inhabilitan,
y el que sale en las armas señalado
conforme a su valor le dan el grado.

Los cargos de la guerra y preminencia
no son por flacos[29] medios proveídos,
ni van por calidad, ni por herencia,
ni por hacienda y ser mejor nacidos;
—mas la virtud del brazo y la excelencia,
ésta hace los hombres preferidos,
ésta ilustra[30], habilita, perficiona
y quilata el valor de la persona.

Los que están a la guerra dedicados
no son a otro servicio constreñidos,
del trabajo y labranza reservados,
y de la gente baja mantenidos;
pero son por las leyes obligados

[27] *suelto* 'veloz' (*Aut*. con este texto de Ercilla); es acepción que también aparece en Herrera (Kossoff) y en Góngora.

[28] *alentado ... aliento* para este uso retórico, v. n. 4 de este Canto; entiéndase 'que con vigor alcanza a los venados'.

[29] *flaco* 'débil' (Cov.) es acepción común en la Edad Media (DCECH) y de uso muy frecuente en todo el poema, como *flaqueza* 'debilidad' de la estrofa anterior.

[30] *ilustrar* 'engrandecer' (I, n. 6). Cfr. más abajo en el Canto, n.112 para la repetición sinonímica. V. Pedro de Valdivia, *Carta* al Emperador Carlos V, fechada en Concepción, 25 de septiembre de 1551: «Lo que puedo decir con verdad de la bondad desta tierra es, que el derecho dellos está en las armas, y así las tienen todos en sus casas y muy a punto para se defender de sus vecinos y ofender al que menos puede» (BAE, CXXXI, pág. 67a).

destar a punto de armas proveídos,
y a saber diestramente gobernallas
en las lícitas guerras y batallas.

Las armas dellos más ejercitadas
son picas, alabardas y lanzones[31],
con otras puntas largas enastadas
de la fación[32] y forma de punzones;
hachas, martillo, mazas barreadas[33],
dardos, sargentas[34], flechas y bastones,
lazos de fuertes mimbres y bejucos[35],
tiros arrojadizos y trabucos[36].

Algunas destas armas han tomado   20
de los cristianos nuevamente[37] agora,
que el contino ejercicio y el cuidado
enseña y aprovecha cada hora,
y otras, según los tiempos, inventado:
que es la necesidad grande inventora,
y el trabajo solícito en las cosas,
maestro de invenciones ingeniosas[38].

---

[31] *pica* 'lanza larga con punta de hierro'; *alabarda* 'asta con cuchilla tranversal'; *lanzón* 'lanza corta con punta ancha de hierro'. Para la diversidad de lanzas que utilizaban los guerreros araucanos, v. Salas, 77 y notas.

[32] *fación* por *facción* 'disposición' (*Aut.*).

[33] *barreado* 'reforzado con barras' (Percivale, 1623, en T.L.).

[34] *sargenta* 'especie de alabarda' (DRAE); es adaptación de una palabra de origen francés al arma indígena; *sargento* aparece documentada más tarde en DCECH (s.v. *siervo*). Para los diversos tipos de flechas, v. Salas, 29 y ss.

[35] *bejuco* es indigenismo taíno ya documentado en 1526 (Friederici con texto del *Sumario* de Oviedo). Esta forma de lazo parece haber sido arma araucana típica, pues fuera de los textos de Chile no parece haber documentación de su uso americano (Salas, 76-77).

[36] *trabuco* 'catapulta' ya en Juan de Mena (DCECH).

[37] *nuevamente* 'por primera vez'; 'de poco tiempo a esta parte', 'con novedad' (*Aut.*).

[38] Los versos 6 a 8 recuerdan a Virgilio, *Georgica* I, 145-6: «Tum varias venere artes: labor omnia vicit / Improbus, et duris urgens egestas.»

Tienen fuertes y dobles coseletes[39],
arma común a todos los soldados,
y otros a la manera de sayetes[40],
que son, aunque modernos, más usados;
grebas, brazaletes, golas, capacetes[41]
de diversas hechuras encajados,
hechos de piel curtida y duro cuero[42],
que no basta a ofenderle el fino acero.

Cada soldado una arma solamente
ha de aprender, y en ella ejercitarse,
y es aquella a que más naturalmente
en la niñez mostrare aficionarse[43];
desta sola procura diestramente
saberse aprovechar, y no empacharse[44]
en jugar de[45] la pica el que es flechero,
ni de la maza y flechas el piquero. *Modo de batalla*

Hacen su campo[46], y muéstranse en formados
escuadrones[47] distintos muy enteros,

---

[39] *coselete* «es lo mismo que *miles levis armaturae*» (Cov.).

[40] *sayete* 'casaca corta' *(Aut.,* con este texto de Ercilla).

[41] *greba* 'bota de acero que protegía la parte superior de la pierna hasta la rodilla' *(Aut.); brazal* 'armadura de hierro que cubre la parte inferior del brazo' (T.L.); *gola* 'arma defensiva que se pone sobre el peto para cubrir y defender la garganta' *(Aut.); capacete* 'armadura de la cabeza' ya en Nebrija (T.L.). Cfr. *Aut.* s.v. *greva* para texto semejante, sin duda inspirado en éste de Ercilla, de A. de Ovalle, *Historia del reino de Chile.*

[42] *cuero* 'piel sin curtir', por oposición a *piel,* que es «curtida».

[43] Para testimonios de Las Casas y Cobo, entre otros, sobre la educación de los hombres en la sociedad indígena y la especialización militar, v. Salas, pág. 275 y n.6, que recuerda este texto.

[44] *empacharse* aquí 'ocuparse'.

[45] *jugar (de) las armas* 'manejarlas con destreza y habilidad' *(Aut.);* cfr. más abajo I,30,8.

[46] *campo* 'ejército formado, que está en descubierto' *(Aut.* y ya en Cov.).

[47] *escuadrones* se refiere a escuadrones de infantería. Cfr. XII,36,4 para mención específica. Para las estrategias indígenas empleadas para defenderse de la superioridad que los caballos daban a los españoles, cfr. en este Canto, 25.1-2 y XI,55. Para los ensayos de utilización de caballos por los araucanos, XI,49 a 51 (como estratagema) y XII,20-21. Para un

cada hila[48] de más de cien soldados;
entre una pica y otra los flecheros
que de lejos ofenden[49] desmandados
bajo la protección de los piqueros,
que van hombro con hombro, como digo,
hasta medir a pica al enemigo.

Si el escuadrón primero que acomete
por fuerza viene a ser desbaratado,
tan presto a socorrerle otro se mete,
que casi no da tiempo a ser notado.
Si aquél se desbarata, otro arremete,
y estando ya el primero reformado[50],
moverse de su término no puede
hasta ver lo que al otro le sucede.

De pantanos procuran guarnecerse   25
por el daño y temor de los caballos,
donde suelen a veces acogerse
si viene a suceder desbaratallos;
allí pueden seguros rehacerse,
ofenden sin que puedan enojallos[51],
que el falso sitio y gran inconveniente
impide la llegada a nuestra gente.

Del escuadrón se van adelantando
los bárbaros que son sobresalientes,
soberbios cielo y tierra despreciando,
ganosos de estrémarse por valientes.
Las picas por los cuentos[52] arrastrando,

---

panorama general de la función del caballo en la Conquista, v. Salas,
127-158.

[48] *hila* 'hilera' (*Aut.*, con texto de IV,20,7).

[49] *ofender* 'herir', 'atacar' ya en Mena (Lida de Malkiel, 243) en el sentido latino de 'salir al encuentro', que en este texto se aplica parcialmente; *desmandado* 'sin regla ni orden' (T.L.).

[50] *reformado* 'nuevamente en formación' (*Aut.*, s.v. *reformar*).

[51] *enojar* 'molestar', ya en Nebrija (T.L.).

[52] *cuento* 'extremo de la lanza'. Cfr. J. de Valdés, *Diálogo de la lengua* (ed.

poniéndose en posturas diferentes,
diciendo: «Si hay valiente algún cristiano,
salga luego adelante mano a mano»[53].

Hasta treinta o cuarenta en compañía,
ambiciosos de crédito y loores,
vienen con grande orgullo y bizarría
al son de presurosos atambores[54];
las armas matizadas a porfía
con varias y finísimas colores[55],
de poblados penachos adornados,
saltando acá y allá por todos lados[56].

Hacen fuerzas[57] o fuertes cuando entienden
ser el lugar y sitio en su provecho,
o si ocupar un término pretenden,
o por algún aprieto y grande estrecho;
de do más a su salvo se defienden
y salen de rebato[58] a caso hecho,
recogiéndose a tiempo al sitio fuerte,
que su forma y hechura es desta suerte:

Clás. Cast., 135,7-9): «también *cuento* es equívoco, porque decimos *cuento de lanza* y *cuento de maravedís* y *cuento por novela*».

[53] *mano a mano* 'igual, a la par' (Cov.); *Aut.* lo aplica a la lengua del juego «modo de jugar algún partido en que no interviene ventaja de un jugador a otro». Es acepción que este texto documenta tempranamente y que se generaliza hasta hoy, a partir del siglo XVII (DCECH s.v. *mano* la registra desde Cervantes). *Luego* 'al instante, sin dilación' (*Aut.*).

[54] *atambor* por *tambor* y así también en todos los diccionaristas del T.L.; sin embargo, Cervantes ya usa las dos formas (Fz. Gómez).

[55] *color* no rechazaba completamente el género gramatical femenino, especialmente en la poesía áurea (Bello-Cuervo, par. 129).

[56] Cfr. Salas, III, cap. 3,369-416, especialmente 387 y ss. para descripción de los escuadrones indígenas. V. ahora Gerónimo de Vivar, *Crónica y relación...*, cap. CIIII, con extensa descripción de armas y formación de los escuadrones en la provincia de Concepción, semejante en muchos puntos (aunque más completa y minuciosa) a la de Ercilla.

[57] *fuerza* 'plaza murada y guarnecida de gente para su defensa' (*Aut.*, con texto de Cervantes y ya Cov., «castillo fuerte», como se explica en este texto. Cfr. IV, título.

[58] *rebato* 'fraudulento y súbito acontecimiento' (Cov., s.v. *rebatir*); *a caso hecho* 'deliberadamente' (DRAE).

señalado el lugar, hecha la traza,
de poderosos árboles labrados
cercan una cuadrada y ancha plaza
en valientes[59] estacas afirmados,
que a los de fuera impide y embaraza
la entrada y combatir, porque, guardados
del[60] muro los de dentro, fácilmente
de mucha se defiende poca gente.

Solían antiguamente de tablones   30
hacer dentro del fuerte otro apartado,
puestos de trecho a trecho unos troncones
en los cuales el muro iba fijado
con cuatro levantados torreones
a caballero[61] del primer cercado,
de pequeñas troneras lleno el muro
para jugar[62] sin miedo y más seguro.

En torno desta plaza poco trecho
cercan de espesos hoyos por defuera:
cuál es largo, cuál ancho, y cuál estrecho,
y así van sin faltar desta manera,
para el incauto mozo que de hecho[63]
apresura el caballo en la carrera

---

[59] *valiente* 'fuerte', latinismo de sentido usado con cosas, es frecuente
en autores de los siglos XVI y XVII. Cfr. Cervantes «valientes alcorno-
ques», «valientes encinas», «valientes toros de Guisando», «valientes palas» (Fz. Gómez) y ya en Mena (Lida de Malkiel, 243).

[60] *del* 'por el'; para el uso de *de* como agente, v. Keniston, párrafo 35.251.

[61] *a caballero* 'en alto'; *caballero* 'fortificación alta' (T.L. con definiciones de Minshev, 1599 y otros). Cfr. Salas, 302-305 para descripción de
las diversas empalizadas indígenas y texto de Pedro de Aguado.

[62] *jugar* 'disparar' *(Aut.);* cfr. I,22,7 para *jugar de.* Nótese el uso adverbial de *seguro;* para este uso de los adjetivos, común en textos clásicos y
pre-clásicos, y hoy frecuente en el castellano de América, cfr. Keniston,
par. 25.41 y 39.14; v. tb. Lapesa, par. 133.1, con bibliografía. Cfr. además II, n. 25.

[63] *de hecho* es expresión adjetiva que significa 'valeroso', 'determinado'
(Aut.) y que modifica a «incauto mozo».

tras el astuto bárbaro engañoso
que le mete en el cerco peligroso.

También suelen hacer hoyos mayores
con estacas agudas en el suelo,
cubiertos de carrizo[64]; yerba y flores,
porque puedan picar[65] más sin recelo;
allí los indiscretos corredores,
teniendo sólo por remedio el cielo,
se sumen dentro, y quedan enterrados
en las agudas puntas estacados[66].

De consejo y acuerdo una manera
tienen de tiempo antiguo acostumbrada,
que es hacer un convite y borrachera
cuando sucede cosa señalada;
y así cualquier señor, que la primera
nueva del tal suceso le es llegada,
despacha con presteza embajadores
a todos los caciques y señores

haciéndoles saber como se ofrece
necesidad y tiempo de juntarse,
pues a todos les toca y pertenece,
que es bien con brevedad comunicarse.
Según el caso, así se lo encarece,
y el daño que se sigue dilatarse[67],
lo cual, visto que a todos les conviene,
ninguno venir puede que no viene[68].

---

[64] *carrizo* 'especie de caña', ya en Nebrija (T.L.).

[65] *picar* 'espolear el caballo' (*Aut.*, con texto del siglo XVII, pero se halla documentado desde antiguo).

[66] Para esta ingeniosa defensa de los indios, muy extendida por toda América y primitivamente utilizada para capturar fieras, v. Salas, 133; cfr. A. de Góngora Marmolejo, cap. XXIX (pág. 136), para descripción de esta estratagema y los castigos que los indígenas recibían por ella, lo cual es índice claro de su eficacia.

[67] Madrid, 1569 y Madrid, 1589-90: «en dilatarse».

[68] entiéndase 'no hay ninguno que pueda venir y no venga'.

Juntos, pues, los caciques del senado,
propóneles el caso nuevamente,
el cual por ellos visto y ponderado,
se trata del remedio conveniente;
y resueltos en uno[69] y decretado,
si alguno de opinión es diferente,
no puede en cuanto al débito eximirse,
que allí la mayor voz ha de seguirse.

Después que cosa en contra no se halla,
se va el nuevo decreto declarando[70]
por la gente común y de canalla,
que alguna novedad está aguardando.
Si viene a averiguarse por batalla,
con gran rumor lo van manifestando
de trompas y atambores altamente,
porque a noticia venga de la gente.

Tienen un plazo puesto y señalado
para se ver sobre ello y remirarse[71];
tres días se han de haber ratificado
en la difinición[72] sin retratarse,
y el franco y libre término pasado,
es de ley imposible revocarse
y así como a forzoso acaecimiento,
se disponen al nuevo movimiento.

Hácese este concilio en un gracioso
asiento de mil florestas escogido,
donde se muestra el campo más hermoso

[69] *en uno* 'con unión o inseparabilidad' *(Aut.* s.v. *uno);* 'unánimemente'.

[70] Madrid, 1569: «se viene por la gente divulgando».

[71] *remirar* 'volver a considerar con reflexión' *(Aut.).*

[72] *difinición* por *definición* 'determinación' (Cov.); *retratarse* por *retractarse,* es la forma que usa J. de Mena (DCECH; Lida de Malquiel, 261) de quien probablemente la toma Ercilla, y con esta ortografía aparece hasta el XVIII *(Aut.* sólo trae esta forma). Cfr. C. C. Smith, 268 para ej. del s. xv anterior a Mena.

de infinidad de flores guarnecido;
allí de un viento fresco y amoroso
los árboles se mueven con ruido,
cruzando muchas veces por el prado
un claro arroyo limpio y sosegado[73],

do una fresca y altísima alameda
por orden y artificio tienen puesta
en torno de la plaza y ancha rueda,
capaz[74] de cualquier junta y grande fiesta,
que convida a descanso, y al sol veda
la entrada y paso en la enojosa[75] siesta;
allí se oye la dulce melodía
del canto de las aves y armonía.

Gente es sin Dios ni ley, aunque respeta   40
aquel que fue del cielo derribado,
que como, a poderoso y gran profeta
es siempre en sus cantares celebrado.
Invocan su furor con falsa seta[76]
y a todos sus negocios es llamado,
teniendo cuanto dice por seguro
del próspero suceso o mal futuro.

Y cuando quieren dar una batalla
con él lo comunican en su rito;
si no responde bien, dejan de dalla
aunque más les insista el apetito.

---

[73] Para esta descripción altamente estilizada que continúa en la siguiente estrofa, y otras dentro del poema, v. Rosa Perelmuter-Pérez, *HR* 54,2 (1986) 129-146, especialmente pág. 134. En realidad, se trata del lugar en que los araucanos se reúnen para resolver todo tipo de conflicto que afecta a todas las comarcas y no solamente para «elegir el nuevo cacique»; la adjetivación, precisamente porque se ajusta a los epítetos platonizantes tradicionales de la descripción del lugar ideal, no puede considerarse «trillada».

[74] *capaz* 'con capacidad' (T.L.).

[75] *enojoso* 'molesto' (Nebrija, en T.L.; pero ya en Berceo, DCECH).

[76] *seta* por *secta*, ya desde el siglo XIII y todavía en el siglo XVII (Cervantes, etc.).

Caso grave y negocio no se halla
do no sea convocado este maldito:
llámanle Eponamón[77], y comúnmente
dan este nombre a alguno si es valiente.

Usan el falso oficio de hechiceros,
ciencia a que naturalmente se inclinan,
en señales mirando y en agüeros
por las cuales sus cosas determinan;
veneran a los necios agoreros
que los casos futuros adivinan:
el agüero acrecienta su osadía
y les infunde miedo y cobardía.

Algunos destos son predicadores
tenidos en sagrada reverencia,
que sólo se mantienen de loores,
y guardan vida estrecha y abstinencia.
Estos son los que ponen en errores
al liviano común[78] con su elocuencia,
teniendo por tan cierta su locura,
como nos la Evangélica Escritura.

Y éstos que guardan orden algo estrecha
no tienen ley ni Dios ni que hay pecados,
mas sólo aquel vivir les aprovecha
de ser por sabios hombres reputados;
pero la espada, lanza, el arco y flecha
tienen por mejor ciencia otros soldados,

lo moral —

---

[77] *Eponamón* v. IX,10 y ss. para su aparición y descripción; cfr. la «Declaración...» al final del poema. Esta deidad demoníaca reaparecerá, sin duda tomada de Ercilla, en otros poemas épicos: el *Arauco domado* (1596) de Pedro de Oña y *La Christíada* (1611) de Diego de Hojeda (Frank Pierce, *La poesía épica del siglo de oro*, Madrid, Gredos, 1968, 34).

[78] *común* «usado como sustantivo se llama así al pueblo todo de cualquier provincia, ciudad, villa o lugar» (*Aut.* con textos del XVII; V. tb. Ayala, 1693, en T.L.); *liviano* 'de poca entidad y consideración' (*Aut.*, con texto de Santa Teresa); 'antojadizo' ya en A. de Palencia, 1490 (DCECH).

diciendo que al agüero alegre o triste
en la fuerza y el ánimo consiste[79].

En fin, el hado y clima[80] desta tierra,   45
si su estrella y pronósticos se miran,
es contienda, furor, discordia, guerra
y a solo esto los ánimos aspiran.
Todo su bien y mal aquí se encierra,
son hombres que de súbito se aíran,
de condiciones feroces, impacientes,
amigos de domar estrañas gentes.

Son de gestos[81] robustos, desbarbados,
bien formados los cuerpos y crecidos,
espaldas grandes, pechos levantados,
recios miembros, de niervos[82] bien fornidos;
ágiles, desenvueltos, alentados,
animosos, valientes, atrevidos,
duros en el trabajo y sufridores
de fríos mortales, hambres y calores.

---

[79] Cfr. VIII,39-44 para rivalidad entre el agorero Puchecalco y el guerrero Tucapel, que esta estrofa anticipa de modo general.

[80] *clima* 'espacio entre dos paralelos' (Cov.). V. otras definiciones en T.L. que acercan la acepción a la esfera astrológica aplicable a la estrofa.

[81] *gesto* 'rostro', acepción cercana a la moderna 'la cara que se muda', como ya define Nebrija. Para la naturaleza lampiña («desbarbada») de los indios, ya anotada por los primeros cronistas y manipulada como índice de inferioridad de los pobladores de América, v. A. Gerbi, *La natura delle Indie Nove*, ed. cit., 39 y, del mismo autor, *La disputa del Nuevo Mundo*, México, FCE, 1982, pág. 10.

[82] *niervo* por *nervio* es forma más tardía también registrada por Nebrija y hoy considerada vulgarismo regional en el castellano de España y América. Para el análisis, no del todo convincente, de esta característica física que se apoya fundamentalmente en dos elementos: fuerza y valor, como proyección o encarnación de las características físicas del territorio que los araucanos habitan, v. B. Pastor, *Discurso narrativo de la Conquista de América*, particularmente cap. V,1, págs. 470 y ss. El texto propone una explicación no necesariamente geográfica, sino más bien astrológica, y por lo tanto determinista en la visión del XVI, claramente señalada en el verso 1 de la octava 45, si se entiende correctamente el significado de «clima».

No ha habido rey jamás que sujetase
esta soberbia gente libertada[83],
ni estranjera nación que se jatase
de haber dado en sus términos pisada,
ni comarcana[84] tierra que se osase
mover en contra y levantar espada.
Siempre fue esenta, indómita[85], temida,
de leyes libre y de cerviz erguida.

El potente rey Inga, aventajado
en todas las antárticas regiones,
fue un señor en estremo aficionado
a ver y conquistar nuevas naciones,
y por la gran noticia del Estado
a Chile despachó sus orejones[86];
mas la parlera fama[87] desta gente
la sangre les templó y ánimo ardiente.

Pero los nobles Ingas valerosos
los despoblados ásperos rompieron,
y en Chile algunos pueblos belicosos
por fuerza a servidumbre los trujeron,
a do leyes y edictos trabajosos[88]

---

[83] *libertado* 'osado, atrevido' (*Aut.*, sin textos); cfr. II,16,5 en donde se aplica al pueblo veneciano y XXXIII,40,5 en boca de Dido, al pueblo cartaginés.

[84] *comarcano* 'vecino'.

[85] *esento* por *exento* 'libre' (Nebrija, en T.L.) es cultismo que ya aparece con la grafía moderna en el *Corbacho* (C. C. Smith, 265); *indómito* es latinismo temprano; DCECH no trae documentación y *Aut.* registra texto de A. de Ovalle, *Historia de Chile*, posterior, aplicado a los araucanos, en uso epitético que el poema de Ercilla hizo proverbial desde este texto; cfr. XXI,15,5.

[86] *orejones* 'los varones de la real familia de los Incas y todos los indios que tenían la costumbre de insertarse, como éstos, grandes rodajas de madera en las orejas perforadas y así extendidas' (Friederici, con textos desde 1551).

[87] *parlera fama* el adjetivo *parlero* 'que habla mucho' (Cov.), es epíteto tradicional de *fama*.

[88] *trabajoso* aquí, 'que causa molestia, tormento', ya en Nebrija (DCECH).

94

con dura mano armada introdujeron,
haciéndolos con fueros disolutos[89]
pagar grandes subsidios y tributos.

Dado asiento en la tierra y reformado   50
el campo con ejército pujante,
en demanda del reino deseado
movieron sus escuadras adelante.
No hubieron muchas millas caminado,
cuando entendieron que era semejante
el valor a la fama que alcanzada
tenía el pueblo araucano por la espada[90].

Los promaucaes de Maule[91], que supieron
el vano intento de los Ingas vanos[92],
al paso y duro encuentro les salieron,
no menos en buen orden que lozanos[93];

[89] *disoluto* 'destructor', es latinismo poco usual y ausente de la mayor parte de los vocabularios (T.L.) y de las listas de cultismos (para *disolver* en censuras anti-cultistas, v. D. Alonso, pág. 99) pero ya en el *Corbacho* (C. C. Smith, 239).

[90] *espada* es sinécdoque por *arma*, pues los pueblos de América no conocieron espadas hasta la llegada de los españoles. Para la extensión de la conquista incaica, cfr. F. Esteve Barba, «Estudio preliminar» en *Crónicas del reino de Chile*, BAE CXXXI, Madrid, Atlas, 1960, pág. XV. V. en este Canto, 70,7.

[91] *promaucaes de Maule*. Cfr. F. Esteve Barba, citado en la nota anterior, págs. XVI-XVII. V. Gerónimo de Vivar, *Crónica y relación...,* cap. XCII: «Está esta provincia de los pormocaes que comienza de siete leguas de la ciudad de Santiago, que es una angostura y ansí le llaman los españoles estos cerros que hacen una angostura. Y aquí llegaron los Ingas cuando vinieron a conquistar esta tierra. Y de aquí adelante no pasaron ... Y de aquí hasta el río de Maule, que son veinte y tres leguas, es la provincia de los pormocaes.»

[92] La repetición con oscilación semántica de *vano* contiene las dos acepciones: 'infructuoso' y 'arrogante' respectivamente, es un recurso retórico que usa Ercilla a lo largo del poema, como así también simples casos de repetición inmediata o *geminatio* con valor superlativo o intensificador (Lausberg, par. 617). Para la repetición con variación de significado o *traductio,* v. *ibíd.,* par. 658 y ss.

[93] *lozano* 'valiente', 'brioso' (DCECH s.v. *loza* para amplio espectro de acepciones).

y las cosas de suerte sucedieron
que llegando estas gentes a las manos,
murieron infinitos orejones,
perdiendo el campo y todos los pendones.

Los indios promaucaes es una gente
que está cien millas antes del Estado[94],
brava, soberbia, próspera y valiente,
que bien los españoles la han probado;
pero con cuanto digo, es diferente
de la fiera nación[95], que cotejado
el valor de las armas y excelencia,
es grande la ventaja y diferencia.

Los Ingas, que la fuerza conocían
que en la provincia indómita se encierra
y cuán poco a los brazos[96] ganarían
llegada al cabo la empezada guerra,
visto el errado intento que traían,
desamparando la ganada tierra,
volvieron a los pueblos que dejaron
donde por algún tiempo reposaron.

Pues don Diego de Almagro, Adelantado
que en otras mil conquistas se había visto,
por sabio en todas ellas reputado,
animoso, valiente, franco y quisto[97],
a Chile caminó determinado
de estender y ensanchar la fe de Cristo[98].

---

[94] entiéndase 'estado araucano'.

[95] *fiera nación* es decir, los araucanos.

[96] *a los brazos* 'en lucha' como en *andar a los brazos* (DRAE).

[97] *quisto* es forma antigua de *querido* en uso sin adverbio, ya poco frecuente en el siglo XVI (cfr. *bien quisto* y *mal quisto* en Nebrija, DCECH).

[98] Cfr. A. de Góngora Marmolejo, *Historia de Chile:* «y como el mandar no sufre igual acordó don Diego de Almagro con sus amigos, y en conformidad de Francisco Pizarro, venir a descubrir a Chile. Poniéndolo por obra, salió con cuatrocientos hombres bien aderezados, año de

Pero llegando al fin deste camino,
dar en breve la vuelta le convino.

Cómo Chile fue tomada

A sólo el de Valdivia[99] esta vitoria   55
con justa y gran razón le fue otorgada
y es bien que se celebre su memoria,
pues pudo adelantar tanto su espada.
Éste alcanzó en Arauco aquella gloria
que de nadie hasta allí fuera alcanzada;
la altiva gente al grave yugo trujo
y en opresión la libertad redujo[100].

Con una espada y capa solamente,
ayudado de industria que tenía,
hizo con brevedad de buena gente[101]
una lucida y gruesa compañía[102],
y con designio y ánimo valiente
toma de Chile la derecha vía,
resuelto en[103] acabar desta salida
la demanda difícil o la vida.

Viose en el largo y áspero camino
por hambre, sed y frío en gran estrecho;
pero con la constancia que convino
puso al trabajo[104] el animoso pecho,

1536, quedando por señor en el Perú Francisco Pizarro», ed. BAE,
t. CXXXI,80.

[99] *a solo el de Valdivia* entiéndase 'solo al nombre de Valdivia'.

[100] *reducir* 'convertir' (DRAE).

[101] Madrid, 1569: «hizo (aunque con trabajo) brevemente». La versión de este texto ya en Madrid, 1589-90.

[102] Madrid, 1569: «de amigos una gruesa compañía». Cfr. *Carta* de Pedro de Valdivia al Emperador Carlos V fechada en La Serena, 4 de septiembre de 1545: «procuré de me dar buena maña y busqué prestado entre mercaderes y con lo que yo tenía y con amigos que me favorecieron, hice hasta ciento y cincuenta hombres de pie y caballo con que vine a esta tierra» (BAE, t. CXXXI,5a).

[103] *resuelto en* por *resuelto a*, era construcción corriente en la época (Keniston, par. 37.716 para ejs. en prosa).

[104] *trabajo* 'penuria' (*Aut.*). Cfr. la Carta mencionada en n. 102,5a: «pasando en el camino todo, grandes trabajos de hambres, guerras con

y el diestro hado y próspero destino
en Chile le metieron, a despecho
de cuantos estorbarlo procuraron,
que en su daño las armas levantaron.

Tuvo a la entrada con aquellas gentes
batallas y recuentros[105] peligrosos
en tiempos y lugares diferentes
que estuvieron los fines bien dudosos;
pero al cabo por fuerza los valientes
españoles con brazos valerosos,
siguiendo el hado y con rigor la guerra
ocuparon gran parte de la tierra.

No sin gran riesgo y pérdidas de vidas
asediados seis años sostuvieron,
y de incultas[106] raíces desabridas
los trabajados cuerpos mantuvieron,
do a las bárbaras armas oprimidas
a la española devoción trujeron
por ánimo constante y raras pruebas,
criando en los trabajos fuerzas nuevas.

Después entró Valdivia conquistando   60
con esfuerzo y espada rigurosa
los promaucaes, por fuerza sujetando
curios, cauquenes, gente belicosa;
y el Maule y raudo Itata atravesando,
llegó al Andalién[107], do la famosa

indios y otras malas venturas que en estas partes ha habido hasta el día
de hoy en abundancia». V. 59,4: «trabajados cuerpos» y 59,8.

[105] *recuentro* por *reencuentro* 'choque o combate de dos cuerpos de tropas' (*Aut.* con textos de P. Mexía y A. de Morales).

[106] *inculto* 'silvestre' es cultismo literario (D. Alonso, *O.C.*, página 57).

[107] *Andalién* Río y valle; para la fundación en 1550 de la ciudad de
Concepción: «dos leguas del sitio donde agora está la ciudad de Concep-
ción», aludida en los versos siguientes, cfr. Góngora Marmolejo, c. X y
XI. Para el «raudo Itata», cfr. Pedro de Valdivia «el río Itata, que es cua-

ciudad fundó de muros levantada,
felice en poco tiempo y desdichada.

Una batalla tuvo aquí sangrienta,
donde a punto llegó de ser perdido
pero Dios le acorrió en aquella afrenta,
que en todas las demás le había acorrido.
Otros dello darán más larga cuenta,
que les está este cargo cometido;
allí fue preso el bárbaro Ainauillo[108];
honor de los pencones[109] y caudillo.

De allí llegó al famoso Biobío
el cual divide a Penco del Estado,
que del Nibequetén, copioso río,
y de otros viene al mar acompañado[110].
De donde con presteza y nuevo brío,
en orden buena[111] y escuadrón formado
pasó de Andalicán la áspera sierra
pisando la araucana y fértil tierra.

---

renta leguas de la ciudad de Santiago, y donde se acaban los límites y jurisdicción de ella: (*op. cit.* 58b). Para el río Maule, cfr. A. de Góngora Marmolejo, *Historia de Chile,* c. VI: «el río de Maule que está treinta leguas de Santiago, yendo tierra adentro, informándose de los caciques cómo se llamaban y las tierras que tenían, llegó al río de Itata, que está bien poblado» (BAE, t. CXXXI, pág. 87a). Cfr. descripción de ambos en el *Diccionario* de Alcedo.

[108] *Ainavillo* Se hace eco de este caudillo y de esta batalla, P. Mariño de Lobera en su *Crónica del reino de Chile,* l.1, parte 2, c. XXXI (BAE, CXXXI,301).

[109] *pencón* 'habitante de la provincia de Penco'. Desde el mismo *araucano* en la octava siguiente, Ercilla deriva de topónimos todos los nombres de los habitantes de las diversas partes de Chile a lo largo del poema; en este caso, aunque Ainavillo había sido elegido caudillo absoluto del territorio, era «honor» de los habitantes de la provincia o región de Penco.

[110] La imagen recuerda Dante, *Inferno* V,98-99: «su la marina dove'l Po discende / per aver pace co'seguaci sui», ya mencionada por A. Nicolas en su traducción francesa del poema de Ercilla.

[111] *orden* 'formación' era de género vacilante en el siglo XVI. Cfr. uso masculino en XII,50,7, con acepción 'mandato'.

No quiero detenerme más en esto
pues que no es mi intención dar pesadumbre,
y así pienso pasar por todo presto,
huyendo de importunos la costumbre;
digo con tal intento y presupuesto[112],
que antes que los de Arauco a servidumbre
viniesen, fueron tantas las batallas,
que dejo de prolijas de contallas.

Ayudó mucho el inorante engaño
de ver en animales corregidos[113]
hombres que por milagro y caso estraño
de la región celeste eran venidos;
y del súbito estruendo y grave daño
de los tiros de pólvora sentidos,
como a inmortales dioses los temían
que con ardientes rayos combatían[114].

Los españoles hechos hazañosos   65
el error confirmaban de inmortales,
afirmando los más supersticiosos
por los presentes los futuros males;

---

[112] *presupuesto* 'propósito', con repetición sinonímica intensificadora de raigambre clásica y muy frecuente en el poema y en general, en los textos poéticos y la prosa de los siglos XVI y XVII. Cfr. Lausberg, párrafos 649-656. V. la defensa de la sinonimia en B. Jiménez Patón, *Elocuencia española en arte* (1604) con ejemplo de Ercilla I,17,7 (ed. Gianna C. Marras, Madrid, El Crotalón, 1988,104).

[113] *corregido* 'domado'. Cfr. Cuervo, *Dicc.* con texto de Saavedra Fajardo. Para la acepción 'moderado, templado', cfr. X,31,3.

[114] Para la inicial reverencia indígena por los españoles, cfr. Salas, 111 y ss. El testimonio literario lo recoge, por ejemplo, Lope de Vega, *Nuevo mundo...*, II, esc. 2. Por cierto, esta es la primera mención del uso de armas de fuego, que los españoles se apresuraron a utilizar cuando les fue posible, con grave daño para los araucanos, en el poema y en la historia. Cfr. por ejemplo IX,40 y XVI,36 para su uso como elemento de atemorización. D. Janik, apoyándose en una vieja afirmación equivocada de C. Dumas, construye una explicación literaria insostenible sobre el motivo de la supuesta ausencia de armas de fuego en el poema («La valoración del indio en *La Araucana*» en *La imagen del indio en la Europa moderna,* Sevilla, CSIC, 1990, 365).

100

y así tibios, suspensos y dudosos,
viendo de su opresión claras señales,
debajo de hermandad y fe jurada
dio Arauco la obediencia jamás dada.

Dejando allí el seguro[115] suficiente
adelante los nuestros caminaron;
pero todas las tierras llanamente,
viendo Arauco sujeta se entregaron,
y reduciendo a su opinión gran gente,
siete ciudades prósperas fundaron:
Coquimbo, Penco, Angol y Santiago,
la Imperial, Villarica, y la del Lago[116].

El felice suceso, la vitoria,
la fama y posesiones que adquirían
los trujo a tal soberbia y vanagloria,
que en mil leguas diez hombres no cabían,
sin pasarles jamás por la memoria
que en siete pies de tierra al fin habían
de venir a caber sus hinchazones[117],
su gloria vana[118] y vanas pretensiones.

Crecían los intereses y malicia
a costa del sudor y daño ajeno,
y la hambrienta[119] y mísera codicia,

---

[115] *seguro* 'seguridad' (*Aut.*, con texto de *La Araucana*, XII,6,8) es acepción frecuente en el poema.
[116] Para la fundación de Coquimbo o La Serena, v. Pedro de Valdivia, *Carta* al emperador Carlos V, 4 de septiembre de 1543 y 15 de octubre de 1550. Para la fundación de las ciudades de Concepción, Imperial, Valdivia y Villarrica, *Carta* al príncipe Felipe, 26 de octubre de 1522 (BAE, t. CXXXI,11, 30 y 69 respectivamente).
[117] *hinchazón* 'vanidad' (*Aut.*, con textos de Fray L. de Granada y Esquilache).
[118] Ercilla separa *vanagloria,* ya escrito con una sola palabra desde el siglo xv, para lograr el efecto intensificador del quiasmo del adjetivo 'vano'.
[119] *hambriento* es epíteto para *codicia,* a la que Ercilla llama con el latinismo *hambre* en III,3,6 y aquí con la imagen del caballo suelto. Para el

con libertad paciendo, iba sin freno.
La ley, derecho, el fuero y la justicia
era lo que Valdivia había por bueno:
remiso en graves culpas y piadoso,
y en los casos livianos riguroso.

Así el ingrato pueblo castellano
en mal y estimación iba creciendo,
y siguiendo el soberbio intento vano,
tras su fortuna próspera corriendo;
pero el Padre del cielo soberano
atajó este camino, permitiendo
que aquel a quien él mismo puso el yugo,
fuese el cuchillo y áspero verdugo.

El Estado araucano, acostumbrado   70
a dar leyes, mandar o ser temido,
viéndose de su trono[120] derribado
y de mortales hombres oprimido,
de adquirir libertad determinado,
reprobando el subsidio[121] padecido,
acude al ejercicio de la espada,
ya por la paz ociosa[122] desusada.

Dieron señal primero y nuevo tiento[123]
(por ver con qué rigor se tomaría),
en dos soldados nuestros, que a tormento[124]
mataron sin razón y causa un día.
Disimulóse aquel atrevimiento,

---

motivo de la codicia en *La Araucana* y su relación con la *Farsalia* de Lucano, v. Dieter Janik, «Ercilla lector de Lucanor», en U. de Concepción,
Homenaje a Ercilla, 1969, págs. 83-111, especialmente pág. 88.

[120] *trono* 'poder' como en III,77,4.

[121] *subsidio* 'carga' es cultismo ya usado por Mena (DCECH).

[122] *ocioso* es cultismo de uso corriente en la poesía del XVI desde Garcilaso, pero ya está en Mena. Cfr. Vilanova I,241.

[123] *Dar tiento* 'reconocer alguna cosa, examinarla' (*Aut.*).

[124] Madrid, 1569: «y fue en dos españoles que a tormento»; la versión
de este texto sigue Madrid, 1589-90.

y con esto crecióles la osadía;
no aguardando a más tiempo abiertamente
comienzan a llamar y juntar gente.

Principio fue del daño no pensado
el no tomar Valdivia presta emienda
con ejemplar castigo del Estado,
pero nadie castiga en su hacienda.
El pueblo sin temor desvergonzado
con nueva libertad rompe la rienda
del homenaje hecho y la promesa,
como el segundo canto aquí lo espresa[125].

FIN

---

[125] Transición de tipo ariostesco que recogerá luego Cervantes en el *Quijote*. Cfr. C. Goic, «La tópica de la conclusión en Ercilla», *Revista chilena de literatura* (Santiago) IV (1971) 17-34. Para ejemplos previos a Ariosto, v. nota edición de A. Nicolás, París, 1869.

PÓNESE LA DISCORDIA QUE ENTRE LOS CACIQUES DE ARAU-
CO HUBO SOBRE LA ELECIÓN DE CAPITÁN GENERAL, Y EL
MEDIO QUE SE TOMÓ POR EL CONSEJO DEL CACIQUE COLO-
COLO, CON LA ENTRADA QUE POR ENGAÑO LOS BÁRBAROS
HICIERON EN LA CASA FUERTE DE TUCAPEL Y LA BATALLA
QUE CON LOS ESPAÑOLES TUVIERON

CANTO II

Muchos hay en el mundo que han llegado
a la engañosa alteza[1] desta vida,
que Fortuna los ha siempre ayudado[2]
y dádoles la mano a la subida
para después de haberlos levantado[3],
derribarlos con mísera caída,
cuando es mayor el golpe y sentimiento
y menos el pensar que hay mudamiento.

No entienden con la próspera bonanza[4]
que el contento es principio de tristeza,
ni miran en la súbita mudanza
del consumidor tiempo y su presteza;

---

[1] *alteza* 'poder, grandeza' (T.L.) tomado del sentido de ser alto en el
poder. Madrid, 1569: 'en la difícil cumbre desta vida'.

[2] Madrid, 1569: «que fortuna los ha favorecido».

[3] Madrid, 1569: «para después que así los ha tenido».

[4] *bonanza* el paso de la acepción marítima 'mar calmo, serenidad del
tiempo» a la traslaticia 'tiempo de prosperidad', usado aquí por Ercilla,
no aparece registrado en los diccionaristas del T.L. hasta Covarrubias.

mas con altiva y vana confianza
quieren que en su fortuna haya firmeza,
la cual, de su aspereza no olvidada,
revuelve con la vuelta[5] acostumbrada.

Con un revés de todo se desquita,
que no quiere que nadie se le atreva,
y mucho más que da siempre les quita,
no perdonando cosa vieja y nueva;
de crédito y de honor los necesita[6],
que en el fin de la vida está la prueba,
por el cual han de ser todos juzgados
aunque lleven principios acertados.

Del bien perdido, al cabo, ¿qué nos queda
sino pena, dolor y pesadumbre?
Pensar que en él Fortuna ha de estar queda[7],
antes dejará el sol de darnos lumbre[8]:
que no es su condición fijar la rueda[9],
y es malo de mudar vieja costumbre;
el más seguro bien de la Fortuna
es no haberla tenido vez alguna.

Esto verse podrá por esta historia,   5
ejemplo dello aquí puede sacarse,
que no bastó riqueza, honor y gloria

---

[5] *revuelve... vuelta,* cfr. I, n.4. La octava utiliza la doble acepción de
Fortuna: por un lado se refiere a la personificación poética y a la diosa
greco-romana representada con los ojos vendados y sobre una rueda
siempre en movimiento y, por otro, a su significado 'hado, destino'.

[6] *necesitar* 'obligar' (Cov.) es uso temprano. Cfr. *Aut.* con textos del
XVII y DCECH.

[7] *quedo* 'inmóvil', 'quieto', que es su duplicado culto, muy usual ya
desde principios del XVII (DCECH).

[8] Para la elipsis de *que* ante el infinitivo *pensar* del verso anterior en
esta construcción consecutiva, cfr. Bello-Cuervo, par. 1097, con este
texto.

[9] Aunque el motivo de la Fortuna cambiante es suficientemente común para que resulte innecesaria la adjudicación de un texto preciso con
el que éste dialoga, v. sin embargo, Dante, *Inferno,* VII,85-96.

con todo el bien que puede desearse
a llevar adelante la vitoria;
que el claro cielo al fin vino a turbarse,
mudando la Fortuna en triste estado
el curso y orden[10] próspera del hado.

La gente nuestra ingrata se hallaba
en la prosperidad que arriba cuento,
y en otro mayor bien que me olvidaba,
hallado en pocas casas, que es contento.
De tal manera en él se descuidaba
(cierta señal de triste acaecimiento)
que en una hora perdió el honor y estado
que en mil años de afán había ganado.

Por dioses, como dije[11], eran tenidos
de los indios los nuestros; pero olieron[12]
que de mujer y hombre eran nacidos,
y todas sus flaquezas entendieron.
Viéndolos a miserias sometidos
el error inorante conocieron,
ardiendo en viva rabia avergonzados
por verse de mortales conquistados.

No queriendo a más plazo difirirlo
entrellos comenzó luego a tratarse
que, para en breve tiempo concluirlo
y dar el modo y orden de vengarse,
se junten a consulta a difinirlo,
do venga la sentencia a pronunciarse,
dura, ejemplar, cruel, irrevocable,
horrenda a todo el mundo y espantable.

---

[10] Cfr. I, n. 111 el género gramatical del *orden*.
[11] Para estas llamadas de atención al lector, muy frecuentes a lo largo del poema, mediante el uso de fórmulas en que el narrador se hace presente en el poema, y su origen ariostesco, cfr. Chevalier, páginas 154-156.
[12] *oler* 'conocer, percibir, sospechar' *(Aut.)*.

Iban ya los caciques ocupando
los campos con la gente que marchaba
y no fue menester general bando,
que el deseo de la guerra los llamaba
sin promesas ni pagas, deseando
el esperado tiempo que tardaba,
para el decreto y áspero castigo
con muerte y destruición del enemigo.

De algunos que en la junta se hallaron   10
es bien que haya memoria de sus nombres,
que siendo incultos bárbaros, ganaron
con no poca razón claros renombres,
pues en tan breve término alcanzaron
grandes vitorias de notables hombres,
que dellas darán fe los que vivieren,
y los muertos allá donde estuvieren.

Tucapel se llamaba aquel primero
que al plazo señalado había venido;
éste fue de cristianos carnicero[13],
siempre en su enemistad endurecido;
tiene tres mil vasallos el guerrero,
de todos como rey obedecido.
Ongol[14] luego llegó, mozo valiente,
gobierna cuatro mil, lucida gente.

Cayocupil, cacique bullicioso[15],
no fue el postrero que dejó su tierra,
que allí llegó el tercero, deseoso
de hacer a todo el mundo él solo guerra;
tres mil vasallos tiene este famoso,

---

[13] *carnicero* 'cruel' (ya en Nebrija, según T.L.), 'que atormenta' (en Henríquez, 1679, T.L.). La acepción corriente en III,66,5.

[14] *Ongol,* luego *Angol.* Cfr. estrofa 23 de este Canto y así en adelante. En la estrofa 15 aparece otro cacique llamado *Ongolmo.*

[15] *bullicioso* 'sedicioso' (Oudin, 1607, según T.L. y ya *bullicio* 'sedición' en Casas, 1570, *ibíd.*).

usado[16] tras las fieras en la sierra.
Millarapué, aunque viejo, el cuarto vino
que cinco mil gobierna de contino[17].

Paicabi se juntó aquel mismo día,
tres mil diestros soldados señorea.
No lejos Lemolemo dél venía,
que tiene seis mil hombres de pelea.
Mareguano, Gualemo y Lebopía
se dan priesa a llegar, porque se vea
que quieren ser en todo los primeros;
gobiernan estos tres, tres mil guerreros.

No se tardó en venir, pues, Elicura
que al tiempo y plazo puesto había llegado,
de gran cuerpo, robusto en la hechura,
por uno de los fuertes reputado;
dice que ser sujeto[18] es gran locura
quien seis mil hombres tiene a su mandado.
Luego llegó el anciano Colocolo,
otros tantos y más rige éste solo.

Tras éste a la consulta Ongolmo viene,   15
que cuatro mil guerreros gobernaba.
Purén en arribar no se detiene,
seis mil súbditos éste administraba.
Pasados de seis mil Lincoya tiene
que bravo y orgulloso ya llegaba,
diestro, gallardo, fiero en el semblante,
de proporción y altura de gigante.

---

[16] Entiéndase 'acostumbrado al ejercicio de la caza'. Cfr. *Aut.*,
s.v. *usar*.

[17] *de contino* 'siempre', 'continuamente'; *contino* por *continuo* es forma
vulgar frecuente en textos áureos (DCECH, con texto de Cervantes, s.v.
continuo; también está en Herrera y registra la expresión Palet, 1604, según T.L.).

[18] *sujeto* 'súbdito', 'sometido a obediencia' *(Aut.)*.

Peteguelén, cacique señalado,
que el gran valle de Arauco le obedece
por natural señor, y así el Estado
este nombre tomó, según parece,
como Venecia, pueblo libertado[19],
que en todo aquel gobierno más florece,
tomando el nombre dél la señoría,
así guarda el Estado el nombre hoy día[20].

Éste no se halló personalmente
por estar impedido de cristianos,
pero de seis mil hombres que el valiente
gobierna, naturales araucanos,
acudió desmandada alguna gente
a ver si es menester mandar las manos.
Caupolicán el fuerte no venía,
que toda Pilmayquén le obedecía.

Tomé y Andalicán también vinieron,
que eran del araucano regimiento[21],
y otros muchos caciques acudieron,
que por no ser prolijo no los cuento.
Todos con leda[22] faz se recibieron,
mostrando en verse juntos gran contento.
Después de razonar en su venida
se comenzó la espléndida comida.

Al tiempo que el beber furioso andaba
y mal de las tinajas el partido,

---

[19] *libertado* 'osado, atrevido', cfr. I, n. 83. Para otra mención de Venecia, v. el Canto XXII de la Segunda Parte (1578), en donde se describe la batalla de Lepanto, especialmente, 23,5.

[20] *hoy día* 'en la actualidad'; para usos medievales e hispanoamericanos de esta forma v. DCECH s.v. *hoy*.

[21] *regimiento* 'modo de regir', ya en el vocabulario de A. Fernández de Palencia (1490); para este cultismo renacentista, v. DCECH s.v. *rey;* cfr. más adelante en este Canto, 34,6, su uso en la arenga de Colocolo.

[22] *ledo* 'alegre' es ya adjetivo poético para Juan de Valdés, *Diálogo de la lengua* (ed. C. Barbolani, pág. 203) y lo usan todavía Lope y Góngora, pero hoy está olvidado.

de palabra en palabra se llegaba
a encenderse entre todos gran ruido;
la razón uno de otro no escuchaba,
sabida la ocasión do había nacido,
vino sobre cuál era el más valiente
y digno del gobierno de la gente.

Así creció el furor, que derribando   20
las mesas, de manjares ocupadas,
aguijan[23] a las armas, desgajando
las armas al depósito obligadas[24];
y dellas se aperciben, no cesando
palabras peligrosas y pesadas,
que atizaban la cólera encendida
con el calor del vino y la comida.

El audaz Tucapel claro[25] decía
que el cargo del mandar le pertenece;
pues todo el universo conocía
que si va por valor, que lo merece:
«Ninguno se me iguala en valentía;
de mostrarlo estoy presto si se ofrece
—añade el jatancioso— a quien quisiere;
y a aquel que esta razón contradijere...[26]».

Sin dejarle acabar dijo Elicura:
«A mí es dado el gobierno desta danza[27],

---

[23] *aguijar* 'apresurarse', ya en Nebrija, aunque solamente como reflexivo para personas: «aguijarse assi mesmo *propero, -as. Festino, -as*».
[24] Entiéndase, de acuerdo con Medina, 'desgajando las ramas en donde las armas estaban depositadas'.
[25] *claro* por *claramente*. Para la adverbialización de adjetivos cfr. I, n. 62.
[26] Cfr. VIII, especialmente octava 44 para la amenaza cumplida.
[27] *danza* por *lucha,* como luego en II,25,2, viene de Ariosto (XXVI,11,3), pero el sentido irónico que Ercilla da a este uso tiene muy distinta dimensión, pues se trata de narrar combates históricos. V. más adelante otros sinónimos festivos de *lucha* o *combate:* XXVIII,70,1 «fiesta»; IV,96,3 «dura fiesta»; XX,11,5 y XXIV,65,3 «juego»; XI,42,5 «duro juego»; XXV,51,3 «fiero juego»; XXIV,65,4 «partido».

111

y el simple que intentare otra locura
ha de probar el hierro de mi lanza.»
Ongolmo, que el primero ser procura,
dice: «Yo no he perdido la esperanza
en tanto que este brazo sustentare,
y con él la ferrada[28] gobernare.»

De cólera Lincoya y rabia insano
responde: «Tratar deso es devaneo,
que ser señor del mundo es en mi mano,
si en ella libre este bastón poseo.»
«Ninguno, dice Angol, será tan vano
que ponga en igualárseme el deseo,
pues es más el temor que pasaría,
que la gloria que el hecho le daría.»

Cayocupil, furioso y arrogante
la maza esgrime, haciéndose a lo largo[29],
diciendo: «Yo veré quién es bastante
a dar de lo que ha dicho más descargo;
haceos los pretensores[30] adelante,
veremos de cuál dellos es el cargo;
que de probar aquí luego[31] me ofrezco,
que más que todos juntos lo merezco.»

«Alto, sús[32], que yo acepto el desafío   25
—responde Lemolemo—, y tengo en nada
poner a prueba lo que es mío,

---

[28] *ferrada* 'maza reforzada con hierro' (*Aut.* con este texto). Ercilla no usa la voz indígena americana, *macana,* de origen taíno, ya utilizada por Oviedo y probablemente llevada al Perú por los españoles (DCECH); cfr. Salas, 77 para los refuerzos metálicos y de sílex.

[29] *hacerse a lo largo* 'separarse, ponerse a distancia considerable uno de otro' (*Aut.*).

[30] *pretensor* 'pretendiente', que *Aut.* ya prefiere y autoriza con textos posteriores; DCECH no trae ejemplos. Cervantes emplea los dos y este verso de Ercilla parece ser ejemplo temprano de su uso literario. Confróntese estr. 28,3.

[31] *luego* 'sin dilación'; cfr. I, n. 53.

[32] *¡sús!* 'interjección para alentar, provocar o mover a otro a ejecutar

112

que más quiero librarlo por la espada;
mostraré ser verdad lo que porfío,
a dos, a cuatro, a seis en la estacada[33];
y si todos quistión[34] queréis conmigo
os haré manifiesto lo que digo.»

Purén, que estaba aparte, habiendo oído
la plática enconosa[35] y rumor grande,
diciendo, en medio dellos se ha metido
que nadie en su presencia se desmande[36].
Y ¿quién imaginar es atrevido
que donde está Purén más otro mande?
La grita y el furor se multiplica,
quién esgrime la maza, y quién la pica.

Tomé y otros caciques se metieron
en medio destos bárbaros de presto[37],
y con dificultad los despartieron[38]
que no hicieron poco en hacer esto:
de herirse lugar aun no tuvieron
y en voz airada, ya el temor pospuesto,
Colocolo, el cacique más anciano,
a razón así tomó la mano[39]:

---

una cosa' (*Aut.* con texto de IX,103,7) pero que ya aparece en la *Celestina* (DCECH s.v. *suso*).

[33] *estacada* 'liza' (Nebrija; con esta ac. recién en Percivale, 1599 según T.L.).

[34] *quistión* por *questión* 'en vulgar suele significar pendencia' (Cov., y ya en Nebrija; pero esta forma, que DCECH considera vulgarismo, se halla en el *Rimado de Palacio,* como documenta Corominas). Para desafío semejante por parte de un español, v. más adelante, octava 78.

[35] *enconoso* por *enconado* 'exasperado' es acepción metafórica que ya aparece en Juan Ruiz (DCECH s.v. *enconar*). La forma *enconoso* es, sin embargo, de documentación literaria algo anterior al texto de Ercilla y *Aut.* la registra en la traducción de Plutarco de D. Gracián, 1542.

[36] *desmandarse* 'descomedirse' (*Aut.,* con este texto).

[37] *de presto* 'prestamente'. Cfr. Keniston, par. 39,74 para ejemplos en prosa.

[38] *despartir* 'separar a los que riñen' ya en Nebrija; para otra acepción en este Canto, v. nota 107 a 82,5.

[39] *tomar la mano* 'se dice el que se adelanta a los demás para hacer algún

Colocolo: El viejo, la presta sabiduria.

«Caciques del Estado defensores:
codicia de mandar no me convida
a pesarme de veros pretensores
de cosa que a mí tanto era debida
porque, según mi edad, ya veis, señores,
que estoy al otro mundo de partida;
mas el amor que siempre os he mostrado,
a bien aconsejaros me ha incitado.

»¿Por qué cargos honrosos pretendemos
y ser en opinión grande tenidos,
pues que negar al mundo no podemos
haber sido sujetos y vencidos?
Y en esto averiguarnos[40] no queremos,
estando de españoles oprimidos:
mejor fuera esa furia ejecutalla
contra el fiero enemigo en la batalla.

»¿Qué furor es el vuestro, ¡oh araucanos!,   30
que a perdición os lleva sin sentillo?
¿Contra vuestras entrañas tenéis manos[41],
y no contra el tirano en resistillo?
Teniendo tan a golpe a los cristianos
¿volvéis contra vosotros el cuchillo?
Si gana de morir os ha movido
no sea en tan bajo estado y abatido.

»Volved las armas y ánimo furioso
a los pechos de aquellos que os han puesto
en dura sujeción, con afrentoso

---

razonamiento' (Cov. s.v. *tomar*). La arenga de Colocolo, la primera de un
buen número puestas en boca de personajes indígenas, fue especialmente
elogiada por Voltaire en su *Essai sur la poésie épique* (1726), juicio que contribuyó en el siglo XVIII a la renovada fama europea del poema. Cfr. F.
Pierce, *op. cit.,* espec. págs. 89 y 114.

[40] *averiguarse* aquí, 'entrar en razones'; la forma reflexiva va generalmente unida a un complemento encabezado por *con* (*Aut.;* DRAE).

[41] El verso recuerda las palabras de Anchises en la *Eneida:* «neu pa-
triae validas in viscera vertite viris» (*Aeneidos,* VI, 833).

partido, a todo el mundo manifiesto;
lanzad de vos[42] el yugo vergonzoso,
mostrad vuestro valor y fuerza en esto,
no derraméis la sangre del Estado
que para redemirnos ha quedado.

»No me pesa de ver la lozanía
de vuestro corazón, antes me esfuerza,
mas temo que esta vuestra valentía
por mal gobierno el buen camino tuerza;
que, vuelta entre nosotros la porfía,
degolláis vuestra patria con su fuerza;
cortad, pues, si ha de ser desa manera,
esta vieja garganta la primera.

»Que esta flaca[43] persona, atormentada
de golpes de fortuna, no procura
sino el agudo filo de una espada
pues no la acaba tanta desventura.
Aquella vida es bien afortunada
que la temprana muerte le[44] asegura,
pero a nuestro bien público atendiendo,
quiero decir en esto lo que entiendo.

»Pares sois en valor y fortaleza,
el cielo os igualó en el nacimiento;
de linaje, de estado[45] y de riqueza
hizo a todos igual repartimiento;
y en singular por ánimo y grandeza

---

[42] *vos* por *vosotros* era ya para Bello uso «puramente poético» en el siglo XVI (Bello-Cuervo, par. 234, con este verso como ejemplo).

[43] *flaco* cfr. I, n. 29.

[44] Se trata de un concepto de amplia tradición clásica que recoge, entre otros, Erasmo en su *Declamatio de morte* traducida al castellano por Juan Martín Cordero y publicada en Amberes (M. Nucio) en 1556. Cfr. M. Bataillon, *Erasmo y España* II,333. V. Erasmo, *Obras escogidas,* Madrid, Aguilar, 1956, 470b (trad. de Lorenzo Riber).

[45] *estado* 'situación social' o, en palabras de Nebrija, 'el altura de cada uno' (T.L.).

podéis tener del mundo el regimiento,
que este gracioso don no agradecido
nos ha al presente término traído.

»En la virtud de vuestro brazo espero   35
que puede en breve tiempo remediarse;
mas ha de haber un capitán primero,
que todos por él quieran gobernarse.
Este será quien más un gran madero
sustentare en el hombro sin pararse,
y pues que sois iguales en la suerte,
procure cada cual de ser más fuerte»[46].

Ningún hombre dejó de estar atento
oyendo del anciano las razones;
y puesto ya silencio al parlamento
hubo entrellos diversas opiniones;
al fin, de general consentimiento
siguiendo las mejores intenciones,
por todos los caciques acordado
lo propuesto del viejo fue acetado.

Podría de alguno ser aquí una cosa
que parece sin término notada,
y es que una provincia poderosa,
en la milicia tanto ejercitada,
de leyes y ordenanzas abundosa[47],
no hubiese una cabeza señalada
a quien tocase el mando y regimiento,
sin allegar[48] a tanto rompimiento.

---

[46] Para las probables fuentes históricas de este episodio, v. el fundamental estudio de José Durand, «Caupolicán. Clave historial y épica de
La Araucana» *Revue de Littérature Comparée* LII,2-3-4 (1978) 367-389. Para
la consideración de este episodio como licencia poética («exageración
hiperbólica») ya entre los cronistas posteriores a Ercilla, P. Mariño de
Lobera, *Crónica...*, ed. cit., libro I, parte 3, cap. 41, 331.
[47] *abundoso* 'abundante' ya anticuado en el siglo xvii (Ayala, 1693, en
T.L., *Aut.* y DHLE).
[48] *allegar* por *llegar*, era considerada en el siglo xvii anticuada y «poco
usada entre gente cortesana» (Ayala, 1693, en T.L.).

Respondo a esto que nunca sin caudillo
la tierra estuvo, electo del senado;
que, como dije, en Penco el Ainauillo[49]
fue por nuestra nación desbaratado,
y viniendo de paz, en un castillo
se dice, aunque no es cierto, que un bocado
le dieron de veneno en la comida,
donde acabó su cargo con la vida.

Pues el madero súbito traído,
no me atrevo a decir lo que pesaba,
que era un macizo líbano[50] fornido
que con dificultad se rodeaba.
Paicabí le aferró menos sufrido,
y en los valientes[51] hombros le afirmaba;
seis horas lo sostuvo aquel membrudo
pero llegar a siete jamás pudo.

Cayocupil al tronco aguija presto,   40
de ser el más valiente confiado,
y encima de los altos hombros puesto
lo deja a las cinco horas de cansado;
Gualemo lo probó, joven dispuesto,
mas no pasó de allí y esto acabado,
Angol el grueso leño tomó luego;
duró seis horas largas en el juego.

Purén tras él lo trujo medio día,
y el esforzado Ongolmo más de medio;
y cuatro horas y media Lebopía,
que de sufrirlo más no hubo remedio.
Lemolemo siete horas le traía,

---

[49] Cfr. I, n. 61.
[50] *líbano* metonimia de *cedro,* por los mencionados en la Biblia (Salmos, 29,5 y 104,16; Isaías 14,8 por ejemplo). Para nombres propios de lugar habilitados como sustantivos comunes, v. R. Menéndez Pidal, *MGH,* par. 80.
[51] *valiente* 'fuerte' como en 52,8 (I, n. 59).

117

el cual jamás en todo este comedio[52]
dejó de andar acá y allá saltando
hasta que ya el vigor le fue faltando.

Elicura a la prueba se previene
y en sustentar el líbano trabaja;
a nueve horas dejarle le conviene
que no pudiera más si fuera paja;
Tucapelo catorce lo sostiene
encareciendo todos la ventaja;
pero en esto Licoya apercebido
mudó en un gran silencio aquel ruido.

De los hombros el manto derribando[53]
las terribles espaldas descubría,
y el duro y grave[54] leño levantando
sobre el fornido asiento lo ponía;
corre ligero aquí y allí mostrando
que poco aquella carga le impedía.
Era de sol a sol el día pasado
y el peso sustentaba aún no cansado.

Venía apriesa la noche, aborrecida
por la ausencia del sol, pero Diana[55]
les daba claridad con su salida,
mostrándose a tal tiempo más lozana.
Lincoya con la carga no convida,
aunque ya despuntaba la mañana,
hasta que llegó el sol al medio cielo,
que dio con ella entonces en el suelo.

---

[52] *comedio* 'intervalo, entretanto' (Percivale, 1599, en T.L.).

[53] Cfr. *Aeneidos,* V. 421-423 para gesto y escena semejante de Eneas que Ercilla recuerda para ajustar el pasaje a la tradición épica clásica; tener en cuenta, además, la expresión *derribar la capa* 'disponerse para echar mano a la espada y reñir' en Cov.

[54] *grave* 'muy pesado, que no se puede buenamente llevar' (Cov.).

[55] Diana es aquí la diosa lunar y, poéticamente, la luna misma. Ovidio *Met.,* XV,196-198; cfr. XVII,47 para su mención como divinidad consagrada a la caza.

No se vio allí persona en tanta gente   45
que no quedase atónita de espanto[56],
creyendo no haber hombre tan potente
que la pesada carga sufra tanto;
la ventaja le daban juntamente
con el gobierno, mando y todo cuanto
a digno general era debido,
hasta allí justamente merecido.

Ufano andaba el bárbaro y contento
de haberse más que todos señalado,
cuando Cupolicán aquel asiento,
sin gente, a la ligera, había llegado;
tenía un ojo sin luz de nacimiento
como un fino granate colorado,
pero lo que en la vista le faltaba,
en la fuerza y esfuerzo[57] le sobraba.

Era este noble mozo de alto hecho[58]
varón de autoridad, grave y severo,
amigo de guardar todo derecho,
áspero y riguroso, justiciero;
de cuerpo grande y relevado pecho,
hábil, diestro, fortísimo y ligero,
sabio, astuto, sagaz, determinado,
y en casos de repente[59] reportado.

Fue con alegre muestra recebido,
—aunque no sé si todos se alegraron—;
el caso en esta suma[60] referido

---

[56] Para descripciones semejantes de la multitud espectadora, v. X,
passim y, sobre todo, XI,6-8 y 11.

[57] *fuerza... esfuerzo* cfr. I, n. 4 para este uso retórico de la repetición etimologizadora.

[58] *de alto hecho* 'esforzado'; cfr. Correas, *Hombre de hecho*. El esforzado y
de valor (pág. 643a).

[59] *de repente* 'sin preparación, inesperado' (*Aut.*). Nótese uso adjetivo
de la frase adverbial.

[60] *suma* 'compendio, resumen' (*Aut.* con texto del siglo XVII).

por su término y puntos le contaron.
Viendo que Apolo ya se había escondido
en el profundo mar, determinaron
que la prueba de aquél se dilatase
hasta que la esperada luz llegase.

Pasábase la noche en gran porfía
que causó esta venida entre la gente;
cuál se atiene a Lincoya y cuál decía
que es el Caupolicano más valiente.
Apuestas en favor y contra había;
otros, sin apostar, dudosamente,
hacia el oriente vueltos aguardaban
si los febeos caballos asomaban[61].

Ya la rosada Aurora[62] comenzaba
las nubes a bordar de mil labores
y a la usada labranza despertaba
la miserable gente y labradores,
y a los marchitos campos restauraba
la frescura perdida y sus colores,
aclarando aquel valle la luz nueva,
cuando Cupolicán viene a la prueba.

Con un desdén y muestra[63] confiada
asiendo del troncón duro y ñudoso[64],

---

[61] *febeos* de Febo o Apolo (mencionado en la octava anterior; cfr. *Aeneidos* III,251) apelativos del dios sol. Para el motivo del amanecer mitológico, que aquí Ercilla extiende hasta la octava 58 para marcar la duración épica de la prueba, con constantes alusiones al tiempo transcurrido, v. M. R. Lida de Malkiel, «El amanecer mitológico en la poesía narrativa española», ahora en *La tradición clásica en España* Barcelona, Ariel, 1975, págs. 119-164 especialmente, págs. 150 y ss.

[62] *rosada* era epíteto de tradición clásica para la Aurora (Vilanova, I,157); cfr. nuevamente en XVIII,75,8. B. Jiménez Patón, *Elocuencia española en arte* usa esta octava como ejemplo de «Periphrasis», sobre otros «muy galanos» (ed. cit., pág. 149).

[63] *muestra* 'porte, ademán' es acepción que no recogen Cov. ni *Aut.*

[64] *ñudoso* por *nudoso*, ya en Nebrija.

como si fuera vara delicada
se le pone en el hombro poderoso.
La gente enmudeció maravillada
de ver el fuerte cuerpo tan nervoso[65]; *fuerte, robusto*
la color[66] a Lincoya se le muda,
poniendo en su vitoria mucha duda.

El bárbaro sagaz de espacio[67] andaba
y a todo priesa entraba el claro día;
el sol las largas sombras acortaba
mas él nunca descrece[68] en su porfía.
Al ocaso la luz se retiraba
ni por esto flaqueza en él había;
las estrellas se muestran claramente,
y no muestra[69] cansancio aquel valiente.

Salió la clara luna a ver la fiesta
del tenebroso albergue húmido y frío[70],
desocupando el campo y la floresta
de un negro velo lóbrego y sombrío.
Caupolicán no afloja de su apuesta,
antes con mayor fuerza y mayor brío
se mueve y representa de manera
como si peso alguno no trujera.

Por entre dos altísimos ejidos
la esposa de Titón ya parecía[71], (*Aurora.*)

---

[65] *nervoso* por *nervioso* 'fuerte, robusto' es latinismo todavía preferido por *Aut.* (DCECH) y usado por Cervantes: «tenía la mano derecha que a mi parecer es algo peluda y nervosa, señal de tener muchas fuerzas su dueño, puesta...» (*Quijote,* II,23, pág. 574).

[66] Cfr. I, 27,6 para el género de *color.*

[67] *de espacio* o *despacio* son, ambas, formas usuales en el XVI.

[68] *descrecer* 'menguar, disminuir' (Cov., y ya en Nebrija).

[69] *se muestran... muestra* es repetición etimologizadora, como ya se ha señalado para otro caso en este mismo Canto en n. 57; aquí se añade oscilación semántica: *mostrarse* 'aparecer' y *mostrar* 'dar señal'.

[70] Es decir, del fondo del mar; *húmido* por *húmedo,* ya registrado a principios del XVI, es cultismo frecuente en poesía desde Garcilaso (Vilanova II,68-70).

[71] La Aurora; la octava es reelaboración de conocidos motivos poéti-

121

los dorados cabellos esparcidos
que de la fresca helada sacudía,
con que a los mustios prados florecidos
con el húmido humor reverdecía,
y quedaba engastado así en las flores
cual perlas entre piedras de colores.

El carro de Faetón[72] sale corriendo   55
del mar por el camino acostumbrado;
sus sombras van los montes recogiendo
de la vista del sol, y el esforzado
varón, el grave peso sosteniendo,
acá y allá se mueve no cansado,
aunque otra vez la negra sombra espesa
tornaba a parecer corriendo a priesa.

La luna su salida provechosa
por un espacio largo dilataba;
al fin, turbia, encendida y perezosa,
de rostro y luz escasa se mostraba.
Paróse al medio curso[73] más hermosa
a ver la estraña prueba en qué paraba,
y viéndola en el punto y ser primero
se derribó en el ártico hemisfero,

y el bárbaro, en el hombro la gran viga,
sin muestra de mudanza y pesadumbre,
venciendo con esfuerzo la fatiga
y creciendo la fuerza por costumbre.

---

cos clásicos. Cfr., por ejemplo, *Aeneidos* IV,584-585: «Et iam prima novo
spargebat lumine terras / Tithoni croceum linquens Aurora cubile.» *Parecer* 'aparecer', como en el octavo verso de la estrofa siguiente.

[72] Faetón es el hijo del sol y, por extensión, el sol, en cuyo carro se elevaba desde el océano la Aurora. Cfr. *Aeneidos* V,104-105: «Expectata dies
aderat nonamque serena / Auroram Phaetontis equi iam luce vehe-
bant»; tb. IV,129: «Oceanum interea surgens Aurora reliquit.» V. J. Pérez de Moya, *Philosophia secreta*, I, c. XVII,183 y ss.

[73] *curso* 'carrera' (como más adelante en este Canto, estr. 80,5), es cultismo generalizado desde Garcilaso. Para Góngora, v. D. Alonso, 78;
cfr. tb. I, n. 26.

Apolo en seguimiento de su amiga[74]
tendido había los rayos de su lumbre
y el hijo de Leocán[75], en el semblante
más firme que al principio y más constante.

Era salido el sol, cuando el inorme
peso de las espaldas despedía,
y un salto dio en lanzándole disforme,
mostrando que aún más ánimo tenía;
el circunstante pueblo en voz conforme
pronunció la sentencia y le decía:
«Sobre tan firmes hombros descargamos
el peso y grande carga[76] que tomamos.»

El nuevo caagur

El nuevo juego y pleito difinido,
con las más cerimonias que supieron
por sumo capitán fue recibido
y a su gobernación se sometieron.
Creció en reputación, fue tan temido
y en opinión tan grande le tuvieron,
que ausentes muchas leguas dél temblaban
y casi como a rey le respetaban.

l advertir

Es cosa en que mil gentes han parado[77]   60
y están en duda muchos hoy en día,
pareciéndoles que esto que he contado
es alguna fición y poesía[78];

---

[74] Apolo es aquí identificado con Helios, el dios del sol, que sale después de la aurora (octavas 54 y 55), a veces considerada hermana, otras, hija de Apolo.

[75] Caupolicán, como señala Ercilla en su «Declaración de algunas cosas...», al final del poema.

[76] *peso... carga* es repetición sinonímica, recurso muy frecuente en Ercilla (I, n. 112); v. más abajo en este Canto, 60,6 («disciplina... pulicía»); 70,2 («demandas y preguntas»).

[77] Madrid, 1569 no trae esta octava ni las dos siguientes. *Parar* 'advertir' (Cov. s.v. *parar* a propósito de la expresión *parar mientes*, todavía en uso en la lengua literaria actual).

[78] Para una temprana descripción de esta prueba, que indica una fuente de información común en Ercilla y Gerónimo de Vivar, v. de

pues en razón no cabe que un senado
de tan gran diciplina y pulicía[79]
pusiese una elección de tanto peso
en la robusta fuerza y no en el seso.

Sabed que fue artificio, fue prudencia
del sabio Colocolo, que miraba
la dañosa discordia y diferencia
y el gran peligro en que su patria andaba,
conociendo el valor y suficiencia
deste Caupolicán que ausente estaba,
varón en cuerpo y fuerzas estremado,
de rara industria y ánimo dotado.

Así propuso astuta y sabiamente
(para que la eleción se dilatase)
la prueba al parecer impertinente
en que Caupolicán se señalase,
y en esta dilación tan conveniente
dándole aviso, a la elección llegase,
trayendo así el negocio por rodeo
a conseguir su fin y buen deseo.

Celebraba con pompa allí el senado
de la justa eleción la fiesta honrosa
y el nuevo capitán, ya con cuidado
de dar principio a alguna grande cosa,
manda a Palta, sargento, que, callado,
de la gente más presta y animosa
ochenta diestros hombres aperciba
y a su cargo apartados los reciba.

éste último la *Crónica y relación copiosa y verdadera de los reinos de Chile* de
1558, cap. CVII «Que trata de lo que hicieron los indios en el alzamien-
to, habiendo muerto al gobernador y a todos los españoles que con él entraron», pág. 205 y 206 de la edición de Leopoldo Saez-Godoy, Berlín,
Colloquium, 1979.

[79] *pulicía* por *policía* 'orden'; cfr. nota 75.

Fueron, pues, escogidos los ochenta
de más esfuerzo y menos conocidos;
entre ellos dos soldados de gran cuenta
por quien fuesen mandados y regidos,
hombres diestros, usados en afrenta[80],
a cualquiera peligro apercebidos;
el uno se llamaba Cayeguano,
el otro Alcatipay de Talcaguano[81].

Tres castillos los nuestros ocupados[82]   65
tenían para el seguro[83] de la tierra,
de fuertes y anchos muros fabricados,
con foso que los ciñe en torno y cierra,
guarnecidos de pláticos[84] soldados
usados al trabajo de la guerra,
caballos, bastimento, artillería,
que en espesas troneras[85] asistía.

---

[80] *afrenta* 'peligro' (Percivale, 1599 según T.L.); *usado en afrenta* 'acostumbrado al peligro', como amplifica el verso siguiente. Para *usar,* v. más arriba, nota 16.

[81] *Alcatipay* es ésta la única mención de este personaje indígena por su nombre. En el resto del poema, y a partir de II,77,1 se le llamará por el topónimo correspondiente.

[82] Cfr. Prólogo: «no poseyendo los araucanos más de veinte leguas de término... y en tierra no áspera, rodeada de tres pueblos españoles y dos plazas fuertes...».

[83] *seguro* 'seguridad' (I, n. 115), 'licencia o permiso' (*Aut.,* que añade «practicase muy frecuente en país enemigo cuando obliga la necesidad a transitar o pasar por él con manifiesto peligro», con cita de Ercilla, XII,6,8).

[84] *plático* por *práctico* 'experimentado, diestro', es forma muy frecuente en el siglo XV y aún aparece en Cervantes, pero la forma enteramente culta que prevalece modernamente ya se impone en *Aut.* (DCECH). Cfr. XXXV,4,2 para su aparición en el poema.

[85] *tronera* ya la registra Nebrija; es derivado de *trueno,* por el ruido producido por la artillería (DCECH), y en América aplicado a las defensas indígenas desde las que se disparaban flechas a los de afuera (cfr. *Aut.* con texto del Inca Garcilaso, *Historia de la Florida,* l. 3, c. 25). Para el proceso de denominación en el Nuevo Mundo y los distintos procedimientos utilizados por los españoles, v. Marcos A. Morínigo, «La formación léxica regional hispanoamericana» en *Programa de Filología Hispánica,* Buenos Aires, Nova, 1959, 56-70.

Estaba el uno cerca del asiento[86]
adonde era la fiesta celebrada,
y el araucano ejército contento[87]
mostrando no temer al mundo en nada,
que con discurso vano y movimiento[88]
quería llevarlo todo a pura espada;
pero Caupolicán más cuerdamente
trataba del remedio conveniente.

Había entre ellos algunas opiniones
de cercar el castillo más vecino;
otros, que con formados escuadrones
a Penco enderezasen el camino;
dadas de cada parte sus razones
Caupolicán en nada desto vino[89],
antes al pabellón se retiraba
y a los ochenta bárbaros llamaba.

Para entrar el castillo fácilmente
les da industria y manera disfrazada,
con expresa instrución que plaza y gente
metan a fuego y a rigor de espada,
porque él luego tras ellos diligente
ocupará los pasos y la entrada;
después de haberlos bien amonestado,
pusieron en efecto lo tratado.

Era en aquella plaza y edificio
la entrada a los de Arauco defendida[90],

---

86 Madrid, 1569: «Uno destos estaba junto al llano.»

87 Madrid, 1569: «y el fiero pueblo bárbaro araucano».

88 Madrid, 1569: «que con nuevo furor y esfuerzo vano».

89 *venir en* 'convenirse o conformarse en lo que antes se dificultaba' (*Aut.*)

90 *defender* 'impedir, vedar' (Nebrija y diccionaristas posteriores, en T.L.) es acepción etimológica viva literariamente hasta el XVII (Cervantes, Lope) y, para DCECH, mero latinismo. Cfr. Pérez de Moya, l. II, c. 26 «De Marte»: «Danle carro en que ande, y a Belona, su hermana, por guiadora o cochera de su carro», t. 1, pág. 242; v. tb. pág. 245.

salvo los necesarios al servicio
de la gente española estatuida[91]
a la defensa della y ejercicio
de la fiera Belona[92] embravecida;
y así los cautos bárbaros soldados
de feno[93], yerba y leña iban cargados.

Sordos a las demandas y preguntas   70
siguen su intento y el camino usado,
las cargas en hilera y orden juntas,
habiendo entre los haces sepultado
astas fornidas[94] de ferradas puntas;
y así contra el castillo, descuidado
del encubierto engaño, caminaban
y en los vedados límites entraban.

El puente, muro y puerta atravesando
miserables, los gestos[95] afligidos,
algunos de cansados cojeando,
mostrándose marchitos[96] y encogidos;
pero dentro las cargas desatando,
arrebatan las armas atrevidos,
con amenaza, orgullo y confianza
de la esperada y súbita venganza.

---

[91] *estatuir* 'determinar' (*Aut.*) es cultismo vigente desde el siglo xv y de uso literario en los siglos de oro.

[92] *Belona* diosa de la guerra para los romanos. Cfr. Pérez de Moya, l. III, c. 10, t. 2, pág. 71.

[93] *feno* ant. *heno*, todavía en Nebrija (DCECH) y en algún derivado poético (*fenígeno* en Lope) pero la forma moderna es ya la preferida por Cov.

[94] *fornido* ant. 'provisto'; el verbo *fornir* estaba ya anticuado en el siglo xvi excepto el participio, que pasó a significar 'recio', 'bien provisto de carnes y fuerza' (DCECH con textos del siglo xvii), como hasta hoy.

[95] *gesto* 'rostro' (I, n. 81).

[96] *marchito* según Corominas «era voz de tono elevado, empleada en frases nobles y en sentidos figurados», frecuente en Góngora, Cervantes y Quevedo (*marchitar* en Garcilaso). Este texto testimonia su uso figurado ya en el xvi.

Los fuertes españoles salteados[97],
viendo la airada muerte tan vecina,
corren presto a las armas, alterados
de la estraña cautela[98] repentina,
y a vencer o morir determinados,
cuál con celada, cuál con coracina[99],
salen a resistir la furia insana
de la brava y audaz gente araucana.

Asáltanse con ímpetu furioso,
suenan los hierros de una y otra parte;
allí muestra su fuerza el sanguinoso
y más que nunca embravecido Marte[100].
De vencer cada uno deseoso,
buscaba nuevo modo, industria y arte
de encaminar el golpe de la espada
por do diese a la muerte franca entrada.

La saña y el coraje se renueva
con la sangre que saca el hierro duro;
ya la española gente a la india lleva
a dar de las espaldas en el muro;
ya el infiel escuadrón con fuerza nueva
cobra el perdido campo mal seguro,
que estaba de los golpes esforzados
cubierto de armas, y ellos desarmados.

Viéndose en tanto estrecho los cristianos,   75
de temor y vergüenza constreñidos,

---

[97] *salteado* 'asaltado, sorprendido'; Cov. sólo registra para *saltear* 'robar
en el campo': «delito atrocísimo especialmente si junto con quitar al ca-
minante la hacienda le quitan la vida», y la elección del vocablo por parte de Ercilla da a la estrategia indígena un buscado aire de condena
moral.

[98] *cautela* 'engaño, astucia' (Nebrija, en T.L.; DCECH, con texto posterior).

[99] *coracina* 'especie de coraza' (Casas, 1570, en T.L.). Cfr. *Aut.* con este
texto. Para las dificultades del uso de corazas en América, v. Salas,
págs. 239 y ss.

[100] *Marte* cfr. 1, n. 17.

las espadas aprietan en las manos
en ira envueltos y en furor metidos;
cargan sobre los fieros araucanos
por el ímpetu nuevo enflaquecidos;
entran en ellos, hieren y derriban
y a muchos de cuidado y vida privan.

Siempre los españoles mejoraban
haciendo fiero estrago y tan sangriento
en los osados indios, que pagaban
el poco seso y mucho atrevimiento[101].
Casi defensa en ellos no hallaban,
pierden la plaza y cobran escarmiento;
al fin de tal manera los trataron
que a fuerza[102] de los muros los lanzaron.

Apenas Cayeguán y Talcaguano
salían, cuando con paso apresurado
asomó el escuadrón caupolicano
teniendo el hecho ya por acabado;
mas viendo el esperado efeto vano
y el puente del castillo levantado,
pone cerco sobre él, con juramento
de no dejarle piedra en el cimiento.

Sintiendo un español mozo que había
demasiado temor en nuestra gente,
más de temeridad que de osadía
cala[103] sin miedo y sin ayuda el puente
y puesto en medio dél, alto decía:
«Salga adelante, salga el más valiente,

---

[101] Nótese la estructura binaria del verso, construido sobre los adjetivos antitéticos *poco... mucho*, que se repite dos versos más abajo con los verbos *pierden... cobran*, y que Ercilla usará muchas veces a lo largo del poema. V. más abajo, nota 106.

[102] *a fuerza*. En la princeps y en ediciones posteriores hasta la de Madrid, 1589-90: «fuera».

[103] *calar* 'arriar, bajar', es acepción náutica que Ercilla aplica a usos terrestres (IV,18,2 y IV,25,1 por ejemplo).

uno por uno a treinta desafío
y a mil no negaré este cuerpo mío.»

No tan presto las fieras acudieron
al bramar de la res desamparada,
que de lejos sin orden conocieron
del pueblo y moradores apartada,
como los araucanos cuando oyeron
del valiente español la voz osada,
partiendo más de ciento presurosos
del lance y cierta presa codiciosos[104].

No porque tantos vengan temor tiene   80
el gallardo español ni esto le espanta,
antes al escuadrón que espeso viene
por mejor recebirle se adelanta.
El curso enfrena, el ímpetu detiene
de los fieros contrarios, que con tanta
furia se arroja entre ellos sin recelo,
que rodaron algunos por el suelo.

De dos golpes a dos tendió por tierra,
la espada revolviendo a todos lados;
aquí esparce una junta y allí cierra[105]
adonde vee los más amontonados;
igual andaba la desigual[106] guerra
cuando los españoles bien armados

---

[104] Hay en *La Araucana* más de cien comparaciones con la naturaleza
que hacen de este recurso retórico uno de los que mejor caracterizan el
discurso poético de Ercilla. Muy abundantes en la Primera Parte, hay
ejemplos en todo el poema, con excepción de tres Cantos solamente. Cfr. F. Pierce, *Alonso de Ercilla y Zúñiga*, Amsterdam, Rodopi,
1984, 101 y ss.

[105] *cerrar* 'embestir', es acepción todavía viva en el grito de guerra
«¡Santiago y cierra, España!», pero que ya no entiende Sancho Panza y su
amo debe explicarle (*Quijote*, II, c. 58).

[106] El empleo en la estrofa de estructuras binarias tanto por repetición o repetición con variación («dos... dos»; «aquí... allí») como por antítesis («igual... desigual» que aquí se repite) es también, recurso caracterizador del lenguaje figurado del poema, a veces aun en rima, como en la
octava siguiente («parte... desparte»). V. más arriba, nota 101.

abriendo con presteza un gran postigo
salen a la defensa del amigo.

Acuden los contrarios de otra parte
y en medio de aquel campo y ancho llano
al ejercicio del sangriento Marte
viene el bando español y araucano;
la primera batalla se desparte[107],
que era de ciento a un solo castellano;
vuelven el crudo[108] hierro no teñido
contra los que del fuerte habían salido.

Arrójanse con furia, no dudando,
en las agudas armas por juntarse
y con las duras puntas van tentando
las partes por do más pueden dañarse.
Cual los Cíclopes[109] suelen, martillando
en las vulcanas yunques, fatigarse,
así martillan, baten y cercenan,
y las cavernas[110] cóncavas atruenan.

Andaba la vitoria así igualmente,
mas gran ventaja y diferencia había
en el número y copia[111] de la gente
aunque el valor de España lo suplía;

---

[107] *despartir* 'dividir, separar' (Casas, 1570, en T.L.).

[108] *crudo* 'cruel, despiadado' (Percivale, 1599, en T.L.).

[109] *Cíclopes* gigantes en la mitología romana que ayudaban a Vulcano en sus fraguas del interior del monte Etna, en Sicilia. Los versos 5-8 recuerdan *Aeneidos* VIII, 451-453; para el derivado *vulcana*, v. Lida de Malkiel, 496. Cfr. *vulcánea herrería* en XXV,21,8. Para la tradición literaria clásica y renacentista, Vilanova, I,333-336.

[110] *caverna* es cultismo latinizante apropiado en este texto mitológico (el virgiliano *antro* recién se documenta en textos líricos del xvii) que Garcilaso difunde en la lengua poética del xvi, Vilanova I,378; cfr. también *Lexis,* Lima, II,2 (1978) 201-221, especialmente págs. 218-219. Significativamente, *caverna* reaparece en otro contexto mitológico que elabora la figura de los vientos, en XV,58,2.

[111] *copia* 'abundancia' es acepción latina muy frecuente en textos poéticos del xvi (Vilanova, I,435) y en *La Araucana,* v. más adelante, 90,3; para la repetición sinonímica, v. I, n. 112.

pero el soberbio bárbaro impaciente
viendo que un nuestro a ciento resistía,
con diabólica furia y movimiento
arranca a los cristianos del asiento.

Los españoles, sin poder sufrillo,   85
dejan el campo y de tropel corriendo
se lanzan por las puertas del castillo,
al bárbaro la entrada resistiendo,
levan el puente, calan[112] el rastrillo,
reparos y defensas previniendo;
suben tiros y fuegos a lo alto,
temiendo el enemigo y fiero asalto.

Pero viendo ser todo perdimiento
y aprovecharles poco o casi nada,
de voto y de común consentimiento
su clara destruición considerada,
acuerdan de dejar el fuerte asiento;
y así en la escura noche deseada
cuando se muestra el mundo más quieto
la partida pusieron en efeto.

A punto estaban y a caballo cuando
abren las puertas, derribando el puente
y a los prestos caballos aguijando
el escuadrón embisten de la frente[113],
rompen por él hiriendo y tropellando[114],
y sin hombre perder, dichosamente
arriban[115] a Purén, plaza segura,

---

[112] *calar* 'cerrar' (Cov., T.L.); *rastrillo* 'puerta de empalizada con picos en la parte superior' *(Aut.;* DRAE, con definición más pormenorizada).

[113] *frente* conservó el género femenino del latín clásico en todas sus acepciones en castellano; la concordancia masculina se introdujo por influencia del francés en acepciones bélicas y hoy se ha extendido al campo político (DCECH); entiéndase 'el escuadrón del frente o el delantero'.

[114] *tropellar* por *atropellar,* que es la única forma que trae la mayoría de los diccionarios del T.L.

[115] *arribar* es vocablo náutico en el siglo XVI que Ercilla extiende a usos terrestres, como hoy en América. Cfr. *Aut.* con este texto para acepción no marinera (v. XV,57,5 para el uso naval).

132

cubiertos de la noche y sombra escura.

Mientras esto en Arauco sucedía,
en el pueblo de Penco, más vecino
que a la sazón en Chile florecía,
fértil de ricas minas de oro fino,
el capitán Valdivia residía,
donde la nueva por el aire vino[116]
que afirmaba con término asignado
la alteración y junta del Estado.

El común[117], siempre amigo de ruido,
la libertad y guerra deseando,
por su parte alterado y removido,
se va con este són desentonando;
al servicio no acude prometido,
sacudiendo la carga y levantando
la soberbia cerviz desvengonzada,
negando la obediencia a Carlos dada.

Valdivia, perezoso y negligente,   90
incrédulo, remiso y descuidado,
hizo en la Concepción copia de gente,
más que en ella, en su dicha confiado;
el cual, si fuera un poco diligente,
hallaba[118] en pie el castillo arruinado,
con soldados, con armas, municiones,
seis piezas de campaña y dos cañones.

Tenía con la Imperial concierto hecho
que alguna gente armada le enviase,
la cual a Tucapel fuese derecho
donde con él a tiempo se juntase;

---

[116] El verso reelabora *Eclesiastés*, 10, vers. 20.

[117] *común* 'pueblo' (I, n. 78).

[118] El uso del imperfecto de indicativo en la apódosis del periodo condicional con prótasis en subjuntivo, enfatiza la realidad factual de la conclusión, si se hubiera dado la condición (Keniston, par. 31,42); así da Ercilla mayor vigor a la acusación contra Valdivia.

resoluto[119] en hacer allí de hecho
un ejemplar castigo que sonase
en todos los confines de la tierra,
porque jamás moviesen[120] otra guerra.

Pero dejó el camino provechoso
y, descuidado dél, torció la vía,
metiéndose por otro, codicioso,
que era donde una mina de oro había;
y de ver el tributo y don hermoso
que de sus ricas venas[121] ofrecía,
paró de la codicia embarazado,
cortando el hilo próspero del hado.

A partir, como dije antes, llegaba
al concierto en el tiempo prometido,
mas el metal goloso[122] que sacaba
le tuvo a tal sazón embebecido;
después salió de allí y se apresuraba
cuando fuera mejor no haber salido.
Quiero dar fin al canto porque pueda
decir de la codicia lo que queda[123].

FIN

[119] *resoluto* 'determinado' es cultismo reciente (Cov., s.v. *resolver,* doc. por DCECH en 1574).

[120] *mover* 'excitar, dar principio' (DRAE).

[121] *vena* 'filón' es acepción secundaria ya en el latín clásico (Cicerón, Juvenal) y de uso temprano en castellano; su sinónimo *veta,* ausente en Ercilla, entra tardíamente en los textos literarios (Fray Luis, Cervantes), según DCECH.

[122] *goloso* es ejemplo de enálage, pues el adjetivo modifica a «metal», pero corresponde a Valdivia; cfr. XXI,50,8 «ciega niebla». Para este uso de *goloso,* cfr. XVI,76,8 y XXIII,12,7.

[123] Para el motivo de la codicia que define, según Ercilla, la causa de la muerte-castigo de Valdivia, v. W. C. Atkinson «Ercilla and the Voice of Conscience», en Alessandro Crisfulli, ed. *Linguistic and Literary Studies in Honor of H. A. Hatzfeld,* 1964, págs. 31-39 y J. Durand, «El chapetón Ercilla y la honra araucana», *Filología* X (1964) 113-134. Para la convivencia en Valdivia de lo que B. Pastor concibe, sin suficiente rigor histórico, como dos fases distintas, la del género heroico y la del encomendero explotador, v. su *Discurso narrativo de la Conquista,* La Habana, Casa de las Américas, 1983, 520 y ss.

134

VALDIVIA CON POCOS ESPAÑOLES Y ALGUNOS INDIOS AMI-
GOS CAMINA A LA CASA DE TUCAPEL, PARA HACER EL CASTI-
GO. MÁTANLE LOS ARAUCANOS, LOS CORREDORES[1] EN EL
CAMINO EN UN PASO ESTRECHO Y DANLE DESPUÉS LA BATA-
LLA, EN LA CUAL FUE MUERTO ÉL Y TODA SU GENTE POR EL
GRAN ESFUERZO Y VALENTÍA DE LAUTARO

CANTO III

¡Oh incurable mal! ¡oh gran fatiga,
con tanta diligencia alimentada!
¡Vicio común y pegajosa liga[2],
voluntad sin razón desenfrenada,
del provecho y bien público enemiga,
sedienta bestia, hidrópica, hinchada,
principio y fin de todos nuestros males!
¡oh insaciable codicia de mortales!

No en el pomposo estado a los señores
contentos en el alto asiento vemos,
ni a pobrecillos bajos labradores
libres desta dolencia conocemos;
ni el deseo y ambición de ser mayores
que tenga fin y límites sabemos:

---

[1] *corredor* 'soldado explorador' (*Aut.*) y ya en Nebrija, *«corredor de campo,* antecursor»; v. octava 8,2.

[2] *liga* 'cierta materia viscosa con que se prenden los pájaros' (Cov., y ya en glosarios de h. 1400 según DCECH).

el fausto, la riqueza y el estado
hincha, pero no harta al más templado.

A Valdivia mirad, de pobre infante[3]
si era poco el estado que tenía,
cincuenta mil vasallos que delante
le ofrecen doce marcos de oro al día;
esto y aun mucho más no era bastante,
y así la hambre[4] allí lo detenía.
Codicia fue ocasión de tanta guerra
y perdición total de aquesta tierra.

Ésta fue quien[5] halló los apartados
indios de las antárticas regiones;
por ésta eran sin orden trabajados
con dura imposición y vejaciones,
pero rotas las cinchas[6], de apretados,
buscaron modo y nuevas invenciones
de libertad, con áspera venganza,
levantando el trabajo la esperanza.

¡Cuán cierto es, cómo claro[7] conocemos,   5
que al doliente en salud consejo damos
y aprovecharnos dellos no sabemos
pero de predicarlos nos preciamos!

---

[3] *infante* 'soldado de infantería', es acepción militar tomada del italiano y documentada a partir de mediados del XVI (DCECH).

[4] Cfr. I, n. 119 para *hambre* 'codicia', latinismo de sentido que tiene su fuente literaria en *Aeneidos* III,56-57: «...Quid non mortalia pectora cogis / auri sacra fames...?» (Lida de Malkiel, 498-499); recuérdese *hambrear* 'codiciar' en A. de Valdés, *Diálogo de Mercurio y Carón*, pág. 135,28 (ed. José F. Montesinos, Clás. Cast.) y nótese *apetito* en este sentido en XXXV,27,8.

[5] *quien* con antecedente abstracto no es usual en el castellano moderno (Bello-Cuervo, par. 330, con este texto).

[6] *rotas las cinchas* aquí 'quebrados los límites de lo tolerable', tomado de la expresión *ir o venir rompiendo cinchas* que expresa la celebridad por conseguir algún fin *(Aut.)*.

[7] *claro* cfr. I, n. 62 para este uso adverbial de adjetivos en los textos áureos.

Cuando en la sosegada paz nos vemos,
¡qué bien la dura guerra platicamos![8],
¡qué bien damos consejos y razones
lejos de los peligros y ocasiones!

¡Cómo de los que yerran abominan
los que están libres en seguro puerto!,
¡qué bien de allí las cosas encaminan
y dan en todo un medio y buen concierto!
¡Con qué facilidad se determinan,
visto el suceso y daño descubierto!
Dios sabe aquel que a la derecha vía,
metido en la ocasión acertaría.

Valdivia iba siguiendo su jornada
y el duro disponer del hado duro[9],
no con la furia y priesa acostumbrada,
presago[10] y con temor del mal futuro;
sospechoso de bárbara emboscada,
por hacer el camino más seguro,
echó algunos delante para prueba
pero jamás volvieron con la nueva.

Viendo los nuestros ya que al plazo puesto
los tardos corredores no volvían,
unos juzgan el daño manifiesto,
otros impedimentos les ponían;
hubo consejo y parecer sobre esto,
al cabo en caminar se resolvían,

---

[8] *platicar* por *practicar,* todavía en uso en autores del XVII (*Aut.*); V, II, n. 84 para *plático.*

[9] Nótese la repetición de *duro* con oscilación semántica: 'cruel' y 'obstinado, inalterable' respectivamente (cfr. I, n. 92). El orden cruzado o quiasmo de los adjetivos en construcciones binarias nominales es recurso característico en el poema. Para «quiasmo», Lausberg, par. 723.

[10] *presago* 'que adivina o presiente', es adjetivo fuertemente latinizante (de *presagus, -a, -um*), que *Aut.* documenta en *La Galatea,* y que Cervantes también volvió a usar en *El coloquio de los perros* y en el *Persiles.*

ofreciéndose todos a una suerte,
a un mismo caso y a una misma muerte.

Aunque el temor allí tras esto vino
en sus valientes brazos se atrevieron[11]
y a su próspera suerte y buen destino
el dudoso suceso cometieron[12];
no dos leguas andadas del camino,
las amigas cabezas conocieron
de los sangrientos cuerpos apartadas,
y en empinados troncos levantadas.

No el horrendo[13] espectáculo presente   10
causó en los firmes ánimos mudanza;
antes con ira y cólera impaciente[14]
se encienden más, sedientos de venganza
y de rabia incitados nuevamente
maldicen y murmuran la tardanza;
sólo Valdivia calla y teme el punto,
pero rompió el silencio y pena junto

diciendo: «¡Oh compañeros, do se encierra
todo esfuerzo, valor y entendimiento!
Ya veis la desvergüenza de la tierra
que en nuestro daño da bandera al viento[15].
Veis quebrada la fe, rota la guerra,
los pactos van del todo en rompimiento,
siento la áspera trompa en el oído
y veo un fuego diabólico encendido.

»Bien conocéis la fuerza del Estado,
con tanto daño nuestro autorizada;

---

[11] *atreverse en* ant. 'confiarse a' (Cuervo, *Dicc.*, con este texto).
[12] cometer 'encomendar'. Cfr. Cuervo, *Dicc.*, pág. 129a, con este texto de Ercilla.
[13] *horrendo* es cultismo literario introducido a principios del xvi (C. C. Smith, pág. 252) y frecuente en textos del xvii (DCECH) y Vilanova I,419).
[14] Madrid, 1569: «antes, con gran ardor furiosamente».
[15] *dar bandera al viento* 'hacer preparativos de guerra'.

mirad lo que Fortuna os ha ayudado,
guiando con su mano vuestra espada;
el trabajo y la sangre que ha costado,
que della está la tierra alimentada
y pues tenemos tiempo y aparejo,
será bueno tomar nuevo consejo.

»Quién[16] estos son tendréis en la memoria,
pues hay tanta razón de conocellos,
que si dellos no hubiésemos vitoria
y en campo no pudiésemos vencellos,
será tal su arrogancia y vanagloria
que el mundo no podrá después con ellos
dudoso estoy, no sé, no sé qué haga,
que a nuestro honor y causa satisfaga.»

La poca edad y menos esperiencia
de los mozos livianos[17] que allí había
descubrió con la usada inadvertencia
a tal tiempo su necia valentía,
diciendo: «¡Oh capitán!, danos licencia
que solos diez, sin otra compañía,
el bando[18] asolaremos araucano
y haremos el camino y paso llano.

»Lo que jamás hicimos en estrecho[19]   15
no es bien por nuestro honor que lo hagamos,
pues es cierto que cuanto habemos hecho,
volviendo atrás un paso, lo manchamos;
mostremos al peligro osado pecho,
que en él está la gloria que buscamos.»

---

[16] *quien* adoptó el plural *quienes*, pero era raro todavía en el siglo XVI (*Esbozo*, par. 2.7.1 y par. 3.20.8) y Ercilla no lo usa.

[17] *liviano* aquí en la acepción peyorativa 'antojadizo', todavía poco frecuente en Hispanoamérica (DCECH).

[18] *bando* 'facción' subraya la incapacidad de los jóvenes para reconocer la magnitud de la rebelión araucana.

[19] *estrecho* Cfr. I, n. 18; para la repetición etimologizadora *hicimos ... hagamos ... habemos hecho* y en la siguiente octava, *temer ... temiste*, v. I, n. 4.

Valdivia, de la réplica sentido,
enmudeció de rabia y de corrido[20].

¡Oh, Valdivia, varón acreditado,
cuánto la verde[21] plática sentiste!
No solías tú temer como soldado,
mas de buen capitán ahora temiste;
vas a precisa[22] muerte condenado,
que como diestro y sabio la entendiste,
pero quieres perder antes la vida
que sea en ti una flaqueza conocida.

En esto a caso[23] llega un indio amigo,
y a sus pies, en voz alta, arrodillado,
le dice: «¡Oh capitán!, mira que digo
que no pases el término vedado;
veinte mil conjurados, yo testigo,
en Tucapel te esperan, protestado[24]
de pasar sin temor la muerte honrosa,
antes que vivir vida vergonzosa.»

Alguna turbación dio de repente
lo que el amigo bárbaro propuso;
discurre un miedo helado por la gente,
la triste muerte en medio se les puso;
pero el Gobernador osadamente,
que también hasta allí estaba confuso,
les dice: «Caballeros, ¿qué dudamos?,
¿sin ver los enemigos nos turbamos?»

[20] *corrido* 'avergonzado' (Cuervo, *Dicc.,* II,554b). Cfr. B. Jiménez Patón, *Elocuencia española en arte* (1604), c. XIII en donde usa esta estrofa como ejemplo de «aversión o Apóstrophe» (ed. cit., 137).

[21] *verde* 'inmaduro' (*Aut.*).

[22] *preciso* 'necesario', 'cierto' (*Aut.*). Es innovación semántica castellana y tiene en este texto ejemplo muy temprano (DCECH con texto de Salas Barbadillo, s.v. *decidir*). Como cultismo en Góngora 'puntual', v. D. Alonso, pág. 61.

[23] *a caso* por *acaso* 'casualmente' (Cuervo, *Dicc.,* I,96a).

[24] *protestado* entiéndese 'habiendo protestado'; *protestar* 'declarar, afirmar' (DCECH); 'amenazar' (*Aut.*).

Al caballo con ánimo hiriendo,
sin más les persuadir, rompe la vía;
de los miembros el miedo sacudiendo,
le sigue la esforzada compañía;
y en breve espacio el valle descubriendo
de Tucapel, bien lejos parecía[25]
el muro antes vistoso levantado,
por los anchos cimientos asolado.

Valdivia aquí paró y dijo: «¡Oh constante   20
española nación de confianza!
Por tierra está el castillo tan pujante[26],
que en él sólo estribaba mi esperanza;
el pérfido enemigo veis delante[27],
ya os amenaza la contraria lanza;
en esto más no tengo que avisaros
pues sólo el pelear puede salvaros.»

Estaba, como digo, así hablando,
que aún no acababa bien estas razones,
cuando por todas partes rodeando
los iban con espesos escuadrones,
las astas de anchos hierros blandeando[28],
gritando: «¡Engañadores y ladrones!
La tierra dejaréis hoy con la vida,
pagándonos la deuda tan debida.»

Viendo Valdivia serle ya forzoso
que la fuerza y fortuna se probase,
mandó que al escuadrón menos copioso
y más vecino, a fin que no cerrase[29],
saliese Bobadilla, el cual, furioso,

---

[25] *parecer* 'aparecer' es acepción menos usual que la corriente y todavía
registrada en Cervantes.

[26] Madrid, 1569: «veis el castillo, veis muerta la gente».

[27] Madrid, 1569: «... veis presente».

[28] *blandear* 'esgrimir' (Nebrija); 'cimbrar, especialmente la lanza'
(*Aut.*).

[29] *cerrar* 'embestir' como más abajo, 25,8 (II, n. 105).

sin que Valdivia más le amonestase,
con poca gente y con esfuerzo grande
asalta el escuadrón de Mareande.

La piquería[30] del bárbaro calada
a los pocos soldados atendía[31];
pero al tiempo del golpe levantada,
abriendo un gran portillo[32], se desvía.
Dales sin resistir franca la entrada,
y en medio el escuadrón los recogía;
las hileras abiertas se cerraron
y dentro a los cristianos sepultaron.

Como el caimán[33] hambriento, cuando siente
el escuadrón de peces, que cortando
viene con gran bullicio la corriente,
el agua clara en torno alborotando,
que, abriendo la gran boca, cautamente
recoge allí el pescado, y apretando
las cóncavas quijadas lo deshace,
y al insaciable vientre satisface,

pues de aquella manera recogido   25
fue el pequeño escuadrón del homicida[34],
y en un espacio breve consumido

---

[30] *piquería* 'conjunto de soldados armados de picas' (*Aut.* con este texto). *Calar la pica* 'poner la pica en su debido lugar para usar de ella' (Ayala, 1693 en T.L., con otras expresiones militares semejantes).

[31] *atender* 'esperar' es acepción que aparece en textos medievales, infrecuente en textos áureos y considerada anticuada en *Aut.;* se vuelve a emplear en este Canto en 76.5.

[32] *portillo* 'entrada, paso', *Aut.*, con este texto.

[33] *caimán* es probablemente vocablo caribe (DCECH, Morínigo; Friederici para posible origen africano) que Ercilla usa como primer elemento de comparación de connotaciones americanas. Para una descripción temprana y muy pintoresca, v. el *Sumario* de G. Fernández de Oviedo (1526), c. 57, en donde todavía no utiliza el término que empleará, como usado por los indígenas, años más tarde, en su *Historia.* Cfr. Friederici, s.v. *caymán;* para comparaciones, II, n. 104.

[34] *homicida* es cultismo temprano con grafía clásica que reaparece luego en 31.1; *omecida,* en Mena (Lida de Malkiel, 262) de quien debe haber-

sin escapar cristiano con la vida.
Ya el araucano ejército, movido
por la ronca trompeta obedecida,
con gran estruendo y pasos ordenados
cerraba sin temor por todos lados.

La escuadra[35] de Mareande encarnizada
tendía el paso con más atrevimiento;
viéndola así Valdivia adelantada,
no escarmentado, manda a su sargento
que escogiendo la gente más granada
dé sobre ella con recio movimiento;
pero diez españoles solamente
pusieron a la muerte osada frente.

Contra el escuadrón bárbaro importuno
ir se dejan sin miedo a rienda floja[36],
y en el encuentro de los diez, ninguno
dejó allí de sacar la lanza roja;
desocupó la silla sólo uno,
que con la basca[37] y última congoja
de la rabiosa muerte el pecho abierto,
sobre la llaga en tierra cayó muerto.

Y los nueve después también cayeron
haciendo tales hechos señalados,
que digna y justamente merecieron
ser de la eterna fama levantados[38];

---

lo tomado Ercilla. Cfr. DCECH con ejemplos de principios del XVII y,
para Góngora, D. Alonso, pág. 57.

[35] *escuadra* 'cohorte' (Nebrija en T.L.); hoy la acepción bélica más corriente es 'conjunto de barcos de guerra' (DRAE).

[36] *a rienda floja* por *a rienda suelta* 'a todo correr' (DRAE).

[37] *basca* 'congoja' es acepción común en textos áureos; para repetición
sinonímica, I, n. 112.

[38] Referencia oblicua a los *Nueve de la Fama*, héroes del ciclo de Alejandro (tres judíos, tres paganos y tres cristianos) popularizados y hechos
tópico por la literatura cortesana de los siglos XIV y XV desde *Les voeux du
paon* de Jacques de Longuyon (h. 1310) que cuestiona la historicidad de
este número, de sólida tradición clásica. Cfr. *Quijote* I, c. 5 y notas corres-

hechos pedazos todos diez murieron,
quedando de su muerte antes vengados.
En esto la española trompa oída
dio la postrer señal de arremetida.

Salen los españoles, de tal suerte
los dientes y las lanzas apretando,
que de cuatro escuadrones, al más fuerte
le van un largo trecho retirando;
hieren, dañan, atropellan[39], dan la muerte,
piernas, brazos, cabezas cercenando;
los bárbaros por esto no se admiran,
antes cobran el campo y los retiran.

Sobre la vida y muerte se contiende   30
—perdone Dios a aquel que allí cayere—,
del un bando y del otro así se ofende[40]
que de ambas partes mucha gente muere
bien se estima la plaza y se defiende,
volver un paso atrás ninguno quiere;
cubre la roja sangre todo el prado,
tornándole de verde colorado[41].

pondientes de Clemencín y Rodríguez Marín (edición del Patronato,
1952) para la versión castellana de la *Crónica llamada el Triunfo de los nueve
más preciados varones de la Fama*. Lisboa, 1530.

[39] *atropellan* es variante que crea hipermetría en el verso; *tropellan* de la
princeps y Madrid 1589-90 es forma ya utilizada en II,87,5. Nótese la
acumulación verbal que caracterizará las descripciones bélicas, con propósito intensificador. Generalmente trimembre (cfr. II,75,7), hay ejemplos de series de cuatro verbos, como en este caso. Para el origen ario-
tesco, v. Ducamin, LXXX. Para series nominales, v. verso siguiente y,
en este Canto, 36,3-4. Para adjetivos en series trimembres en dos versos
seguidos, v. I,46,5-6. Cfr. Lausberg, par. 665-687, donde se dan los diversos tipos, y Lida de Malkiel, 169 para ejs. de poetas anteriores: Mena
y su escuela, sobre todo.

[40] *ofender* 'herir', 'atacar' (I, n. 49).

[41] *colorado* es muy usado por los autores de los siglos xv a xvii, entre
los que se impuso al antiguo *bermejo* (Cfr. definiciones en T.L.) y hoy es
más corriente en América, frente a *encarnado*, preferido comúnmente en
España (DCECH). Para la imagen de la hierba ensangrentada, v. Ariosto IV,74,4 y Vilanova, II, pág. 23.

144

Del rigor de las armas homicidas
los templados arneses reteñían,
y las vivas entrañas escondidas
con carniceros[42] golpes descubrían;
cabezas de los cuerpos divididas
que aún el vital espíritu tenían
por el sangriento campo iban rodando,
vueltos los ojos ya paladeando.

El enemigo hierro riguroso
todo en color de sangre lo convierte;
siempre el acometer es más furioso,
pero ya el combatir es menos fuerte.
Ninguno allí pretende otro reposo
que el último reposo[43] de la muerte;
el más medroso atiende con cuidado
a sólo procurar morir vengado.

La rabia de la muerte y fin presente
crió en los nuestros fuerza tan estraña,
que con deshonra y daño de la gente
pierden los araucanos la campaña[44].
Al fin dan las espaldas, claramente
suenan voces: «¡Vitoria! ¡España! ¡España!»
Mas el incontrastable y duro hado[45]
dio un estraño principio a lo ordenado.

Un hijo de un cacique conocido
que a Valdivia de paje le servía,
acariciado dél y favorido[46],

---

[42] *carnicero* 'cruel' (II, n. 13).

[43] *reposo ... reposo* Cfr. I, n. 92 para este tipo de repeticiones.

[44] *campaña* 'campo de batalla', 'conjunto de operaciones de guerra' es acepción que este texto documenta tempranamente (DCECH, s.v. *campo*).

[45] Recuerda el memorable «ineluctabile fatum» de *Aeneidos* VIII,334; *incontrastable* es hasta hoy cultismo literario para el que *Aut.* trae ej. de fines del XVII y que traduce admirablemente el adjetivo virgiliano incorporado posteriormente al castellano (no aparece en *Aut.*).

[46] *acariciado* 'halagado, distinguido' (Cov.) es italianismo que entra en

en su servicio a la sazón venía;
del amor de su patria comovido
viendo que a más andar[47] se retraía,
comienza a grandes voces a animarla
y con tales razones a incitarla:

«¡Oh ciega gente, del temor guiada!   35
¿A dó volvéis los temerosos pechos?
que la fama en mil años alcanzada
aquí perece y todos vuestros hechos.
La fuerza pierden hoy, jamás violada,
vuestras leyes, los fueros y derechos
de señores, de libres, de temidos
quedáis siervos, sujetos y abatidos.

»Mancháis la clara estirpe y decendencia
y engerís[48] en el tronco generoso
una incurable plaga, una dolencia,
un deshonor perpetuo, ignominioso.
Mirad de los contrarios la impotencia,
la falta del aliento y el fogoso
latir de los caballos, las ijadas
llenas de sangre y de sudor bañadas.

»No os desnudéis del hábito y costumbre[49]
que de nuestros agüelos mantenemos,

los textos literarios a mediados del xvi (*acariciar* se documenta en A. de Guevara, según DCECH; *Aut.,* con textos posteriores del xvii). *favorido* por *favorecido;* la distinción semántica que hace Cov. entre las dos formas («el que tiene favor» y «al que hace favor la dama», respectivamente), no parece aplicable a este texto. Se dará su nombre, Lautaro, cincuenta octavas después. Para *cacique* del primer verso de la octava, I, n. 22.

[47] *a más andar* 'muy apriesa' (Correas, 602b). La estrofa siguiente llamó la atención de B. Jiménez Patrón, *Elocuencia...,* cap. XIII, pág. 140 ed. cit., como ejemplo de «exclamación».

[48] *engerir* ant. *injerir* 'injertar'; *generoso* es cultismo en la acepción clásica 'de noble linaje', 'ilustre', ya en Mena (Lida de Malkiel, 253); reaparece más abajo, 62,6 aplicado a un lebrel, como ya en Garcilaso (Egl. II,1660). Tb. viene de Mena el cultismo *ignominioso* del verso 4 (*ibíd.,* pág. 128).

[49] Además de la repetición sinonímica (*hábito ... costumbre*), téngase

ni el araucano nombre de la cumbre
a estado tan infame derribemos.
Huid el grave yugo y servidumbre;
al duro hierro osado pecho demos;
¿por qué mostráis espaldas[50] esforzadas
que son de los peligros reservadas?

»Fijad esto que digo en la memoria,
que el ciego y torpe miedo os va turbando.
Dejad de vos[51] al mundo eterna historia,
vuestra sujeta patria libertando.
Volved, no rehuséis tan gran vitoria
que os está el hado próspero llamando;
a lo menos firmad[52] el pie ligero,
a ver cómo en defensa vuestra muero.»

En esto una nervosa[53] y gruesa lanza
contra Valdivia, su señor, blandía,
dando de sí gran muestra y esperanza,
por más los persuadir arremetía.
Y entre el hierro español así se lanza
como con gran calor en agua fría
se arroja el ciervo en el caliente estío
para templar el sol con algún frío.

---

en cuenta el zeugma semánticamente complejo con «desnudéis» (Lausberg, par. 694 y 707) y los cultismos ennoblecedores del discurso: *infame*,
v. 4 (Vilanova I,398-9) y *grave* 'muy pesado' (II, n. 54).

[50] *mostrar espaldas* 'huir' modifica sarcásticamente la expresión fija sinónima *volver las espaldas* para acentuar la deshonra de la huida; la expresión de repudio se inicia precisamente en 35,2 con la modificación de la
misma expresión fija «volver los pechos» y la adjetivación antitética «temerosos» para *pechos* y «esforzadas» para *espaldas*.

[51] *vos* 'vosotros' (II, n. 40).

[52] *firmar* 'afirmar'. La dinámica urgencia de la exhortación se formali-
za brillantemente con los cinco verbos en modo imperativo o con este
valor (los dos últimos acumulados en un solo verso) y la valentía ejemplar que intenta cambiar la conducta de los guerreros araucanos en huida, con la primera persona del presente por futuro del verbo final *muero*.
Cfr. la arenga de Caupolicán más adelante en este Canto (77-81); v. II,
n. 39.

[53] *nervoso* Cfr. II, n. 65.

De sólo el primer bote[54] uno atraviesa,
otro apunta[55] por medio del costado,
y aunque la dura lanza era muy gruesa,
salió el hierro sangriento al otro lado.
Salta, vuelve, revuelve con gran priesa,
y barrenando el muslo a otro soldado,
en él la fuerte pica fue rompida
quedando un grueso trozo en la herida.

Rota la dañosa asta, luego afierra[56]
del suelo una pesada y dura maza;
mata, hiere, destronca[57] y echa a tierra,
haciendo en breve espacio larga plaza;
en él se resumió toda la guerra;
cesa el alcance y dan en él la caza,
mas él aquí y allí va tan liviano,
que hieren por herirle el aire vano.

¿De quién prueba se oyó tan espantosa,
ni en antigua escritura se ha leído
que estando de la parte vitoriosa
se pase a la contraria del vencido?
¿y que sólo valor, y no otra cosa
de un bárbaro mochacho[58] haya podido

lo antiguo vs lo moderno?

---

[54] *bote* 'golpe de lanza' (T.L., Cov.; h. 1460 según DCECH).

[55] *apuntar* aquí 'atravesar', acepción no registrada en diccionarios de la época.

[56] *aferrar* era de conjugación vacilante en los siglos XVI y XVII (Bello-Cuervo, n. 76.1) y Ercilla prefiere la forma irregular. Cfr. X,44,1 y el derivado *desaferrar* en la misma octava.

[57] *destroncar* 'cortar, despedazar' (T.L.; *Aut.* con este texto); para *luego*, v. I, n. 53.

[58] *mochacho* es forma antigua de *muchacho* que ya aparece registrada en C. de las Casas (1570) según DCECH; todavía alternan en Góngora y Cervantes, pero ya Correa prefiere la forma moderna en los refranes. La forma antigua no refleja exclusivamente el habla rústica en los textos cervantinos, como piensa Corominas, pues aparece en el discurso del narrador y en el de la hija del moro Ricote en el *Quijote* (Fz. Gómez).

arrebatar por fuerza a los cristianos
una tan gran vitoria de las manos?[59].

No los dos Publios Decios[60], que las vidas
sacrificaron por la patria amada,
ni Curcio, Horacio, Scévola y Leonidas[61]
dieron muestra de sí tan señalada,
ni aquellos que en las guerras tan reñidas
alcanzaron gran fama por la espada,
Furio, Marcelo, Fulvio, Cincinato[62],

---

[59] La respuesta, favorable a los araucanos frente a los héroes de la «antigua escritura» se hace eco de la disputa de «antiguos y modernos» en las dos octavas siguientes. Esta disputa tuvo uno de sus primeros documentos en el siglo XVI en España en la *Ingeniosa comparación entre lo antiguo y lo moderno* de Cristóbal de Villalón aparecida en Valladolid, 1539. Cfr. al final de este Canto, estrofa 88 para otro ejemplo.

[60] Los dos Decios, padre e hijo, que se sacrificaron para salvar a Roma, uno en una batalla contra los latinos en las orillas del río Veseris (Tito Livio, VIII, cap. 9) y el otro contra la caballería de los galos (Tito Livio X, cap. 28); v. tb. Cicerón, *De officiis* III, par. 16.

[61] *M. Curcio,* joven romano de gran valor guerrero, se sacrificó a los dioses manes, lanzándose con su caballo ricamente enjaezado, en una profunda hendidura abierta en medio del Foro por «un terremoto u otra causa desconocida» (Tito Livio, VII, cap. 6); *Horacio* es Horacio Cocles, que defendió solo el único puente sobre el Tíber que iba a dar libre paso a los etruscos sobre Roma (Tito Livio, II, cap. 10); *Scévola* es C. Mucius Scaevola, joven patricio, apresado en el campo enemigo del rey etrusco Porsenna, colocó la mano sobre el brasero encendido para los sacrificios y la dejó arder como muestra de indiferencia ante el dolor físico y consiguió impresionar al enemigo, que inició así proposiciones de paz con Roma (Tito Livio, II, caps. 12 y 13). Para la persistencia de la mención del caso de este romano ejemplar en los textos áureos y su relación con la literatura de emblemas en España, v. ahora, Aurora Egido «Emblemática y literatura en el siglo de oro» *Ephialte* II (1990) 144-158, espec. pág. 148 y nota 44; *Leónidas,* rey de Esparta que murió en el paso de las Termópilas, en lucha contra los persas.

[62] *Furio* es M. Furius Camillus, célebre dictador que salvó a Roma de los Galos en la batalla de Veyas (Tito Livio, V, caps. 19-23). *Marcelo* es M. Claudius Marcellus famoso general romano que venció a los cartagineses en Siracusa (Tito Livio, XXV, caps. 23-28). *Fulvio* es Q. Fulvius Flaccus, cónsul romano que capturó Capua, aliada de Aníbal (Tito Livio, XXVI, cap. 6). *Cincinato* es L. Quintius Cincinnatus, nombrado dictador por seis meses, derrotó a los Aequi y volvió a su trabajo en el campo (Tito Livio, III, cap. 27 a 29).

Marco Sergio, Filón, Sceva y Dentato[63].

Decidme: estos famosos ¿qué hicieron
que al hecho deste bárbaro igual fuese?;
¿qué empresa o qué batalla acometieron
que a lo menos en duda no estuviese?;
¿a qué riesgo y peligro se pusieron
que la sed de reinar no los moviese
y de intereses grandes insistidos
que a los tímidos hacen atrevidos?

Muchos emprenden hechos hazañosos[64]   45
y se ofrecen con ánimo a la muerte,
de fama y vanagloria codiciosos,
que no saben sufrir un golpe fuerte;
mostrándose constantes y animosos
hasta que ven ya declinar su suerte,
faltándoles valor y esfuerzo a una[65]
roto el crédito frágil de fortuna.

Éste[66] el decreto y la fatal sentencia
en contra de su patria declarada
turbó y redujo[67] a nueva diferencia
y al fin bastó a que fuese revocada.

---

[63] *Marco Sergio* luchó valerosamente en las distintas campañas contra
Aníbal en las que perdió una mano y sufrió numerosas heridas. *Filón* es
Quintus Publius Philo, primer dictador plebeyo (339 a.C.) a quien se
atribuyeron victoriosas campañas contra los latinos, samnitas y palaeo-
politas (Plinio, *N.H.,* VII, cap. 28); *Sceva* es Cassius Scaeva, centurión de
César que defendió heroicamente una fortificación en Dyrrachium
(J. Caesar. *De bello civili,* III,53); *Dentato,* probablemente M. Curius Denta-
tus, vencedor de Pyrrhus (Plinio, *N. H.,* VII, cap. 7,15). Para otras enumeraciones clásicas en el poema, v. Canto XXV,3 (mujeres fieles) y
Canto XXIX,2 (suicidas por la patria).

[64] *hazañoso* 'heroico, valeroso', documentado desde Nebrija
(DCECH), aparece con frecuencia en textos del xvi y xvii *(Aut.,* con ejs.
de Garcilaso Inca y Quevedo).

[65] *a una* 'juntamente' *(Aut.* con textos de Fray L. de Granada y Villaviciosa).

[66] Se refiere a Lautaro.

[67] *reducir* 'convertir' (I, n. 100).

Hizo a Fortuna y hados resistencia,
forzó su voluntad determinada,
y contrastó[68] el furor del vitorioso,
sacando vencedor al temeroso.

Estaba el suelo de armas ocupado
y el desigual combate más revuelto,
cuando Caupolicano reportado[69]
a las amigas voces había vuelto;
también habían sus gentes reparado[70]
con vergonzoso ardor en ira envuelto,
de ver que un solo mozo resistía
a lo que tanta gente no podía.

Cual suele acontecer a los de honrosos
ánimos, de repente inadvertidos[71],
o cuando en los lugares sospechosos
piensan otros que van desconocidos,
que en pendencias y encuentros peligrosos
huyen; pero si ven que conocidos
fueron de quién los sigue, avergonzados
vuelven furiosos, del honor forzados,

así los araucanos revolviendo
contra los vencedores arremeten,
y las rendidas armas esgrimiendo,
a voces de morir todos prometen[72].
Treme[73] y gime la tierra del horrendo

---

[68] *contrastar* 'resistir' (Casas, 1570, en T.L.).

[69] *reportado* 'refrendado, moderado' (Cov. s.v. *reportarse; Aut.*).

[70] *reparar* '*detenerse, dudar*' (*Cov.*) como más abajo, en 59,5. *Aut.* lo considera sinónimo de *reportar*, ambos en su forma reflexiva.

[71] *inadvertido* 'descuidado' (*Aut.*, con texto de Quevedo).

[72] Para el régimen con *de* del verbo *prometer* en la prosa del XVI, v. Keniston, par. 10.723 y 10.772; v. otro ejemplo en XIX,15,1-2.

[73] *tremer* 'temblar', aunque documentado en textos castellanos antiguos (DCECH s.v. *temblar*) ya estaba anticuado en el siglo XV. En Ercilla, como sin duda en el ejemplo único de Cervantes (*La señora Cornelia;* varios del participio *tremante*), parece italianismo. *Horrendo*, cfr. más arriba en este Canto, n. 13.

furor con que ambas partes se acometen,
derramando con rabia y fuerza brava
aquella poca sangre que quedaba.

Diego Oro allí derriba a Paynaguala,   50
que de una punta le atraviesa el pecho;
pero Caupolicano le señala[74],
dejándole gozar poco del hecho.
Al sesgo[75] la ferrada maza cala,
aunque el furioso golpe fue al derecho
pues quedó por de dentro la celada
de los bullentes sesos rociada.

Tras éste, otro tendió desfigurado,
tanto que nunca más fue conocido,
que la armada cabeza y todo el lado
donde el golpe alcanzó, quedó molido.
Valdivia con Ongolmo se ha topado,
y hanse el uno y el otro acometido;
hiere Valdivia a Ongolmo en una mano,
haciendo el araucano el golpe en vano.

Pasa recio Valdivia y va furioso,
que con Ongolmo más no se detiene,
y adonde Leucotón, mozo animoso,
estaba en una gran pendencia, viene,
que contra Juan de Lamas y Reinoso
solo su parte y opinión mantiene,
el cual con su destreza y mucho seso
la guerra sustentaba en igual peso.

Partióse esta batalla, porque cuando
Valdivia llegó adonde combatía,
parte acudió del araucano bando,
que en su ayuda y defensa se metía.

---

[74] *señalar* 'herir' (*Aut.*, con otro texto de *La Araucana*, IV,61,5).
[75] *al sesgo* 'oblicuamente, al través' (*Aut.*, con este texto); *calar* 'arriar, bajar' (II, n. 103).

Fuese el daño y destrozo renovando;
de un cabo y de otro gente concurría,
sube el alto rumor a las estrellas
sacando de los hierros mil centellas.

Gran rato anduvo en término dudoso
la confusa vitoria desta guerra,
lleno el aire de estruendo sonoroso[76],
roja de sangre y húmida la tierra.
Quién busca y sólo quiere un fin honroso,
quién a los brazos con el otro cierra[77],
y por darle más presto cruda[78] muerte,
tienta con el puñal lo menos fuerte.

A Iuan de Gudiel no le fue sano[79]   55
el tenerse en la lucha por maestro,
porque sin tiempo y con esfuerzo vano
cerró con Guaticol, no menos diestro.
Y en aquella sazón Purén, su hermano,
que estaba cerca dél, en el siniestro
lado le abrió con daga una herida
por do la muerte entró y salió la vida.

Andrés de Villarroel, ya enflaquecido[80]
por la falta de sangre derramada,
andaba entre los bárbaros metido,
procurando la muerte más honrada.
También Juan de las Peñas, mal herido,

---

[76] *sonoroso* es cultismo hoy anticuado; de uso frecuente en la poesía a partir del XVI (Vilanova, II,132), ya aparece en Santillana (DCECH) y Ercilla lo usa con alguna frecuencia en las dos primeras Partes del poema.

[77] *cerrar* 'embestir' (II, n. 105).

[78] *crudo* 'cruel', como más abajo en 60,8 y en 67,5, cfr. II, n. 108.

[79] Madrid, 1569: «Andrés de Villarroel con valeroso / brazo y gran corazón, furiosamente / acomete lo más dificultoso / con gana de morir honradamente. / Y Antonio de las Peñas animoso / rompiendo por la furia de la gente.» *Sano* 'bueno', acepción que aparece ya en Berceo.

[80] *enflaquecido* 'debilitado' (T.L.) como *flaco* 'débil' en 60,5 (I, n. 29).

rompiendo por la espesa gente armada,
se puso junto dél[81], y así la suerte
los hizo a un tiempo iguales en la muerte.

Era la diferencia incomparable
del número infiel al bautizado;
es el un escuadrón inumerable,
el otro hasta sesenta numerado;
ya la incierta Fortuna variable
que dudosa hasta entonces había estado,
aprobó la maldad y dio por justa
la causa y opinión hasta allí injusta[82].

Dos mil amigos bárbaros soldados
que el bando de Valdivia sustentaban,
en el flechar[83] del arco ejercitados
el sangriento destrozo acrecentaban
derramando más sangre, y esforzados
en la muerte también acompañaban
a la española gente no vencida
en cuanto sustentar pudo la vida.

Cuando de aqueste y cuando de aquel canto[84]
mostraba el buen Valdivia esfuerzo y arte,
haciendo por la espada todo cuanto
pudiera hacer el poderoso Marte.
No basta a reparar él solo tanto,
que falta de los suyos la más parte;
los otros, aunque ven su fin tan cierto,
ningún medio pretenden ni concierto.

[81] *junto de* por *junto a,* común en textos del XVI y XVII (DCECH; Keniston, par. 41.32).

[82] *justa ... injusta.* Para este tipo de repetición etimologizadora, v. I, n. 4.

[83] *flechar* 'estirar el arco, disparando la flecha' *(Aut.,* con textos
del XVII, pero ya *frechar* en Nebrija).

[84] *canto* 'lado' (Casas, 1570 en T.L.) como en XX,25,4, es ya acepción
anticuada para *Aut.* Para el uso correlativo distributivo *cuando ... cuando,*
v. *Esbozo* par. 3.18.4a y Keniston, par. 42.24 con ejemplos de prosa
del XVI.

De dos en dos, de tres en tres cayendo   60
iba la desangrada y poca gente;
siempre el ímpetu bárbaro creciendo
con el ya declarado fin presente.
Fuese el número flaco resumiendo[85]
en catorce soldados solamente
que constantes rendir no se quisieron
hasta que al crudo hierro se rindieron.

Sólo quedó Valdivia acompañado
de un clérigo que acaso[86] allí venía,
y viendo así su campo destrozado,
el mal remedio y poca compañía,
dijo: «Pues pelear es escusado,
procuremos vivir por otra vía.»
Pica en esto al caballo a toda priesa[87]
tras él corriendo el clérigo de misa.

Cual suelen escapar de los monteros[88]
dos grandes jabalís fieros, cerdosos,
seguidos de solícitos rastreros[89],

---

[85] *resumir* 'reducir' parece ser la documentación más temprana de su uso literario (DCECH s.v. *sumir*, trae los datos algo posteriores a este texto de *Aut.*).

[86] *acaso* 'casualmente' (ya en Nebrija).

[87] Las ediciones anteriores, desde la princeps, «prisa», que conserva la rima.

[88] *montero* 'el que busca y persigue la caza en el monte o la ojea hacia el sitio en que la esperan para tirarla' (*Aut.*). Comienza aquí una comparación venatoria de larga tradición clásica (Lucano, Séneca), que reelabora Ariosto (XXIX,10) de donde la toma Garcilaso (Egl. II, 1666-1670) como señaló primeramente el Brocense y relacionó con el *Polifemo* de Góngora J. Pellicer en sus *Lecciones solemnes*. Ercilla, sin duda influido por Garcilaso, toma de él aspectos léxicos fundamentales en el símil (*cerdoso, fiero, lebrel, Irlanda, generoso*) pero en vez de aceptar totalmente el modelo de Ariosto que describe la impaciencia de los perros atraillados, opta por la descripción de la carrera tras la presa salvaje (Vilanova, I,245 para otros textos). Para otras escenas venatorias, no como símil sino descriptivas, v. XVII,48,3-4 y XXVI,6,8, cfr. B. Jiménez Patón, *Elocuencia...*, c. XII para este texto como ejemplo de «Ycón o imagen» (pág. 136 ed. cit.).

[89] *rastrero* 'perro de caza' ya en A. de Palencia, 1490.

de la campestre sangre cudiciosos,
y salen en su alcance los ligeros
lebreles irlandeses generosos,
con no menor cudicia y pies livianos,
arrancan tras los míseros cristianos.

Tal tempestad de tiros, Señor, lanzan
cual el turbión[90] que granizando viene,
en fin a poco trecho los alcanzan,
que un paso cenagoso los detiene;
los bárbaros sobre ellos se abalanzan,
por valiente el postrero no se tiene,
murió el clérigo luego, y maltratado
trujeron[91] a Valdivia ante el senado.

Caupolicán, gozoso en verle vivo
y en el estado y término presente,
con voz de vencedor y gesto altivo
le amenaza y pregunta juntamente;
Valdivia como mísero captivo
responde, y pide humilde y obediente
que no le dé la muerte y que le jura
dejar libre la tierra en paz segura.

Cuentan que estuvo de tomar movido[92]   65
del contrito Valdivia aquel consejo;
mas un pariente suyo empedernido,
a quien él respetaba por ser viejo,
le dice: «¿Por dar crédito a un rendido

---

[90] *turbión* 'tormenta repentina' es cambio reciente del ant. *turbón* (DCECH da 1580 como fecha de su primera documentación). Se trata de una variante de esta edición en la que la octava presenta cambios textuales importantes respecto de la princeps y las demás ediciones antiguas anteriores a ésta. Así Madrid, 1569: «Y tanta infinidad de tiros lanzan / que espesa y recia lluvia dellos hubo. / En fin, a poco trecho los alcanzan / que un paso cenagoso los detuvo. / Los bárbaros sobre ellos se abalanzan, / por valiente el postrero no se tuvo.»

[91] *trujeron* ant. *trajeron* es forma del pretérito conservada aún en hablas rurales y dialectales de España y América.

[92] *movido* 'persuadido' (*Aut.*, s.v. *mover*).

156

quieres perder tal tiempo y aparejo?»[93].
Y apuntando a Valdivia en el celebro[94],
descarga un gran bastón de duro nebro[95].

Como el dañoso[96] toro que, apremiado
con fuerte amarra al palo está bramando
de la tímida gente rodeado
que con admiración le está mirando;
y el diestro carnicero ejercitado,
el grave[97] y duro mazo levantando,
recio al cogote cóncavo[98] deciende
y muerto estremeciéndose le tiende;

así el determinado viejo cano[99]
que a Valdivia escuchaba con mal ceño,
ayudándose de una y otra mano,
en algo levantó el ferrado leño.
No hizo el crudo viejo golpe en vano,
que a Valdivia entregó al eterno sueño

---

[93] *aparejo* 'disposición, situación' (T.L.). Para esta repetición sinonímica intensificadora, v. I, n. 112.

[94] *celebro* por *cerebro* es variante por disimilación, general en textos
literarios hasta el siglo XVII (en Cervantes es todavía la forma más
frecuente y la que prevalece modernamente sólo se registra en el
Persiles).

[95] *nebro* por *enebro* 'arbusto de madera vieja y fuerte' (DRAE).

[96] *dañoso* 'dañino', hoy poco usual, es el único que registran los diccionaristas del T.L. hasta Cov. (1611), quien ya trae *dañino*; éste último aparece, sin embargo, en A. de Palencia (1490) como señala DCECH.

[97] *grave* 'pesado' (II, n. 54).

[98] *cóncavo* es cultismo frecuente en el poema (ya usado en este Canto
anteriormente, en 24,7). Aunque documentado en Santillana (DCECH)
y en los diccionaristas del T.L., no aparece en Garcilaso, Boscán ni
Montemayor (Vilanova, II,35; D. Alonso, pág. 52). Nótese la aliteración con «cogote».

[99] *cano* 'canoso' es cultismo introducido por Garcilaso (Egl. II,1637),
pero con acepción metafórica 'blanco', de tradición clásica. Ercilla la
utilizará en XXIV,36,4 y XXVII,17,3 (Vilanova, II,239). Para una versión más truculenta de la muerte de Valdivia, cfr. Góngora Marmolejo,
cap. XIV, págs. 104-105, a quien dio pormenores el guardarropa de
Valdivia, don Alonso, «principal y señor del valle de Chile en Santiago».

y en el suelo con súbita caída
estremeciendo el cuerpo, dio la vida.

Llamábase este bárbaro Leocato,
y el gran Caupolicán, dello enojado,
quiso enmendar el libre desacato,
pero fue del ejército rogado;
salió el viejo de aquello al fin barato[100]
y el destrozo del todo fue acabado,
que no escapó cristiano desta prueba
para poder llevar la triste nueva.

Dos bárbaros quedaron con la vida
solos de los tres mil[101], que como vieron
la gente nuestra rota y de vencida,
en un jaral espeso se escondieron;
de allí vieron el fin de la reñida
guerra, y puestos en salvo lo dijeron,
que, como las estrellas se mostraron,
sin ser de nadie vistos se escaparon.

La escura noche en esto se subía   70
a más andar a la mitad del cielo,
y con las alas lóbregas cubría
el orbe y redondez del ancho suelo[102],
cuando la vencedora compañía,
arrimadas[103] las armas sin recelo,
danzas en anchos cercos ordenaban,
donde la gran vitoria celebraban.

---

[100] *barato* 'por poco precio', y aquí, 'sin castigo'; es uso adverbial que
ya registra T.L.

[101] *tres mil* V. más atrás, en 58,1 donde el número de «amigos bárbaros
soldados» es dos mil. Se trata, pues, de una expresión sin valor aritméti-
co y general: 'numerosos'.

[102] Para esta descripción de la noche, *Aeneidos,* V,721-2; cfr. Vilanova, I,384-5.

[103] *arrimar* 'dejar de la mano alguna cosa ... como arrimar la espada
cuando se deja de batallar' (*Aut.*, con texto posterior de Saavedra Fajardo).

Fue la nueva en un punto discurriendo[104]
por todo el araucano regimiento,
y antes que el sol se fuese descubriendo,
el campo se cubió de bastimento.
Gran multitud de gente concurriendo,
se forma un general ayuntamiento
de mozos, viejos, niños y mujeres,
partícipes[105] en todos los placeres.

Cuando la luz las aves anunciaban
y alegres sus cantares repetían,
un sitio de altos árboles cercaban
que una espaciosa plaza contenían;
y en ellos las cabezas empalaban
que de españoles cuerpos dividían;
los troncos, de su rama despojados,
eran de los despojos adornados[106];

y dentro de aquel círculo y asiento,
cercado de una amena y gran floresta,
en memoria y honor del vencimiento
celebran de beber la alegre fiesta;
y el vino así aumentó el atrevimiento
que España en gran peligro estaba puesta;
pues que promete el mínimo soldado
de no dejar cimiento levantado.

---

[104] *discurrir* 'correr por diversas partes' (T.L.); aunque ya en Santillana y Mena, todavía J. de Valdés considera que debería tomarse en castellano del italiano (DCECH); para la segunda mitad del xvi se había extendido su uso, hoy prácticamente restringido a la acepción 'reflexionar acerca de algo' (Cuervo, *Dicc.*, II,1251), como en XXI,20,7.

[105] *partícipe* es cultismo cuyo uso literario está documentado por primera vez en este texto (DCECH).

[106] Ercilla rehace el motivo clásico de las ofrendas a Diana, ya utilizado por Garcilaso (Egl. II,194-196) a través de la variante ariostesca (XV,49-50). Como el monstruo Caligorante del *Orlando furioso,* que adorna con despojos de sus víctimas humanas su casa, así los araucanos cuelgan las cabezas de sus enemigos que se transforman, literariamente, en víctimas también. Cfr. Vilanova, II,610-13.

Era allí la opinión generalmente
que sin tardar, doblando las jornadas,
partiese un grueso número de gente
a dar en las ciudades descuidadas;
que tomadas de salto[107] y de repente,
serían con solo el miedo arruinadas
y la patria en su honor restituida,
no dejando cristiano con la vida.

Y dado orden bastante y esto hecho,   75
para acabar de esecutar[108] su saña,
con gran poder y ejército, de hecho
querían pasar la vuelta de[109] la España,
pensándola poner en tanto estrecho
por fuerza de armas, puestos en campaña,
que fuesen cultivadas las iberas
tierras de las naciones estranjeras.

El hijo de Leocano[110] bien entiende
el vano intento y quiere desviarlo,
que, como diestro y sabio, otro pretende,
y por mejor camino enderezarlo.
El tiempo espera y la sazón atiende
que estén mejor dispuestos a tratarlo;
la fiesta era acabada y borrachera
cuando a todos les habla en tal manera:

«Menos que vos, señores, no pretendo
la dulce libertad tan estimada,
ni que sea nuestra patria yo defiendo
en el sublime trono[111] restaurada;

---

[107] *de salto* 'súbitamente, de repente' (*Aut.*). Para esta repetición sinonímica, I, n. 112. Para *dar en* 'acometer, embestir de improviso' del verso
anterior, cfr. Cuervo, *Dicc.* II,742a,g. con este texto.

[108] *esecutar* por *ejecutar* es cultismo ya usado por Mena (Lida de Malkiel, 262 y DCECH s.v. *seguir*).

[109] *la vuelta de* 'hacia' (*Aut.*); *vuelta* 'camino'.

[110] Apelativo de Caupolicán (II, n. 75).

[111] *trono* 'poder' (I, n. 120).

mas hase de atender a que pudiendo
ganar, no se aventure a perder nada;
y así con este celo y fin procuro
no poner en peligro lo seguro.

»Tomad con discreción los pareceres
que van a la razón más arrimados;
pues cobrar[112] vuestros hijos y mujeres
está en ir los principios acertados;
vuestra fama, el honor, tierra y haberes
a punto están de ser recuperados,
que el tiempo, que es el padre del consejo
en las manos nos pone el aparejo.

»A Valdivia y los suyos habéis muerto,
y una importante plaza destruido;
venir a la venganza será cierto
luego que en las ciudades sea sabido.
Demos al enemigo el paso abierto,
esto asegura más nuestro partido.
Vengan, vengan con furia a rienda suelta,
que difícil será después la vuelta.

»La vitoria tenemos en las manos   80
y pasos en la tierra mil seguros
de ciénegas, lagunas y pantanos,
espesos montes, ásperos y duros;
mejor pelean aquí los araucanos,
españoles mejor dentro en sus muros;
cualquier hombre en su casa acometido
es más sabio, más fuerte y atrevido.

»Esto os vengo a decir porque se entienda
cuanto con más seguro[113] acertaremos,
para poder tomar la justa emienda,
que en sitios escogidos esperemos,

---

[112] *cobrar* 'recobrar' (Nebrija).
[113] *seguro* 'seguridad' (I, n. 115).

donde no habrá en el mundo quien defienda[114]
la razón y derecho que tenemos,
cuando temor tuviesen de buscarnos,
a sus casas iremos a alojarnos.»

Con atención de todos escuchada
fue la oración que el General hacía,
siendo de los más dellos aprobada,
por ver que a su remedio convenía;
la gente ya del todo sosegada,
Caupolicán al joven se volvía
por quien fue la vitoria, ya perdida,
con milagrosa prueba conseguida.

Por darle más favor, le tenía asido
con la siniestra de la diestra mano[115],
diciéndole: «Oh varón, que has estendido
el claro nombre y límite araucano!
Por ti ha sido el Estado redimido,
tú le sacaste del poder tirano,
a ti solo se debe esta vitoria
digna de premio y de inmortal memoria.

«Y, señores, pues es tan manifiesto,
(esto dijo volviéndose al senado)
el punto en que Lautaro[116] nos ha puesto
(que así el valiente mozo era llamado),
yo, por remuneralle en algo desto,
con vuestra autoridad que me habéis dado,
por paga, aunque a tal deuda insuficiente,
le hago capitán y mi teniente.

---

[114] *defender* 'impedir' (II, n. 90).
[115] Para ademán semejante de Caupolicán hacia Lautaro, confróntese IV,78,3.
[116] Se declara por primera vez el nombre, que apareció en el título del Canto.

»Con la gente de guerra que escogiere,
pues que ya de sus obras sois testigos,
en el sitio en que más le pareciere
se ponga a recebir los enemigos,
adonde hasta que vengan los espere;
porque yo con la resta y mis amigos
ocuparé la entrada de Elicura[117],
aguardando la misma coyuntura.»

Del grato mozo el cargo fue acetado
con el favor que el general le daba;
aprobólo el común[118] aficionado,
si alguno le pesó, no lo mostraba;
y por el orden y uso acostumbrado,
el gran Caupolicán le tresquilaba[119],
dejándole el copete en trenza largo,
insignia verdadera de aquel cargo.

Fue Lautaro industrioso, sabio, presto,
de gran consejo, término y cordura,
manso de condición y hermoso gesto[120],
ni grande ni pequeño de estatura;
el ánimo en las cosas grandes puesto,
de fuerte trabazón y compostura;

---

[117] *Elicura* es el lugar, no el nombre del guerrero, como hasta ahora. Aunque no mencionado por Góngora Marmolejo ni Mariño de Lobera, en el siglo XVIII A. de Alcedo trae testimonio de la resistencia prolongada de los lugareños en su tersa descripción: «Sitio del reino de Chile, al mediodía del fuerte Paicaví, célebre por la gloriosa muerte que padecieron, a manos de los indios de Purén, los venerables PP. de la distinguida Compañía, Martín de Aranda, natural de Chile; Horacio Vechi de Sena y Diego Montalván de Méjico, el día 14 de diciembre del año 1612.» Para *resta* 'resto, residuo' del verso anterior, cfr. DCECH s.v. *estar,* que cita *Aut.,* como documentación más antigua. *Resto,* por otra parte, se documenta en A. de Morales (1574) y todavía Cov. solamente trae acepción relacionada con la lengua del juego.

[118] *común* 'pueblo' (I, n. 78).

[119] *tresquilar* por *trasquilar* 'cortar el pelo a trechos, sin orden ni arte' (*Aut.*). La forma usada por Ercilla es hoy dialectal.

[120] *gesto* 'rostro' como más abajo en 89,3 (I, n. 79).

duros los miembros, recios y nervosos[121],
anchas espaldas, pechos espaciosos[122].

Por él las fiestas fueron alargadas,
ejercitando siempre nuevos juegos
de saltos, luchas, pruebas nunca usadas,
danzas de noche en torno de los fuegos[123];
había precios y joyas señaladas,
que nunca los troyanos ni los griegos,
cuando los juegos más continuaron,
tan ricas y estimadas las sacaron.

Llegó a Caupolicán, estando en esto,
un bárbaro, turbado, sin aliento,
perdida la color[124], mudado el gesto,
cubierto de sudor y polvoriento[125],
diciéndole: «Señor, socorre presto,
tu campo es roto y cierto el perdimiento
que la gente que estaba en la emboscada
es muerta la más della y destrozada.

»Por tierra de Elicura son bajados[126]   90
catorce valentísimos guerreros,
de corazas finísimas armados
sobre caballos prestos y ligeros[127];
por estos solos son desbaratados
dos escuadrones tuyos de piqueros[128]
y visto el gran estrago, al improviso[129]
partí corriendo a darte dello aviso.»

---

[121] *nervoso* 'robusto'; cfr. II, n. 65.
[122] *pechos* con sentido singular, como forma etimológica derivada del acusativo neutro *pectus*, cfr. DCECH para ejs. medievales.
[123] V. Cantos X y XI para otros juegos atléticos celebratorios.
[124] *color* cfr. I, n. 55 para su género gramatical.
[125] Para esta imagen del guerrero sudoroso y polvoriento, que viene de Ariosto «Di sudor pieno e tutto polveroso» (I,14,2), v. Vilanova II,65.
[126] Para estos soldados, v. la estrofa 91 del Canto II.
[127] Para la repetición sinonímica, cfr. I, n. 112.
[128] *piquero* 'soldado armado con pica' (III, n. 30).
[129] *al improviso* 'de improviso' y ambas formas todavía en Cervantes

Caupolicán, con muestra no alterada,
hizo que del temor se asegurase[130],
diciendo que tan poca gente armada
al cabo era imposible que escapase;
y con la diligencia acostumbrada
mandó al nuevo teniente que guiase
con la más presta gente por la vía,
que luego con el resto le seguía.

Lautaro, en lo acetar no perezoso,
escogiendo una escuadra suficiente[131],
marcha con toda priesa, codicioso
de ganar opinión[132] entre la gente.
Mas de Marte el estruendo sonoroso
me llama, que me tardo injustamente;
de los catorce es tiempo que se trate,
y del sangriento y áspero combate.

Estiéndase su fama y sea notoria,
pues que tanto su espada resplandece,
y dellos se eternice la memoria,
si valor en las armas lo merece:
testimonio dará dello la historia;
pero acabar el canto me parece,
que a decir tan gran cosa no me atrevo,
si no es con nuevo aliento y canto nuevo.

FIN

(Fz. Gómez); ésta parece ser la primera documentación de la frase adverbial con *al,* como en italiano. *De improviso,* latinismo obvio, se documenta por primera vez en C. de las Casas, 1570, según DCECH.

[130] *asegurar* 'poner a cubierto de riesgo' (Cuervo, *Dicc.,* I,677).

[131] Madrid, 1569: «cuando un escuadrón de buena gente».

[132] *opinión* 'fama' es acepción frecuente en los siglos XVI y XVII (DCECH) y ya registrada por A. de Palencia (1490). Para la acepción corriente 'juicio', cfr. IV,5,7.

VIENEN CATORCE ESPAÑOLES POR CONCIERTO A JUNTARSE
CON VALDIVIA EN LA FUERZA[1] DE TUCAPEL; HALLAN LOS
INDIOS EN UNA EMBOSCADA, CON LOS CUALES TUVIERON
UN PORFIADO RECUENTRO[2], LLEGA LAUTARO CON GENTE
DE REFRESCO; MUEREN SIETE ESPAÑOLES Y TODOS LOS
AMIGOS QUE LLEVAN; ESCÁPANSE LOS OTROS POR UNA
GRAN VENTURA

CANTO IV

¡CUÁN BUENA ES la justicia y qué importante!
Por ella son mil males atajados;
que si el rebelde Arauco está pujante
con todos sus vecinos alterados
y pasa su furor tan adelante,
fue por no ser a tiempo castigados;
la llaga que al principio no se cura,
requiere al fin más áspera la cura.

Que no es virtud, mas vicio y negligencia
cuando de un daño otro mayor se espera,
el no curar con hierro la dolencia,
si del mal lo requiere la manera;
mas no con tal rigor que la clemencia
pierda su fuerza y la virtud entera:
clemente es y piadoso el que sin miedo
por escapar el brazo corta el dedo.

---

[1] *fuerza* 'plaza fuerte' (I, n. 57).
[2] *recuentro* 'combate' (I, n. 105).

167

No quiero yo decir que a cada paso
traiga el hierro en la mano la justicia,
sino según la gravedad del caso
y la importancia y fin de la malicia[3];
pues vemos claro en el presente paso
que al cabo, corrompida de avaricia,
dio a la maldad lugar que se arraigase
y en los ánimos más se apoderase.

Mas no se ha de entender, como el liviano
que se entrega al primero[4] movimiento,
que por ser justiciero es inhumano
y por alcanzar crédito es sangriento;
y como aquel que con injusta mano,
sin término, sin causa y fundamento,
por sólo liviandad y vanagloria
quiere dejar de su maldad memoria.

No faltara materia y coyuntura   5
para mostrar la pluma aquí curiosa[5];
mas no quiero meterme en tal hondura,
que es cosa no importante y peligrosa;
el tiempo lo dirá y no mi escritura,
que quizás la tendrán por sospechosa;
sólo diré que es opinión de sabios
que adonde falta el rey sobran agravios.

Pero a nuestro propósito tornando,
dejaré de tratar de sinrazones,
que es trabajar en vano, derramando
al viento en el desierto las razones;
de los nuestros diré que peleando

---

[3] *malicia* 'maldad', 'daño', como se aclara en el verso 7 de la octava.
[4] *primero*. La pérdida de la vocal final, cuando antecedía al sustantivo, no estaba regularizada en el siglo XVI. Cfr. Keniston, par. 25,2 y ss., especialmente par. 25,241, y Bello-Cuervo, par. 153 y ss.
[5] *curioso* en la acepción latina «cuidadoso, escrupuloso, diligente», ya en A. de Palencia (1490) y Nebrija.

estaban con los fieros escuadrones,
ganando fama y prez, honor y gloria[6],
haciendo cosas dignas de memoria.

Fue hecho tan notable, que requiere
mucha atención y autorizada pluma,
y así digo que aquel que le leyere
en que fue de los grandes se resuma[7];
diré cuanto en mi estilo yo pudiere,
aunque toda será una breve suma
y los nombres también de los soldados
que con razón merecen ser loados:

Almagro, Cortés, Córdoba, Nereda,
Morán, Gonzalo Hernández, Maldonado,
Peñalosa, Vergara, Castañeda,
Diego García Herrero el arriscado,
Pero Niño, Escalona y otro queda
con el cual es el número acabado:
don Leonardo Manrique es el postrero,
igual en el valor siempre al primero[8].

Estos catorce son los que venían
a verse con Valdivia en el concierto[9],
que del pueblo Imperial partido habían
sin saber que Valdivia fuese muerto;
por la alta cuesta de Purén subían,
y en el más alto asiento y descubierto
los caminos de rama veen sembrados,
señal de paga y junta de soldados.

---

[6] Para la repetición sinonímica en los varios matices semánticos
compartidos por las cuatro palabras, cfr. I, n. 112.

[7] *resumirse en* 'concluir, resolver' (*Aut.*, con textos de A. de Morales y
Garcilaso Inca).

[8] Cfr. t. V, Ilustración XVII «Los compañeros de Ercilla» de la
edición de J. T. Medina de *La Araucana*, 1910-1918. Para otra descripción de esta batalla, cfr. P. Mariño de Lobera, *Crónica...*, l,V, c. 45,
págs. 338 y ss.

[9] *en el concierto* 'según lo concertado'; cfr. II,91 en donde se menciona
por primera vez a esta «gente armada» y III, n. 126.

Conocen que la tierra está alterada   10
y que de gentes hacen llamamiento;
no torcieron por esto la jornada[10],
ni les mudó el temor el firme intento;
la fresca y nueva aurora colorada
daba con su venida gran contento,
y las sombras del sol se retraían
cuando el licúreo[11] valle descubrían.

Aquí estaban los indios emboscados
esperando a los nuestros si viniesen,
por cogerlos sin orden descuidados
antes que del peligro se advirtiesen
de un bosque a mano hecho[12] rodeados
para que más cubiertos estuviesen,
hasta que, inadvertidos del engaño,
pudiesen a su salvo hacer el daño[13].

Los catorce españoles abajaban[14]
por un repecho[15], al valle enderezando,
donde ocultos los bárbaros estaban,
cubiertos de los ramos aguardando;
los nuestros con el bosque aún no igualaban
cuando los indios, súbito[16] sonando

---

[10] *jornada* 'batalla', 'expedición a que se destina el ejército' (*Aut.,* y ya con esta acepción en 1527, según DCECH).

[11] *licúreo* 'de Elicura'; para estas derivaciones adjetivas de nombres araucanos, v. I, n. 109 y VIII,35,5.

[12] *a mano hecho* entiéndase, 'artificial, falso', es decir, hecho con ramas de árboles para ocultarse mejor.

[13] Madrid, 1569: «hasta el punto y sazón que en su provecho / pudiesen sin peligro hacer el hecho».

[14] *abajar* ant. *bajar*, frecuente hasta el XVII, y hoy anticuado (*Aut.* y DCECH).

[15] *repecho* 'cuesta bastante pendiente' (DCECH, sin documentación; *Aut.* con texto posterior).

[16] *súbito* 'de súbito', como en la estrofa siguiente (*Aut.,* con texto de *La Araucana* I,45,6). V. tb. título del Canto XIV; es interesante señalar que en X,55,8 las ediciones posteriores a la princeps sustituyen *súbito* por un adjetivo indirectamente relacionado: «furioso».

bárbaras trompas, roncos tamborinos,
los pasos ocuparon y caminos.

En cazador no entró tanta alegría,
cuando más sin pensar la liebre echada
de súbito por medio de la vía
salta de entre los pies alborotada,
cuanto causó la muestra y vocería
del vecino escuadrón de la emboscada
a nuestros españoles, que al instante
arrojan los caballos adelante[17].

En un punto los bárbaros formaron
de puntas[18] de diamante una muralla;
pero los españoles no pararon
hasta de parte a parte atravesalla;
hombres, picas y mazas tropellaron[19],
revuelven, por dar fin a la batalla,
con más valor y esfuerzo que esperanza,
vista de los contrarios la pujanza.

De tres dos escuadrones desviados   15
el paso les cercaron y huida;
viéndose así de bárbaros cercados,
piensan abrir por ellos la salida;
otra vez arremeten apiñados
y aunque una escuadra dellos fue rompida,
volvieron a sus puestos recogidos
quedando desta vuelta mal heridos.

---

[17] Cfr. para estos símiles venatorios III, n. 88. En este caso, los españoles asumen el papel de cazadores y no de víctimas, como en el ejemplo
anterior. Precisamente, la gran diferencia numérica entre indígenas y españoles, que obliga a memorables actos de valentía, da dimensión heroica a la relativa domesticidad de la imagen.

[18] *punto... puntas* es un tipo de juego paronomásico que aparece con
frecuencia en el poema (I, n. 4).

[19] *tropellar,* como en 16,2 y en 39,2 por *atropellar* (II, n. 114).

Dos veces embistieron desta suerte,
las cerradas escuadras tropellando;
mas viéndose cercanos a la muerte,
prosiguen su derrota[20] enderezando
al desolado sitio y casa fuerte[21]
a diestro y a siniestro derribando,
que los indios entrellos van mezclados,
hiriéndolos también por todos lados.

Estréchase el camino de Elicura
por la pequeña falda de una sierra;
la causa y la razón desta angostura
es un lago que el valle abajo cierra.
Para los nuestros esto fue ventura,
pues siguen su jornada haciendo guerra,
que solo un español que atrás venía
la bárbara arrogancia resistía.

Ellos, que iban así por una espesa
mata[22], al calar[23] de un áspero collado
veen un indio salir a toda priesa,
el vestido y el rostro demudado,
el cual en el camino se atraviesa,
y del seno sacó un papel cerrado
que Juan Gómez de Almagro el propio día
dando aviso a Valdivia escrito había.

El mismo mensajero veen lloroso
que dellos adelante había partido;

---

[20] *derrota* 'camino' (T.L., en muchos casos, 'ruta marina' y, así, Cov. «úsase este término también cuando se camina por tierra, aunque impropiamente»).

[21] *casa fuerte* 'fortaleza' (*Aut.*); 'castillo', como se dice en 19,5.

[22] *mata* 'bosquecillo', como todavía hoy en partes de América (Colombia, México, Venezuela). Cfr. DCECH y Santamaría.

[23] *calar* aquí 'descender', como señala Medina, y no registrado por los diccionarios de la época, que traen tb. la acepción 'atravesar' que puede aplicarse a este texto. Para 'arriar, bajar', II, n. 103; II, n. 112, para 'cerrar'.

de Valdivia el suceso lastimoso
les dijo y lo demás acontecido
y que el castillo el bárbaro furioso
le había por los cimientos destruido;
viendo el remedio y presupuesto[24] vano,
tomaron a la diestra un sitio llano.

Era el sitio de lomas rodeado,   20
aunque por esta senda y paso abierto,
del este, norte, oeste está abrigado,
y el sur le hiere casi en descubierto,
por do seguido va el camino usado
de los ligeros bárbaros cubierto,
en espaciosa hila[25] prolongada,
sedientos de la sangre baptizada.

Tras los nuestros los bárbaros saliendo,
en el llano asimismo repararon[26],
y la gente esparcida recogiendo,
dos gruesos escuadrones reformaron;
los catorce españoles conociendo
que era mejor romper[27]; se aparejaron[28];
mueven los escuadrones concertados,
por el fuerte Lincoya gobernados.

Con flautas, cuernos, roncos instrumentos
alto estruendo, alaridos desdeñosos,
salen los fieros bárbaros sangrientos
contra los españoles valerosos,
que convertir esperan[29] en lamentos

---

[24] *presupuesto* 'propósito' como más adelante en el Canto, 79,5 (I, n. 112).

[25] *hila* 'hilera' (I, n. 48).

[26] *reparar* 'detenerse, dudar' (III, n. 70).

[27] *romper* 'atacar', 'desbaratar u deshacer un cuerpo de gente unida' (*Aut.*, con texto contemporáneo de P. Mexía).

[28] *aparejar* 'preparar' (Cuervo, *Dicc.*, I,505 con abundante documentación desde el Cid).

[29] *esperan* La forma *esperen* que trae el texto parece errata; la forma del indicativo está en todas las ediciones antiguas desde la princeps.

los arrogantes gritos orgullosos;
tanto el esfuerzo y ánimo les crece
que poca gente en contra les parece.

Aunque allí un español disfigurado,
que yo no digo aquí cuál dellos era,
dijo, viendo tan poca gente al lado:
«¡Oh si nuestro escuadrón de ciento fuera!»
Pero Gonzalo Hernández animado,
vuelto al cielo, responde: «A Dios pluguiera
fuéramos solos doce y dos faltaran,
que doce de la fama nos llamaran»[30].

Los caballos en esto apercibiendo,
firmes y recogidos en las sillas,
sueltan las riendas, y los pies batiendo,
parten contra las bárbaras cuadrillas;
las poderosas lanzas requiriendo[31],
afiladas en sangre las cuchillas,
llamando en alta voz a Dios del cielo,
hacen gemir y retemblar el suelo.

Calan de fuerte fresno como vigas   25
los bárbaros las picas[32] al momento,
de la suerte que suelen las espigas
derribarse al furor del recio viento;
no bastaron las armas enemigas
al ímpetu español y movimiento,
que los nuestros rompieron por un lado,
dejando el escuadrón aportillado[33].

---

[30] Doble alusión irónica a los Nueve de la Fama y a los Doce Pares de Francia, los caballeros más preciados de Carlomagno, ya nombrados en textos desde el siglo XI. Cfr. III, n. 38.

[31] *requerir* 'examinar' en *Aut.*, con texto similar cervantino: «Afirmándose bien en los estribos, requiriendo la espada y asiendo la lanza...» (II, c. 17). Cfr. Cov. 'prevenir, avisar'.

[32] *pica* 'lanza con punta de hierro' (III, n. 30).

[33] *aportillado* 'abierto', 'con una brecha' (Percivale, 1599, en T.L.; DCECH con texto posterior al de Ercilla, s.v. *puerta*).

A un tiempo los caballos volteando,
lejos las rotas lanzas arrojadas,
vuelven al enemigo y fiero bando,
en alto ya desnudas las espadas;
otra vez arremeten, no bastando
infinidad de puntas enastadas,
puestas en contra de la airada gente,
a que[34] no se mezclasen igualmente.

Los unos, que no saben ser vencidos,
los otros a vencer acostumbrados,
son causa que se aumenten los heridos
y que bajen los brazos más pesados;
de llamas los arneses encendidos,
con gran fuerza y presteza golpeados,
formaban un rumor, que el alto cielo
del todo parecía venir al suelo[35].

El buen Gonzalo Hernández, presumiendo
imitar al de Córdoba famoso[36],
iba por el ejército rompiendo
no menos diestro y fuerte que animoso;
Peñalosa y Vergara, conociendo
que vencer o morir era forzoso,
hacen de sus personas arriscadas
de esfuerzo y fuerzas pruebas señaladas.

El valiente soldado de Escalona
la rigurosa[37] espada ejercitando,

---

[34] *a que* 'a fin de que, para que'.
[35] Para imagen semejante, asociada al estruendo bélico, confróntese XIX,45,7-8.
[36] Alusión a Gonzalo Fernández de Córdoba (1453-1515), llamado el Gran Capitán, por su brillante actuación militar, sobre todo en el reino de Nápoles durante el reinado de Fernando el Católico. La mención es tanto más significativa cuanto que, en palabras de Pierre Vilar, el de Córdoba «comprendió las posibilidades que ofrecía, tanto en hombres como en espíritu militar, la clase de los hidalgos».
[37] *riguroso* 'áspero, duro', 'cruel, excesivo' (Cov., s.v. *rigor; Aut.* y ya

aventura y señala su persona,
mil bárbaros valientes señalando;
Don Leonardo Manrique no perdona
los golpes que recibe, antes doblando
los suyos con gran priesa y mayor ira,
los castiga, maltrata y los retira.

Otro, pues, que de Córdoba se llama,   30
mozo de grande esfuerzo y valentía,
tanta sangre araucana allí derrama
que hizo cien viudas aquel día;
por una que venganza al cielo clama,
saltan todas las otras de alegría;
que al fin son las mujeres variables,
amigas de mudanzas y mudables[38].

Cortés y Pero Niño por un lado
hacen un fiero estrago y cruda[39] guerra;
Morán, Gómez de Almagro y Maldonado
siembran de cuerpos bárbaros la tierra;
el Herrero, como hombre acostumbrado
y diestro en golpear, mata y atierra[40];
pues Nereda también, que era maestro,
hiere, derriba a diestro y a siniestro.

Como si fueran a morir desnudos,
las rabiosas espadas así cortan;
con tanta fuerza bajan golpes crudos
que poco fuertes armas les importan;
lo que sufrir no pueden los escudos,

en el *Corbacho*, según C. C. Smith, 264). V. más adelante en este
Canto, 39,4.
   [38] Cfr. *Aeneidos* IV,569-570: «... varium et mutabile semper / femina...».
   [39] *crudo* 'cruel' como en 47,1 y en 82,2 (II, n. 108).
   [40] *aterrar* 'echar por tierra, derribar' es la acepción medieval que perdura en los autores áureos del xvi (Garcilaso, *Égl.* 3,332 y otros ejs. en Cuervo, *Dicc.*); la moderna se registra por primera vez en el mismo Ercilla (XII,10,6).

los insensibles cuerpos lo comportan[41]
en furor encendidos, de tal suerte,
que no sienten los golpes ni aun la muerte.

Antes de rabia y cólera abrasados
con poderosos golpes los martillan,
y de muchos con fuerza redoblados
los cargados caballos arrodillan;
abollan los arneses relevados[42],
abren, desclavan, rompen, deshebillan[43],
ruedan las rotas piezas y celadas
y el aire atruena el son de las espadas.

Lincoya, combatiendo y derribando,
anima con hervor[44] los escuadrones,
contra su fuerza y maza no bastando
de crestas altas fuertes morriones.
Cortés un golpe suyo reparando[45],
la cabeza inclinó entre los arzones[46],
llevándole el caballo medio muerto,
suelto el freno, corriendo a campo abierto.

Con el cuello inclinado, adormecido,   35
acá y allá el caballo le traía;
pero tornando luego en su sentido,
vergonzoso las riendas recogía;
vuelve a buscar aquel que le ha herido,
y al punto que miró le conocía;

---

[41] *comportar* 'tolerar' (T.L.; *Aut.*, con texto del siglo XIV).

[42] *relevado* 'abultado, con relieves' (*Aut.*).

[43] Para esta acumulación verbal en descripciones bélicas, cfr. III, n. 39. V. otro ejemplo, con cinco verbos en la octava 39,2.

[44] *hervor* por *fervor*, que es duplicado culto ya registrado en Juan de Mena y en la prosa del XVI (DCECH). Cfr. más adelante, IV,40,2.

[45] *reparar* 'detener' como en 43,5 (III, n. 70); para uso reflexivo, IV,43,5.

[46] *arzón* 'fuste delantero o trasero de la silla de montar' (DCECH; T.L. con definición a partir de 1570, pero ya aparece en el Cid).

que al mayor araucano que allí andaba
de los hombros arriba le llevaba[47].

Conócelo también en la braveza
que mostraba, animando allí su gente,
y en la facilidad y ligereza
con que esgrime la maza diestramente.
Como el suelto[48] lebrel por la maleza
se arroja al jabalí fiero y valiente,
así asalta Cortés al araucano,
la adarga al pecho, el duro hierro en mano.

Al través le hirió por un costado,
no le valiendo el coselete[49] duro;
mas de aquella manera le ha mudado
que mudara un peñasco o fuerte muro;
pasa recio el caballo espoleado,
y Cortés, de Lincoya ya seguro,
por medio de la espesa escuadra hiende
y al un lado y al otro muchos tiende.

Almagro cuerpo a cuerpo combatía
con el joven Guacón soldado fuerte;
pero presto la lid se decidía,
que poco se mostró neutral la suerte;
de un golpe Almagro al bárbaro hería,
por donde una ancha puerta abrió a la muerte,
sale della de sangre roja un río
y ocupa el desangrado cuerpo el frío[50].

---

[47] Recuerda la imagen de Turno, *Aeneidos* VII, 783-4: «... Turnus /
vertitur arma tenens et toto vertice supra est».

[48] *suelto* 'veloz' (I, n. 27).

[49] *coselete* 'armadura del cuerpo' (I, n. 39).

[50] La descripción de la muerte de Guacón, desangrado por el golpe de
Almagro, recrea el violento texto de Lucano III, 638-641: «Scinditur
avulsos nec, sicut vulnere, sanguis / emicuit, lentus ruptis cadit undique
venis, / discursusque animae diversa in membra meantis / interceptus
aquis...» Cfr. Lida de Malkiel, pág. 502n. y v. octava 40,3-4 en donde se
amplía la imagen de la sangre derramada hecha río.

Airado Castañeda en la batalla
mata, tropella, daña, hiere, ofende[51],
acaso[52] a Narpo a la derecha halla
y allí la rigurosa espada tiende;
no le valió el jubón de fina malla,
ni un peto de dos cueros le defiende,
que la furiosa punta no calase
y el cuerpo del espíritu privase.

La gente una con otra se embravece,   40
crece el hervor, coraje y la revuelta
y el río de la corriente sangre crece,
bárbara y española toda envuelta;
del grueso aliento el aire se escurece,
alguna infernal furia andaba suelta
que por llevar a tantos en un día,
diabólico furor les infundía.

Tanto el tesón entre ellos ha durado,
que espanta cómo alzar pueden los brazos;
estaban por el uno y otro lado
de amontonados cuerpos los ribazos[53].
El sol había en su curso declinado,
cuando ya sin vigor, hechos pedazos,
de manera igualmente enflaquecían[54],
que moverse adelante no podían.

Como el aliento y fuerza van faltando
a dos valientes toros animosos
cuando en la fiera lucha porfiando
se muestran igualmente poderosos,
que se van poco a poco retirando
rostro a rostro[55] con pasos perezosos,

---

51 *ofender* 'herir, atacar' como más abajo, en 45,2 y en 82,2 (I, n. 49);
para la pareja de sinónimos, v. I, n. 112.
52 *acaso* 'casualmente' como luego, en 76,2 (III, n. 86).
53 *ribazo* 'elevación, ribera' (*Aut.;* DCECH).
54 *enflaquecer* 'debilitar' (III, n. 80).
55 *rostro a rostro* 'frente a frente' (*Aut.,* con texto de Cervantes).

cubiertos de un humor y espeso aliento[56],
y esparcen con los pies la arena al viento,

los dos puestos así se retiraron,
sin sangre y sin vigor desalentados[57],
que jamás las espadas se mostraron,
mas siempre frente a frente careados,
ambos a un mismo tiempo repararon;
a un punto hicieron alto, y desviados
los unos de los otros tanto estaban,
que aun un tiro de flecha no distaban.

Mirábanse del uno y otro bando
en el sitio y contrario alojamiento
cubiertos de agua y sangre ijadeando[58],
que no pueden hartarse del aliento;
los fatigados miembros regalando[59],
el pecho y boca abierta al fresco viento
que con templados soplos respiraba,
mitigando del sol la fuerza brava.

Y desde allí con lenguas injuriosas   45
a falta de las manos se ofendían,
diciéndose palabras afrentosas
la muerte con rigor se prometían;
y a vueltas desto[60], flechas peligrosas

---

[56] *espeso* es adjetivo de 'humor' y 'aliento', en concordancia gramatical
con el segundo. Ercilla frecuentemente usa esta forma de anástrofe para
encerrar el modificador entre dos sustantivos y crear un orden de palabras latinizante.

[57] *desalentado* 'sin aliento' (Percivale, 1599, en T.L.; *desalentar* sin doc.
en DCECH; *alentar* 'respirar' en A. de Palencia, 1490).

[58] *ijadear* ant. *jadear*, derivado de *ijada*, 'mover las ijadas al respirar aceleradamente, por cansancio', como explica el verso siguiente. *Aut.*, con
otro texto de Ercilla (VII,2,6). Para su conservación en América (México, Chile), v. DCECH.

[59] *regalar* 'dejar caer, aflojar', acepción ya rara en autores áureos y relacionada con la más frecuente y medieval 'derretir, licuar' (DCECH, s.v.
regalarII).

[60] *a vueltas de* 'con, además de' (*Aut.*); cfr. XV, n. 145.

los enemigos arcos despedían,
que aunque el aliento y fuerza les faltaba,
el rabioso rencor las arrojaba.

Yo no sé[61] de cuál brazo descansado
una flecha con ímpetu saliendo,
a manera de rayo arrebatado
el aire con rumor iba rompiendo;
tocó en soslayo[62] a Córdoba en un lado,
y la furiosa punta no prendiendo,
torció a Morán el curso y encarnada[63]
por el ojo derecho abrió la entrada.

El buen Morán con mano cruda y fuerte
sacó la flecha y ojo en ella asido;
Gonzalo al duro paso de la muerte
le apercibe[64] y esfuerza condolido;
pero Morán gritó: «No estoy de suerte
que me sienta de esfuerzo enflaquecido;
que solo, así herido, soy bastante
a vencer cuantos veis que están delante.»

Pica el caballo temerariamente,
que galopear[65] no puede de cansado,

---

[61] *Yo no sé* La expresión es puramente retórica y refuerza el efecto dramático del fatídico recorrido de la flecha y la actitud estoica ante el dolor de Morán, que recuerda el episodio de Scaeva en la *Pharsalia* de Lucano (VI, v. 214 y ss.). Para la influencia de Lucano, v. ahora Gareth Davies «"El incontrastable y duro hado": *La Araucana* en el espejo de Lucano» en *Estudios sobre literatura y arte dedicados al profesor E. Orozco Díaz,* ed. A. Gallego Morrell, Granada, 1979.

[62] *en soslayo* por *al / del soslayo,* es frase adverbial que no registran *Aut.* ni DRAE pero ya está en G. Fernández de Oviedo (DCECH).

[63] *encarnar* 'herir', sobre todo referido a saetas y flechas (T.L.). En el texto, el participio tiene valor activo 'hiriente'.

[64] *apercibir* 'preparar, advertir' (Cuervo, *Dicc.* con otro texto de Ercilla, XXXIII,67,3); cfr. uso reflexivo en II,20,5; *esforzar* 'alentar, animar' (Nebrija), y repetición etimologizadora con *esfuerzo,* dos versos más abajo.

[65] *galopear* alternaba con el más antiguo *galopar,* hoy más usual en Es-

contra todo aquel númeo de gente
que en escuadrón estaba reformado;
pero Gonzalo Hernández diligente
se le puso delante acelerado,
que ya Lincoya al paso le salía
y al puesto, aunque por fuerza, lo volvía.

Con grande alarde, estruendo y movimiento,
sobre la cumbre de una verde loma,
tendidas las banderas por el viento,
Lautaro con la presta gente asoma.
Como cuando de lejos el hambriento
león, viendo la presa, placer toma[66],
y mira acá y allá feroz rugiendo,
el vedijoso cuello sacudiendo,

Lautaro así veloz por un repecho   50
bajaba, enderezando a los de España,
pensando él solo dar fin aquel hecho,
si no le desamparan la campaña[67].
Delante de su gente va gran trecho,
digna es de celebrarse tal hazaña:
solos catorce esperan, hechos piezas,
rotos los brazos, piernas y cabezas.

Cuatro mil sobrevienen vitoriosos;
apiñados los nuestros los esperan,
no de ver tanta gente temerosos,
porque aun morir con más honor quisieran.
Los fieros enemigos orgullosos
en alta voz gritaban: «¡Mueran! ¡Mueran!»,
y el lincoyano [68] ejército animado
también acometió por otro lado.

---

paña, aunque la forma usada por Ercilla sigue muy viva en el Río de la
Plata (DCECH con documentación posterior).

[66] Madrid, 1569: «león que vee la presa gusto toma / sacude el vedijoso cuello alzado / y se apareja al paso deseado».

[67] *campaña* 'campo de batalla', 'operación de guerra' (III, n. 44).

[68] *lincoyano* V. para este tipo de derivación adjetiva I, n. 109.

Lanzaron los caballos los cristianos
batiendo bien de espacio[69] el hueco suelo,
contra los descansados araucanos
que fieros amenazan tierra y cielo;
vienen con tardos pies a prestas manos[70],
y del primer encuentro, hecho un hielo,
Pero Niño tocó la blanca arena,
bañándola de sangre en larga vena[71].

Atravesóle el cuerpo la herida,
aunque en atribuirla hay desconcierto;
unos dicen que Angol fue el homicida,
otros que Leocotón, y esto es más cierto;
cualquier dellos que fue, de gran caída
Pero Niño quedó en el campo muerto
con un trozo de pica atravesado
donde fue del tropel despedazado.

También el de Manrique[72] volteando
a los pies de Lautaro muerto vino;
rompen los otros doce, enderezando
por las espesas armas al camino;
pero Ongolmo, los pies apresurando,
de un golpe derribó fuera de tino
a Nereda, que en guerras era experto;
Cortés, de muy herido, cayó muerto

Tras él al suelo fue Diego García,   55
de una llaga mortal abierto el pecho;

---

[69] *de espacio* por *despacio* (II, n. 67).

[70] Además de la antítesis adjetiva *tardos/prestas,* Ercilla utiliza la frase hecha, desgramaticalizada por el recurso antitético, *venir a las manos* 'pelear' para subrayar la desigualdad de los enemigos enfrentados.

[71] *vena* 'listas diversas y de varios colores que se hallan en algunas piedras y maderas' (*Aut.,* con texto de Lope). Ercilla juega con la polisemia de la palabra que permite un intercambio fuertemente dinámico de acepciones con los otros vocablos de los tres últimos versos de la octava: «yelo», «blanca arena», «sangre».

[72] *el de Manrique* se sobrentiende «cuerpo» del primer verso de la octava anterior.

de otro golpe Escalona se tendía,
que Tucapel le acierta por derecho[73];
los demás españoles en la vía
(considere quien ya se vio en estrecho)[74]
con cuánta priesa baten las ijadas
de los lasos[75] caballos desangradas.

El fiero Tucapel haciendo guerra
a todos con audacia los asalta,
y en viendo que estos dos baten la tierra,
gallardo por encima dellos salta;
topa a Almagro y con él ligero cierra[76]
en los pies levantado y la maza alta,
que sobre él derribándola venía
con toda la pujanza que tenía.

O fue mal tiento[77] o furia que llevaba,
o que el Sumo Señor quiso librallo,
que el tiro a la cabeza señalaba
y a dar vino en las ancas del caballo;
con tanta fuerza el golpe le cargaba
que Almagro más no pudo meneallo,
quedando derrengado[78] de manera
que[79] si fuera de masa o blanda cera.

Almagro con presteza por un lado,
viendo el caballo cojo, se derriba[80];

---

[73] *por derecho* 'rectamente, sin desvío' (DRAE, sólo aplicado a la tauro-maquia, pero este texto ejemplifica un uso clásico más amplio).

[74] *estrecho* 'peligro, riesgo' (I, n. 18).

[75] *laso* 'fatigado, debilitado' como al final del Canto, 98,4. De uso medieval, es voz poco frecuente y cultista en autores clásicos (DCECH con documentación del XVI posterior a Ercilla).

[76] *cerrar* 'embestir' (II, n. 105).

[77] *tiento* 'golpe' (*Aut.* con ejemplo de la lengua oral).

[78] *derrengar* 'deslomar' (Nebrija); Cov.: «lo mesmo que descaderar, cuando el animal... se deja caer con los pies traseros sin poder sufrir carga».

[79] *de manera que si* equivale a *como si*, en construcción no registrada por Keniston, y poco frecuente.

[80] *derribarse* 'arrojarse, echarse al suelo por impulso propio' (*Aut.*, con

ora fue su ventura y diestro[81] *favorable* hado
ora siniestro del que tras él iba,
el cual era el valiente Maldonado
que envuelto en sangre y polvo al punto arriba
que el golpe segundaba[82] Tucapelo
y por poco con él diera en el suelo.

Con el jinete[83] estribo en el derecho
lado al bárbaro encuentra de pasada[84],
y cuanto cinco pasos o más trecho
lo lleva hacia adelante por la estrada[85];
brama el bárbaro ardiendo de despecho:
víbora no se vio más enconada[86],
ni pisado escorpión vuelve tan presto,
como el indio volvió el airado gesto.

Muda el intento, muda la sentencia   60
que contra Juan de Almagro dado había,
y la furiosa maza e impaciencia[87]

---

texto de Lope; Cuervo, *Dicc.*, con otro pasaje de *La Araucana:* II,56,8 con sujeto *luna* en uso prosopopéyico).

[81] *diestro* 'favorable, venturoso' (*Aut.*, con este texto); v. XIX,9,7 en donde modifica al sustantivo *suerte*. Para la acepción corriente 'hábil', v. más adelante, IV,63,1.

[82] *segundar* 'volver a hacer algo, repetir' (DCECH, con texto del xvii); tb. *asegundar* (*Aut.*, con cita de Góngora); en Argentina, *segundear* (DCECH).

[83] *jinete* 'corto' es uso adjetivo común desde la Edad Media; en el sentido actual, ya aparece en textos áureos (DCECH).

[84] *de pasada* 'de paso' (*Aut.*, con texto de Diego Gracián).

[85] *estrada* ant. 'camino', de escaso uso en textos medievales, volvió a tener vigencia, especialmente en el vocabulario militar, pero sentido como italianismo por Cov. y otros diccionaristas del T.L. y por *Aut.*; tb. Cervantes, en *La señora Cornelia:* «... se vinieron al camino real o a la estrada maestra, como allí se dice» (Fz. Gómez).

[86] *enconado* 'envenenado, infectado', en uso activo 'que envenena', es decir, 'venenoso' (Cuervo, *Dicc.*, con este texto) pero es posible también la acepción metafórica 'irritado' (*ibíd.*, con texto del padre Mariana). Cfr. *enconoso*, II, n. 35.

[87] El verso contiene un complejo juego retórico de zeugma y enálage: *furiosa* modifica a los dos sustantivos, pero en el caso de *maza*, con enálage, figura frecuente en Ercilla (II, n. 122). A su vez, *revolver* del verso si-

al triste Maldonado revolvía;
cala un golpe con toda su potencia
mas el presto caballo se desvía;
Tucapel de furioso el tiro yerra
y el ferrado troncón metió por tierra.

No escapó Maldonado de la muerte
que al punto llega el bravo Lemolemo
con un largo bastón ñudoso y fuerte
a manera le corvo y grueso remo,
y un golpe le señala[88] de tal suerte
que no le erró el ferrado y duro estremo
ni la celada prestó de estofa llena[89],
que los sesos saltaron por la arena.

En esto una gran nube tenebrosa
el aire y cielo súbito turbando,
con una escuridad triste y medrosa[90]
del sol la luz escasa fue ocupando;
salta Aquilón con furia procelosa[91]
los árboles y plantas inclinando,
envuelto en raras gotas de agua gruesas
que luego[92] descargaron más espesas.

© tormenta que presinte escapar los espíritus.

---

guiente se emplea en zeugma con *impaciencia* y *maza* y toma las dos acepciones de 'volver cara al enemigo' (*Aut.*) y 'girar' respectivamente.

[88] *señalar* 'herir' (III, n. 74).

[89] El artículo *la,* que hace el verso hipermétrico, no aparece en la princeps ni en las dos ediciones de 1578. *Prestar* 'aprovechar, ser útil' era acepción muy corriente en los textos literarios desde el *Cid,* pero hoy está en desuso (DCECH); *estofa* 'acolchado de algodón o lana con que se cubrían internamente los cascos' (Salas, 244 para textos y descripción detallada).

[90] *medroso* 'lo que infunde o causa miedo' (*Aut.*). Para la acepción pasiva, más corriente, v. III,32,7; IX,74,3 que *Aut.* cita como ejemplo; XVII,3,7.

[91] *proceloso* 'tormentoso' es cultismo (Ovidio, *Heroides* 2,12) que reaparece en XV,75,1 aplicado también al viento; muy usado entre los poetas del XVI y siguiente, este texto parece ser la primera documentación de su empleo poético (Vilanova, I,479-480). *Aquilón* o *bóreas,* es viento frío que en el hemisferio sur sopla del Sur.

[92] *luego* 'inmediatamente' como después en el Canto, en 68,1 (I, n. 53).

Como el diestro atambor[93] que apercibiendo
al duro asalto y fiera batería,
va con los tardos golpes previniendo
la presta y animosa compañía,
pero el punto y señal última oyendo
suena la horrenda y áspera armonía,
así el negro ñublado[94] turbolento
lanza un diluvio súbito y violento.

En escura tiniebla el cielo vuelto,
la furiosa tormenta se esforzaba;
agua, piedras y rayos todo envuelto
en espesos relámpagos lanzaba;
el araucano ejército revuelto
por acá y por allá se derramaba;
crece la tempestad horrenda tanto
que a los más esforzados puso espanto.

De Juan Gómez la próspera ventura   65
hizo que al punto el cielo se cerrase[95],
y a tiniebla de la noche escura
gran rato en su favor se anticipase;
turbado se metió en una espesura
hasta tanto que el ímpetu pasase
de aquella gente bárbara furiosa,
de la española sangre codiciosa.

---

[93] *atambor* 'el que toca por oficio el tambor' (Percivale, 1599 en T.L.).
El instrumento, luego en el Canto, en 97,8. *Batería* en el verso siguiente
es 'estrago de artillería' (Cov., y ya en Venegas, 1565, según T.L.).

[94] *ñublado* es variante antigua muy común de *nublado*, que ya no registra Cov. y la única en Nebrija; *Aut.* advierte que «ya no se usa en estilo
culto» (DCECH para textos desde fines del siglo xv). Por cierto, en la
Tercera Parte, publicada veinte años después, ya aparece la forma *nublado*
en la acepción metafórica 'turbación del ánimo' (XXXVI, n. 39). *Turbolento* por *turbulento* es variante que ya registra la edición de Madrid, 1589-
90; es cultismo (C.C. Smith, 269) presente en Mena. Para otra descripción de una tempestad, v. IX, 8 y ss.

[95] *cerrarse el cielo* 'oscurecerse' (Cuervo, *Dicc.* con ejemplos de *La Araucana*: XV,71,3 con *noche* y XXXV,33,3 con *cielo*. V. *Aut.* para este
texto).

Cuando vio en su violencia el torbellino
y que él podía salir más encubierto,
el bosque deja y toma su camino,
que el temor se le muestra bien abierto;
cayendo y levantando al cabo vino
de sangre, lodo y de sudor cubierto,
junto donde los nuestros esperaban
si las furiosas aguas aplacaban.

Estaban del camino desviados
y uno de los caballos relinchando,
el español con pasos sosegados
al alegre rumor se fue acercando;
llegó donde los seis amedrentados
con baja voz estaban dél tratando
y en aquella sazón se les presenta,
dándoles del suceso entera cuenta.

Con espanto fue luego conocido,
que entre ellos ya por muerto se tenía,
y cada uno de lástima movido
a morir en su ayuda se ofrecía;
mas él, como animoso y entendido,
viendo que aprovechar no le podía,
dice: «De mí, señores, nadie cure,
la vida el que pudiere la asegure.»

Esto no dijo bien, cuando esforzado
por el bosque tomó una senda incierta,
y aquella más usada deja a un lado,
de gente y pueblos bárbaros cubierta;
otro trance mayor le está guardado,
pero pues hay de Chile historia cierta
allí lo podrá ver el que quisiere,
si gana de saberlo le viniere[96].

---

[96] Cfr. A. De Góngora Marmolejo, c. XV (BAE, CXXI, págs. 105-108) y P. Mariño de Lobera, *Crónica del reino de Chile,* Libro primero, Tercera Parte, c. XLV (*ibíd.,* págs. 339-341).

El coronista Estrella escribe al justo[97]
de Chile y del Pirú en latín la historia
con tanta erudición que será justo
que dure eternamente su memoria;
y la vida de Carlos Quinto Augusto,
y en verso los encomios y la gloria
de varones ilustres en milicia,
gobernación, en letras y justicia[98].

Vuelvo a los seis guerreros, que sintiendo
la desgracia de Almagro, lo mostraban;
pero ayudalle en ella no pudiendo,
a la Imperial ciudad enderezaban;
la tempestad furiosa iba creciendo,
relámpagos y truenos no cesaban
hasta que salió el sol y el claro día
la plaza de Purén les descubría.

Era un castillo[99], el cual con poca gente
le había Juan Gómez antes sustentado,
hallándose una noche de repente
de multitud de bárbaros cercado;
repelidos al fin gallardamente[100],
fue por su industria el cerco levantado.
No escribo esta batalla, aunque famosa,
por no tardarme tanto en cada cosa.

---

[97] Para este humanista, maestro de latín del príncipe Felipe y autor, entre otras crónicas de *De rebus indicis* y *De rebus Vaccae Castri*, cfr. J. T. Medina «El preceptor de Ercilla» *Boletín de la Academia Chilena* II (1919) 2,165-186. V. tb. Pierce, pág. 38. *Al justo* 'ajustadamente, con exactitud» (*Aut.*, con texto de Cervantes).

[98] Madrid, 1569: «El erudito Estrella, largamente / trata en su latín casto desta historia / con estilo y verdad que eternamente / quedará della al mundo la memoria / y la vida de Carlos vulgarmente.» Los cuatro últimos versos de la octava parecen referirse al *Encomium ad Carolum V Caesarem*, Antuerpiae, apud Joannem Bellerum, 1555 y al *Túmulo Imperial adornado de Letreros y Epitafios en prosa y verso latino*, Pinciae, 1559, en N. Antonio, *Bibliotheca Hispana Nova*, I, pág. 677.

[99] *castillo* 'población cercada' (Nebrija); 'aldea con casa fuerte' (Rosal, 1601 en T.L.).

[100] Madrid, 1569: «pero al fin combatiendo osadamente».

Allí los seis guerreros arribados
fueron con tierna muestra recebidos
de los caros amigos, admirados
de verlos a tal término traídos;
míseros, afligidos, demudados,
flacos, roncos, deshechos, consumidos[101],
corriendo sangre y lodo, sin celadas,
las armas con las carnes destrozadas.

Casi veinticuatro horas sustentaron
las armas, defendiendo su partido,
que nunca en este tiempo descansaron
haciendo lo que habéis, Señor oído[102];
un rato en el castillo reposaron
del cual la noche atrás habían salido,
no con poco temor de los de casa
y más cuando supieron lo que pasa[103].

La sangre les cuajó un temor helado,   75
gran turbación les puso a todos, cuando
el caso de Valdivia desastrado
les fueron por sus términos narrando;
y así viendo el castillo mal parado,
de consejo común considerando
la pujanza que el bárbaro traía,
le dejaron desierto el mismo día.

Hacia Cautén tomaron la jornada
llevando a Almagro acaso de camino,

---

[101] Para este tipo de acumulación nominal, v. III, n. 39.

[102] Ercilla (destinador) se dirige o se refiere a Felipe II (destinatario) unas cincuenta veces a lo largo del poema (Pierce, págs. 57-58); v. el comprensivo estudio de C. Albarracín Sarmiento «El poeta y su rey en *La Araucana*», *Filología* XXI,1 (1986) 99-116. Para las relaciones de este tipo de apóstrofe con el discurso histórico y la epístola desde el punto de vista de la semiotización del espacio enunciativo, v. W. Mignolo, *Elementos para una teoría del texto literario*, Barcelona, Crítica, 1978, páginas 229-238.

[103] Para este uso del presente histórico, que actualiza el hecho pasado en los personajes y en el receptor del poema, v. *Esbozo*, par. 3,14,1,c.

que por venir la noche tan cerrada
libre salió del campo lautarino[104];
la fuerza[105] fue por tierra derribada,
que luego el enemigo pueblo vino
talando municiones[106] y comidas
que en el castillo estaban recogidas.

Dieron vuelta los bárbaros gozosos
hacia do su ejército venía,
retumbando en los montes cavernosos[107]
el alegre rumor y vocería;
y por aquellos prados espaciosos
con la vitoria y gozo de aquel día
tales cantos y juegos inventaban
que el cansancio con ellos engañaban.

Juntos, el[108] general con grave muestra
los habla y los recibe alegremente,
y asiendo blandamente de la diestra
al valiente Lautaro, su teniente,
una escuadra le entrega de maestra,
escogida, gallarda y buena gente,
en armas y trabajo ejercitada
para cualquier empresa y gran jornada.

A Lautaro dejemos, pues, en esto,
que mucho su proceso me detiene,
forzoso a tratar dél volveré presto,

---

[104] *lautarino* V. I, n. 109 para estas derivaciones sobre nombres araucanos.
[105] *fuerza* 'plaza murada' (I, n. 57).
[106] *munición* 'bastimento o provisiones del ejército' (*Aut.,* que separa
«municiones de boca» de «municiones de guerra», como más abajo en
83,5. Para la repetición sinonímica, I, n. 112.
[107] *cavernoso* es latinismo de uso restringido; lo incluye ya Nebrija
(T.L.) y reaparece en XXIII,65,2 y en XXV,73,6. V. para *caverna* II,
n. 110.
[108] *al* en el original, por errata evidente. V. para este gesto,
III,83,2.

que llegar hasta Penco me conviene[109],
pues hace tanto a nuestro presupuesto
decir cómo a la guerra se previene
que sangrienta y mortal se aparejaba,
y el justo sentimiento que mostraba.

Ya la Fama, ligera embajadora   80
de tristes nuevas y de grandes males,
a Penco atormentaba de hora en hora,
esforzando su voz ruines señales,
cuando llegan los indios a deshora,
los dos que ya conté que en los jarales[110],
viendo a Valdivia roto, se escondieron,
y éstos el triste caso refirieron.

Por mensajeros ciertos entendiendo[111]
el duro y desdichado acaecimiento,
viejos, mujeres, niños concurriendo,
se forma un triste y general lamento[112];
el cielo con aguda voz rompiendo
hinchen de tristes lástimas el viento
nuevas viudas, huérfanas, doncellas,
era una dolorosa cosa vellas.

Los blancos rostros, más que flores bellos,
eran de crudos puños ofendidos,
y manojos dorados de cabellos
andaban por los suelos esparcidos;
vieran pechos de nieve y tersos cuellos
de sangre y vivas lágrimas teñidos,

---

[109] El origen ariostesco de las diversas fórmulas para señalar transiciones narrativas en el poema ha sido estudiado por Chevalier, pág. 153.

[110] Se refiere a III,69,1.

[111] *entender* 'enterarse, tener noticia o información de algo' (Cuervo, *Dicc.*, cont. con texto de A. de Solís); 'oír' (*Aut.*) es acepción que aparece también en IX,11,7 y en XII,9,2.

[112] Madrid, 1569: «se forma un doloroso sentimiento».

y rotos por mil partes y arrojados
ricos vestidos, joyas y tocados.

No con menor estruendo los varones
de la edad más robusta juntamente
daban de su dolor demonstraciones
pero con otro modo diferente;
suenan las armas, suenan municiones,
suena el nuevo aparato de la gente,
y la ronca trompeta del dios Marte[113]
a guerra incita ya por toda parte.

Unos botas[114] espadas afilaban,
otros petos mohosos enlucían[115],
otros las viejas cotas[116] remallaban,
hierros otros en astas enjerían[117];
cañones reforzados apuntaban,
al viento las banderas descogían[118]
y en alardosa[119] muestra los soldados
iban por todas partes ocupados.

Caudillo era y cabeza de la gente   85
Francisco Villagrán, varón tenido
por sabio en la milicia y suficiente[120],
con suma diligencia prevenido;
de Pedro de Valdivia fue teniente,
después de su persona obedecido;

---

[113] *Marte* cfr. I, n. 17 y II, n. 90.

[114] *boto* 'romo, no agudo' (Nebrija; *Aut.* y Cuervo, *Dicc.*, con este texto).

[115] *enlucir* 'pulir, hacer brillar'; Nebrija: «enluzir lo escuro, *illustro*».

[116] *cota* 'jubón, especialmente el de cuero o de malla llevado como arma defensiva' (DCECH); cfr. Nebrija «cota de malla, *lorica*».

[117] *engerir* 'injertar' (III, n. 48).

[118] *descoger* 'desplegar' (T.L.; *Aut.*, con este texto).

[119] *alardoso* 'que hace alarde' (Palet, 1604 y Oudin, 1616 en T.L.); éste parece ser el texto literario más antiguo documentado; para *Aut.*, que trae este verso, *alardoso* es «voz voluntaria y de ningún uso».

[120] *suficiente* 'idóneo' (*Aut.*).

sentido del suceso y caso fuerte
brama por la venganza de su muerte.

Las mujeres de nuevos alaridos
hieren el alto cóncavo[121] del cielo,
viendo al peligro puestos los maridos
y ellas en tal trabajo[122] y desconsuelo;
con lagrimosos ojos y gemidos
echadas de rodillas por el suelo,
les ponen los hijuelos por delante,
pero cosa a moverlos no es bastante.

Ya de lo necesario aparejados
en demanda del bárbaro salían,
de arneses lucidísimos armados
que vistosos de lejos parecían[123];
las mujeres por torres y tejados
con fijos ojos tiernos los seguían[124]
y echándoles de allí mil bendiciones
vuelven a Dios el ruego y peticiones.

Del tropel se despiden ciudadano,
que del pueblo saliera a acompañallos,
y en busca del ejército araucano
pican a toda priesa los caballos;
dejan a la siniestra a Mareguano,
y a la diestra, de Talca los vasallos

---

[121] *cóncavo* 'concavidad' (III, n. 98); para su uso adjetivo, IX,83,2 y XVI,7,4.

[122] *trabajo* 'penuria' (I, n. 104).

[123] *parecer* por *aparecer* (III, n. 25).

[124] La escena de la partida de los guerreros bajo la mirada angustiosa de las mujeres, como la de las súplicas de la octava anterior, se apoya en el ilustre modelo virgiliano en compleja red de cambios, adaptaciones y recreaciones, *Aeneidos,* VIII,556-557: «Vota metu duplicant matres propiusque periclo / it timor et maior Martis iam apparet imago» y *Aeneidos* VIII,592-593: «Stant pavidae in muris matres oculisque sequentur / pulveream nubem et fulgentis aere catervas.»

hijo de Talcaguano, que su tierra
la ciñe casi en torno el mar y sierra[125].

De los seguros límites pasando,
pisan de Andalicán la enjuta arena
y el espacioso llano atravesando,
suben las lomas, y el rumor no suena;
y al pie del cerro[126] andálico llegando,
sin entender lo que Lautaro ordena,
sólo el miedo de entrar por el Estado
les mitigó el furor demasiado[127].

Un paso peligroso, agrio[128] y estrecho   90
de la banda[129] del norte está a la entrada,
por un monte asperísimo y derecho,
la cumbre hasta los cielos levantada;
está tras éste un llano, poco trecho,
y luego otra menor cuesta tajada
que divide el distrito andalicano
del fértil valle y límite araucano.

Esta cuesta Lautaro había elegido
para dar la batalla, y por concierto
tenía todo su ejército tendido
en lo más alto della y descubierto;
viendo que a pie en lo llano es mal partido
seguir a los caballos campo abierto,
el alto y primer cerro deja esento[130],
pensando allí alcanzarlos por aliento.

[125] El verbo en singular concuerda con el sujeto más cercano;
cfr. para esta concordancia I, n. 25.

[126] El texto trae «cerco» por «cerro» de todas las ediciones anteriores,
por errata evidente.

[127] demasiado 'excesivo'; su uso adjetivo en Keniston, par. 21,2.

[128] agrio 'difícil, áspero' (Cuervo, Dicc., con otros textos de La Araucana: VIII,32,8 y XXXIII,1,7).

[129] banda 'lado', como más adelante, en 97,4 (DCECH sobre uso actual en América y Arcaísmos... s.v.; v. tb. M. Bravo García, El español del siglo XVII en documentos americanistas, Sevilla, Alfar, 1987, pág. 115.

[130] esento por exento 'sitio y lugar que está descubierto' (Aut.), aquí,

Porque se tome bien del sitio el tino
quiero aquí figurarle[131] por entero.
La subida no es mala del camino,
mas todo es lo demás despeñadero;
tiene al poniente al bravo mar vecino
que bate al pie de un gran derrumbadero[132]
y en la cumbre y más alto de la cuesta
se allana cuanto un tiro de ballesta[133].

Estaba el alto cerro coronado
del poderoso ejército enemigo
y el camino al entrar desocupado,
sin defensa ni estorbo, como digo;
pasado el primer monte, había llegado
al pie déste segundo el bando amigo;
pero aquí Villagrán confuso estuvo,
que el peligroso trance le detuvo

como el romano César, que dudoso
el pie en el Rubicón fijó a la entrada,
pensando allí de nuevo el peligroso
hecho que acometía y gran jornada.
Al fin soltó las riendas animoso,
diciendo: «¡Sús, la suerte ya es echada!...»[134];
así nuestro español rompió el camino
dando libre la rienda a su destino.

'liso, sin árboles', es cultismo ya presente en el Corbacho (C. C. Smith, 264); cfr. XXVII,20,1.

[131] *figurar* 'describir, delinear' *(Aut.,* con texto de fray Luis de León).

[132] *derrumbadero* 'despeñadero, precipicio' (Percivale, 1599 en T.L.).

[133] Entiéndase «tanto cuanto alcanza un tiro de ballesta». V. para la elipsis de *tanto,* Bello-Cuervo, par. 1060, con este texto y Keniston, par. 24,3 y ss.

[134] El río Rubicón establecía el límite entre la Galia Cisalpina y el resto de Italia. Ningún general romano podía cruzar con su ejército el río; al hacerlo, César inició la guerra civil (Cicerón, *Filípicas* 6,5). Para las palabras de César: *jacta alea esto,* v. Suetonio, *Caesar,* 32.

Apenas el primer paso había dado,
cuando luego tras él osadamente
por el fragoso monte levantado
alegre comenzó a subir la gente.
Lautaro, sin moverse, arrinconado,
franca les da la entrada llanamente:
diez mil hombres gobierna, gente usada
en el duro ejercicio de la espada[135].

Tenía su campo en torno de la cuesta,
y mandado que nadie se moviese
un paso a comenzar la dura fiesta[136]
hasta que el són de arremeter se oyese,
con una irremisible[137] pena puesta
para aquel que del término saliese;
que estaban así quedos[138] y callados
cual si fueran en mármoles mudados.

Pues la española gente, deseando
ejercitar la vencedora diestra,
se va a los enemigos acercando
por la banda del bárbaro siniestra.
Lautaro al puesto término llegando,
presenta la batalla en bella muestra
con gran rumor de bárbaras trompetas,
atambores[139], bocinas y cornetas.

---

[135] Ercilla utiliza las perífrasis *duro ejercicio de, robusto ejercicio de, áspero ejercicio, duro oficio* para la guerra y la caza. Cfr. X,41,7; XVII,41,4 y XVII,47,4; XXIV,33,8. Recuérdese Garcilaso, Égloga 2, 1228-31 para *duro oficio* (Vilanova, I,251; tb. *Lexis* II,2 (1978) 201-220, espec. 211). V. tb. XI, n. 59.

[136] *dura fiesta* cfr. II, n. 27 para este tipo de sinónimo de *lucha*.

[137] *irremisible* 'imperdonable', es término jurídico que imprime a la orden un sentido más intenso de cumplimiento estricto.

[138] *quedo* 'inmóvil, quieto' (II, n. 7); sin embargo, la acepción secundaria 'silencioso' era usual en el siglo de oro y bien puede considerarse éste un ejemplo de repetición sinonímica con oscilación semántica.

[139] *atambor* por *tambor* (I, n. 54).

Paréceme, Señor, que será justo
dar fin al largo canto en este paso,
porque el deseo del otro mueva el gusto
y porque de cantar me siento laso.
Suplícos[140] que el tardar no os dé desgusto
pareciéndoos que voy tan paso a paso,
que aun de gentes agravio una gran suma,
atento a no llevar prolija pluma.

FIN

---

140 *suplícos* por *suplicoos;* nótese la grafía moderna en el verso siguiente.

EN ESTE QUINTO CANTO SE CONTIENE LA REÑIDA BATALLA
QUE ENTRE LOS ESPAÑOLES Y ARAUCANOS HUBO EN LA
CUESTA DE ANDALICÁN, DONDE POR LA ASTUCIA DE LAUTA-
RO Y EL DEMASIADO TRABAJO DE LOS ESPAÑOLES FUERON
LOS NUESTROS DESBARATADOS Y MUERTOS MÁS DE LA MI-
TAD DELLOS JUNTAMENTE CON TRES MIL INDIOS AMIGOS

CANTO V

Siempre el benigno Dios por su clemencia
nos dilata el castigo merecido
hasta ver sin emienda la insolencia
y el corazón rebelde endurecido,
y es tanta la dañosa inadvertencia
que, aunque vemos el término cumplido
y ejemplo del castigo en el vecino,
no queremos dejar el mal camino.

Dígolo porque viene muy contenta
nuestra gente española a las espadas[1],
que en el fin de Valdivia no escarmienta
ni mira haber seguido sus pisadas;
presto la veréis dar estrecha[2] cuenta

---

[1] *venir a las espadas* 'pelear, batallar' es expresión construida sobre la frase hecha *venir a las manos* 'batallar con las armas' que no registran *Aut.* ni DRAE; cfr. en 10,7 «venir al corto hierro».

[2] *estrecho* 'riguroso, austero' (*Aut.*). La expresión «dar estrecha cuenta» es expresión fija de valor teológico-moral (*Aut.*, s.v. *cuenta* y así en el *Quijote* II,57: «parecíale que había de dar cuenta estrecha al cielo de aquella ociosidad y encerramiento».)

de las culpas presentes y pasadas,
que el verdugo Lautaro ardiendo en saña
se muestra con su gente en la campaña.

Villagrán con la suya a punto puesto
en el estrecho llano se detiene;
plantando seis cañones en buen puesto
ordena aquí y allí lo que conviene;
estuvo sin moverse un rato en esto
por ver el orden[3] que Lautaro tiene,
que ocupaba su gente tanto trecho
que mitigó el ardor de más de un pecho.

De muchos fue esta guerra deseada
pero sabe ora[4] Dios sus intenciones,
viendo toda la cuesta rodeada
de gente en concertados escuadrones;
la sangre, del temor ya resfriada[5]
con presteza acudió a los corazones;
los miembros, del calor desamparados,
fueron luego de esfuerzo reformados.

Con nuevo encendimiento están bramando   5
porque la trompa del partir no suena;
tanto el trance y batalla deseando
que cualquiera tardanza les da pena.
De la otra parte el araucano bando,
sujeto a lo que su caudillo ordena,
rabiaba por cerrar[6]; mas la obediencia
le pone duro freno y resistencia.

Como el feroz caballo que, impaciente,
cuando el competidor ve ya cercano,
bufa, relincha, y con soberbia frente

---

[3] *orden* 'formación' (I,111 para su género gramatical).
[4] *ora* por *ahora* 'en ese momento, entonces' (DCECH).
[5] *resfriado* 'enfriado' (*Aut.,* sin textos).
[6] *cerrar* 'embestir' (I, n. 105).

200

hiere la tierra de una y otra mano,
así el bárbaro ejército obediente,
viendo tan cerca el campo castellano,
gime por ver el juego comenzado
mas no pasa del término asignado.

Desta manera, pues, la cosa estaba,
ganosos de ambas partes por juntarse;
pero ya Villagrán consideraba
que era dalles más ánimo el tardarse.
Tres bandas de jinetes apartaba
de aquellos codiciosos de probarse,
que a la seña, sin más amonestallos
ponen las piernas recio a los caballos[7].

El campo con ligeros pies batiendo,
salen con gran tropel y movimiento;
Rauco[8] se estremeció del son horrendo
y la mar hizo estraño sentimiento.
Los corregidos[9] bárbaros, temiendo
de Lautaro el espreso mandamiento,
aunque por los herir se deshacían
el paso hacia delante no movían.

Con el concierto y orden que en Castilla
juegan las cañas[10] en solene fiesta,
que parte y desembraza una cuadrilla,
revolviendo la darga[11] al pecho puesta,

---

[7] *poner piernas al caballo* 'espolear'; cfr. *poner espuelas* en XXIV,68,3 con valor metafórico.

[8] *Rauco*, el río. V. XVIII,60,6 y XXIII,27,3; también es nombre de provicia. Cfr. *Carta* de P. de Valdivia a Gonzalo Pizarro, pág. 4 y Mariño de Lobera, *o.c.,* c. 39, pág. 321.

[9] *corregido* 'domado' (I, n. 113).

[10] *cañas* 'juego de a caballo' que Covarrubias remonta a Virgilio y *Aut.* a los moros, como ya lo señalaban los autores de la época. Cfr. J. Deleito y Piñuela, ... *También se divierte el pueblo,* Madrid, Espasa-Calpe, 1954, págs. 92 y ss.

[11] *darga* por *adarga* 'escudo cubierto de piel' (Nebrija); la forma *darga* se documenta en Oudin, 1607 según T.L.

201

así los nuestros, firmes en la silla,
llegan hasta el remate de la cuesta,
y vuelven casi en cerco[12] a retirarse
por no poder romper[13] sin despeñarse.

Toman al retirar la vuelta larga,   10
y desta suerte muchas vueltas prueban;
pero todas las veces una carga
de flecha, dardo y piedra espesa llevan;
a algunos vale allí la buena darga,
las celadas y grebas[14] bien aprueban,
que no pueden venir al corto hierro,
por ser peinado[15] en torno el alto cerro.

Firme estaba Lautaro sin mudarse
y cercada de gente la montaña;
algunos que pretenden señalarse
salen con su licencia a la campaña.
Quieren uno por uno ejercitarse
de[16] la pica y bastón con los de España,
o dos a dos o tres a tres soldados,
a la franca elección de los llamados.

Usando de mudanzas y ademanes
vienen con muestra airosa y contoneo,
más bizarros que bravos alemanes[17],
haciendo aquí y allí gentil paseo;
como los diestros y ágiles galanes
en público ejercicio del torneo

---

[12] *cerco* 'círculo' (Nebrija).

[13] *romper* 'atacar' (IV, n. 27).

[14] *greba* 'bota de acero' (I, n. 41).

[15] *peinado* 'escarpado' (*Aut.*) 'liso', y por ello, difícil de alcanzar o trepar (DCECH, s.v. *peine*, con texto posterior); es acepción usual todavía en América: Chile, Argentina (Morínigo).

[16] *ejercitarse de* por *ejercitarse en*, que Cervantes ya usa exclusivamente.

[17] *alemanes* cfr. XXII,30,1; el valor y resistencia de los soldados alemanes es tópico frecuente en textos de los siglos XVI y XVII. Cfr. Miguel Herrero García, *Ideas de los españoles del siglo XVII,* Madrid, Gredos, 1966, 501-526, especialmente 520 y ss.

así llegan gallardos a juntarse
y con las duras puntas a tentarse.

Quien piensa de la pica ser maestro
sale a probar la fuerza y el destino,
tentando el lado diestro y el siniestro,
buscando lo mejor con sabio tino;
cuál acomete, vanle y hurta presto,
hallando para entrar franco el camino;
cuál hace el golpe vano y cuál tan cierto
que da con su enemigo en tierra muerto.

Otros destas posturas no se curan[18]
ni paran en el aire y gentileza,
que el golpe sea mortal sólo procuran
y en el cuerpo y los pies llevar firmeza;
con ánimo arrojado se aventuran
llevados de la cólera y braveza;
ésta a veces los golpes hace vanos
y ellos venir[19] más juntos a las manos.

Pero por más veloz en la corrida[20]   15
el mozo Curiomán se señalaba,
que con gallarda muestra y atrevida[21]
larga carrera sin temor tomaba
y blandiendo una lanza muy fornida[22]
en medio de la furia la arrojaba,
que nunca la ballesta[23] al torno armada

---

[18] *curarse* 'procurar, preocuparse' (Cov.); v. uso no reflexivo en
IV,68,7 y XII,32,6. Cfr. Cuervo, *Dicc*. para numerosos ejemplos de ambos usos.

[19] *venir* entiéndase «procurar venir».

[20] Madrid, 1569: «Entre los desta prueba peligrosa.»

[21] Madrid, 1569: «... muestra y ventajosa».

[22] Madrid, 1569: «... una lanza poderosa».

[23] *ballesta* 'arco' (T.L.); *ballesta armada* 'arco tendido curvado': «... Había otras ballestas que se armaban con un torno; éstas arrojaban saetas
muy gruesas y hacían con ellas mucho daño; agora ya sirven tan solamente para la caza...» (Cov.).

jara[24] con tal presteza fue enviada.

Había siete españoles ya herido,
mas nadie se atraviesa a la venganza,
que era el valiente bárbaro temido
por su esfuerzo, destreza y gran pujanza;
en esto Villagrán, algo corrido[25],
viéndole despedir la octava lanza,
dijo con voz airada: «¿No hay alguno
que castigue este bárbaro importuno?»

Diciendo esto miraba a Diego Cano,
el cual de osado crédito tenía,
que, una asta gruesa en la derecha mano,
su rabicán[26] preciado apercebía;
y al tiempo cuando el bárbaro lozano
con fuerza estrema el brazo sacudía,
en la silla los muslos enclavados
hiere al caballo a un tiempo entrambos lados.

Con menudo tropel y gran ruido
sale el presto caballo desenvuelto
hacia el gallardo bárbaro atrevido,
que en esto las espaldas había vuelto;
pero el fuerte español, embebecido[27]
en que no se le fuese, el freno suelto,
bate al caballo a priesa los talones
hasta los enemigos escuadrones.

No el araucano y fiero ayuntamiento
con las espesas picas derribadas,

---

[24] *jara* 'saeta de punta muy aguda' (*Aut.,* sin documentación). DCECH la registra por primera vez en el texto contemporáneo del de Ercilla, *Los nueve libros de las Havidas* de J. de Arbolanche (1566).

[25] *corrido* 'avergonzado' (III, n. 20).

[26] *rabicán* es variante de *rabicano* 'caballo con cerdas blancas en la cola', del que este texto parece ser documentación temprana (DCECH s.v. *rabo); rabicano* en X,19,1.

[27] *embebecido* 'distraído, absorto' ya en Juan de Mena (Cuervo, *Dicc.*).

ni el presuroso y recio movimiento
de mazas y de bárbaras espadas
pudieron resistir el duro intento
del airado español que las pisadas
del ligero araucano iba siguiendo,
la espesa turba[28] y multitud rompiendo:

donde a pesar de tantos y a despecho   20
con grande esfuerzo y valerosa mano
rompe por ellos y la lanza al pecho
de aquel que dilató su muerte en vano[29];
y glorioso del bravo y alto hecho,
al caballo picó a la diestra mano,
abriendo con esfuerzo y diestro tino
por medio de las armas el camino.

Luego se arroja el escuadrón jinete[30]
al araucano ejército llamando,
que a esperarle parece que acomete
y vase luego al borde retirando;
una, cuatro y diez veces arremete,
poco el arremeter aprovechando[31],
que en aquella sazón ninguna espada
había de sangre bárbara manchada.

Los cansados caballos trabajaban
mas poco del trabajo se aprovecha,
que los nuestros en vano les picaban,
heridos y hostigados de la flecha;

---

[28] *turba* es cultismo preferido por Ercilla, que ya aparece en Santillana
y Mena, pero evitado por Boscán, Garcilaso y Herrera (Vilanova, I,400;
D. Alonso, 65); para la repetición sinonímica, I, n. 112.

[29] *vano* recuerda el garcilasiano «que en vano su morir van dilatando»
(Egl. I,20) aplicado a los ejercicios cinegéticos del virrey de Nápoles; la
ecuación aplicable sería Diego Cano es a D. Pedro de Toledo, como los
araucanos son a los ciervos; cfr. VI,30,7 para situación opuesta.

[30] *jinete* IV, n. 83 para este uso adjetivo.

[31] *arremete... arremeter* es repetición etimologizadora como en la estrofa
siguiente, *trabajaban... trabajo* (I, n. 4). Nótese en la octava 19 la repetición de palabra con oscilación semántica: *diestra... diestro* (I, n. 92).

las bravezas de algunos aplacaban
viéndose en aquel punto y cuenta estrecha,
ellos lasos[32], los otros descansados,
los pasos y caminos ya cerrados.

La presta y temerosa[33] artillería
a toda furia y priesa disparaba
y así en el escuadrón indio batía,
que cuanto topa enhiesto lo allanaba;
de fuego y humo el cerro se cubría,
el aire cerca y lejos retumbaba;
parece con estruendo abrirse el suelo
y respirar un nuevo Mongibelo[34].

Visto Lautaro serle conveniente[35]
quitar y deshacer aquel ñublado[36]
que lanzaba los rayos en su gente
y había gran parte della destrozado,
al escuadrón que a Leucotón valiente
por su valor le estaba encomendado,
le manda arremeter con furia presta,
y en alta voz diciendo le amonesta:

«¡Oh fieles compañeros vitoriosos   25
a quien Fortuna llama a tales hechos!
¡Ya es tiempo que los brazos valerosos
nuestras causas aprueben y derechos!
¡Sús, sús, calad las lanzas[37] animosos.
Rompan los hierros los contrarios pechos,

---

[32] *laso* 'fatigado' (IV, n. 75).

[33] *temeroso* con sentido activo 'que causa temor' (*Aut.*), 'temible'.

[34] *Mongibelo* o *Mongibello* es el nombre cultista italiano del monte Aetna, volcán de Sicilia (Pérez de Moya, *o.c.,* t. I, pág. 174).

[35] Nótese la doble construcción sintética de participio absoluto y los infinitivos como núcleo verbal y sujeto de la subordinada, que da aire latinizante al verso (Keniston par. 38,55 y 37,87 respectivamente).

[36] *ñublado* por *nublado* (IV, n. 94).

[37] *calar la lanza* (III, n. 28 para expresión paralela). Para *¡sus!* v. II, n. 32.

y por ellos abrid roja corriente
sin respetar a amigo ni a pariente!

»A las piezas[38] guiad, que si ganadas
por vuestro esfuerzo son, con tal vitoria
célebres quedarán vuestras espadas
y eterna al mundo dellas la memoria,
el campo seguirá vuestras pisadas
siendo vos los autores desta gloria.»
Y con esto la gente envanecida
hizo la temeraria arremetida.

Por infame se tiene allí el postrero,
que es la cosa que entre ellos más se nota;
el más medroso quiere ser primero
al probar si la lanza lleva bota:
no espanta ver morir al compañero
ni llevar quince o veinte una pelota[39]
volando por los aires hechos piezas,
ni el ver quedar los cuerpos sin cabezas.

No los perturba y pone allí embarazo
ni punto los detiene el temor ciego[40];
antes si el tiro alguno lleva el brazo,
con el otro la espada esgrime luego;
llegan sin reparar hasta el ribazo
donde estaba la máquina del fuego[41];
viéranse allí las balas escupidas[42]
por la bárbara furia detenidas.

_____

[38] *piezas* se refiere a los seis cañones antes mencionados en el Canto (3,3).

[39] *pelota* 'bala de plomo o hierro con que se cargan los arcabuces, mosquetes, cañones y otras armas de fuego' (*Aut.*, con textos posteriores de Mariana y de Garcilaso Inca).

[40] Madrid, 1569: «Ni punto los movió el temor en nada.»

[41] Madrid, 1569: «afierra con el otro de la espada / sin repararse llegan al ribazo / donde la artillería estaba plantada».

[42] *escupido* 'arrojado' es acepción ausente en los diccionaristas del T.L., pero *Aut.* registra este uso poético para armas de fuego.

Los demás arremeten luego en rueda
y de tiros la tierra y sol cubrían;
pluma no basta, lengua no hay que pueda
figurar[43] el furor con que venían.
De voces, fuego, humo y polvoreda[44]
no se entienden allí ni conocían;
mas poco aprovechó este impedimento
que ciegos se juntaban por el tiento[45].

Tardaron poco espacio en concertarse   30
las enemigas haces[46] ya mezcladas,
lo que allí se vio más para notarse
era el presto batir de las espadas;
procuran ambas partes señalarse,
y así vieran cabezas y celadas
en cantidad y número partidas,
y piernas de sus troncos divididas.

Unos por defender la artillería
con tal ímpetu y furia acometida,
otros por dar remate a su porfía
traban una batalla bien reñida;
para un solo español cincuenta había,
la ventaja era fuera de medida;
mas cada cual por sí tanto trabaja
que iguala con valor a la ventaja.

No quieren que atrás vuelva el estandarte
de Carlos Quinto Máximo glorioso,
mas que, a pesar del contrapuesto Marte[47]

---

[43] *figurar* 'describir' (IV, n. 131).

[44] *polvoreda* por *polvareda* es forma no registrada por los diccionarios,
pero así aparece desde la princeps. Cfr. DCECH para ejs. posteriores de
la forma corriente.

[45] *tiento* 'tacto' (*Aut.*, con texto de Cervantes); cfr. IV, n. 77 para otra
acepción.

[46] *haz* 'escuadrón en formación de batalla' (Cov.) es poco frecuente en
textos áureos y *Aut.* ya advierte que es voz poco usada (DCECH).

[47] *Marte* dios romano de la guerra (II, n. 90). *Contrapuesto* 'opuesto,
contrario' (T.L.).

vaya siempre adelante vitorioso,
el cual, terrible y fiero, a cada parte,
envuelto en ira y polvo sanguinoso[48],
daba nuevo vigor a las espadas
de tanto combatir aún no cansadas.

Renuévase el furor y la braveza
según es el herir apresurado,
con aquel mismo esfuerzo y entereza
que si entonces lo hubieran comenzado;
las muertes, el rigor y la crueza[49],
esto no puede ser sinificado,
que la espesa y menuda yerba verde
en sangre convertida el color pierde[50].

Villagrán la batalla en peso[51] tiene,
que no pierde una mínima[52] su puesto;
de todo lo importante se previene,
aquí va y allí acude y vuelve presto.
Hace de capitán lo que conviene
con usada esperiencia y fuera desto,
como osado soldado y buen guerrero
se arroja a los peligros el primero.

Andando envuelto en sangre a Torbo mira   35
que en los cristianos hace gran matanza;
lleva el caballo y él, llevado de ira,
requiere en la derecha bien la lanza;
en los estribos firme, al pecho tira
mas la codicia y sobra de pujanza

---

[48] *sanguinoso* 'sangriento', 'cruel' (*Aut.,* con texto posterior de Lope,
pero ya en Santillana según DCECH).

[49] *crueza* 'rigor, aspereza, inclemencia' (C. de las Casas, 1570, en T.L.)
es forma antigua de *crudeza,* que se documenta ya en Nebrija.

[50] Para el origen ariostesco (*Orlando furioso* IV,70,4) de la imagen de la
hierba teñida por la sangre, Vilanova II, 23.

[51] *en peso* 'enteramente' (DRAE).

[52] *una mínima* por *un mínimo* (VI,28,8 para otro ejemplo de su uso).

209

desatentó[53] la presurosa mano,
haciendo antes de tiempo el golpe en vano.

Hiende el caballo desapoderado[54]
por la canalla bárbara enemiga;
revuelve a Torbo el español airado
y en bajo[55] el brazo la jineta abriga;
pásale un fuerte peto tresdoblado[56]
y el jubón de algodón y en la barriga
le abrió una gran herida, por do al punto
vertió de sangre un lago y la alma junto.

Saca entera la lanza, y derribando
el brazo atrás, con ira la arrojaba;
vuela la furiosa asta rechinando
del ímpetu y pujanza que llevaba,
y a Corpillán que estaba descansando
por entre el brazo y cuerpo le pasaba,
y al suelo penetró sin dañar nada
quedando media braza en él fijada.

Y luego Villagrán, la espada fuera,
por medio de la hueste va a gran priesa,
haciendo con rigor ancha carrera
a donde va la turba más espesa.
No menos Pedro de Olmos de Aguilera
en todos los peligros se atraviesa,
habiendo él solo muerto por su mano
a Guancho, Canio, Pillo y Titaguano.

Hernando y Juan, entrambos de Alvarado[57],
daban de su valor notoria muestra

---

[53] *desatentar* 'malograr, desquiciar' (Palet, 1604, en T.L. y ya en P. López de Ayala según DCECH).

[54] *desapoderado* 'desbocado' (*Aut.*, con este texto).

[55] *en bajo* por *bajo; jineta* 'lanza corta... que en lo antiguo era insignia y distintivo de los capitanes de infantería' (*Aut.*).

[56] *tresdoblado* 'triplicado' (*Aut.*, DCECH sin documentación).

[57] Estos hermanos reaparecen en IX,93,1.

y el viejo gran jinete Maldonado[58]
voltea el caballo allí con mano diestra,
ejercitando con valor usado[59]
la espada que en herir era maestra,
aunque la débil fuerza envejecida
hace pequeño el golpe y la herida.

Diego Cano a dos manos, sin escudo, 40
no deja lanza enhiesta ni armadura,
que todo por rigor de filo agudo
hecho pedazos viene a la llanura;
pues Peña, aunque de lengua tartamudo,
se revuelve con tal desenvoltura[60]
cual Cesio entre las armas de Pompeo[61]
o en Troya el fiero hijo de Peleo[62].

Por otra parte el español Reinoso,
de ponzoñosa rabia estimulado,
con la espada sangrienta va furioso
hiriendo por el uno y otro lado;
mata de un golpe a Palta y riguroso
la punta enderezó contra el costado
del fuerte Ron, y así acertó la vena
que la espada de sangre sacó llena.

Bernal, Pedro de Aguayo, Castañeda,
Ruiz, Gonzalo Hernández y Pantoja
tienen hecha de muertos una rueda
y la tierra de sangre toda roja;
no hay quien ganar del campo un paso pueda
ni el espeso herir un punto afloja,

---

[58] Maldonado, es distinto del que muere en IV,61,1.

[59] *usado* 'acostumbrado' (II, n. 80).

[60] *revuelve... desenvoltura* es repetición etimologizadora (I, n. 4).

[61] *Pompeo* Referencia a la guerra civil en la que Pompeyo es derrotado por César en Farsalia, en el territorio de Tesalia, en el año 48. Cesio no parece claramente identificable.

[62] Aquiles.

haciendo los cristianos tales cosas
que las harán los tiempos milagrosas.

Mas eran los contrarios tanta gente,
y tan poco el remedio y confianza,
que a muchos les faltaba juntamente
la sangre, aliento, fuerza y la esperanza[63];
llevados, pues, al fin de la corriente[64],
sin poder resistir la gran pujanza,
pierden un largo trecho la·montaña
con todas las seis piezas de campaña.

Del antiguo valor y fortaleza
sin aflojar los nuestros siempre usaron;
no se vio en español jamás flaqueza
hasta que el campo y sitio les ganaron;
mas viéndose a tal hora en estrecheza
que pasaba de cinco que empezaron,
comienzan a dudar ya la batalla
perdiendo la esperanza de ganalla.

Dudan por ver al bárbaro tan fuerte   45
cuando ellos en la fuerza iban menguando;
representóles el temor la muerte,
las heridas y sangre resfriando.
Algunos desaniman de tal suerte
que se van al camino retirando,
no del todo, Señor, desbaratados
mas haciéndoles rostro[65] y ordenados.

Pero el buen Villagrán, haciendo fuerza
se arroja y contrapone al paso airado,
y con sabias razones los esfuerza,
como de capitán escarmentado,

[63] Para esta serie nominal, v. III, n. 39. V. en 47,3 y 47,5 dos series
(nominal y verbal) tripartitas.

[64] Madrid, 1569: «así de un apretón, forzosamente».

[65] *hacer rostro* 'resistir u oponerse al enemigo o fuerza contraria' *(Aut.)*;
cfr. XII,11,4 y expresión paralela «poner el rostro» en XI,60,3.

diciendo: «Caballeros, nadie tuerza
de aquello que a su honor es obligado,
no os entreguéis al miedo, que es, yo os digo,
de todo nuestro bien gran enemigo.

»Sacudidle de vos y veréis luego
la deshonra y afrenta manifiesta;
mirad que el miedo infame, torpe y ciego
más que el hierro enemigo aquí os molesta.
No os turbéis, reportaos, tened sosiego,
que en este solo punto tenéis puesta
vuestra fama, el honor, vida y hacienda,
y es cosa que después no tiene emienda.

»¿A dó volvéis sin orden y sin tiento,
que los pasos tenemos impedidos?
¿Con cuanto deshonor y abatimiento
seremos de los nuestros acogidos?
La vida y honra está en el vencimiento,
la muerte y deshonor en ser vencidos:
mirad esto, y veréis huyendo cierta
vuestra deshonra, y más la vida incierta.»

De la plaza no ganan cuanto[66] un dedo
por esto y otras cosas que decía,
según era el terror y estraño miedo
en que el peligro puesto los había.
«¿Dónde quedar mejor que aquí yo puedo?»
diciendo Villagrán, con osadía
temeraria arremete tanta gente,
sólo para morir honradamente.

La vida ofrece de acabar contenta   50
por no estar al rigor de ser juzgado;
teme más que a la muerte alguna afrenta
y el verse con el dedo señalado;

---

[66] *cuanto* 'apenas' (X,34,7).

no quiere andar a todos dando cuenta
si volver las espaldas fue forzado,
que por dolencia[67] o mancha se reputa
tener puesto el honor hombre[68] en disputa.

Cuán bien desto salió, que del caballo
al suelo le trujeron aturdido;
cuál procura prendello, cuál matallo,
pero las buenas armas le han valido.
Otros dicen a voces: «¡Desarmallo!»
Acude allí la gente y el ruido...
Mas quien saber el fin desto quisiere
al otro canto pido que me espere[69].

FIN

---

[67] *dolencia* 'deshonra' (*Aut.* con este texto) en repetición sinonímica
con *mancha*.
[68] *hombre* como pronombre indefinido ('uno'), es usual en textos medievales pero en decadencia para el siglo XVI; en el XVII aparece en textos
que reproducen el ámbito picaresco (DCECH).
[69] Para este tipo de conclusión, I, n. 125.

PROSIGUE LA COMENZADA BATALLA, CON LAS ESTRAÑAS Y
DIVERSAS MUERTES QUE LOS ARAUCANOS EJECUTARON EN
LOS VENCIDOS Y LA POCA PIEDAD QUE CON LOS NIÑOS Y
MUJERES USARON, PASÁNDOLOS TODOS A CUCHILLO

CANTO VI

Al valeroso espíritu, ni suerte
ni revolver de hado riguroso
le pueden presentar caso tan fuerte,
que le traigan a estado vergonzoso.
Como ahora a Villagrán, que con su muerte
(no siendo de otro modo poderoso)
piensa atajar el áspero camino
a donde le tiraba su destino.

Sus soldados, el paso apresurando,
en confuso montón se retrujeron[1],
cuando en el nuevo y gran rumor mirando
a su buen capitán en tierra vieron.
Solos trece, la vida despreciando,
los rostros y las riendas revolvieron,
rasgando a los caballos los ijares
se arrojan a embestir tantos millares.

---

[1] *retrujeron* es forma del perfecto que todavía se conserva en las hablas
dialectales y rurales de España y América (A. Rosenblat, *Notas de morfología dialectal*, Buenos Aires, 1946, págs. 270 y ss.).

Con más valor que yo sabré decillo
el pequeño escuadrón ligero cierra[2],
abriendo en los contrarios un portillo[3]
que casi puso en condición[4] la guerra;
rompen hasta do el mísero caudillo
de golpes aturdido estaba en tierra,
sin ayuda y favor desamparado,
de la enemiga turba rodeado.

Todos a un tiempo quieren ser primeros
en esta presa[5] y suerte señalada,
y estaban como lobos carniceros
sobre la mansa oveja desmandada[6],
cuando discordes con aullidos fieros
forman música en voz desentonada,
y en esto los mastines del ejido
llegan con gran presteza aquel ruido.

Así los enemigos apiñados   5
en medio al triste Villagrán tenían,
que, por darle la muerte embarazados
los unos a los otros se impedían;
mas los trece españoles esforzados
rompiendo a la sazón sobrevenían[7]
de roja y fresca sangre ya cubiertos
de aquellos que dejaban atrás muertos.

Con gran presteza, del amor movidos,
a donde Villagrán veen se arrojaban,

---

[2] *cerrar* 'embestir' (II, n. 105).

[3] *portillo* 'entrada' (III, n. 32).

[4] *poner en condición* 'poner en peligro' (DRAE, que la considera «frase anticuada»).

[5] *presa* 'botín' como luego en el Canto, en 23,8 (Nebrija; *Aut.*).

[6] *desmandado* 'apartado de la manada' (Nebrija, como sinónimo de *desmanado; Aut.*). Cfr. I, n. 49 para la acepción 'sin regla ni orden', que reaparece en 14,1.

[7] *sobrevenir* 'venir de repente' (*Aut.;* DCECH con documentación medieval).

y los agudos hierros atrevidos
de nuevo en sangre nueva[8] remojaban.
Desamparan el cerco los heridos,
acá y allá medrosos se apartaban,
algunos sustentaban con más suerte
su parte y opinión[9] hasta la muerte.

Si un espeso montón se deshacía
desocupando el campo escarmentados,
otra junta mayor luego[10] nacía,
y estaban sus lugares ocupados;
del sueño Villagrán aún no volvía,
mas tal maña se dieron sus soldados
y así las prestas armas revolvieron
que en su acuerdo[11] a caballo lo pusieron.

A tardarse más tiempo fuera muerto
y a bien librar[12] salió tan mal parado,
que, aunque estaba de planchas bien cubierto,
tenía el cuerpo molido y magullado;
pero del sueño súbito despierto
viendo trece españoles a su lado,
olvidando el peligro en que aún estaba,
entre los duros hierros se lanzaba.

Por medio del ejército enemigo
sin escarmiento ni temor hendía,
llevando en su defensa al bando amigo

---

[8] *nuevo… nueva* Cfr. para este tipo de repetición enfatizadora I, n. 92; en este caso, se refuerza con el prefijo verbal re-.

[9] *parte y opinión* Cfr. III,52,6 para expresión semejante; *sustentar su parte* 'defender su sitio'. La idea que se sustenta es que guerrear no implica solamente un acto bélico sino también una prueba de honor. Para *opinión* 'fama', v. III, n. 132.

[10] *luego* 'inmediatamente' (I, n. 53).

[11] *en su acuerdo* 'vuelto en sí'. Cfr. *acordar* 'despertar' (Nebrija); *Aut.* s.v. *acuerdo* «…y así se dice que uno está en su acuerdo, esto es, que tiene libre el uso de las potencias, que está en sí».

[12] *a bien librar* o *a buen librar* 'lo mejor que puede suceder' *Aut.* trae esta frase adverbial con texto posterior del príncipe de Esquilache.

217

que destrozando bárbaros venía.
Trillan, derriban, hacen tal castigo
que duran las reliquias[13] hoy en día,
y durará en Arauco muchos años
el estrago y memoria de los daños.

Bernal hiere a Mailongo de pasada   10
de un valiente[14] altabajo a fil derecho;
no le valió de acero la celada
que los filos corrieron hasta el pecho;
Aguilera al través tendió la espada
y al dispuesto[15] Guamán dejó maltrecho,
haciendo ya el temor tan ancha senda
que bien pueden correr a toda rienda.

Salen, pues, los catorce vitoriosos
donde los otros de su bando estaban,
que turbados, sin orden, temerosos
de ver su muerte ya remolinaban[16];
no bastaron ni fueron poderosos
Villagrán y los otros que llegaban
a estorbar el camino comenzado,
que ya el temor gran fuerza había cobrado.

Viendo bravo y gallardo al araucano,
del todo de vencer desconfiados,
y los caballos sin aliento, en vano
de importunas espuelas fatigados,
a grandes voces dicen: «¡A lo llano!
No estemos desta suerte arrinconados...»
Y con nuevo temor y desatino
toman algunos dellos el camino.

---

[13] *reliquia* en el sentido latino de 'vestigio, resto' (*Aut.*).

[14] *valiente* 'fuerte' (I, n. 59). *Altabajo* 'golpe o corte de espada de arriba a abajo' (T.L., con definición de Percivale, 1599); *a fil derecho* 'rectamente'; *fil* 'hilo' (Cov.).

[15] *dispuesto* 'ágil, hábil' (Nebrija).

[16] *remolinar* 'confundirse, amontonarse' *Aut.*, donde sólo se registra la

Cual de cabras montesas[17] la manada
cuando a lugar estrecho es reducida[18],
de diestros cazadores rodeada
y de importunos tiros perseguida,
que viéndose ofendida y apretada[19]
una rompe el camino y la huida,
siguiendo las demás a la primera:
así abrieron los nuestros la carrera.

Uno, dos, diez y veinte, desmandados
corren a la bajada de la cuesta,
sin orden y atención apresurados,
como si al palio[20] fueran sobre apuesta.
Aunque algunos valientes ocupados
con firme rostro y con espada presta,
combatiendo animosos, no miraban
cómo así los amigos los dejaban[21].

No atienden al huir ni se previenen   15
de remedio tan flaco[22] y vergonzoso;
antes en su batalla se mantienen
trayendo el fin a término dudoso,
y con heroicos ánimos detienen

forma reflexiva, como ya en Nebrija; A. de Palencia (1490) trae *remolinar* pero en su explicación (536d) utiliza la forma reflexiva.

[17] *montesa Aut.,* s.v. *montés* advierte que «algunos usan la terminación femenina, especialmente los poetas» y autoriza con textos de G. del Corral y Lope de Vega.

[18] *reducir* 'volver, traer al lugar donde antes estaba' *(Aut.);* v. I, n. 100 para otra acepción.

[19] *ofender* 'herir, atacar' (I, n. 49); *apretar* 'acosar' (Cuervo, *Dicc.* con numerosos ejemplos).

[20] *palio* 'premio que señalaba en la carrera al que llegaba primero, y era un paño de seda o tela preciosa que se ponía al término de ella' *(Aut.,* con textos posteriores; DCECH). Ercilla no ahorra la expresión irónica para el soldado que huye en la batalla, sin distinción de bando. Es, sin duda, más que voluntad histórica de objetividad, la reafirmación del valor universal del código del honor militar de su época, en el sistema literario que constituye la épica.

[21] V. más adelante, 33,8.

[22] *flaco* 'débil' (I, n. 29).

de los indios el ímpetu furioso;
y la disposición del duro hado[23]
en daño suyo y contra declarado.

Y así resisten, matan y destruyen[24],
contrastando al destino, que parece
que el valor araucano disminuyen
y el suyo con difícil prueba crece;
mas viendo a los amigos cómo huyen,
que a más correr la gente desparece[25],
hubieron de seguir la misma vía
que ya fuera locura y no osadía.

Quiero mudar en lloro amargo el canto,
que será a la sazón más conveniente[26]
pues me suena en la oreja el triste llanto
del pueblo amigo y género inocente[27].
No siento el ser vencidos tanto cuanto
ver pasar las espadas crudamente
por vírgines, mujeres, servidores,
que penetran los cielos sus clamores.

La infantería española sin pereza
y gente de servicio iban camino,
que el miedo les prestaba ligereza
y más de la que algunos les convino;
pues con la turbación y gran torpeza
muchos perdieron de la cuesta el tino:
ruedan unos, los lomos quebrantados,
otros hechos pedazos despeñados.

---

[23] *duro hado* V. III, n. 9 para la misma expresión.
[24] Para este tipo de acumulación verbal, v. III, n. 39.
[25] *desparecer* ant. por *desaparecer* (III, n. 25).
[26] Madrid, 1569: «lastimoso y sangriento estrañamente».
[27] *género inocente* 'niños' es expresión que reaparecerá en XVII,9,8. En la octava siguiente, verso 2, *ir camino* 'ir caminando'; para el uso adverbial de sustantivos, v. Keniston, par. 3,7.

Quedan por el camino mil tendidos,
los arroyos de sangre el llano riegan,
rompiendo el aire el planto[28] y alaridos
que en són desentonado al cielo llegan,
y las lástimas tristes y gemidos
(puestas las manos altas) con que ruegan
y piden de la vida gracia en vano
al inclemente bárbaro inhumano.

El cual siempre les iba caza dando   20
con mano presta y pies en la corrida,
hiriendo sin respeto y derribando
la inútil gente, mísera, impedida,
que a la amiga nación iba invocando
la ayuda en vano a la amistad debida,
poniéndole delante con razones
la deuda, el interés y obligaciones.

Y aunque más las razones obligaban,
si alguno a defenderlos revolvía[29],
viendo cuánto los otros se alargaban[30],
alargarse también le convenía;
ni a los que por amigos se trataban
ni a las que por amigas se debía,
con quien[31] había amistad y cuenta estrecha,
llamar, gemir, llorar les aprovecha.

Que ya los nuestros sin parar en nada
por la carrera[32] de su sangre roja

[28] *planto* ant. por *llanto,* el único que ya aparece en A. de Palencia (1490) aun en la definición de *plañir* (189d). Cfr. DCECH para único ejemplo medieval de *llanto. Planto* también en Juan de Valdés. En Ercilla debe entenderse como uso literario más que arcaísmo.

[29] *revolver* 'dar vuelta' como en 24,1 (I, n. 26).

[30] *alargarse* 'apartarse, huir' (T.L., principalmente como acepción marinera en E. de Salazar, 1600?).

[31] *quien* con valor plural (III, n. 16); *haber cuenta* 'tener trato' (Cov., con ejemplo que no se aplica a este texto).

[32] *carrera* 'camino' era acepción que ya Cov. consideraba regional («en algunas partes de España, vale caminos y así decimos caminos y carre-

dan siempre nueva furia en su jornada,
y a los caballos priesa y rienda floja,
que ni la voz de virgen delicada,
ni obligación de amigos los congoja;
la pena y la fatiga que llevaban
era que los caballos no volaban.

Sordos a aquel clamor y endurecidos
miden con sueltos[33] pies el verde llano;
pero algunos, de lástima movidos
viendo el fiero espectáculo inhumano,
de una rabiosa cólera encendidos
vuelven contra el ejército araucano
que corre por el campo derramado,
la más parte[34] en la presa embarazado.

Determinados de[35] morir, revuelven
haciendo al sexo tímido reparo,
y de suerte en los bárbaros se envuelven
que a más de diez la vuelta costó caro;
por esto los primeros aun no vuelven
que quieren que el partido sea más claro,
y no poner la vida en aventura
cuanto lejos de allí, tanto segura.

Torna la lid de nuevo a refrescarse   25
de un lado y otro andaba igual[36] trabada,
pecho con pecho vienen a juntarse,
lanza con lanza, espada con espada;
pueden los españoles sustentarse,

---

ras»); en Ercilla probablemente es marinerismo (E. Salazar, en T.L.: «carrera en la mar se llama el viaje por donde se navega de una provincia a otra...»).

[33] *suelto* 'veloz' (I, n. 27).

[34] *la más parte* por *la mayor parte.*

[35] *determinar* se construía frecuentemente con infinitivo en los siglos XVI y XVII (Cuervo, *Dicc.*, con numerosos ejemplos). *Reparo* 'defensa, resguardo' *(Aut.),* en el verso siguiente.

[36] *igual* para este uso adverbial del adjetivo, v. I, n. 62.

que la gente araucana derramada
el alcance[37] sin orden proseguía
haciendo todo el daño que podía.

Cual banda de cornejas esparcidas
que por el aire claro el vuelo tienden,
que de la compañera condolidas
por los chirridos[38] la prisión entienden,
las batidoras alas recogidas
a darle ayuda en círculo deciendas:
el bárbaro escuadrón desta manera
al rumor endereza la carrera.

La gente que de acá y allá discurre,
viendo el tumulto y aire polvoroso,
deja el alcance, y de tropel concurre
al són de las espadas sonoroso[39];
cada araucano con presteza ocurre[40]
adonde era el favor más provechoso[41]
y los sangrientos hierros en las manos,
cercan el escuadrón de los cristianos.

La copia[42] de los bárbaros creciendo,
crece el són de las armas y refriega

[37] *alcance* 'persecución del enemigo' como en 27,3 (Nebrija); cfr. esta acepción bélica en Cov. s.v. *alcanzar* y *Aut.*
[38] *chirrido* 'chillar de las aves' ya en A. de Palencia (1490). Confróntese DCECH s.v. *chirriar* para otros ejs. y T.L. para definición de Percivale, 1623.
[39] *sonoroso* v. III, n. 76 para este cultismo. Nótese la repetición etimologizadora *son... sonoroso* (I, n.4) y *creciendo... crece* en 28,1-2.
[40] *ocurrir* 'salir al paso', 'acudir'; para *Aut.* es acepción poco corriente y en Ercilla debe considerarse latinismo tomado de J. de Mena (cfr. textos en DCECH s.v. *correr*).
[41] Madrid, 1569 y el resto de las ediciones antiguas hasta 1589-90: «a donde vee ques más menesteroso». *Menesteroso* 'servicial', 'necesitado' en el sentido de 'ser necesario'. En sentido activo 'el que necesita', en A. de Palencia y en Nebrija (DCECH). El uso de Ercilla, más cercano a la acepción latina de *menester,* no aparece en los diccionarios y tal vez la rareza de este uso explica la razón del cambio textual.
[42] *copia* 'abundancia' (II, n. 111).

y los nuestros se van disminuyendo,
que en su ayuda y socorro nadie llega;
pero con grande esfuerzo combatiendo,
ninguno la persona[43] a ciento niega,
ni allí se vio español que se notase
que a su deuda una mínima[44] faltase.

Mas de la suerte como si del cielo
tuvieran el seguro[45] de las vidas,
se meten y se arrojan sin recelo
por las furiosas armas homicidas.
Caen por tierra y echan por el suelo,
dan y reciben ásperas heridas,
que él número dispar y aventajado
suple el valor y el ánimo sobrado.

Y así se contraponen, no temiendo   30
la muerte y furia bárbara importuna,
el ímpetu y pujanza resistiendo
de la gente, del hado y la fortuna[46];
mas contrastar a tantos no pudiendo
sin socorro, favor ni ayuda alguna,
dilatando el morir les fue forzoso
volver a su camino trabajoso.

Parece el esperar más desatino,
que van los delanteros como el viento;
usar de aquel remedio les convino
y no del temerario atrevimiento;
muchos mueren en medio del camino
por falta de caballos y de aliento

---

[43] *persona* 'cuerpo' (*Aut.* con texto de Lope que se ajusta más al uso de Ercilla que a la definición dada).

[44] *una mínima* es expresión que ya apareció en V,34,2 (V, n. 52).

[45] *seguro* 'seguridad' (I, n. 115).

[46] Cfr. J. Caillet-Bois «Hado y fortuna en *La Araucana*» *Filología* VIII,3 (1962) 403-420 para el vario uso de estos dos conceptos en el poema.

y de sangre también, que el verde prado
quedaba de su rastro colorado[47].

Flojos ya los caballos y encalmados[48],
los bárbaros por pies[49] los alcanzaban
y en los rendidos dueños derribados
las fuerzas de los brazos ensayaban[50];
otros de los peones empachados[51]
—digo, de los cristianos que a pie andaban—,
casi moverse al trote no podían,
que con sólo el temor los detenían.

Los cansados peones se contentan
con las colas o aciones[52] aferradas,
y en vano lastimosos representan
estrechas amistades olvidadas;
de sí los de caballo los ausentan,
si no pueden a ruego, a cuchilladas,
como a los más odiosos enemigos,
que no era a la sazón tiempo de amigos.

Atruena todo el valle el gran bullicio,
armas, grita y clamor triste se oía
de la gente española y de servicio
que a manos de los indios perecía;
no se vio tan sangriento sacrificio
ni tan estraña y cruda anotomía[53]

---

47 Cfr. V, n. 50 para esta imagen ariostesca.

48 *encalmado* 'fatigado' (*Aut.* s.v. *encalmarse* con referencia a los caballos, y texto del padre Acosta).

49 *alcanzar por pies* 'alcanzar corriendo' (DRAE y ya en Correas, 606b).

50 Expresión semejante en X,7,5-6; cfr. *RIb* 86 (1974) 119-120 para el eco garcilasiano (soneto II, vv. 7 y 8) y la documentación de prácticas semejantes por parte de los españoles.

51 Entiéndase 'Otros, detenidos por los españoles de a pie'.

52 *ación* 'correa de donde cuelga el estribo' (Percivale, 1599, en T.L. y, según DCECH ya en el *Amadís*).

53 *anotomía* por *anatomía* 'disección', 'corte' (A. de Palencia; Nebrija en T.L., que trae documentación de las dos formas: la moderna desde 1607. Cov. ya prefiere la forma que prevalece hoy).

como los fieros bárbaros hicieron
en dos mil y quinientos que murieron.

Unos vienen al suelo mal heridos,   35
de los lomos al vientre atravesados;
por medio de la frente otros hendidos;
otros mueren con honra degollados[54];
otros, que piden medios y partidos,
de los cascos los ojos arrancados,
los fuerzan a correr por peligrosos
peñascos sin parar precipitosos[55].

Y a las tristes mujeres delicadas
el debido respeto no guardaban,
antes con más rigor por las espadas,
sin escuchar sus ruegos, las pasaban;
no tienen miramiento a las preñadas,
mas los golpes al vientre encaminaban,
y aconteció salir por las heridas
las tiernas pernezuelas no nacidas.

Suben por la gran cuesta al que más puede,
y paga el perezoso y negligente,
que a ninguno más vida se concede
de cuanto puede andar ligeramente;
y aquel torpe es forzoso que se quede
que no es en la carrera diligente;
que la muerte, que airada atrás venía,
en afirmando el pie, le sacudía.

Aunque la cuesta es áspera y derecha,
muchos a la alta cumbre han arribado,

---

[54] El verso alude a la muerte que se reservaba para castigar a los nobles, de aquí el antitético «con honra» que corrige el valor condenatorio. V. Cov. s.v. *degollar:* «... En Castilla condenan a degollar al noble». Cfr. XXXIV,25 para protesta de Tucapel.

[55] *precipitoso* 'pendiente, resbaladizo' (*Aut.,* con este texto).

adonde una albarrada[56] hallaron hecha
y el paso con maderos ocupado.
No tiene aquel camino otra deshecha[57],
que el cerro casi en torno era tajado:
del un lado le bate la marina,
del otro un gran peñol[58] con él confina.

Era de gruesos troncos mal pulidos
el nuevo muro en breve tiempo hecho,
con arte unos en otros engeridos[59]
que cerraban la senda y paso estrecho;
dentro estaban los indios prevenidos,
las armas sobre el muro y antepecho,
que según orgullosos se mostraban,
al cielo, no a la gente amenazaban.

Viendo los españoles ya cerrados   40
los pasos y cerrada la esperanza,
a pasar o morir determinados,
poniendo en Dios la firme confianza,
de la albarrada un trecho desviados
prueban de los caballos la pujanza,
corriendo un golpe dellos a romperla
y los bárbaros dentro a defenderla.

Así la gente estaba detenida,
que todo su trabajo no importaba
ni al peligro hallaba la salida
hasta que el viejo Villagrán llegaba;
que vista la escusada arremetida
cuán poco en el remedio aprovechaba,

---

[56] *albarrada* 'pared de piedra' (Nebrija; DCECH s.v. *parata*).

[57] *deshecha* y más frecuentemente *deshecho* 'atajo', 'paso que permite evitar un mal trayecto', como hasta hoy en América (DCECH).

[58] *peñol* disimilación por *peñón* es muy frecuente también en Bernal Díaz del Castillo (DCECH). V. *Aut.*, con este texto.

[59] *engerido* ant. *injerido* 'injertado' (III, n. 48).

sin temor de morir ni muestra alguna,
dio aquí el último tiento[60] a la fortuna.

Estaba en un caballo derivado
de la española raza poderoso,
ancho de cuadra[61], espeso, bien trabado,
castaño de color, presto, animoso,
veloz en la carrera y alentado[62],
de grande fuerza y de ímpetu furioso,
y la furia sujeta y corregida
por un débil bocado[63] y blanda brida,

El rostro le endereza, y al momento
bate el presto español recio la ijada,
que sale con furioso movimiento
y encuentra con los pechos la albarrada;
no hace en el romper más sentimiento
que si fuera en carrera acostumbrada,
abriendo tal camino que pasaron
todos los que debajo se escaparon.

Los bárbaros airados defendían
el paso, pero al cabo no pudieron,
que por más que las armas esgremían[64]
los fuertes españoles los rompieron;
unos hacia la mano diestra guían,
otros tan buen camino no supieron,
tomando a la siniestra un mal sendero
que a dar iba en un gran despeñadero.

[60] *dar un tiento* 'probar, examinar' (I, n. 123).

[61] *cuadra* 'grupa' (DRAE), acepción ausente de los diccionaristas del T.L. y de *Aut*.

[62] *alentado* 'animoso' (Palet, 1604; Oudin, 1607 en T.L.).

[63] *bocado* 'la parte del freno que el caballo tiene dentro de la boca' (Cov., y ya en Oudin, según T.L.).

[64] *esgremir* ant. *esgrimir*, es la forma todavía presente en Franciosini (1620) según T.L.; cfr. DCECH. Ercilla tb. usa la forma moderna (XV,30,8 por ejemplo).

A la siniestra mano hacia el poniente
estaban dos caminos mal usados;
éstos debían de ser antiguamente
por do al agua bajaban los venados.
Digo en tiempos pasados, que al presente
por mil partes estaban derrumbados,
y el remate tajado con un salto
de más de ciento y veinte brazas de alto.

Por orden de natura[65] no sabida
o por gran sequedad de aquella tierra
o algún diluvio grande y avenida[66],
fue causa de tajarse aquella sierra;
pues por allí la gente mal regida
ocupada del miedo de la guerra,
huyendo de la muerte ya sin tino
a dar derechamente en ella vino.

La inadvertida gente iba rodando,
que repararse[67] un paso no podía,
el segundo al primero tropellando,
y el tercero al segundo recio envía[68];
el número se va multiplicando,
un cuerpo mil pedazos se hacía,
siempre rodando con furor violento
hasta parar en el más bajo asiento.

Como el fiero Tifeo[69] presumiendo
lanzar de sí el gran monte y pesadumbre,

---

[65] *natura* 'naturaleza' (Nebrija); *Aut.* ya considera la palabra un latinismo poco usual.

[66] *avenida* 'inundación' (Nebrija, según T.L.); 'la súbita creciente de un río' (Cov.).

[67] *reparar* 'detenerse, dudar' (III, n. 70).

[68] *enviar* 'arrojar, empujar lejos de sí' (Nebrija: «Enviar de sí»); para el uso adverbial del adjetivo *recio*, v. I, n. 62.

[69] *Tifeo* alusión a Typhoeus gigante vencido por Júpiter y sepultado en Sicilia bajo el monte Aetna (Ovidio, *Metamorphoseos* V, 321; *Fasti* IV, 491) o en otras islas volcánicas de Italia (Virgilio, *Aeneidos* IX, 716). Cfr. Vila-

cuando el terrible cuerpo estremeciendo
sacude los peñascos de la cumbre
que vienen con gran ímpetu y estruendo
hechos piezas abajo en muchedumbre,
así la triste gente mal guiada
rodando al llano va despedazada.

Pero aquella que el buen camino tiene
de verle con presteza el fin procura;
ninguno por el otro se detiene
que detenerse ya fuera locura;
rodar también a alguno le conviene,
que más de lo posible se apresura:
a caballo y a pie y aun de cabeza
llegaron a lo bajo en poca pieza.

Sueltos iban caballos por el prado   50
que muertos lo señores han caído;
otros desocuparlos fue forzado,
que por flojos la silla había perdido;
cuál ligero cabalga y cuál turbado,
del temor de la muerte ya impedido,
atinar[70] al estribo no podía
y el caballo y sazón se le huía.

No aguardaban por estos mas corriendo
juegan a mucha priesa los talones,
al delantero sin parar siguiendo,
que no le alcanzarán a dos tirones[71],
votos, promesas entre sí haciendo
de ayunos, romerías, oraciones

---

nova I,345 y ss. para relaciones con Dante, Juan de Mena y Ariosto
(V,23 por ej.).

[70] *atinar a* 'encontrar lo que se busca a tiento' (Cuervo, *Dicc.*, con este
texto).

[71] *a dos tirones* es frase adverbial que indica la dificultad de ejecutar o
conseguir una cosa (DRAE y ya *Aut.*, s.v. *tirón*).

y aun otros reservados sólo al Papa,
si Dios deste peligro los escapa[72].

Venían ya los caballos por el llano
las orejas tremiendo[73] derramadas;
quiérenlos aguijar, mas es en vano,
aunque recio les abren las ijadas.
El hermano no escucha al caro hermano,
las lástimas allí son escusadas;
quién dos pasos del otro se aventaja,
por ganar otros dos muere y trabaja[74].

Como el que sueña que en el ancho coso[75]
siente al furioso toro avecinarse,
que piensa atribulado y temeroso
huyendo de aquel ímpetu salvarse,
y se aflige y congoja presuroso
por correr, y no puede menearse,
así éstos a gran priesa a los caballos
no pueden aunque quieren aguijallos.

Haciendo el enemigo gran matanza
sigue el alcance y siempre los aqueja;
dichoso aquel que buen caballo alcanza[76],
que de su furia un poco más se aleja;
quién la darga[77] abandona, quién la lanza,
quién de cansado el propio cuerpo deja,
y así la vencedora gente brava
la fiera sed con sangre mitigaba.

---

[72] Comentarios irónicos sobre la falsa contrición en el peligro,
eran tópico de la literatura moralizante. Ercilla añade la referencia hiperbólica al Papa para crear nerviosa comicidad en la descripción de la
derrota.

[73] *tremer* 'temblar' vuelve a aparecer en VII,55,5 (III, n. 73).

[74] *trabajar* aquí 'esforzarse'; la obvia inversión del orden de palabras
obedece a las necesidades de la rima. V. uso distributivo en X,34,8.

[75] *coso* 'lugar cercado donde se corren toros' (T.L., con definiciones a
partir de Rosal, 1601).

[76] Cfr. Ariosto, XXVI,25,5: «Beato chi il cavallo ha corridore.»

[77] *darga* por *adarga* 'escudo' (V. n. 11).

Aquel que por desdicha atrás venía,
ninguno (aunque sea amigo) le socorre;
despacio el más ligero se movía;
quien el caballo trota, mucho corre.
El cansancio y la sed los afligía
mas Dios, que en el mayor peligro acorre,
frenó el ímpetu y curso[78] al enemigo,
según en el siguiente canto digo.

FIN

---

[78] *curso* 'carrera' como luego en VII,3,2 (II, n. 73).

LLEGAN LOS ESPAÑOLES A LA CIUDAD DE LA CONCEPCIÓN HECHOS PEDAZOS, CUENTAN EL DESTROZO Y PÉRDIDA DE NUESTRA GENTE Y VISTA LA POCA QUE PARA RESISTIR TAN GRAN PUJANZA DE ENEMIGOS EN LA CIUDAD HABÍA, Y LAS MUCHAS MUJERES, NIÑOS Y VIEJOS QUE DENTRO ESTABAN, SE RETIRAN EN[1] LA CIUDAD DE SANTIAGO. ASIMISMO EN ESTE CANTO SE CONTIENE EL SACO[2], INCENDIO Y RUINA DE LA CIUDAD DE LA CONCEPCIÓN

CANTO VII

TENER EN mucho un pecho se debría
a do el temor jamás halló posada,
temor que honrosa muerte nos desvía
por una vida infame y deshonrada.
En los peligros grandes la osadía
merece ser de todos estimada;
el miedo es natural en el prudente
y el saberlo vencer es ser valiente.

Esto podrán decir los que picaban
los cansados caballos aguijando;

---

¹ *retirarse* 'refugiarse, ponerse en salvo' (*Aut.*, con texto de A. de Solís) es acepción que tal vez explica la construcción con *en*. DCECH la documenta por primera vez en C. de las Casas (1570); los abundantes ejs. cervantinos ya registran el uso moderno (Fz. Gómez).

² *saco* 'saqueo' está tomado del it. *sacco* id. (cfr. el Saco de Roma en 1527); *Aut.*, con texto tardío de M. Alemán.

pues tanto de temor se apresuraban
que les daremos crédito aun callando;
con los prestos calcaños lo afirmaban,
con piernas, brazos, cuerpo ijadeando[3],
también los araucanos sin aliento,
la furia iban perdiendo y movimiento.

Que del grande trabajo fatigados
en el largo y veloz curso aflojaron,
y por el gran tesón desalentados
a seis leguas de alcance los dejaron.
Los nuestros, del temor más aguijados[4],
al entrar de la noche se hallaron
en la estrema ribera de Biobío
adonde pierde el nombre y ser de río[5],

y a la orilla un gran barco asido vieron
de una gruesa cadena a un viejo pino;
los más heridos dentro se metieron
abriendo por las aguas el camino[6];
y los demás con ánimo atendieron[7]
hasta que el esperado barco vino
y con la diligencia comenzada
a la ciudad arriban deseada.

Puédese imaginar cuál llegarían   5
del trabajo[8] y heridas maltratados;
algunos casi rostros no traían,
otros los traen de golpes levantados;
del infierno parece que salían:

---

[3] *ijadear* ant. *jadear* (IV, n. 58).
[4] *aguijado* 'apresurado' (II, n. 23).
[5] Para este recuerdo de Dante, *Purgatorio* V,97, cfr. *RIb* 86 (1974) 120-123; cfr. XX,40,8.
[6] *abrir camino* 'facilitar el paso' es acepción bélica que *Aut.* ilustra con un texto de la *Historia del Reino de Chile* de A. de Ovalle.
[7] *atender* 'esperar' (III, n. 31); v. más adelante, en este mismo Canto, 13,5 y 46,1.
[8] *trabajo* 'penuria' (I, n. 104).

no hablan ni responden, elevados[9]
a todos con los ojos rodeaban
y más callando el daño declaraban.

Después que dio el cansancio y torpe espanto
licencia de decir lo que pasaba,
dejando el pueblo atónito ya cuanto[10],
súbito en triste tono levantaba
un alboroto y doloroso llanto,
que el gran desastre más solenizaba[11]
y al són discorde y áspera armonía
la casa más vecina respondía.

Quién llora el muerto padre, quién marido,
quién hijos, quién sobrinos, quién hermanos;
mujeres como locas sin sentido
ansiosas tuercen las hermosas manos;
con el fresco dolor crece el gemido
y los protestos[12] de acidente vanos;
los niños abrazados con las madres
preguntaban llorando por sus padres.

De casa en casa corren publicando
las voces y clamores esforzados;
los muertos que murieron peleando
y aquellos infelices despeñados;
mozas, casadas, viudas lamentando,
puestas las manos y ojos levantados
piden a Dios para dolor tan fuerte
el úlitmo remedio de la muerte.

---

[9] *elevado* 'inflamado' (*Aut.*), modifica a *ojos* del verso siguiente.

[10] *ya cuanto* 'bastante' (Bello-Cuervo, par. 360, n. 61 con texto de Juan Manuel).

[11] *solenizar* por *solemnizar* 'engrandecer' (*Aut.*); *discorde* 'disonante' del verso siguiente es cultismo en uso desde mediados del siglo xv (DCECH); cfr. Cuervo. *Dicc.* II, 1248a con este texto; v. también XX,51,4.

[12] *protesto* por *protesta;* éste parece ser la doc. más antigua de la forma masculina, hoy en desuso (DCECH); cfr. más adelante en este Canto, 18,1.

La amarga noche sin dormir pasaban
al són de dolorosos instrumentos;
mas el día venido, se atajaban
con otro mayor mal estos lamentos,
diciendo que a gran furia se acercaban
los araucanos bárbaros sangrientos,
en una mano hierro, en otra fuego,
sobre el pueblo español, de temor ciego.

Ya la parlera Fama pregonando   10
torpes y rudas lenguas desataba;
las cosas de Lautaro acrecentando,
los enemigos ánimos menguaba;
que ya cada español casi temblando,
dando fuerza a la Fama, levantaba
al más flaco[13] araucano hasta el cielo,
derramando en los ánimos un yelo[14].

Levántase un rumor de retirarse
y la triste ciudad desamparalla,
diciendo que no pueden sustentarse
contra los enemigos en batalla;
corrillos comenzaban a formarse;
la voz común aprueba el despoblalla,
algunos con razones importantes
reprobaban las causas no bastantes.

Dos varias[15] partes eran admitidas
del temor y el amor de la hacienda;
la poca gente, muertes y heridas
dicen que la ciudad no se defienda;
las haciendas y rentas adquiridas

---

[13] *flaco* 'débil' como en 19,4 (I, n. 29).
[14] La octava refleja el célebre retrato virgiliano de la Fama, monstruo horrendo, todo sonoras bocas (*Aeneidos* IV, 173-190). *Yelo* es grafía antigua de *hielo* (*MGH*, par. 38,3).
[15] *vario* 'diferente, diverso' ya en Juan de Mena, pero todavía ausente en Nebrija y sólo frecuente a partir del siglo XVII, sigue siendo hoy palabra literaria (DCECH); *parte* 'opinión' (*Aut.*).

al liberal temor cogen la rienda,
mas luego se esforzó y creció de modo
que al fin se apoderó de todo en todo[16].

La gente principal claro[17] pretende
desamparar el pueblo y propio nido;
el temeroso vulgo aun no lo entiende[18]
mas tiende oreja atenta a aquel ruido;
visto el público trato, más no atiende,
que súbito, alterado y removido,
de nuevo esfuerza el llanto y las querellas
poniendo un alarido en las estrellas.

Quién a su casa corre pregonando
la venida del bárbaro guerrero;
quién aguija a la silla, procurando
cincharla en el caballo más ligero;
las encerradas vírgines llorando
por las calles, sin manto ni escudero,
atónitas, de acá y de allá perdidas,
a las madres buscaban desvalidas.

Como las corderillas temerosas   15
de las queridas madres apartadas,
balando van perdidas, presurosas,
haciendo en poco espacio mil paradas,
ponen atenta oreja a todas cosas,
corren aquí y allí desatinadas,
así las tiernas vírgines llorando,
a voces a las madres van llamando[19].

---

16 *de todo en todo* 'completamente', frase adverbial frecuente en los textos áureos.

17 *claro* 'claramente'. Para este tipo de adverbializaciones, v. I, n. 62.

18 Nótese la paronomasia de buscada base etimológica con el *tiende* del verso siguiente; nótese que *tender oreja atenta* pasa a la forma más corriente de la frase, *poner la oreja atenta* en 15,5. Cfr. IV, n. 18. *Ruido* 'alboroto, discordia' *(Aut.).*

19 Para un eco de esta comparación, v. *Numancia,* jorn. IV, vv. 2024-2031 (Cervantes, *Teatro completo,* ed. F. Sevilla y A. Rey Hazas, Barcelo-

De rato en rato se renueva y crece
el llanto, la aflición y el alarido;
tal vez[20] hay que de súbito enmudece,
reduciendo el sentir sólo al oído;
cualquier sombra Lautaro les parece,
su rigurosa voz cualquier ruido,
alzan la grita y corren, no sabiendo
más de ver a los otros ir corriendo.

Era cosa de oír bien lastimosa
los sospiros, clamores y lamento,
haciéndoles mayores cualquier cosa
que trae de nuevo el miedo por el viento;
desampara la turba temerosa
sus casas, posesión y heredamiento,
sedas, tapices, camas, recamados,
tejos[21] de oro y de plata atesorados.

Si alguno hace protestos requiriendo
que no sea la ciudad desamparada,
responde el principal: «Yo no lo entiendo,
ni de mi voluntad soy parte en nada».
Pero el temor un viejo posponiendo,
les dice: «¡Gente vil, acobardada,
deshonra del honor y ser de España!
¿Qué es esto?, ¿dónde vais?, ¿quién os engaña?»

No fue esta correción[22] de algún provecho
ni otras cosas que el viejo les decía;
muestran todos hacerse a su despecho

na, Planeta, 1987), en donde las vírgenes numantinas que huyen de las
«espadas homicidas» son comparadas con ovejas acometidas por el
lobo.

[20] *tal vez* 'en rara ocasión' (*Aut.*, con texto de Cervantes); entiéndase
'sucede en rara ocasión que'.

[21] *tejo Aut.* distingue *tejo* 'pedazo de oro en pasta' de *barra* 'pedazo de
plata', apoyado en un texto de Lope. Ercilla no parece tener en cuenta
esta distinción dudosa.

[22] *correción* por *corrección* (que ya registra Cov.) 'reprehensión'.

y van al que más corre[23] ya la vía.
Es justo que la fama cante un hecho
digno de celebrarse hasta el día
que cese la memoria por la pluma
y todo pierda el ser y se consuma.

Doña Mencía de Nidos, una dama   20
noble, discreta, valerosa, osada,
es aquella que alcanza tanta fama
en tiempo que a los hombres es negada;
estando enferma y flaca en una cama,
siente el grande alboroto y esforzada
asiendo de una espada y un escudo,
salió tras los vecinos como pudo.

Ya por el monte arriba caminaban,
volviendo atrás los rostros afligidos
a las casas y tierras que dejaban,
oyendo de gallinas mil graznidos[24];
los gatos con voz hórrida[25] maullaban,
perros daban tristísimos aullidos:
Progne con la turbada Filomena[26]
mostraban en sus cantos grave pena.

Pero con más dolor doña Mencía,
que dello daba indicio y muestra clara,
con la espada desnuda los seguía[27],
y en medio de la cuesta y dellos para;

[23] *al que más corre* 'a más correr'.

[24] *graznido* 'la voz que forman algunas aves como el cuervo y el grajo y
la que forma la gallina cuando la cogen' (*Aut.*).

[25] *hórrido* 'horroroso' es latinismo ya utilizado por Hernán Núñez, el
comentarista y editor de Mena (1499), según DCECH, Cfr. Vilanova I,
pág. 419.

[26] *Progne* o *Procne*, nombre poético latino de la golondrina (Virgilio,
Georgica 4,15); *Filomena* o *Filomela* nombre poético latino del ruiseñor
(*ibíd.* 4,511 Philomela). Para la narración mitológica, Ovidio, *Metamorphoseon*, 6,440 y 6,424 respectivamente.

[27] Así en la princeps y en Madrid, 1578. Nuestra edición, siguiendo a
Madrid, 1589-90, corrige *los guiaba*, con lo que destruye la rima.

el rostro a la ciudad vuelto, decía:
«¡Oh valiente nación, a quien tan cara
cuesta la tierra y opinión ganada
por el rigor y filo de la espada!,

decidme ¿qué es de aquella fortaleza,
que contra los que así teméis mostrastes?[28]
¿Qué es de aquel alto punto y la grandeza
de la inmortalidad a que aspirastes?
¿Qué es del esfuerzo, orgullo, la braveza
y el natural valor de que os preciastes?
¿Adónde vais, cuitados de vosotros,
que no viene ninguno tras nosotros?

¡Oh cuántas veces fuistes imputados,
de impacientes, altivos, temerarios,
en los casos dudosos arrojados,
sin atender a medios necesarios;
y os vimos en el yugo traer domados
tan gran número y copia[29] de adversarios,
y emprender y acabar empresas tales
que distes a entender ser inmortales![30]

Volved a vuestro pueblo ojos piadosos,   25
por vos[31] de sus cimientos levantado;
mirad los campos fértiles viciosos[32]
que os tienen su tributo aparejado;
las ricas minas y los caudalosos

---

[28] *mostrastes* por *mostrasteis* es desinencia corriente de la segunda persona plural del pretérito de indicativo hasta el siglo XVII; cfr. en la misma estrofa, *aspirastes, preciastes,* y en la siguiente, *fuistes.*

[29] *número y copia* es repetición sinonímica con valor intensificador (I, n. 112). Otros ejemplos en este mismo Canto aparecen en 41,7 («órdenes... y precetos»), 46,5 («copiosa y bastecida»), y 46,8 («francas y abiertas»).

[30] V. I, n. 114 para esta inicial concepción indígena de los españoles.

[31] *vos* 'vosotros' (II, n. 42).

[32] *vicioso* 'deleitoso' (DRAE). Cfr. DCECH s.v. *avezar* para ejs. medievales en las Cantigas de Escarnio, pero *Aut.* todavía no registra la acepción.

ríos de arenas de oro y el ganado
que ya de cerro en cerro anda perdido,
buscando a su pastor desconocido[33].

Hasta los animales que carecen
de vuestro racional entendimiento,
usando de razón, se condolecen[34],
y muestran doloroso sentimiento;
los duros corazones se enternecen
no usados[35] a sentir, y por el viento
las fieras la gran lástima derraman
y en voz casi formada[36] nos infaman.

Dejáis quietud, hacienda y vida honrosa
de vuestro esfuerzo y brazos adquirida,
por ir a casa ajena embarazosa
a do tendremos mísera acogida.
¿Qué cosa puede haber más afrentosa,
que ser huéspedes toda nuestra vida?[37]
¡Volved, que a los honrados vida honrada
les conviene o la muerte acelerada![38]

¡Volved, no vais[39] así desa manera,
ni del temor os deis tan por amigos,
que yo me ofrezco aquí, que la primera
me arrojaré en los hierros enemigos!
¡Haré yo esta palabra verdadera

---

[33] *desconocido* 'ingrato' (Nebrija); cfr. Vilanova I,795 para el origen virgiliano (Egl. V, 24-26) del motivo.
[34] *condolecerse* por *condolerse* (*Aut.*, con este texto de Ercilla; tb. DCECH
s.v. *doler*).
[35] *usado* 'acostumbrado' (II, n. 16).
[36] *formado* 'ordenado' y aquí 'casi a coro'.
[37] Hay en este verso y el anterior ecos de Dante, *Paradiso* XVII,59-60,
en donde se recuerda la amargura del exilio.
[38] *acelerado* 'violento', 'inconsiderado' (DCECH; Cuervo, *Dicc.*, con
otros ejemplos de Ercilla).
[39] *vais* por *vayáis*, frecuente en textos del XVI y del XVII (Bello-Cuervo,
par. 582).

y vosotros seréis dello testigos!
«¡Volved, volved!» gritaba, pero en vano,
que a nadie pareció el consejo sano[40].

Como el honrado padre recatado[41]
que piensa reducir con persuasiones
al hijo, del propósito dañado,
y está alegando en vano mil razones;
que al hijo incorregible y obstinado
le importunan y cansan los sermones:
así al temor la gente ya entregada
no sufre ser en esto aconsejada.

Ni a Paulo le pasó con tal presteza   30
por las sienes la Iáculo serpiente[42],
sin perder de su vuelo ligereza,
llevándole la vida juntamente,
como la odiosa[43] plática y braveza
de la dama de Nidos por la gente;
pues apenas entró por un oído
cuando ya por el otro había salido.

Sin escuchar la plática, del todo
llevados de su antojo caminaban;

[40] Doña Mencía de Nidos es la única heroína española del poema. So-
bre ella, Ricardo de Turia elaborará su comedia *La belígera española*
(1616). Cfr. Pierce, pág. 114 y J. T. Medina, *Dos comedias famosas y un auto
sacramental basados principalmente en «La Araucana» de Ercilla,* Santiago de
Chile, 1915-1917, 2 vols. Para la versión de Góngora Marmolejo, cfr. su
Historia de Chile c. 17, págs. 113-114, ed. cit., donde se la llama doña
Mencía de los Nidos «natural de Extremadura, de un pueblo llamado
Cáceres».

[41] *recatado* 'prudente' *(Aut.,* con texto del padre Mariana, considera
esta acepción «hispanismo»).

[42] Referencia a Lucano, *Pharsalia* IX, 720 y 822-5. Ercilla vuelve a
mencionar la serpiente iáculo en XXIII,52,4.

[43] *odioso* es adjetivo poco usado en los textos medievales que vuelve a
ser puesto en circulación por los autores de mediados del xv como Mena
(DCECH); este texto de Ercilla refleja la definición de A. de Palencia
(1490) «Enemigo odioso y aborrecible por el odio que concibe contra alguno».

mujeres sin chapines[44] por el lodo
a gran priesa las faldas arrastraban;
fueron doce jornadas deste modo
y a Mapochó al fin dellas arribaban.
Lautaro, que se siente descansado,
me da priesa, que mucho me he tardado[45].

No es bien que tanto dél nos descuidemos
pues él no se descuida en nuestro daño,
y adonde le dejamos volveremos,
que fue donde dejó el alcance estraño.
En muy poco papel resumiremos
un gran proceso y término tamaño[46],
que fuera necesario larga historia
para ponerlo estenso por memoria.

Mas con la brevedad ya profesada
me detendré lo menos que pudiere
y las cosas menudas, de pasada
tocaré lo mejor que yo supiere.
Pido que atenta oreja me sea dada[47],
que el cuento[48] es grave y atención requiere,
para que con curiosa y fácil pluma
los hechos destos bárbaros resuma.

Que luego que el alcance hubo cesado
volviendo al hijo de Pillán[49] gozoso,

[44] *chapines* 'calzado de mujer con una gruesa suela de corcho' (T.L., con definición de Percivale, 1599, que los considera típicos de España). La altura evitaba que las faldas se arrastraran por el lodo, como señala el texto de Ercilla.

[45] Para el origen ariostesco de estas fórmulas de transición de la primera persona narrativa, v. Chevalier, págs. 154 y ss.

[46] *tamaño* 'tan grande' es acepción etimológica todavía usual a principios del XVII (DCECH, con datos sobre el uso actual de esta acepción en Chile).

[47] *dar oreja* 'prestar atención' (I, n. 9).

[48] *cuento* 'narración' (Nebrija). Otras acepciones, en I, n. 52 y X, n. 35.

[49] *Pillán* es el apelativo de Lautaro. Cfr. la *Declaración*..., al final del poema.

que atrás un largo trecho había quedado
más por autoridad que de medroso,
al General despachan un soldado,
alojándose el campo[50] en el gracioso
valle de Talcamávida importante,
de pastos y comidas abundante.

Un bárbaro valiente que tenía   35
la estancia y heredad en aquel valle,
halló un indio cristiano por la vía;[51]
pero no se preciando de matalle,
prisionero a su casa le traía
y comienza en tal modo a razonalle:
«La vida, ¡oh miserable!, quiero darte
aunque no la mereces por tu parte.

»Pues que ya a la guerra tú venías,
gozando del honor de los guerreros,
¿por qué con las mujeres te escondías
viendo a hierro morir tus compañeros?
Mujer debes de ser, pues que temías
tanto de alguna espada los aceros;
y así quiero que tengas el oficio
en todo lo que toca a mi servicio.»

Mandó que del oficio se encargase
que a la mujer honesta es permitido,
y la posada y cena concertase
en tanto que del sueño convencido[52]
los fatigados miembros recrease;
y habiéndose a su cama recogido,
al mundo el sol dos vueltas había dado
y no había el araucano despertado,

---

[50] *campo* 'ejército formado' (I, n. 46).
[51] *vía* El texto trae por errata *vida,* contra todas las ediciones anteriores.
[52] *convencido* 'obligado' (*Aut.*).

sepultado en un sueño tan profundo
como si de mil años fuera muerto,
hasta que el claro sol dio luz al mundo
a la vuelta tercera; que despierto
pidió la usada ropa, y lo segundo
si estaba la comida ya en concierto;
el diligente siervo respondía
que después de guisada estaba fría[53],

diciéndole también como había estado
cincuenta horas de término en el lecho,
del trabajo y manjares olvidado,
con todo lo demás que se había hecho;
y que el comer estaba aparejado
si del sueño se hallaba satisfecho.
El bárbaro responde: «No me espanto
de haber sin despertar dormido tanto;

»que el cuidoso[54] Lautaro apercibido,   40
por hacer desear vuestra llegada,
la gente en escuadrones ha tenido
con tanta diciplina castigada,
que aun el sentarnos era defendido[55]
en acabando Apolo[56] su jornada,
hasta que ya los rayos de su lumbre
nos daban de la vuelta certidumbre.

»Si alguno de su puesto se movía,
sin esperar descargo le empalaba[57],

[53] Para otros ejemplos en esta Primera Parte, de humor araucano, visto por Ercilla, cfr. VIII,9-10; X,9-10 y XI,48-52.

[54] *cuidoso* ant. *cuidadoso,* corriente en la Edad Media, pero ya anticuado
para *Aut.* Cfr. Cuervo, *Dicc.,* con numerosos ejemplos y éste de Ercilla.
Es de uso poético hasta el siglo XIX (DCECH, apoyado en una afirmación de Cuervo). En T.L., solamente Percivale (1599) lo registra y remite a la forma moderna.

[55] *defendido* 'impedido' (II, n. 90).

[56] *Apolo,* en su carácter de dios solar o Helios (II, n. 74).

[57] *empalar* era suplicio que Vittori (1609, en T.L.) atribuía a los turcos
y Cov. definía como «género de castigo cruel y bárbaro». Es el que pade-

y aquel que de cansado se dormía
en medio de dos picas le colgaba;
quien cortaba una espiga allí moría,
demás de la ración que se le daba:
con órdenes estrechas y precetos[58]
nos tuvo, como digo, así sujetos.

»Desta suerte estuvimos los soldados
más de catorce noches aguardando,
las picas altas, a ellas arrimados,
vuestra tarda[59] venida deseando;
del sueño y del cansancio quebrantados
pasando gran trabajo, hasta cuando
supimos que llegábades ya junto,
que nos quitó el cansancio en aquel punto.»

Viendo el silencio que en el valle había
le pregunta si el campo era partido;
el mozo dice: «Ayer antes del día
salió de aquí con súbito ruido;
afirmarte la causa no sabría
aunque por claras muestras he entendido
que la ciudad de Penco torreada
era del español desamparada.»

Así era la verdad: que caminado
habían los escuadrones vencedores
hacia el pueblo español, desamparado
de los inadvertidos moradores.
La codicia del robo y el cuidado

cerá Caupolicán en la Tercera Parte, XXXIV,27-28. Cfr. G. Fernández
de Oviedo, *Historia...*, I,5, c. 4 para las Antillas.

[58] *preceto* por *precepto;* para la tendencia en los autores áureos de adaptar a «los hábitos de la pronunciación romance» las formas latinas de los cultismos, v. Lapesa, p. 390.

[59] *tardo* 'tardío' es adjetivo literario latinizante ya presente en Juan de Mena (DCECH), pero ausente en textos medievales y en los diccionarios del xvi. Para Garcilaso (Canción IV,33), Vilanova, I,533.

les puso espuelas[60] y ánimos mayores;
siete leguas del valle a Penco había.
y arribaron en sólo medio día.

A vista de las casas ya la gente
se reparte por todos los caminos,
porque el saco del pueblo sea igualmente
lleno de ropa, y falto de vecinos;
apenas la señal del partir siente
cuando cual negra banda de estorninos[61]
que se abate al montón del blanco trigo,
baja al pueblo el ejército enemigo.

La ciudad yerma en gran silencio atiende
el presto asalto y fiera arremetida
de la bárbara furia, que deciende
con alto estruendo y con veloz corrida;
el menos codicioso allí pretende
la casa más copiosa y bastecida[62];
vienen de gran tropel hacia las puertas
todas de par en par francas y abiertas.

Corren[63] toda la casa en el momento
y en un punto escudriñan los rincones;
muchos por no engañarse por el tiento[64]
rompen y descerrajan los cajones;
baten tapices, rimas[65] y ornamento,
camas de seda y ricos pabellones[66],

---

[60] *poner espuelas* 'estimular, incitar' *(Aut.)*.

[61] Cfr. Garcilaso, Égloga II,240-241: «d'estorninos volando a cada parte /acá y allá, la espesa y negra banda».

[62] *bastecido* por *abastecido; bastecer* ya en Nebrija (T.L.) ver descripción paralela del saco de San Quintín en XVI,17 y ss., recurso que proclama la universalidad de los males de la guerra.

[63] *correr* 'recorrer' (Cuervo, *Dicc.,* con numerosos ejemplos).

[64] *tiento* 'tacto' (V, n. 45).

[65] *rima* 'montón de cosas puestas unas sobre otras' (DRAE), ya en Nebrija (DCECH).

[66] *pabellón* 'colgadura plegadiza que cobija y adorna una cama, etc.', ya en A. de Palencia (1490).

247

y cuanto descubrir pueden de vista
que no hay quien los impida ni resista.

   No con tanto rigor el pueblo griego
entró por el troyano alojamiento,
sembrando frigia[67] sangre y vivo fuego,
talando hasta en el último cimiento
cuanto de ira, venganza y furor ciego,
el bárbaro, del robo no contento,
arruina, destruye, desperdicia
y aun no puede cumplir con su malicia.

   Quién sube la escalera y quién abaja[68],
quién a la ropa y quién al cofre aguija,
quién abre, quién desquicia y desencaja,
quién no deja fardel ni baratija;
quién contiende, quién riñe, quién baraja,
quién alega y se mete a la partija[69],
por las torres, desvanes y tejados
aparecen los bárbaros cargados.

   No en colmenas de abejas la frecuencia,   50
priesa y solicitud cuando fabrican
en el panal la miel con providencia,
que a los hombres jamás lo comunican,
ni aquel salir, entrar y diligencia
con que las tiernas flores melifican,
se puede comparar, ni ser figura
de lo que aquella gente se apresura[70].

---

   [67] *frigio* 'troyano' porque Troya se ubicaba en la Phrygia (*Aeneidos*
IX,617).

   [68] *abajar* ant. *bajar* (IV, n. 14).

   [69] *partija* 'partición'; *Aut.* asocia su uso con la división de bienes here-
dados como ya en el *Guzmán de Alfarache;* para DCECH es hoy popular
en la Argentina. Para la acumulación verbal, aquí con estructura sintáctica paralelística, pero ya presente en el verso 7 de la octava anterior y
repetido en la misma estructura triple en 53,5, v. III, n. 39; para la sinonimia triple del verso anterior, v. I, n. 112. *Aut.* ilustra la acepción 'uno
entre muchos' de *quien* con esta octava.

   [70] Para el motivo virgiliano de la laboriosidad de las abejas y su trans-

248

Alguno de robar no se contenta
la casa que le da cierta ventura,
que la insaciable voluntad sedienta
otra de mayor presa le figura;
haciendo codiciosa y necia cuenta
busca la incierta y deja la segura,
y llegando, el sol puesto, a la posada,
se queda, por buscar mucho, sin nada.

También se roba entre ellos lo robado,
que poca cuenta y amistad había,
si no se pone en salvo a buen recado,
que allí el mayor ladrón más adquiría;
cuál lo saca arrastrando, cuál cargado
va, que del propio hermano no se fía;
más parte a ningún hombre se concede
de aquello que llevar consigo puede.

Como para el invierno se previenen
las guardosas[71] hormigas avisadas,
que a la abundante troje[72] van y vienen
y andan en acarretos[73] ocupadas;
no se impiden, estorban, ni detienen[74];
dan las vacías el paso a las cargadas:
así los araucanos codiciosos
entran, salen y vuelven presurosos.

---

misión, Vilanova, II,541-543. V., además, M. R. Lida de Malkiel, «La abeja: historia de un motivo poético» *RPh* XVII,1 (1963) 75-86.

[71] *guardoso* 'el que tiene gran cuidado en no enajenar ni expender sus cosas, ni desperdiciar nada' *(Aut.,* con ejemplos posteriores, pero ya está en Nebrija: «guardoso de lo suyo»).

[72] *troje* por *troj* 'especie de granero'.

[73] *acarreto* 'acarreo' (Percivale, 1599, en T.L.; *Aut.,* con texto de J. de Acosta).

[74] Para los modelos clásicos del motivo de la laboriosidad de las hormigas, Vilanova, I,750, quien recuerda, entre otros textos, *Aeneidos* IV,402-405.

Quien buena parte tiene, más no espera,
que presto pone fuego al aposento;
no aguarda que los otros salgan fuera
ni tiene al edificio miramiento;
la codiciosa llama de manera
iba en tanto furor y crecimiento,
que todo el pueblo mísero se abrasa,
corriendo el fuego ya de casa en casa.

Por alto y bajo el fuego se derrama,   55
los cielos amenaza el són horrendo,
de negro humo espeso y viva llama
la infelice ciudad se va cubriendo;
treme la tierra en torno, el fuego brama
de subir a su esfera presumiendo;
caen de rica labor maderamientos
resumidos en polvos cenicientos[75].

Piérdese la ciudad más fértil de oro
que estaba en lo poblado de la tierra,
y adonde más riquezas y tesoro
según fama en sus términos se encierra.
¡Oh, cuántos vivirán en triste lloro,
que les fuera mejor continua guerra!
Pues es mayor miseria la pobreza
para quien se vio en próspera riqueza.

A quién diez a quién veinte y a quién treinta
mil ducados por año les rentara;
el más pobre tuviera mil de renta,
de aquí ninguno dellos abajara[76];
la parte de Valdivia era sin cuenta

[75] *resumido* 'reducido' (III, n. 85); v. más adelante, 63,6 en donde se
usa con objeto inanimado.

[76] Para el uso del imperfecto de subjuntivo por pluscuamperfecto de
indicativo, infrecuente ya en el siglo XVI fuera del ámbito de la
poesía, v. Juan de Valdés, *Diálogo de la lengua* (pág. 175, ed. Cl. Cast.).
Cfr. Keniston, par. 32,81; *sustentara* del verso 6 reemplaza al pluscuamperfecto de subjuntivo.

si la ciudad en paz se sustentara,
que en torno la cercaban ricas venas[77]
fáciles de labrar[78] y de oro llenas.

Cien mil casados súbditos servían
a los de la ciudad desamparada[79];
sacar tanto oro en cantidad podían,
que a tenerse viniera casi en nada.
Esto que digo y la opinión perdían
por aflojar el brazo de la espada,
ganados, heredades, ricas casas,
que ya se van tornando en vivas brasas.

La grita de los bárbaros se entona;
no cabe el gozo dentro de sus pechos
viendo que el fuego horrible no perdona
hermosas cuadras ni labrados techos,
en tanta multitud no hay tal persona
que de verlos se duela así deshechos,
antes sospiran, gimen y se ofenden,
porque tanto del fuego se defienden.

Paréceles que es lento y espacioso   60
pues tanto en abrasarlos se tardaba,
y maldicen al Tracio proceloso[80],
porque la flaca llama no esforzaba;
al caer de las casas sonoroso[81]
un terrible alarido resonaba,

---

[77] *vena* 'filón' (I, n. 121).

[78] *labrar* aquí, 'explotar las minas'. Para otra acepción especializada en América, v. Santamaría, *Mej.*

[79] Compárese con lo que escribe Ercilla en la «Declaración...» al final del poema sobre la Imperial: «la más próspera ciudad que ha habido en aquellas partes, la cual tenía trescientos mil indios casados de servicio».

[80] *Tracio* 'viento del Nor-Noroeste' del latín *Thrascias*. Se trata del apelativo europeo, pues en el hemisferio Sur, los vientos huracanados soplan del Sur. Para *proceloso* 'tormentoso', IV, n. 91.

[81] *sonoroso* III, n. 76 para este cultismo.

que junto con el humo y las centellas,
subiendo amenazaba las estrellas.

Crece la fiera llama en tanto grado
que las más altas nubes encendía;
Tracio con movimiento arrebatado
sacudiendo los árboles venía
y Vulcano al rumor, sucio y tiznado[82],
con los herreros fuelles acudía,
que ayudaron su parte al presto fuego
y así se apoderó de todo luego.

Nunca fue de Nerón el gozo tanto
de ver en la gran Roma poderosa
prendido el fuego ya por cada canto[83],
vista sola a tal hombre deleitosa;
ni aquello tan gran gusto le dio, cuanto
gusta la gente bárbara dañosa
de ver cómo la llama se estendía,
y la triste ciudad se consumía.

Era cosa de oír dura y terrible
los estallidos y fornace[84] estruendo,
el negro humo espeso e insufrible,
cual nube en aire así se va imprimiendo;
no hay cosa reservada al fuego horrible,
todo en sí lo convierte, resumiendo
los ricos edificios levantados,
en antiguos corrales derribados.

Llegado al fin el último contento
de aquella fiera gente vengativa,
aun no parando en esto el mal intento,
ni planta en pie ni cosa dejan viva;

---

82 *Vulcano* II, n. 109 para la herrería de Vulcano.
83 *canto* 'lado' (III, n. 84).
84 Madrid, 1569: «de estallidos el son y grande estruendo». *Fornace* por
fornáceo es adjetivo cultista 'relativo a los hornos' (DCECH).

el incendio acabado como cuento,
un mensajero con gran priesa arriba
del hijo de Leocán[85], y su embajada
será en el otro canto declarada.

FIN

<hr />

[85] Para este apelativo de Caupolicán, II, n. 75.

JÚNTANSE LOS CACIQUES Y SEÑORES PRINCIPALES A CONSEJO GENERAL EN EL VALLE DE ARAUCO. MATA TUCAPEL AL CACIQUE PUCHECALCO, Y CAUPOLICÁN VIENE CON PODEROSO EJÉRCITO SOBRE LA CIUDAD IMPERIAL, FUNDADA EN EL VALLE DE CAUTÉN.

CANTO VIII

UN LIMPIO honor del ánimo ofendido
jamás puede olvidar aquella afrenta,
trayendo al hombre siempre así encogido,
que dello sin hablar da larga cuenta;
y en el mayor contento, desabrido[1]
se le pone delante, y representa
la dura y grave afrenta, con un miedo
que todos le señalan con el dedo.

Si bien esto los nuestros lo miraran[2]
y al temor con esfuerzo resistieran,
sus haciendas y casas sustentaran
y en la justa demanda fenecieran;

---

[1] *desabrido* 'áspero y desapacible en el trato' (Cuervo, *Dicc.*, II,939a, con numerosos ejemplos desde el siglo XIII; DCECH s.v. *saber*). En 2,5 *desabrimiento*.

[2] Para el uso, todavía vivo en Hispanoamérica, del imperfecto de subjuntivo en la prótasis y en la apódosis del periodo condicional con valor de pluscuamperfecto, que expresa la imposibilidad referida al pasado («Si bien... lo hubieran mirado /... habrían sustentado»), cfr. *Esbozo*, 3,14,9d.

de mil desabrimientos no gustaran
ni al terrero[3] del vulgo se pusieran;
del vulgo, que jamás dice lo bueno,
ni en decir los defetos tiene freno.

Pero de un bando[4] y de otro contemplada
la diferencia en número de gentes,
la ciudad sin reparos descercada[5],
con otra infinidad de inconvenientes,
y el ver puestas al filo de la espada
las gargantas de tantos inocentes,
niños, mujeres, vírgines sin culpa,
será bastante y lícita disculpa.

Si no es disculpa y causa lo que digo,
se puede atribuir este suceso
a que fue del Señor justo castigo,
visto de su soberbia el gran exceso,
permitiendo que el bárbaro enemigo,
aquel que fue su súbdito y opreso,
los eche de su tierra y posesiones
y les ponga el honor en opiniones[6].

Bien que en la Concepción copia[7] de gente   5
estaba a la sazón, pero gran parte
de barba blanca y arrugada frente,
inútil en la dura y bélica arte,
y poca de la edad más suficiente[8] ¿Dónso

---

[3] *terrero* 'Se toma también por el objeto o blanco que se pone para tirar a él y se usa en sentido metafórico' (*Aut.*).

[4] *bando* 'facción', como más adelante en el Canto, 6,1 (III, n. 18).

[5] *descercado* 'con la muralla derribada' (*Aut.*, con este pasaje de *La Araucana*). *Reparo* 'defensa, resguardo' (VI, n. 35).

[6] *poner en opinión* o *andar en opinión* 'poner en duda' (*Aut.* s.v. *opinión*. Cfr. para Cervantes, Fz Gómez s.v. *opinión* con texto semejante de *La fuerza de la sangre*). Para *opinión* 'fama', tb. más adelante en 6,2 cfr. III, n. 132.

[7] *copia* 'abundancia' (II, n. 111).

[8] *suficiente* 'apto, idóneo' es cultismo ya presente en A. de la Torre (1499) según C. C. Smith, 240.

a resistir el gran rigor de Marte
y a la parcial Fortuna, que se muestra
en todos los sucesos ya siniestra.

¿Quién podrá con el bando lautarino,
viendo que su opinión tanto crecía
y la fortuna próspera el camino
en nuestro daño y su provecho abría?
No piensa reparar[9] hasta el divino
cielo y arruinar su monarquía,
haciendo aquellos bárbaros bizarros
grandes fieros, bravezas y desgarros[10].

Pues al pueblo de Penco desolado
y de la fiera llama consumido
dije cómo a gran priesa había llegado
un indio mensajero conocido
que por Caupolicán era enviado;
y habiendo de su parte encarecido
la gran batalla, digna de memoria,
las gracias les rindió de la vitoria.

Dijo también, sin alargar razones,
que el General mandaba que partiese
Lautaro con los prestos escuadrones
y en el valle de Arauco se metiese,
donde el Senado y junta de varones
tratasen lo que más les conviniese,
pues en fértil valle hay aparejo
para la junta y general consejo.

[9] *reparar* 'detenerse, dudar' (III, n. 70).
[10] *fieros* 'usado en plural, significa bravatas y baladronadas con que alguno intenta aterrar a otro' *(Aut.)*; *desgarro* 'se usa también por ademán de braveza, fiero, fanfarronada, afectación de valentía' *(Aut.,* con este texto de Ercilla). Para la repetición sinonímica, v. I, n. 112, como más adelante en el Canto 30,2 («estorbos y embarazos»).

En oyendo Lautaro aquel mandato
levanta el campo[11], sin parar camina,
deja gran tierra atrás, y en poco rato
al monte andalicano se avecina;
y por llegar de súbito rebato[12]
el camino torció por la marina,
ganosos de burlar al bando amigo,
tomando el nombre y voz del enemigo.

Tanto marchó, que al asomar del día   10
dio sobre las escuadras de repente[13]
con una baraúnda y vocería
que puso en arma y alteró la gente;
mas vuelto el alboroto en alegría,
conocida la burla claramente
los unos y los otros sin firmarse[14],
sueltas las armas, corren abrazarse.

Caupolicán, alegre, humano y grave
los recibe, abrazando al buen Lautaro
y con regalo y plática suave
le da prendas y honor de hermano caro;
la gente, que de gozo en sí no cabe,
por la ribera de un arroyo claro
en juntas y corrillos derramada,
celebran de beber la fiesta usada.

Algún tiempo pasaron después desto
antes que el gran Senado fuese junto,
tratando en su jornada y presupuesto[15]
desde el principio al fin sin faltar punto;

---

[11] *campo* 'ejército formado' (I, n. 46).
[12] *de súbito rebato* 'repentinamente', por combinación de las dos expresiones adverbiales sinónimas *de súbito* y *de rebato*.
[13] Madrid, 1569: «dio sobre el general súbitamente».
[14] *firmarse* aquí 'sin detenerse, sin esperar a afirmarse' (III, n. 52 para acepción de la que ésta deriva).
[15] *presupuesto* 'propósito' (I, n. 112); *tratar en* por *tratar de; jornada* 'batalla' (IV, n. 11).

pero al término justo y plazo puesto
llegó la demás gente y todo a punto,
los principales hombres de la tierra
entraron en consulta a uso de guerra.

Llevaba el General aquel vestido
con que Valdivia ante él fue presentado:
era de verde y púrpura tejido,
con rica plata y oro recamado,
un peto fuerte, en buena guerra habido,
de fina pasta y temple relevado,
la celada de claro y limpio acero,
y un mundo de esmeralda por cimero[16].

Todos los capitanes señalados
a la española usanza se vestían;
la gente del común y los soldados
se visten del despojo que traían;
calzas, jubones, cueros desgarrados,
en gran estima y precio se tenían;
por inútil y bajo se juzgaba
el que español despojo no llevaba.

A manera de triunfos, ordenaron   15
el venir a la junta así vestidos
y en el consejo, como digo, entraron
ciento y treinta caciques escogidos;
por su costumbre antigua se sentaron,

---

[16] *cimero* por *cimera* 'remate del yelmo' (Nebrija). Naturalmente, el uso
de la armadura de los vencidos por los victoriosos y, particularmente
por los capitanes, nada tiene que ver con «disfraz» ni con «procesos de
ficticia transculturación» como arguye B. Pastor (*o.c.*, cap. V,2,497 y ss.)
sino más bien con la imitación de los modelos clásicos de la épica y el renovado interés por los *triunfos* romanos en los que desfilaban las tropas
vencedoras con armas, joyas y otros despojos. Cfr. Pero Mexía, *Silva de
varia lección* III, c. 29. Para un eco de este uso en *El cautiverio feliz* de Francisco Núñez de Pineda y Bascuñán, prisionero de los araucanos en 1629,
v. José Anadón, *Pineda y Bascuñán, defensor del araucano* Santiago de Chile:
Editorial Universitaria, 1977, 47-48.

según que por la espada eran tenidos;
estando en gran silencio el pueblo ufano,
así soltó la voz Caupolicano:

> Habla Caupolicano.

«Bien entendido tengo yo, varones,
para que nuestra fama se acreciente,
que no es menester fuerza de razones,
mas sólo el apuntarlo brevemente
que, según vuestros fuertes corazones,
entrar[17] la España pienso fácilmente
y al gran Emperador, invicto Carlo,
al dominio araucano sujetarlo.

»Los españoles vemos que ya entienden
el peso de las mazas barreadas[18]
pues ni en campo ni en muro nos atienden[19].
Sabemos cómo cortan sus espadas
y cuán poco las mallas los defienden
del corte de las hachas aceradas;
si sus picas son largas y fornidas,
con las vuestras han sido ya medidas.

»De vuestro intento asegurarme quiero
pues estoy del valor tan satisfecho,
que gruesos muros de templado acero
allanaréis, poniéndoles el pecho;
con esta confianza, el delantero
seguiré vuestro bando y el derecho
que tenéis de ganar la fuerte España
y conquistar del mundo la campaña.

»La deidad desta gente entenderemos
y si del alto cielo cristalino

---

[17] *entrar* 'invadir u ocupar por la fuerza un lugar' (*Aut.*). Para este uso transitivo, Cuervo, *Dicc.* cont. III, fasc. IX, pág. 629 con este ejemplo. V. tb. más adelante 38,3; IX,6,5 y 68,1; XXX,41,8.

[18] *barreado* 'reforzado con barras' (I, n. 33).

[19] *atender* 'esperar' (III, n. 31).

deciende, como dicen, abriremos
a puro hierro anchísimo camino;
su género y linaje asolaremos,
que no bastará ejército divino
ni divino poder, esfuerzo y arte
si todos nos hacemos a una parte.

»En fin, fuertes guerreros, como digo,   20
no puede mi intención más declararse;
aquel que me quisiere por amigo
a tiempo está que puede señalarse.
Ténganme desde aquí por enemigo
el que quisiere a paces arrimarse.»
Aquí dio fin, y su intención propuesta,
esperaba sereno la respuesta.

Ceja no se movió y aun el aliento
apenas al espíritu halló vía
mientras duró el soberbio parlamento
que el gran Caupolicano les hacía.
Hubo en el responder el cumplimiento[20]
y cerimonia usada en cortesía;
a Lautaro tocaba, y escusado,
Lincoya así responde levantado:

«Señor: Yo no me he visto tan gozoso
después que en este triste mundo vivo,
como en ver manifiesto el valeroso
ánimo dese invicto pecho altivo[21] — *que no ha sido*
y así, por pensamiento tan glorioso,   *vencido*
me ofrezco por tu siervo y tu captivo[22],
que no quiero ser rey del cielo y tierra
si hubiese de acabarse aquí la guerra.

---

[20] *cumplimiento* 'acción obsequiosa, en señal de respeto, lisonja' (C. de las Casas, 1570, en T.L.). Esta parece ser documentación temprana de su uso literario. DCECH para textos del XVIII; *Aut.*

[21] Madrid, 1569: «invento tuyo, el ánimo y motivo».

[22] *captivo* por *cautivo* es forma latinizante todavía presente en autores del siglo XVII.

»Y en testimonio desto yo te juro
de te seguir y acompañar de hecho,
ni por áspero caso, adverso y duro
a la patria volver jamás el pecho;
desto puedes, señor, estar seguro
y todo faltará y será deshecho
antes que la palabra acreditada
de un hombre como yo por prenda dada.»

Así dijo; y tras él, aunque rogado,
el buen Peteguelén, curaca[23] anciano,
de condición muy áspera enojado
pero afable en la paz, dócil y humano;
viejo, enjuto, dispuesto, bien trazado, — genealógico
señor de aquel hermoso y fértil llano,
con espaciosa[24] voz y grave gesto
propuso en sus razones sabias esto:

«Fuerte varón y capitán perfeto,   25
no dejaré de ser el delantero
a probar la fineza deste peto
y si mi hacha rompe el fino acero;
mas, como quien lo entiende, te prometo[25]
que falta por hacer mucho primero
que salgan españoles desta tierra,
cuanto más ir a España a mover guerra.

»Bien será que, señor, nos contentemos
con lo que nos dejaron los pasados
y a nuestros enemigos desterremos
que están en lo más dello apoderados;
después por el suceso entenderemos

[23] *curaca* 'cacique, jefe' es indigenismo quechua que Friederici documenta con textos de A. de Zárate (1555). Ercilla no lo incluye en su «Declaración...» al final del poema.
[24] *espacioso* 'lento, pausado' (Nebrija). Cfr. XXVI,11,5.
[25] *prometer* 'asegurar' (*Aut.*, que advierte: «úsase frecuentemente amenazando»).

mejor el disponer de nuestros hados.
Esto a mí me parece y quién quisiere
proponga otra razón, si mejor fuere.»

Callando este cacique, se adelanta
Tucapelo, de cólera encendido,
y sin respeto así la voz levanta
con un tono soberbio y atrevido
diciendo: «A mí la España no me espanta
y no quiero por hombre ser tenido
si solo no arruino a los cristianos.
ahora sean divinos, ahora humanos[26].

»Pues lanzarlos de Chile y destruirlos
no será para mí bastante guerra
que pienso, si me esperan, confundirlos
en el profundo centro de la tierra;
y si huyen, mi maza ha de seguirlos,
que es la que deste mundo los destierra;
por eso no nos ponga nadie miedo
que aun no haré en hacerlo lo que puedo.

»Y por mi diestro brazo os aseguro,
si la maza dos años me sustenta,
a despecho del cielo, a hierro puro,
de dar desto descargo y buena cuenta
y no dejar de España enhiesto muro
y aun el ánimo a más se me acrecienta,
que después que allanare el ancho suelo,
a guerra incitaré al supremo cielo.

»Que no son hados, es pura flaqueza   30
la que nos pone estorbos y embarazos;
pensar que haya fortuna es gran simpleza:
la fortuna es la fuerza de los brazos.

---

[26] *ahora... ahora* por *hora... hora* (escrito modernamente *ora... ora*) alternaban en el siglo XVI; v. ejs. de *ahora* en Keniston, par. 42.25; *Aut.* trae para la forma *hora* textos a partir de 1576.

La máquina del cielo y fortaleza
vendrá primero abajo hecha pedazos
que Tucapel en esta y otra empresa
falte un mínimo punto en[27] su promesa.»

Peteguelén, la vieja sangre fría
se le encendió de rabia, y levantado
le dice: «¡Oh arrogante!, ¡la osadía
sin discreción jamás fue de esforzado...»
Pero Caupolicán, que conocía
del viejo a tiempo el ánimo arrojado,
con discreción le ataja las razones
haciendo proponer a otros varones.

Purén se ofrece allí y Angol se ofrece
no con menor braveza y desatiento[28];
Ongolomo no quedó, según parece,
de mostrar su soberbio pensamiento;
del uno en otro multiplica y crece
el número en el mismo ofrecimiento.
Colocolo, que atento estaba a todo,
sacó la voz, diciendo de este modo:

«La verde edad os lleva a ser furiosos,
¡oh hijos!, y nosotros los ancianos
no somos en el mundo provechosos
más de para decir consejos sanos,
que no nos cieguen humos vaporosos
del juvenil hervor y años lozanos;
y así como más libres, entendemos
lo que siendo mancebos no podemos.

---

[27] *faltar en* por *faltar a* 'no cumplir' que es forma más frecuente con *promesa, palabra,* etc.; cfr. ej. en *Aut.*

[28] *desatiento* 'turbación, enajenación del sentido' (T.L., con definiciones de diccionarios del xvii); cfr. XXIX,40,8 que recoge *Aut.* y también IX,90,5, con duplicación sinonímica, como en XXVIII,14,4.

»Vosotros, capitanes esforzados,
de sola una vitoria envanecidos,
·estáis de tal manera levantados
que os parecen ya pocos los nacidos.
Templad, templad los pechos alterados
y esos vanos esfuerzos mal regidos;
no hagáis de españoles tal desprecio
que no venden sus vidas a mal precio.

»Si dos veces por dicha los vencistes,   35
mirad cuando primero aquí vinieron
que resistir sus fuerzas no pudistes
pues más de cinco veces os vencieron.
En el licúreo campo ya lo vistes[29]
lo que solos catorce allí hicieron;
no será poco hecho y buen partido
cobrar la tierra y crédito perdido.

»Debemos procurar con seso y arte
redemir nuestra patria y libertarnos
dando vuestras bravezas menos parte,
pues más pueden dañar que aprovecharnos.
¡Oh hijo de Leocán![30], quiero avisarte,
si quieres como sabio gobernarnos,
que temples esta furia y con maduro
seso pongas remedio en lo futuro.

»El consejo más sano y conveniente
es que, el campo en tres bandas repartido,
a un tiempo, aunque por parte diferente,
dé sobre el Cautén, pueblo aborrecido;
bien que esté en su defensa buena gente,
es poca; y este asiento destruido,

---

[29] Para la desinencia de la segunda persona del plural del perfecto,
v. II, n. 42. Para *licúreo*, v. IV, n. 11. Colocolo recuerda el episodio narrado en el Canto III.
[30] Para este apelativo de Caupolicán, v. II, n. 75.

Valdivia de allanar[31] fácil sería
pues no alcanza arcabuz ni artillería.

»Sólo a mí Santiago me da pena
pero modo a su tiempo buscaremos
para poderla entrar y La Serena
fácilmente después la allanaremos.
Aunque sujeto a lo que el hado ordena,
es el mejor camino que tenemos.»
Acabando con esto el sabio viejo,
a muchos pareció bien su consejo.

Tras éste, otro curaca hechicero
de la vejez decrépita impedido
(Puchecalco se llama el agorero
por sabio en los pronósticos tenido),
con profundo sospiro, íntimo y fiero
comienza así a decir entristecido:
«Al negro Eponamón doy por testigo[32]
de lo que siempre he dicho y ahora digo:

Profesía de Puchecalco.

por un término breve se os concede   40
la libertad y habéis lo más gozado;
mudarse esta sentencia ya no puede
que está por las estrellas ordenado
y que Fortuna en vuestro daño ruede;
mirad que os llama ya el preciso hado
a dura sujeción y trances fuertes:
repárense[33] a lo menos tantas muertes.

»El aire de señales anda lleno,
y las noturnas aves[34] van turbando

---

[31] *allanar* 'sujetar, reducir, pacificar'. Cuervo, *Dicc.*, con el ejemplo de la estrofa siguiente. V. en la «Declaración...» al final del poema, la descripción y situación geográfica de Valdivia.

[32] Cfr. I, n. 77 para esta invocación; en 43,5 Epomanón, por errata. *Negro* 'infausto, terrible' (*Aut.*, con textos posteriores).

[33] *reparar* 'considerar' en construcción transitiva infrecuente.

[34] Para la fuente clásica de la expresión (Lucano) y su introducción en

con sordo vuelo el claro día sereno,
mil prodigios funestos anunciando;
las plantas con sobrado humor terreno
se van, sin producir fruto, secando;
las estrellas, la luna, el sol lo afirman,
cien mil agüeros tristes lo confirman.

»Mírolo todo y todo contemplando,
no sé en qué pueda yo esperar consuelo,
que de su espada el Orión[35] armado
con gran ruina ya amenaza el suelo;
Júpiter se ha al ocaso retirado;
sólo Marte sangriento posee el cielo
que, denotando la futura guerra,
enciende un fuego bélico en la tierra.

»Ya la furiosa Muerte irreparable
viene a nosotros con airada diestra
y la amiga Fortuna favorable
con diferente rostro se nos muestra;
y Eponamón horrendo y espantable,
envuelto en la caliente sangre nuestra,
la corva garra tiende, el cerro[36] yerto,
llevándonos al no sabido puerto.»

Tucapel, que de rabia reventando
estaba oyendo al viejo, más no atiende,
que dice: «Yo veré si adivinando,

_____

los textos literarios españoles por Juan de Mena, v. Vilanova, 387-391.
Por cierto, los signos negativos que menciona Puchecalco, encuentran
su fuente en Lucano; cfr. *Pharsalia* I,526 y ss.: «... superique minaces /
Prodigiis terras implerunt, aethera, pontum / ...».

[35] *Orión* se refiere a la constelación que representa el cazador amado
de Diana y convertido en estrella por Júpiter por su petición; resplandece en el cielo con armadura y espada desde mediados de verano hasta
principios de invierno y su aparición y descenso coinciden con graves
tormentas (Virgilio, *Aeneidos*, I,535 Horacio, *Odae* I, 28, 21 y III,27,17).
Para su mitología, Ovidio, *Fasti* V, 493; J. Pérez de Moya, *Philosophia secreta*, IV, cap. 48.

[36] *cerro* 'lomo de bestia por el cerro de cerdas' (Rosal, 1601, en T.L.).

de mi maza este necio se defiende.»
Diciendo esto y la maza levantando,
la derriba sobre él y así lo tiende,
que jamás midió curso de planeta,
ni fue más adivino ni profeta[37].

Quedóle desto el brazo tan sabroso[38]   45
según la muestra, que movido estuvo
de dar tras el senado religioso,
y no sé la razón que lo detuvo.
Caupolicán, atónito y rabioso,
transportada la mente un rato estuvo,
mas vuelto en sí, con voz horrible y fiera
gritaba: «¡Capitanes!: ¡muera!, ¡muera!»

No le dio tanto gusto a aquella gente
lo que Caupolicano le decía,
cuanto al soberbio bárbaro impaciente
viendo que ocasión tal se le ofrecía;
era alto el tribunal, pero el valiente
los hace saltar dél tan a porfía,
que ciento y treinta que eran, en un punto
saltan los ciento, y él tras ellos junto.

Los que en el alto tribunal quedaron
son los en esta historia señalados,
que jamás de su asiento se mudaron
de donde lo miraban sosegados;
que de ver uno solo no curaron[39]
mostrarse por tan poco alborotados,

---

[37] Alude Ercilla irónicamente a las relaciones estrechas entre la astrología («midió curso de planeta») y las artes adivinatorias que sirvieron de poco a Puchecalco, quien anteriormente había mencionado a Júpiter y a Marte. Cfr. el esclarecedor estudio de E. Garin, «Magia y astrología en la cultura del Renacimiento» en *La revolución cultural del Renacimiento*, Barcelona, Crítica, 1981, págs. 199-216.

[38] *sabroso* aquí en el sentido pasivo 'que recibe deleite' v. la acepción corriente en XVIII,67,1.

[39] *curar* 'procurar' (V, n. 18).

aunque los que saltaron de tan alto
en menos estimaron aquel salto.

Cubierto Tucapel de fina malla
saltó como un ligero y suelto pardo[40]
en medio de la tímida canalla;
haciendo plaza[41] el bárbaro gallardo,
con silbos[42], grita, en desigual batalla,
con piedra, palo, flecha, lanza y dardo
le persigue la gente de manera
como si fuera toro o brava fiera.

Según suele jugar[43] por gran destreza
el liviano montante[44] un buen maestro,
hiriendo con estraña ligereza
delante, atrás, a diestro y a siniestro,
con más desenvoltura y más presteza
mostrándose en los golpes fuerte y diestro,
el fiero Tucapel en la pelea
con la pesada maza se rodea.

De tullir y mancar[45] no se contenta,   50
ni para contentarse esto le basta;
sólo de aquellos tristes hace cuenta
que su maza los hace torta o pasta.
Rompe, magulla, muele y atormenta,
desgobierna, destroza, estropia[46] y gasta;

---

[40] *pardo* 'leopardo', acepción ya existente en latín (DCECH); *suelto* 'veloz' (I, n. 27) y expresión semejante en X,43,2; nótese la repetición sinonímica de los adjetivos (I, n. 112).

[41] *hacer plaza* 'hacer lugar' (Cov.).

[42] *silbo* ant. *silbido* (Nebrija; cfr. DCECH para ejs. desde el siglo XIII).

[43] *jugar* 'manejar', referido a armas (I, n. 45).

[44] *montante* 'espada de dos manos, arma de ventaja y conocida... porque el montante excede la estatura del hombre o porque se juega por lo alto» (Cov.).

[45] *mancar* 'lisiar' *(Aut.,* con texto de Ovalle; DCECH con texto de Cervantes).

[46] *estropiar* es italianismo reciente cuya primera documentación literaria es probablemente este texto (DCECH da un pasaje del *Guzmán);* las

tiros llueven sobre él arrojadizos
cual tempestad furiosa de granizos.

Pero sin miedo el bárbaro sangriento
por las espesas armas discurría;
brazos, cabezas, y ánimos sin cuento
soberbios quebrantó en solo aquel día
y cual menuda lluvia por el viento
la sangre y frescos sesos esparcía
no discierne al pariente del estraño,
haciéndolos iguales en el daño.

Las armas eran sólo en defenderle
de la canalla bárbara araucana
que en montón trabajaba de[47] ofenderle,
mas el temor la ofensa hacía liviana.
Era cierto, admirable cosa verle
saltar y acometer con furia insana
desmembrando la gente, sin poderse
de su maza y presteza defenderse.

Caupolicán del caso no pensado
en tal furor y cólera se enciende,
que estaba de bajar determinado
aunque su gravedad se lo defiende[48];
pero Lautaro, alegre y admirado,
miraba cómo solo así contiende
un hombre contra tanto barbarismo,
incrédulo y dudoso de sí mismo.

Y en esto al General, con el debido
respeto y ojos bajos en el suelo,
le dice: «Una merced, señor, te pido,

---

formas con diptongo aparecen tb. en los diccionarios de la época (T.L.).
Para la acumulación verbal, cfr. III, n. 39; para tratamiento semejante de
Tucapel en lucha con los españoles, v. IX,70.

[47] *trabajar de* 'procurar' (*Aut.*, con texto de Quevedo; v. Keniston,
par. 10,772). *Ofender* 'herir' (I, n. 49).

[48] *defender* 'impedir' (II, n. 90).

270

si algo merecen mi intención y celo,
y es que el gran desacato cometido
perdones francamente a Tucapelo;
pues ha mostrado en campo claramente
valer él más que toda aquella gente.»

Perplejo[49] el General estaba en duda   55
pero mirando al fin quién lo pedía,
luego el ejecutivo intento muda,
y con el rostro alegre respondía:
«Él ha tenido en vos bastante ayuda
por la ·cual le perdono», y más decía
que fuese a las escuadras y mandase
que el combatirle más luego cesase.

Baja Lautaro al campo y prestamente
el rico cuerno a retirar tocaba,
al són del cual se recogió la gente,
que recogerse[50] a nadie le pesaba;
sólo lo siente el bárbaro valiente,
que satisfecho a[51] su labor no estaba
y volviendo a Lautaro el fiero gesto,
en alta y libre voz le dijo aquesto:

«¿Cómo, buen capitán, has estorbado,
el tomar desta vil canalla emienda
y verme destos rústicos vengado
para que mi valor mejor se entienda?»
Lautaro le responde: «Es escusado
quien viniere contigo a la contienda

---

[49] *perplejo* es cultismo presente ya en Mena (DCECH) y en textos del
XVI *(Aut.)* pero ausente de los diccionarios de la época.
[50] *recogió... recogerse* es repetición etimologizadora que añade un matiz
irónico al texto (I, n. 4). Otros ejemplos en 61, 5-6 («aconsejarte... consejo»); 65,4 («acuerdo concordaron»).
[51] *satisfecho a* por *satisfecho de* es construcción poco frecuente que Keniston no registra para la prosa *(Aut.* trae ejemplo poético con el uso corriente).

que se pueda valer contra tu diestra,
según que dello has dado aquí la muestra.

»Comigo puedes ir, que te aseguro
que ningún daño y mal te sobrevenga.»
Tucapel le responde: «Yo te juro
que un paso ese temor no me detenga.
Mi maza es la que a mí me da el seguro[52];
lo demás como quiera vaya y venga,
que el miedo es de los niños y mujeres.
¡Sús[53], alto! vamos luego a do quisieres.»

Juntos los dos al tribunal llegando,
Tucapel, de Lautaro adelantado,
subió por la escalera no mostrando
punto de alteración por lo pasado;
el sagaz General, disimulando,
con graciosa aparencia le ha tratado
y de la rota plática el estilo
Lautaro, así diciendo, añudó[54] el hilo:

«Invicto[55] capitán, yo he estado atento   60
a lo que estos varones han propuesto,
y no sé figurarte el gran contento
que me da ver su esfuerzo manifiesto.
Si de servirte tengo sano intento,
mis obras por las tuyas dirán esto
pues para ser del todo agradecidas,
será poco perder por ti mil vidas.

»Estos fuertes guerreros ayudarte
quieren a restaurar la propia tierra,

---

[52] *seguro* 'seguridad' (I, n. 115).

[53] *¡sus!* es interjección de aliento (II, n. 32).

[54] *añudar* ant. *anudar* (A. de Palencia; Cuervo, *Dicc.* con ejemplos cervantinos de este uso metafórico).

[55] *invicto* 'no vencido' es latinismo que DCECH documenta por primera vez en 1499 y hasta hoy permanece en el estilo elevado que este discurso refleja.

porque en ello les va también su parte
y por el vicio grande de la guerra;
no puedo yo dejar de aconsejarte
aunque todo el consejo en ti se encierra,
aquello que mejor me pareciere
y más bien al bien público viniere.

»Es mi voto que debes atenerte
al consejo, con término discreto,
del sabio Colocolo, que por suerte
le cupo ser en todo tan perfeto;
así que, gran señor, sin detenerte
cumple que esto se ponga por efeto
antes que los cristianos se aperciban
porque más flacamente[56] nos reciban.

»Y pues que Mapochó sólo es temido
después que lo demás esté allanado,
por el potente Eponamón te pido
que el cargo de asolarle me sea dado;
la tierra palmo a palmo la he medido,
con españoles siempre he militado,
entiendo sus astucias e invenciones,
el modo, el arte, el tiempo y ocasiones[57].

»Quinientos araucanos solamente
quiero para la empresa que yo digo
escogidos en toda nuestra gente:
un soldado de más no ha de ir conmigo.
Aquí lo digo, estando tú presente
y estos sabios caciques: que me obligo
de darte la ciudad puesta en las manos
con cien cabezas nobles de cristianos.»

---

[56] *flacamente* 'débilmente' (I, n. 29).
[57] Nótese la acumulación nominal en serie de cinco miembros (III, n. 39); en este texto se añade la figura de la repetición sinonímica intensificadora.

Aquí se cerró[58] el bárbaro orgulloso,
y gran rato sobre ello platicaron;
pareciéndoles modo provechoso,
todos en este acuerdo concordaron;
después do estaba el pueblo deseoso
de saber novedades, se bajaron,
donde lo difinido y decretado
con general pregón fue declarado.

Estuvieron allí catorce días
en grande regocijo y mucha fiesta,
ocupados en juegos y alegrías,
y en quién más veces bebe sobre apuesta.
Después contra los pueblos del Mesías[59],
la alborozada gente en orden puesta,
marcha Caupolicán con la vanguardia,
quedando Lemolemo en retaguardia.

Cerca llegó el ejército furioso
de la Imperial, fundada en sitio fuerte,
donde el fiero enemigo vitorioso
la pensaba entregar presto a la muerte;
mas el Eterno Padre poderoso
lo dispone y ordena de otra suerte,
dilatando el azote merecido,
como veréis, prestando atento oído[60].

FIN

---

[58] *cerrarse* aquí 'callarse'.

[59] Referencia a las poblaciones fundadas por los españoles en territorio araucano. El apelativo elegido adelanta el elemento de lo maravilloso cristiano que aparece en el Canto siguiente y que ubica la guerra contra los araucanos en una perspectiva historiográfica determinista. La destrucción araucana de la Imperial no se llevará a cabo «por permisión divina».

[60] Para estas fórmulas de transición, v. VII, n. 45 y tb. I, n. 49.

LLEGAN LOS ARAUCANOS A TRES LEGUAS DE LA IMPERIAL
CON GRUESO EJÉRCITO. NO HA EFETO SU INTENCIÓN POR
PERMISIÓN DIVINA. DAN VUELTA A SUS TIERRAS ADONDE
LES VINO NUEVA QUE LOS ESPAÑOLES ESTABAN EN EL
ASIENTO DE PENCO REEDIFICANDO LA CIUDAD DE LA CON-
CEPCIÓN. VIENEN SOBRE LOS ESPAÑOLES, Y HUBO ENTRE
ELLOS UNA RECIA BATALLA.

CANTO IX

Si los HOMBRES no veen milagros tantos
como se vieron en la edad pasada
es causa haber agora pocos santos
y estar la ley cristiana autorizada[1];
y así de cualquier cosa hacen espantos
que sobre el natural uso es obrada
y no sólo al Autor no dan creencia
mas ponen en su crédito dolencia[2].

---

[1] Para la fuente erasmista del motivo de la escasez de milagros en el
mundo moderno y su necesidad para los infieles, como se declara más
abajo, en la octava 5, v. «Para los contextos ideológicos de *La Araucana:*
Erasmo», en Lía Schwartz Lerner e Isaías Lerner eds., *Homenaje a Ana
María Barrenechea,* Madrid, Castalia, 1984, 261-270, especialmente
págs. 263-264. Añádase, A. Ginés de Sepúlveda, *Democrates Alter* y
tb. Pomponazzi, *De Incantationibus.* Cfr. J. A. Maravall, *Carlos V y el pensamiento político del Renacimiento,* Madrid, 1960, págs. 288 y 314-315.

[2] *poner dolencia* 'juzgar mal' (*Aut.,* s.v. *dolencia* y *dolo* con ejs. de Juan de
Mariana y Fr. Prudencio de Sandoval).

(E Dios llano.)

Que si al enfermo quiere Dios sanarle
por su costumbre y tiempo convalece;
si al bajo miserable levantarle
por modos ordinarios le engrandece;
si al soberbio hinchado derribarle
por naturales términos se ofrece:
de suerte que las cosas desta vida
van por su natural curso y medida.

Por do vemos que Dios quiere y procura
hacer su voluntad naturalmente,
sirviendo de instrumento la natura[3]
sobre la cual Él sólo es el potente;
y así los que creyeron por fe pura
merecen más que si palpablemente
viesen lo que después de ya visible,
sacarlos de que fue sería imposible.

En contar una cosa estoy dudoso   *Raro*
que soy de poner dudas[4] enemigo,   *pero*
y es un estraño caso milagroso   *verdad.*
que fue todo un ejército testigo;
aunque yo soy en esto escrupuloso[5]
por lo que dello arriba, Señor, digo,
no dejaré en efeto de contarlo
pues los indios no dejan de afirmarlo.

Y manifiesto vemos hoy en día   5
que, porque la ley sacra se estendiese
nuestro Dios los milagros permitía
y que el natural orden se excediese;

   [3] *natura* 'naturaleza' (VI, n. 65). Para esta idea de la naturaleza como instrumento de Dios (Cervantes la llamará en el *Persiles* «mayordomo de Dios»), cfr. A. Castro, *El pensamiento de Cervantes,* Barcelona, 1972, pág. 55.

   [4] *dudoso... dudas* es repetición etimologizadora (I, n. 4). Otro ejemplo en 49,2 («fuerza... fortifica»).

   [5] *escrupuloso* es adjetivo frecuente, sobre todo a partir de la segunda mitad del XVI y, como *escrúpulo del que deriva,* usual en textos relacionados con teología y mística (DCECH).

presumirse podrá por esta vía
que para que a la fe se redujese[6]
la bárbara costumbre y ciega gente
usase de milagros claramente.

Yo dije que el ejército araucano
de la Imperial tres leguas se alojaba
en un dispuesto asiento y campo llano
y que Caupolicán determinaba
entrar el pueblo con armada mano;
también cómo el castigo dilataba
Dios a su pueblo ingrato y sin emienda
usando de clemencia y larga rienda.

Estaba la Imperial desbastecida[7]
de armas, de munición y vitualla;
bien que la gente della era escogida
pero muy poca para dar batalla;
fuera por los cimientos destruida,
cualquier fuerza bastara arruinalla,
y persona de dentro no escapara,
si a vista el pueblo bárbaro llegara.

Cuando el campo de allí quería mudarse,
que ya la trompa a caminar tocaba,
súbito comenzó el aire a turbarse[8],
y de prodigios tristes se espesaba
nubes con nubes vienen a cerrarse,
turbulento rumor se levantaba,
que con airados ímpetus violentos
mostraban su furor los cuatro vientos.

---

[6] *reducir* 'convertir' (I, n. 100).

[7] *desbastecido* por *desabastecido* 'desprovisto' es la forma predominante hasta principios del XVII (T.L. s.v. *abastecer, bastecer* y *bastecido*).

[8] Cfr. IV,62-64 para la descripción de otra tormenta; para *súbito* 'súbitamente', v. IV, n. 16.

Agua recia, granizo, piedra espesa
las intricadas[9] nubes despedían;
rayos, truenos, relámpagos apriesa
rompen los cielos y la tierra abrían;
hacen los vientos ásperos represa[10]   _Explosión_
que en su entera violencia competían;
cuanto topa arrebata el torbellino,
alzándolo en furioso remolino.

Un miedo igual a todos atormenta;   10
no hay corazón, no hay ánimo así entero
que en tanta confusión, furia y tormenta
no temblase, aunque más[11] fuese de acero;
en esto Eponamón[12] se les presenta
en forma de un dragón horrible y fiero) _demonio_
con enroscada cola envuelta en fuego
y en ronca y torpe voz les habló luego

diciéndoles que apriesa caminasen
sobre el pueblo español amedrentado,
que por cualquiera banda[13] que llegasen
con gran facilidad sería tomado,
y que al cuchillo y fuego la entregasen
sin dejar hombre a vida[14] y muro alzado.

---

[9] *intricado* ant. *intrincado* (como *escrupuloso* de la estrofa 4) es latinismo
ya usado por Mena y frecuente en textos literarios a partir de Ercilla.

[10] *represa* es aquí 'explosión', ac. no registrada en los diccionarios
(*Aut.,* DRAE) pero presente en la expresión *moler de represa* «Cuando uno
estuvo detenido y entra con furia en algo» (Correas, 750à) que hace referencia a la representación mitológica de los vientos, encerrados bajo un
monte y al cuidado de Eolo (*Aeneidos,* I,52 y ss.). Cfr. J. Pérez de Moya,
o.c., l,2, c. 33. Para el efecto del rayo sobre los cielos y la tierra, que Ercilla toma de Lucano y Tasso, v. Vilanova, 730-731.

[11] *aunque más* 'por más que' con el primitivo empleo concesivo de *aunque.* Cfr. *Esbozo,* par. 3,18,7,f. Ya se encuentra en el *Amadís* y *La Celestina*
(V. J. L. Rivarola, *Las conjunciones concesivas en español medieval y clásico,* Tü-
bingen, 1976, págs. 129-139).

[12] Para esta figura demoníaca, v. I, n. 77.

[13] *banda* 'lado' (IV, n. 129).

[14] *a vida* por *con vida.*

Esto dicho, que todos lo entendieron,
en humo se deshizo y no lo vieron[15].

Al punto los confusos elementos
fueron sus movimientos aplacando,
y los desenfrenados cuatro vientos
se van a sus cavernas retirando;
las nubes se retraen a sus asientos
el cielo y claro sol desocupando;
sólo el miedo en el pecho más osado
no dejó su lugar desocupado.

La tempestad ccsó y el raso[16] cielo
vistió el húmido campo de alegría,
cuando con claro y presuroso vuelo
en una nube una mujer venía   *la virgen*
cubierta de un hermoso y limpio velo
con tanto resplandor, que al mediodía
la claridad del sol delante della
es la que cerca dél tiene una estrella.

Desterrando el temor la faz sagrada
a todos confortó con su venida;
venía de un viejo cano acompañada,
al parecer de grave y santa vida.
Con una blanda voz y delicada
metáfora   les dice: «¿A dónde andáis, gente perdida?
Volved, volved el paso a vuestra tierra,
no vais a la Imperial a mover guerra.

»Que Dios quiere ayudar a sus cristianos   15
y darles sobre vos mando y potencia[17]
pues ingratos, rebeldes, inhumanos

---

[15] Cfr. en *Aeneidos,* V,740, la aparición de Anchises a Eneas: «Dicerat
et tenuis fugit ceu fumus in auras.»

[16] *raso* 'despejado, sin nubes' *(Aut.).*

[17] *potencia* 'poder, autoridad' *(Aut.).* Cfr. I, n. 112 para repetición sinonímica como más adelante en el Canto: 23,1 («espárcese y derráma-

279

así le habéis negado la obediencia.
Mirad, no vais[18] allá, porque en sus manos
pondrá Dios el cuchillo y la sentencia.»
Diciendo esto y dejando el bajo suelo,
por el aire espacioso subió al cielo.

Los araucanos la visión gloriosa
de aquel velo blanquísimo cubierta
siguen con vista fija y codiciosa,
casi sin alentar[19], la boca abierta.
Ya que[20] desapareció, fue estraña cosa,
que, como quien atónito despierta,
los unos a los otros se miraban
y ninguna palabra se hablaban.

emoción, razón.

Todos de un corazón y pensamiento
sin esperar mandato ni otro ruego,
como si solo aquel fuera su intento
el camino de Arauco toman luego[21].
Van sin orden, ligeros como el viento,
paréceles que de un sensible[22] fuego
por detrás las espaldas se encendían
y así con mayor ímpetu corrían.

la verosimilitud

Heme, Señor, de muchos informado
porque con más autoridad se cuente[23]:

---

se»); 28,6 («trabajo y labor»); 29,1 («reparo y resistencia»); 31,1 («potente y manifiesto»); 90,5 («turbación y desatiento»); 105,6 («cólera y furor»).

[18] *vais* por *vayáis* (VII, n. 39).

[19] *alentar* 'tomar aliento, respirar' (IV, n. 57).

[20] *Ya que* 'apenas'. Cfr. *Esbozo*, par. 3,21,3c y ejs. en la prosa contemporánea de Ercilla en Keniston, par. 28-56. Para *desparecer* por *desaparecer*, v. III, n. 25.

[21] *luego* 'al instante' (I, n. 23), como más adelante en el Canto, en 68,8.

[22] *sensible* es cultismo que aparece documentado a fines del siglo XV, pero infrecuente hasta el XVII; no lo traen Nebrija ni Cov. (DCECH).

[23] La princeps y las dos de Madrid, 1578: «Para no le escrebir confusamente». La variante de la edición de 1589-90 que reemplaza el texto

a veintitrés de abril, que hoy es mediado,
hará cuatro años cierta y justamente
que el caso milagroso aquí contado
aconteció, un ejército presente,
el año de quinientos y cincuenta
y cuatro sobre mil por cierta cuenta[24].

Va la verdad, en suma, declarada
según que de los bárbaros se sabe,
y no de fingimientos adornada,
que es cosa que en materia tal no cabe;
tiene ellos por cosa averiguada
(que no es en prueba desto poco grave)
que por esta visión hubo en dos años
hambres, dolencias, muertes y otros daños.

los desastres naturales despúes del milagro.

Que la mar reprimiendo sus vapores,   20
faltó la agua y vertientes de la sierra,
talando el sol en tierna edad las flores,
ayudado del fuego de la guerra.
Como creció la seca[25] y las calores
por falta de humidad la árida tierra

original reafirma más claramente la voluntad documental de Ercilla y
justifica la inclusión de este suceso maravilloso. Sin embargo, Ercilla
puntualiza aquí y en la octava siguiente, que se trata de un caso referido
como, en verdad, lo son todos los que se relatan en los primeros quince
Cantos. La fuente, se insiste, es indígena; la prueba de veracidad, «no
poco grave», son los cataclismos naturales que se suceden. La fecha de
los versos siguientes ubica el momento de la escritura en 1558, precisamente cuando, a la vuelta de la expedición al Sur que se relatará en el
Canto XXVI, Ercilla regresa a la Imperial y pasa el primer periodo de
descanso de su permanencia en Chile, perturbado por un incidente que
casi le cuesta la vida (XXXV,33 y ss.). Cfr. Medina, *Vida,* 77. Para la escasa función de lo cristiano maravilloso, v. Chevalier, 146.

24 Ercilla hace coincidir la situación de escritura con el cuarto aniver-
sario del «caso milagroso» y un año después de su llegada a Chile el 23 de
abril de 1557 (Medina, *Vida,* 39).

25 *seca* 'sequía' todavía frecuente y popular en la Argentina y en regiones de España (DCECH). Cfr. *Aut.* con este texto de Ercilla. *Calor* era de
género gramatical femenino en la época y todavía vacilante en la lengua
popular (S. Fernández, par. 91).

rompió banco[26] y alzóse con los frutos,
dejando de acudir con sus tributos.

Causó que una maldad se introdujese
en el distrito y término araucano,
y fue que carne humana se comiese,
inorme introducción, caso inhumano,
y en parricidio[27] error se convirtiese
el hermano en sustancia[28] del hermano;
tal madre hubo que al hijo muy querido
al vientre le volvió do había salido.

Digo, pues, que los bárbaros llegando
al valle de Purén, paterno suelo,
las armas por entonces arrimando[29],
dieron lugar al tempestuoso cielo.
En este tiempo, en estas partes, cuando
el encogido[30] invierno con su hielo
del todo apoderándose en la tierra,
pone punto al discurso[31] de la guerra,

espárcese y derrámase la gente,
dejan el campo y buscan los poblados,

---

[26] *romper banco* aquí 'estarse ocioso'; es expresión no registrada en los diccionarios; cfr. Correas, 752b: *rompepoyos* «el ocioso que se anda sentado en los poyos...»; pero tal vez es expresión marinera: *pasar banco* 'escapar a salvo' (T.L., s.v. *banco*).

[27] *parricidio* 'asesinato de un pariente' (*Aut.*, que aún considera *parricida* como voz puramente latina) en uso adjetivo infrecuente. Esta parece ser la primera documentación literaria del cultismo (DCECH).

[28] *sustancia* 'alimento' (*Aut.*). Para el recuerdo de la *Silva* de Pero Mexía e, indirectamente, de San Jerónimo y Josefo, v. M. R. Lida de Malkiel, *Jerusalén. El tema de su cerco y destrucción por los romanos,* Buenos Aires, I. de Filología, 1972, 158-160.

[29] *arrimar las armas* 'dejarlas a un lado' (III, n. 103).

[30] *encogido* aquí 'aterido', en enálage no infrecuente en Ercilla (II, n. 122).

[31] *discurso* 'espacio, período'; ya con esta acepción en Garcilaso (canc. IV, 134); J. de Valdés, 1535, todavía lo consideraba italianismo y lo incluye entre los vocablos que desearía «poderme aprovechar para la lengua castellana» (*Diálogo de la lengua,* ed. cit., 138-9).

cesa el fiero ejercicio comúnmente,
la tierra cubren húmidos ñublados[32];
mas cuando enciende a Scorpio[33] el sol ardiente
y la frígida nieve los collados
sacuden de sus cimas levantadas
ya de la nueva yerba coronadas;

en este tiempo el bullicioso[34] Marte
saca su carro con horrible estruendo
y ardiendo en ira belicosa, parte
por el dispuesto Arauco discurriendo.
Hace temblar la tierra a cada parte
los ferrados caballos impeliendo
y en la diestra el sangriento hierro agudo,
bate con la siniestra el fuerte escudo[35].

Luego a furor movidos los guerreros   25
toman las armas, dejan el reposo;
acuden los remotos forasteros
al cebo de la guerra codicioso[36].
De los hierros renuevan los aceros,
tiemplan[37] la cuerda al arco vigoroso,
el peso de las mazas acrecientan
y el duro fresno de las astas tientan.

La gente andaba ya desta manera
con el són de las armas y bullicio,
que codiciosa comenzar espera

---

32 *ñublado* por *nublado* (IV, n. 94).

33 *Scorpio* alude a la constelación y signo zodiacal que en el hemisferio
Sur coincide con el principio de la primavera.

34 *bullicioso* 'sedicioso' (II, n. 15).

35 La descripción del dios de la guerra, definida por el furioso galopar
de los caballos y el blandir de las armas, recuerda *Aeneidos* XII, 331 y ss.;
hierro es sinécdoque por *lanza (Aut.)*, como en la estrofa siguiente, v. 5;
ferrado ant. *herrado.*

36 *codicioso* 'codiciable, deseable' (Cuervo, *Dicc.* II, 175b, que lo considera empleo «por abuso», con ejemplo de Lope).

37 *templar* La forma con diptongo en el presente es común hasta el
XVII y todavía se oye en el castellano de América.

el deseado bélico ejercicio;
juntáronse a la usada[38] borrachera
(orden antigua[39] y detestable vicio)
la más ilustre gente y señalada
a dar difinición en la jornada.

Tratando en general concilio estaban
del bien y aumentación[40] de aquel Estado,
cuando cuatro soldados arribaban
con triste muestra y paso apresurado,
haciéndoles saber como ya andaban
en el sitio de Penco arruinado
cantidad de españoles trabajando,
un grueso y fuerte muro levantando,

diciéndoles: «Venimos, ¡oh guerreros!,
de parte de los pueblos comarcanos
con facultad bastante a prometeros,
si desterráis de nuevo a los cristianos,
que pagarán con suma de dineros
el trabajo y labor de vuestras manos;
y no habiendo el efeto deseado,
la tercia parte hayáis[41] de lo asentado.

»Viendo el poco reparo y resistencia
que sin vuestro favor todos tenemos,
les dimos llanamente la obediencia
que en el tiempo infelice dar solemos;
no fue por opresión, no fue violencia
pues, aunque desdichados, entendemos
cuán breve es el sospiro de la muerte
que pone fin y límite a la suerte;

---

[38] *usado* 'acostumbrado' (II, n. 16 y n. 80).

[39] *orden* Para su género gramatical, I, n. 111, cfr. 62,5 donde vuelve a usarse.

[40] *aumentación* ant. *aumento* (DRAE), que ya aparece en J. de Ávila, según DCECH.

[41] *hayáis* 'tengáis'. Para la pérdida del valor posesivo de *haber* en la época clásica, v. Lapesa, par. 97,2.

284

»mas, porque estando Arauco tan vecino
y fija en su favor la instable rueda[42],
la paz nos pareció mejor camino
para que remediar todo se pueda;
ya que[43] lo estrague el áspero destino,
tiempo para morir después nos queda,
pues no estarán los brazos tan cansados
que no puedan abrir nuestros costados.

»Y pues os es patente y manifiesta
la embajada y gran priesa que traemos
en ella hora tratada[44], que la respuesta
con la resolución esperaremos.
Brevedad os pedimos, que con ésta
podrá ser que sin riesgo derribemos
la soberbia española y confianza,
antes que les dé esfuerzo la tardanza.»

No se puede decir el gran contento
que les dio a los caciques la embajada;
de todos desde allí en el pensamiento
antes que se acabase fue acetada[45];
pero tuvieron freno y sufrimiento[46]
que la primera voz estaba dada
al hijo de Leocán[47], que consultado
así responde en nombre del senado:

---

[42] *instable rueda* es referencia a la representación de la diosa Fortuna y a la fortuna o hado (II, n. 3). *Instable* por *inestable* es cultismo de uso literario reciente; este texto es anterior a la documentación de DCECH y C. C. Smith, 247 s.v. *estar* (Aldana, Herrera). cfr. *instabilidad* en Garcilaso (Canción 4,162).

[43] *ya que* 'aunque' (Keniston, par. 29.271 para ejemplos en prosa y J. L. Rivarola, *o.c.*, págs. 149-151).

[44] *tratar en* por *tratar de* (VIII, n. 15); *hora* por *ahora* es caso de fonética sintáctica por seguir a palabra terminada en -a.

[45] *acetado* por *aceptado* es grafía antigua todavía en uso en el siglo XVII, pero la forma plena ya se registra a fines del XV (DCECH), cfr. VII n. 58.

[46] *sufrimiento* 'paciencia' (Nebrija; *Aut.*).

[47] Para este apelativo de Caupolicán, v. II, n. 75.

«Estamos con razón maravillados
de lo que en este caso hemos oído;
¿y es verdad que hay cristianos tan osados
que quieren con nosotros más ruido?
Sús, sús[48], que estos varones esforzados
acetan la promesa y el partido[49];
no dando entero fin a la jornada,
del trabajo no quieren llevar nada.

»Bien os podéis volver luego con esto
que sin duda en efeto lo pondremos,
y sobre los cristianos, lo más presto
que se pueda dar orden, llegaremos;
donde se mostrará bien manifiesto
lo poco en que nosotros los tenemos[50]
pero habéis de advertir con sabio modo
que aviso se nos dé siempre de todo.»

Muy alegres los cuatro se partieron   35
por llevar tal respuesta, y caminando
en breve a sus señores se volvieron,
que estaban por momentos[51] aguardando;
y visto el buen despacho que trujeron,
el contento y traición disimulando,
sufrían con discreción las vejaciones,
encubriendo las falsas intenciones.

Domésticos se muestran en el trato,
nadie toma la causa y la defiende,
conociendo que el medio más barato
del araucano ejército depende;
y con doble y solícito contrato
la esperada venganza se pretende

---

[48] *sús* Interjección de aliento como luego en el Canto, en 103,7 (II, n. 32).

[49] *partido* 'trato, convenio, pacto' (*Aut.*).

[50] *tener en poco* 'despreciar, desestimar' (*Aut.* con textos del XVII).

[51] *por momentos* 'continuadamente' (*Aut.*, con ej. del *Quijote*, II, c. 45).

debajo de humildad y gran secreto
para que su intención viniese a efeto.

De nuestra gente y pueblo destrozado
gran descuido en hablar he yo tenido;
mas, como es en el mundo acostumbrado
desamparar la parte del vencido,
así yo tras el bando afortunado
he llevado camino tan seguido,
y si aquí la ocasión no me avisara,
jamás pienso que della me acordara.

Conté de la ciudad la despoblada[52]
y de sus ciudadanos el camino;
púselos en el fin de la jornada,
do forzoso dejarlos me convino;
pues volviendo a la historia comenzada
y al duro proceder de su destino,
estuvieron el tiempo en Santiago
que yo dellos mención aquí no hago.

Retirados allí se reformaron[53]
de todo el aparato conveniente
donde por los más votos acordaron
reedificar a Penco nuevamente.
Con gran trabajo y gasto levantaron
pequeña copia y número[54] de gente.
Afirmar la ocasión desto no puedo,
si fue la poca paga o mucho miedo[55].

Al yermo Penco herboso habían llegado,   40
y un sitio que en mitad del pueblo había

---

52 Cfr. VII, 43-45; *despoblada* ant. *despoblación* (DRAE).
53 *reformar* 'ponerse nuevamente en formación' (I, n. 50).
54 Ver repetición sinonímica idéntica en II,84,3.
55 Nótese que las dos razones aducidas para el escaso número de voluntarios dispuestos a reconstruir Penco («la poca paga o mucho miedo») son claramente antiheroicas y creadoras de comicidad. Es recurso característico de la voz narrativa a lo largo del poema, y se usa para defi-

le tenían de tapión[56] fortificado
que en recogido cuadro le ceñía,
de dos fuertes bastiones[57] abrigado,
que cada uno dos frentes descubría,
y a cada frente asiste una bombarda[58]
que con maciza bala el paso guarda.

La gente comarcana[59] con fingida
muestra la paz malvada aseguraba,
esperando la ayuda prometida
que a cencerros tapados[60] caminaba;
pero no fue secreta esta partida
pues entre los cristianos se trataba
que el valiente Lautaro había pasado
las lomas con ejército formado.

Suénase que Purén allí venía,
Tomé, Pillolco, Angol y Cayeguano,
Tucapel, que con orgullo y bizarría
no le igualaba bárbaro araucano;
Ongolmo, Lemolemo y Lebopía,
Caniomangue, Elicura, Mareguano
Cayocupil, Lincoya, Lepomande,
Chilcano, Leucotón y Mareande.

---

nir tanto la conducta de los indígenas como la de los españoles, como
aquí y más adelante, estrofas 64 y 65, 87,7-8 y 92,7-8.

[56] *tapión* es aumentativo de *tapia* 'muro de tierra amasada y apisonada'
(DRAE); sobre su gran fortaleza y duración se hace eco Covarrubias
(«s.v. *tapia*), quien advierte que «suelen echarle alguna mezcla y rafas
con que se fortifica»; tal vez el aumentativo alude a esta calidad.

[57] *bastión* 'baluarte, fortificación pentagonal en las murallas' está ausente de los diccionarios hasta 1604 (T.L.); es italianismo de introducción reciente en castellano (DCECH).

[58] *bombarda* 'arma de fuego'. Para el uso de la artillería en la conquista
española de América, v. Salas, págs. 206 y ss., especialmente págs. 216 y
218. La alusión a la «maciza bala» se hace eco de los materiales con que
se fabricaban: piedra, plomo o hierro, de forma esférica.

[59] *comarcano* Parece primera documentación de su uso literario (*Aut*.
cita textos posteriores). De hecho, *comarca* se documenta h. 1540
(DCECH s.v. *marcar*).

[60] *a cencerros tapados* «significa cuando hacemos alguna cosa con silencio y a la sorda...» (S. Ballesta, 1587, en T.L.).

Todos estos varones señalados
fueron para esta guerra apercebidos,
con otros dos mil pláticos[61] soldados
en el copioso ejército escogidos.
Venían de fuertes petos arreados[62],
gruesas picas de hierros muy fornidos,
ferradas mazas, hachas aceradas,
armas arrojadizas y enastadas.

Desta manera el escuadrón camina
en la callada noche y sombra escura[63]
debajo del gobierno y diciplina
del cuidoso[64] Lautaro, que procura
llegar cuando la estrella matutina — *De la mañana*
alegra el mustio campo y la verdura,
antes que por aviso y doble trato
de su venida hubiese algún recato[65].

Pero los españoles, de un amigo   45
bárbaro que con ellos contrataba,
saben[66] cómo el ejército enemigo
con riguroso[67] intento se acercaba,
pues avisados desto, como digo,
y de cuanto en secreto se trataba,
al trance se aparejan y batalla,
requiriendo[68] los fosos y muralla.

---

[61] *plático* por *práctico* (II, n. 84).

[62] *arreado* 'equipado' (Oudin, 1607, en T.L.).

[63] En la edición princeps de 1569 el texto reproducía casi exactamente el verso 537 de la Égloga II de Garcilaso: «por el silencio de la noche scura». Cfr. para otros textos IV, n. 135, VI, n. 50 y VII, n. 61. V. tb. «Garcilaso en Ercilla» *Lexis,* Lima II,2 (1978) 203.

[64] *cuidoso* ant. *cuidadoso* (VII, n. 54).

[65] *recato* «el estar sobre aviso y cuidado, no se fiando de todos» (Cov. s.v. *recatar;* nótese estrofa siguiente y *recatado* en 46,6).

[66] Para este uso del presente histórico, v. Keniston, par. 32,17 y compárese, más abajo, 50,8.

[67] *riguroso* 'cruel' (IV, n. 37).

[68] *requerir* 'prevenir, preparar' (IV, n. 31).

Era caudillo y capitán de España
el noble montañés Juan de Alvarado[69],
hombre sagaz, solícito y de maña,
de gran esfuerzo y discreción dotado[70];
el cual con orden y presteza estraña
del presente peligro recatado,
sazón no pierde, tiempo y coyuntura,
antes las prevenciones apresura.

Que al punto apercebidos[71] los soldados,
en su lugar cada uno dellos puesto,
manda a nueve guerreros más cursados[72]
que salgan a correr[73] la tierra presto
y en la cerrada noche confiados
llegan al campo bárbaro y en esto
del callado escuadrón fueron sentidos,
levantando terribles alaridos.

La grita, el sobresalto, los rumores,
el súbito alboroto de la guerra,
las sonorosas[74] trompas y atambores
hacen gemir y estremecer la tierra;
en esto los astutos corredores[75],
atravesando una pequeña sierra,
toman la vuelta por más corta vía,
dando aviso a la amiga compañía.

Juan de Alvarado con ingenio y arte[76]
de la fuerza[77] lo flaco fortifica,

---

69 Ya mencionado en V,39,1 y, más adelante, en XXV,27,5.
70 Madrid, 1569: «De rara industria y ánimo dotado.»
71 *apercebido* por *apercibido* 'preparado' (IV, n. 64).
72 *cursado* 'experimentado, práctico' (Percivale, 1599, en T.L.).
73 *correr* 'recorrer' (VII, n. 63).
74 *sonoroso* cfr. III, n. 76 para este cultismo, que reaparece en 61,2;
atambor por *tambor* (I, n. 54).
75 *corredor* 'soldado explorador' (III, n. 1).
76 *arte* 'ciencia, oficio', ya en Nebrija, 1492, según T.L.
77 *fuerza* 'fuerte, plaza amurallada' (I, n. 57); nótese la aliteración pro-

y en lo más necesario allí reparte
gente del arcabuz y de la pica;
proveído recaudo en toda parte,
a recebir al araucano pica
con la ligera escuadra de caballo,
por no mostrar temor en esperallo.

La nueva claridad del día siguiente   50
sobre el claro[78] horizonte se mostraba,
y el sol por el dorado y fresco oriente
de rojo ya las nubes coloraba[79];
a tal hora Alvarado con su gente
del prevenido fuerte se alejaba
en busca de la escuadra lautarina
que a más andar[80] también se le avecina.

Los nuestros media legua aún no se habían
de aquel su muro lejos alongado[81],
cuando al calar[82] de un monte descubría
el araucano ejército ordenado.
Allí las limpias armas relucían
más que el claro cristal del sol tocado,
cubiertas de altas plumas las celadas
verdes, azules, blancas, encarnadas[83].

---

ducida por la f- inicial. Se vuelve a usar en este mismo Canto, en 63,2; 66,1 y 67,2. *Flaco* 'débil' (I, n. 29).

[78] *claridad... claro* Cfr. I, n. 4 para este tipo de repetición etimologizadora ya señalado en la nota 4 de este Canto. V. más adelante en este Canto: *honrosa... deshonrada* 86, 1-2); *forzoso... esfuerzo* (86,3-4); *sangre... desangrados* (87,3-4).

[79] *colorar* 'colorear, enrojecer' (Casas, 1570 y Oudin, 1607, en T.L.).

[80] *a más andar* 'muy apriesa' (III, n. 47).

[81] *alongarse* 'alejarse, distanciarse' ya anticuado para Ayala, 1693 (T.L.) pero frecuente en el XVI y usado aún por Cervantes (Cuervo, *Dicc.;* Fz. Gómez, con textos del *Quijote* y el *Persiles*).

[82] *Calar* 'descender' como luego, en 53,3 (IV, n. 23).

[83] *encarnadas* Madrid, 1569 y 1578 «blancas, coloradas». La variante, que ya aparece en 1589-90, es índice de la preferencia que se fue acentuando en el uso común español hasta hoy. Por su parte, *colorado* es más frecuente en el español actual de América (DCECH; *Arcaísmos,* para otras acepciones arcaizantes).

¿Quién pintaros[84] podrá el contento cuando
sienten los araucanos el ruido,
que las diestras en alto levantando
pusieron en el cielo un alarido?
Mil instrumentos bárbaros tocando
con grande orgullo y paso más tendido
se vienen acercando a los de España,
sonando en torno toda la campaña.

Quieren los españoles responderlos
con el horrible són de armada mano;
calan el monte a fin de acometerlos
teniendo por mejor el sitio llano.
Bajas las lanzas vienen a romperlos,
pero la osada muestra salió en vano,
que los bárbaros, ya diciplinados,
del todo se cerraron apiñados.

Tan espesas las picas derribaron
con pie y con rostro firme hacia delante,
que no sólo el encuentro repararon[85]
pero a desbaratarlos fue bastante;
los nuestros sin romper se retiraron
y ellos gloriosos con furor pujante,
por dar remate al venturoso lance
siguen con pies ligeros el alcance.

Apretándolos iban reciamente,   55
los nuestros resistiendo y peleando
hasta el estrecho paso de una puente[86]
que allí Lautaro, al cuerno aliento dando,
el araucano ejército obediente

tácticas
militares

---

[84] La voz poética se dirige directamente a su interlocutor, Felipe II.
Para sus menciones a lo largo del poema y su significado, Pierce, 57-58.
Cfr. IV, n. 102.

[85] *reparar* 'detener' como en 55,6 (IV, n. 45).

[86] *puente* era de género gramatical femenino hasta principios del s. xvii,
cuando se generaliza el uso del género masculino; hoy es vulgar o arcaizante en textos literarios (S. Fernández, par. 91).

se va al són conocido reparando;
del fuerte tanto estrecho esto sería
cuanto tira un cañón de puntería.

Detúvose Lautaro con intento
de esperar al caliente mediodía,
porque de la mañana el fresco viento
los caballos y gente alentaría. — *dar ánimas,*
Reforma su escuadrón, haciendo asiento *infundirle*
a vista de los nuestros, que a porfía *vigor*
se habían al sitio fuerte recogido,
teniendo por mejor aquel partido.

Cuando el sol en el medio cielo estaba
no declinando a parte un solo punto,
y la aguda chicharra[87] se entonaba
con un desapacible contrapunto,
el astuto Lautaro levantaba
su campo en escuadrón cerrado y junto,
con grande estruendo y paso concertado
hacia el sitio español fortificado.

Con audacia, desdén y confianza
Lautaro contra el fuerte caminaba;
síguele atrás la gente en ordenanza
y él con gracioso término arrastraba
una larga, ñudosa[88] y gruesa lanza
que airoso poco a poco la terciaba[89]
y tanto por el cuento[90] la blandía
que juntar los estremos parecía.

---

[87] *chicharra* Esta parece la primera documentación de su uso literario;
Covarrubias la da como regionalismo de Toledo (s.v. *cigarra*) y hoy es
usual en Andalucía (DCECH) y América.
[88] *ñudoso* por *nudoso* (I, n. 64), referido a *lanza* adquiere valor de epíteto
virgiliano, pues recuerda: «telum... solidum nodis» (*Aeneidos*, XI, 552).
En el verso anterior, *término* 'modo, manera' (*Aut.*).
[89] *terciar* aquí, 'sostener del primer tercio'. En general, referido a *lanza*
es 'ponerla atravesada'.
[90] *cuento* 'extremo de la lanza' (I, n. 52). Para el continuo reemplazo

Los pocos españoles salen fuera,
que encerrados no quieren esperallos;
de arcabuces delante una hilera,
otra de picas luego y los caballos
a los lados, y así desta manera
con fiera muestra vienen a buscallos;
llegados donde ya podían herirse
los unos a los otros dejan irse.

Y de rencor intrínseco aguijados   60
los movidos ejércitos venían;
suenan los arcabuces asestados[91],
del humo, fuego y polvo se cubrían;
los corvos arcos con vigor flechados
gran número de tiros despedían;
vuelan nubadas[92] de armas enastadas
por los valientes[93] brazos arrojadas.

Cuales contrarias aguas a toparse
van con rauda corriente sonorosa
que, resistiendo al tiempo del mezclarse,
aquélla más violenta y poderosa
a la menos pujante sin pararse
volverla contra el curso es cierta cosa,
así a nuestro escuadrón forzosamente
la arrebató la bárbara corriente.

No pudiendo sufrir la fuerza brava
del número de gente y movimiento,
al español el bárbaro llevaba
como a liviana paja el recio viento.
Entran sin orden, que ya rota andaba,

---

del arco y la flecha por la lanza que hacen los araucanos, v. Salas,
págs. 75 y ss.

[91] *asestar* 'apuntar', 'dirigir' (Nebrija s.v. *assestar* en T.L.).

[92] *nubada* 'el golpe de agua que cae de paso' (Cov.), aquí 'multitud'
como ya en el *Alexandre* (DCECH).

[93] *valiente* 'fuerte' (I, n. 59).

todos mezclados en el fuerte asiento
y dentro del cuadrado y ancho muro
comienzan pie con pie un combate duro.

Algunos españoles castigados
recogerse en la fuerza no quisieron,
que eran de corazones congojados[94]
y de verse en estrecho rehuyeron;
quieren el campo abierto, y por los lados
del turbado montón se dividieron
pero los de más ser[95], con mano osada,
procuran amparar la plaza entrada.

Allí quieren morir o defenderse;
la carrera más larga otros tomaron,
que acordaron con tiempo guarecerse;
otros a la marina[96] se llegaron
metiéndose en un barco, sin poderse
sufrir, las corvas áncoras alzaron;
satisfaciendo al miedo y bajo intento
las velas con presteza dan al viento.

Quien en llegar es algo perezoso,   65
viendo levar el áncora a la nave,
no duda en arrojarse al mar furioso
teniendo aquel morir por menos grave.
Quién antes no nadaba, de medroso
las olas rompe agora y nadar sabe:
mirad, pues, el temor a qué ha llegado,
que viene a ser de miedo el hombre osado.

Los que están en la fuerza retraídos,
como buenos guerreros se defienden;

---

94 *congojado* ant. *acongojado,* participio de *acongojar,* ya documentado en
el siglo XVII (DCECH; no en T.L., que registra la forma antigua en
Nebrija).

95 *ser* aquí, 'los de más valor'.

96 *marina* 'costa' (I, n. 16).

muertos quieren quedar y no vencidos
que ya sólo un honrado fin pretenden;
y con tal presupuesto[97] embravecidos,
sin esperanza de vivir ofenden[98],
haciendo en los contrarios tal estrago
que la plaza de sangre era ya lago.

Lautaro, gente y armas contrastando[99],
en la fuerza el primero entrado había,
y muerto a dos soldados en entrando
que en suerte le cupieron aquel día.
Lincoya iba hiriendo y derribando
mas ¿quién podrá decir la bravería[100]
de Tucapel, que el cielo acometiera
si hallara algún camino o escalera?

No entró[101] el fuerte por puerta ni por puente,
antes con desenvuelto y diestro salto
libre el foso salvó[102] ligeramente
y estaba en un momento en lo más alto;
no le pudo seguir por allí gente,
él solo de aquel lado dio el asalto,
mas como si de mil fuera guardado
se arroja luego en medio del cercado.

Apenas puso el pie firme en la plaza,
cuando el furioso bárbaro esgrimiendo
la ejercitada, dura y gruesa maza,
iba los enemigos esparciendo.

---

[97] *presupuesto* 'propósito', como luego en este mismo Canto, 105, 7 (I, n. 112).

[98] *ofender* 'herir', como luego en el Canto, en 107,6 (I, n. 49).

[99] *contrastando* 'resistiendo' (III, n. 68).

[100] *bravería* 'bravata' (*Aut.*, que la considera «de poco uso» y no aparece en T.L.). Para expresión semejante de desafío al cielo, y con alusión mitológica más concreta, v. XX,7,5-8. Cfr. *Orlando furioso*, 14,119-3-4.

[101] *entrar* 'ocupar, invadir' (VIII, n. 17).

[102] *salvar* 'pasar por encima sin tocar' (*Aut.*, con otro texto de *La Araucana* XIX,11,8 también con *foso*), es documentación temprana de esta acepción (DCECH).

296

No vale malla fina ni coraza
y las celadas fuertes, no pudiendo
sufrir los recios golpes que bajaban,
machucando[103] los sesos se abollaban.

Unos deja tullidos y contrechos[104],   70
otros para en su vida lastimados;
a quien hunde el pescuezo por los pechos,
a quién rompe los lomos y costados
cual si fueran de blanda cera hechos;
magulla, muele y deja derrengados
y en el mayor peligro osadamente
se arroja sin temor de armas y gente.

Contra Ortiz revolvió con muestra airada
que había muerto[105] a Torquín, mozo animoso;
la maza alta y la vista en él clavada,
rompe por el tropel de armas furioso.
No sé cuál fue la espada señalada
ni aquel brazo pujante y provechoso,
que el mástil cercenó del araucano
y dos dedos con él de la una mano.

Con el encendimiento que llevaba
no sintió la herida de repente
mas, cuando el brazo y golpe descargaba,
que los dedos y maza faltar siente,
herida tigre hircana[106] no es tan brava

---

[103] *machucar* 'herir' pero también con la acepción 'machacar', que todavía se oye en América (*Arcaísmos;* DCECH).

[104] *contrecho* 'lisiado' (Cuervo, *Dicc.,* con texto de XIV,41,3 y antecedentes; Casas, 1570, en T.L.); compárese proezas guerreras semejantes
de Tucapel contra sus rivales araucanos en VII,49-52).

[105] *muerto* como participio del verbo *matar* es de uso general en los autores clásicos y aparece en textos del XVIII y del XIX (DCECH).

[106] Para el origen de esta comparación, epítome de la crueldad y de la
fiereza, v. *Aeneidos* IV,366-7: «perfide, sed duris genuit te cautibus ho-
rrens / Caucasus Hyrcanaeque admorunt ubera tigres». *hircana* 'de Hircania' (lat. *Hyrcania*), es decir, perteneciente a la provincia del Asia cercana al mar Caspio.

ni acosado león tan impaciente
como el indio, que lleno de postema[107],
del cielo, infierno, tierra y mar blasfema.

Sobre las puntas de los pies estriba
y en ellas la persona más levanta
el brazo cuanto puede atrás derriba
y el trozo impele con violencia tanta
que a Ortiz, que alta la espada sobre él iba,
la celada y los cascos le quebranta,
y del grave dolor desvanecido
dio en el suelo de manos sin sentido.

El bárbaro, con esto no vengado,
viene sobre él con furia acelerada[108],
y con la diestra, aún no medrosa, airado,
a Ortiz arrebató la aguda espada.
Alzándole la cota[109] por un lado,
le atravesó de la una a la otra ijada
y la alma del corpóreo alojamiento
hizo el duro y forzoso apartamiento.

La espada a la siniestra el indio trueca,   75
sintiéndose tullido de la diestra
y del golpe primero otro derrueca[110],
que también en herir era maestra.
Como suele segar la paja seca
el presto segador con mano diestra,
así aquel Tucapel con fuerza brava
brazos, piernas y cuello cercenaba.

---

[107] *postema* en su sentido figurado de 'resentimiento' (DRAE) y así,
A. Salazar, 1614: «Cuando dos son enemigos y tienen pendencia de largo
tiempo, y vienen a encontrarse y se pelean se les dice: *han rompido el apostema*» (T.L., s.v. *apostema*).

[108] *acelerado* 'violento' (VII, n. 38).

[109] *cota* 'jubón de malla o cuero' (IV, n. 116).

[110] *derrocar* se conjugó con diptongo en sílaba tónica hasta el siglo
XVIII (Cuervo, *Dicc.* y Bello-Cuervo, n. 76).

Dejándose guiar por do la ira
le llevaba furioso discurriendo,
unos hiere, maltrata, otros retira,
la espesa selva de astas deshaciendo.
Acaso[111] al Padre Lobo un golpe tira,
que contra cuatro estaba combatiendo,
el cual sin ver el fin de aquella guerra
dio el alma a Dios y el cuerpo dio a la tierra[112].

El grave Leucotón, no menos fuerte,
con el valor que el cielo le concede
hiere, aturde, derriba y da la muerte[113],
que nadie en fuerza y ánimo le excede.
No sé cómo a escribirlo todo acierte,
que mi cansada mano ya no puede
por tanta confusión llevar la pluma
y así reduce mucho a breve suma.

También Angol, soberbio y esforzado,
su corvo y gran cuchillo en torno esgrime
hiere al joven Diego Oro y del pesado
golpe en la dura tierra el cuerpo imprime;
pero en esta sazón Juan de Alvarado
la furia de una punta le reprime,
que al tiempo que el furioso alfanje alzaba
por debajo del brazo le calaba[114].

No halló defensa la enemiga espada,
lanzándose por parte descubierta,
derecho al corazón hizo la entrada
abriendo una sangrienta y ancha puerta.

---

111 *acaso* 'por azar, casualmente' (III, n. 86).
112 Nótese la bimembración paralelística del verso con una parte
(aquí, el objeto directo) en quiasmo y semánticamente antitética, como
en muchos casos. Ver ejemplos similares en IX,86,6; IX,88,4; XV,10,2;
XV,60,1, y en las tres Partes del poema. Cfr. II, n. 101 y 106.
113 Para esta acumulación verbal característica de las descripciones
bélicas, v. III, n. 39. Cfr. más adelante en el Canto, 100,5.
114 *calar* aquí, 'atravesar, penetrar', ya en Nebrija (T.L.).

La cara antes del joven colorada
se vio de amarillez mustia cubierta,
descoyuntóle el brazo un mortal hielo,
batiendo el cuerpo helado el duro suelo.

El corpulento mozo Mareguano   80
que airado a todas partes discurría,
llegó al tiempo que Angol por diestra mano
al riguroso hierro se rendía.
Era su íntimo amigo y primo hermano,
de estrecho trato antiguo y compañía,
«Pues fue siempre en la vida igual la suerte,
quiero, dijo, también que sea en la muerte.»

Y contra el matador con repentina
rabia que el pecho y venas le abrasaba,
un macizo y fornido tronco empina,
y con fuerza sobre él lo derribaba;
mas, temiendo del golpe la ruina
Alvarado, que el ojo alerto[115] estaba,
saca presto el caballo apercebido
y en el suelo el troncón quedó metido.

Chilcán, Ongolmo, Cayeguán de un lado,
Lepomande y Purén en compañía,
habían así a los nuestros apretado
que ganaron gran crédito aquel día.
Tomé, Cayocupil, y el esforzado
Pillolco, Caniomangue y Lebopía,
Mareande, Elicura y Lemolemo
de su valor mostraron el estremo.

En esto un rumor súbito se siente
que los cóncavos[116] cielos atronaba

---

[115] *alerto* es adjetivo con variante genérica, frecuente en los textos del xvi y del xvii, pero hoy anticuado (DCECH); cfr. ejs. a partir de 1533 en el DHLE y en Cuervo, *Dicc.*

[116] *cóncavo* 'concavidad' (IV, n. 121).

y era que la vitoria abiertamente
por el bárbaro infiel se declaraba,
y a la española destrozada gente
el camino de Itata enderezaba[117],
desamparando el suelo desdichado
de sangre y enemigos ocupado.

Del todo a toda furia comenzando
iban los españoles la huida,
siempre más el temor apresurando
con agudas espuelas la corrida;
sigue el alcance y valos aquejando
la bárbara canalla embravecida,
envuelta en una espesa polvoreda[118],
matando al que por flojo atrás se queda.

Alvarado con ánimo y cordura   85
los anima y esfuerza y no aprovecha;
que la turbada gente en tal rotura
huye la muerte y plaza tan estrecha.
Cuál encamina al monte, y cuál procura
de Mapocho la senda más derecha,
y cuál y cuál[119] constante todavía,
animoso con Átropos[120] porfía.

Éstos, honrosa muerte deseando,
despreciaban la vida deshonrada,
aquel forzoso punto dilatando
con raro esfuerzo y valerosa espada;
presto quedó la plaza sin un bando,

---

117 *enderezar* 'orientar en determinada dirección', especialmente con la palabra *camino* como objeto directo (Cuervo, *Dicc.*).

118 *polvoreda* por *polvareda* (V, n. 44).

119 *y cuál y cuál* aquí con valor indefinido *«y otro y otro»*.

120 *Átropos* era una de las tres parcas, en cuyas manos estaba el hilo de la vida de los seres humanos. Atropos era la encargada de cortarlo (Pérez de Moya, l.7, cap. 7).

de almas vacía y de cuerpos ocupada,
que animosos los pocos que quedaban
a las armas y muerte se entregaban.

Unos por los costados caen abiertos,
otros de parte a parte atravesados,
otros, que de su sangre están cubiertos,
se rinden a la muerte desangrados;
al fin todos quedaron allí muertos,
del riguroso hierro apedazados[121].
Vamos tras los que aguijan los caballos,
que no haremos poco en alcanzallos.

Quién por camino incierto, quién por senda
áspera, peligrosa y desusada
bate al caballo y dale suelta rienda,
que el miedo es grande y grande la jornada;
el bárbaro escuadrón, con grita horrenda,
por sierra, monte, llano y por cañada[122]
las espaldas los iba calentando[123],
hiriendo, dando muerte y derribando.

Había de la comarca concurrido
gente armada por uno y otro lado,
que a la mira[124] imparcial había asistido
hasta ver el derecho declarado;
en esto, alzando un súbito alarido,
con el orgullo a vencedores dado,

---

[121] *apedazado* ant. *despedazado* (Palet, 1604, en T.L.) es probablemente la documentación más antigua de su uso (DCECH). *Aut.* la considera infrecuente y la documenta con otro texto de Ercilla (XIV,21,6).

[122] Para este tipo de acumulación nominal descriptiva, v. III, n. 39. Nótese recurso idéntico en 90,8.

[123] *calentar las espaldas* 'azotarlas' (DRAE), es expresión ausente en los diccionarios de la época (T.L., Correas) y *Aut.;* aquí, 'hostigar, perseguir'.

[124] *mira* aquí 'vista' (Percivale, 1591, en DCECH); cfr. *estar a la mira* 'observar con particular cuidado' (*Aut.;* Cov. registra *poner la mira en una cosa* 'encararnos a ella para conseguirla').

baja las armas hasta allí neutrales
en daño de las señas[125] imperiales.

Sale en el codicioso seguimiento   90
de la española gente que corría
con furia y ligereza más que el viento,
sin hacerse uno a otro compañía;
la mucha turbación y desatiento[126]
que a los nuestros el miedo les ponía,
los lleva sin caminos, esparcidos
por sierras, valles, montes, por ejidos.

Los que tienen caballos más ligeros
¡oh cuán de corazón son envidiados!,
¡qué poco se conocen compañeros
de largo tiempo y amistad tratados!
No aprovechan promesas de dineros
ni de bienes allí representados.
Tanto el miedo ocupado los había
que lugar la codicia aun no tenía;

antes los intereses despreciando
se muestran allí poco codiciosos,
tras las ricas celadas arrojando
petos de fina plata embarazosos;
y así de las promesas no curando[127],
jugaban[128] los talones presurosos:
sólo las alas de Ícaro quisieran,
aunque pasando el mar se derritieran[129].

---

[125] *seña* 'estandarte bélico' (Cov.) es la acepción usual en los textos medievales y ya la registra Nebrija (DCECH).

[126] *desatiento* 'turbación' (VIII, n. 28).

[127] *curar* 'preocuparse' (V, n. 18).

[128] *jugar* 'mover' (*Aut.* con texto muy similar de Cervantes).

[129] Alusión humorística a la narración de Ovidio (*Metamorphoseon* VIII, 183-259) según la cual Ícaro huyó de Creta con un par de alas fabricadas por su padre, Dédalo, ajustado a las espaldas con cera que se derritió al acercarse Ícaro demasiado al sol (J. Pérez de Moya, l.V, cap. 27).

Juan y Hernando Alvarados la jornada
con el valiente Ybarra apresuraban
animando la gente desmayada,
mas no por esto el paso moderaban;
abren por la carrera[130] embarazada,
que ligeros caballos gobernaban
y aunque con viva espuela los batían,
alargarse[131] de un indio no podían.

Delante largo trecho de la gente
a los tres les da caza y atormenta
un espaldudo[132] bárbaro valiente,
Rengo llamado, mozo de gran cuenta[133];
éste solo los sigue osadamente
y a voces con palabras los afrenta
y los aprieta y corre a campo raso,
sin poderle ganar un solo paso[134].

«¡So!, ¡so!»[135], les va gritando: «¡Espera, espera!   95
(que más en castellano no sabia),
pero en su natural lengua primera
atrevidas injurias les decía.

---

[130] *carrera* 'camino', como luego en este Canto, en 110,6 (VI, n. 32);
téngase en cuenta *abrir camino* ya en Cov., con acepción traslaticia
(T.L. s.v. *abrir*).

[131] *alargarse* 'apartarse' (VI, n. 30).

[132] *espaldudo* 'el que tiene grandes espaldas' (Cov.); es documentación
temprana de su uso literario clásico, que enfatiza su connotación cómica
(Casas, 1570, en T.L.; *Aut.*, con texto del *Bonium*, del XIII pero editado a
fines del siglo XV y otro de Góngora de su romance burlesco «Diez años
vivió Belerma» (ed. Foulche-Delbosc, I,39); DCECH sin documentación).

[133] *de cuenta* 'de calidad y respeto' (Oudin, 1607, en T.L.).

[134] Entiéndase 'sin poder (los españoles) ganarle (a Rengo) un solo
paso'.

[135] *¡so!* es interjección para que se detengan las cabalgaduras y caballerías. Escrito *xo* desde su primera documentación a mediados del siglo XV
y en *La Araucana* en las ediciones del XVI y del XVII; la ortografía refleja
la antigua pronunciación prepalatal fricativa sorda (inglés *ashes;* italiano
lasciare); el paso a *s* en vez de *j* (cfr. *dexar, afloxar*, etc.) en la pronunciación moderna se debe tal vez a razones expresivas (DCECH).

Tres leguas los corrió desta manera,
que jamás de las colas se partía
por mucho que aguijasen los rocines,
llamándolos infames y ruines.

Llevaba una arma en alto levantada
que no hay quien su facíón[136] y forma diga.
Era una gruesa haya mal labrada
de la grandeza y peso de una viga,
de metal la cabeza barreada[137]
y esgrímela el garzón[138] sin más fatiga
que el presto esgrimidor suelto y liviano
juega el fácil bastón con diestra mano.

Si alguna vez con el troncón pesado
los caballos el bárbaro alcanzaba,
era de fuerza el golpe tan cargado
que casi derrengados los dejaba;
así cada caballo escarmentado
sin espuelas el curso apresuraba
que jamás fue baqueta[139] en la corrida
como el bastón del bárbaro temida.

Aunque gran techo aquel follón[140] se aleja
del seguro montón y amigo bando,
no por esto la dura empresa deja,
antes más los persigue y va afrentando;
con prestos pies y maza los aqueja,

---

136 *facíón* 'disposición' (I, n. 32).

137 *barreado* 'reforzado con barras' (I, n. 33).

138 *garzón* 'mancebo' tal vez sin el sentido peyorativo con que frecuentemente va asociado en textos del siglo de oro (DCECH, para los varios matices).

139 *baqueta* 'varilla para golpear el caballo' (*Aut.; DCECH*) es documentación temprana de esta acepción.

140 *follón* 'vil', 'colérico' era léxico anticuado y del vocabulario de los libros de caballerías; favorito de don Quijote, en la acepción 'traidor', 'malandrín' (DCECH), que no se aplica al texto de Ercilla.

la nación española profazando[141]
en lenguaje araucano, que entendían
los tres, que a más correr dél se desvían.

Veinte veces revuelven[142] los cristianos
dando sobre él con súbita presteza;
a todos tres les da llenas las manos[143]
con su diabólica arma y ligereza.
Entretanto llegaban los ufanos
indios en el alcance sin pereza
y volviendo los tres a su carrera,
el bárbaro y bastón sobre ellos era.

No por áspero monte ni agria[144] cuesta   100
afloja el curso[145] y animoso brío,
antes cual correr suele sobre apuesta
tras las fieras el puelche[146] en desafío,
los corre, aflige, aprieta y los molesta
y a diez millas de alcance, por do un río
el camino atraviesa al mar corriendo
se fue en la húmida[147] orilla deteniendo.

El bárbaro escuadrón parado había,
solo el contumaz Rengo porfiando
desistir de la empresa no quería,

[141] *profazar* 'injuriar' es ya anticuado para *Aut.*, pero frecuente en textos medievales y hasta el siglo xv. En el xvi es de escaso uso literario.

[142] *revolver* 'enfrentar al enemigo, volverse', como luego en 107,2 (IV, n. 87).

[143] *dar las manos llenas* 'castigar muy rigurosamente' es variante superlativa de la expresión *dar una mano* (Correas, 677b); *Aut.* s.v. *dar* con ejemplos de distintas formulaciones de esta frase hecha: «dar una gran mano», «dar una buena mano».

[144] *agrio* 'escabroso, lleno de peñascos y breñas, como la montaña, la cuesta y subida de alguna roca o puerto', acepción metafórica que a partir del xviii registran los diccionarios (T.L.; *Aut.*); cfr. IV, n. 128.

[145] *curso* 'carrera' (I, n. 26).

[146] *puelche* 'indio de la tribu de este nombre' que Ercilla identifica con «los indios de la sierra». Cfr. *Declaración...* al final del poema; v. XXI,41,6 y nota correspondiente.

[147] *húmida* por *húmeda*, como en 102,1 (II, n. 70).

aunque no vee persona de su bando;
los tres lasos[148] cristianos a porfía
iban el ancho vado atravesando
cuando Rengo cargó de una pesada
piedra la presta honda dél usada.

El tronco en el suelo húmido fijado,
rodea el brazo dos veces, despidiendo
el tosco y gran guijarro así arrojado,
que el monte retumbó del sordo estruendo.
Las ninfas por lo más sesgo[149] del vado
las cristalinas aguas revolviendo
sus doradas cabezas levantaron
y a ver el caso atentas se pararon[150].

El importuno bárbaro no cesa
ni afloja de la empresa que pretende,
antes con silbos, grita y piedra espesa,
en agua a más de la cinta[151], los ofende,
y dándoles en esto mucho priesa,
el beber los caballos les defiende[152]
diciendo: «¡Sús, salid, salid fuera,
que yo os manterné campo[153] en la ribera!»

Viendo Alvarado a Rengo así orgulloso
de la soberbia tema[154] ya impaciente,
dice a los dos: «¡Oh caso vergonzoso,

---

[148] *laso* 'fatigado' (IV, n. 75).

[149] *sesgo* 'sereno, tranquilo, caluroso' (DCECH).

[150] Recuerda *Georgica* IV,350-351 referidos a Arethusa: «... sed ante alias Arethusa sorores / Prospiciens summa flavum caput extulit unda / et procul...».

[151] *cinta* 'cintura' (*Aut.*, con texto de Juan Manuel y del historiador de Indias Antonio de Herrera).

[152] *defender* 'impedir' (II, n. 90).

[153] *mantener campo* aquí, 'mantener desafío'; para *campo* 'desafío', v. XXIII,36,6. *Manterné* ant. por *mantendré*.

[154] *tema* generalmente de género gramatical femenino en la época, es cultismo latino introducido en castellano por autores del siglo xv (DCECH). V. uso masculino en XXXIII,65,4.

307

que a tres nos siga un indio solamente,
y triunfe de nosotros vitorioso!
No es bien que de españoles tal se cuente:
volvamos y de aquí jamás pasemos
si primero morir no le hacemos.»

Así dijo, y las riendas revolviendo,   105
segunda vez el vado atravesaban;
de morir o matarle proponiendo,
los cansados caballos aguijaban;
en esto el araucano conociendo
la cólera y furor con que tornaban,
olvidando la maza y presupuesto,
las voladoras plantas mueve presto.

Una larga carrera por la arena
los tres a toda furia le siguieron,
aunque en balde tomaron esta pena,
que el indio más corrió que ellos corrieron.
Faltos no de intención, pero de lena[155],
de cansados las riendas recogieron,
y en un áspero sitio y peligroso
les hizo rostro[156] el bárbaro animoso.

Por espaldas tomó una gran quebrada
revolviendo a los tres con osadía,
y a falta de la maza acostumbrada
a menudo la honda sacudía;
de allí con mofa, silbos y pedrada,
sin poderle ofender, los ofendía,
por ser aquel lugar despeñadero
y más que ellos el bárbaro ligero.

Visto Alvarado serle así escusado
el fin de lo que tanto deseaba,
dejando libre al bárbaro esforzado
que bien de mala gana se quedaba,

[155] *lena* 'vigor' es italianismo infrecuente en los textos áureos (DCECH, con dato de Fontecha).
[156] *hacer rostro* 'resistir, enfrentar' (V, n. 65).

pasa otra vez el ya seguro vado
y al usado camino enderezaba,
triste en ver que Fortuna por tal modo
se le mostraba adversa y dura en todo.

Había dejado el campo lautarino
de seguir el alcance grande rato;
iban los españoles sin camino
como ovejas que van fuera de hato.
De no seguirlos más me determino,
que por lo que adelante dellos trato,
dejarlos por agora me es forzado
donde otras veces ya los he dejado.

Con la gente araucana quiero andarme,   110
dichosa a la sazón y afortunada
y, como se acostumbra, desviarme
de la parte vencida y desdichada.
Por donde tantos van quiero guiarme,
siguiendo la carrera tan usada,
pues la costumbre y tiempo me convence
y todo el mundo es ya ¡viva quien vence![157]

¡Cuán usado es huir los abatidos
y seguir los soberbios levantados,
de la instable Fortuna favoridos[158],
para sólo después ser derribados!
Al cabo destos favores, reducidos
a su valor, son bienes emprestados[159]
que habemos de pagar con siete tanto,
como claro nos muestra el nuevo canto.

FIN

[157] *¡viva quien vence!* es expresión fija que señala la voluntad de aplaudir al vencedor (*Aut.*, y ya Correas, 357b). Cfr. *Quijote* II, c. 20 y nota correspondiente de Rodríguez Marín (ed. del Patronato, con ejs.).

[158] *favorido* por *favorecido* (III, n. 46).

[159] *emprestar* 'prestar' sigue vivo en las hablas dialectales de España y América; Juan de Valdés ya lo consideraba «grosero» (*Diálogo de la lengua*, ed. Cl. Cast., pág. 101).

UFANOS LOS ARAUCANOS DE LAS VITORIAS HABIDAS, ORDE-
NAN UNAS FIESTAS GENERALES DONDE CONCURRIERON DI-
VERSAS GENTES, ASÍ ESTRANJERAS COMO NATURALES, EN-
TRE LOS CUALES[1] HUBO GRANDES PRUEBAS Y DIFERENCIAS

CANTO X

CUANDO la varia diosa[2] favorece,
y las dádivas prósperas reparte,
¡cómo al ánimo flaco[3] fortalece
que de triste mujer se vuelve un Marte
y derriba, acobarda y enflaquece
el esfuerzo viril en la otra parte,
haciendo cuesta arriba lo que es llano,
y un gran cerro la palma de la mano!

¡Quién vio los españoles colocados
sobre el más alto cuerno de la luna[4]
de sus famosos hechos rodeados,
sin punto y muestra de mudanza alguna!;
¡quién los ve en breve tiempo derribados!;
¡quién ve en miseria vuelta su fortuna,

---

[1] *los cuales* entiéndase 'los araucanos y los extranjeros'.
[2] *diosa* referencia a la diosa Fortuna (II, n. 5); *vario* 'inconstante'
(*Aut.*, con textos posteriores); ya se halla en autores del xv (DCECH);
ausente en Nebrija, es frecuente en textos literarios a partir del siglo XVII.
[3] *flaco* 'débil' como en 7,5 (I, n. 29).
[4] «*En los cuernos de la luna*. Estar, subir, poner. Por estimación» (Correas, 619a).

seguidos, no de Marte, dios sanguino[5],
mas del tímido sexo[6] femenino![7]

Mirad aquí la suerte tan trocada,
pues aquellos[8] que al cielo no temían,
las mujeres, a quien[9] la rueca es dada,
con varonil esfuerzo los seguían;
y con la diestra a la labor usada
las atrevidas lanzas esgrimían
que por el hado próspero impelidas,
hacían crudos[10] efetos y heridas.

Estas mujeres, digo, que estuvieron
en un monte escondidas, esperando
de la batalla el fin, y cuando vieron
que iba de rota[11] el castellano bando,
hiriendo el cielo a gritos decendieron,
el mujeril temor de sí lanzando
y de ajeno valor y esfuerzo armadas,
toman de los ya muertos las espadas.

---

[5] Madrid, 1569 y las dos de Madrid, 1578: «sanguíneo». Es latinismo documentado en el *Corbacho* de A. Martínez de Toledo, de fines del xv (C. C. Smith, 265), como la forma *sanguino* de este texto, presente también en Garcilaso (Égl. 2,1064).

[6] Madrid, 1569 y las dos de Madrid, 1578: «pero el sexo tímido femíneo», en rima cultista con el latinismo literario mencionado en la nota anterior.

[7] *femenino* fue más usual en la forma latinizante *feminino* hasta el siglo xvii; aparentemente ésta es la documentación más temprana de la forma moderna. Cfr. el más frecuente *mujeril* dos estrofas más abajo, 4,6. Por su parte, *femíneo* (lat. *femineus*, en Virgilio, *Aeneidos* II,488) se encuentra más comúnmente desde el siglo xv al xvii (DCECH).

[8] *aquellos* entiéndase 'a aquellos'. Para la omisión de *a* en el objeto directo de persona, en prosa, v. ejs. en Keniston, par. 2,4 y ss.; en este caso puede tratarse de un fenómeno de fonética sintáctica. V. en 17,7 omisión semejante en complemento circunstancial de lugar.

[9] *quien* con sentido plural (III, n. 16).

[10] *crudo* 'cruel, sangriento' (II, n. 108).

[11] *ir de rota* 'ir con total pérdida' (*Aut.*, s.v. *rota,* en la frase proverbial *de rota batida;* Cfr. Correas, 641a, con mención expresa de texto de A. Núñez Cabeza de Vaca, s.v. *ir de rota batida*. V. la nota correspondiente en la edición de Combet, con otro texto de G. Fernández de Oviedo).

312

Y a vueltas del[12] estruendo y muchedumbre   5
también en la vitoria embebecidas[13],
de medrosas y blandas de costumbre
se vuelven temerarias homicidas;
no sienten ni les daba pesadumbre
los pechos al correr, ni las crecidas
barrigas de ocho meses ocupadas,
antes corren mejor las más preñadas.

Llamábase infelice la postrera
y con ruegos al cielo se volvía,
porque a tal conyuntura en la carrera
mover más presto el peso no podía.
Si las mujeres van desta manera,
la bárbara canalla ¿cuál iría?
De aquí tuvo principio en esta tierra
venir también mujeres a la guerra.

Vienen acompañando a sus maridos[14]
y en el dudoso trance están paradas;
pero si los contrarios son vencidos
salen a perseguirlos esforzadas;
prueban la flaca fuerza en los rendidos[15]
y si cortan en ellos sus espadas,

---

[12] *a vueltas de* 'con' (IV, n. 60).

[13] *embebecido* 'distraído, absorto' (V, n. 27).

[14] V. el *Prólogo*, en que Ercilla describe el espíritu guerrero de los araucanos y explica la presencia de las mujeres por las pérdidas sufridas en la
lucha contra los españoles. La caracterización de las mujeres araucanas
pretende, pues, presentarse como un hecho de fundamentación histórica y, al mismo tiempo, de evidente factura literaria para el lector competente. Nada tiene que ver con una caracterización «ajena» de las araucanas, como ha querido entender la crítica reciente. Más bien se trata de la
jerarquización heroica de *personajes* araucanos, como corresponde al género épico de corte histórico que se reelabora en el Renacimiento, y en
el que el poema se inscribe.

[15] Cfr. VI, n. 50; añádanse las notas correspondientes al soneto II de
Garcilaso en los comentaristas Herrera (que recuerda los orígenes clási-
cos ya proverbializados) y Tamayo (que reproduce un verso de Diego
Hurtado de Mendoza).

haciéndolos morir de mil maneras,
que la mujer cruel eslo de veras.

Así a los nuestros esta vez siguieron
hasta donde el alcance había cesado,
y desde allí la vuelta al pueblo dieron
ya de los enemigos saqueado.
Que cuando hacer más daño no pudieron,
subiendo en los caballos que en el prado
sueltos sin orden y gobierno andaban,
a sus dueños por juego remedaban.

Quién hace que combate y quién huía,
y quién tras el que huye va corriendo;
quién finge que está muerto y se tendía,
quién correr procuraba no pudiendo.
La alegre gente así se entretenía,
el trabajo importuno despidiendo,
hasta que el sol rayaba los collados,
que[16] el General llegó y los más soldados.

Los unos y los otros aguijaban   10
con gran priesa a abrazarse estrechamente
pero algunos, por más que se esforzaban,
la envidia les hacía arrugar la frente;
francos[17] los vencedores se mostraban
repartiendo la presa entre la gente[18]:
que aun en el pecho vil contra natura
puede tanto la próspera ventura.

Una solene fiesta en ese asiento
quiso Caupolicán que se hiciese,

---

[16] *que* 'cuando'; para el uso temporal de *que*, v. Keniston, par. 16,644.

[17] *franco* 'dadivoso', 'liberal' *(Aut.)*; para la acepción más frecuente 'desembarazado, libre', v. VII,46,8 y XI,60,7.

[18] Las primeras ediciones: «repartiendo la presa alegremente». La variante de nuestro texto, ya presente en Madrid, 1589-90, mejora la octava, eliminando el segundo adverbio en rima.

donde del araucano ayuntamiento
la gente militar sola asistiese
y con alegre muestra y gran contento,
sin que la popular se entremetiese,
en juegos, pruebas, danzas y alegrías
gastaron, sin aquel, algunos días[19].

Los juegos y ejercicios acabados,
para el valle de Arauco caminaron,
do a las usadas[20] fiestas los soldados
de toda la provincia convocaron;
fueron bastantes plazos[21] señalados,
joyas de gran valor se pregonaron
de los que en ellas fuesen vencedores,
premios dignos de haber[22] competidores.

La fama de la fiesta iba corriendo
más que los diligentes mensajeros,
en un término breve apercibiendo
naturales, vecinos y estranjeros;
gran multitud de gente concurriendo,
creció el número tanto de guerreros,
que ocupaban las tiendas forasteras,
los valles, montes, llanos y riberas[23].

Ya el esperado catorceno día,
que tanta gente estaba deseando,
al campo su color restituía
las importunas sombras desterrando,

---

[19] La princeps de Madrid, 1569 y las dos de Madrid, 1578: «En danzas, juego, vicio y pasatiempo / allí se detuvieron algún tiempo.»

[20] *usado* 'acostumbrado' (II, notas 16 y 80).

[21] *plazo* 'término o distrito que se señalaba para los duelos públicos' (*Aut.*).

[22] *haber* 'tener' es uso posesivo que ya se estaba perdiendo en la lengua literaria (Lapesa, par. 97,2).

[23] Esta octava y la siguiente recuerdan las espectativas creadas por los juegos que ordena Aeneas, para honrar la memoria de su padre Anchises (*Aeneidos*, V,104-113).

cuando la bulliciosa compañía
de los briosos jóvenes, mostrando
el juvenil hervor y sangre nueva,
en campo estaban, prestos a la prueba.

Fue con solene pompa referido   15
el orden de los precios[24] y el primero
era un lustroso alfanje guarnecido
por mano artificiosa[25] de platero:
este premio fue allí constituido
para aquel que con bazo más entero
tirase una fornida y gruesa lanza,
sobrando a los demás en la pujanza.

Y de cendrada[26] plata una celada
cubierta de altas plumas de colores,
de un cerco de oro puro rodeada,
esmaltadas en él varias labores,
fue la preciada joya señalada
para aquel que entre diestros luchadores
en la difícil prueba se estremase
y por señor del campo en pie quedase.

Un lebrel animoso remendado[27] *tipu de perru de caza*
que el collar remataba una venera

[24] *precio* 'premio' es acepción empleada hasta el siglo XVII (DCECH, con ejs. de Cervantes); cfr. más abajo, 18,7; 27,5 y 53,8.

[25] *artificioso* 'hábil, industrioso, bien hecho' (Nebrija, Percivale, 1599, en T.L.).

[26] *cendrado* por *acendrado* (ya en A. de Guevara, según DCECH) 'refinado, purificado' (Nebrija: «cendrada plata»). Cfr. para Garcilaso, *Lexis*, Lima II,2 (1978) 24.

[27] *remendado* 'animal que tiene la piel manchada' (*Aut.*). Para los perros europeos que se usaron en la conquista de América, v. Salas, c. III, 159 y ss.; lo curioso de esta mención de Ercilla es que aparece como premio de Caupolicán al vencedor indígena en carrera; parece licencia poética. V. Salas, 164 y n. 25, quien supone que en este pasaje se habla de «perros americanos»; sin embargo, no vuelven a ser mencionados en el poema ni tampoco se hace nunca referencia a perros que participaran en batalla con el bando español.

de agudas puntas de metal herrado,
era el precio de aquel que en la carrera,
de todas armas y presteza armado,
arribase más presto a la bandera
que una gran milla lejos tremolaba
y el trecho señalado limitaba.

Y de niervos[28] un arco hecho por arte
con su dorada aljaba, que pendía
de un ancho y bien labrado talabarte[29]
con dos guesas hebillas de taujía[30],
éste se señaló y se puso aparte
para aquel que con flecha a puntería,
ganando por destreza el precio rico,
llevase al papagayo el corvo pico.

Una caballo morcillo[31] rabicano
tascando el freno estaba de cabestro,
precio del que con suelta y presta mano
esgrimiese el bastón más como diestro.
Por juez se señaló a Caupolicano,
de todos ejercicios gran maestro.
Ya la trompeta con sonada nueva
llamaba opositores a la prueba[32].

No bien sonó la alegre trompa, cuando   20
el joven Orompello, ya en el puesto,
airosamente el manto derribando
mostró el hermoso cuerpo bien dispuesto,

---

[28] *niervo* por *nervio* (I, n. 82), aquí 'cuerda'; (*Aut.*, con texto posterior de Bocángel).

[29] *talabarte* 'pretina' (*Aut.*, con textos posteriores); para *Lazarillo*, v. DCECH.

[30] *taujía* por *ataujía* 'labor morisca, embutida de oro o plata uno en otro o en hierro o otro metal' (Cov.; Percivale, 1599, en T.L.); la variante que usa Ercilla es anterior (DCECH, con ejemplo de 1510).

[31] *morcillo* 'caballo o yegua de color totalmente negro' (*Aut.*); para *rabicano*, cfr. V, n. 26.

[32] Cfr. *Aeneidos* V,113: «et tuba comissos medio cavit aggere ludos».

y en la valiente[33] diestra blandeando
una maciza lanza. Luego en esto
se ponen asimismo Lepomande,
Crino, Pillolco, Guambo y Mareande.

Estos seis en igual hila[34] corriendo,
las lanzas por los fieles igualadas,
a un tiempo las derechas sacudiendo,
fueron con seis gemidos arrojadas;
salen la astas con rumor crujiendo
de aquella fuerza e ímpetu llevadas,
rompen el aire, suben hasta el cielo,
bajando con la misma furia al suelo.

La de Pillolco fue la asta primera
que falta de vigor a tierra vino;
tras ella la de Guambo y la tercera
de Lepomande y cuarta la de Crino;
la quinta de Mareande, y la postrera,
haciendo por más fuerza más camino
la de Orompello fue, mozo pujante,
pasando cinco brazas adelante.

Tras éstos, otros seis lanzas tomaron,
de los que por más fuertes se estimaban
y aunque con fuerza estrema procuraron
sobrepujar el tiro, no llegaban;
otros tras éstos y otros seis probaron,
mas todos con vergüenza atrás quedaban.
Y por no detenerme en este cuento[35]
digo que lo probaron más de ciento.

Ninguno con seis brazas llegar pudo
al tiro de Orompello señalado,

---

[33] *valiente* 'fuerte' (I, n. 59).
[34] *hila* 'hilera' (I, n. 48).
[35] *cuento* 'cuenta, cómputo' es acepción antigua (DCECH) hoy poco frecuente. Cfr. otras acepciones en I, n. 52 y VII, n. 48.

hasta que Leucotón, varón membrudo,
viendo que ya el probar había aflojado,
dijo en voz alta: «De perder no dudo
mas porque todos ya me habéis mirado,
quiero ver deste brazo lo que puede,
y a dó llegar mi estrella me concede.»

Esto dicho, la lanza requerida,   25
en ponerse en el puesto poco tarda
y dando una ligera arremetida,
hizo muestra de sí fuerte y gallarda;
la lanza por los aires impelida
sale cual gruesa bala de bombarda[36],
o cual furioso trueno que corriendo
por las espesas nubes va rompiendo.

Cuatro brazas pasó con raudo vuelo
de la señal[37] y raya delantera,
rompiendo el hierro por el duro suelo
tiembla por largo espacio la asta fuera;
alza la turba un alarido al cielo
y de tropel con súbita carrera
muchos a ver el tiro van corriendo,
la fuerza y tirador engrandeciendo.

Unos el largo trecho a pies medían
y examinan el peso de la lanza;
otros por maravilla encarecían
del esforzado brazo la pujanza;
otros van por el precio; otros hacían
al vencedor cantares de alabanza,
de Leucotón el nombre levantando
le van en alta voz solenizando.

---

36 *bombarda* 'arma de fuego' (IX, n. 58).
37 *señal* 'meta' (*Aut.*, con este texto). Para la sinonimia, v. I, n. 112;
v. también en este Canto, 30,4 («corrido y vergonzoso»).

Salta Orompello y por la turba hiende
y aquel rumor, colérico, baraja[38],
diciendo «Aún no he perdido, ni se entiende
de sólo el primer tiro la ventaja.»
Caupolicán la vara en esto tiende
y a tiempo un encendido fuego ataja,
que Tucapel al primo[39] había acudido
y otros con Leucotón se habían metido.

Caupolicán, que estaba por juez puesto
mostrándose imparcial, discretamente
la furia de Orompello aplaca presto[40]
con sabrosas palabras blandamente;
y así, no se altercando más sobre esto,
conforme a la postura, justamente,
a Leucotón, por más aventajado,
le fue ceñido el corvo alfanje al lado.

Acabada con esto la porfía,   30
y Leucotón quedando vitorioso,
Orompello a una parte se desvía,
del caso algo corrido y vergonzoso[41];
mas como sabio mozo lo encubría,
de verse en ocasiones deseoso
por do con Leucotón y causa nueva
venir pudiese a más estrecha prueba.

Era Orompello mozo asaz valido[42],
que desde su niñez fue muy brioso,

---

[38] *barajar* 'disputar, rechazar', es acepción derivada de la antigua 'reñir, pelear', que ya aparece en VII,49,5 y que Valdés considera menos aceptable que *contender* (*Diálogo de la lengua*, ed. Cl. Cast., págs. 107-19; cfr. DCECH).

[39] Para este parentesco, v. luego, 31,8.

[40] V. I, n. 62 para uso adverbial de adjetivos.

[41] *vergonzoso* aquí, 'avergonzado'.

[42] *valido* 'robusto, fuerte, esforzado' (*Aut.*, con texto posterior de la traducción de la *Pharsalia* de Lucano por Juan de Jáuregui; allí, sin embargo, como latinismo obvio, pues es esdrújulo).

manso, tratable, fácil, corregido[43],
y en ocasión metido, valeroso;
de muchos en asiento preferido
por su esfuerzo y linaje generoso[44],
hijo del venerable Mauropande,
primo de Tucapel y amigo grande.

Puesto nuevo silencio, y despejado
el campo do la prueba se hacía,
el diestro Cayeguán[45], mozo esforzado,
a mantener la lucha se metía;
no pasó mucho, cuando de otro lado
con gran disposición Torquín salía
de haber en él pujanza y ligereza,
ambos en el luchar de gran destreza.

Dada señal, con pasos ordenados,
los dos gallardos bárbaros se mueven;
ya los viérades juntos, ya apartados,
ora tienden el cuerpo, ora le embeben[46];
por un lado y por otro recatados[47]
se inquieren, cercan, buscan y remueven,
tientan, vuelven, revuelven y se apuntan,
y al cabo con gran ímpetu se juntan[48].

Hechas las presas[49] y ellos recogidos,
en su fuerza procuran conocerse;
pero de ardor colérico encendidos
comienzan por el campo a revolverse.

---

[43] *corregido* 'moderado, templado' (Cuervo, *Dicc.*, con este ejemplo).
Para la acumulación nominal, III, n. 39, V. otro ejemplo en este Canto,
en 57,5.

[44] *generoso* 'ilustre, noble' (III, n. 48).

[45] El texto, *Ceyeguán*, sin duda por errata.

[46] *embeber* 'encoger' (Cov.), en construcción paralelística antitética
con *tender* 'extender'.

[47] *recatado* 'prudente', como luego en 52,3 (VII, n. 41).

[48] Para este tipo de acumulación verbal, v. III, n. 39.

[49] *presa* 'llave, lance en el que el luchador sujeta e inmoviliza al adversario' (DRAE), como más abajo, en 37,8.

Cíñense pies con pies y entretejidos
cargan a un lado y otro, sin poderse
llevar cuanto una mínima ventaja
por más que el uno y otro se trabaja[50].

Andando así, en un tiempo, cauteloso   35
metió la pierna diestra Cayeguano;
quiso Torquín ceñirla codicioso,
cargando con gran fuerza a aquella mano;
sácala a tiempo Cayeguán mañoso,
y el cuerpo de Torquín quedando en vano,
del mismo peso y fuerza que traía
a los pies enemigos se tendía[51].

Tras éste el fuerte Rengo se presenta,
el cual, lanzando fuera los vestidos
descubre la persona[52] corpulenta,
brazos robustos, músculos fornidos;
mírale la confusa turba atenta,
que de cuatro entre todos escogidos
este valiente bárbaro era el uno,
jamás sobrepujado de ninguno.

Con gran fuerza los hombros sacudiendo
se apareja a la lucha y desafío,
y al vencedor contrario apercibiendo
le va a buscar con animoso brío;
de la otra parte Cayeguán saliendo
en medio de aquel campo a su albedrío,
vienen los dos gallardos a juntarse,
procurando en la presa aventajarse.

Un rato estuvo en confusión la gente
y anduvo en duda la vitoria incierta;

---

[50] *trabajarse* 'esforzarse' (VI, n. 75, para empleo no distributivo).
[51] Cfr. *Eeneidos* V,446-448: «Entellus viris in ventum effudit et ultro /
ipse gravis graviterque ad terram pondere vasto / concidit...»
[52] *persona* 'cuerpo' (VI, n. 43).

mas luego Rengo dio señal patente
con que fue su pujanza descubierta,
que entre los duros brazos reciamente
al triste Cayeguán, la boca abierta,
sin dejarle alentar[53] le retraía
y acá y allá con él se revolvía.

Alzólo de la tierra y apretado,
en el aire gran pieza lo suspende;
Cayeguán sin color, desalentado,
abre los brazos y las piernas tiende.
Viéndolo así rendido, el esforzado
Rengo, que a la vitoria sólo atiende,
dejándole bajar, con poca pena
le estampa de gran golpe en el arena[54].

Sacáronle del campo sin sentido   40
y a su tienda en los hombros le llevaron;
todos la fuerza grande y el partido
de Rengo en alta voz solenizaron;
pero cesando en esto aquel ruido,
a sus asientos luego se tornaron,
porque vieron que Talco aparejado
el puesto de la lucha había tomado.

Fue este Talco de pruebas gran maestro,
de recios miembros y feroz semblante,

---

[53] *alentar* 'tomar aliento, respirar' (IX, n. 19) y, en 39,3 *desalentado* 'sin aliento' (IV, n. 57); *retraer* 'retroceder' (DRAE; DCECH s.v. *traer* con ejs. anteriores).

[54] *el arena* y más abajo, en 56,6 *la arena,* lo que indica que Ercilla aprovecha la vacilación genérica de *arena* para usos métricos. El empleo de *el* ante sustantivo de género gramatical femenino se limita hoy a los casos en que el sustantivo empieza con *a* acentuada, pero hasta el siglo XVII este tipo de concordancia incluía otros casos. Cfr. Keniston, par. 18,121 y ss.; v. tb. S. Fernández, par. 140. El episodio reelabora la fórmula empleada por Heracles para vencer al gigante Antaeus, hijo de la tierra, con cuyo contacto recobraba fuerzas. En efecto, en la estrofa 56, Ercilla explicita bellamente el homenaje al mito, atribuyendo a Rengo, que aquí juega el papel de Heracles, la furia de Antaeus.

diestro en la lucha y en las armas diestro[55],
ligero y esforzado aunque arrogante
y con todas las partes[56] que aquí muestro,
era Rengo más suelto y más pujante,
usado en[57] los robustos ejercicios,
que dello su persona daba indicios.

Talco se mueve y sale con presteza,
Rengo espaciosamente[58] se movía;
fíase mucho el uno en la destreza,
el otro en su vigor sólo se fía.
En esto con estraña ligereza,
cuando menos cuidado en Talco había,
un gran salto dio Rengo no pensado,
cogiendo al enemigo descuidado[59].

De la suerte que el tigre cauteloso
viendo venir lozano al suelto pardo[60],
el cuello bajo, lerdo y perezoso,
con ronco són se mueve a paso tardo,
y en un instante súbito y furioso
salta sobre él con ímpetu gallardo
y echándole la garra así le aprieta
que le oprime, le rinde y le sujeta[61],

---

[55] Notar la estructura paralelística bimembre con modificador en quiasmo, no infrecuente en Ercilla (III,7,2 por ej.). *Aut.* ilustra la definición de *diestro* 'hábil' con este texto; v. otra acepción en IV, n. 81. Cfr. II, n. 101 y III, n. 9.

[56] *partes* 'prendas, dotes naturales' (*Aut.*).

[57] *usado en* 'acostumbrado a' (II, n. 80). Para la fuente clásica y el uso en Garcilaso de esta perífrasis aplicada a la caza, Vilanova I,263 y *Lexis*, Lima, II,2 (1978) 211.

[58] *espaciosamente* 'lentamente' (VIII, n. 24).

[59] Nótese la repetición etimologizadora *cuidado... descuidado* (I, n. 4). Otros ejemplos en el Canto, en 48,4 («esfuerzo... fuerza»); 52,1 («grueso y engrosado»). El pasaje recuerda y reelabora el motivo épico del encuentro pugilístico que enfrenta fuerza y habilidad: *Aeneidos* V,430 y ss. que, a su vez, rehace *Ilíada* XXIII, 664 y ss. (Epeo y Euríalo).

[60] *suelto* 'veloz' como en 41,6 (I, n. 27); *pardo* 'leopardo' (VIII, n. 40).

[61] *sujetar* 'someter, humillar' (*Aut.*); nótese la serie verbal, con intensificación semántica.

desta manera Rengo a Talco afierra[62],
y antes que a la defensa se prevenga,
tan recio le apretó contra la tierra
que, el lomo quebrantado, lo derrienga[63];
viéndolo pues así lo desafierra
y a su puesto esperando que otro venga,
vuelve, dejando el campo con tal hecho
de su estremada fuerza satisfecho.

Mas no hubo en hombre[64] allí tal osadía   45
que a contrastar al bárbaro se atreva
y así porque la noche ya venía,
se difirió la comenzada prueba
hasta que el carro[65] del siguiente día
alegrase los campos con luz nueva;
sonando luego varios instrumentos,
hinchieron de las mesas los asientos.

Pues otro día[66], saliendo de su tienda
el hijo de Leocán acompañado,
al cercado lugar de la contienda[67]
con altos instrumentos fue llevado;
Rengo, porque su fama más se estienda,
dando una vuelta en torno del cercado,
entró dentro con una bella muestra
y a mantener se puso la palestra[68].

---

[62] Para la conjugación de *aferrar,* III, n. 56.

[63] *derrengar* 'deslomar' (IV, n. 78 y *Aut.,* que trae este texto, transcrito también s.v. *desaferrar* 'desasir, soltar lo que se tiene agarrado con fuerza' (Cuervo, *Dicc.,* II, 946b).

[64] *hombre* 'uno, ninguno' (V, n. 68).

[65] Es decir, la Aurora, que se elevaba del océano en el carro de Faetón. Cfr. II,55,1 y nota correspondiente.

[66] *otro día* 'al día siguiente' es acepción en la que *otro* conserva la acepción etimológica (lat. *alter); cfr. Esbozo* 2,8,3,7.

[67] Madrid, 1569, y las dos de Madrid, 1578: «De gran gente, al lugar de la contienda.»

[68] *palestra* 'lucha', es acepción metonímica del latinismo, ya registrado en Juan de Mena *(Aut.;* cfr. DCECH).

Bien por dos horas Rengo tuvo el puesto
sin que nadie la plaza le pisase,
que no se vio soldado tan dispuesto
que, viéndole, el lugar vacío[69] ocupase;
pero ya Leucotón mirando en esto,
que, porque su valor más se notase,
hasta ver el más fuerte había esperado,
con grave paso entró en el estacado[70].

Luego un rumor confuso y grande estruendo
entre el parlero vulgo se levanta
de ver estos dos juntos conociendo
en uno y otro esfuerzo y fuerza tanta[71].
Leucotón la persona recogiendo,
a recebir a Rengo se adelanta,
que con gallardo paso se venía
de esfuerzo acompañado y lozanía.

Vienen al paragón[72] dos animosos
que en esfuerzo y pujanza par no tienen;
unas veces aguijan presurosos,
otras frenan el paso y lo detienen.
Andan en torno y miran cautelosos,
y a todos los engaños se previenen;
pero no tardó mucho que cerraron[73]
y con estrechos ñudos[74] se abrazaron.

---

[69] *vacío* es aquí bisílabo: para esta vacilación acentual frecuente en la época y hoy relegada a usos coloquiales en España y América, v. A. Rosenblat, *Notas de morfología dialectal* en Aurelio M. Espinosa, *Estudios sobre el español de Nuevo Méjico*, Buenos Aires, 1946.

[70] *estacado* por *estacada* 'liza' (II, n. 31).

[71] Madrid, 1569 y las dos de Madrid, 1578: «en ambos igualmente fuerza tanta».

[72] *paragón* 'prueba' por *parangón,* ya en Torres Naharro (1517), es forma italianizante poco frecuente; este texto parece ser el primer testimonio literario de la variante. Según DCECH, la acepción la usa C. de las Casas, 1570, para traducir el italiano *paragone;* su ausencia de los diccionarios anteriores hace pensar en italianismo para la época.

[73] *cerrar* 'embestir' (II, n. 105).

[74] *ñudo* por *nudo,* es variante frecuente en los textos áureos y ya regis-

Juntándose los dos, pechos con pechos[75],   50
van las últimas fuerzas apurando;
ya se afirman y tienden muy estrechos,
ya se arrojan en torno volteando,
ya los izquierdos, ya los pies derechos
se enclavijan y enredan, no bastando
cuanta fuerza se pone, estudio y arte
a poder mejorarse alguna parte.

Acá y allá furiosos se rodean,
la fuerza uno del otro resistiendo;
tanto forcejan, gimen, ijadean[76]
que los miembros se van entorpeciendo;
tiemblan de la fatiga y titubean
las cansadas rodillas, no pudiendo
comportar el tesón y furia insana
que al fin eran de hueso y carne humana.

De sudor grueso y engrosado aliento
cubiertos los dos bárbaros andaban
y del fogoso y recio movimiento
roncos los pechos dentro resonaban.
Ellos siempre con más encendimiento,
sacando nuevas fuerzas procuraban
llegar la empresa al cabo[77] comenzada
por ganar el honor y la celada.

Pero ventaja entre ellos conocida
no se vio allí ni de flaqueza indicio;
ambos jóvenes son de edad florida[78],
iguales en la fuerza y ejercicio.

su igualdad.

_____

trada en Nebrija (DCECH); hoy sigue viva en dialectos de España y
América.

[75] *pechos* por *pecho* (III, n. 122).

[76] *forcejar* por *forcejear,* que es forma en uso a partir del siglo xix
(DCECH); *ijadear* por *jadear* (IV, n. 58).

[77] *llegar al cabo* 'concluir'.

[78] *edad florida* 'joven, de escasa edad'. Cfr. Garcilaso, Egloga II,175:
«ejercitaba allí su edad florida».

Mas la suerte de Rengo enflaquecida
y el hado, que hasta allí le fue propicio,
hicieron que perdiese a su despecho
del precio y del honor todo el derecho.

Había en la plaza un hoyo hacia el un lado[79],
engaste de un guijarro y nuevamente[80]
estaba de su encaje levantado
por el concurso[81] y huella de la gente;
desto el cansado Rengo no avisado,
metió el pie dentro, y desgraciadamente
cual cae de la segur[82] herido el pino
con no menos estruendo a tierra vino.

No la pelota con tan presto salto   55
resurte[83] arriba del macizo suelo,
ni la águila, que al robo cala[84] de alto,
sube en el aire con tan recio vuelo,
como de corrimiento el seso falto,
Rengo rabioso, amenazando el cielo,
se puso en pie, que aun bien no tocó en tierra,
y contra Leucotón furioso cierra.

Como en la fiera lucha Anteo temido
por el furioso Alcides[85] derribado,

[79] *el un lado* La combinación, hoy desaparecida, del artículo definido e indefinido, no es infrecuente en la época, sobre todo si se sobreentiende que modifica un sustantivo que es parte de una cantidad mayor, como en este texto, pues hay más de «un lado» en la estacada (cfr. Keniston, par. 21,2 para ejs. en prosa).

[80] *nuevamente* 'recientemente' (I, n. 37).

[81] *concurso* 'multitud', ausente en Nebrija, es latinismo ya usado por Juan de Mena (DCECH).

[82] *segur* 'hacha', de uso frecuente en escritores medievales y clásicos (*Aut.*; DCECH).

[83] *resurtir* 'saltar' (*Aut.*, con texto de Garcilaso Inca y ya en Nebrija).

[84] *calar* 'bajar, descender' (IV, n. 23).

[85] *Alcides* Apelativo de Heracles, literalmente, 'descendiente de Alcaeus', pues Anfitrión, su padre, era hijo de Alcaeus. Cfr. nota 53 de este Canto para el mito. V. Pérez de Moya, l.III, cap. 8.

que de la tierra madre recogido
cobraba fuerza y ánimo doblado,
así el airado Rengo embravecido,
que apenas en la arena había tocado,
sobre el contrario arriba de tal suerte
que al estremo llegó de honrado[86] y fuerte.

Tanto dolor del grave caso siente[87]
el público lugar considerando,
que abrasado de fuego y rabia ardiente,
se le fueron las fuerzas aumentando;
y furioso, colérico, impaciente,
de suerte a Leucotón va retirando
que apenas le resiste y el suceso
oiréis en el siguiente canto expreso[88].

FIN

---

[86] *honrado* 'reputado, merecedor de honra' (Cov.).
[87] Madrid, 1569 y las dos de Madrid, 1578: «Tanta afrenta, vergüenza y dolor siente.»
[88] *expreso* 'declarado', es adjetivo cultista ya presente en el *Corbacho* (DCECH).

CANTO ONCENO EN EL CUAL SE ACABAN LAS FIESTAS Y DI-
FERENCIAS, Y CAMINANDO LAUTARO SOBRE LA CIUDAD DE
SANTIAGO, ANTES DE LLEGAR A ELLA HACE UN FUERTE, EN
EL CUAL METIDO, VIENEN LOS ESPAÑOLES SOBRE ÉL, DON-
DE TUVIERON UNA RECIA BATALLA

CANTO XI

CUANDO los corazones nunca usados[1]
a dar señal y muestra de flaqueza
se ven en lugar público afrentados,
entonces manifiestan su grandeza,
fortalecen los miembros fatigados,
despiden el cansancio y la torpeza,
y salen fácilmente con[2] las cosas
que eran antes, Señor, dificultosas.

Así le avino a Rengo, que, en cayendo,
tanto esfuerzo le puso el corrimiento[3],
que lleno de furor y en ira ardiendo,
se le dobló la fuerza y el aliento;
y al enemigo fuerte no pudiendo
ganarle antes un paso, agora ciento

---

[1] *usado* 'acostumbrado', como luego en 17,5 (II, n. 80).
[2] *salir con* 'conseguir' *(Aut.)*.
[3] *corrimiento* 'confusión, vergüenza', como después en el Canto, 84,6
(Cov., s.v. *correr*, y ya en Nebrija, según T.L.).

alzado de la tierra lo llevaba,
que aun afirmar los pies no[4] le dejaba.

Adelante la cólera pasara
y hubiera alguna brega[5] en aquel llano,
si receloso desto no bajara
presto de arriba el hijo de Pillano[6]
que de Caupolicán traía la vara
y él propio los aparta de su mano;
que no fue poco, en tanto encendimiento
tenerle este respeto y miramiento.

Siendo desta manera sin ruido
despartida[7] la lucha ya enconada,
le fue a Rengo su honor restituido
mas quedó sin derecho a la celada.
Aun no estaba del todo difinido
ni la plaza de gente despejada,
cuando el mozo Orompello dijo presto:
«Mi vez ahora me toca, mío es el puesto.»

Que bramando entre sí se deshacía   5
esperando aquel tiempo deseado,
viendo que Leucotón ya mantenía,
del tiro de la lanza no olvidado[8];
con gran desenvoltura y gallardía
salta el palenque y entra el estacado[9]

---

[4] *aún... no* por *ni aún* 'ni siquiera'.

[5] *brega* 'disputa, alboroto' (Cov., y ya en C. de las Casas, 1570, T.L.;
DCECH lo documenta en Fernández de Heredia, segunda mitad
del s. xiv).

[6] *Pillano* o *Pillán* como en 17,2 y 33,1, es apelativo que usa Ercilla
para Lautaro «por no poner tantas veces sus nombres», según advierte
en la *Declaración* al final del poema, a propósito de Caupolicán y
Lautaro.

[7] *despartir* 'dividir, separar' (II, n. 107).

[8] Referencia al episodio relatado en X, 28-29.

[9] *palenque* 'empalizada, valla' (*Aut.*; DCECH, para acepciones espe-
cializadas en América); *estacado* por *estacada* (II, n. 33).

y en medio de la plaza, como digo,
llamaba cuerpo a cuerpo al enemigo.

La trápala y murmurio[10] en el momento
creció, porque parando[11] el pueblo en ello,
conoce por allí cuán descontento
del fuerte Leucotón está Orompello;
témese que vendrán a rompimiento
mas nadie se atraviesa a defendello[12],
antes la plaza libre[13] los dejaron
y los vacíos lugares ocuparon.

El pueblo, de la lucha deseoso,
la más parte a Orompello se inclinaba;
mira los bellos miembros y el airoso
cuerpo que a la sazón se desnudaba,
la gracia, el pelo crespo y el hermoso
rostro, donde su poca edad mostraba,
que veinte años cumplidos no tenía
y a Leucotón a fuerzas desafía.

Juzgan ser desconformes[14] los presentes
las fuerzas destos dos por la aparencia,
viendo del uno el talle, y los valientes[15]
niervos, edad perfeta[16] y esperiencia,
y del otro los miembros diferentes,

---

[10] *trápala* 'estruendo' (Nebrija); 'ruido de voces o movimiento de pies descompuesto' (Cov.). Cfr. XIII, 26,2; *murmurio* por *murmullo* (que ya usa Juan Ruiz y registra Nebrija), es forma que aparece en textos literarios hasta el siglo XVII.

[11] *parar* 'advertir' (II, n. 77).

[12] *defender* 'impedir, vedar', como luego, en 17,7 (II, n. 90).

[13] *plaza libre* Nótese el uso adverbial de la expresión nominal: «en la plaza libre ('despejada')»; cfr. Keniston, par. 3,71.

[14] *desconforme* 'desigual' (*Aut.*, con este texto), como más abajo, en 13,1.

[15] *valiente* 'fuerte' (I, n. 59).

[16] *niervo* por *nervio* (I, n. 82). *Edad perfecta* 'madurez' recuerda Garcilaso, soneto 28,9, también en enfrentamiento metafórico con rival más joven (Cupido); v. *Lexis*, Lima, II,2 (1978) pág. 212.

la tierna edad y grata adolescencia,
aunque a tal opinión contradecía
la muestra de Orompello y osadía,

que puesto en su lugar, ufano espera
el són de la trompeta, como cuando
el fogoso caballo en la carrera
la seña del partir está aguardando.
Y cual halcón que en la húmida ribera
ve la garza de lejos blanqueando,
que se alegra y se pule ya lozano
y está para arrojarse de la mano[17],

el gallardo Orompello así esperaba   10
aquel alegre són para moverse
que de ver la tardanza, imaginaba
que habían impedimentos de ofrecerse.
Visto que tanto ya se dilataba,
queriendo a su sabor satisfacerse,
derecho a Leucotón sale animoso,
que no fue en recebirle perezoso.

En gran silencio vuelto el rumor vano,
quedando mudos todos los presentes,
en medio de la plaza mano a mano[18]
salen a se probar los dos valientes.
Como cuando el lebrel y fiero alano[19],
mostrándose con ronco són los dientes,

[17] Para el origen en Boccaccio de las descripciones de caza de altanería y el recuerdo de Ariosto (VIII,4), v. Vilanova, I,207 y 214-218. *Lozano* 'vigoroso, brioso' (DCECH s.v. *loza* para la complejidad semántica del adjetivo, muy frecuente en textos medievales). Cfr. I, n. 94 para uso con personas.

[18] *mano a mano* 'tratando de emular uno al otro', 'sin ventaja' (*Aut.*). No aparece explicada en los repertorios previos, aunque Correas trae el proverbio «mano a mano, como buen cristiano» (531b).

[19] *alano* 'dos razas de perros feroces, ambos acometedores de fieras y guardianes' (T.L. y *Aut.*, para descripciones respectivas). La comparación viene de Ariosto II,5,1-6 (Chevalier, pág. 149, n. 169).

yertos los cerros[20] y ojos encendidos
se vienen a morder embravecidos,

de tal modo los dos amordazados[21],
sin esperar trompeta ni padrino,
de coraje[22] y rencor estimulados,
de medio a medio[23] parten el camino;
y en un instante iguales, aferrados
con estremada fuerza y diestro tino,
se ciñeron los brazos poderosos,
echándose a los pies lazos ñudosos[24].

Las desconformes fuerzas, aunque iguales,
los lleva, arroja y vuelve a todos lados;
viéranlos sin mudarse a veces tales
que parecen en tierra estar clavados;
donde ponen los pies dejan señales,
cavan el duro suelo y apretados,
juntándose rodillas con rodillas,
hacen crujir los huesos y costillas.

Cada cual del valor, destreza y maña
usaba que en tal tiempo usar podía,
viendo el duro tesón y fuerza estraña
que en su recio adversario conocía;
revuélvense los dos por la campaña
sin conocerse en nadie mejoría,
pero tanto de acá y de allá anduvieron
que ambos juntos a un tiempo en tierra dieron.

---

[20] *cerro* 'lomo' (VIII, n. 36).

[21] *amordazado* 'ofendido, picado' (Alcalá, 1505, en T.L.; *Aut.* ya consideraba esta acepción como anticuada).

[22] *coraje* tiene aquí valor bisémico: 'ira', activado por la octava anterior, y la acepción etimológica 'valentía', muy viva en América; cfr. más adelante, 82,1 para su uso en repetición sinonímica con *cólera*.

[23] *de medio a medio* 'en el centro' (DRAE).

[24] *ñudoso* por *nudoso* (II, n. 64).

Fue tan presto el caer y en el momento   15
tan presto el levantarse, por manera
que se puede decir que el más atento
a mover la pestaña no lo viera.
Ventaja ni señal de vencimiento
juzgarse por entonces no pudiera,
que Leucotón arrodilló en el llano
y Orompello tocó sola una mano.

En esto los padrinos se metieron
y a cada lado el suyo retirando,
en disputa²⁵ la lucha resumieron
sus puntos y razones alegando.
De entrambas partes gentes acudieron
la porfía y rumor multiplicando;
quién daba al uno el precio²⁶, honor y gloria,
quién cantaba del otro la vitoria.

Tucapelo, que estaba en un asiento
a la diestra del hijo de Pillano,
visto lo que pasaba, en el momento
salta en la plaza, la ferrada²⁷ en mano,
y con aquel usado atrevimiento
dice: «El precio ganó mi primo hermano
y si alguno esta causa me defiende,
haréle yo entender que no lo entiende²⁸.

---

²⁵ *Disputa* 'controversia', como en 21,7, acepción claramente distinta de la de 'lucha'; *Aut.* cita, sin embargo, el texto último como ejemplo de la acepción 'cualquier contienda, riña, oposición o resistencia con violencia o armas'.

²⁶ *precio* 'premio' (X, n. 24), como en la octava siguiente y luego, en 25,7.

²⁷ *ferrada* 'maza con barras de metal' (II, n. 28).

²⁸ Las dos acepciones de *entender* en el verso, 'percibir' y 'comprender' refuerzan el tono sarcástico de la amenaza de Tucapelo. Cfr. I, n. 92 para este tipo de repetición, que reaparece en 82,3-4; sin embargo, en este texto, se combina con el tipo de repetición etimologizadora porque se añade la variación morfológica (I, n. 4); v. otro ejemplo más adelante en 25,8 y en 81,7-8.

»La joya es de Orompello y quien bastante[29]
se halle a reprobar el voto mío,
en campo[30] estamos: hágase adelante
que, en suma, le desmiento y desafío.»
Leucotón con un término[31] arrogante
dice: «Yo amansaré tu loco brío
y el vano orgullo y necio devaneo
que mucho tiempo ha ya que lo deseo.»

»Comigo lo has de haber, que comenzado
juego tenemos ya», dijo Orompello.
Responde Leucotón fiero y airado:
«Contigo y con tu primo quiero habello.»
Caupolicán en esto era llegado,
que del supremo asiento viendo aquello
había bajado a la sazón confuso
y allí su autoridad toda interpuso.

Leucotón y Orompello, conociendo   20
que el gran Caupolicán allí venía,
las enconosas[32] voces reprimiendo
cada cual por su parte se desvía;
mas Tucapel la maza revolviendo,
que otro acuerdo y concierto[33] no quería,
lleno de ira diabólica no calla,
llamando a todo el mundo a la batalla.

Ruego y medios con él no valen nada
del hijo de Leocán ni de otra gente,

---

[29] *bastante* 'competente, capaz'; para este uso adjetivo con *a*, ver ejs. en Cuervo, *Dicc.* I,853a; cfr. II,24,3.

[30] *campo* 'el sitio que se destina y escoge para salir a reñir algún desafío entre dos o más personas' (*Aut.*, con texto del *Quijote*).

[31] *término* 'modo' como en IX,58,4 (*Aut.*).

[32] *enconoso* 'exasperado' (II, n. 35).

[33] Para la repetición sinonímica, v. I, n. 112. Otros ejemplos en este Canto: 53,3 («ánimo y presupuesto»); 61,3 («espacio y sazón»); 81,7 («flacos, sin fuerza»); 82,1 («El coraje y la cólera»); 84,6 («vergüenza y corrimiento»).

diciendo que a Orompello la celada
le den por vencedor y más valiente;
después, que en plaza franca y estacada
con Leucotón le dejen libremente,
donde aquella disputa se dicida,
perdiendo de los dos uno la vida.

Puesto Caupolicán en este aprieto,
lleno de rabia y de furor movido[34],
le dice: «Haré que guardes el respeto
que a mi persona y cargo le es debido.»
Tucapel le responde: «Yo prometo
que por temor no baje del partido[35]
y aquel que en lo que digo no viniere[36],
haga a su voluntad lo que pudiere.

»Guardaréte respeto, si derecho
en lo que justo pido me guardares,
y mientras que con recto y sano pecho
la causa sin pasión desto mirares.
Mas si contra razón, sólo de hecho,
torciendo la justicia lo llevares,
por ti y tu cargo y todo el mundo junto
no perderé de mi derecho un punto.»

Caupolicán, perdida la paciencia,
se mueve a Tucapel determinado
mas Colocolo, viejo de esperiencia,
que con temor le andaba siempre al lado,
le hizo una acatada[37] resistencia
diciendo: «¿Estás, señor, tan olvidado
de ti y tu autoridad y salud nuestra
que lo pongas en sólo alzar la diestra?

---

[34] Nótese la estructura binaria del verso, con un elemento en quiasmo, típica del sistema retórico del poema (III, n. 9).

[35] *partido* 'pacto, convenio' (IX, n. 49).

[36] *venir en* 'convenir, aceptar', como luego, en 28,7 (II, n. 89).

[37] *acatado* aquí tiene el participio valor activo 'que acata, obediente'.

»Mira, señor, que todo se aventura,
mira que están los más ya diferentes[38];
de Tucapel conoces la locura
y la fuerza que tiene de parientes;
lo que emendar se puede con cordura,
no lo emiendes con sangre de inocentes.
Dale a Orompello el contendido precio
y otro al competidor, de igual aprecio.

»Si por rigor y término sangriento
quieres poner en riesgo lo que queda,
puesto que[39] sobre fijo fundamento
Fortuna a tu sabor mueva la rueda[40]
y el juvenil furor y atrevimiento
castigar a tu salvo te conceda,
queda tu fuerza más disminuida
y al fin tu autoridad menos temida.

»Pierdes dos hombres, pierdes dos espadas
que el límite araucano han estendido,
y en las fieras naciones apartadas
hacen que sea tu nombre tan temido;
si agora han sido aquí desacatada,
mira lo que otras veces han servido
en trances peligrosos, derramando
la sangre propia y del contrario bando.»

Imprimieron[41] así en Caupolicano
las razones y celo de aquel viejo
que, frenando el furor, dijo: «En tu mano
lo dejo todo y tomo ese consejo.»
Con tal resolución, el sabio anciano

---

[38] *diferente* 'desconforme, discorde, que no es de un mismo parecer' (Cuervo, *Dicc.*, 1223b).

[39] *puesto que* 'aunque', era acepción corriente en la época.

[40] Para esta personificación poética de la diosa Fortuna, v. II, n. 5.

[41] *imprimir* 'grabar en el ánimo' es acepción de abolengo clásico (Cicerón).

viendo abierto camino y aparejo[42],
habló con Leucotón que vino en todo
y a los primos después del mismo modo.

Y así el viejo eficaz los persuadiera[43];
que[44] en tal discordia y caso tan diviso,
lo que el mundo universo[45] no pudiera,
pudo su discreción y buen aviso.
Fuelos, pues, reduciendo[46] de manera
que vinieron a todo lo que quiso
pero con condición que la celada
por precio al Orompello fuese dada.

Pues la rica celada allí traída   30
al ufano Orompello le fue puesta,
y una cuera[47] de malla guarnecida
de fino oro a la par vino con ésta
y al mismo tiempo a Leucotón vestida.
Todos conformes, en alegre fiesta
a las copiosas mesas se sentaron
donde más la amistad confederaron[48].

Acabado el comer, lo que del día
les quedaba, las mesas levantadas,
se pasó en regocijo y alegría
tejiendo en corros danzas siempre usadas

---

[42] *aparejo* 'disposición' (III, n. 93).

[43] *persuadiera* 'había persuadido', como más abajo, en el verso 3, es uso del imperfecto de subjuntivo por pluscuamperfecto de indicativo no infrecuente en los textos poéticos del xvi (VII, n. 75). *Diviso* del verso siguiente es participio anticuado de *dividir,* muy frecuente en textos del xvi y del xvii (Cuervo, *Dicc.* 1297 con este verso de Ercilla).

[44] Para este uso de *que* por *de manera que,* v. *Esbozo* 3,22,4d.

[45] *universo* en función gramatical adjetiva latinizante ('entero').

[46] *reducir* 'persuadir' (DRAE); v. I, n. 100 para otra acepción.

[47] *cuera* 'sayete corto de cuero' (Cov. s.v. *cuero* y ya en Palet, 1604, según T.L.); para testimonio temprano de G. Fernández de Oviedo, 1535, v. DCECH.

[48] *confederar* 'unir por medio de alianza', aplicado aquí a objeto inanimado *(amistad);* v. Cuervo, *Dicc.,* 349b con este texto.

donde un número grande intervenía
de mozos y mujeres festejadas,
que las pruebas cesaron y ocasiones
atento a no mover nuevas quistiones[49].

Cuando la noche el horizonte cierra
y con la negra sombra el mundo abraza,
los principales hombres de la tierra
se juntaron en una antigua plaza
a tratar de las cosas de la guerra
y en el discurso dellas dar la traza,
diciendo que el subsidio[50] padecido
había de ser con sangre redemido[51].

Salieron con que al hijo de Pillano
se cometiese[52] el cargo deseado,
y el número de gente por su mano
fuese absolutamente señalado;
tal era la opinión del araucano
y tal crédito y fama había alcanzado,
que si asolar el cielo prometiera,
crédito a la promesa se le diera.

Y entre la gente joven más granada
fueron por él quinientos escogidos,
mozos gallardos, de la vida airada[53]
por más bravos que pláticos[54] tenidos;

---

[49] *quistión* por *cuestión* 'pendencia' (II, n. 34).

[50] *subsidio* 'carga, imposición' (I, n. 122).

[51] *redimir* por *redimir* es la forma preferida hasta el xvi (DCECH, con mención del contemporáneo de Ercilla, Baltazar del Alcázar). Madrid, 1569: «redimido».

[52] *cometer* 'encomendar' (III, n. 12).

[53] *mozos de la vida airada* 'pendencieros, coléricos'; la expresión debió tener connotaciones negativas que el texto procura; cfr. el testimonio posterior de Ayala, 1693: «La vida airada es la profesión de rufianes y malas mujeres porque entre ellos hay muchas pendencias y perpetuos ruidos» (T.L.).

[54] *plático* por *práctico* 'diestro' (II, n. 84).

y hubo de otros, por ir esta jornada[55],
tantos ruegos, protestos[56] y partidos,
que escusa no bastó ni impedimento
a no exceder la copia[57] en otros ciento.

Los que Lautaro escoge son soldados   35
amigos de inquietud, facinerosos[58],
en el duro trabajo ejercitados[59],
perversos, disolutos, sediciosos[60],
a cualquiera maldad determinados,
de presas y ganancias codiciosos[61],
homicidas, sangrientos, temerarios,
ladrones, bandoleros y cosarios[62].

---

[55] *jornada* 'batalla' (IV, n. 10).

[56] *protesto* por *protesta* (VII, n. 12).

[57] *copia* 'abundancia' (II, n. 111).

[58] Madrid, 1569 y las dos de Madrid, 1578: «perdidos por bullicio y discusiones». La variante que ya adopta 1589-90 incorpora el cultismo *facineroso* (tb. *facinoroso,* del lat. *facinorosus,* que ya aparece en el *Vocabulario* de A. de Palencia y en otras ediciones de *La Araucana:* Barcelona, 1592 y Anvers, 1597, porque corresponde más con el tono de la octava pero obliga, por razones de rima, a cambiar los otros versos pares).

[59] La expresión es variante de la fórmula «robusto/duro ejercicio/trabajo/oficio» para designar la guerra o la caza, y usada por Garcilaso (*Lexis,* Lima II,2 (1978) 211) y Vilanova, I,263; cfr. «bélico ejercicio» en 77,8 y IV, n. 135.

[60] Madrid, 1569 y las dos de Madrid, 1578: «diabólicos, rufianes, desgarrones». Para *disoluto* 'destructor' ver I, n. 89.

[61] Madrid, 1569 y las dos de Madrid, 1578: «amigos de mudanzas y quistiones». *Presa* 'botín' (VI, n. 5).

[62] Madrid, 1569 y las dos de Madrid, 1578: «grandísimos ladrones y cosarios»; el reemplazo del superlativo absoluto en -ísimo, sentido todavía como cultismo (Cfr. M. Morreale, *Castiglione y Boscán* Madrid: RAE, 1959, II, págs. 93 y ss.) por el relativamente nuevo *bandolero* 'salteador' (DCECH documenta su primera aparición literaria en 1542), que refleja el desarrollo de este fenómeno social en España, particularmente en Cataluña, añade un elemento contextualizador que acerca el texto a la experiencia de los lectores contemporáneos y atempera la carga retórica de la descripción. V. ahora, Juan A. Martínez Comeche, ed. *El bandolero y su imagen en el Siglo de oro* Madrid, 1989. Para la acumulación nominal sobre la que están íntegramente estructurados los últimos versos, v. III, n. 39; *cosario* por *corsario* era la forma más frecuente en la época.

Con esta buena gente[63] caminaba
hasta Maule de paz atravesando,
y las tierras, después, por do pasaba
las iba a fuego y sangre sujetando.
Todo sin resistir se le allanaba
poniéndose debajo de su mando;
los caciques le ofrecen francamente[64]
servicio, armas, comida, ropa y gente.

Así que por los pueblos y ciudades
la comarca los bárbaros destruyen[65],
talan comidas[66], casas y heredades,
que los indios de miedo al pueblo huyen;
stupros[67], adulterios y maldades
por violencia sin término concluyen,
no reservando edad, estado y tierra,
que a todo riesgo y trance era la guerra[68].

No paran, con la gana que tenían
de venir con los nuestros a la prueba;
los indios comarcanos que huían
llevan a la ciudad la triste nueva.
Rumores y alborotos se movían,
el bélico bullicio se renueva,
aunque algunos que el caso contemplaban
a tales nuevas crédito no daban.

[63] *buena gente* Nótese la antífrasis irónica después de la acumulación enfática de adjetivos descategorizadores de la octava anterior. V. Lausberg, par. 585.

[64] *francamente* 'generosamente' (X, n. 17). Para *cacique,* V. I, n. 22. En Madrid, 1569 y las dos de Madrid, 1578 los dos últimos versos de la octava: «Caciques y señores obedecen / con haciendas y gente se le ofrecen.»

[65] Madrid, 1569 y las dos de Madrid, 1578: «Los bárbaros en pueblos y ciudades / la comarca arruinan y destruyen.»

[66] *comida* es sinécdoque por 'sembrados'.

[67] *stupro* por *estupro* es ortografía latinizante ya registrada en el *Vocabulario* de A. de Palencia.

[68] Madrid, 1569 y las dos de Madrid, 1578: «que a fuego y sangre rota era la guerra».

Dicen que era locura claramente
pensar que así una escuadra desmandada[69]
de tan pequeño número de gente
se atreviese a emprender esta jornada,
y más contra ciudad tan eminente
y lejos de su tierra y apartada;
pero los que de Penco habían salido
tienen por más el daño que el ruido.

Votos hay que saliesen al camino[70]   40
(éstos son de los jóvenes briosos);
otros, que era imprudencia y desatino
por los pasos y sitios peligrosos.
A todo con presteza se previno,
que de grandes reparos[71] ingeniosos
el pueblo fortalecen y en un punto
despachan corredores[72] todo junto,

debajo de un caudillo diligente
que verdadera relación trujese
del número y designio de la gente,
con comisión, si lance le saliese
a su honor y defensa conveniente,
que al bárbaro escuadrón acometiese,
volviendo a rienda suelta dos soldados
para que dello fuesen avisados.

Por no haber caso en esto señalado,
abrevio con decir que se partieron
y al cuarto día con ánimo esforzado
sobre el campo enemigo amanecieron;
trabóse el juego y no duró trabado[73],

---

[69] *escuadra desmandada* es expresión que cobra aquí valor despectivo
para designar un pequeño grupo desordenado al mando de un subalter-
no. V. más abajo, n. 76.

[70] *salir al camino* 'salir al encuentro' (Correas, 665a, como *salir a la parada,* que Ercilla usa en XXII,50,8).

[71] *reparo* 'defensa' (VIII, n. 5).

[72] *corredor* 'soldado explorador' (III, n. 1).

[73] *trabar* 'emprender', generalmente referido a batalla, riña, etc.; aquí,

que los bárbaros luego les rompieron
y todos con cuidado y pies ligeros
revolvieron[74] a ser los mensajeros.

Sin aliento, cansados y afligidos
vuelven con testimonio asaz bastante
de cómo fueron rotos y vencidos
por la fuerza del bárbaro pujante,
lasos[75], llenos de sangre, mal heridos,
con pérdida de un hombre el cual delante
y en medio de los campos desmandado[76],
a manos de Lautaro había espirado.

Cuentan que levantado un muro había
adonde con sus bárbaros se acoge
y que infinita gente le acudía,
de la cual la más diestra y fuerte escoge;
también que bastimentos cada día
y cantidad de munición[77] recoge,
afirmando por cierto, fuera desto,
que sobre la ciudad llegará presto.

Quien incrédulo dello antes estaba,   45
teniendo allí el venir por desvarío,
a tan clara señal crédito daba,
helándole la sangre un miedo frío.
Quién de pura congoja trasudaba,
que de Lautaro ya conoce el brío;
quién con ardiente y animoso pecho
bramaba por venir más presto al hecho.

_____

como en otros casos en el poema, se aproximan los campos léxicos referidos a las actividades bélicas y a las lúdicas; cfr. *jugar* 'disparar' en I,30,8. La repetición etimologizadora se apoya en el otro significado de *trabar* 'enlazar, asir'. V., más arriba, n. 28.

[74] *revolver* 'volver otra vez' (DRAE), como luego en 72,7 y 75,5.

[75] *laso* 'fatigado' como luego, en 81,7 (IV, n. 75).

[76] *campo* 'ejército' (I, n. 46); otra acepción en este Canto, en n. 30. *Desmandado* 'apartado de su bandera o del orden de batalla' *(Aut.,* s.v. desmandarse); otra acepción en I, n. 49.

[77] *munición* 'provisiones del ejército' (IV, n. 106).

Villagrán enfermado acaso[78] había;
no puede a la sazón seguir la guerra,
mas con ruegos y dádivas movía
la gente más gallarda de la tierra,
y por caudillo en su lugar ponía
un caro primo suyo en quien se encierra
todo lo que conviene a buen soldado:
Pedro de Villagrán era llamado.

Éste sin más tardar tomó el camino
en demanda del bárbaro Lautaro
y el cargo[79] que tan loco desatino
como es venir allí, le cueste caro.
Diose tal priesa a andar que presto vino
a la corva[80] ribera del río Claro,
que vuelve atrás en círculo gran trecho,
después hasta la mar corre derecho.

Media legua pequeña elige un puesto
de donde estaba el bárbaro alojado,
el lugar mejor y más dispuesto
y allí, por ver la noche, ha reparado[81];
estaba a cualquier trance y rumor presto,
de guardia y centinelas rodeado
cuando, sin entender la cosa cierta,
gritaban: «¡Arma!, ¡arma!; ¡alerta!, ¡alerta!»

Esto fue que Lautaro había sabido
como allí nuestra gente era llegada,
que después de la haber reconocido
por su misma persona y numerada,
volvióse sin de nadie ser sentido
y mostrando estimarlo todo en nada,

---

[78] *acaso* 'casualmente' (III, n. 86); se refiere a Francisco Villagrán, mencionado por primera vez en IV,85,2.

[79] *cargo* 'encomienda, encargo' (Cov.).

[80] *corvo* por *curvo,* duplicado culto que aparece ya en el *Quijote* de 1615 (DCECH).

[81] *reparar* 'detenerse' (III, n. 70).

hizo de los caballos que tenía
soltar el de más furia y lozanía,

diciendo en alta voz: «Si no me engaño,   50
no deben de saber que soy Lautaro
de quien han recebido tanto daño,
daño que no tendrá jamás reparo;
mas porque no me tengan por estraño
y el ser yo aquí venido sea más claro,
sabiendo con quien vienen a la prueba,
quiero que este rocín lleve la nueva.»

Diez caballos, Señor, había ganado
en la refriega y última revuelta;
el mejor ensillado y enfrenado,
porque diese el aviso cierto, suelta.
Siendo el feroz caballo amenazado,
hacia el campo español toma la vuelta[82]
al rastro y al olor de los caballos
y ésta fue la ocasión de alborotallos.

Venía con un rumor y furia tanta
que dio más fuerza al arma y mayor fuego;
la gente recatada se levanta
con sobresalto y gran deasosiego.
El escándalo tanto no fue cuanta
era después[83] la burla, risa y juego,
de ver que un animal de tal manera
en arma y alboroto los pusiera.

Pasaron sin dormir la noche en esto
hasta el nuevo apuntar de la mañana,
que con ánimo y firme presupuesto[84]
de vencer o morir, de buena gana

---

[82] *vuelta* 'camino' (III, n. 109).
[83] El texto «después de», seguramente por errata, pues el verso queda
hipermétrico.
[84] *presupuesto* 'propósito' (I, n. 112).

salen del sitio y alojado puesto
contra la gente bárbara araucana,
que no menos estaba acodiciada[85]
del venir al efeto de la espada.

Un edicto Lautaro puesto había
que quien fuera del muro un paso diese,
como por crimen grave y rebeldía,
sin otra información luego[86] muriese;
así el temor frenando a la osadía,
por más que la ocasión la comoviese
las riendas no rompió de la obediencia
ni el ímpetu pasó de su licencia.

Del muro estaba el bárbaro cubierto,   55
no dejando salir soldado fuera;
quiere que su partido[87] sea más cierto
encerrando a los nuestros de manera
que no les aproveche en campo abierto
de ligeros caballos la carrera
mas sólo ánimo, esfuerzo y entereza
y la virtud del brazo y fortaleza.

Era el orden[88] así, que acometiendo
la plaza, al tiempo del herir volviesen
las espaldas los bárbaros huyendo,
porque dentro los nuestros se metiesen;
y algunos por defuera revolviendo[89],
antes que los cristianos se advirtiesen,
ocuparles las puertas del cercado,
y combatir allí a campo cerrado.

[85] *acodiciado* ant. *codicioso* (T.L.). Cfr. Cuervo, *Dicc.*, s.v. *acodiciar*, con este texto de Ercilla.

[86] *luego* 'inmediatamente' (I, n. 53).

[87] *partido* aquí 'ventaja' *(Aut.)*; v. otra acepción más arriba, n. 35.

[88] Para el género gramatical de *orden*, v. I, n. 111.

[89] *revolver* 'volver la cara al enemigo, girar' (IV, n. 87), como más abajo, en 61,8 y en 81,3.

Con tal ardid los indios aguardaban
a la gente española que venía
y en viéndola asomar la saludaban
alzando una terrible vocería;
soberbios desde allí la amenazaban
con audacia, desprecio y bizarría,
quién la fornida pica blandeando[90],
quién la maza ferrada levantando.

Como toros que van a salir lidiados[91],
cuando aquellos que cerca lo desean,
con silbos y rumor de los tablados
seguros del peligro los torean,
y en su daño los hierros amolados
sin miedo amenazándolos blandean:
así la gente bárbara araucana
del muro amenazaba a la cristiana.

Los españoles, siempre con semblante[92]
de parecerles poca aquella caza,
paso a paso caminan adelante
pensando de allanar[93] la fuerte plaza,
en alta voz diciendo: «No es bastante
el muro ni la pica y dura maza
a estorbaros la muerte merecida
por la gran desvergüenza cometida.»

Llegados de la fuerza[94] poco trecho,   60
reconocida bien por cada parte,

90 *blandear* esgrimir' (III, n. 28).
91 El verso es hipermétrico; Barcelona, 1592 y Anvers, 1597 corrigen
«ser lidiados», lectura que sigue J. T. Medina. En *La Araucana* aparece el
motivo de los toros de lidia en comparaciones, en más de una ocasión
(VI, 53; XIX,7 y XXV,66 por ejemplo; en III,66 y IV,42 la comparación no se relaciona con la lidia). Para este temprano uso por Ercilla,
cfr. J. María de Cossío, *Los toros en la poesía castellana*, I, 85.
92 *semblante* 'idea, parecer' (*Aut.* con este texto).
93 *allanar* 'sujetar, reducir' (VIII, n. 31).
94 *fuerza* 'plaza fuerte' (I, n. 57).

pónenle el rostro[95] y sin torcer, derecho,
asaltan el fosado baluarte.
Por acabado tienen aquel hecho;
de los bárbaros huye la más parte,
ganan las puertas francas[96] con gran gloria,
cantando en altas voces la vitoria.

No hubiera[97] relación deste contento
si los primeros indios aguardaran
tanto espacio[98] y sazón cuanto un momento
que las puertas los últimos tomaran,
mas viéndolos entrar, sin sufrimiento
ni poderse abstener, luego reparan;
haciendo la señal que no debían,
hicieron revolver los que huían.

Como corre el caballo cuando ha olido
las yeguas que atrás quedan y querencia
que allí el intento inclina y el sentido,
gime y relincha con celosa ausencia,
afloja el curso, atrás tiende el oído,
alerto a si el señor le da licencia,
que a dar la vuelta aun no le ha señalado
cuando sobre los pies ha volteado,

de aquel modo los bárbaros huyendo
con muestra de temor, aunque fingida,
firman[99] el paso presuroso oyendo
la alegre y cierta seña conocida,
y en contra de los nuestros esgrimiendo
la cruda[100] espada, al parecer rendida,

---

[95] *poner el rostro* aquí 'enfrentar'.

[96] *franco* 'libre' (X, n. 17).

[97] Para este uso del imperfecto de subjuntivo con valor de pluscuam-perfecto, que expresa la imposibilidad referida al pasado, v. VIII, n. 2 y *Esbozo* par. 3.14.9d.

[98] *espacio* 'intervalo, periodo de tiempo' (Nebrija).

[99] *firmar* ant *afirmar* (III, n. 52).

[100] *crudo* 'cruel, despiadado' como luego, en 79,6 (II, n. 108).

vuelven con una furia tan terrible
que el suelo retembló del són horrible.

Como por sesgo[101] mar del manso viento
siguen las graves olas el camino
y con furioso y recio movimiento
salta el contrario Coro[102] repentino,
que las arenas del profundo asiento
las saca arriba en turbio remolino,
y las hinchadas olas revolviendo
al tempestuoso Coro van siguiendo.

De la misma manera a nuestra gente   65
que el alcance sin término seguía,
la súbita mudanza de repente
le turbó la vitoria y alegría
que, sin se reparar[103], violentamente
por el mismo camino revolvía,
resistiendo con ánimo esforzado
el número de gente aventajado.

Mas como un caudaloso río de fama,
la presa y palizada desatando,
por inculto[104] camino se derrama
los arraigados troncos arrancando,
cuando con desfrenado[105] curso brama
cuanto topa delante arrebatando

---

101 *sesgo* 'sereno' (IX, n. 149).
102 *Coro* 'viento del Noroeste'; Lida de Malkiel, 501 cree ver influencia de Lucano en la preferencia de esta forma sobre *cauro*, derivada del latín *Caurus,* pero es la variante que también se lee en tratados de astronomía y navegación, y de empleo normal en la lengua marinera (P. Mexía, *Silva de varia lección* IV, cap. 22).
103 *repararse* 'detenerse' (III, n. 70). Conviene señalar que el gerundio ya se sustituye, a partir de la edición de Barcelona, 1592, por el correspondiente de *detener* más abajo, en 70,7.
104 *inculto* 'silvestre' (I, n. 106).
105 *desfrenado* por *desenfrenado* era más raro y latinizante, como hasta hoy (DCECH s.v. *freno*).

y los duros peñascos enterrados
por las furiosas aguas son llevados,

con ímpetu y violencia semejante[106]
los indios a los nuestros arrancaron,
y sin pararles cosa por delante
en furiosa corriente los llevaron,
hasta que con veloz furor pujante
de la cerrada plaza los lanzaron,
que el miedo de perder allí la vida
les hizo el paso llano a la salida.

De más priesa y con pies más desenvueltos
los sueltos[107] españoles que a la entrada,
en una polvorosa nube envueltos
salen del cerco estrecho y palizada;
entre ellos van los bárbaros revueltos,
una gente con otra amontonada,
que sin perder un punto se herían
de manos y de pies como podían.

No el alzado antepecho y agujeros[108]
que fuera del entorno había cavados,
ni la fajina[109] y suma de maderos
con los fuertes bejucos[110] amarrados
detuvieron el curso a los ligeros
caballos, de los hierros hostigados,
que como si volaran por el viento,
salieron a lo llano en salvamento.

---

[106] Esta octava ofrece variantes leves en los versos 1 y 5 respecto de todas las ediciones anteriores, excepto Barcelona 1592: «con ímpetu y fuerza semejante» y «hasta que al fin por el furor pujante».

[107] *suelto* 'veloz' (I, n. 27).

[108] Para este recurso defensivo empleado contra el uso de caballos en los ataques de los españoles, v. Salas, pág. 133; cfr. I, n. 47.

[109] *fajina* 'manojo de palos en fortificación' (DCECH; *Aut.*, con este texto).

[110] *bejuco* I, n. 35 para este indigenismo de origen taíno.

Los españoles sin parar corriendo
libre la plaza a los contrarios dejan,
que la fortuna próspera siguiendo
con prestos pies y manos los aquejan;
pero los nuestros, el morir temiendo,
siempre alargan el paso y más se alejan,
deteniendo a las veces[111] flojamente
la gran furia y pujanza de la gente.

Bien una legua larga habían corrido
a toda furia por la seca arena;
sólo Lautaro no los ha seguido,
lleno de enojo y de rabiosa pena.
Viendo el poco sustén[112] del mal regido
campo, tan recio el rico cuerno suena,
que los más delanteros los sintieron
y al són, sin más correr, se retrujeron[113].

Estaba así impaciente y enojado
que mirarle a la cara nadie osaba
y al pabellón[114] él solo retirado,
un nuevo edicto publicar mandaba,
que guerrero ninguno fuese osado
salir un paso fuera de la cava,
aunque los españoles revolviesen
y mil veces el fuerte acometiesen.

---

111 *a las veces* 'pocas veces', 'en alguna ocasión' (*Aut.*).

112 *sustén* por *sostén* era forma que alternaba con la moderna, como todavía en *Aut.*; esta parece ser documentación temprana de su uso literario (DCECH remite a *Aut.*, que trae la definición del *Vocabulario marítimo* de 1696 correspondiente a la acepción marítima 'rectitud de la nave', que no se aplica a este texto).

113 Cfr. VI, n. 1 para esta forma del perfecto de *retraer,* que reaparece más abajo, en 81,1.

114 *pabellón* 'tienda de campaña' (A. de Palencia, 1490) escrito *pavellón* hasta el siglo XVII. Cfr. VII,47,7 para la ac. 'colgadura, dosel', tb. en Palencia y en Nebrija.

Después, llamando a junta a los soldados
aunque ardiendo en furor, templadamente[115]
les dice: «Amigos, vamos engañados,
si con tan poco número de gente
pensamos allanar[116] los levantados
muros de una ciudad así eminente;
la industria tiene aquí más fuerza y parte
que la temeridad del fiero Marte[117].

»Ésta los fieros ánimos reprime
y a los flacos y débiles esfuerza;
las cervices indómitas oprime[118]
y las hace domésticas por fuerza[119];
ésta el honor y pérdidas redime
y la sazón a usar della nos fuerza,
que la industria solícita y Fortuna
tienen conformidad y andan a una[120].

»Cumple partir de aquí, muestras haciendo   75
que sólo de temor nos retiramos,
y asegurar los españoles[121], viendo
cómo el honor y campo les dejamos;
que después a su tiempo revolviendo,
haremos lo que así dificultamos,
teniendo ellos el llano y por guarida
vecina la ciudad fortalecida.»

---

[115] Madrid, 1569 y las dos de Madrid, 1578: «aunque con gran pasión templadamente».

[116] *allanar* 'derribar' (Cuervo, *Dicc.*, I,385b, con otros textos de Ercilla, en uso reflexivo); cfr. VIII, n. 31 para otra acepción.

[117] Otras menciones en I, n. 17; II, n. 90 y n. 100; IX, n. 37.

[118] Madrid, 1569 y las dos de Madrid, 1978: «estas gentes indómitas oprime».

[119] Todas las ediciones hasta Barcelona, 1592: «en el yugo domésticas».

[120] Los tres últimos versos de la octava en Madrid, 1569 y las dos de Madrid, 1578: «Repara el daño, la opinión redime / y la necesidad a usar nos fuerza / désta, que al fin consiste la ventura / en la industria solícita y cordura.» *A una* 'juntamente' (III, n. 65).

[121] *asegurar los españoles* entiéndase 'dar seguridad a los españoles, librarlos de cuidado'.

El hijo de Pillán[122] esto decía
cuando asomaba el bando[123] castellano,
que con esfuerzo nuevo y osadía
quiere probar segunda vez la mano[124].
Fue tanto el alborozo y alegría
de los bárbaros, viendo por el llano
aparecer los nuestros, que al momento
gritan y baten palmas de contento.

En esto los cristianos acercando
poco a poco se van a la batalla,
y al justo tiempo del partir[125] llegando,
dejan irse a la bárbara canalla;
que uno la maza en alto, otro bajando
la pica, el cuerpo esento[126] en la muralla,
con animoso esfuerzo se mostraban
y al ejercicio bélico incitaban.

Unos acuden a las anchas puertas
y comienzan allí el combate duro;
de escudos las cabezas bien cubiertas
se llegan otros al guardado muro;
otros buscan por partes descubiertas
la subida y el paso más seguro;
hinche el bando español la cava honda
y el araucano el muro a la redonda.

Pero el pueblo español con osadía,
cubierto de fortísimos escudos
la lluvia de los tiros resistía

---

122 V. para este apelativo de Lautaro VII, n. 49.

123 *bando* 'facción' (III, n. 18).

124 *probar la mano* 'intentar algo' (*Aut.*, s.v. *mano;* la expresión viene de la lengua del juego (Correas, 729a: «Ponerse a jugar naipes») y hay intención irónica en el proceso de deslexicalización aquí registrado. Para el léxico del juego en textos áureos, v. ahora Jean-Pierre Étienvre, *Márgenes literarios del juego*, Londres, Támesis, 1990.

125 *partir* 'acometer' (*Aut.*, con texto posterior de Villaviciosa).

126 *esento* por *exento* 'al descubierto' (IV, n. 130).

y los botes[127] de lanzas muy agudos.
Era tanta la grita y armonía
y el espeso batir de golpes crudos,
que Maule el raudo curso refrenaba
confuso al són que en torno ribombaba[128].

Por las puertas y frente y por los lados   80
el muro se combate y se defiende;
allí corren con priesa amontonados
adonde más peligro haber se entiende;
allí con prestos golpes esforzados
a su enemigo cada cual ofende[129]
con furia tan terrible y fuerza dura
que poco imoprta escudo ni armadura.

Los nuestros hacia atrás se retrujeron,
de los tiros y golpes impelidos,
tres veces y otras tantas revolvieron
de vergonzosa cólera movidos.
Gran pieza[130] la fortuna resistieron
mas ya todos andaban mal heridos,
flacos, sin fuerza, lasos[131], desangrados
y de sangre los hierros colorados.

El coraje y la cólera es de suerte
que va en aumento el daño y la crueza[132];

---

[127] *bote* 'golpe de lanza' (III, n. 54).

[128] *ribombar* por *rimbombar* 'retumbar', es uso literario temprano de este italianismo *(Aut.,* tb. como voz militar, da texto del XVII que recoge DCECH).

[129] *ofender* 'herir' (I, n. 49).

[130] *pieza* 'intervalo', ya en Juan Ruiz (DCECH) y frecuente en los textos áureos.

[131] *flaco* 'débil' como luego, en 86,7 (I, n. 29); *laso* 'fatigado' (IV, n. 76). Para la repetición etimologizadora, v. más arriba n. 28; este ejemplo, por otra parte, hace más compleja la figura porque enfrenta aspectos del significado parcialmente antitéticos; *desangrados* enfatiza la «pérdida» mientras que *de sangre* describe el lugar adonde va a parar esa misma sangre. Para *colorado,* cfr. III, n. 41.

[132] *crueza* 'inclemencia, rigor' (V, n. 49).

356

hallan los españoles siempre el fuerte[133]
más fuerte y en los golpes más dureza;
sin temor acometen de la muerte,
pero poco aprovecha esta braveza,
quel que menos herido y flaco andaba
por seis partes la sangre derramaba.

Hasta la gente bárbara se espanta
de ver lo que los nuestros han sufrido
de espesos golpes, flecha, y piedra tanta
que sin cesar sobre ellos ha llovido,
y cuán determinados y con cuánta
furia tres veces han acometido;
desto los enemigos impacientes
apretaban los puños y los dientes.

Y como tempestad que jamás cesa
antes que va en furioso crecimiento,
cuando la congelada piedra espesa
hiere los techos y se esfuerza el viento,
así los duros bárbaros, apriesa,
movidos de vergüenza y corrimiento
con lanzas, dardos, piedras arrojadas,
baten dargas, rodelas y celadas[134].

Los cansados cristianos no pudiendo   85
sufrir el gran trabajo incomportable[135],
se van forzosamente retrayendo
del vano intento y plaza inexpugnable;

---

[133] Para esta repetición o *traductio*, I, n. 92.

[134] *darga* por *adarga* 'escudo cubierto de piel' (V, n. 11); *rodela* 'escudo redondo y pequeño' de uso frecuente en batallas desde el siglo xv y documentado literariamente ya en Torres Naharro (DCECH); v. E. de Leguina, *Las armas de don Quijote,* Madrid, 1908, pág. 49 para descripción. *Celada* 'armadura de la cabeza' (Nebrija).

[135] *incomportable* 'insufrible', es adjetivo que aparece literariamente en Garcilaso (Canc. 4, v. 147: «es tan incomportable la fatiga»), de donde, sin duda, lo toma Ercilla en uso muy semejante, pues *trabajo* es aquí 'penuria, fatiga' (I, n. 104).

y el destrozado campo[136] recogiendo,
vista su suerte y hado miserable,
por el mesmo camino que vinieron,
aunque con menos furia, se volvieron.

Aquella noche al pie de una montaña
vinieron a tener su alojamiento,
segura de enemigos la campaña,
que ninguno salió en su seguimiento.
Decir prometo la cautela[137] estraña
de Lautaro después, que ahora me siento
flaco, cansado, ronco; y entretanto
esforzaré la voz al nuevo canto[138].

FIN

---

[136] *campo* 'ejército' (I, n. 46).
[137] *cautela* 'engaño, astucia' (II, n. 98).
[138] Para el origen ariostesco de estas transiciones, v. I, n. 125.

RECOGIDO LAUTARO EN SU FUERTE, NO QUIERE SEGUIR LA
VITORIA POR ENTRETENER A LOS ESPAÑOLES. PASA CIERTAS
RAZONES CON ÉL MARCO VEAZ, POR LAS CUALES PEDRO DE
VILLAGRÁN VIENE A ENTENDER EL PELIGROSO PUNTO EN
QUE ESTABA, Y LEVANTANDO SU CAMPO SE RETIRA. VIENE
EL MARQUÉS DE CAÑETE A LA CIUDAD DE LOS REYES[1] EN EL
PIRÚ

CANTO XII

VIRTUD difícil y difícil prueba
es guadar el secreto peligroso,
que la dificultad bien claro prueba
cuánto es sano, seguro y provechoso
y el poco fruto y mucho mal que lleva
el vicio inútil del hablar dañoso;
ejemplo los de Líbico[2] homicidas,
y otros que les costó el hablar las vidas.

---

[1] *Ciudad de los Reyes* o Lima; cfr. G. Fernández de Oviedo, *Historia general y natural de las Indias,* l. VI, cap. 17: «Decíame este piloto (Pedro Cargo) que el gobernador Francisco Pizarro hacía su asiento en la ciudad de los Reyes, que los indios llaman Lima, e que se le dio esotro nombre porque un día de la Epifanía o de los Reyes se principió su vecindad de los españoles en ella» (BAE, t. CXXI, pág. 94b).

[2] *Líbico* por *Íbico;* para la fuente de este ejemplo del valor del silencio en la *Lingua* de Erasmo, a través de Pero Mexía, v. «Pero Mexía en Alonso de Ercilla» *BHS* LX (1983) 129-134. V. tb. «Para los contextos ideológicos de *La Araucana:* Erasmo» en *Homenaje a Ana María Barrenechea,* Madrid, Castalia, 1984, págs. 261 y ss.

Veránse por los ojos y escrituras
en los presentes tiempos y pasados
crueldades, ruinas, desventuras,
infamias, puniciones[3] de pecados,
grandes yerros en grandes coyunturas,
pérdidas de personas y de estados;
todo por no sufrir el indiscreto
la peligrosa carga del secreto.

De los vicios el menos de provecho
y por donde más daño a veces viene[4],
es el no retener el fácil pecho
el secreto hasta el tiempo que conviene;
rompe y deshace, al fin todo lo hecho,
quita la fuerza que la industria tiene,
guerra, furor, discordia, fuego enciende,
al propio dueño y al amigo vende[5].

Por eso el sabio hijo de Pillano[6]
la causa a sus soldados encubría
de no dejar salir gente a lo llano,
siguiendo la vitoria de aquel día;
y el retirado campo[7] castellano
seguro a paso largo[8] por la vía,
como dije, la furia quebrantada,
toma de la ciudad la vuelta usada[9].

---

[3] *punición* 'castigo' es latinismo tomado de Garcilaso (Canc. V,80) y muy poco usual (cfr. *Aut.*, con texto del xvii) como *punir* (DCECH s.v. *pena*, que no trae el vocablo). Cfr. *Lexis* II,2 (1978) 217.

[4] Madrid, 1569 y Madrid, 1578 en 8avo: «y de mayor peligro y daño cierto / es el mucho hablar que el falso pecho / muestra el secreto ajeno descubierto / cualquiera otra maldad y grave hecho / puede si no esté solo estar cubierto».

[5] Madrid, 1569 y Madrid, 1578 en 8avo: «el propio dueño y los amigos vende».

[6] Para este apelativo de Lautaro, v. VII, n. 49, como más abajo en este Canto, 7,7.

[7] *campo* 'ejército' como más abajo en el Canto, en 62,6 (I, n. 46).

[8] *a paso largo* 'aceleradamente, de prisa' (*Aut.*, con ejs. posteriores).

[9] *la vuelta usada* 'el camino acostumbrado' (III, n. 109 y II, n. 80).

Usar Lautaro desta maña, entiendo
que fuese para algún sagaz intento,
el cual por conjeturas comprehendo
ser de gran importancia y fundamento.
Dejado esto a su tiempo y revolviendo[10]
a los nuestros, que así del fuerte asiento
se alejan, a tres leguas otro día[11]
hicieron alto, asiento y ranchería[12].

Dos días los españoles estuvieron
haciendo de[13] los bravos, aguardando
pero jamás los bárbaros vinieron,
ni gente pareció[14] del otro bando;
al fin dos de los nuestros se atrevieron
a ver el fuerte y cerca dél llegando,
oyeron una voz alta del muro,
diciéndoles: «Llegaos, que os doy seguro»[15].

Al uno por su nombre lo llamaba
con el cierto seguro prometido,
el cual dejando al otro se llegaba
por conocer quién era el atrevido.
Llegado el español junto a la cava,
el de la voz fue luego conocido,
que era el gallardo hijo de Pillano,
tratado dél un tiempo como hermano.

---

[10] *revolver* 'volver otra vez' como luego en este Canto, 25,6 (XI, n. 74).

[11] *otro día* 'al día siguiente', como más adelante en el Canto, 68,1 (X, n. 66).

[12] *ranchería* 'campamento'. Friederici trae varios textos, incluso uno de P. de Aguado, *Historia de Venezuela* (1565), en que se usa expresión semejante: «hacer allí ranchería y asiento».

[13] Para ejemplos en prosa de *hacer de* más adjetivo sustantivado, v. Keniston, par. 25,448; *bravo* 'valiente, enojado, bizarro' (Nebrija, con la expresión *hacer bravo;* Casas, 1570 en T.L.).

[14] *parecer* por *aparecer* (III, n. 25).

[15] *seguro* 'seguridad' (I, n. 115) como más abajo, en este Canto, 7,2 y 18,2.

Estaba de un lustroso peto armado
con sobrevista[16] de oro guarnecida,
en una gruesa pica recostado
por el ferrado regatón[17] asida;
el ancho y duro hierro colorado[18]
y de sangre la media asta teñida;
puesta de limpio acero una celada
abierta por mil partes y abollada.

Llegado el español donde podía
hablarle y entenderle[19] claramente,
el bizarro Lautaro le decía[20]:
«Marcos, de ti me espanto estrañamente,
y de esa tu inorante compañía,
que sin razón y seso[21], ciegamente
penséis así de mí opinión mudarme
y ser bastantes todos a enojarme.

»¿Qué intento os mueve o qué furor insano 10
que así queréis tiranizar la tierra?
¿No veis que todo agora está en mi mano:
el bien vuestro y el mal, la paz, la guerra?[22]
¿No veis que el nombre y crédito araucano

---

[16] *sobrevista* 'visera' (*Aut.*, con otro texto de *La Araucana*: XIII,25,3).

[17] *regatón* 'cuento de lanza, bastón, etc.» (Nebrija, *recatón,* que es la única forma que aún trae *Aut.*); ésta es doc. temprana del uso literario de la forma moderna (DCECH).

[18] V. expresión semejante en XI,81,8.

[19] *entender* 'oír' como más abajo, en 21,6 (IV, n. 111).

[20] Para la paráfrasis en prosa, con amplificaciones retóricas y eruditas, de este discurso, así como el resumen de esta campaña de Lautaro y Pedro de Villagrán, v. P. Mariño de Lobera, *Crónica de Chile,* l.1, parte 3, cap. LIV, BAE, t. CXXX, págs. 355-357. V. también resumen de esta campaña en Gerónimo de Vivar, *Crónica copiosa y verdadera de los reinos de Chile,* cap. XXIX, págs. 259 y ss.

[21] Para la repetición sinonímica, I, n. 112. Otros ejemplos en el Canto: 10,5 («el nombre y crédito»); 44,3 («capaz y suficiente»); 75,5-6 («barato y con facilidad»).

[22] Nótese la bimembración paralelística del verso, en que ambas unidades están constituidas a su vez por parejas antitéticas; para otras bimembraciones, IX, n. 112; v. más adelante en el Canto, 92,1.

los levantados ánimos atierra[23],
que sólo el son al mundo pone miedo
y quebranta las fuerzas y el denuedo?

«En los pueblos no fuistes[24] poderosos
de defender las propias posesiones,
que es cosa que aun los pájaros medrosos
hacen rostros[25] en su nido a los leones,
¿y en los desiertos campos pedregosos
pensáis de[26] sustentar los pabellones
en tiempo que estáis más amedrentados,
y más vuestros contrarios animados?

»Es, a mi parecer, loca osadía
querer contra nosotros sustentaros,
pues ni por arte, maña ni otra vía
podéis en nuestro daño aprovecharos.
Si lo queréis llevar por valentía,
baste el presente estrago a escarmentaros,
que fresca sangre aún vierten las heridas
y della aquí las yerbas veo teñidas[27].

»Pues dejar yo jamás de perseguiros,
según que lo juré, será escusado.
Hasta dentro de España he de seguiros,
que así lo he prometido al gran Senado;
mas si queréis en tiempo reduciros[28]
haciendo lo que aquí os será mandado,
saldré de la promesa y juramento
y vosotros saldréis de perdimiento.

---

[23] Cfr. IV, n. 40 para la conjugación de *aterrar* 'echar por tierra, derribar'. Otro ejemplo en el Canto, en 40,2.

[24] Para esta desinencia de la segunda persona del singular en el perfecto, v. VII, n. 28.

[25] *hacer rostro* 'enfrentar, resistir' (V, n. 65).

[26] Para ejs. en prosa de la construcción gramatical, común en la época, *pensar de* más infinitivo, Keniston, par. 37,541. *Sustentar* 'defender', tb. usado reflexivamente 'medirse, luchar', en la octava siguiente.

[27] Para el origen en Ariosto de esta imagen, V. n. 50.

[28] *reducir* 'volver a la obediencia'; 'persuadir' (XI, n. 46).

«Treinta mujeres vírgines apuestas
por tal concierto habéis de dar cada año,
blancas, rubias, hermosas, bien dispuestas,
de quince años a veinte, sin engaño.
Han de ser españolas, y tras éstas,
treinta capas de verde y fino paño,
y otras treinta de púrpura[29] tejidas,
con fino hilo de oro guarnecidas.

»También doce caballos poderosos,   15
nuevos y ricamente enjaezados,
domésticos, ligeros y furiosos,
debajo de la rienda concertados
y seis diestros lebreles animosos
en la caza me habéis de dar cebados:
este solo tributo estorbaría
lo que estorbar[30] el mundo no podría.»

Atento el castellano lo escuchaba,
estando de la plática gustoso,
mas cuando a estas razones allegaba
no pudo aquí tener ya más reposo;
así impaciente al bárbaro atajaba,
diciéndole: «No estés tan orgulloso,
que las parias[31] que pides, ¡oh Lautaro!,
te costarán, si esperas, presto caro.

»En pago de tu loco atrevimiento
te darán españoles por tributo

[29] *púrpura* entiéndase 'de color púrpura'.

[30] *estorbaría... estorbar* es repetición etimologizadora, frecuente en el poema y, generalmente, con valor enfatizador (I, n. 4). Cfr. más adelante en el Canto, 37.3-4 (*encargarme... cargado*); 71,1 (*Pisada... ha pisado*).

[31] *parias* 'tributo', ya en el Cid. Para el cautiverio de mujeres españolas en el reino de Chile, particularmente después del levantamiento de 1598 que destruyó las siete ciudades fundadas por Valdivia, y que dio lugar a la aparición de los que se llamaron «mestizos al revés», v. A. Salas, *Crónica florida del mestizaje de las Indias*, Buenos Aires, Losada, 1960, espec. capítulo V: «Chile o el nuevo Flandes indiano», págs. 109-171 y particularmente, págs. 162 y ss.

cruda[32] muerte con áspero tormento,
y Arauco cubrirán de eterno luto.»
Lautaro dijo: «Es eso hablar al viento.
Sobre ello, Marcos, más yo no disputo:
las armas, no la lengua, han de tratarlo
y la fuerza y valor determinarlo.

»Libre puedes decir lo que quisieres
como aquel que seguro le está dado,
que tú después harás lo que pudieres
y yo podré hacer lo que he jurado;
tratemos de otras cosas de placeres,
quede para su tiempo comenzado,
y quiérote mostrar, pues tiempo hallo,
una lucida escuadra de caballo.

»Que para que no andéis tan al seguro[33],
acuerdo de[34] tener también caballos
y de imponer mis súbditos procuro
a saberlos tratar y gobernallos.»
Esto dijo Lautaro y desde el muro,
a seis dispuestos mozos, sus vasallos,
mandó que en seis caballos cabalgasen
y por delante dél los paseasen.

Por las dos puentes[35], a la vez caladas,   20
salieron a caballo seis chilcanos[36],
pintadas y anchas dargas[37] embrazadas,

---

[32] *crudo* 'cruel' (II, n. 108).

[33] Madrid, 1569 y las dos de Madrid, 1578: «Que para que tengáis menos seguro.»

[34] *acordar de* 'resolver'; la construcción con *de* es frecuente en los textos del XVI y del XVII. Cfr. ejs en Cuervo, *Dicc.* I, pág. 140, con otro texto de *La Araucana,* II,86,5.

[35] Para el género gramatical de *puente,* v. IX, n. 86; para *calar* 'bajar', v. II, n. 103.

[36] Cfr. IX,42,8 (Chilcano) y IX,82,1 (Chilcán), para su uso como nombre propio.

[37] *darga* por *adarga* 'escudo cubierto de piel' (V, n. 11).

gruesas lanzas terciadas[38] en las manos;
vestidas fuertes cotas[39] y tocadas
las cabezas, al modo de africanos,
mantos por las caderas derribados,
los brazos hasta el codo arremangados[40].

Y con airosa muestra, por delante
del atento español dos vueltas dieron;
pero ni de su puesto y buen semblante,
punto que se notase le movieron,
antes con muestra y ánimo arrogante,
en alta voz, que todos lo entendieron
(que el muro estaba ya lleno de gente),
habló así con Lautaro libremente:

«En vano, ¡oh capitán! cierto[41] trabaja
quien pretende con fieros[42] espantarme;
no estimo lo que vees en una paja
ni alardes pueden punto[43] amedrentarme.
Y por mostrar si temo la ventaja
yo solo con los seis quiero probarme,
do verás que a seis mil seré bastante:
vengan luego a la prueba aquí delante.»

Lautaro respondió: «Marcos, si mueres
tanto por nos mostrar tu fuerza y brío,
el mínimo que dellos escogieres
a pie vendrá contigo en desafío

---

[38] *terciar* 'poner la lanza atravesada' (IX, n. 86).

[39] *cota* 'jubón de cuero o malla' (IV, n. 116).

[40] *arremangado* en los guerreros era señal de disposición para la batalla.
Cfr. el uso cómico de este rasgo arcaico en *Quijote* I, cap. 18, cuando el
caballero cree reconocer en una de las «dos grandes manadas de ovejas y
carneros» al rey de los Garamantas, Pentapolín del Arremangado
Brazo.

[41] *cierto* 'ciertamente'; para este uso adverbial, v. I, n. 62. Cfr. uso semejante con *claro* en 33,5 y *barato* en 75,5.

[42] *fieros* 'bravatas' (VIII, n. 10).

[43] *punto* es uso adverbial equivalente a 'ni en un punto'.

del modo y la manera que quisieres.
Elige armas y campo a tu albedrío,
ora con ellas, ora desarmados,
a puños, coces, uñas y a bocados.»

El español le dijo: «Yo te digo
que mi honor en tal caso no consiente
darles uno por uno su castigo,
porque jamás se diga entre la gente
que cuerpo a cuerpo bárbaro comigo
en campo osase entrar singularmente;
por tanto, si no quieres lo que pido
no quiero yo acetar otro partido»[44].

No vinieron en esto a concertarse;   25
después por otras cosas discurrieron
pero llegado el tiempo de apartarse,
del bárbaro los dos se despidieron.
Vueltos a su camino, oyen llamarse,
y a la voz conocida revolvieron,
que era el mesmo Lautaro quien llamaba
diciendo: «Una razón se me olvidaba.

»Tengo mi gente triste y afligida,
con gran necesidad de bastimento,
que me falta del todo la comida
por orden mala y poco regimiento;
pues la tenéis de sobra recogida,
haced un liberal repartimiento
proveyéndonos della que, a mi cuenta[45],
más la gloria y honor vuestro acrecienta.

---

44 Para el hábito español de luchar contra los indígenas en inferioridad numérica, y sus exageraciones, v. Salas, pág. 345 y ss., quien recuerda, entre otros, el texto del Inca Garcilaso de la Vega: «No hubo español
que quisiese salir al desafío, por parecerles poquedad y bajeza reñir y ma-
tarse con un indio solo.» *Acetar* por *aceptar*, se mantuvo hasta el siglo XVII
(Cov.; *Aut.*), pero la forma plena ya la registra Nebrija.

45 *a mi cuenta* 'según pienso' (Nebrija: «ut rationem ineo», en T.L.).

»Que en el ínclito[46] Estado es uso antiguo
y entre buenos soldados ley guardada,
alimentar la fuerza al enemigo
para solo oprimirle por la espada.
Estad, Marcos, atento a lo que digo,
y entended que será cosa loada
que digan que las fuerzas sojuzgastes[47]
que para mayor triunfo alimentastes.

»Que se llame vitoria yo lo dudo
cuando el contrario a tal estremo viene,
que en aquello que nunca el valor pudo
la hambre miserable poder tiene;
y al fuerte brazo indómito y membrudo,
lo debilita, doma y lo detiene;
y así por bajo modo y estrecheza
viene a parecer fuerte la flaqueza.»

Era, Señor, su intento que pensase
ser la necesidad fingida, cierta,
para que nuestra gente se animase,
de industria[48] abriendo aquella falsa puerta;
y con esto inducirla a que esperase,
teniendo así su astucia más cubierta,
hasta que el fin llegase deseado
del cauteloso engaño fabricado.

Marcos, de las palabras comovido,   30
le dice: «Yo prometo de intentallo
por sólo esas razones que has movido
y hacer todo el poder[49] en procurallo.»

---

46 *ínclito* 'famoso, célebre' es latinismo incorporado a los textos literarios desde J. de Mena, para quien la palabra no era esdrújula sino llana
(Lida de Malkiel, pág. 278) y de uso frecuente en el XVI y el XVII
(DCECH). Para Garcilaso, v. *Lexis,* Lima, II,2 (1978) 216.
47 Para estas desinencias de la segunda persona de plural del pretérito,
v. VII, n. 28.
48 *de industria* 'de propósito, de intento' (*Aut.,* con texto de Cervantes).
49 *poder* 'esfuerzo'; cfr. *Aut.* s.v. *poder* para la expresión *hacer un poder*

Habiéndose con esto despedido,
revolviendo[50] las riendas al caballo,
él y su compañero caminaron
hasta que al español campo llegaron.

De todo al punto Villagrán informado
cuanto a Marcos, Lautaro dicho había,
sospechoso, confuso y admirado
de ver que bastimentos le pedía.
—Era sagaz, celoso y recatado[51];
revolviendo la presta fantasía,
los secretos designios comprehende
y el peligroso estado y trance entiende.

Y en el presto remedio resoluto[52],
cuando el mundo se muestra más escuro,
sin tocar trompa, del peligro instruto[53],
toma el camino a la ciudad seguro,
maravillado del ardid astuto.
Pero de nuestra gente ahora no curo[54],
que quiero antes decir el modo estraño
de la ingeniosa astucia y nuevo engaño.

Aún no era bien la nueva luz llegada,
cuando luego los bárbaros supieron
la súbita partida y retirada,
que no con poca muestra lo sintieron,
viendo claro[55] que al fin de la jornada

'frase con que se incita al que se excusa de hacer alguna cosa que le mandan diciendo que no puede'.

[50] *revolver* 'discurrir', como luego en el Canto, en 36,5 (*Aut.*, con texto posterior de A. de Solís).

[51] *recatado* 'prudente' (VII, n. 41).

[52] *resoluto* 'determinado' (II, n. 119).

[53] *instruto* por *instructo*, participio fuerte de *instruir*, que ya *Aut.* considera «de menos uso» que *instruido*.

[54] *curar de* 'preocuparse' (V. n. 18).

[55] Nótese el efecto de ironía en la expresión *viendo claro*, opuesta semánticamente al primer verso de la octava; el texto subraya así la habilidad del jefe español para adivinar las intenciones de Lautaro.

por un espacio breve no pudieron
hacer en los cristianos tal matanza
que nadie dellos más tomara lanza.

Que aquel sitio cercado de montaña,
que es en un bajo y recogido llano,
de acequias copiosísimas se baña
por zanjas con industria hechas a mano.
Rotas al nacimiento, la campaña
se hace en breve un lago y gran pantano;
la tierra es honda, floja, anegadiza,
hueca, falsa, esponjada y movediza[56].

Quedaran[57], si las zanjas se rompieran,   35
en agua aquellos campos empapados;
moverse los caballos no pudieran
en pegajosos lodos atascados,
adonde, si aguardaran, los cogieran
como en liga[58] a los pájaros cebados;
que ya Lautaro, con despacho presto,
había en ejecución el ardid puesto.

Triste por la partida y con despecho
la fuerza[59] desampara el mismo día,
y el camino de Arauco más derecho,
marcha con su escuadrón de infantería.
Revuelve y traza en el cuidoso[60] pecho
diversas cosas y en ninguna había
el consuelo y disculpa que buscaba
y entre sí razonando sospiraba

---

[56] *hondo* 'bajo', referido a terrenos *(Aut.)*; para la acumulación nominal, de carácter enfatizador y frecuente en las descripciones del poema, v. III, n. 39.

[57] El uso de las formas en -ra del imperfecto de subjuntivo en la apódosis del periodo hipotético era frecuente en los textos áureos y todavía se oye en zonas de Hispanoamérica *(Esbozo,* par. 3,14,9d y 3,22,5).

[58] *liga* 'materia viscosa para cazar pájaros' (III, n. 2).

[59] *fuerza* 'plaza fuerte' (I, n. 57).

[60] *cuidoso* ant. *cuidadoso* (VII, n. 54).

diciendo: «¿Qué color[61] puede bastarme
para ser desta culpa reservado?
¿No pretendí yo mucho de[62] encargarme
de cosa que me deja bien cargado?
¿De quién sino de mí puedo quejarme
pues todo por mi mano se ha guiado?
¿Soy yo quien prometió en un año solo
de conquistar del uno al otro polo?

»Mientras que yo con tan lucida gente
ver el muro español aún no he podido,
la luna ya tres veces frente a frente
ha visto nuestro campo mal regido,
y el carro de Faetón resplandeciente
del Escorpio al Acuario ha discurrido[63];
y al fin damos la vuelta maltratados
con pérdida de más de cien soldados.

»Si con morir tuviese confianza
que una vergüenza tal se colorase[64],
haría a mi inútil brazo que esta lanza
el débil corazón me atravesase;
pero daría de mí mayor venganza
y gloria al enemigo si pensase
que temí más su brazo poderoso
que el flaco mío, cobarde y temeroso.

»Yo juro al infernal poder eterno   40
(si la muerte en un año no me atierra)
de echar de Chile el español gobierno
y de sangre empapar toda la tierra;

---

[61] *color* 'pretexto, razón o causa' (Cov.; *Aut.*, con textos posteriores).

[62] *pretender de* es uso poco frecuente; la construcción con infinitivo es la corriente en los textos de la época y hasta hoy. Para *prometer de* en los vv. 7 y 8, cfr. Keniston, par. 37,541.

[63] En el hemisferio austral, de mediados de la primavera a mediados del verano. Para *Faetón* del verso anterior, cfr. II, n. 72.

[64] *colorar* 'hacer que algo presente un aspecto diferente' (Cuervo, *Dicc.*, II, 201-2, con este texto de Ercilla).

371

ni mudanza[65], calor, ni crudo invierno
podrán romper el hilo de la guerra
y dentro del profundo reino escuro
no se verá español de mí seguro.»

Hizo también solene juramento
de no volver jamás al nido caro
ni del agua, del sol, sereno y viento
ponerse a la defensa ni al reparo;
ni de tratar en cosas de contento
hasta que el mundo entienda de Lautaro
que cosa no emprendió dificultosa
sin darla con valor salida honrosa[66].

En esto le parece que aflojaba
la cuerda[67] del dolor que a veces, tanto
con grave y dura afrenta le apretaba,
que de perder el seso estuvo a canto.
Así el feroz Lautaro caminaba
y al fin de tres jornadas, entretanto

[65] Es alusión a la idea tradicional de que la Fortuna mudable, como personificación de la extraordinaria variedad y movilidad de lo real, puede ser controlada y sometida por la habilidad de las acciones de los hombres. Se revaloriza esta idea, entre otros, en Maquiavelo (*El príncipe*, c. 25). Para esta actitud, cfr. M. Santoro, *Fortuna, ragione e prudenza nella civiltà letteraria del Cinquecento*, Napoli, Liguori, 1967, págs. 191 y ss. y el clásico G. Sasso, *Niccolò Macchiavelli. Storia del suo pensiero político*, Napoli, 1968, 186 y ss.; Ercilla la pone, brillantemente, en el pensamiento del jefe araucano. Cfr. el apóstrofe que la voz poética dirige a los araucanos en XXIII, 17-22 en que se ve como única razón de la futura derrota araucana la «inconstante, falsa y variable» Fortuna.

[66] Ercilla pone en boca de Lautaro un tipo de juramento que imita y adapta fórmulas frecuentes en el romancero y en los estatutos de las órdenes de caballerías. Cervantes los recreará como vehículos de expresión cómica en el *Quijote* (I, cap. 10 y la nota correspondiente en la edición de Clemencín, para datos y textos). Para *nido* 'casa', del verso 2 de la octava, cfr. Garcilaso, Eleg. 2,40 que Herrera en sus *Anotaciones*, relaciona con Horacio, *Epist.* I,10. V. tb. en la Segunda Parte, XVI, n. 61.

[67] *aflojar la cuerda* 'aliviar, ceder' es expresión familiar «muy usada» (*Aut.*) que registra Correas (610b); cfr. *Lexis*, Lima, II,2 (1978) 220."

que esperado tiempo se avecina.
se aloja en una vega a la marina[68],

junto adonde con recio movimiento
baja de un monte Itata caudaloso,
atravesando aquel umbroso asiento
con sesgo[69] curso, grave y espacioso,
los árboles provocan a contento,
el viento sopla allí más amoroso[70],
burlando con las tiernas florecillas
rojas, azules, blancas y amarillas.

Siete leguas de Penco justamente
es esta deleitosa y fértil tierra,
abundante, capaz y suficiente
para poder sufrir gente de guerra.
Tiene cerca a la banda[71] del oriente
la grande cordillera y alta sierra,
de donde el raudo Itata apresurado
baja a dar su tributo al mar salado.

Fue un tiempo de españoles pero había   45
la prometida fe ya quebrantado,
viendo que la fortuna parecía
declarada de parte del Estado,
el cual veinte y dos leguas contenía:
éste era su distrito señalado,
pero tan grande crédito alcanzaba
que toda la nación le respetaba[72].

Los españoles ánimos briosos
éste los puso humildes por el suelo;
éste los bajos, tristes y medrosos

---

[68] *a la marina* 'junto a la costa' (*Aut.*)

[69] *sesgo* 'sereno' (IX, n. 149).

[70] Para ecos de Garcilaso (quien, a su vez, se inspira en Ovidio), en este verso y en los dos siguientes, v. Égl. 2, 734 y Égl. 3, 323-326.

[71] *banda* 'lado' (IV, n. 129).

[72] Madrid, 1569: «que toda la provincia dél temblaba».

hace que se levanten contra el cielo[73];
y los estraños pueblos poderosos
de miedo déste viven con recelo:
los remotos vecinos y estranjeros
se rinden y someten a sus fueros.

Pues la flor del Estado deseando
estaba al tardo[74] tiempo en esta vega,
tardo para quien gusto está esperando,
que al que no espera bien, bien[75] presto llega;
pero el tiempo y sazón apresurando,
a sus valientes bárbaros congrega
y antes que se metiesen en la vía,
estas breves razones les decía:

«Amigos, si entendiese que el deseo
de combatir, sin otro miramiento,
y la fogosa gana que en vos[76] veo
fuese de la vitoria el fundamento,
hágaos saber de mí que cierto creo
estar en vuestra mano el vencimiento
y un paso atrás volver no me hiciera,
si el mundo sobre mí todo viniera.

»Mas no es sólo con ánimo adquirida
una cosa difícil y pesada:
¿qué aprovecha el esfuerzo sin medida,
si tenemos la fuerza limitada?
Mas ésta, aunque con límite, regida
por industrioso ingenio y gobernada,
de duras y de muy dificultosas
hace llanas y fáciles las cosas.

---

[73] Para la abundancia de la rima antitética *cielo-suelo* en el texto de Ercilla y, en general, en la poesía áurea, v. P. Perelmuter-Pérez, *art. cit., HR*
54,2 (1986) 140.

[74] *tardo* 'tardío' (VII, n. 59).

[75] Para este tipo de repetición o *traductio,* v. XI,82,3-4 con la voz *fuerte*
(I, n. 92).

[76] *vos* por *vosotros* (II, n. 42).

»¿Cuántos vemos el crédito perdido
en afrentoso y mísero destierro,
por sólo haber sin término ofrecido
el pecho osado al enemigo hierro?
Que no es valor, mas antes es tenido
por loco, temerario y torpe yerro:
valor es ser al orden obediente,
y locura sin orden ser valiente.

valor us locura.

»Como en este negocio y gran jornada
con tanto esfuerzo así nos destruimos,
fue porque no miramos jamás nada
sino al ciego apetito a quién seguimos[77];
que a no perder, por furia anticipada,
el tiempo y coyuntura que tuvimos,
no quedara español ni cosa alguna
a la disposición de la Fortuna.

»Si al entrar de la fuerza reportados
allí algún sufrimiento se tuviera,
fueran vuestros esfuerzos celebrados,
pues ningún enemigo se nos fuera;
en la ciudad estaban descuidados:
con la gente que andaba por de fuera
hiciéramos un hecho y una suerte,
que no la consumieran tiempo y muerte.

»Pero quiero poneros advertencia
que habéis por la razón de gobernaros,
haciendo al movimiento resistencia
hasta que la sazón venga a llamaros;
y no salirme un punto de obediencia
ni a lo que no os mandare adelantaros,
que en el inobediente y atrevido
haré ejemplar castigo nunca oído.

---

[77] Madrid, 1569: «si no es el apetito, al cual seguimos / que a no errar
con furia anticipada / la grande coyuntura que perdimos». En ambas
versiones, el texto alude al apresuramiento de los araucanos descrito
en XI,61.

»Y pues volvemos ya donde se muestra
nuestro poco valor, por mal regidos,
en fe que habéis de ser, alzo la diestra,
en el primer honor restituidos,
o el campo regará la sangre nuestra
y habemos de quedar en él rendidos
por pasto de las brutas bestias fieras
y de las sucias aves carniceras.»

Con esto fue la plática acabada   55
y la trompeta a levantar tocando,
dieron nuevo principio a su jornada
con la usada presteza caminando;
yendo así, al descubrir de una ensenada,
por Mataquito[78] a la derecha entrando,
un bárbaro encontraron por la vía
que del pueblo les dijo que venía.

Éste les afirmó con juramento
que en Mapocho se sabe su venida:
ora les dio la nueva della el viento,
ora de espías[79] solícitas sabida;
también que de copioso bastimento
estaba la ciudad ya prevenida,
con defensas, reparos, provisiones[80],
pertrechos, aparatos, municiones.

Certificado bien Lautaro desto,
muda el primer intento que traía,
viendo ser temerario presupuesto[81]
seguirle con tan poca compañía;

---

[78] En el texto *Mataquino,* sin duda por errata ya presente en Madrid,
1589-90, que esta edición repite.

[79] *espía* tenía concordancia femenina en la época y hasta el siglo XVIII
(S. Fernández, par. 88).

[80] Madrid, 1569 y las dos de Madrid, 1578: «con bélicos reparos y bes-
tiones».

[81] *presupuesto* 'propósito' (I, n. 112).

piensa juntar más gentes y de presto[82]
un fuerte asiento que en el valle había,
con ingenio y cuidado diligente[83]
comienza a reforzarle nuevamente.

Con la priesa que dio, dentro metido,
y ser dispuesto el sitio y reparado,
fue en breve aquel lugar fortalecido
de foso y fuerte muro rodeado.
Gente a la fama desto había acudido,
codiciosa del robo deseado[84];
forzoso me es pasar de aquí corriendo
que siento en nuestro pueblo un gran estruendo[85].

Sábese en la ciudad por cosa cierta
que a toda furia el hijo de Pillano[86]
guiando un escuadrón de gente experta
viene sobre ella con armada mano.
El súbito temor puso en alerta
y confusión al pueblo castellano;
mas la sangre, que el miedo helado había,
de un ardiente coraje se encendía.

A las armas acuden los briosos   60
y aquellos que los años agravaban,
con industrias y avisos provechosos
la tierra y partes flacas[87] reparaban;
tras estos, treinta mozos animosos

82 *de presto* 'rápidamente'; cfr. Keniston, par. 39,74 para ej. en prosa de esta frase adverbial.

83 Madrid, 1569: «con providencia, ingenio y presta gente».

84 Madrid, 1569: «que profesaba oficio de soldado», versión que presenta una postura más simpática ante el levantamiento araucano; el texto de nuestra edición, la versión final, más irónica, ve en el fervor bélico indígena una voluntad de codicia comparable a la española. Cfr., más abajo, 62,8 expresión semejante.

85 Para el origen ariostesco de estas transiciones, v. Chevalier, página 153.

86 Para este apelativo de Lautaro, v. VII, n. 49.

87 *flaco* 'débil', como luego en el Canto, en 72,8 y 91,5 (I, n. 29).

y un astuto caudillo se aprestaban,
que con algunos bárbaros amigos
fuesen a descubrir los enemigos.

Villagrá a la sazón no residía
en el pueblo español alborotado;
que para la Imperial partido había
por camino de Arauco desviado.
Mas ya con nueva gente revolvía[88]
y junto de do el bárbaro cercado
de gruesos troncos y fajina[89] estaba,
sin saberlo una noche se alojaba.

Cuando la alegre y fresca aurora vino
y él la nueva jornada comenzaba,
al calar[90] de una loma, en el camino
un comarcano bárbaro encontraba,
el cual le dio la nueva del vecino
campo y razón de cuanto en él pasaba,
que todo bien el mozo lo sabía,
como aquel que a robar de allá venía.

Entendió el español del indio cuanto
el bárbaro enemigo determina,
y cómo allega gentes, entretanto
que el oportuno tiempo se avecina:
no puso a los cautenes[91] esto espanto
y más cuando supieron que vecina
venía también la gente nuestra armada,
que dellos aún no estaba una jornada.

---

[88] *revolver* 'volver otra vez' (XI, n. 74).
[89] *fajina* 'fortificación' (XI, n. 109).
[90] *calar* 'descender' (IV, n. 23).
[91] *cautenes* 'habitantes de la región cercana al río Cautén' (o Cautín).
Para una entusiasta descripción de sus bellezas naturales, v. P. Mariño de
Lobera, *Crónica del Reino de Chile,* Libro primero, Segunda parte, cap. 34,
pág. 309 y ss.

378

Villagrán le pregunta si podría
ganar al araucano la albarrada[92];
sonriéndose el indio respondía
ser cosa de intentar bien escusada
por el reparo y sitio que tenía,
y estar por las espaldas abrigada
de una tajada y peñascosa sierra
que por aquella parte el fuerte cierra.

Díjole Villagrán: «Yo determino   65
por esa relación tuya guiarme,
y abrir por la montaña alta el camino
que quiero a cualquier cosa aventurarme;
y si donde está el campo lautarino
en una noche puedes tú llevarme,
del trabajo serás gratificado
y al fuego, si me mientes, entregado.»

Sin temor dice el bárbaro: «Yo juro
en menos de una noche de llevarte
por difícil camino aunque seguro:
desta palabra puedes confiarte.
De Lautaro después no te aseguro,
ni tu gente y amigos serán parte
a que, si vais allá, no os coja a todos
y os dé civiles[93] muertes de mil modos.»

No le movió el temor que le ponía
a Villagrán el bárbaro guerrero,
que, visto cuán sin miedo se ofrecía,
le pareció de trato verdadero;
y a la gente del pueblo que venía
despacha un diligente mensajero
para que con la priesa conveniente
con él venga a juntarse brevemente.

_____

[92] *albarrada* 'pared de piedra' (VI, n. 56).
[93] *civil* 'infame, vil' (DCECH s.v. *ciudad*); para la ac. 'cruel', no del
todo aplicable a este texto, cfr. Lida de Malkiel, pág. 499 y *NRFH* I
(1947) 80-85.

Pues otro día allí juntos, se dejaron
ir por do quiso el bárbaro guiallos,
y en la cerrada noche no cesaron
de afligir con espuelas los caballos.
Después se contará lo que pasaron,
que cumple por agora aquí dejallos
por decir la venida en esta tierra
de quien dio nuevas fuerzas a la guerra.

Hasta aquí lo que en suma he referido
yo no estuve, Señor, presente a ello
y así, de sospechoso[94], no he querido
de parciales intérpretes sabello;
de ambas las mismas partes lo he aprendido,
y pongo justamente sólo aquello
en que todos concuerdan y confieren[95]
y en lo que en general menos difieren.

Pues que en autoridad de lo que digo   70
vemos que hay tanta sangre derramada,
prosiguiendo adelante, yo me obligo
que irá la historia más autorizada;
podré ya discurrir como testigo
que fui presente a toda la jornada[96],
sin cegarme pasión, de la cual huyo,
ni quitar a ninguno lo que es suyo.

Pisada en esta tierra no han pisado
que no haya por mis pies sido medida;
golpe ni cuchillada no se ha dado,
que no diga de quién es la herida;

---

[94] *sospechoso* 'que sospecha, receloso' (Nebrija; *Aut.;* DCECH s.v. *espectáculo*).

[95] *conferir* 'cotejar' (Nebrija, 1581, en T.L.).

[96] *jornada* 'batalla' (IV, n. 10). Para esta nueva función testimonial del narrador, v. I, n. 10. Cfr. tb. C. Albarracín Sarmiento «Arquitectura del narrador en *La Araucana*» en *Studia Hispanica in honorem R. Lapesa* Madrid, Gredos, t. II, 7-19 y «El poeta y su rey en *La Araucana*» *Filología* XXI,1 (1986) 99-116, especialmente pág. 100.

de las pocas que di estoy disculpado,
pues tanto por mirar embebecida
truje la mente en esto y ocupada
que se olvidaba el brazo de la espada[97].

Si causa me incitó a que yo escribiese
con mi pobre talento y torpe pluma,
fue que tanto valor no pereciese,
ni el tiempo injustamente lo consuma;
quel mostrarme yo sabio me moviese
ninguno que lo fuere lo presuma;
que, cierto bien entiendo mi pobreza
y de las flacas sienes la estrecheza.

De mi poco caudal[98] bastante indicio
y testimonio aquí patente queda;
va la verdad desnuda de artificio
para que más segura pasar pueda;
pero, si fuera desto lleva vicio,
pido que por merced se me conceda
se mire en esta parte el buen intento
que es sólo de acertar y dar contento[99].

---

[97] El tópico de 'armas y letras', que se remonta al latino *sapientia et fortitudo*, se resemantiza en el Renacimiento a partir de Castiglione, en teorizaciones sobre el cortesano ideal. En España se transforma en cuestión vivencial, de la que es ejemplo paradigmático el propio Ercilla. La fusión del hombre de armas y el hombre de letras adquiere en esta octava una inmediatez y contemporaneidad autobiográfica que se singulariza frente a otros textos canónicos (Garcilaso, Égloga III,40; *Quijote* I, c. 38). Para la evolución del *topos*, E. Curtius, *Literatura europea y Edad Media latina* I, págs. 256 y ss. (ed. FCE) y reseña-artículo de M. R. Lida, ahora en *La tradición clásica en España*, págs. 275 y 289; para el tópico en Cervantes y tratados renacentistas anteriores, Américo Castro, *El pensamiento de Cervantes*, pág. 213 y ss. (ed. 1925). Para el eco en Ariosto, *O.F.* XX, 1-2. Para la importancia de las letras en los «capitanes que siguen el ejercicio y arte militar», P. Mexía, *Silva de varia lección* III, c. 10.

[98] *caudal* 'capacidad'; cfr. la expresión *hacer caudal de alguno* 'hacer cuenta' en Rosal, 1601 (T.L.).

[99] Nótese el doble propósito del texto histórico-épico: *acertar* 'ser cierto' (T.L.) y *dar contento*, es decir, escribir un texto placentero, narrar bien. Para las relaciones entre poesía e historia en las poéticas renacentistas, cfr. N. Weinberg, *A History...*, passim, y espec. I,40-44.

Que aunque la barba el rostro no ha ocupado
y la pluma a escrebir tanto se atreve
que de crédito estoy necesitado[100],
pues tan poco a mis años se le debe,
espero que será, Señor, mirado
el celo justo y causa que me mueve,
y esto y la voluntad se tome en cuenta
para que algún error se me consienta.

Quiero dejar a Arauco por un rato[101],   75
que para mi dicurso es importante
lo que forzado aquí del Pirú trato
aunque de su comarca es bien distante;
y para que se entienda más barato
y con facilidad lo de adelante,
si Lautaro me deja, diré en breve
la gente que en su daño ahora se mueve.

El Marqués de Cañete era llegado,
a la ciudad insigne de Los Reyes[102],
de Carlos Quinto Máximo enviado
a la guarda y reparo de sus leyes;
éste fue por sus partes señalado[103]
para virrey de donde dos virreyes
por los rebeldes brazos atrevidos
habían sido a la muerte conducidos[104].

Oliendo el Virrey nuevo las pasiones
y maldades por uso[105] introducidas,

---

[100] Madrid, 1569 y las dos de Madrid, 1578: «Que aunque parezca de mi pluma osada / que a mucho con la verde edad se atreve / y de crédito esté necesitada»; en el verso 5, «mirada», para conservar la rima.

[101] Retomará la acción en XIII,41.

[102] Don Andrés Hurtado de Mendoza fue nombrado tercer virrey del Perú por el príncipe Felipe; entró en Lima, la Ciudad de los Reyes, en junio de 1556 (J. T. Medina, *Vida*, pág. 36).

[103] *partes* 'dotes' (X, n. 56).

[104] Se refiere a la muerte, en 1544, del virrey Blasco Núñez de Vela, primer virrey del Perú; don Antonio de Mendoza, murió en Lima en 1552, pero no «por los rebeldes brazos atrevidos».

[105] *uso* 'costumbre' (II, n. 16).

382

el ánimo dispuesto a alteraciones
en leal apariencia entretejidas,
los agravios, insultos y traiciones
con tanta desvergüenza cometidas,
viendo que aun el tirano no hedía[106],
que, aunque muerto, de fresco se bullía[107],

entró como sagaz y receloso,
no mostrando el cuchillo y duro hierro,
que fuera en aquel tiempo peligroso
y dar con hierro en un notable yerro,
mostrándose benigno y amoroso
trayéndoles la mano por el cerro[108],
hasta tomar el paso[109] a la malicia
y dar más fuerza y mano a la justicia[110].

En tanto que las cosas disponía[111]
para limpiar del todo las maldades,
quitando las justicias[112], las ponía
de su mano por todas las ciudades;
éstas eran personas que entendía
haber en ellas justas calidades,

106 Madrid, 1569 y las dos de Madrid 1578: «y el malvado tirano no hedía».

107 El texto se refiere, sin duda a Francisco Hernández Girón, ajusticiado poco tiempo antes del de la narración en el poema, por la Audiencia de Lima. Fue, en efecto, obra del nuevo virrey, terminar con los últimos vestigios de sublevación en el Perú. Por lo demás, dado el epíteto utilizado («tirano»), podría también ser referencia a Pizarro ajusticiado, sin embargo, años antes.

108 *traer la mano por el cerro* 'halagar a alguno y asegurarle' (Correas, 509a; Cov. y ya Oudin, 1607, en T.L.).

109 *tomar el paso* o *los pasos* 'atajar' (*Aut.*) y Correas, 737a, en la expresión *tomar los puertos*.

110 Madrid, 1569 y las dos de Madrid, 1578: «hasta esforzar las leyes oprimidas / por las tiranas fuerzas corrompidas». *Dar mano* 'apoyar, prometer' (*Aut.*).

111 Madrid, 1569 y Madrid, 1578: «Hecha la traza en su intención tenía.»

112 *justicia* 'los ministros que la ejercen' (*Aut.*).

de Dios, del Rey, del mundo temerosas,
en semejantes cargos provechosas.

Entretenía la gente y sustentaba   80
con són[113] de un general repartimiento,
y el más culpado más premio esperaba,
fundado en el pasado regimiento[114].
El Marqués entretanto se informaba,
llevando deste error diverso intento,
que no sólo dio pena a los culpados
mas renovó los yerros perdonados[115];

pues cuando con el tiempo ya pensaron
que estaban sus insultos encubiertos[116],
en público pregón se renovaron,
y fueron con castigo descubiertos[117]:
que casi en los más pueblos que pecaron
amanecieron en un tiempo muertos
aquellos que con más poder y mano
habían seguido el bando del tirano.

No condeno, Señor, los que murieron
pues fueron perdonados y admitidos[118]
cuando a vuestro servicio en sazón[119] fueron,
y en importante tiempo reducidos[120], .
quedando los errores que tuvieron
a vuestra gran clemencia remitidos.

---

[113] *són* 'noticia, fama' (*Aut.*, con texto de XIII,16,8).
[114] *regimiento* 'gobierno' (II, n. 21).
[115] Entiéndase 'volvió a considerar yerros los ya perdonados', como se explica en la octava siguiente.
[116] Madrid, 1569 y las dos de Madrid, 1578: «pues que cuando sus crímines pensaron / que estaban con el tiempo ya cubiertos».
[117] Madrid, 1569 y las dos de Madrid, 1578: «y con mayor voz fueron descubiertos».
[118] Madrid, 1569 y las dos de Madrid, 1578: «pues fueron los perdones concedidos».
[119] *en sazón* 'oportunamente' (*Aut.*, con este texto de Ercilla).
[120] *reducir* 'volver a la obediencia' (XI, n. 46).

De vos solo, Señor, es el juzgarlos,
y el poderlos salvar o condenarlos.

Dar mi decreto[121] en esto yo no puedo,
que siempre en casos de honra lo rehuso;
sólo digo el terror y estraño miedo
que en la gente soberbia el Marqués puso
con el castigo, a la sazón acedo[122],
dejando el reino atónito y confuso,
del temerario hecho tan dudoso
que aun era imaginarlo peligroso.

A quien hallaba culpa conocida
del Pirú le destierra en penitencia,
que es entre ellos la afrenta más sentida,
y que más examina la paciencia[123];
el justo de ejemplar y llana vida
temeroso escudriña la conciencia[124],
viendo el rigor de la justicia airada
que ya desenvainado había la espada.

Y algunos capitanes y soldados   85
que con lustre sirvieron en la guerra
y esperaban de[125] ser gratificados
conforme a los humores de la tierra,
recelando tenerlos agraviados
del reino en són de presos los destierra,
remitiendo las pagas a la mano[126]
de Rey tan poderoso y soberano.

---

121 *decreto* 'parecer' (*Aut.*, con este texto de Ercilla).
122 *acedo* 'áspero' (Oudin, 1616 en T.L.; *Aut.*).
123 Madrid, 1568 y las dos de Madrid, 1578: «y que se toma menos en paciencia».
124 Madrid, 1569 y las dos de Madrid, 1578: «de miedo escudriñaba la conciencia / por ver si alguna culpa hallaba en ella / y aun no le aseguraba el no tenella».
125 *esperar de* más infinitivo es construcción presente también en textos en prosa del XVI (Keniston, par. 37,541 y 10,773).
126 Madrid, 1569 y las dos de Madrid, 1578: «remitiéndolo a vos, Rey soberano, / para que los paguéis con larga mano».

Esto puso suspensa más la gente,
la causa del destierro no sabiendo,
no entiende si es injusta o justamente;
sólo sabe callar y estar tremiendo[127];
teme la furia y el rigor presente[128]
y a inquirir la razón no se atreviendo,
tiende a cualquier rumor atento oído,
mas no puede sentir más del ruido[129].

Temor, silencio y confusión andaba[130],
atónita la gente discurría,
nadie la oculta causa preguntaba,
que aun preguntar error le parecía;
por saber, uno a otro se miraba
y el más sabio los hombros encogía,
temiendo el golpe del furor presente,
movido al parecer por accidente[131].

Fue hecho tan sagaz, grande y osado
que pocos con razón le van delante,
asaz en estos tiempos celebrado
y a los ánimos sueltos importante;
por él quedó el Pirú atemorizado,
temerario, rebelde y arrogante

---

[127] *tremer* 'temblar' (III, n. 73).

[128] Madrid, 1569 y las dos de Madrid, 1578: «mira la traza así confusamente».

[129] *ruido* 'discordia' (VII, n. 18).

[130] Nótese la concordancia «rara» del verbo en singular con varios sujetos antepuestos (*Esbozo,* par. 3.6.9). Sin embargo, cfr. en Cuervo, *Dicc.,* s.v. *andar* aplicado a «cosas como el ruido, las contiendas, que en su duración y progreso suponen un movimiento figurado», con ejemplo cervantino de la *Galatea* que presenta concordancia semejante: «... confusas del estruendo y vocería que en la nave andaba».

[131] *por accidente* 'por casualidad' (*Aut.,* con textos posteriores). La locución adverbial refuerza la impresión de arbitrariedad que los actos del virrey debieron dejar en la población, según quiere el poema subrayar. La voluntad de retaceo de elogio de las virtudes del virrey y, particularmente de su hijo don García, aparece explícitamente denunciada en la *Crónica...* de Mariño de Lobera, favorable al virrey y su familia (Libro II, Primera Parte, cap. XI, pág. 396b).

y a la justicia el paso más seguro,
con mayor esperanza en lo futuro.

Así enfrenó el Pirú con un bocado[132]
que no le romperá jamás la rienda,
haciendo al ambicioso y alterado
contentarse con sola su hacienda,
y el bullicio[133] y deseo desordenado
le redujo a quietud y nueva emienda[134];
que poco lo mal puesto permanece
como por la esperiencia al fin parece.

Quien antes no pensaba estar contento   90
con veinte o treinta mil pesos de renta,
enfrena de tal suerte el pensamiento
que sólo con la vida se contenta;
después hizo el Marqués repartimiento
entre los beneméritos[135] de cuenta,
para esforzar los ánimos caídos
y dar mayor tormento a los perdidos.

Con ejemplos así y acaecimientos,
¿cómo vemos que tantos van errados,
que sobre arena y frágiles cimientos
fabrican edificios levantados?
Bien se muestran sus flacos fundamentos,
pues por tierra tan presto derribados
con afrentoso nombre y voz los vemos,
huyendo su infición[136] cuanto podemos.

---

[132] *bocado* 'freno' (VI, n. 63).

[133] *bullicio* 'sedición, tumulto' (II, n. 15).

[134] Madrid, 1569 y las dos de Madrid, 1578: «redujo en orden, en quietud y emienda».

[135] *benemérito* es uso sustantivo del que este texto parece ser primera documentación (Cuervo, *Dicc.;* DCECH).

[136] *infición* 'corrupción' incorporado a la lengua poética por Garcilaso (Son. 16,12); cfr. *Lexis*, Lima II,2 (1978) 216-217 (DCECH s.v. *afecto*).

¡Oh vano error!, ¡oh necio desconcierto
del torpe que con ánimo inorante
no mira en el peligro y paso incierto
las pisadas de aquel que va delante,
teniendo, a costa ajena, ejemplo cierto,
que el brazo del amigo más constante
ha de esparcir su sangre en su disculpa,
lavando allí la espada de la culpa!

Quiero que esté algún tiempo falsamente
sobre traidores hombros sostenido:
que el viento que se mueva de repente
le aflige, altera y turba aquel ruido,
pues que cuando la voz del Rey se siente
no hay són tan duro y áspero al oído
que tiene solo el nombre fuerza tanta
que los huesos le oprime y le quebranta.

Que le asome[137] Fortuna algún contento,
¡con cuántos sinsabores va mezclado
aquel recelo, aquel desabrimiento,
aquel triste vivir tan recatado![138].
Traga el duro morir cada momento,
témese del que está más confiado,
que la vida antes libre y amparada
está sujeta ya a cualquiera espada.

Negando al Rey la deuda y obediencia,   95
se somete al más mínimo soldado
poniendo en contentarle diligencia
con gran miedo y solícito cuidado;
y aquellos más amigos en presencia,
las lanzas le enderezan al costado
y sobre la cabeza aparejadas
le están amenazando mil espadas.

---

137 *asomar* 'dejar entrever' (Cuervo, *Dicc.*, con este texto).
138 *recatado* 'prudente' (VII, n. 41).

Cualquier rumor, cualquiera voz le espanta,
cualquier secreto piensa ques negarle;
si el brazo mueve alguno y lo levanta,
piensa el triste que fue para matarle:
la soga arrastra, el lazo a la garganta,
¿qué confianza puede asegurarle?
pues mal el que negar al Rey procura
tendrá con un tirano fe segura.

Si no bastare verlos acabados
tan presto, y que ninguno permanece,
y los rollos[139] y términos poblados
de quien tan justamente lo merece:
bandos, casas, linajes estragados,
con nombre que los mancha y escurece;
baste la obligación con que nacemos
que a Nuestro Rey y príncipe tenemos.

De un paso en otro paso voy saliendo
del discurso y materia que seguía
pero aunque vaya ciego discurriendo
por caminos más ásperos sin guía,
del encendido Marte el són horrendo
me hará que atine a la derecha vía;
y así seguro desto y confiado
me atrevo a reposar, que estoy cansado[140].

FIN

[139] *rollo* 'picota, horca' *(Aut.);* para el valor plural de *quien* del verso siguiente, III, n. 16.
[140] Para el origen ariostesco de esta transición al final del Canto, v. I, n. 125; en este Canto, v. supra n. 85.

Construc. latina absoluta.

HECHO[1] EL MARQUÉS DE CAÑETE EL CASTIGO EN EL PIRÚ, LLEGAN MENSAJEROS DE CHILE A PEDIRLE SOCORRO; EL CUAL, VISTA SER SU DEMANDA IMPORTANTE Y JUSTA, SE LE ENVÍA GRANDE POR MAR Y POR TIERRA. TAMBIÉN CONTIENE AL CABO ESTE CANTO CÓMO FRANCISCO DE VILLAGRÁN, GUIADO POR UN INDIO, VIENE SOBRE LAUTARO

CANTO XIII

DICHOSO con razón puede llamarse
aquel que en los peligros arrojado
dellos sabe salir sin ensuciarse
y libre de poder ser imputado[2];
pero quien déstos puede desviarse
le tengo por más bienaventurado;
aunque el peligro afina lo perfeto,
aquel que dél se aparta es el discreto:

que muchas veces da la fantasía
en cosas que seguro[3] nos promete,
y un ánimo a salir con ellas cría,

---

[1] *Hecho* 'habiendo hecho' es uso sintáctico latino de construcción absoluta, con participio y sujeto expreso (Keniston, par. 38,551 para ejs. en prosa, y Lida de Malkiel, 294). Nótese en este mismo título, otro latinismo sintáctico en la proposición de infinitivo «vista ser su demanda...».

[2] *imputado* 'acusado', es participio del cultismo *imputar,* ya presente en A. de la Torre, según C.C. Smith, 245, y usado en textos clásicos de la segunda mitad del XVI (DCECH).

[3] *seguro* 'seguridad' (I, n. 115).

391

que con temeridad las acomete;
después en el peligro desvaría,
y no acierta a salir de a do se mete,
que la señora al siervo sometida[4]
pierde la fuerza y tino a la salida.

Veréis en el Pirú que han procurado
levantar el tirano y ayudarle,
para sólo mostrar, después de alzado[5],
la traidora lealtad en derribarle;
y con designio y ánimo dañado
le dan fuerza, y después viene a matarle
la espada infiel de la maldad autora,
al Rey y amigos pérfida[6] y traidora.

Fraguan la guerra, atizan disensiones
en hábito leal, aunque engañoso,
pensando de subir más escalones
por un áspero atajo y tropezoso[7].
Al cabo las malvadas intenciones
vienen a fin tan malo y afrentoso
como veréis, si bien miráis la guerra
civil y alteraciones desta tierra.

Deshechos, pues, del todo los ñublados[8]   5
por el audaz marqués y su prudencia,
curando con rigor los alterados
como quien entendió bien la dolencia,
en nombre de su Rey, a otros tocados
de aquel olor[9], descubre la clemencia

---

[4] Entiéndase *señora* 'fantasía' y *siervo* 'peligro'.

[5] Madrid, 1569 y las dos de Madrid, 1578: «dar principio al tirano y levantarle / para mostrar después de levantado».

[6] *pérfido* es cultismo poético latino registrado en Mena (Lida de Malkiel, 255). Cfr. *Aut.* y DCECH s.v. *fe* para ejs. posteriores.

[7] *tropezoso* 'embarazoso, con dificultades'. Es documentación temprana de su uso literario (*Aut.*, con texto del XVII de L. Suárez de Figueroa).

[8] *ñublado* 'conflicto' (IV, n. 94).

[9] *olor* 'que causa o motiva alguna sospecha' (*Aut.*); cfr. II,7,2.

que hasta allí del rigor cubierta estaba,
con general perdón que los lavaba.

No el atrevido caso y espantoso
en el Pirú jamás acontecido,
ni el ejemplar castigo riguroso
que amansó el fiero pueblo embravecido
fue en tal tiempo bastante y poderoso
de ensordecer el bárbaro ruido
y la voz araucana y clara fama
que en aquellas provincias se derrama[10].

Nuevas por mar y tierra eran llegadas
del daño y perdición de nuestra gente
por las vitorias grandes y jornadas[11]
del araucano bárbaro potente;
pidiendo las ciudades apretadas
presuroso socorro y suficiente[12],
haciendo relación de cómo estaban
y de todas las cosas que pasaban.

Gerónymo Alderete, Adelantado,
a quien era el gobierno cometido,
hombre en estas provincias señalado
y en gran figura y crédito tenido,
donde como animoso y buen soldado
había grandes trabajos[13] padecido,
—no pongo su proceso en esta historia,
que dél la general hará memoria—,

presente no se halla a tanta guerra
y a tales desventuras y contrastes;

---

[10] Madrid, 1569: «que en el antártico orbe se derrama».

[11] *jornada* 'batalla, expedición guerrera', como más abajo en 16,8 (IV, n. 10).

[12] Es frecuente en el poema la adjetivación abrazada que ilustra este verso, con la conjunción copulativa delante del segundo adjetivo.

[13] *trabajo* 'penuria' (I, n. 104).

393

mas con vos, gran Felipe, en Inglaterra,
cuando la fe de nuevo allí plantastes.
Allí le distes cargo desta tierra[14],
de allí con gran favor le despachastes[15],
pero cortóle el áspero destino
el hilo de la vida en el camino.

Fue su llorada muerte asaz sentida[16],   10
y más el sentimiento acrecentaba
ver el gobierno y tierra tan perdida[17],
que cada uno por sí se gobernaba.
Andaba la discordia ya encendida,
la ambición del mandar se desmandaba[18];
al fin, es imposible que acaezca
que un cuerpo sin cabeza permanezca.

Aquellos que de Chile habían venido
a pedir el socorro necesario,
viendo a su Adelantado fallecido
y todo a su propósito contrario,
con un semblante triste y afligido,
de parecer de todos voluntario,
piden a don Hurtado que se vea
y de remedio presto los provea,

---

[14] Para suceder a Valdivia, Felipe nombró a J. de Alderete gobernador de Chile. Felipe había viajado a Inglaterra a mediados de julio
de 1554 para casarse en segundas nupcias con María Tudor. Cfr. Góngora Marmolejo, *Historia...*, cap. XXIII, pág. 124 y Medina, *Vida*, páginas 28 y ss.
[15] *despachastes* Para esta forma de la desinencia del perfecto, que aparece en los otros verbos conjugados de la estrofa, v. VII, n. 28.
[16] Madrid, 1569 y las dos de Madrid, 1578: «Fue su muerte así súbita
sentida»; en efecto, Alderete, enfermo «de calenturas» como señala Góngora Marmolejo, murió en abril de 1556 y fue sepultado en la isla de Taboga, como apunta el mismo Ercilla en la octava 30,4. Cfr. Góngora
Marmolejo, *o.c.*, pág. 124 y, más escuetamente, G. de Vivar, *Crónica...*,
c. 130, págs. 262-263.
[17] Madrid, 1569 y las dos de Madrid, 1578: «ver la gobernación tan
corrompida».
[18] *desmandarse* 'descomedirse' (II, n. 36). Para la repetición etimologi-

394

diciendo: «Varón claro y excelente,
nuestra necesidad te es manifiesta,
y la fuerza del bárbaro potente
que tiene a Chile en tanto estrecho[19] puesta;
el más fuerte remedio es llevar gente,
ésta[20] ya puedes ver cuán cara cuesta.
De parte de tu Rey te requerimos
nos concedas aquí lo que pedimos.

»A tu hijo, ¡oh Marqués!, te demandamos,
en quien tanta virtud y gracia cabe,
porque con su persona confiamos
que nuestra desventura y mal se acabe;
de sus partes[21], señor, nos contentamos,
pues que por natural cosa se sabe,
y aun acá en el común es habla vieja,
que nunca del león nació la oveja.

»Y pues hay tanta falta de guerreros,
haciendo esta jornada don García
se moverá el común[22] y caballeros,
alegres de llevar tan buena guía;
y lo que no podrán muchos dineros
podrá el amor y buena compañía
o la vergüenza y miedo de enojarte
o su propio interés en agradarle.»

El Marqués de Cañete, respondiendo   15
a la justa demanda alegremente,

---

zadora (I, n. 4). Otros ejemplos en el Canto, en 43,7 («amor... amaba»);
51,2 («teniendo... tengo»).

[19] *estrecho* 'peligro, riesgo' (I, n. 18).

[20] *ésta* se refiere a «necesidad» del verso 2 de la octava, que allí significa 'riesgo o peligro que se padece' (*Aut.*, con texto de Cervantes); en este
verso, sin embargo, se utiliza el significado 'pobreza, carencia' que da relieve a la antítesis con «caro».

[21] *partes* 'dotes' (X, n. 56).

[22] *común* 'pueblo' (I, n. 78).

vino en ella[23] de grado[24], conociendo
ser cosa necesaria y conveniente;
y el hijo, hacienda y deudos ofreciendo[25],
al punto derramó en toda la gente
gran gana de pasar aquella tierra,
a ejercitar las armas en tal guerra.

Uno se ofrece allí y otro se ofrece,
así gran gente en número se mueve
y aquel que no lo hace, le parece
que falta y no responde a lo que debe;
hasta en cansados viejos reverdece
el ardor juvenil y se remueve
el flaco humor y sangre casi helada[26]
con el alegre son desta jornada.

¡Oh valientes soldados araucanos,
las armas prevenid y corazones,
y el usado valor de vuestras manos
temido en las antárticas regiones,
que gran copia[27] de jóvenes lozanos
descoge[28] en vuestro daño sus pendones,
pensando entrar por toda vuestra tierra
haciendo fiero estrago y cruda[29] guerra!

---

[23] *venir en* 'convenir' (II, n. 89).

[24] *de grado* 'con voluntad y gusto' (*Aut.*, con ej. del *Quijote*, s.v. *grado*).

[25] Madrid, 1569 y las dos de Madrid, 1578: «y su hijo y buen ánimo ofreciendo» que Ercilla debió considerar poco generoso y amplificó a partir de Madrid, 1589-90.

[26] *humor* en el sentido de 'humor del cuerpo humano', es decir, los líquidos con que se mantienen los cuerpos vivientes; la fisiología antigua incluía en ellos para el hombre, la sangre, la cólera, la flema y la melancolía, por lo que se los consideró como agentes del carácter o condición de los individuos (*Aut.*; DCECH s.v. *húmedo*). Para la construcción binaria del verso, presente también en el primero de la octava con los adjetivos en quiasmo, cfr. III, n. 9.

[27] *copia* 'multitud' (II, n. 111).

[28] *descoger* 'desplazar' (IV, n. 118).

[29] *crudo* 'cruel' (II, n. 108).

No con los hierros botos[30] y mohosos
de los que las paredes hermosean,
ni brazos del torpe ocio perezosos
que con gran pesadumbre se rodean,
ni los ánimos hechos a reposos,
que cualquiera mudanza en que se vean
los altera, los turba y entorpece
y el desusado són los desvanece;

mas hierros templadísimos y agudos
en sangre de tiranos afilados,
fuertes brazos, robustos y membrudos,
en dar golpes de muerte ejercitados;
ánimos libres de temor desnudos,
en los peligros siempre habituados,
que el són horrendo que a otros atormenta
los alegra, despierta y alimenta.

Cosas destas yo pienso que ninguna   20
os puede derribar de vuestro estado;
mas tiéneme dudoso sola una,
que nadie della ha sido reservado;
ésta es la usada vuelta de Fortuna
que siempre alegre rostro os ha mostrado,
y es inconstante, falsa y variable,
en el mal firme y en el bien mudable.

Que si la guerra el español procura
haciendo de su espada ufana muestra,
querríale preguntar si por ventura
corta por más lugares que la vuestra;
si la fuerza del brazo le asegura
del poder vuestro y vencedora diestra
verá, si mira bien en lo pasado,
el campo, de sus huesos ocupado.

---

30 *boto* 'romo' (IV, n. 114).

No sé; pero soberbio y encendido
en bélico furor el pueblo veo,
y al más triste español apercebido
de armas, rico aparato y buen deseo.
¡Oh Arauco!, yo te juzgo por perdido;
si las obras igualan al arreo[31]
y no tiempla[32] el camino esta braveza
¡ay de tu presunción y fortaleza![33]

Del apartado Quito[34] se movieron
gentes para hallarse en esta guerra;
de Loxa, Piura, de Iaén salieron[35],
de Truxillo, de Guánuco y su tierra[36];
de Guamanga[37], Arequipa concurrieron

---

[31] *arreo* 'ornato, equipo' (Rosal, 1601, en T.L.) y se refiere al «rico aparato» del v. 4. Cfr. IX, n. 62 y, más abajo, 25,1.

[32] Para la conjugación del verbo *templar,* IX, n. 39.

[33] Este apóstrofe dirigido al pueblo araucano, e iniciado en la octava 17, adelanta proféticamente, la derrota futura y presta a la voz narrativa un tono dramático infrecuente en el poema. Cfr. XII, n. 65.

[34] *Quito* Se refiere a la región y antiguo reino (dominados por los Incas en el momento de la entrada de los españoles en el Perú) y también a la ciudad, conquistada en 1534 por Sebastián de Belalcázar.

[35] *Loxa* ciudad y, luego, nombre de la provincia y corregimiento del reino de Quito, en el sur del actual territorio de la República de Ecuador. Fue fundada en 1546 por el capitán Alonso de Mercadillo (Alcedo). *Piura* Se refiere a San Miguel de Piura, ciudad del noreste del actual territorio del Perú: «La primera población que fundó en el Perú don Francisco Pizarro el año 1531 y donde se fabricó el primer templo... en la América Meridional» (P. Cieza de León, *Crónica del Perú,* Lima, Pontificia U. Católica del Perú, 1984, Primera Parte, Cap. XLV, pág. 150). *Iaén* es Xaén de Bracamoros, ciudad situada al Norte del actual territorio del Perú, fundada por el capitán Diego Palomino en 1549 (Alcedo); perteneció, como la provincia de su nombre, al reino de Quito.

[36] *Truxillo* ciudad fundada en el actual territorio del Perú por Francisco Pizarro (P. Cieza de León, *o.c.,* cap. LXIX, págs. 207-208 de la ed. cit. para su descripción). Alcedo da la fecha de su fundación como 1535. *Guánuco* es referencia a León de Guánuco, en el actual territorio del Perú (hoy Huánuco), fundada por Gómez de Alvarado en 1539, despoblada y reedificada por Pedro Barroso y más tarde por Pedro de Puelles (Cieza, *o.c.,* cap. LXXIX y ss., págs. 231 y ss.).

[37] *Guamanga* o Uamanga, llamada también San Juan de la Frontera o San Juan de la Victoria por su fundador, en 1539, Francisco Pizarro

gran copia; y de los pueblos de la sierra,
La Paz, Cuzco y los Charcas[38] bien armados
bajaron muchos pláticos[39] soldados.

Treme[40] la tierra, brama el mar hinchado
del estruendo, tumultos y rumores[41]
que suenan por el aire alborotado
de pífaros[42], trompetas y atambores
contra el rebelde pueblo libertado[43],
amenazando ya sus defensores[44]
con gruesa y reforzada artillería,
que dentro del Estado el són se oía.

De aparatos, jaeces, guarniciones   25
los gallardos soldados se arreaban;
sobrevistas[45] y galas, invenciones
nuevas y costosísimas sacaban;
estandartes, enseñas y pendones
al viento en cada calle tremolaban;
vieran sastres y obreros ocupados
en hechuras, recamos[46] y bordados.

Como Amadís

(Cieza, *o.c.*, cc. LXXXVI y LXXXVII, págs. 248 y ss.), estaba situada «en el comedio del Cuzco y de Lima (que es la Ciudad de los Reyes)» (*ibíd.*).

[38] *Charcas* es el nombre de un pueblo indígena y de un vasto territorio al sureste del actual Perú y de Bolivia.

[39] *plático* por *práctico* (II, n. 84).

[40] *tremer* 'temblar' (III, n. 73).

[41] Madrid, 1569 y las dos de Madrid, 1578: «del alboroto, estruendos y rumores».

[42] *pífaro* 'instrumento músico de boca que se tañe juntamente con el atambor de guerra' (Cov.). Cfr. DCECH s.v. *pipa* para doc. desde 1527 (Torres Naharro); para *atambor*, v. I, n. 54.

[43] *libertado* 'osado' (I, n. 83).

[44] Entiéndase 'amenazando a sus defensores'; para omisión de *a* con objeto directo de persona, X, n. 8.

[45] *sobrevista* 'visera' (XII, n. 16).

[46] *recamo* 'bordadura de realce, alamar hecho de galón' (*Aut.*, con texto posterior).

Con el concurso y junta de guerreros
el grande estruendo y trápala[47] crecía,
y los prestos martillos de herreros
formaban dura y áspera armonía;
el rumor de solícitos armeros
todo el ancho contorno ensordecía;
los celosos caballos, de lozanos[48]
relinchando, triscaban con las manos.

Andaba así la gente embarazada
con el nuevo bullicio de la guerra,
mas ya de lo importante aparejada
un caudillo salió luego por tierra;
llevando copia[49] della encomendada
atravesó a Atacama[50] y la alta sierra
con la desierta costa y despoblados,
de osamenta de bárbaros sembrados.

La gente principal, todo aprestado,
y reliquias[51] del campo que quedaban,
para romper el mar alborotado
otra cosa que tiempo no aguardaban.
Mas viendo el cielo ya desocupado
y que las bravas olas aplacaban,
con ordenada muestra y rico alarde
salieron de Los Reyes una tarde[52].

---

[47] *trápala* 'estruendo'; para la repetición sinonímica, I, n. 112; otro
ejemplo en el Canto en 44,4 («aparejo y gana»).

[48] *lozano* 'vigoroso, brioso' (XI, n. 17).

[49] *copia* 'abundancia' (II, n. 111).

[50] *Atacama* región desértica que separaba los reinos de Perú y Chile.
Cfr. Góngora Marmolejo, *o.c.,* cap. 3; «[Valdivia] prosiguiendo su jornada llegó al valle de Atacama, ques a la entrada del despoblado y dete-
niéndose allí algunos días para proveerse de matalotaje con que pasar
aquellas ochenta leguas de arenales...» (pág. 82). Este grupo de ciento
cincuenta soldados, llevaba los caballos (Medina, *Vida,* pág. 38).

[51] *reliquia* 'resto' (VI, n. 13).

[52] La fecha de la partida fue el dos de febrero de 1557 (Mariño de Lobera, *Crónica..,* libro 2, cap. 1, pág. 366b. Para este nombre de Lima,
cfr. XII, n. 1.

Yo con ellos también, que en el servicio
vuestro empecé y acabaré la vida,
que estando en Inglaterra en el oficio
que aun la espada no me era permitida[53],
llegó allí la maldad en deservicio
vuestro, por los de Arauco cometida,
y la gran desvergüenza de la gente
a la Real Corona inobediente.

Y con vuestra licencia, en compañía   30
del nuevo capitán y Adelantado
caminé desde Londres hasta el día
que le dejé en Taboga sepultado[54];
de donde, con trabajos y porfía,
de la fortuna[55] y vientos arrojado,
llegué a tiempo que pude juntamente
salir con tan lucida y buena gente.

Otro escuadrón de amigos se me olvida,
no menos que nosotros necesarios,
gente templada, mansa y recogida,
de frailes, provisores, comisarios,
teólogos de honesta y santa vida,
franciscos, dominicos, mercenarios,
para evitar insultos[56] de la guerra,
usados más allí que en otra tierra.

De varias profesiones y colores
sale de Lima una lucida banda[57]

[53] Es decir, que aún no había sido armado caballero y, por lo tanto, en el verso siguiente no usaba espada. Ciertamente, ello debió ocurrir antes de su viaje a América. Para la función testimonial, XII, n. 96. *deservicio* es doc. temprana; cfr. T.L. con testimonios a partir de Palet, 1604.

[54] Cfr. la nota 16 de este Canto.

[55] *fortuna* 'borrasca en el mar' (Lida de Malkiel, pág. 245 para esta acepción).

[56] *insulto* 'daño' es cultismo documentado ya desde el siglo xv (Pérez de Guzmán, según señala C. C. Smith, 265), pero en la acepción 'asalto, ataque'.

[57] *banda* 'escuadrón, porción de gente armada' (DCECH documenta

y en el puerto tendidas por las flores
estaban mesas llenas de vianda
con vinos de odoríferos[58] sabores,
donde luego por una y otra banda
sobre la verde hierba reclinados
gustamos los manjares delicados.

Alegres los estómagos, contentos
fuimos a la marina conducidos[59],
a do de verdes ramos y ornamentos
estaban los bateles[60] prevenidos,
y al són de varios y altos instrumentos,
de los caros amigos despedidos
en los ligeros barcos nos metemos[61],
dando a un tiempo con fuerza al mar los remos.

Los bateles de tierra se alargaban,
dejando con penosa envidia a aquellos
que en la arenosa playa se quedaban
sin apartar los ojos jamás dellos.
Sobre diez galeones arribaban
los prestos barcos, y saltando en ellos
tiempo los marineros no perdieron,
que las velas al viento descogieron[62].

De estandartes, banderas, gallardetes   35
estaban las diez naves adornadas;

---

esta acepción desde 1540; cfr. Percivale, 1599, en T.L.); el significado
'lado' aparece cuatro versos más abajo y en 39,5 (IV, n. 129).

[58] *odorífero* es latinismo que aparece en textos del siglo xv (C. C. Smith,
259, menciona a A. de la Torre [h. 1440] y el *Corbacho* [1483]; cfr. Lida de
Malkiel, 134, para Mena).

[59] Madrid, 1569 y las dos de Madrid, 1578: «levantados de allí fuimos
traídos». Para *marina*, I, n. 16.

[60] *batel* 'esquife' (Nebrija); 'batel de la nao es un barco pequeño con
que ella se sirve para salir y entrar la gente y otras cosas de la nao que son
necesarias traer y llevar' (A. Chaves, 1538, en T.L.).

[61] Para este tipo de presente histórico, v. IV, n. 103.

[62] *descoger* 'desplazar' (IV, n. 118).

hiriendo el fresco viento en los trinquetes[63]
comienzan a moverse sosegadas.
Suenan cañones, sacres, falconetes[64],
y al doblar de la Isleta embarazadas,
del Austro cargan a babor la escota[65],
tomando al Su-sudueste la derrota[66].

Las naos por el contrario mar rompiendo
la blanca espuma en torno levantaban,
y a la furia del Austro resistiendo
por fuerza, a su pesar, tierra ganaban;
pero sobre el Garbino[67] revolviendo
de la gran cordillera se apartaban
y de sola una vuelta que viraron
el Guarco[68], a lesnordeste se hallaron.

Mas presto por la popa el Guarco vimos
con Chinca[69] de otro bordo emparejando;
en alta mar tras éstos nos metimos
sobre la Nasca[70] fértil arribando;

---

[63] *trinquete* 'vela del trinquete, el más pequeño de los mástiles'
(DRAE).
[64] *sacre, falconete* 'armas de artillería de variado calibre y longitud'
(*Aut.,* con este texto s.v. *sacre;* v. tb. Salas, págs. 216 y ss., con textos de
cronistas e historiadores de Indias).
[65] *Austro* 'viento del sur', luego denominado Noto (P. Mexía, *Silva de
varia lección,* IV, c. 22, pág. 397 «De la historia de los vientos»). *Escota*
'cuerda de los extremos bajos de la vela para regirla' (A. Chaves, 1538,
en T.L.).
[66] Madrid, 1569 y las dos de Madrid, 1578: «tomando un poco al sesgo la derrota».
[67] *Garbino* 'viento del sudoeste'; cfr. *Aut.* con texto de Villaviciosa
(1615) y DCECH, para quien el vocablo es raro en castellano y «nunca
empleado en la literatura de Indias ni en las narraciones de época de los
Descubrimientos». Para *revolver* 'girar' v. IV, n. 87.
[68] *Guarco* Puerto en la costa del Perú, a 13 grados, 20 minutos de lati-
tud austral, según Alcedo.
[69] *Chinca* o Chincha, como en las demás ediciones desde la princeps,
es el nombre de una isla «cerca de la costa, en la misma provincia y corregimiento» según Alcedo. *Bordo* 'lado del navío' (G. Palacios, 1587, en
T.L.; DCECH para fecha de documentación más temprana).
[70] *Nasca* Se refiere a la provincia, más que al puerto y la villa del mismo nombre.

y al esforzado Noto[71] resistimos,
su furia y bravas olas contrastando,
no bastando los recios movimientos
de dos tan poderosos elementos.

¿Qué haya en Pirú, no es caso soberano
tanta mudanza en tres leguas de tierra,
que cuando es en los llanos el verano,
los montes el lluvioso invierno cierra?[72]
Y cuando espesa niebla cubre el llano
en descubierto hiere el sol la sierra
y por esta razón van más crecientes
en el verano abajo las vertientes.

De los vientos, el Austro es el que manda
que deshace los húmidos ñublados,
y por todo aquel mar discurre y anda
del cual son para siempre desterrados;
los otros vientos reinan a la banda
de Atacama[73], y allí son libertados,
que bajar al Pirú ninguno puede
ni por natural orden se concede.

Pues las naves, del Austro combatidas,   40
las espumosas[74] olas van cortando,
que de valientes[75] soplos impelidas
rompen la furia en ellas, azotando
las levantadas proas guarnecidas

[71] *Noto* 'viento del sur' (P. Mexía, *o.c.*, IV, cap. 22, pág. 394: «Y por la
misma razón lo llamaron los griegos Notus... en Italia lo llaman Meso-
dia e los castellanos Abrego y Sur y Vendaval.»

[72] *cerrar* 'cubrir', especialmente de nubes o lluvia, como en este caso,
en uso como simple transitivo, que Cuervo, *Dicc.* califica de «muy raro».
Cfr. XV,71,3-4 y XXXV,33,3 para uso con *de* para expresar lo que
cubre.

[73] *Atacama* Se refiere a la región desierta que separaba a los reinos de
Perú y Chile.

[74] *espumoso* es epíteto cultista (Vilanova, I, 314) presente en poesía
desde Boscán y Garcilaso (Égl. 2, 1965).

[75] *valiente* 'fuerte' (I, n. 59).

de planchas de metal... Pero mirando
al español del bárbaro vecino,
habré de andar más presto este camino[76].

Correré a Villagrán, el cual por tierra
también en su jornada[77] se apresura,
atravesando la fragosa[78] sierra
que iguala con las nubes su estatura;
diré lo que sucede en esta guerra
y qué rostro le muestra la ventura.
Mas, porque todo venga a ser más claro,
quiero tratar un poco de Lautaro

que estaba con su escuadra de guerreros
en el sitio que dije recogido[79],
y de foso, fajina[80] y de maderos
le había en breve sazón fortalecido.
Tenía dentro soldados forasteros
que a fama de la guerra habían venido,
reparos[81], bastimentos y otras cosas
para el lugar y tiempo provechosas[82].

Sola una senda este lugar tenía
de alertas centinelas[83] ocupada;

[76] El relato del final de la navegación a Chile se retoma en el Canto XV y final de la Primera Parte y concluye en la Segunda Parte, XVI.

[77] *jornada* 'expedición' (IV, n. 10).

[78] *fragoso* 'escarpado, rocoso' ya en el *Cancionero* de Baena (DCECH). Para la reelaboración en prosa de esta batalla, v. Mariño de Lobera, *Crónica...*, Libro I, Parte 3, cap. LV, que incluye el episodio de Guacolda.

[79] Cfr. XII,66.

[80] *fajina* 'fortificación' (XI, n. 109).

[81] *reparo* 'defensa' (VIII, n. 5).

[82] Madrid, 1569 y las dos de Madrid, 1578: «para el tiempo y lugar menesterosas».

[83] *centinela* Como otros nombres de persona en -a que nombraban oficios de varón (*guarda, camarada, espía,* por ejemplo), concordaba regularmente con la forma gramatical femenina del adjetivo y artículo en la lengua del xvii, y aun hasta el xix (S. Fernández, par. 88). Este italianis-

otra ni rastro alguno no lo había
por ser casi la tierra despoblada.
Aquella noche el bárbaro dormía
con la bella Guacolda enamorada,
a quien él de encendido amor amaba
y ella por él no menos se abrasaba.

Estaba el araucano despojado
del vestido de marte embarazoso,
que aquella sola noche el duro hado
le dio aparejo y gana de reposo.
Los ojos le cerró un sueño pesado,
del cual luego despierta congojoso[84],
y la bella Guacolda sin aliento
la causa le pregunta y sentimiento.

Lautaro le responde: «Amiga mía,   45
sabrás que yo soñaba en este instante
que un soberbio español se me ponía
con muestra ferocísima delante
y con violenta mano me oprimía
la fuerza y corazón, sin ser bastante[85]
de poderme valer; y en aquel punto
me despertó la rabia y pena junto»[86].

Ella en esto soltó la voz turbada
diciendo: «¡Ay, que he soñado también cuanto
de mi dicha temí, y es ya llegada
la fin[87] tuya y principio de mi llanto!
Mas no podré ya ser tan desdichada

---

mo que sustituía a *atalaya* y *escucha,* era considerado en la época como extranjerismo y vocablo nuevo (DCECH).

[84] *congojoso* 'acongojado' (Nebrija, en T.L.).

[85] *bastante* 'competente, suficiente' (T.L.) en construcción infrecuente con *de* e infinitivo (Keniston, par. 37,714 para la construcción con *a,* que ya aparece en II,24,3; par. 37,717 con *para*). Cfr.XI, n. 29.

[86] *junto* 'juntamente' es uso adverbial del adjetivo, frecuente en Ercilla (I, n. 62).

[87] *fin* era también de género gramatical femenino en el siglo XVI;

ni Fortuna conmigo podrá tanto
que no corte y ataje con la muerte
el áspero camino de mi suerte[88].

»Trabaje por mostrárseme terrible,
y del tálamo alegre derribarme,
que, si revuelve[89] y hace lo posible
de ti no es poderosa de apartarme:
aunque el golpe que espero es insufrible,
podré con otro luego remediarme,
que no caerá tu cuerpo en tierra frío
cuando estará en el suelo muerto el mío.»

El hijo de Pillán[90] con lazo estrecho
los brazos por el cuello le ceñía;
de lágrimas bañando el blanco pecho,
en nuevo amor ardiendo respondía:
«No lo tengáis, señora, por tan hecho
ni turbéis con agüeros mi alegría
y aquel gozoso estado en que me veo
pues libre en estos brazos os poseo.

»Siento el veros así imaginativa[91],

---

para ejemplos de esta vacilación en la concordancia, S. Fernández,
par. 91.

[88] Cfr. los episodios de Tegualda (Cantos XX y XXI) y Glaura (Canto XXVIII), de destinos literarios semejantes. Este episodio, sin embargo, generó por lo menos cuatro romances, el primero de los cuales aparece ya en su versión manuscrita primitiva en el *Cancionero de poesías varias* (1582). Cfr. la edición de José J. Labrador Herraiz y Ralph A. DiFranco, Madrid, Ed. Patrimonio Nacional, 1989, pág. 249 «Durmiendo estaba Lautaro». Cfr., para la tradición de impresos, José T. Medina, *Los romances basados en «La Araucana»* Santiago, 1919 y más recientemente P. Lerzundi, *Romances basados en «La Araucana»* Madrid, Playor, 1978.

[89] *revolver* 'embestir' (IV, n. 87).

[90] *Pillán* era apelativo de Lautaro v. VII, n. 49. Para ecos de Garcilaso en el verso siguiente, cfr. Egl. II, 1716 y, menos probable, Elegía I, 179. Cfr. *Lexis,* Lima, II, 2 (1978) 205.

[91] *imaginativo* 'aprensivo, pensativo' (*Aut.,* con textos del XVII, Cervantes, Nieremberg); Ercilla parece ofrecer la primera documentación de su uso literario (C. C. Smith, 253).

no porque yo me juzgue peligroso[92];
mas la llaga de amor está tan viva
que estoy de lo imposible receloso:
si vos queréis, señora, que yo viva,
¿quién a darme la muerte es poderoso?
Mi vida está sujeta[93] a vuestras manos
y no a todo el poder de los humanos.

»¿Quién el pueblo araucano ha restaurado   50
en su reputación que se perdía,
pues el soberbio cuello no domado
ya doméstico al yugo sometía?
Yo soy quien de los hombros le ha quitado
el español dominio y tiranía:
mi nombre basta solo en esta tierra,
sin levantar espada, a hacer la guerra.

»Cuanto más que, teniéndoos a mi lado
no tengo qué temer ni daño espero;
no os dé un sueño, señora, tal cuidado[94],
pues no os lo puede dar lo verdadero,
que ya a poner estoy acostumbrado
mi fortuna a mayor despeñadero;
en más peligros que éste me he metido
y dellos con honor siempre he salido.»

Ella, menos segura y más llorosa,
del cuello de Lautaro se colgaba
y con piadosos ojos, lastimosa,
boca con boca[95] así le conjuraba:
«Si aquella voluntad pura, amorosa,

---

[92] *peligroso* 'el que está puesto en peligro de muerte' (Cov.).

[93] *sujeto* 'sometido', ya en A. de Palencia (1490) y utilizado en la poesía amorosa, en repetición sinonímica con *sometido* por Garcilaso (Canción 4,105). Cfr. II, n. 18 para acepción política en II,14,5.

[94] *cuidado* 'inquietud de ánimo causada por la consideración de algún peligro que puede sobrevenir' (Cuervo, *Dicc.* II,681b). Para la acepción 'ansia, solicitud amorosa', XXVIII,11,8.

[95] *boca con boca* 'muy juntos' (Cov., s.v. *boca; Aut.*, con este texto).

que libre os di cuando más libre estaba[96],
y dello el alto cielo es buen testigo,
algo puede, señor, y dulce amigo;

por ella os juro y por aquel tormento
que sentí cuando vos de mí os partistes[97]
y por la fe, si no la llevó el viento,
que allí con tantas lágrimas me distes,
que a lo menos me deis este contento
(si alguna vez de mí ya lo tuvistes),
y es que os vistáis las armas prestamente
y al muro asista en orden vuestra gente.»

El bárbaro responde: «Harto claro
mi poca estimación por vos se muestra:
¿en tan flaca[98] opinión está Lautaro
y en tan poco tenéis la fuerte diestra
que por la redención del pueblo caro
ha dado ya de sí bastante muestra?
¡Buen crédito con vos tengo, por cierto
pues me lloráis de miedo ya por muerto!»

«¡Ay de mí!, que de vos yo satisfecha   55
—dice Guacolda— estoy, mas no segura:
¿ser vuestro brazo fuerte qué aprovecha,
si es más fuerte y mayor mi desventura?
Mas ya que salga cierta mi sospecha,
el mismo amor que os tengo me asegura
que la espada que hará el apartamiento,
hará que vaya en vuestro seguimiento.

»Pues ya el preciso hado y dura suerte
me amenazan con áspera caída

96 Madrid, 1569 y las dos de Madrid, 1578: «que libremente os di, que
libre estaba», versión que se apoya en el recurso de repetición etimologizadora ya visto en la nota 18 de este Canto.
97 Para esta forma de la desinencia de la segunda persona plural del
perfecto, VII, n. 28.
98 *flaco* 'débil', 'escaso' (I, n. 29).

y forzoso he de ver un mal tan fuerte,
un mal como es de vos verme partida,
dejadme llorar antes de mi muerte
esto poco que queda de mi vida:
que quien no siente el mal, es argumento
que tuvo con el bien poco contento.»

Tras esto tantas lágrimas vertía
que mueve a compasión el contemplalla,
y así el tierno Lautaro no podía
dejar en tal sazón de acompañalla.
Pero ya la turbada pluma mía
que en las cosas de amor nueva se halla,
confusa, tarda[99] y con temor se mueve
y a pasar adelante no se atreve.

FIN

---

[99] *tardo* 'torpe' (*Aut.*). Otra acepción, en VII, n. 59.

LLEGA FRANCISCO DE VILLAGRÁ DE NOCHE SOBRE EL
FUERTE DE LOS ENEMIGOS SIN SER DELLOS SENTIDO. DA AL
AMANECER SÚBITO EN ELLOS[1] Y A LA PRIMERA REFRIEGA
MUERE LAUTARO. TRÁBASE LA BATALLA CON HARTA SANGRE
DE UNA PARTE Y DE OTRA

CANTO XIIII

¿CUÁL SERÁ aquella lengua desmandada[2]
que a ofender las mujeres ya se atreva,
pues vemos que es pasión averiguada
la que a bajeza tal y error las lleva,
si una bárbara moza no obligada
hace de puro amor tan alta prueba,
con razones y lágrimas salidas
de las vivas entrañas encendidas?[3]

Que ni la confianza ni el seguro[4]
de su amigo le daba algún consuelo,

amor — la acción interior vs
la acción exterior — guerra

---

[1] *dar en* 'embestir de improviso' (III, n. 107); *súbito* 'de súbito' en uso
adverbial frecuente en el poema (IV, n. 16).

[2] *desmandado* 'sin orden' (I, n. 49). V. otras acs. derivadas en VI,
n. 6 y XI, n. 76.

[3] Para este tópico de la defensa de las mujeres desde la perspectiva
ideológica del Renacimiento, v. en los Cantos XXII y XXIII la defensa
de Dido. Téngase en cuenta *entrañas* 'ánimo, corazón' (T.L.) y la presencia en el verso del epíteto *vivo* que recuerda Garcilaso, Égl. II,349.

[4] *seguro* 'seguridad' (I, n. 115).

ni el fuerte sitio, ni el fosado muro[5]
le basta asegurar de su recelo;
que el gran temor nacido de amor puro
todo lo allana y pone por el suelo[6],
sólo halla el reparo de su suerte
en el mismo peligro de la muerte.

Así los dos unidos corazones
conformes en amor desconformaban
y dando dello allí demostraciones
más el dulce veneno alimentaban.
Los soldados, en torno los tizones,
ya de parlar[7] cansados reposaban,
teniendo centinelas, como digo,
y el cerro a las espaldas por abrigo.

Villagrán viene silencio.

Villagrá con silencio y paso presto
había el áspero monte atravesado,
no sin grave trabajo, que sin esto
hacer mucha labor es escusado.
Llegado junto al fuerte, en un buen puesto,
viendo que el cielo estaba aun estrellado
paró, esperando el claro y nuevo día,
que ya por el oriente descubría.

---

[5] Nótese la estructura bimembre paralelística, con aliteración de la f- inicial de los adjetivos de ambos miembros. *Fosado* 'con foso' es uso adjetivo infrecuente, que no registra *Aut. Para el uso sustantivo 'hoyo, fortificación', v. Garcilaso, Égl. II, 959.

[6] Este tipo de repetición sinonímica, con valor enfatizador, es frecuente a lo largo del poema (I, n. 112) y se utiliza más adelante en el Canto en 10,4 («fortuna y desventura»); 11,4 («toldos y ranchos»); 22,7 («valiente y bravo»); 28,4 («hiere y ofende»); 28,6 («recatado y sospechoso»); 41,8 («derriba y... allana»); 49,6 («senda y callejón»). *Allanar* 'derrumbar' (XI, n. 116). Nótese la repetición etimologizadora en la estrofa siguiente «conformes... desconformaban». V. más abajo en el Canto, 23,7 («rehusando... rehusa»); 28,2 («muerte... muerto»); 30,5-6 («atronado... atronamiento»); 32,7 («creciendo... crecían»); 37,5 («vuelto... vuelve»); 38,8 («desocupó... ocupó»).

[7] *parlar* 'hablar con exceso o expedición' (*Aut.*). Cfr. *parlera fama* (I, n. 87).

412

Jescindado de sentinelas

De ninguno fue visto ni sentido: 5
la causa era la noche ser escura
y haber las centinelas[8] desmentido,
por parte descuidada por segura;
caballo no relincha ni hay[9] ruido,
que está ya de su parte la ventura:
ésta hace las bestias avisadas
y a las personas, bestias descuidadas.

Cuando ya las tinieblas y aire escuro[10]
con la esperada luz se adelgazaban,
las centinelas puestas por el muro
al nuevo día de lejos saludaban,
y pensando tener campo seguro
también a descansar se retiraban,
quedando mudo el fuerte y los soldados
en vino y dulce sueño sepultados.

Era llegada al mundo aquella hora[11]
que la escura tiniebla, no pudiendo
sufrir la clara vista de la Aurora,
se va en el ocidente[12] retrayendo;
cuando la mustia Clicie[13] se mejora

---

[8] *centinelas* era de género gramatical femenino en la época según se repite en 6,3 (XIII, n. 89); *desmentir* 'confundir, disimular' (T.L.), 'burlar la vigilancia' (Cuervo, *Dicc.*, II,1108a, con este texto).

[9] Nótese el paso al presente histórico que da inmediatez al relato (IV, n. 103). Es de uso frecuente en las descripciones bélicas, a veces alternando con los tiempos del pasado, como luego en el Canto, en la estrofa 7 y en la 42.

[10] *escuro* por *oscuro* era la forma más común hasta el siglo XVII, cuando *oscuro* se hace más frecuente y aparece la forma latinizante *obscuro* (DCECH); en América se usa todavía *escurana* 'oscuridad' (Santamaría).

[11] Para los antecedentes (Dante, Boccaccio, Ariosto) de esta fórmula de la descripción temporal, con alusión a «la hora», v. Vilanova I,148. Cfr. Garcilaso, Eleg. I, 16-17. Para otra mención de esta fórmula del amanecer mitológico, XVII,33,7-8.

[12] *ocidente* por *occidente* era forma común en la época y la que usa todavía Cov. Cfr. para este cultismo, D. Alonso, pág. 60.

[13] *Clicie* era el nombre propio del heliotropo. Recuerda el mito de Clytie, enamorada de Apolo, quien la abandona por Leucothoe; aún

el rostro al rojo oriente revolviendo[14],
mirando tras las sombras ir la estrella
y al rubio Apolo Délfico tras ella.

El español, que vee tiempo oportuno,
se acerca poco a poco más al fuerte,
sin estorbo de bárbaro ninguno,
que sordos los tenía su triste suerte;
bien descuidado duerme cada uno
de la cercana inexorable[15] muerte:
cierta señal que cerca della estamos
cuando más apartados nos juzgamos.

No esperaron los nuestros más, que en viendo[16]
ser ya tiempo de darles el asalto,
de súbito levantan un estruendo
con soberbio alarido horrendo y alto;
y en tropel ordenado arremetiendo
al fuerte[17] van a dar de sobresalto[18]:
al fuerte más de sueño bastecido
que al presente peligro apercebido.

---

después de convertida en planta, sigue con su cabeza, transformada
en flor, el curso del sol o Apolo (Ovidio, *Metamorphoseos,* IV,256-270).
Cfr. S. Guillou-Varga, *Mythes, mythographies et poésie lyrique au Siècle d'Or es-*
pagnol, París, Didier, 1986 para su aparición en Garcilaso, Herrera y
Góngora, especialmente II,446 y ss. y 560-1.

[14] *revolver* 'girar' (IV, n. 87).

[15] *inexorable* es cultismo virgiliano (*Georgica* II,49 «inexorabile fatum»)
usado ya por Boscán y Garcilaso (C. C. Smith, 260) y que se generaliza
en los textos áureos desde Ercilla y Herrera (Kossoff).

[16] Nuestro texto, por evidente errata, «pues en viendo», variante que
crea innecesaria hipermetría.

[17] *al fuerte... al fuerte* es anáfora con función afectiva intensificadora
(Lausberg, par. 629). Mediante un uso variado de repeticiones, Ercilla
alarga el desarrollo del relato ostensiblemente para dar mayor tensión y
expectativa a la violenta descripción que sigue. Nótese que utiliza dos estrofas para la descripción del amanecer en el fuerte, repite el descuido de
los araucanos en la estrofa 8 y posterga la reacción indígena ante el ataque, mediante la comparación de las estrofas 10 y 11.

[18] *de sobresalto* 'inesperadamente, de improviso' (*Aut.*).

Como los malhechores, que en su oficio   10
jamás pueden hallar parte segura
por ser la condición propia del vicio
temer cualquier fortuna[19] y desventura,
que no sienten tan presto algún bullicio
cuando el castigo y mal se les figura
y corren a las armas y defensa,
según que cada cual valerse piensa,

así medio dormidos y despiertos
saltan los araucanos alterados,
y del peligro y sobresalto ciertos,
baten[20] toldos y ranchos levantados.
Por verse de corazas descubiertos
no dejan de mostrar pechos airados,
mas con presteza y ánimo seguro
acuden al reparo[21] de su muro.

Sacudiendo el pesado y torpe sueño
y cobrando la furia acostumbrada,
quién el arco arrebata, quién un leño,
quién del fuego un tizón y quién la espada;
quién aguija al bastón de ajeno dueño,
quién por salir más presto va sin nada[22],
pensando averiguarlo desarmados,
si no pueden a puños, a bocados.

---

[19] *fortuna* 'adversidad', ya en 1505 (DCECH). V. más arriba nota 6.
[20] *batir* 'echar abajo', 'desarmar' (Nebrija; Cuervo, *Dicc.*, con este texto en I, 859b). *Toldo* y *rancho* aparecen aquí para designar la vivienda indígena. *Toldo* también más abajo, 16,7.
[21] *reparo* 'defensa' (VIII, n. 5).
[22] Nótese la disposición simétrica de los dos tipos de la misma anáfora: anáfora de hemistiquio en los versos 3 y 4; anáfora de todo el verso en 5 y 6; téngase en cuenta el valor plural de *quien* (III, n. 16) según se nota en los versos 7 y 8. Cfr. más adelante en el Canto 35,7-8 y 41,5-6; cfr. XV,41; XX,16; XXII,31 y XXXVI,18 por ejemplo, para anáfora semejante también en descripción bélica; este uso retórico permite recrear en el lector el caótico dinamismo del campo de batalla, característico del género épico.

Lautaro a la sazón, según se entiende,
con la gentil Guacolda razonaba;
asegúrala, esfuerza y reprehende[23]
de la desconfianza que mostraba.
Ella razón no admite y más se ofende,
que aquello mayor pena le causaba,
rompiendo el tierno punto en sus amores
el duro són de trompas y atambores[24].

Símil: Casa de ávaro → somido de ladrones...

Mas no salta con tanta ligereza
el mísero avariento enriquecido
que siempre está pensando en su riqueza,
si siente de ladrón algún ruido,
ni madre así acudió con tal presteza
al grito de su hijo muy querido
temiéndole de alguna bestia fiera,
como Lautaro al són y voz primera.

Revuelto el manto al brazo, en el instante[25] 15
con un desnudo estoque y él desnudo,
corre a la puerta el bárbaro arrogante[26],
que armarse así tan súbito no pudo.
¡Oh pérfida Fortuna!, ¡oh inconstante![27]
¡cómo llevas tu fin por punto crudo[28],
que el bien de tantos años, en un punto,
de un golpe lo arrebatas todo junto!

---

23 *reprehender* por *reprender* (s. XIII, DCECH) es restauración ortográfica latinizante ya presente en Nebrija y la única que trae *Aut.*, pero anticuada hoy.

24 *atambor* ant. *tambor* (I, n. 54).

25 Madrid, 1569 y las dos de Madrid, 1568: «El manto al brazo y voluntad alerta.»

26 Madrid, 1569 y las dos de Madrid, 1578: «corre furioso el bárbaro a la puerta».

27 Madrid, 1569 y las dos de Madrid, 1578: «Oh, inconstante Fortuna en esto incierta.»

28 *crudo* 'cruel', como más abajo en 17,2 y 19,8 (II, n. 108). Nótese la repetición con oscilación semántica cercana a la paronomasia de *punto* 'ocasión' y 'momento' en el verso siguiente (I, n. 92).

Cuatrocientos amigos comarcanos
por un lado la fuerza[29] acometieron,
que en ayuda y favor de los cristianos
con sus pintados arcos acudieron,
que con estrema fuerza y prestas manos[30]
gran número de tiros despidieron:
del toldo el hijo de Pillán[31] salía
y una flecha a buscarle que venía

por el siniestro lado, ¡oh dura[32] suerte!,
rompe la cruda punta y tan derecho[33],
que pasa el corazón más bravo y fuerte
que jamás se encerró en humano pecho;
de tal tiro quedó ufana la muerte,
viendo de un solo golpe tan gran hecho;
y usurpando la gloria al homicida[34],
se atribuye a la muerte esta herida.

Tanto rigor la aguda flecha trujo[35]
que al bárbaro tendió sobre la arena,
abriendo puerta a un abundante flujo
de negra sangre por copiosa vena;
del rostro la color se le retrujo,
los ojos tuerce y con rabiosa pena
la alma, del mortal cuerpo desatada,
bajó furiosa a la infernal morada.

---

[29] *fuerza* 'fuerte' (I, n. 57).

[30] Madrid, 1569 y las dos de Madrid, 1578: «los cuales con violencia y prestas manos».

[31] Cfr. para este apelativo de Lautaro, VII, n. 49.

[32] *duro* 'cruel' (III, n. 9) es epíteto latinizante que unido a *suerte* también aparece en Garcilaso (El. I,54; El. II,103: Égl. II,326).

[33] *derecho* 'derechamente' (Cuervo, *Dicc.,* II,911). Cfr. I, n. 62 para uso adverbial de adjetivos; otro ejemplo, más abajo, 30,7.

[34] *homicida* es latinismo menos frecuente en la época que la forma romanceada *omecida* (III, n. 34).

[35] *trujo* ant *trajo* (III, n. 91); v. en esta misma octava verso 5, *retrujo* y ya en XI,71,8.

Ganan los nuestros foso y baluarte,
que nadie los impide ni embaraza,
y así por veinte lados la más parte
pisaba de la fuerza ya la plaza;
los bárbaros con ánimo y sin arte[36],
sin celada ni escudo y sin coraza
comienzan la batalla peligrosa,
cruda, fiera, reñida y sanguinosa[37].

En oyendo los indios estranjeros   20
que con Lautaro estaban recogidos
el súbito rumor, salen ligeros,
del miedo y sobresalto apercebidos[38];
mas sintiendo los golpes carniceros[39],
el ánimo turbado y los sentidos,
con atentas orejas acechaban
adónde con menor rigor sonaban.

Como tímidos gamos, que el ruido
sienten del cazador y atentamente,
altos los cuellos, tienden el oído
hacia la parte que el rumor se siente[40],
y el balar de la gama conocido
que apedazan[41] los perros y la gente,
con furioso tropel toman la vía
que más de aquel peligro se desvía;

la baja y vil canalla, acostumbrada
a rendirse al temor de aquella suerte,
por ciega senda inculta[42] y desusada

---

[36] *arte* 'habilidad', 'oficio' (Nebrija).

[37] Nótese la acumulación nominal cuatrimembre (III, n. 39); *sanguinoso* 'sangriento', como en 44,6 (V, n. 48).

[38] *apercebido* o *apercibido* 'preparado' (IV, n. 64).

[39] *carnicero* 'cruel' (II, n. 13).

[40] Madrid, 1569 y las dos de Madrid, 1578: «atento a aquel rumor confusamente».

[41] *apedazar* 'despedazar' (IX, n. 121).

[42] *ciego* 'oculto' (Cuervo, *Dicc.,* II,142); *inculto* 'silvestre' (I, n. 106) es acepción que aparece en textos del XVI pero falta aún en Nebrija.

rompe el camino y desampara el fuerte
acá y allá corriendo derramada:
y era tan grande el miedo de la muerte
que al más valiente y bravo se le antoja
ver un fiero español tras cada hoja.

Pero aquellos que nunca el miedo pudo
hacerlos con peligros de su bando,
poniendo osado pecho por escudo
están la antigua riña averiguando[43];
la desnuda cabeza del agudo
cuchillo no se vee estar rehusando,
ni rehusa la espada la siniestra,
ejercitando el uso de la diestra.

Que el joven Corpillán, no desmayado
porque su espada y mano vino[44] a tierra
antes en ira súbita abrasado,
contra la parte del contrario cierra[45];
y habiendo ya la espada recobrado,
la diestra, que aun bullendo el puño afierra[46],
lejos con gran desdén y furia lanza,
ofreciendo la izquierda a la venganza.

Flaqueza en Millapol no fue sentida   25
viéndole atravesado por la ijada
y la cabeza de un revés hendida,

---

[43] *averiguar* 'verificar' (Nebrija).
[44] El verbo concuerda en singular para reforzar la unidad que forman la *espada* y la *mano* aferrada a ella.
[45] *cerrar* 'embestir', 'trabar batalla', como más abajo en el Canto, 27,8 y 33,1 (II, n. 105).
[46] Para la conjugación de *aferrar* v. III, n. 56. La conducta de Corpillán ejemplifica la hiperbólica proeza militar araucana que las historias reservaban para los héroes romanos. Recuerda ésta (de modo mucho más dramático, pues el cambio de mano para el uso de la espada se verifica en la misma batalla) la legendaria valentía semejante de Marco Sergio (Plinio, *Naturalis Historia* VII,28 y Solino, *Polyhistor,* cap. 6) que recoge Mexía en su *Silva* (III, cap. 33), leída cuidadosamente por Ercilla (XII, n. 2).

ni por pasalle el pecho una lanzada;
que de espumosa sangre a la salida
vino la media lanza acompañada,
dejando aquel lugar della[47] vacío,
aunque lleno de rabia y nuevo brío[48]:

que a dos manos la maza aprieta fuerte
y con furia mayor la gobernaba:
bien se puede llamar de triste suerte
aquel que el fiero bárbaro alcanzaba;
con la rabia postrera[49] de la muerte
una vez el ferrado leño alzaba,
mas faltóle la vida en aquel punto,
cayendo cuerpo y maza todo junto.

Aunque la muerte en medio del camino
le quebrantó el furor con que venía,
un valiente[50] español a tierra vino
del peso y movimiento que traía,
mas luego puesto en pie, con desatino[51]
hacia el lugar del dañador volvía,
y viendo el cuerpo muerto dar en tierra,
pensando que era vivo, con él cierra,

y encima del cadáver arrojado,
de dar la muerte al muerto deseoso[52],
recio por uno y por el otro lado

[47] de ella entiéndase 'por ella', es decir, 'por la lanza'.
[48] Madrid, 1569 y las dos de Madrid, 1578: «aunque lleno de rabia, furia y brío».
[49] postrero de uso frecuente en los textos áureos y hoy reservado para la lengua literaria exclusivamente, se documenta a fines del siglo XV (A. de Palencia, Nebrija, DCECH); v. uso apocopado en XV,35,8; XXVIII,63,3 y XXXIV,66,3).
[50] valiente 'fuerte' como luego en el Canto, 49,1 (I, n. 59).
[51] Madrid, 1569 y las dos de Madrid, 1578: «pero luego que en pie, con desatino».
[52] Nótese la tensión semántica que crea la repetición etimologizadora muerte/muerto para subrayar la paradoja de la lucha inútil (cfr. más arriba, nota 6).

420

hiere y ofende[53] el cuerpo sanguinoso,
hasta tanto que, ya desalentado,
se firma[54] recatado y sospechoso,
y vio a aquel que aferrado así tenía[55]
vueltos los ojos y la cara fría.

Los Esp. y los hechos

Traía la espada en esto Diego Cano
tinta de sangre, y con Picol se junta,
haciendo atrás la rigurosa mano
el pecho le barrena de una punta;
turbado de la muerte el araucano
cayó en tierra, la cara ya difunta,
bascoso[56], revolviéndose en el lodo
hasta que la alma despidió del todo.

De dos golpes Hernando de Alvarado
dio con el suelto[57] Talco en tierra muerto,
pero fue mal herido por un lado
del gallardo Guacoldo en descubierto;
estuvo el español algo atronado[58],
mas del atronamiento ya despierto,
corriendo al fuerte bárbaro derecho
la espada le escondió dentro del pecho.

(30)

El viejo Villagrán, con la sangrienta
espada por los bárbaros rompiendo[59],
mata, hiere, tropella y atormenta[60],

---

[53] *ofender* 'herir' como más adelante en el Canto, 48,6 (I, n. 49).

[54] *firmarse* por *afirmarse* (III, n. 52); *recatado* 'cauteloso' (VII, n. 41).

[55] Madrid, 1569 y las dos de Madrid, 1578: «mas luego alegre vio al que así tenía».

[56] *bascoso* 'agonizante' (Palet, 1607 en T.L.) parece documentación temprana de este uso y acepción (DCECH no la trae; *Aut.* registra s.v. *basca* «bascas de la muerte», recién en el *Guzmán de Alfarache*).

[57] *suelto* 'veloz' (I, n. 27).

[58] *atronado* 'aturdido', 'atónito' (Nebrija).

[59] *romper* 'atacar' (IV, n. 27).

[60] Para esta acumulación verbal, típica de las descripciones bélicas del poema, v. III, n. 39. Nótese en los versos siguientes, la repetición en rima, poco común en el poema, de *revolviendo*, con leve oscilación semán-

a tiempo a todas partes revolviendo;
un golpe a Nico en la cabeza asiénta,
el cual los turbios ojos revolviendo
a tierra vino muerto; y de otro a Polo
le deja con el brazo izquierdo solo.

Usadas las espadas al acero,
topando la desnuda carne blanda,
ayudadas de un ímpetu ligero
dan con piernas y brazos a la banda[61].
No rehusa el segundo ser primero,
antes todos siguiendo una demanda,
como olas[62] que creciendo van, crecían,
y a la muerte animosos se ofrecían.

La gente una con otra así se cierra,
que aún no daban lugar a las espadas;
apenas los mortales van a tierra
cuando estaban sus plazas ocupadas.
Unos por cima de[63] otros se dan guerra,
enhiestas las personas[64] y empinadas
y de modo a las veces[65] se apretaban,
que a meter por la espada se ayudaban.

Las armas con tal rabia y fuerza esgrimen
que los más de los golpes son mortales;
y los que no lo son, así se imprimen
que dejan para siempre las señales;
todos al descargar los brazos gimen

---

tica. En el primer caso, 'girando, dando vueltas' es índice de violenta actividad guerrera, mientras que en la repetición, el gerundio indica la cesación de la vida.

[61] *banda* 'lado' (IV, n. 129).

[62] *ola* es infrecuente en la lírica del XVI que prefiere el entonces más común *onda* (no parece usarla Boscán; tampoco Garcilaso ni Herrera). Probablemente en Ercilla es marinerismo.

[63] *por cima de* 'por encima' (Keniston, par. 41,32 para ejemplos en prosa).

[64] *persona* 'cuerpo' (VI, n. 43).

[65] *a las veces* 'en alguna ocasión' (XI, n. 111).

mas salen los efetos desiguales;
que los unos topaban duro acero,
los otros al desnudo y blando cuero[66].

Como parten la carne en los tajones[67]   35
con los corvos cuchillos carniceros,
y cual de fuerte hierro los planchones
baten en dura yunque[68] los herreros,
así es la diferencia de los sones
que forman con sus golpes los guerreros:
quién la carne y los huesos quebrantado,
quién[69] templados arneses abollando.

Pues Juan de Villagrán firme en la silla
contra Guarcondo a toda furia parte,
y la lanza le echó por la tetilla
con una braza de asta a la otra parte.
El bárbaro, la cara ya amarilla,
se arrima desmayado al baluarte[70],
dando en el suelo súbita caída,
el alma gomitó[71] por la herida.

Pero Rengo, su hermano, que en el suelo
el cuerpo vio caer descolorido,

---

[66] *cuero* en la acepción etimológica latina de 'piel humana o del animal', conservada en español y en portugués (DCECH). Cfr. I, n. 42 para otra acepción.

[67] *tajón* 'tajo, pedazo de madera grueso para partir la carne' (DRAE y ya en Cov., s.v. *tajador*).

[68] *yunque* se usó con género femenino hasta el xvii (DRAE; DCECH).

[69] *quién... quién* es anáfora utilizada aquí para separar intencionalmente los guerreros españoles, que quebrantan huesos, y los araucanos, que abollan arneses; v. más abajo, 41,5.

[70] *baluarte* documentado desde la segunda mitad del xv y ya en Nebrija, es considerado tetrasílabo por Ercilla y, en general, por los poetas áureos (DCECH).

[71] *gomitar* por *vomitar* es forma corriente en el xvi y todavía usual en partes de España (DCECH) y América (Santamaría, *Mej.*) como vulgarismo.

cuajósele la sangre, y hecho un hielo,
del súbito dolor perdió el sentido;
mas vuelto en sí, se vuelve[72] contra el cielo
blasfemado el soberbio y descreído
y el ñudoso[73] bastón alzando en alto,
a Juan de Villagrán llegó de un salto.

Mas antes Pon con una flecha presta
hirió al caballo en medio de la frente;
empínase el caballo, el cuello enhiesta,
al freno y a la espuela inobediente
y entre los brazos la cabeza puesta,
sacude el lomo y piernas impaciente:
rendido Villagrán al duro hado
desocupó el arzón y ocupó el prado.

Apenas en el suelo había caído
cuando la presta maza decendía
con una estraña fuerza y un ruido,
que rayo o terremoto parecía;
del golpe el español quedó adormido[74]
y el bárbaro con otro revolvía[75],
bajando a la cabeza de manera
que sesos, ojos y alma le echó fuera.

Y con venganza tal no satisfecho   40
del caso desastrado[76] del hermano,
antes con nueva rabia y más despecho
hiere de tal manera a Diego Cano,
que, la barba inclinada sobre el pecho,

---

[72] Nótese el rasgo irónico, como en 38,8, con que se subraya el valor intensificador de estas repeticiones etimologizadoras muy frecuentes en el poema (v. más arriba, nota 6).

[73] *ñudoso* por *nudoso* como luego en el Canto, 49,4 (II, n. 64).

[74] *adormido* 'adormecido' (Casas, 1570, en T.L.).

[75] *revolver* 'volver nuevamente' (XI, n. 74). Cfr. n. 14 de este Canto para otra acepción.

[76] *desastrado* 'desdichado, sin fortuna' (ya en Mena, C. C. Smith, 241; Nebrija).

se le cayó la rienda de la mano,
y sin ningún sentido, casi frío,
el caballo lo lleva a su albedrío.

En medio de la turba embravecido
esgrime en torno la ferrada maza;
a cuál deja contrecho[77], a cuál tullido,
cuál el pescuezo del caballo abraza;
quién se tiende en las ancas aturdido,
quién, forzado, el arzón desembaraza:
que todo a su pujanza y furia insana
se le bate[78], derriba y se le allana.

Por partes más de diez le iba manando
la sangre, de la cual cubierto andaba;
pero no desfallece, antes bramando,
con más fuerza y rigor los golpes daba.
Ligero corre acá y allá saltando,
arneses y celadas abollaba,
hunde las altas crestas[79], rompe sesos,
muele los nervios, carne y duros huesos.

En esto un gran rumor iba creciendo
de espadas, lanzas, grita y vocería,
al cual confusamente, no sabiendo
la causa, mucha gente allí acudía;
y era un gallardo mozo que, esgrimiendo
un fornido[80] cuchillo, discurría
por medio de las bárbaras espadas,
haciendo en armas cosas estremadas.

[77] *contrecho* 'lisiado' (IX, n. 104).

[78] *batir* 'echar por tierra, abatir' (Cov.). En 44,7 'golpear', que es la acepción más frecuente (XXV, n. 71).

[79] *cresta* 'penacho de la armadura de la cabeza'. Nótese el uso de estructuras sintácticas paralelas y la supresión de conjunciones o asíndeton que intensifican el violento dinamismo de la descripción, a la que se podrían añadir imaginariamente nuevos elementos (*Esbozo* par, 3,18,2c).

[80] *fornido* 'recio', aplicado a objeto inanimado es caso de enálage, figura que Ercilla usa a lo largo del poema con extrema habilidad expresiva (II, 122). *discurrir* 'correr por diversas partes' (III, 104).

Venía el valiente mozo belicoso
de una furia diabólica movido,
el rostro fiero, sucio y polvoroso,
lleno de sangre y de sudor teñido,
como el potente Marte[81] sanguinoso
cuando de furor bélico encendido
bate el ferrado escudo de Vulcano,
blandiendo la asta en la derecha mano.

Con un diestro y prestísimo gobierno[82]   45
el pesado cuchillo rodeaba[83],
y a Cron, como si fuera junco tierno,
en dos partes de un golpe lo tajaba;
tras éste al diestro Pon envía al infierno
y tras de Pon a Lauco despachaba,
no hallando defensa en armadura,
descuartiza, desmiembra y desfigura[84].

Llamábase éste Andrea, que en grandeza
y proporción de cuerpo era gigante,
de estirpe humilde, y su naturaleza[85]
era arriba de Génova al levante;
pues con aquella fuerza y ligereza
a los robustos miembros semejante,

---

[81] Para *Marte,* dios de la guerra, v. I, n. 17 y II, n. 90. Para *Vulcano,* II, n. 107. Por ser dios herrero, hacía armas para los dioses, de aquí su mención en este verso. Sin embargo, desde Homero (*Odisea* VIII, 266 y ss.), la asociación de estos dioses estaba más relacionada con los adúlteros amores con Venus, mujer de Vulcano (Virgilio, *Georgicon* IV,345; *Metamorphoseon,* IV, 169 y ss.).

[82] *gobierno* 'manejo, uso' (*Aut.*) de uso no frecuente en textos poéticos de la época.

[83] *rodear* 'girar', 'hacer dar vuelta a alguna cosa en redondo' (*Aut.;* DCECH). Cfr. XVI,82,3 y XVII,50,4 aplicado a los ojos.

[84] Nótese la repetición anafórica del prefijo compositivo *des-* con significado de negación que enfatiza la destrucción diseminada por el cuchillo de Andrea. *Descuartizar* ofrece aparentemente la primera documentación de su uso literario (DCECH con textos posteriores, s.v. *cuarto*) y añade la novedad semántica al recurso retórico de noble tradición.

[85] *naturaleza* 'tierra de cada uno, *patria, -ae*' según ya define Nebrija.

426

el gran cuchillo esgrime de tal suerte
que a todos los que alcanza da la muerte.

De un tiro a Guaticol por la cintura
le divide en dos trozos en la arena,
y de otro al desdichado Quilacura
limpio el derecho muslo le cercena;
pues de golpes así desta hechura
la gran plaza de muertos deja llena,
que su espada a ninguno allí perdona[86],
y unos cuerpos sobre otros amontona.

A Colca de los hombros arrebata
la cabeza de un tajo, y luego tiende
la espada hacia Maulén, señor de Itata,
y de alto a bajo de un revés le hiende;
lanzas, hachas y mazas desbarata,
que todo el pueblo bárbaro le ofende,
llevando muchos tiros enclavados
en los pechos[87], espaldas y en los lados.

Como la osa valiente perseguida
cuando le van monteros[88] dando caza
que con rabia, sintiéndose herida,
los ñudosos venablos despedaza,
y furiosa, impaciente, embravecida,
la senda y callejón[89] desembaraza,
que los heridos perros lastimados[90]
le dan ancho lugar escarmentados,

de la misma manera el fiero Andrea   50
cercado de los bárbaros venía,

---

86 Madrid, 1569: «... ninguno no perdona».
87 *pechos* tenía valor singular (III, n. 122). Para el uso plural de *espaldas*,
como en nuestro texto, v. S. Fernández, par. 96.
88 *montero* 'el cazador de salvajina' (Cov.).
89 *callejón* aparece documentada en Palet, 1604 (T.L.; DCECH, sin
fecha).
90 *lastimado*, aquí con valor activo: 'que mueve a lástima, lastimoso'.

pero de tal manera se rodea
que gran camino con la espada abría;
crece el hervor[91], la grita y la pelea,
tanto que la más gente allí acudía;
he aquí a Rengo también ensangrentado
que llega a la sazón por aquel lado.

Y como dos mastines rodeados
de gozques[92] importunos, que en llegando
a verse, con los cerros[93] erizados
se van el uno al otro regañando,
así los dos guerreros señalados,
las inhumanas armas levantando,
se vienen a herir... Pero el combate
quiero que al otro canto se dilate[94].

FIN

[91] *hervor* 'actividad, vehemencia' (Cov., s.v. *hervidero*). Cfr. IV, n. 44.
[92] *gozque* 'perro pequeño y muy ladrador' (Nebrija; *Aut.* con textos posteriores; DCECH).
[93] *cerro* 'espinazo' (VIII, n. 36).
[94] Para este tipo de transiciones, de origen ariostesco, cfr. I, n. 125.

EN ESTE QUINCENO Y ÚLTIMO CANTO SE ACABA LA BATALLA
EN LA CUAL FUERON MUERTOS TODOS LOS ARAUCANOS, SIN
QUERER ALGUNO DELLOS RENDIRSE. Y SE CUENTA LA NA-
VEGACIÓN QUE LAS NAOS[1] DEL PIRÚ HICIERON HASTA LLE-
GAR A CHILE Y LA GRANDE TORMENTA QUE ENTRE EL RÍO
MAULE Y EL PUERTO DE LA CONCEPCIÓN PASARON

CANTO XV

Exordio a este problema.

¿QUÉ COSA PUEDE haber sin amor buena?
¿Qué verso sin amor dará contento?
¿Dónde jamás se ha visto rica vena[2]
que no tenga de amor el nacimiento?
No se puede llamar materia llena
la que de amor no tiene el fundamento;
los contentos, los gustos, los cuidados[3],
son, si no son de amor, como pintados.

Amor de un juicio rústico y grosero
rompe la dura y áspera corteza,
produce ingenio y gusto verdadero
y pone cualquier cosa en más fineza.
Dante, Ariosto, Petrarca y el Ibero[4],

---

[1] *nao* 'nave' es forma popular y la empleada por los cronistas de Indias; también aparece en relatos de navegación de los autores áureos
(DCECH).

[2] *vena* 'inspiración, numen poético' (*Aut.*).

[3] *cuidado* 'inquietud' (XIII, n. 94).

[4] *Ibero* es decir, Garcilaso de la Vega; cfr. Pierce, *o.c.*, 67 y *Lexis*, Lima,
II,2 (1978) 202.

amor los trujo a tanta delgadeza[5]
que la lengua más rica y más copiosa,
si no trata de amor, es desgustosa[6].

Pues yo, de amor desnudo y ornamento,
con un inculto[7] ingenio y rudo estilo,
¿cómo he tenido tanto atrevimiento,
que me ponga al rigor del crudo[8] filo?
Pero mi celo bueno y sano intento[9],
esto me hace a mí añudar el hilo,
que ya con el temor cortado había,
pensando remediar esta osadía.

Quíselo aquí dejar, considerado
ser escritura larga y trabajosa[10],
por ir a la verdad tan arrimado
y haber de tratar siempre de una cosa;
que no hay tan dulce estilo y delicado
ni pluma tan cortada y sonorosa[11]
que en un largo discurso no se estrague[12]
ni gusto que un manjar no le empalague.

---

[5] *delgadeza* 'sutileza, ingenio' (T.L. registra la palabra desde 1570, Casas; referida a ingenio, desde Franciosini, 1620).

[6] *desgustoso* 'desabrido' (T.L., con definición de Palet, 1604; no la registra *Aut.* y DCECH trae la forma *disgustoso,* sin documentación).

[7] *inculto* 'sin retórica en el estilo' (*Aut.*), por lo que puede considerarse el verso como una construcción sinonímica.

[8] *crudo* 'cruel' como más adelante en el Canto, en 24,5; 31,2; 47,1; 55,7 (II, n. 108); *crudo filo,* aquí 'cruel crítica'.

[9] *intento* 'voluntad, designio' es cultismo ya en uso desde mediados del siglo XV (C. C. Smith, 268); nótese el orden cruzado de los adjetivos en el verso, que contrasta con los antepuestos de los versos anteriores y enlaza con el orden de núcleo nominal en el centro y los complementos antepuestos y pospuestos del verso primero; son recursos y fórmulas latinizantes que desmienten el «rudo estilo» denunciado por el yo poético.

[10] Nótese el empleo latinizante de la proposición de infinitivo en la construcción de *considerado* (Lida de Malkiel, 297). Cfr. XXXV,14,1-2.

[11] *sonoroso* 'sonoro' como luego en el Canto, en 36,5 (III, n. 76).

[12] Para este uso de *estragar* aplicado al estilo, que ya aparece en J. de Valdés, v. DCECH.

430

el se queja de las
límites del
épico bélico

Que si a mi discreción dado me fuera   5
salir al campo y escoger las flores,
quizá el cansado gusto removiera
la usada variedad de los sabores,
pues como otros han hecho, yo pudiera
entretejer mil fábulas y amores;
mas ya que tan adentro estoy metido,
habré de proseguir lo prometido[13].

x no voy
adelante

Al lombardo dejé y al araucano
donde la guerra andaba más trabada,
que vienen a juntarse mano a mano[14],
la espada alta y la maza levantada.
De malla está cubierto el italiano,
el indio la persona[15] desarmada
y así como más suelto[16] y más ligero,
en descargar el golpe fue el primero.

El membrudo italiano, como vido[17]
la maza y el rigor con que bajaba,
alzó el escudo en alto y recogido
debajo dél, el golpe reparaba[18];
por medio el fuerte escudo fue rompido

---

[13] Cfr. XXII,5 para una nueva admisión de la oposición entre el propósito histórico, que exige unidad temática, y la necesidad de variedad
expositiva, que pide pasajes líricos. Estas declaraciones de propósitos en
los exordios, virgilianamente presente en la primera octava del primer
Canto, se constituyeron en el punto de partida de extensos comentarios
críticos desde la aparición del poema hasta nuestros días. Cfr. Pierce,
113 y ss. para la historia de la crítica y bibliografía correspondiente.
[14] *mano a mano* 'a la par' (I, n. 53).
[15] *persona* 'cuerpo' como más adelante en el Canto, en 22,3 (VI, n. 44).
[16] *suelto* 'veloz', como más abajo, en 8,6 (I, n. 27). Para la repetición sinonímica en ambos textos, v. I, n. 112; otros ejs. en el Canto, en 33,8
(«sin número ni cuenta), 37,6 («estrecho... priesa») y 58,3 («furioso...
violento»).
[17] *vido* ant. *vio*, es forma que aparece en textos literarios hasta el xvii,
y en la lengua rural hasta hoy en casi todo el mundo hispánico (Rosenblat, 302).
[18] *reparar* 'detener' como luego en el Canto, en 77,5 (IV, n. 45).

y en modo la cabeza le cargaba[19],
que, batiendo los dientes, vio en el suelo
la estrellas más mínimas[20] del cielo.

El brazo descargó, que alto tenía,
sobre el valiente bárbaro el lombardo,
pensando que dos piezas le haría
según era del ánimo gallardo,
pero Rengo, que punto no perdía,
como una onza ligera y suelto pardo[21],
un presto salto dio a la diestra mano,
de suerte que el cuchillo bajó en vano.

Tras esto el diestro bárbaro rodea[22]
la poderosa maza, de manera
que acertarle de lleno, no al Andrea
pero un duro peñasco deshiciera.
Igual andaba entre ellos la pelea,
aunque temo yo a Rengo a la primera
vez que el cuchillo baje, si le halla,
que habrá[23] fin con su muerte la batalla.

Mas con destreza y gran reportamiento[24],   10
desnudo de armas y de esfuerzo armado[25],

---

[19] *cargar* 'golpear, oprimir' (Cuervo, *Dicc.*, I, 73b; otra acepción en este Canto, en 70,8.

[20] *mínimo* es superlativo latinizante documentado aquí tempranamente (DCECH, con texto de Cervantes). V. más adelante, en 21,8 la forma femenina.

[21] *onza* 'especie de pantera' (DCECH s.v. *lince*); *pardo* 'leopardo' (VIII, n. 40). Cfr. XX,9,8 en donde se repite este verso excepto la conjunción.

[22] *rodear* 'girar', como más adelante en el Canto, 45,5 (XIV, n. 83).

[23] Para este uso de *haber* por *tener*, v. IX, n. 41.

[24] *reportamiento* 'refrenamiento, moderación de cólera' es aparición temprana del vocablo; DCECH no trae autoridades y para *reportar* cita Cov. y textos del XVII de *Aut.*

[25] Nótese la bimembración paralelística con los adjetivos en quiasmo y la antítesis sobre la repetición etimologizadora *armas... armado*, v. I, n. 112; este último recurso retórico vuelve a usarse en el Canto en 14,4 («deseo... deseado»); 55,4 («arrepentirme... arrepentimiento»).

entra, sale y revuelve[26] como el viento,
que en maña y ligereza era estremado;
hace siempre su golpe, y al momento
le halla el enemigo así apartado,
que aunque el cuchillo de dos brazos fuera,
alcanzar a herirle no pudiera.

Mil golpes por el aire arroja en vano
el furioso italiano embravecido,
viendo cómo desnudo un araucano
y él armado, le tiene en tal partido[27];
la izquierda junta a la derecha mano
y apretando la espada, de corrido[28]
al bárbaro arremete, altos los brazos,
pensando dividirle en dos pedazos[29].

El araucano con mañoso brío,
baja la maza, firme lo esperaba
mas el cuerpo hurtó con un desvío
al tiempo que el cuchillo derribaba,
así que el brazo y golpe dio en vacío,
y de la fuerza inmensa que llevaba
el gran cuchillo sustentar no pudo,
quedando allí con sólo medio escudo.

Pues como tal lo vio, suelta la maza,
cerrando[30] el presto bárbaro de hecho
y cuerpo a cuerpo así con él se abraza,
que le imprime las mallas en el pecho;
no por esto el lombardo se embaraza
mas piensa dél así haber más derecho,

---

[26] *revolver* 'girar', 'enfrentar' como luego en el Canto, en 19,1 y 34,6 (IV, n. 87).

[27] *partido* 'ventaja' (XI, n. 87).

[28] *de corrido* por *de corrida* 'velozmente' (T.L., s.v. *corrida*) que Ercilla usa en XXXII,48,6.

[29] Madrid, 1569 y las dos de Madrid, 1578: «pensando deshacerle en mil pedazos».

[30] *cerrar* 'atacar' (II, n. 105).

y con brazos durísimos lo afierra[31]
creyendo levantarlo de la tierra.

Lo que el valiente Alcides hizo a Anteo[32],
quiso el nuestro hacer del araucano;
mas no salió fortuna a su deseo
y así el deseado efeto salió en vano,
que el esforzado Rengo de un rodeo
lo lleva largo trecho por el llano,
sobre los cuerpos muertos tropezando,
siempre con más furor sobre él cargando.

Andrea, de empacho ardiendo en rabia viva,   15
sintiéndose de un hombre así apurado,
firme en el suelo con los pies estriba[33],
cobrando esfuerzo del honor sacado,
y de manera sobre Rengo arriba
que de tierra lo lleva levantado,
que era de fuerza grande y de gran prueba,
bastante a comportar[34] la carga nueva.

Yo vi, entre muchos jóvenes valientes[35]
sobre pruebas de fuerza porfiando,
trabar él una cuerda con los dientes,
asiendo cuatro della; y estribando
todos a un tiempo a parte diferentes,
a su pesar llevarlos arrastrando,
y de solos los dientes se valía,
que las manos atrás presas tenía.

---

[31] Cfr. III, n. 56 para la conjugación irregular de *aferrar,* que vuelve a usarse en el Canto, en 32,1.

[32] Cfr. X,56 para la misma comparación y nota correspondiente.

[33] *estribar* 'apoyar' (Nebrija).

[34] *comportar* 'tolerar' (IV, n. 41).

[35] V. otros testimonios de la fuerza legendaria de este Andrea en Góngora Marmolejo, *o.c.,* c. XXII, pág. 121b y Mariño de Lobera, *o.c.* l.II, c. 11, pág. 398.

Y con facilidad y poca pena
la mayor bota o pipa[36] que hallaba,
capaz[37] de veinte arrobas, de agua llena,
de tierra un codo y más la levantaba;
y suspendida sin verter, serena,
la sed por largo espacio mitigaba,
bajándola después al suelo llano
como si fuera un cántaro liviano.

Aconteció otras veces, barqueando[38]
ríos en esta tierra caudalosos,
ir la corriente el ímpetu esforzando
a desbravar[39] en riscos peñascosos,
arrebatando el barco, no bastando
la fuerza de los remos presurosos
y él, cubierto de malla como estaba,
luego[40] animoso al agua se arrojaba;

y una cuerda en la boca, revolviendo
al furioso raudal el duro pecho,
los pies y fuertes brazos sacudiendo,
rompía por la canal[41] casi derecho
remolcando la barca y resistiendo
el ímpetu del agua, del estrecho

---

[36] *bota o pipa* La sinonimia parece necesaria dado el origen náutico del significado inicial de *bota* «barril en que se lleva en las embarcaciones el vino, agua, salitre, etc.», ya en Nebrija («bota de nao o tonel»). Cfr. *Aut.* con este texto de Ercilla. Por lo demás, ésta parece documentación literaria temprana del uso de *pipa* (DCECH trae ej. anterior no literario y *Aut.* textos del XVII).

[37] *capaz* 'con capacidad' (I, n. 74).

[38] *barquear* 'atravesar en barca un río o lago', es marinerismo ausente de los diccionaristas del T.L. (DCECH no lo registra); cfr. *Aut.* con texto del padre Acosta (1590) y *La pícara Justina* (1605).

[39] *desbravar* 'deponer el ímpetu' (Palet, 1604, en T.L.). Cfr. *Aut.* con este texto.

[40] *luego* 'al instante' como después en el Canto, 60,7 (I, n. 53).

[41] *canal* es de género gramatical ambiguo, aunque la concordancia femenina es característica de ciertas acepciones (DCECH). Aquí juega con la bisemia de *estrecho* del verso 6 de la estrofa, que tb. significa 'peligro, riesgo' (I, n. 18).

la sacaba a la orilla en salvamento,
haciendo otras mil cosas que no cuento.

A Rengo aquí también sobrepujaba 20
que no fue de su fuerza menor prueba;
pero Rengo, que en ira se abrasaba,
viendo que sin firmarse[42] alto lo lleva,
hizo por fuerza pie y sobre él tornaba,
sacando la vergüenza fuerza nueva;
pero al cabo los dos se desasieron
y otra vez a las armas acudieron.

Y comienzan de nuevo el fiero asalto
como si descansaran[43] todo el día:
ora presto por bajo, ora por alto,
sin miedo el uno al otro acometía.
Rengo, que de armadura estaba falto
con tal destreza y maña se regía
que sostiene en un peso[44] aquella guerra,
no perdiendo una mínima de tierra.

Con presteza una vez tal golpe asienta
al valiente[45] cristiano por un lado
que toda la persona le atormenta[46]
según que fue de fuerza muy cargado;
otro redobla, y otro y a mi cuenta
al cuarto, que bajaba más pesado,
el astuto italiano se desvía
y de una punta al bárbaro hería.

La espada le atraviesa el brazo fuerte
abriéndole en el lado una herida;

---

[42] *firmar* 'afirmar, estribar' (III, n. 52).

[43] *descansaran* por *hubieran descansado* (VII, n. 76).

[44] *en un peso* por *en peso* 'enteramente' (*Aut.*)

[45] *valiente* 'fuerte', como antes, en 16,1 y luego en el Canto, en 30,3;
76,3 y 77,5 (I, n. 59).

[46] *atormentar* 'torcer', acepción etimológica que ya recoge Nebrija y
que Ercilla vuelve a usar más abajo, en 29,7.

mas fue tal su ventura y diestra suerte
que no le privó el golpe de la vida;
el bárbaro en ponzoña se convierte
y con braveza fuera de medida
con el fiero enemigo fue en un punto,
descargando la maza todo junto.

El italiano en alto el medio escudo
alzó, por recoger el golpe estraño
pero del todo resistir no pudo,
aunque se reparó parte del daño.
Batióle la cabeza el golpe crudo,
y cual si el morrión fuera de estaño
y no de fuerte pasta[47] bien templado,
así de aquella vez quedó abollado.

Dos o tres pasos dio desvanecido   25
del golpe el italiano, vacilando,
perdida la memoria y el sentido
y anduvo por caer titubeando[48];
la sangre por el uno y otro oído
le reventó en gran flujo, como cuando
revienta de abundancia alguna fuente,
y en pie se tuvo bien difícilmente.

Pero vuelto en su acuerdo[49], que se mira
lleno de sangre y puesto en tal estado,
más furioso que nunca, ardiendo en ira
de verse así de un bárbaro tratado,
el brazo con el pie diestro retira
para tomar más fuerza y el pesado

---

[47] *pasta* 'aleación', 'mezcla de metales' *(Aut.)*, para el origen ariostesco
de la imagen, v. *Orlando furioso* XIV,130,6-7.
[48] *titubear* el texto es documentación temprana de su uso literario
(Aut. con ejs del XVII; DCECH anota la forma *titubar* en el *Vocabulario* de
A. de Palencia, 1490).
[49] *volver en su acuerdo* 'recuperar el sentido' *(Aut.)*.

cuchillo derribó con tal ruido
que revocó[50] en los montes del sonido.

Rengo, que el gran cuchillo bajar siente
y el ímpetu y furor con que venía,
cruzando la alta maza osadamente,
al reparo debajo se metía,
no fue la asta defensa suficiente
por más barras de acero que tenía,
que a tierra vino della una gran pieza
y el furioso cuchillo a la cabeza.

Fue este golpe terrible y peligroso
por do una roja fuente manó luego,
y anduvo por caer Rengo dudoso,
atónito y de sangre casi ciego.
El italiano allí no perezoso,
viendo que no era tiempo de sosiego,
baja otra vez el gran cuchillo agudo
con todo aquel vigor que dalle pudo.

En medio de la frente en descubierto
hiere al turbado Rengo el italiano,
y hubiérale de arriba abajo abierto
si no torciera[51] al descargar la mano;
el golpe fue de llano[52] y como muerto
vino al suelo tendido el araucano
y el cuchillo, del golpe atormentado
por tres o cuatro partes fue quebrado.

Crino, que volvió el rostro al gran ruido   30
del poderoso golpe y la caída,

---

[50] *revocar* 'volver a sonar' es acepción menos frecuente que la latinizante, ya usada por Mena 'llamar nuevamente' (Lida de Malkiel, 253).
[51] *torciera* 'hubiera torcido', reemplazo frecuente en el periodo condicional, v. XI, n. 97. Cfr. más arriba, n. 43.
[52] *de llano* 'de plano', es decir, 'con lo ancho' (DRAE) o 'plenamente'
(*Aut.*, s.v. *plano); plano* es duplicado culto en uso a partir del XVII
(DCECH y ejs. en *Aut.*).

438

viendo al valiente Rengo así tendido
pensó que era pasado desta vida[53]
y de amistad y deudo comovido,
la espada de su propio amo homicida[54],
que en Penco Tucapel ganado había,
en venganza del bárbaro esgrimía.

Pasa al Andrea de un golpe el estofado[55]
no reparando en él la cruda espada,
que, rompiendo la malla por el lado,
le penetró hasta el hueso la estocada;
vuelve con un mandoble[56], y recatado
Andrea, viendo venir la cuchillada,
fue tan presto con él por resistirle
que no le dejó tiempo de herirle.

Sin darle más lugar, con él se afierra,
donde en satisfación[57] de la herida,
alzándole bien alto de la tierra
de espaldas le tendió con gran caída;
y por dar presto fin a aquella guerra,
la espada le quitó y luego la vida,
metiéndose tras esto por la parte
que andaba más sangriento el fiero Marte[58].

Hiende por do el montón vee más estrecho:
¡triste de aquel que allí con él se junta!
Uno parte al través, otro al derecho,

[53] El poema vuelve a Rengo en XVI,40 y explica allí cómo logró salvarse.
[54] *homicida* (XIV, n. 34) modifica a *espada* y es ejemplo de enálage (II, n. 122). Vuelve a aparecer más abajo en el Canto, en 55,6.
[55] *estofado* o *estofa* 'acolchado' (IV, n. 89).
[56] *mandoble* 'cierto golpe de esgrima que se hace doblando la mano' (Cov.; DCECH s.v. *mano* en donde corrige la definición de *Aut.* con textos contemporáneos y posteriores a *La Araucana*). Esta es documentación temprana de su uso literario. Para *recatado* 'prudente, prevenido', VII, n. 41.
[57] *satisfación* por *satisfacción* 'venganza, pago' (*Aut.*).
[58] *Marte* cfr. I, n. 17 y II, n.90.

otro al sesgo, otro ensarta de una punta;
otros que tiende, aún no bien satisfecho,
a coces los quebranta y descoyunta:
brazos, cabezas por el aire avienta[59]
sin término, sin número, ni cuenta[60].

El buen Lasarte con la diestra airada[61]
en medio del furor se desenvuelve[62];
pasa el pecho a Talcuén de una estocada,
y sobre Titaguán furioso vuelve;
abrióle la cabeza desarmada
mas el rabioso bárbaro revuelve,
y antes que la alma diese, le da un tajo[63]
que se tuvo al arzón[64] con gran trabajo.

Pacheco a Norpa abrió por el costado   35
y a Longoval derriba tras él, muerto;
pues[65] Juan Gómez también por aquel lado,
de fresca sangre bárbara cubierto,
había de un golpe a Colca derribado
y a Galvo el desarmado vientre abierto;

---

[59] *aventar* 'hacer huir' (Alcalá, 1505, en T.L.) y de aquí 'desparramar, echar al viento'.

[60] Para esta acumulación nominal trimembre típica de las descripciones bélicas, III, n. 37; aquí se añade la repetición de la estructura gramatical y sinonímica. V. más abajo, n. 71 para acumulación verbal. Otros ejemplos cuatripartitos, en este mismo Canto, en 38,1; 41,8 y 59,8.

[61] *airado* 'con ira, irritado' es enálage que le permite contraponer un rasgo distintivo de carácter («el *buen* Lasarte») a la situación en la batalla («airado») pero relacionado con la *mano*.

[62] *desenvolverse* 'desmandarse', 'actuar con atrevimiento' (Cov.) que insiste en la oposición señalada en el verso anterior.

[63] Hay repetición de palabra con oscilación semántica cercana a la paronomasia en la repetición en quiasmo de *dar: dar en el alma* y *dar un tajo* (I, n. 92 y XI, n. 133). El recurso crea un efecto irónico en estas descripciones violentas de corte ariostesco (Chevalier, 156-157). V. más abajo, n. 145.

[64] *arzón* 'fuste de la silla' (IV, n. 46); el sujeto es Lasarte.

[65] *pues* tiene aquí valor de conjunción coordinadora ilativa (*Esbozo*, 3,22,3a y Keniston, par. 42,26) muy atenuado, casi de coordinación copulativa.

el bárbaro mortal, la color[66] vuelta,
dio en el postrer[67] sospiro la alma envuelta.

Gabriel de Villagrán no estaba ocioso,
que a Zinga y a Pillolco había tendido,
y andaba revolviéndose animoso
entre los hierros bárbaros metido.
El rumor de las armas sonoro,
los varios apellidos[68] y el ruido,
a las aves confusas y turbadas
hacen estar mirándolas paradas[69].

Crece la rabia y el furor se enciende[70],
la gente por juntarse se apiñaba,
que ya ninguno más lugar pretende
del que para morir en pie bastaba.
Quién corta, quién barrena, rompe, hiende[71],
y era el estrecho tal y priesa[72] brava
que, sin caer los muertos, de apretados
quedaban a los vivos arrimados.

---

[66] *color* Cfr. I, n. 55 para su género gramatical.

[67] *postrer* V. S. Fernández, par. 65 para esta forma apocopada (XIV, n. 49).

[68] *apellido* 'grito', sobre todo el de guerra (Nebrija).

[69] El tópico de la simpatía de los elementos de la naturaleza ante trágicos hechos humanos se remonta a los textos grecolatinos y Ercilla recurre a él a lo largo de las tres partes del poema. Cfr. Curtius, páginas 92 y ss.

[70] Nótese la estructura bimembre del verso con los verbos en quiasmo, frecuente en el poema. Cfr. III, n. 9 para construcción similar nominal. En el verso siguiente, *apiñarse* parece documentación temprana de su uso literario (*Aut.* con texto de Cervantes; T.L. la registra a partir del XVII; DCECH no trae datos).

[71] V. III, n. 37 para este tipo de acumulación verbal, y la nota 60 de este Canto, para ejemplo nominal.

[72] *priesa* forma anticuada de *prisa* 'aprieto, trance apurado', ac. activa hasta el XVII (DCECH); *priesa* se usó hasta el siglo XVIII, junto con la forma empleada hoy, que ya se registra en el XIV. En cambio, en la octava siguiente, verso 2, *priesa* es 'multitud', con complemento de sustantivo de uso menos frecuente.

La soberbia, furor, desdén, denuedo,
la priesa de los golpes y dureza
figurarla del todo aquí no puedo
ni la pluma llevar con tal presteza.
De la muerte ninguno tiene miedo,
antes, si vuelve el rostro, más tristeza
mostraban, porque claro[73] conocían
que vencidos quedaban si vivían.

Mas aunque de vivir desconfiaban,
perdida de vencer ya la esperanza,
el punto de la muerte dilataban[74]
por morir con alguna más venganza,
y no por esto el paso retiraban
ni el pecho rehusaban de la lanza,
si por mover un paso, como digo,
dejasen de ofender[75] al enemigo.

Cuatro aquí, seis allí, por todos lados   40
vienen sin detenerse a tierra muertos,
unos de mil heridas desangrados,
de la cabeza al pecho otros abiertos;
otros por las espadas y costados
los bravos corazones descubiertos,
así dentro en los pechos palpitaban
que bien el gran coraje[76] declaraban.

Quién en sus mismas tripas tropezando
al odioso enemigo arremetía;

---

[73] *claro* 'claramente' (II, n. 25).

[74] El verso rinde homenaje al garcilasiano «que en vano su morir van
dilatando» (Égl. I, 20) que no ha recibido atención por parte de los comentaristas. Ercilla resemantiza la expresión transformando en noble
vehículo de conducta heroica lo que, «por morir con alguna más venganza», en Garcilaso era excepcional jerarquización expresiva de una tri-
vial situación cinegética.

[75] *ofender* 'herir' (I, n. 49).

[76] *coraje* 'valentía' es acepción etimológica viva en América, ya documentada a fines del xv (DCECH) y en autores del xvii *(Aut.)*; v. más

quién por veinte heridas resollando
las cubiertas entrañas descubría;
allí se vio la vida estar dudando
por qué puerta de súbito saldría[77];
al fin salía por todas y a un momento
faltaba fuerza, vida, sangre, aliento[78].

Ya pues, no estaba en pie la octava parte
de los bárbaros: muertos, no rendidos;
Villagrán, que miraba esto de aparte,
viendo los que quedaban tan heridos,
les envió dos indios de su parte[79]
a decir que se entreguen por vencidos
sometiéndose al yugo y obediencia
y que usará con ellos de clemencia.

Todos los españoles retrujeron[80]
las espadas y el paso en el momento,
y los dos mensajeros propusieron
el pacto, condición y ofrecimiento;
pero los araucanos, cuando oyeron
aquel partido infame, el corrimiento[81]
fue tanto y su coraje, que respuesta
no dieron a la plática propuesta.

Los ojos contra el cielo vueltos, braman.
«¡Morir!, ¡morir!», no dicen otra cosa.

---

adelante, uso semejante en 43,7. Ercilla también usa la palabra en su acepción clásica 'ira' (XI, n. 22).

[77] A. Nicolas en su edición y traducción al francés del poema (París, 1869), señala la fuente de esta imagen en la *Pharsalia* de Lucano, III, 589-590: «... medio concurrit corpore ferrum / et stetit incertus, flueret quo vulnere, sanguis», Madrid, 1589-90; «qué puerta a la salida elegiría».

[78] Nótese que la enumeración cuatripartita tiene una estructura paralelística en la que los dos primeros elementos de la serie (*fuerza* y *vida*) se corresponden semánticamente con los dos segundos (*sangre* y *aliento*). Para la repetición anafórica de *quién,* v. XIV, n. 22.

[79] Madrid, 1589-90: «envía dos yanaconas de su parte».

[80] Para esta forma dialectal del perfecto de *retraer,* v. VI, n.1.

[81] *partido* 'trato' (IX, n. 53); *corrimiento* 'vergüenza' (XI, n. 3).

Morir quieren, y así la muerte llaman
gritando: «¡Afuera vida vergonzosa!»
Esta fue su respuesta y esto claman,
y a dar fin a la guerra sanguinosa
se disponen con ánimo y braveza,
sacando nuevas fuerzas de flaqueza[82].

Espaldas con espaldas se juntaban   45
algunos de rodillas combatiendo,
que las tullidas piernas les faltaban,
sostenerse sobre ellas no pudiendo
y aun así las espadas rodeaban;
otros, que ya en el suelo retorciendo
se andaban, por dañar lo que podían,
a los contrarios pies se revolvían.

Viéranse vivos cuerpos desmembrados
con la furiosa muerte porfiando,
en el lodo y sangraza[83] derribados,
que rabiosos se andaban revolcando
de la suerte que vemos los pescados
cuando se va algún lago desaguando,
que entre dos elementos[84] se estremecen,
y en ellos revolcándose perecen.

Si el crudo Sylla[85], si Nerón sangriento
(por más sed que de sangre ellos mostraran)

---

[82] *sacar fuerzas de flaqueza* 'esforzarse en la adversidad'. Cfr. Sebastián
de Horozco, *Teatro universal de proverbios*, núm. 2774 (ed. J. Luis Alonso
Hernández, Salamanca, 1986, pág. 545).

[83] *sangraza* 'sangre corrompida' (Nebrija, en la variante *sanguaza;* Cov.;
Aut.), es probablemente documentación temprana de su uso literario.
En el texto también puede significar 'gran charco de sangre'; para el va-
lor aumentativo del sufijo en este derivado de *sangre*, v. M. Alvar y
B. Pottier, *Morfología histórica del español*, par. 277.

[84] *elementos* es decir, *aire* y *tierra*, que con el *agua* y *el fuego*, desde Empé-
docles, se consideran los constituyentes fundamentales del Universo.

[85] *Silla* es Lucius Cornelius Sulla o Sylla (138-78 a.C.), el dictador romano de proverbial crueldad, ya documentada por Plutarco, como la de
Nerón, el emperador. Cfr. P. Mexía, *Silva de varia lección* I, cap. 34 en don-

della vieran aquí el derramamiento,
yo tengo para mí que se hartaran,
pues con mayor rigor, a su contento,
en viva sangre humana se bañaran[86],
que en Campo Marcio Sylla carnicero[87],
y en el Foro de Roma el bestial Nero.

Quedaron por igual todos tendidos
aquellos que rendir no se quisieron,
que ya al fin de la vida conducidos
a la forzosa muerte se rindieron;
los lasos[88] españoles mal heridos
de la cercada plaza se salieron,
de armas y cuerpos bárbaros tan llena
que sobre ellos andaban a gran pena.

Ningún bárbaro en pie quedó en el fuerte
ni brazo que mover pudiese espada.
Sólo Mallén, que al punto de la muerte
le dio de vivir gana acelerada[89],
y rendido al temor y baja suerte,
viéndose de una fiera cuchillada
en el siniestro brazo mal herido,
detrás de un paredón se había escondido.

No sintiendo el rumor que antes se oía,   50
que en torno retumbaba todo el llano
(que, como dije, ya la muerte había
puesto silencio con airada mano),

---

de aparecen como ejemplos de hombres crueles, entre otros de la historia antigua.

[86] *bañaran* por *hubieran bañado,* como los anteriores verbos en imperfecto de subjuntivo en la estrofa (VIII, n. 2 y VII, n. 76).

[87] *Campus Martius* era una llanura en la margen izquierda del Tiber,
consagrada por los romanos a Marte. Ercilla se refiere probablemente a
la matanza de seis mil soldados enemigos encerrados en el Hipódromo,
según relata Plutarco. Para *carnicero* 'cruel' v. II, n. 13.

[88] *laso* 'fatigado' (IV, n. 75).

[89] *acelerado* 'violento' (VII, n. 38).

dejó aquel paredón, y a ver salía
si hallaba por allí algún araucano
a quien se encomendar que le salvase
y la sensible[90] llaga le apretase.

Mas cuando vio la plaza cuál estaba
y en sus amigos tal carnicería
que aunque la muerte los desfiguraba,
la envidia conocidos los hacía,
con ira vergonzosa, presentaba
la espalda al corazón, y así decía:
«¡Cómo! ¿yo solo quedo por testigo
de la muerte y valor de tanto amigo?

«Cobarde corazón, por cierto indigno[91]
de algún golpe de espada valerosa,
pues fue por elección y no destino
perder una sazón tan venturosa;
tú me apartaste, ¡oh flaco![92], del camino
de un eterno vivir y a vergonzosa
muerte he venido ya con mengua tuya,
por más que la mi[93] diestra lo rehuya.

«Si a mi sangre con ésta del Estado
mezclarse aquí le fuere concebido,
viendo mi cuerpo entre éstos arrojado,
aunque de brazo débil ofendido,
quizá seré en el número contado
de los que así su patria han defendido;
mas, ¡ay triste de mí!, que en la herida
será mi flaca mano conocida.

---

[90] *sensible* 'que causa dolor' (IX, n. 22). *Llaga* 'herida' es acepción etimológica hoy menos frecuente que la más común 'úlcera'.

[91] *indigno* es grafía cultista que alternaba con *indino*, más frecuente en el
poema, y que no afecta a la rima; cfr. dos versos más abajo, en cambio,
eleción por *elección*.

[92] *flaco* 'débil', como en 53,8 (I, n. 29).

[93] Para el uso, ya infrecuente en la época, del artículo definido con
posesivo antepuesto, v. Keniston, par. 19,33.

»¿Qué indicios[94] bastarán, qué recompensa,
qué emienda puedo dar de parte mía,
que yo satisfacer pueda a la ofensa
hecha a mi honor y patria y compañía?
Yo turbo[95] el claro honor y fama inmensa
de tantos, pues podrán decir que había
entre ellos quien de miedo, bajamente,
del enemigo apenas vio la frente.

«¿Por qué al temor doy fuerzas dilatando   55
con prolijas razones mi jornada?
¿Arrepentirme qué aprovecha cuando
ya el arrepentimiento vale nada?»
Aquí cerró la voz[96] y no dudando,
entrega el cuello a la homicida espada:
corriendo con presteza el crudo filo,
sin sazón[97] de la vida cortó el hilo.

Cese el furor del fiero Marte airado
y descansen un poco las espadas,
entretanto que vuelvo al comenzado
camino de las naves derramadas[98],
que contra el recio Noto[99] porfiado,
de Neptuno las olas levantadas
proejando[100] por fuerza iban rompiendo,
del viento y agua el ímpetu venciendo.

---

[94] *indicio* 'prueba' es cultismo que ya aparece en A. de la Torre (h. 1440) y Mena (C. C. Smith, 253).

[95] *turbar* 'enturbiar' establece juego de palabras con la doble acepción de *claro* 'ilustre' y también, para líquidos, 'transparente', opuesto a *turbio*.

[96] *cerrar la voz* es desplazamiento metonímico no infrecuente en Ercilla, por *cerrar la boca* 'callar'.

[97] *sin sazón* 'joven', modifica al sustantivo *vida* de este verso, construido sobre el recurso del hipérbaton del complemento del último vocablo, *hilo*.

[98] *derramado* 'dispersado', como luego, en 65,3 y ya antes, en VI,23,7 y VI,52,2 (Cuervo, *Dicc.* con otro texto de *La Araucana*: XXV,66,8). El relato de la navegación había quedado interrumpido en XIII,40,6.

[99] *Noto* o Austro, como en 60,6, 'viento del Sur' (XIII, n. 65).

[100] *proejar* 'remar contra el viento de proa' (Cov.); DCECH trae textos

Por entre aquellas islas navegaron
de Sangallá[101], do nunca habita gente,
y las otras ignotas[102] se dejaron
a la diestra de parte del poniente;
a Chaule a la siniestra, y arribaron[103]
en Arica, y después difícilmente
vimos a Copiapó[104], valle primero
del distrito de Chile verdadero.

Allí con libertad soplan los vientos
de sus cavernas cóncavas saliendo[105],
y furiosos, indómitos[106], violentos,

---

del XVII. Cfr. Joseph de Veitía Linage, *Norte de la contratación de las Indias Occidentales* (1671), 1,2, cap. 13, par. 10: «desde Panamá al puerto del Callao se suele tardar dos meses a la ida y la vuelta se hace en menos de uno... porque a causa de ser los vendavales tan continuos gran parte del año en aquella Mar corren las aguas del Estrecho por la Equinocial con que la navegación del Norte para el Sur en aquellas partes es ordinariamente dificultosa...».

[101] *Sangallá* Cfr. P. Cieza de León, *Crónica del Perú*, Primera Parte, cap. 5: «Digo pues que saliendo las naos del puerto de la ciudad de los Reyes van corriendo al Sur hasta llegar al puerto de Sangalla, el cual es muy bueno... junto a este puerto de Sangalla hay una isla que llaman de Lobos marinos... Cerca de esta isla de Lobos hay otras siete o ocho isletas pequeñas, las cuales están en triángulo unas de otras. Algunas de ellas son altas y otras bajas, despobladas sin tener agua ni leña, ni árbol, ni yerba ni otra cosa sino lobos marinos y arenales no poco grandes» (Lima: U. Católica del Perú, 1984, pág. 37).

[102] *ignoto* es cultismo ya usado por Mena (Lida de Malkiel, 261) con grafía romanceada; DCECH documenta esta grafía culta del poema más tardíamente (1640, Saavedra Fajardo, s.v. *conocer);* reaparece en XVII,51,7 y XXV,1,3.

[103] *arribar en* es construcción mucho menos frecuente que *arribar a* (II,87,7) (Cuervo, *Dicc.,* con este texto). Cfr. II, n. 115.

[104] *Copiapó* V. descripción temprana de este valle en Gerónimo de Vivar, *Crónica...,* cap. 15. Cfr. *Carta* de Valdivia, 9 de julio, 1549: «... hallé que los indios del valle de Copiapó, que es la primera población pasando el gran despoblado de Atacama» (BAE, t. CXXX, pág. 26b).

[105] Esta imagen de la morada mitológica de los vientos, encerrados en una caverna por Aeolus, viene de *Aeneidos* I,52-3: «... Hic vasto rex Aeolus antro / luctantis ventos tempestatesque sonoras / imperio premit ac vinclis et carcere frenat». Cfr. tb. Ovidio, *Metamorphoseon* XIV,223-224. Para la explicación científica y los diversos tipos, Mexía, *Silva...* IV, c. 22. Aeolus vuelve a mencionarse, más abajo en el Canto, en 76,1.

[106] *indómito* Cfr. I, n. 84 para este latinismo.

todo aquel ancho mar van discurriendo,
rompiendo la prisión y mandamientos
de Eolo, su rey, el cual temiendo
que el mundo no arruinen[107], los encierra
echándoles encima una gran sierra[108].

No con esto su furia corregida[109],
viéndose en sus cavernas apremiados,
buscan con gran estruendo la salida
por los huecos y cóncavos[110] cerrados;
y así la firme tierra removida
tiembla, y hay terremotos tan usados[111],
derribando en los pueblos y montañas
hombres, ganados, casas y cabañas[112].

Menguan allí las aguas, crece el día[113]   60
al revés de la Europa, porque es cuando
el sol del equinocio se desvía
y al Capricornio más se va acercando[114].
Pues desde allí las naves que a porfía
corren, al mar y al Austro[115] contrastando,

---

[107] Este uso, de origen latino, de *no* pleonástico con verbos de *temer,*
aparece también en la prosa del xvi (Keniston, par. 40,322). Para verbos
de prohibición, v. XVIII, n. 104.

[108] Cfr. *Aeneidos* I,61-62. J. Pérez de Moya, *Philosophia secreta,* l.2, c. 33.
Por cierto, nada tiene que ver esta imagen de clara filiación clásica para
el lector competente contemporáneo de Ercilla, con la «diferencia cuali-
tativa entre Europa y América» que imagina B. Pastor, violentando
la interpretación del texto (*Discurso narrativo de la conquista de América,*
págs. 537-8).

[109] *corregido* 'domado' (I, n. 113).

[110] *cóncavo* 'concavidad' (IV, n. 121); para *caverna,* II, n. 110.

[111] *usado* 'frecuente' (II, n. 16).

[112] Esta explicación tradicional del origen de los terremotos, que Ercilla utiliza por las razones poéticas que también explican la de la furia
de los vientos, se remonta a Aristóteles, *Meteorologica* II,8; Séneca, *Naturales quaestiones* VI y Plinio, *Naturalis historia* II,81, págs. 191 y ss.

[113] Para este tipo de bimembración paralelística, con elementos semánticamente antitéticos, v. IX, n. 112. Cfr. más adelante en el Canto,
81,1, para forma menos compleja.

[114] Es decir, al comienzo del verano en el hemisferio sur.

[115] *Austro* o Noto, como en 56,5.

de Bóreas[116] ayudadas luego fueron
y en el puerto coquímbico[117] surgieron.

Apenas en la deseada arena,
salidos de las naos el pie firmamos[118],
cuando el prolijo[119] mar, peligro y pena
de tan largos caminos olvidamos,
y a la nueva ciudad de La Serena,
ques dos leguas del puerto, caminamos
en lozanos caballos guarnecidos,
al esperado tiempo prevenidos.

Donde un caricioso[120] acogimiento
a todos nos hicieron y hospedaje,
estimando con grato cumplimiento
el socorro y larguísimo viaje,
y de dulce refresco y bastimento
al punto se aprestó el matalotaje[121],
con que se reparó la hambrienta armada,
del largo navegar necesitada.

---

[116] *Bóreas* 'viento del norte', ya en Aristóteles, y *aquilón* en latín (Virgilio, *Georgicon*, I,93; Plinio, *Naturalis historia*, II,CXLVI, par. 119). Vuelve a mencionarse en el Canto, en 76,3.

[117] *coquímbico* Para esta derivación adjetiva de nombres indígenas, v. I, n. 109. Se trata del puerto de La Serena, como se dice en la estrofa siguiente. «Procuré este verano pasado... poblar la cibdad de La Serena en el valle de Coquimbo», *Carta* de Valdivia, 4 de septiembre, 1545, *ibíd.*, pág. 11b. Cfr. Góngora Marmolejo, *Historia...*, c.: «y la puso nombre La Serena, que por nombre de los indios se llamaba y llama el asiento Coquimbo» (BAE, CXXX, pág. 87a); *surgir* 'dar fondo, echar las anclas' (Cov., y ya documentado desde principios del xv, según DCECH).

[118] *firmar* por *afirmar* (III, n. 52).

[119] *prolijo* 'dilatado y extendido en exceso', 'cosa luenga' (Nebrija) y ya en el Corbacho (C. C. Smith, 255 s.v. *licor);* el viaje había durado dos meses y 21 días y, de acuerdo con Medina, arribaron el 23 de abril (*Vida,* pág. 39 y nota 69).

[120] *caricioso* 'cariñoso' (*Aut.* con textos del xvii; DCECH sin datos; los diccionaristas extranjeros del xvii que registra T.L. traducen 'adulador').

[121] *matalotaje* 'provisiones de navegación, vituallas de viaje' (DCECH con documentación de 1591).

A la gente y caballos aguardaban
que, por áspera tierra y despoblados
rompiendo, con esfuerzo caminaban,
de hambres y trabajos fatigados[122];
pero a cualquier fortuna contrastaban,
y desde poco a la ciudad llegados,
un mes en mucho vicio[123] reposaron,
hasta que los caballos reformaron.

Al fin del cual, sin esperar la flota,
reparados del áspero camino,
toman de su demanda la derrota[124],
llevando a la derecha el mar vecino;
pasan la fértil Ligua[125] y a Quillota
la dejaron a un lado, que convino
entrar en Mapocho[126], que es do pararon
las reliquias[127] de Penco que escaparon.

El sol del común Géminis salía   65
trayendo nuevo tiempo a los mortales,
y del solsticio por zenit hería
las partes y región setentrionales[128].
Cuando es mayor la sombra al mediodía

---

[122] Se refiere al contingente mencionado en XIII,27.

[123] *vicio* 'regalo, cuidado', es acepción medieval (DCECH).

[124] *derrota* 'camino' (IV, n. 20).

[125] *Ligua* Se refiere al valle o región del río del mismo nombre (hoy la Ligua): «es un río entre la ciudad de La Serena y el puerto de Valparaíso, veinte e dos leguas de Santiago». A. de Góngora Marmolejo, *o.c.,* c. 32 (BAE, t. CXXX, pág. 140b). *Quillota* es otro valle entre La Serena y Valparaíso.

[126] *Mapocho* o *Mapochó* (como se lee en XXI,14,3) Río y valle del mismo nombre al que llega a fines de 1540 Valdivia y en el que funda, el 24 de febrero de 1541, la «cibdad de Sanctiago del Nuevo Extremo» (*Carta* de Valdivia al Emperador, 4 de setiembre de 1545, en BAE, t. CXXX, pág. 5a).

[127] *reliquia* 'resto' (VI, n. 13). *Penco* es el nombre del valle donde Lautaro había levantado su fuerte (XII, 44 y 58).

[128] Es decir, en el hemisferio sur, el solsticio de invierno; por ello el sol sale de Géminis (21 de mayo a 21 de junio) y entra en el signo de Cáncer.

por este apartamiento en las australes
y los vientos en más libre ejercicio
soplan con gran rigor del austral quicio[129],

nosotros, sin temor de los airados
vientos, que entonces con mayor licencia
andan en esta parte derramados
mostrando más entera su violencia,
a las usadas naves retirados,
con un alegre alarde y aparencia
las aferradas áncoras alzamos,
y al norueste las velas entregamos.

La mar era bonanza[130], el tiempo bueno,
el viento largo[131], fresco y favorable,
desocupado el cielo y muy sereno,
con muestra y parecer de ser durable.
Seis días fuimos así; pero al seteno,
Fortuna[132], que en el bien jamás fue estable,
turbó el cielo de nubes, mudó el viento,
revolviendo la mar desde el asiento.

Bóreas furioso aquí tomó la mano[133]
con presurosos soplos esforzados,
y súbito[134] en el mar tranquilo y llano
se alzaron grandes montes y collados.
Los españoles, que el furor insano

---

[129] *quicio* 'resquicio' (DCECH) por el que se escapan de la caverna en
que Aeolus los mantiene encerrados (XV,58).

[130] *bonanza* 'calma' (II, n. 2).

[131] *largo* 'es el viento que sopla desde la dirección perpendicular al
rumbo que lleva la nave, hasta la popa' (DRAE).

[132] El texto pone en función simultáneamente, las múltiples acepciones de *fortuna* 'borrasca en el mar' y 'azar, hado' y también la inestable
diosa (II, n. 5 y XIII, n. 55).

[133] *tomar la mano* 'adelantarse' (II, n. 37).

[134] *súbito* 'súbitamente' (IV, n. 16). Para la vacilación del género gramatical de *mar* (femenino, como hasta hoy, en la lengua de marinería;
masculino por influencia del neutro latino); cfr. DCECH y S. Fernández, par. 90.

vieron del agua y viento atribulados,
tomaron por partido estar en tierra
aunque del todo hubiera fin la guerra.

De mi nave podré sólo dar cuenta,
que era la capitana de la armada,
que arrojada de la áspera tormenta
andaba sin gobierno derramada[135];
pero ¿quién será aquel que en tal afrenta
estará tan en sí, que falte en nada?
Que el general temor apoderado
no me dejó aun para esto reservado.

Con tal furia a la nave el viento asalta   70
y fue tan recio y presto el terremoto[136],
que la cogió la vela[137] mayor alta,
y estaba en punto el mástil de ser roto;
mas viendo el tiempo así turbado, salta
diciendo a grandes voces el piloto:
«¡Larga la triza en banda!, ¡larga, larga![138],
¡larga presto, ¡ay de mí!, que el viento carga!»[139].

La braveza del mar, el recio viento,
el clamor, alboroto, las promesas
el cerrarse la noche en un momento
de negras nubes, lóbregas y espesas;
los truenos, los relámpagos sin cuento,

[135] *derramado* 'pródigo' (Cuervo, *Dicc.*, II,926) y, por extensión de significado, 'sin gobierno', como ya antes, en 66,3.

[136] *terremoto* en el sentido hiperbólico de 'golpe violento'.

[137] Este uso redundante del pronombre con el objeto expreso pospuesto es infrecuente en el español literario de la época (Keniston,
par. 8,601).

[138] *largar* 'alargar, aflojar' (*Aut.*, con ejs. posteriores); *triza* o *driza*
'cabo, cuerda' (DCECH, con texto de G. Fernández de Oviedo de 1555;
cfr. T.L. con testimonios posteriores, s.v. *driza*). *En banda* o *a la banda*
'todo lo posible', como en 80,6.

[139] *cargar* 'arreciar' (Cuervo, II,74, par. 4f, con numerosos textos áureos. V. otra acepción en este mismo Canto, n. 19).

453

las voces de pilotos y las priesas[140]
hacen un són tan triste y armonía,
que parece que el mundo perecía.

«¡Amaina!, ¡amaina!», gritan marineros:
«¡amaina[141] la mayor[142]! ¡iza trinquete!»
Esfuerzan esta voz los pasajeros,
y a la triza un gran número arremete;
los otros de tropel corren ligeros
a la escota, a la braza, al chafaldete[143],
mas del viento la fuerza era tan brava
que ningún aparejo[144] gobernaba.

Ábrese el cielo, el mar brama alterado,
gime el soberbio viento embravecido;
en esto un monte de agua levantado
sobre las nubes con un gran ruido
embistió el galeón por un costado
llevándolo un gran rato sumergido,
y la gente tragó del temor fuerte
a vueltas de[145] agua, la esperada muerte.

Mas quiso Dios que de la suerte como
la gran ballena, el cuerpo sacudiendo,

---

[140] Nótese que la construcción de los seis primeros versos de la estrofa se apoya sobre una compleja estructura enumerativa que alterna series ternarias, binarias y estructuras unitarias, según se apoyen o no en modificadores adjetivos o preposicionales.

[141] *amainar* 'aflojar', especialmente las velas (A. Chaves, 1538 en T.L. y otros diccionaristas posteriores).

[142] *mayor* aquí, 'vela del palo de ese mismo nombre'; *trinquete* 'vela de trinquete' (XIII, n. 63).

[143] *escota* 'cuerda' (XIII, n. 65); *braza* 'cabo delgado que desciende de la entena a popa para regir la vela mayor' (A. Chaves, 1538, en T.L.). *Chafaldete* 'cuerda que sirve de izar y coger la vela de gavia' (G. Palacios, 1587, en T.L.).

[144] *aparejo* 'cuerdas y jarcias del navío' (G. Palacios, 1587, en T.L.).

[145] *a vueltas de* 'además de' (IV, n. 60). Es decir, que a causa del fuerte miedo, la gente tragó, además de mucha agua, la muerte. Estos rasgos de humorismo macabro aparecen con alguna frecuencia en las descripcio-

rompe con el furioso hocico romo,
de las olas el ímpeto venciendo,
descubre y saca el espacioso lomo
en anchos cercos la agua revolviendo,
así debajo el mar salió el navío
vertiendo a cada banda[146] un grueso río.

El proceloso[147] Bóreas más crecido   75
la mar hasta los cielos levantaba,
y aunque era un mangle[148] el mástil muy fornido
sobre la proa la alta gavia[149] estaba;
la gente con gran fuerza y alarido
en amainar la vela porfiaba,
que en forma de arco el mástil oprimía
y así la racamenta[150] no corría.

Eolo, o ya fue acaso, o se doliendo
del afligido pueblo castellano,
iba al valiente Bóreas recogiendo,
queriendo él encerrarle por su mano;
y abriendo la caverna, no advirtiendo
al Céfiro[151] que estaba más cercano,

---

nes bélicas a lo largo del poema y son de origen ariostesco. Cfr. más arriba en el Canto, n. 63.

[146] *banda* 'lado' (IV, n. 129).

[147] *proceloso* 'tormentoso' (IV, n. 91).

[148] *mangle* 'árbol grande y corpulento que crece cerca de las playas'.
Parece indigenismo, probablemente caribe o arauaco (Friederici;
DCECH). La definición de Corominas se refiere más bien a la especie en
forma de arbusto que no se aplica a este texto. Cfr. el «Vocabulario» del
Diccionario de Alcedo para una descripción precisa de las tres especies.
G. Fernández de Oviedo en su *Sumario* (1526) lo menciona (C. LXXVIII
«Árboles grandes») como si se tratara de un árbol y vocablo conocidos.
Las Casas (*Historia*, II,246, ap. Friederici) advierte que se trata de una
palabra indígena.

[149] *gavia* 'vela del mastelero mayor' (*Aut.*).

[150] *vacamenta* o *racamento* como lo registran los diccionarios, es el 'anillo por medio del cual se mueven las vergas alrededor de los mástiles'; es
ésta, al parecer, la más temprana documentación literaria de su uso
(DCECH y *Aut.*, con textos posteriores).

[151] *Céfiro* 'viento del oeste' (T.L.).

455

rotas ya las cadenas a la puerta,
salió bramando al mar, viéndola abierta.

Y con violento soplo, arrebatando
cuantas nubes halló por el camino,
se arroja al levantado mar, cerrando
más la noche con negro torbellino,
y las valientes olas reparando,
que del furioso cierzo[152] repentino
iban la vía siguiendo, las airaba,
y el removido mar más alteraba.

Súbito la borrasca y travesía[153]
y un turbión de granizo sacudieron
por un lado a la nao, y así pendía[154]
que al mar las altas gavias decendieron.
Fue la furia tan presta, que aún no había
amainado la gente; y cuando vieron
los pilotos la costa y viento airado,
rindieron la esperanza al duro hado.

La nao, del mar y viento contrastada[155]
andaba con la quilla descubierta,
ya sobre sierras de agua levantada,
ya debajo del mar toda cubierta.
Vino en esto de viento una grupada[156]
que abrió a la agua furiosa una ancha puerta,

---

[152] *cierzo* 'viento del norte' (T.L.).

[153] *súbito* 'súbitamente' (IV, n. 16); *travesía* 'viento cuya dirección es perpendicular a la costa' (DCECH, s.v. *verter*), como luego en 83,1. Para *turbión* 'tormenta repentina' del verso siguiente, v. III, n. 90 también referido a granizo.

[154] *pender* aquí 'inclinarse', tal vez por extensión de significado de la acepción corriente 'estar colgado'.

[155] *contrastado* 'acosado, combatido' (Casas, 1570, en T.L.); para otra acepción v. III, n. 68.

[156] *grupada* 'nubarrón tempestuoso', 'golpe de aire o agua impetuoso y violento' (DCECH; *Aut.*, con documentación de principios del XVI).

rompiendo del trinquete la una escota
y la mura[157] mayor fue casi rota.

Alzóse un alarido entre la gente   80
pensando haber del todo zozobrado,
miran al gran piloto atentamente
que no sabe mandar de atribulado.
Unos dicen: «¡zaborda!»[158]; otros; «¡detente!»,
«¡cierra el timón en banda!»[159], y cuál turbado
buscaba escotillón[160], tabla o madero
para tentar el medio postrimero[161].

Crece el miedo, el clamor se multiplica,
uno dice: «¡a la mar!»; otro: «¡arribemos!»[162];
otro da grita: «¡amaina!»; otro replica:
«¡A orza[163], no amainar, que nos perdemos!»;
otro dice: «¡herramientas, pica, pica!;
¡mástiles y obras muertas[164] derribemos!»
Atónita de acá y de allá la gente
corre en montón confuso diligente.

---

[157] *mura* o *amura* 'agujero de cada cabo de la proa por donde entran los
cabos y cuerdas con que amuran la vela' (A. Chaves, 1538, en T.L.); 'el
tercio delantero de la nave' (*ibíd.*).

[158] *zabordar* 'varar o encallar el barco en tierra por tempestad' (*Aut.*;
DCECH s.v. *borde*).

[159] *cerrar el timón a la banda* o *en banda* como escribe Ercilla 'girar el timón hacia un costado todo lo posible' (DRAE).

[160] *escotillón* 'puerta o tapa por donde se entra abajo de cubierta' (G. Palacios, 1587, en T.L.).

[161] *postrimero* era ya sentido como vocablo poético en el XVI (DCECH)
frente al más usado *postrero*. Para la función adverbial en Mena, v. Lida
de Malkiel, 250; v. tb. dos ejs. en Garcilaso (Égl. 2, 555 y Eleg. 2,102)
quien, como Góngora y Ercilla, también usa *postrero* (XIV, n. 49).

[162] *arribar* 'cuando la nao, habiendo navegado, la sobreviene grande
tormenta y no puede hacer otra cosa sino volver al puerto o tierra do
partió' (A. Chaves, 1538, en T.L.).

[163] *a orza* o *a la orza* 'navegar acercando la proa a la dirección de donde
viene el viento' es locución de uso frecuente en textos áureos
(DCECH).

[164] *obras muertas* 'En el bajel, todas aquellas que están del escaño arriba'
(*Aut.*, con texto posterior).

Las gúmenas[165] y jarcias rechinaban
del turbulento Céfiro estiradas;
y las hinchadas olas rebramaban[166]
en las vecinas rocas quebrantadas,
que la escura tiniebla penetraban
y cerrazón de nubes intricadas;
y así en las peñas ásperas batían,
que blancas hasta el cielo resurtían[167].

Travesía era el viento y por vecina
la brava costa de arrecifes llena,
que del grande reflujo en la marina
hervía el agua mezclada con la arena;
rota la scota, larga la bolina[168],
suelto el trinquete, sin calar la entena[169]
y la poca esperanza quebrantada
por el furioso viento arrebatada.

LAUS DEO

---

[165] *gúmena* 'cuerda gruesa', ya en Mena y A. de Palencia (DCECH).
[166] *rebramar* 'bramar fuertemente' (DRAE).
[167] *resurtir* 'volver a saltar, rebotar' (Nebrija, en DCECH). Confróntese X,55,2.
[168] *scota* o *escota* 'cuerda' (XIII, n. 65); *bolina* 'una de las dos cuerdas que salen de la relinga para abrir la vela' (A. Chaves, 1538, en T.L.).
[169] *calar* 'amainar cualquier cosa que se iza arriba' (G. Palacios, 1587, en T.L.); 'arriar' (I, n. 103). Nótese la estructura bimembre paralelística en los versos 5 y 6 de la octava, con los modificadores antepuestos, bisilábicos y de acento grave, excepto el último («sin calar»), que por su acentuación aguda admite una sílaba más. Cfr. otro ejemplo de bimembración en n. 70, más arriba.

SEGVNDA /
PARTE DE LA ARAUCANA, /
de don Alonso de Ercilla y Çuñiga:
Cavalle- / ro de la Orden de
Santiago, Gentilhõbre de / la
Cámara de la Magestad del /
Emperador

DIRIGIDA AL REY
don Felipe nuestro Señor

En Madrid, en casa del Licenciado Castro

Año de 1597

AL LETOR

Por haber prometido de proseguir esta historia, no con poca dificultad y pesadumbre la he continuado; y aunque esta Segunda Parte de La Araucana no muestre el trabajo que me cuesta, todavía quien la leyere podrá considerar el que se habrá pasado en escribir dos libros de materia tan áspera y de poca variedad, pues desde el principio hasta el fin no contiene sino una mesma cosa, y haber de caminar siempre por el rigor de una verdad y camino tan desierto y estéril, paréceme que no habrá gusto que no se canse de seguirme. Así temeroso desto, quisiera mil veces mezclar algunas cosas diferentes; pero acordé de no mudar estilo, porque lo que digo se me tomase en descuento de las faltas que el libro lleva, autorizándole con escribir en él el alto principio que el Rey nuestro señor dio a sus obras con el asalto y entrada de Sanquintín, por habernos dado otro aquel mismo día los araucanos en el fuerte de la Concepción. Asimismo trato el rompimiento de la batalla naval que el señor don Juan de Austria venció en Lepanto. Y no es poco atrevimiento querer poner dos cosas tan grandes en lugar tan humilde; pero todo lo merecen los araucanos, pues ha más de treinta años que sustentan su opinión, sin jamás habérseles caído las armas de las manos, no defendiendo grandes ciudades y riquezas, pues de su voluntad ellos mismo han abrasado las casas y haciendas que tenían, por no dejar qué gozar al enemigo; mas sólo defienden unos terrones secos (aunque muchas veces humedecidos con nuestra sangre) y campos incul-

463

tos y pedregosos. Y siempre permaneciendo en su firme propósito y entereza, dan materia larga a los escritores. Yo dejo mucho y aun lo más principal por escribir, para el que quisiere tomar trabajo de hacerlo, que el mío le doy por bien empleado, si se recibe con la voluntad que a todos le ofrezco.

SEGUNDA PARTE DE LA ARAUCANA
DE DON ALONSO DE ERCILLA

EN ESTE CANTO SE ACABA LA TORMENTA. CONTIÉNESE LA
ENTRADA DE LOS ESPAÑOLES EN EL PUERTO DE LA CONCEP-
CIÓN E ISLA DE TALCAGUANO; EL CONSEJO GENERAL QUE
LOS INDIOS EN EL VALLE DE ONGOLMO TUVIERON; LA DI-
FERENCIA QUE ENTRE PETEGUELÉN Y TUCAPEL HUBO. ASI-
MISMO EL ACUERDO QUE SOBRE ELLA SE TOMÓ

CANTO XVI

SALGA MI trabajada[1] voz y rompa
el són confuso y mísero lamento[2]
con eficacia y fuerza que interrompa
el celeste y terrestre movimiento.
La fama con sonora y clara trompa[3],
dando más furia a mi cansado aliento
derrame en todo el orbe[4] de la tierra
las armas, el furor y nueva guerra.

---

[1] *trabajado* 'cansado', como en 33,5 de este Canto (*Aut.*).
[2] Para la estructura bimembre del verso, con adjetivación en quiasmo, semejante a la de 4,4 más abajo, v. IX, 112.
[3] La trompa como atributo de la Fama, es alusión característica de la poesía renacentista (Ariosto, *O.F.,* XXII,93,6-7) y ausente de la descripción clásica en Virgilio, *Aeneidos* IV,175-190. Cfr. Vilanova, I,296.
[4] *orbe* 'círculo', generalmente el de la tierra, es cultismo literario presente ya en Mena (Lida de Malkiel) y Santillana (C. C. Smith, 260).

Dadme, ¡oh sacro[5] Señor!, favor, que creo
que es lo que más aquí puede ayudarme[6],
pues en tan grande peligro ya no veo
sino vuestra fortuna en que salvarme.
Mirad dónde me ha puesto el buen deseo,
favoreced mi voz con escucharme,
que luego[7] el bravo mar, viéndoos atento,
aplacará su furia y movimiento.

Y a vuestra nave el rostro revolviendo[8],
la socorred[9] en este grande aprieto,
que, si decirse es lícito, yo entiendo
que a vuestra voluntad todo es sujeto[10];
aunque el soberbio mar, contraviniendo
de los hados el áspero decreto,
arrancando las peñas de su suelo
mezcle sus altas olas con el cielo.

Espero que la rota nave mía
ha de arribar al puerto deseado,
a pesar de los hados y porfía[11]
del contrapuesto[12] mar y viento airado
que procuran así impedir la vía,

---

[5] *sacro* es cultismo tomado de las fórmulas de tratamiento que recibía
el rey en documentos y memoriales («sacra, real magestad», por ejemplo), ya introducido en la lengua literaria por Mena, secretario de
cartas latinas del rey Juan II (Lida de Malkiel, 257-258) y que Ercilla re-
vierte a la esfera divina, haciendo de las armas españolas la «parte» de
Dios (4,8).

[6] Madrid, 1578 en 8vo. y Zaragoza, 1578: «ques lo que solo puede remediarme».

[7] *luego* 'al instante' como más abajo en el Canto, en 58,8 (I, n. 53).

[8] *revolver* 'girar' como más abajo en el Canto, 70,4 (IV, n. 87).

[9] Nótese la forma pronominal inmediatamente antepuesta al texto
en imperativo, tal vez por razones métricas; es uso en desaparición en la
prosa de la época (Keniston, par. 9, 541 y ss.).

[10] Los versos 3 y 4 de la octava se hacen cauteloso eco de los debates
renacentistas acerca de la omnipotencia divina, la libertad y la relación
entre Dios y la Naturaleza.

[11] Las dos de Madrid, 1578 y Zaragoza, 1578: «venciendo el odio y
contumaz porfía».

[12] *contrapuesto* 'opuesto, hostil' (V. n. 47).

y diferir el término llegado
en que la antigua causa tan reñida
por vuestra parte había de ser vencida.

Los cuatro poderosos elementos   5
contra la flaca[13] nave conjurados,
traspasando sus términos y asientos,
iban del todo ya desordenados:
indómitos, airados y violentos[14],
removidos, revueltos y mezclados
en su antigua discordia y fuerza entera,
como en el caos y confusión primera[15].

Pues de tantos contrarios combatida,
la quebrantada nave forcejando[16],
iba casi de un lado sumergida,
las poderosas olas contrastando;
mas ya al furioso viento y mar rendida,
sin poder resistir, se va acercando
a los yertos peñascos levantados
de[17] las violentas olas azotados.

Con la congoja del morir presente,
las voces y las lástimas crecían,
que llevadas del céfiro[18] inclemente
lejos las rocas cóncavas[19] herían:
pilotos, marineros y la gente,
como locos, sin orden discurrían.

---

[13] *flaco* 'débil' (I, n. 29) se opone al «poderosos» del verso anterior, como «cuatro» refuerza la superioridad sobre la nave singular.

[14] El verso es variante de XV,58,3 en que semejante adjetivación triple se aplicaba a los vientos; *indómito* reaparece en 16,2.

[15] Alusión a Génesis, I,2.

[16] *forcejar* por *forcejear*, que es forma mucho más reciente (DCECH s.v. *fuerte*). Madrid, 1578, en 8vo. y Zaragoza, 1578: «la fatigada nave prohejando».

[17] *de* 'por', como en 8,2; 10,2 y 18,1 y en numerosos pasajes, en todo el poema (I, n. 60).

[18] *Céfiro* 'viento del oeste' (XV, n. 151).

[19] *cóncavo* cfr. IV, n. 121 para este cultismo.

Unos dicen: «¡alarga!» y otros: «¡iza!»,
quién por ir a la escota va a la triza[20].

El uno con el otro se atraviesa
y así turbado del temor se impide;
quién a públicas voces se confiesa
y a Dios perdón de sus errores pide;
quién hace voto espreso, quién promesa;
quién de la ausente madre se despide,
haciendo el gran temor siempre mayores
los lamentos, plegarias y clamores[21].

Por otra parte el cielo riguroso
del todo parecía venir al suelo,
y el levantado mar tempestuoso
con soberbia hinchazón subir al cielo.
¿Qué es esto, Eterno Padre Poderoso?
¿Tanto importa anegar un navichuelo
quel mar, el viento y cielo de tal modo
pongan su fuerza estrema y poder todo?[22]

No la barca de Amiclas asaltada   10
fue del viento y del mar con tal porfía[23],

---

[20] *escota* y *triza* hacen referencia a distintos tipos de cabos o cuerdas, correspondientes a diversos usos y velas (XV, n. 143 y n. 138 respectivamente).

[21] Junto a la larga tradición literaria del motivo de los peligros del viaje por mar en que esta octava se inscribe, hay que añadir el recuerdo del coloquio *Naufragium* de Erasmo (Basilea, 1523); ciertamente, el elemento satírico está suavizado por el valor testimonial que Ercilla pretende dar al relato, pero la cómica confusión de los atemorizados navegantes permite este acercamiento a la crítica de las falsas plegarias, de corte erasmista.

[22] La pregunta remite a la que el piloto Palinuro, en circunstancia semejante, dirige a Neptuno (*Aeneidos,* V, 13-14).

[23] *Amiclas* es el piloto que guía la barca que conduce a César («el peso y ser del mundo») de regreso a Brindisium en medio de una tormenta, en el memorable relato de Lucano (V, 505-677). Para la persistencia medieval del personaje, convertido en ejemplo de humildad, v. Curtius, pág. 60; para su popularidad en la literatura española y su aparición en Mena, Lida de Malkiel, págs. 501 y ss.

que aunque de leños frágiles armada
el peso y ser del mundo sostenía.
Ni la nave de Ulises, ni la armada
que de Troya escapó el último día[24]
vieron con tal furor el viento airado,
ni el removido mar tan levantado.

La confianza y ánimo más fuerte
al temor se entregaban importuno,
que la espantosa imagen de la muerte
se le imprimió en el rostro a cada uno;
del todo ya rendidos a su suerte,
sin esperanza de remedio alguno,
el gobierno dejaban a los hados
corriendo acá y allá desatinados,

cuando un golpe de mar incontrastable[25],
bramando, en un turbión[26] de viento envuelto,
rompió de la gran mura[27] un grueso cable,
cubriendo el galeón ya todo vuelto.
Pero aquí sucedió un caso notable
y fue que el puño del trinquete[28] suelto
trabó del gran vaivén a la pasada
el un[29] diente de la áncora amarrada,

y cual si fuera estaca mal asida,
la arranca de su asiento y la arrebata

---

[24] La alusión al viaje de Eneas desde Troya a Italia no impide a Ercilla
utilizar los recursos de Virgilio que se han venido señalando en las notas
correspondientes para la descripción de la incomparable tormenta
marina.

[25] *incontrastable* 'invencible' (*Aut.*, con textos posteriores; DCECH, sin
datos, s.v. *estar*) deriva de la acepción de *contraste* 'lance adverso de la fortuna', ausente en DRAE y en los diccionarios de americanismos,
pero usual todavía en Argentina. Cfr. III, n. 45 para su uso como epíteto
de *hado*.

[26] *turbión* 'tormenta repentina' (III, n. 90).

[27] *mura* 'agujero a ambos lados de la proa' (XV, n. 157).

[28] *puño* 'vértice de los ángulos de las velas' (DRAE); *trinquete* 'mástil
de la nave' (XIII, n. 63).

[29] Para este uso de artículo definido más *un*, v. X, n. 80.

y acá y allá del viento sacudida
todo lo abate, rompe y desbarata.
Mas Dios, que de los suyos no se olvida,
(aunque a las veces[30] su favor dilata)
hizo que en el bauprés[31] dichosamente
el áncora aferrase el corvo diente.

La vela se fijó y en el momento
gobernó el galeón rumbo derecho,
y a despecho del mar y recio viento,
botando a orza el timón, salió al levecho[32].
Fue tanto nuestro súbito contento,
que el temeroso inadvertido pecho
pudo sufrir difícilmente a un punto
el estremo de pena y gozo junto.

Luego, pues, que la súbita alegría[33]   *subsume el*   15
lanzó fuera al temor desconfiado,   *turbción*
y a su lugar volvió la sangre fría
que había los miembros ya desamparado,
la esforzada y contrita[34] compañía,
el rostro al cielo en lágrimas bañado,
con oración devota y sacrificio
dio las gracias a Dios del beneficio.

Mas el hinchado mar embravecido
y el indómito viento rebramando[35],

---

[30] *a las veces* 'en alguna ocasión' (XI, n. 111).

[31] *bauprés* 'mástil que sale sobre el espolón y proa' (G. Palacios, 1587, en T.L.), documentado desde el siglo xv (DCECH).

[32] *a orza* 'navegar con la proa en dirección de donde viene el viento' (XV, n. 163); *levecho* o *lebeche* 'oeste', DCECH, con documentación posterior a este texto; de este modo, la nave se aparta de los «yertos peñascos» mencionados en 6,7.

[33] Madrid, 1578 en 8vo, y Zaragoza, 1578: «mas luego que el contento y alegría».

[34] *contrito* es latinismo que ya aparece en el siglo xv (C. C. Smith, 269, s.v. *trizar*) pero infrecuente en los textos áureos hasta Ercilla (no lo usan Garcilaso ni Herrera) y raro en Cervantes y Góngora.

[35] *rebramar* 'bramar fuertemente' (XV, n. 166).

470

al bajel acometen con ruido,
en vano, aunque se esfuerzan, porfiando
que, la fortuna de Felipe, asido
a jorro[36], ya le lleva remolcando
sobre las altas olas espumosas,
aun de anegar los cielos deseosas.

En esto, la cerrada niebla escura
por el furioso viento derramada,
descubrimos al este la Herradura[37],
y al sur la isla de Talca[38] levantada.
Reconocida ya nuestra ventura
y la araucana tierra deseada,
viendo el morro[39] de Penco descubierto,
arribamos a popa sobre el puerto;

el cual está amparado de una isleta
que resiste al furor del norte airado,
y los continuos golpes de mareta[40]
que le baten furiosas de aquel lado.
La corva y larga punta una caleta[41]
hace y seno tranquilo y sosegado,

---

[36] *a jorro* 'a remolque' (Oudin, 1607, en T.L., s.v. *ajorrar* y ya en Nebrija, según DCECH). Entiéndase 'porque, asido a jorro, la fortuna de Felipe ya le lleva remolcando'.

[37] *Herradura* Puerto entre el de La Concepción y la boca del río Itata (Alcedo); lo menciona también a propósito de otro naufragio, Góngora Marmolejo, c. 58 (pág. 185a).

[38] *Talca o Talcaguano*, como dice el título del Canto, es el puerto de la ciudad de Concepción (Góngora Marmolejo, *ibíd.*), dentro de la bahía a dos leguas de la ciudad (Alcedo).

[39] *morro* 'monte o peñasco de punta chata' cuya primera documentación en DCECH es posterior a este texto (Percivale, 1591). *Penco* era el otro nombre antiguo de la ciudad de Concepción. Hoy son dos poblaciones distintas.

[40] *mareta* 'marejada' es uso literario temprano de este marinerismo que DCECH registra con texto bastante posterior, como *Aut.*: A. de Solís, 1680.

[41] *caleta* 'ensenada pequeña' ya en G. Fernández de Oviedo (DCECH).

do las cansadas naves[42], como digo,
hallan seguro albergue y dulce abrigo.

La nave sin gobierno destrozada,
surgió[43] al alto reparo de una sierra
en gruesa amarra y áncora afirmada
que con tenace[44] diente aferró tierra.
Apenas la alta vela fue amainada
cuando el alegre estruendo de la guerra
nos estendió, tocando en los oídos,
los ánimos y niervos[45] encogidos.

La isleta es habitada de una gente   20
esforzada, robusta y belicosa[46],
la cual, viendo una nave solamente
venida allí por suerte venturosa,
gritando «¡guerra!, ¡guerra!», alegremente
toma las fieras armas y furiosa,
con gran rebato[47] y priesa repentina
corre en tropel confuso a la marina[48].

En la falda de un áspero recuesto[49]
en formado escuadrón se representa,
y nosotros, con ánimo dispuesto
a cualquiera[50] peligro y grande afrenta,

[42] *cansadas naves* es caso de enálage (II, c. 119).

[43] *surgir* 'echar anclas' (XV, n. 117).

[44] *tenace* con -e paragógica por razones métricas, pero también para darle al verso un sabor épico arcaizante que legitima esta licencia poética. Cfr. Lapesa, par. 60,3 para su persistencia en la lírica tradicional del xv y del xvi. Es cultismo ya usado por Fernández de Villegas (C. C. Smith, 238 s.v. *tener,* quien cita también a Ercilla). V. más abajo, n. 90.

[45] *niervo* por *nervio* (I, n. 82).

[46] *belicoso* es cultismo ya utilizado por Mena (C.C. Smith, 241).

[47] *rebato* 'acometimiento' (I, n. 58).

[48] *marina* 'costa' (I, n. 16).

[49] *recuesto* 'pendiente del monte' (Nebrija, «recuesto de monte, *clivus, -i*»).

[50] *cualquiera* no apocopaba regularmente delante de sustantivo

arremetimos a las armas presto,
que el trabajo pasado y la tormenta
nos hizo a todos estimar en nada
cualquier otro peligro y gran jornada[51].

Con recobrado aliento y nuevo brío
corrimos al batel[52], de la manera
que si lejos de tierra en un bajío
encallada la nave ya estuviera;
y por los anchos lados el navío
sus dos grandes bateles echó fuera,
en los cuales saltamos tanta gente
cuanta pudo caber estrechamente.

No es poético adorno fabuloso
mas cierta historia y verdadero cuento[53],
ora fuese algún caso prodigioso
o estraño agüero y triste anunciamiento,
ora violencia de astro riguroso,
ora inusado[54] y rapto movimiento,

---

masculino (Keniston, par. 25.236 para ejs. en prosa, y S. Fernández,
par. 197).

[51] *jornada* 'batalla', como luego, en 29,2 y en 59,8 (IV, n. 10).

[52] *batel* 'esquife' (XIII, n. 60).

[53] *cuento* 'narración de hechos' (VII, n. 48). No parece sino «poético
adorno fabuloso». Cfr. Medina, *Vida*, pág. 42, en donde vacila entre la
posibilidad de la presencia de numerosos guerreros españoles como causa de la huída indígena y la coincidencia de un rayo en horizonte tormentoso; en conclusión, opta por señalar los dos hechos como despro-
vistos de valor trascendente. Cfr. la correspondiente nota 78 de Medina,
con otros textos que no registran el «estraño agüero». Nótense las elaboradas simétricas (vv. 1 y 3), anáforas (vv. 3, 5 y 6) y bimembraciones (vv.
2 y 4), que jerarquizan la buscada teatralidad del relato.

[54] *inusado* es adjetivo ausente en *Aut.* y no registrado por DCECH;
aparece como anticuado, por *inusitado*, en DRAE; como *inusitado* se documenta a fines del siglo xv por *Aut.* y *desusado* (que utiliza Ercilla en 25,5)
aparece en Nebrija, probablemente la calificación académica se refiere a
su aparición en textos áureos; de cualquier modo, debe considerarse cultismo poco usual, como el adjetivo siguiente: *rapto* 'violento, rápido', tomado precisamente de la lengua de la astronomía. Cfr. *Aut.* «movimiento rapto o violento» s.v. *movimiento*.

ora el andar el mundo, y es más cierto,
fuera de todo término[55] y concierto;

que el viento ya calmaba, y en poniendo
el pie los españoles en el suelo,
cayó un rayo de súbito, volviendo
en viva llama aquel ñubloso velo;
y en forma de lagarto discurriendo,
se vio hender una cometa[56] el cielo;
el mar bramó, y la tierra resentida[57]
del gran peso gimió como oprimida.

Cortó súbito[58] allí un temor helado   25
la fuerza a los turbados naturales[59],
por siniestro pronóstico tomado
de su ruina y venideros males,
viendo aquel movimiento desusado
y los prodigios tristes y señales
que su destrozo y pérdida anunciaban
y a perpetua opresión amenazaban.

Desto medrosos, aguardar no osaron,
que, soltando las armas ya rendidas,
del cerrado escuadrón se derramaron[60],
procurando salvar las tristes vidas;

[55] *término* 'orden', por extensión de su significado más común, 'límite'; se trata, pues, de una repetición sinonímica (I, n. 112). V. también
en este Canto, 30,6 («provecho y cómodo»); 31,4 («impide ni defienda»);
32,1 («horrenda y espantosa»); 48,1 («sitio y puesto»); 69,8 («consejos y
avisos»); 72,6 («sazón y tiempo»).
[56] *cometa* ya en Juan de Mena, era común su uso como sustantivo de
género gramatical femenino en la época (DCECH). *ñubloso*, en el verso 4,
por *nublado* ya está en Nebrija. Para *ñublado* cfr. IV, n. 94.
[57] *resentido* 'dolorido', parece temprana documentación de su uso literario (DCECH, con autores posteriores).
[58] *súbito* 'súbitamente' (IV, n. 16).
[59] *natural* 'indígena, nacido en algún lugar' es acepción de este cultismo documentada a partir de fines del siglo xv (Nebrija: «natural de allí
indígena, -ae unde *genitus*»); DCECH s.v. *nacer* advierte que fue imitada en
italiano en el xvi.
[60] *derramarse* 'alejarse, separarse' (Cuervo, *Dicc.*, II,924).

el patrio nido[61] al fin desampararon
y con mujeres, hijos y comidas,
por secretos caminos y senderos
se escaparon en balsas y maderos.

Luego los nuestros, sin parar corriendo,
las casas yermas, chozas y moradas
iban en todas partes descubriendo,
las rústicas viandas levantadas,
y con gran diligencia previniendo
los caminos, las sendas y paradas,
por cavernas y espesos matorrales
buscaban los ausentes naturales,

donde en breve sazón fueron hallados
algunos pobres indios escondidos,
otros en pueblezuelos salteados[62],
que aun no estaban del miedo apercebidos.
Mas con buen tratamiento asegurados,
dándoles jotas, llautos y vestidos[63]
y palabras de amor, los aquietaban
y a sus casas de paz[64] los enviaban:

dándoles a entender que nuestro intento
y causa principal de la jornada
era la religión y salvamento
de la rebelde gente bautizada

---

[61] *patrio* 'paterno' es cultismo hecho epíteto de *nido* 'casa', ya para *Aut.,* s.v. *nido.* Para el origen en Petrarca de este uso literario de *nido,* ya notado por Nicolas, cfr. *Canzoniere* L, v. 30: «... al nido ov'egli alberga». Para su uso en Garcilaso y su reaparición en Calderón y Góngora, v. *Lexis* II,2 (1978) 217 y en la Primera Parte del poema, XII, n. 66.

[62] *salteado* 'sorprendido' (II, n. 97).

[63] *jota* por *ojota* 'sandalia', vocablo quichua cuya primera documentación la registra Friederici en 1551 con la forma *xuta;* el resto de los textos del XVI que trae Friederici: *ojota.* *Llauto* 'cinta que los indígenas usaban en la cabeza' es otro vocablo quichua tb. presente en la *Suma y narración de los Incas* de Juan de Betanzos (Friederici).

[64] *de paz* 'pacíficamente', como en XVII,17,4 (*Aut.* que registra la expresión *venir de paz*).

que en desprecio del Santo Sacramento,
la recebida ley y fe jurada
habían pérfidamente quebrantado
y las armas ilícitas tomado[65];

pero que si quisiesen convertirse   30
a la cristiana ley que antes tenían,
y a la fe quebrantada reducirse[66]
que al grande Carlos Quinto dado habían,
en todas las más cosas convertirse
a su provecho y cómodo[67] podrían,
haciéndoles con prendas firme y cierto
cualquier partido lícito y concierto.

Luego los instrumentos convenientes
al uso militar y a la vivienda
sacamos en las partes competentes,
que no hay quien nos lo impida ni defienda[68];
donde todos a un tiempo diligentes,
cuál arma, pabellón[69], cuál toldo o tienda,
quién fuego enciende y en el casco usado
tuesta el húmido trigo mareado[70].

---

[65] Ercilla considera la rebelión indígena ilícita por el quebrantamiento de la «fe jurada». Sin embargo, la licitud de la guerra por motivos patrióticos había dominado, por ejemplo, la arenga de Lautaro (III,35 y ss.); también la codicia de algunos españoles (I, 69-70) había sido invocada como causa justificadora de la rebelión anterior a la llegada de Ercilla. Para el debate sobre la guerra justa y la conquista española del territorio americano, v. el clásico L. Hanke, *Aristotle and the American Indians*, especialmente, cap. VI: «The Great Debate at Valladolid: 1550-1551: The Waging of Just War Against the American Indians». V. también «Para los contextos ideológicos de *La Araucana*» en *Homenaje a Ana María Barrenechea*, Madrid: Castalia, 261 y ss. Para esta octava en particular, J. Durand, «El chapetón Ercilla y la honra araucana» *Filología* X (1964) 113-134, particularmente, 133. Cfr. XXVI, n. 82.

[66] *reducirse* 'convertirse', especialmente a la fe católica (I, n. 100).

[67] *cómodo* 'utilidad, provecho' (Cuervo, *Dicc.*, con este texto de Ercilla, que parece ejemplo temprano de este uso sustantivo, y otros de Teresa de Ávila y Cervantes).

[68] *defender* 'impedir' (II, n. 90).

[69] *pabellón* 'tienda de campaña' (XI, n. 114).

[70] *mareado* 'con algún detrimento causado por el mar' (*Aut.*, aplicado a

La negra noche horrenda y espantosa,
cubriendo tierra y mar, cayó del cielo,
dejando antes de tiempo presurosa
envuelto el mundo en tenebroso velo;
no quedó pabellón, tienda ni cosa
que el viento allí no la abatiese al suelo,
pareciendo con nuevo movimiento
desencasar la isleta de su asiento,

hasta que el tardo[71] y deseado día
las nubes desterró y dejó sereno
el cielo, revistiendo de alegría
el aire escuro y húmido terreno;
luego la trabajada compañía,
conociendo el instable[72] tiempo bueno,
procura reparar con diligencia
del riguroso invierno la violencia.

Unos presto destechan los pajizos
albergues de los indios ausentados;
otros con tablas, ramas y carrizos
al nuevo alojamiento van cargados,
y sobre troncos de árboles rollizos
en las hondas arenas afirmados,
gran número de ranchos levantamos
y en breve espacio un pueblo fabricamos.

Del modo que se veen los pajarillos   35
de la necesidad misma instruidos,
por trechos y apartados rinconcillos

---

mercancías en general, s.v. *marearse*). El texto recuerda *Aeneidos* I,177-
179): «Tum Cererem corruptam undis cerealiaque arma / expediunt fes-
si rerum, frugesque receptas / et torrere parant flammis et frangere
saxo», con lo que la tormenta y la llegada a territorio araucano se herma-
nan con la épica clásica y el azaroso desembarco troyano en Libia, camino de la otra «conquista».

[71] *tardo* 'tardío' (VII, n. 59).

[72] *instable* por *inestable* es cultismo frecuente en la poesía áurea posterior (IX, n. 42).

tejer y fabricar los pobre nidos,
que de pajas, de plumas y ramillos
van y vienen, los picos impedidos[73],
así en el yermo y descubierto asiento
fabrica cada cual su alojamiento.

Ya que[74] todos, Señor, nos alojamos
en el húmido sitio pantanoso
y con industria y arte reparamos
la furia del invierno riguroso,
las necesarias armas aprestamos,
soltando con estrépito espantoso
la gruesa y reforzada artillería[75]
que en torno tierra y mar temblar hacía.

En las remotas bárbaras naciones
el grande estruendo y novedad sintieron:
pacos, vicuñas, tigres y leones[76]
acá y allá medrosos dircurrieron;
los delfines, nereidas y tritones
en sus hondas cavernas se escondieron,
deteniendo confusos sus corrientes
los presurosos ríos y las fuentes[77].

---

[73] *impedido* en la acepción latina de 'cargado' del adjetivo *impeditus*.

[74] *ya que* tiene aquí valor temporal y no causal (IX, n. 20).

[75] Para el escaso uso inicial de las armas de fuego en el nuevo continente, y la impresión que causaron en los indios, v. Salas, 205 y ss.

[76] *paco* 'alpaca', 'variedad doméstica de la vicuña'. Es palabra quichua que ya figura en Cieza de León: «Otro género hay de ganado doméstico a quien llaman Pacos y aunque es muy feo y lanudo, es del talle de las llamas o ovejas, salvo que es más pequeño; los corderos cuando son tiernos, mucho se parecen a los de España. Pare en el año una vez cada una de estas ovejas y no más (*Crónica del Perú* (1553). Primera Parte, Capítulo CXI, ed. cit., 295). «Hay asimesmo otra suerte de estas ovejas o llamas a quien llaman *vicunias;* éstas son más ligeras que los guanacos aunque más pequeños; andan por los despoblados comiendo de la yerba que en ellos cría Dios. La lana de estas vicunias es excelente y toda tan buena que es más fina que la de las ovejas merinas de España» (*ibíd.*). *Tigre* es el tigre americano: *yaguar, yaguareté* o *jaguar.* Cfr. Morínigo, s.v. *yaguareté. León* es el *puma,* palabra quichua registrada en Garcilaso Inca.

[77] Para el tópico de los elementos de la Naturaleza atentos a las actividades del hombre, v. XV, n. 69.

Sintióse en el Estado la estampida[78]
y algunos tan atónitos quedaron,
que la dura cerviz, nunca oprimida,
sobre los yertos pechos inclinaron.
Así avisados ya de la venida[79],
los instrumentos bélicos tocaron,
descogiendo[80] por todas las riberas
sus lucidos pendones y banderas.

En el valle de Ongolmo congregados
los deciséis caciques[81] araucanos
y algunos capitanes señalados
de los interesados comarcanos,
todos en general deliberados[82]
de venir con nosotros a las manos[83];
sobre el lugar, el tiempo y aparejo[84]
entraron los caciques en consejo.

Rengo también con ellos, que admitido   40
fue al consejo de guerra por valiente,
que, si ya os acordáis, quedó aturdido
en Mataquito[85] entre la muerta gente;

---

[78] *estampida* 'estampido' tiene su más antigua documentación literaria en este texto (DCECH; Cov.).

[79] Madrid, 1578 en 8avo. y Zaragoza, 1578: «ciertos de nuestra súbita venida».

[80] *descoger* 'desplegar' (IV, n. 118).

[81] Cfr. Canto I,22 para este ordenamiento político del estado araucano y etimología de *cacique*. *Deciséis* por *dieciséis*.

[82] *deliberado* 'resuelto' (Cuervo, *Dicc.* con texto de XIX,19,6); nótese la construcción con *de* más infinitivo (Keniston, par. 37,541).

[83] *venir a las manos* 'reñir' y, aquí, 'combatir' (Cov., como más adelante en este Canto, 73,6).

[84] *aparejo* 'preparación' ya en Nebrija, como en 73,8.

[85] Cfr. XV, 29. En XII,55,6 *Mataquino*. Ambas formas están registradas todavía en Alcedo (s.v. *Mataquino*) quien recuerda la batalla y muerte de Lautaro: «Río caudaloso de la provincia y partido de Chaco... corre muchas leguas al O. y sale al mar entre los de Maule y de Boyeruca; a su orilla por la banda del N. hay dos haciendas grandes llamadas Tilicura y Peralvillo, cerca de ésta dieron los españoles a los araucanos la batalla de Mataquino en que murió Lautaro.»

pero volvió después en su sentido,
y al cabo se escapó dichosamente
que, aunque falto de sangre, tuvo fuerte[86]
contra la furia de la airada muerte.

Caupolicán, en medio dellos puesto,
a todos con los ojos rodeando[87],
que con silencio y ánimo dispuesto
estaban sus razones aguardando,
con sesgo[88] pecho y con sereno gesto,
la voz en tono grave levantando,
rompió el mudo silencio y echó fuera
el intento y furor desta manera[89]:

«Esforzados varones, ya es venido
(según vemos las muestras y señales),
aquel felice[90] tiempo prometido
en que habemos[91] de hacernos inmortales;
que la fortuna próspera ha traído
de las últimas partes orientales
tantas gentes en una compañía
para que las venzáis en sólo un día;

»y a costa y precio de su sangre y vidas
del todo eternicéis vuestras espadas,
y nuestras viejas leyes oprimidas

---

[86] *tener fuerte* 'resistir con valor y resolución' (*Aut.* s.v. *fuerte,* con texto algo posterior del p. Pedro de Ribadeneyra).

[87] *rodear* 'girar' (XIV, n. 83).

[88] *sesgo* 'sereno' (IX, n. 149). Nótese el paralelismo sintáctico y el fonético en las vocales de los dos hemistiquios en este verso bimembre.

[89] Las dos ediciones de Madrid, 1578 y Zaragoza, 1578: «la soberbia intención de esta manera».

[90] *felice* por *feliz* era igualmente común en la poesía y prosa en la época, aunque ya *Aut.* lo considera forma más frecuente en poesía; para su uso literario a partir del XVI, cfr. DCECH.

[91] *habemos* alternaba con la forma contracta *hemos* que prevaleció modernamente. Para el uso actual de esta perífrasis por futuro en el español de América, cfr. Lapesa, par. 133.4.

480

sean en su libre fuerza restauradas;
que por remotos reinos estendidas
han de ser inviolables y sagradas,
viviendo en igualdad debajo dellas
cuantos viven debajo las estrellas[92].

»Y pues que[93] con tan loco pensamiento
estas gentes se os han desvergonzado
y en vuestra tierra y defendido asiento
las banderas tendidas[94] han entrado,
es bien que el insolente atrevimiento
quede con nuevo ejemplo castigado
antes que, dando cuerda[95] a su esperanza,
les dé fuerza y consejo la tardanza.

»Así, en resolución me determino[96]   45
(si, señores, también os pareciere)
que demos con asalto repentino
sobre[97] ellos lo mejor que ser pudiere.
Y nadie piense que hay otro camino
sino el que con su fuerza y brazo abriere,
que las rabiosas armas en las manos
los han de dar por justos o tiranos.»

A la plática fin con esto puso
y el buen Peteguelén, viejo severo,

---

[92] Nótese la alternancia del uso de *debajo* y *debajo de,* común en la época (Keniston, par. 46,32).

[93] *pues que* 'porque' era giro conjuntivo causal usado también en prosa (Keniston, par. 28,421).

[94] *las banderas tendidas* por *a banderas tendidas* (ya en Oudin, 1607, en T.L.) 'con toda libertad, licenciosamente' (*Aut.* con textos posteriores).

[95] *dar cuerda* 'no apretar mucho un negocio' (Cov.), es decir, en este caso, 'dilatar' (*Aut.*). Para este tipo de expresiones coloquiales, v. *Lexis,* Lima, II,2 (1978) 220.

[96] Madrid, 1578 en 8vo. y Zaragoza, 1578: «y por esta razón me determino».

[97] *dar sobre* 'acometer, embestir de improviso'; la construcción con *sobre* refuerza la idea de violencia (Cuervo, *Dicc.,* con este texto de Ercilla).

por más antiguo su razón propuso[98]
como soldado y sabio consejero,
diciendo: «¡Oh capitanes!, no rehuso
de derramar mi sangre yo el primero,
que aunque por mi vejez parezca helada,
en el pecho me hierve alborotada;

»pero sola una cosa me detiene
haciéndome dudar el rompimiento[99],
y es la cierta noticia que se tiene
que es mucha gente y mucho el regimiento;
así que claro vemos que conviene
gran resistencia a grande movimiento;
que siempre de estimar poco las cosas
suceden las dolencias peligrosas.

»Que pues el sitio y puesto que han tomado
es por natura[100] fuerte y recogido
del mar y altos peñascos rodeado,
por todas partes libre y defendido,
será de más provecho y acertado
que a su plática y trato deis oído,
y que no se les niegue y contradiga
pues que solo el oír a nadie obliga.

»Que no podrá dañar y en el comedio[101]
podréis apercibir[102] y juntar gente,
y en secreto aprestar para el remedio
todo lo necesario y conveniente;
en las cosas difíciles dar medio[103],

---

[98] Madrid, 1578 en 8vo. y Zaragoza, 1578: «en viéndole callar luego propuso».

[99] *rompimiento* 'ataque'; para *romper* 'atacar', v. IV, n. 27.

[100] *natura* 'naturaleza' (VI, n. 65); *fuerte* 'fortificado' (Cfr. *hacerse fuerte*, s.v. *fuerte*, en *Aut.*); *recogido* 'apartado, aislado' como se describe en los versos siguientes.

[101] *comedio* 'entretanto' (II, n. 52).

[102] *apercibir* 'preparar' (IV, n. 64).

[103] *dar medio* 'encontrar solución' (*Aut.* s.v. *dar*: «dar modo»).

proveer a[104] cualquiera inconveniente,
atajar y romper los pasos llanos
y al cabo remitirnos a las manos...»

No pudo decir más; que ardiendo en ira   50
el bravo Tucapel con voz furiosa
diciendo le atajó: «Quien tanto mira
jamás emprenderá jornada honrosa
y si todo el Estado se retira
por parecerle que ésta es peligrosa,
yo solo tomaré sin compañía
las armas, causa y cargo a cuenta mía.

»¿Por ventura tenéis desconfianza
de vuestras propias fuerzas tan probadas,
pues en cuanto arrojar pueden la lanza
y rodear[105] los brazos las espadas,
dais causa que se note en vos mudanza
y que vuestras vitorias mancilladas
queden con bajo y mísero partido
y nuestro honor y crédito ofendido?

»Pues entended que mientras yo tuviere
fuerza en el brazo y voz en el senado,
diga Peteguelén lo que quisiere,
que esto ha de ser por armas sentenciado.
Y quien otro camino pretendiere
primero le abrirá por mi costado,
que esta ferrada[106] maza y no oraciones
les ha de dar las causas y razones.

»Si los que así os preciáis de bien hablados
el ánimo os bastare y el denuedo

---

[104] *proveer a* 'prevenir', es construcción que se halla también en la prosa de la época (Keniston, par. 2.634).
[105] *rodear* 'girar' como más abajo, en 82,3 (XIV, n. 83 en donde se usa
para *cuchillo*).
[106] *ferrada* 'reforzada con hierro' (II, n. 28).

de combatir sobre esto en campo armados,
os probaré más claro lo que puedo[107];
mas queréisos mostrar tan concertados
que llamando prudencia a lo que es miedo,
por no poner en riesgo vuestra vida
a todo con parlar daréis salida»[108].

Peteguelén responde: «Pues no halla
nunca en ti la razón acogimiento,
yo solo, viejo, quiero la batalla
y castigar tu loco atrevimiento:
de piel curtida armados o de malla,
con lanza, espada o maza a tu contento,
para mostrar que en justas ocasiones
tengo más largas manos que razones.»

¡Quién pudiera pintar el rostro esquivo[109]   55
que Tucapel mostraba contra el cielo!
Lanzando por los ojos fuego vivo,
no se dignando de mirar al suelo
dijo: «Al fin pensamiento tan altivo
ya es digno del furor de Tucapelo;
mas por mi honor y por tu edad querría
que metieses contigo compañía.»

---

[107] La vehemencia y la arrogancia del discurso de Tucapel se subrayan en el violento anacoluto que resulta de construir la proposición en función de objeto indirecto sin preposición y en el uso del futuro subjuntivo «bastare», dentro del periodo hipotético, en vez de «bastara», que hace más hipotética la posibilidad de que acepten el desafío quienes se oponen a su propuesta y, por ello, más evidente la acusación de cobardía.

[108] Ya A. Nicolas en su traducción y edición del poema, notó las relaciones de estas palabras de Tucapel con las que Turnus, el jefe de los rútulos, contesta a Drances, uno de los consejeros de Latinus, el rey del Latium en *Aeneidos* XI,389 y ss., en situación narrativa hasta cierto punto semejante. *Parlar* 'hablar excesivamente' (de aquí el último verso de la octava siguiente) tenía ya valor peyorativo (DCECH). Cfr. XIV, n. 7.

[109] *esquivo* 'desdeñoso' es ac. presente en Percivale, 1599, según T.L.

El viejo respondió: «Jamás de ajenas
fuerzas en ningún tiempo me he ayudado,
ni de sangre aún están vacías mis venas,
ni siento el brazo así debilitado
que no te piense dar las manos llenas»[110].
Mas Rengo su sobrino, levantado,
se atravesó diciendo: «El desafío
aceto yo, si quieres, por mi tío.»

«Quiérolo, pido y soy dello contento
—gritaba Tucapel—, y a diez contigo.»
Mas saltando Orompello de su asiento,
dijo: «Tú lo has de haber, Rengo, comigo»[111].
—«También emendaré[112] tu atrevimiento,»
responde el fiero Rengo, «y más te digo,
que en poco tu amenaza y campo[113] estimo
después que haya acabado el de tu primo»[114].

Tucapelo le dijo: «Castigarte
pienso de tal manera yo primero,
que le cabrá a Orompello poca parte,
que, a bien librar[115], serás mi prisionero.
¡Afuera!, ¡afuera!, ¡sús![116], haceos aparte,
que dilatar el término[117] no quiero
pues armas, tiempo y voluntad tenemos,
sino que luego aquí lo averigüemos»[118].

---

[110] *dar las manos llenas* 'castigar duramente' (IX, n. 143).

[111] *haberlo* o *habérselas con uno* 'disputar, contender con él' (DRAE, que la considera frase familiar).

[112] *emendar* por *enmendar* es semicultismo etimológico (DCECH) todavía usual en textos clásicos aunque la forma moderna ya aparece en el Cid; tb. es la forma preferida por todos los diccionaristas del T.L. hasta 1705 y la única que registra *Aut*.

[113] *campo* aquí, por metonimia, 'desafío, lance' (XI, n. 33 para la acepción 'campo de desafío', que Tucapel usó en 53,3).

[114] Cfr. X,25 y X,31 para la primera mención y detalles de este parentesco.

[115] *a bien librar* 'lo mejor que podrá suceder' (VI, n. 12).

[116] Cfr. II, n. 32 para esta interjección.

[117] *dilatar el término* 'diferir el momento preciso'.

[118] *averiguar* 'verificar' (XIV, n. 43).

Rengo y Peteguelén le respondieran
a un tiempo con las armas y razones,
si en medio a la sazón no se pusieran
muchos caciques nobles y varones,
pidiendo que suspendan y difieran
aquellas amenazas y quistiones[119],
hasta que la fortuna declarada
diese próspero fin a la jornada.

Caupolicán estaba ya impaciente   60
de ver que Tucapelo cada día,
en guerra, en paz, con término insolente[120],
sin causa ni atención los revolvía[121];
mas hubo de llevarlo blandamente,
que el tiempo y la sazón lo requería,
y así con gravedad y manso ruego
la furia mitigó y apagó el fuego[122],

quedando entre ellos puesto y acetado[123]
que luego que la guerra concluyesen,
el viejo y Tucapel en estacado[124]
francos[125] de solo a solo combatiesen.
Después, que Tucapel y Rengo armado
ansimismo su causa difiniesen.
El rumor aplacado, Colocolo
les comenzó a decir, hablando solo:

[119] *quistión* 'pendencia' (II, n. 34).
[120] Las dos de Madrid, 1578 y Zaragoza, 1578: «en guerra, en paz, injusta o justamente».
[121] Las dos de Madrid, 1578 y la de Zaragoza, 1578: «sin ninguna atención los revolvía»; *revolver* 'inquietar' (*Aut.*, con texto del Inca Garcilaso). En efecto, v. para estas actitudes de Tucapel, II,21; VIII,27-31 y 44-59; XI,17-29.
[122] Las dos ediciones de Madrid, 1578 y Zaragoza, 1578: «las reprimió el furor y apagó el fuego».
[123] *acetado* por *aceptado* (XII, n. 44).
[124] *estacado* 'liza' (X, n. 70).
[125] *franco* 'sin impedimento alguno' (*Aut.*, con texto cervantino posterior); *de solo a solo* 'sin intervención de tercera persona' (DRAE).

«Generosos[126] caciques, si licencia
tenemos de decir lo que alcanzamos
los que por largos años y esperiencia
los futuros sucesos rastreamos,
vemos que nuestras fuerzas y potencia
en sólo destruirnos las gastamos
y el tirano cuchillo apoderado[127]
sobre nuestras gargantas levantado.

»Y lo que da señal clara que sea
cierta vuestra caída y mi recelo,
es que ya la fortuna titubea
y comienza a turbarse nuestro cielo.
Cuando un gran edificio se ladea
no está muy lejos de venir al suelo;
la máquina que en falso asiento estriba[128]
su misma pesadumbre[129] la derriba.

»Así que ya, si mi opinión no yerra,
según el proceder y los indicios[130],
temo, y con gran razón, de ver por tierra
nuestros mal cimentados edificios
y convertido el uso[131] de la guerra
en serviles y bajos ejercicios,
quebrantándose, al fin, vuestra protervia[132]
fundada en una vana y gran soberbia.

---

[126] *generoso* 'de noble estirpe', como luego en el Canto, en 79,2. Cfr. III, n. 48. Nótese la buscada simetría que este discurso de Colocolo en el Primer Canto de la Segunda Parte establece con el que este mismo «cacique más anciano» pronuncia en II,28-35 de corte y contenido semejantes.

[127] *tirano* es caso de enálage; cfr. II, n. 122 para el uso de este recurso retórico en el poema; *apoderado* 'poderoso', ac. anticuada para fines del XVII, según Ayala, 1693, en T.L., quien recuerda su uso en Boscán: l.2, son. 88, ed. W. I. Knapp.

[128] *estribar* 'apoyarse' (Nebrija).

[129] *pesadumbre* 'peso' (Nebrija).

[130] *indicio* 'prueba'.

[131] *uso* 'costumbre' (XII, n. 115).

[132] *protervia* 'obstinación, petulancia'; parece temprana documenta-

»Muerto a Lautaro vemos, y perdidas
con gran deshonra nuestras tres banderas,
rotas nuestras escuadras y tendidas
al viento y sol por pasto de las fieras;
las fuerzas y opiniones divididas,
lleno el campo de gentes estranjeras,
y las furiosas armas alteradas
contra sus mismos pechos declaradas.

»Mirad que así, por ciega inadvertencia
la patria muere y libertad perece,
pues con sus mismas armas y potencia
al derecho enemigo favorece;
incurable y mortal es la dolencia
cuando a la medicina no obedece,
y bestial la pasión y detestable
que no sufre el consejo saludable.

»¿Por qué con tanta saña procuramos
ir nuestra sangre y fuerzas apocando,
y, envueltos en civiles[133] armas, damos
fuerza y derecho al enemigo bando?
¿Por qué con tal furor despedazamos
esta unión invencible, condenando
nuestra causa aprobada y armas justas,
justificando en todo las injustas?[134].

»¿Qué rabia o qué rencor desatinado
habéis contra vosotros concebido,
que así queréis que el araucano Estado
venga a ser por sus manos destruido,
y en su virtud[135] y fuerzas ahogado,

---

ción literaria de este latinismo (*Aut.* con textos del XVII; DCECH sin datos); para la aparición de *protervo*, que Ercilla usa en XXVII,56,3 en texto algo anterior de Cetina, v. C. C. Smith, 263.

[133] *civil* 'cruel', como luego en 71,5 (XII, n. 93).

[134] *justas... justificando... injustas* es repetición etimologizadora, recurso retórico frecuente en *La Araucana* (I, n. 4).

[135] *virtud* 'valor, bravura' es latinismo de sentido ya usado por Mena (Lida de Malkiel, 243 y 253).

quede con nombre infame sometido
a las estrañas leyes y gobierno,
y en dura servidumbre y yugo eterno?

»Volved sobre vosotros, que sin tiento
corréis a toda priesa a despeñaros;
refrenad esa furia y movimiento,
que es la que puede en esto más dañaros[136].
¿Sufrís al enemigo en vuestro asiento,
que quiere como a brutos conquistaros,
y no podéis sufrir aquí impacientes
los consejos y avisos convenientes?

»Que es, cierto, falta de ánimo, y bastante   70
indicio de flaqueza disfrazada,
teniendo al enemigo tan delante
revolver contra sí la propia espada,
por no esperar con ánimo constante
los duros golpes de fortuna airada,
a los cuales resiste el pecho fuerte
que no quiere acabarlo con la muerte.

»Pero pues tanto esfuerzo en vos[137] se encierra
que a veces, por ser tanto, lo condeno,
y de vuestras hazañas, no esta tierra
mas todo el universo anda ya lleno,
cese, cese el furor y civil guerra
y por el bien común tened por bueno
no romper la hermandad con torpes modos
pues que miembros de un cuerpo somos todos.

»Si a la cansada edad y largos días
algún respeto y crédito se debe,
mirad a estas antiguas canas mías
y al bien público y celo que me mueve,

---

[136] Las dos de Madrid, 1578 y Zaragoza, 1578: «que os lleva a destruir
y arruinaros».

[137] vos 'vosotros', como en 73,4 (II, n. 42).

489

para que difiráis vuestras porfías
por alguna sazón[138] y tiempo breve,
hasta que el español furor decline,
y la causa común se determine.

»Y, pues, de vuestra discreción espero
que os pondrá en el camino que conviene,
traer otras razones más no quiero
pues con vos la razón tal fuerza tiene.
Dejadas pues aparte, lo primero
que venir a las manos nos detiene
y pone freno y límite al deseo
es el poco aparejo que aquí veo.

»Que por todas las partes nos divide
este brazo de mar que veis en medio
y nuestra pretensión y paso impide,
sin tener de pasaje algún remedio;
y pues el enemigo se comide[139]
a tratar de concierto y nuevo medio,
aunque nunca pensemos acetarlos,
no nos podrá dañar el escucharlos.

»Pues por este camino tomaremos   75
lengua[140] de su intención y fundamento
que, cuando no sea lícita, podremos
venir de todo en todo[141] a rompimiento;
también en este término haremos
de armas y munición preparamento[142],

---

[138] *sazón* 'tiempo, época' es acepción medieval corriente pero ya de escaso uso clásico salvo en frases hechas (DCECH), lo que parcialmente explica la repetición sinonímica.

[139] *comedir* 'anticiparse a un servicio o cortesía no solicitados' (Cuervo, Dicc. para construcción con *a,* y este ejemplo II, 207b).

[140] *lengua* 'información, noticia' (*Aut.* con texto de Ovalle; DCECH con frase semejante: «tomar lengua» en el *Guzmán de Alfarache* de M. Alemán).

[141] *de todo en todo* 'entera y absolutamente' (DRAE).

[142] *preparamento* por *preparamiento* 'preparación' (*Aut.*).

que éstas serán al fin las que de hecho
habrán de declarar este derecho.

»Mas conviene advertir, claros varones,
para llevar las cosas bien guiadas,
que nuestras exteriores intenciones
vayan siempre a la paz enderezadas;
mostrándonos de flacos corazones,
las fuerzas y esperanzas quebrantadas,
y la tierra de minas de oro rica,
cebo goloso[143] en que esta gente pica.

»Quizá por este término sacalla
podremos del isleño sitio fuerte,
y con fingida paz aseguralla
trayéndola por mañas a la muerte;
y sin rumor ni muestra de batalla
abramos la carrera[144] de tal suerte
que venga a tierra firme, confiada
en el seguro paso y franca entrada.»

A su habla dio fin el sabio anciano
y hubo allí pareceres diferentes,
diciendo que el peligro era liviano
para tanto temor e inconvenientes;
pero Purén, Lincoya y Talcaguano,
Lemolemo, Elicura, más prudentes,
al parecer del viejo se arrimaron[145]
y así a los más los menos se allanaron[146],

despachando de allí con diligencia
al joven Millalauco generoso,

---

[143] *goloso* 'que excita el apetito' (DCECH con texto de Cervantes, s.v.
gola); v. pasaje similar en XXIII,12,7.

[144] *abrir carrera* 'desviarse' (Cov.); *carrera* 'camino' (VI, n. 32).

[145] *arrimarse al parecer* 'allegarse a una opinión, adherirse' (Cuervo,
Dicc. I, 656b con este texto; tb. *Aut.*).

[146] *allanarse a* 'rendirse a una exigencia o convenio' (Cuervo, *Dicc.*,
I,387b).

hombre de gran lenguaje y esperiencia
cauto, sagaz, solícito y mañoso[147],
que con fingida muestra y aparencia
de algún partido honesto y medio honroso
nuestro intento y disignios penetrase
y el sitio, gente y número notase.

El cual, por los caciques instruido   80
(según el tiempo) en lo que más convino[148],
en una larga góndola metido,
sin más se detener tomó el camino;
y de los prestos remos impelido,
en breve a nuestro alojamiento vino,
adonde sin estorbo, libremente,
saltó luego seguro con su gente.

Al puerto habían también con fresco viento
tres naves de las nuestras arribado
llenas de armas, de gente y bastimento,
con que fue nuestro campo reforzado.
Era tanto el rumor y movimiento
del bélico aparato, que admirado
el cauteloso Millalauco estuvo
y así confuso un rato se detuvo.

Mas sin darlo a entender, disimulando,
por medio del bullicio atravesaba;
los judiciosos[149] ojos rodeando,
las armas, gente y ánimos notaba
y el negocio entre sí considerando,

---

[147] Para esta acumulación adjetiva, típica de las descripciones y caracterizaciones en el poema, v. III, n. 39. *Mañoso* 'hábil, astuto' (*Aut.*).
[148] En las dos de Madrid, 1578 y Zaragoza, 1578: «el cual, bien informado y instruido / de los que a su propósito convino».
[149] *judicioso* ant. *juicioso* para *Aut.*, que cita texto tardío de Góngora.
DCECH, que no trae la forma atestiguada por Ercilla, cree que *juicioso*,
aún ausente en Cov. y Oudin, pudo venir del francés *judicieux*, aunque el
testimonio de Montaigne que aduce es posterior a este texto; *rodear* 'girar' (XIV, n. 83).

el deseado fin dificultaba,
viendo cubierto el mar, llena la tierra
de gente armada y máquinas de guerra.

Llegado al pabellón de don García,
hallándome con otros yo presente,
con una moderada cortesía
nos saludó a su modo, alegremente
levantando la voz... Pero la mía,
que fatigada de cantar se siente,
no puede ya llevar un tono tanto
y así es fuerza dar fin en este canto.

FIN

HACE MILLALAUCO SU EMBAJADA. SALEN LOS ESPAÑOLES DE
LA ISLA, LEVANTANDO UN FUERTE EN EL CERRO DE PENCO.
VIENEN LOS ARAUCANOS A DARLES EL ASALTO. CUÉNTASE
LO QUE EN AQUEL MISMO TIEMPO PASABA SOBRE LA PLAZA
FUERTE DE SANQUINTÍN

CANTO XVII

NUNCA negarse deben los oídos
a enemigos ni amigos sospechosos,
que tanto os dejan más apercebidos
cuanto vos los tenéis por cautelosos[1].
Escuchados, serán más entendidos,
ora sean verdaderos o engañosos;
que siempre por señales y razones
se suelen descubrir las intenciones.

Cuando piensan que más os desatinan
con su máscara falsa y trato estraño,
os despiertan, avisan, encaminan
y encubriendo, descubren el engaño;
veis el blanco y el fin a donde atinan[2],

---

[1] *cauteloso* 'astuto' (Nebrija), 'fingido, malicioso' (T.L. ya desde Percivale, 1599; DCECH con mención del contemporáneo Cetina).

[2] *atinar* 'apuntar' es documentación temprana de esta acepción
(Cuervo, *Dicc.* I, 75a, con este texto; v. tb. DCECH s.v. *tino* en que se registra su aparición en el *Vocabulario* de A. de Palencia, pero allí parece tener el significado más usual hoy de 'intentar').

495

el pro y el contra, el interés y el daño[3];
no hay plática tan doble y cautelosa
que della no se infiera alguna cosa.

Y no hay pecho tan lleno de artificio
que no se le penetre algún conceto[4],
que las lenguas al fin hacen su oficio
y más si el que oye sabe ser discreto.
Nunca el hablar dejó de dar indicio
ni el callar descubrió jamás secreto:
no hay cosa más difícil, bien mirado,
que conocer un necio si es callado[5].

Y es importante punto y necesario
tener el capitán conocimiento
del arte[6] y condición del adversario,
de la intención, disignio[7] y fundamento:
si es cuerdo y reportado[8] o temerario,
de pesado o ligero movimiento,
remiso o diligente, incauto o astuto,
vario, indeterminable o resoluto[9].

Así vemos que el bárbaro Senado   5
por saber la intención del enemigo
al cauto Millalauco había enviado

---

[3] Para esta estructura bimembre paralelística de unidades antitéticas,
que reaparece en este Canto en 4,7, cfr. IX, n. 112.

[4] Madrid, 1578 en 8vo. y Zaragoza, 1578: «que parlando no muestra
algún conceto».

[5] Este exordio moral sobre la virtud del callar y el valor del silencio
debe relacionarse con el semejante del Canto XII donde se han señalado
algunas fuentes de este tópico de abolengo clásico.

[6] *arte* 'habilidad, oficio' (T.L., DCECH).

[7] *disignio* por *disignio;* para la repetición sinonímica, v. I, n. 112. Confróntese tb. en este Canto, 11,1 («defensa y resistencia»); 29,2 («distrito y término»); 55,8 («presunción... arrogancia»); 56,3 («presidio... plaza»); 60,7
(«huestes y compañas»).

[8] *reportado* 'moderado' (XV, n. 24).

[9] *resoluto* 'resuelto' (II, n. 119). Para este tipo de acumulación nominal descriptiva, cfr. III, n. 39.

debajo de figura y voz de amigo,
que con semblante y ánimo doblado[10],
mostrándose cortés, como atrás digo,
el rostro a todas partes revolviendo,
alzó recio la voz, así diciendo:

«Dichoso capitán y compañía,
a quien por bien de paz[11] soy enviado
del[12] araucano Estado y señoría,
con voz y autoridad del gran Senado.
No penséis que el temor y cobardía
jamás nos haya a término llegado
de usar, necesitados de remedio,
de algún partido infame y torpe medio;

»pues notorio os será lo que se estiende
el nombre grande y crédito araucano,
que los estraños[13] términos defiende
y asegura debajo de su mano,
y también de vosotros ya se entiende
que, movidos de celo y fin cristiano,
con gran moderación y diciplina
venís a derramar vuestra dotrina.

»Siendo, pues, esto así, como la muestra
que habéis dado hasta aquí lo verifica,
y la buena opinión y fama vuestra
con claras y altas voces lo publica,
yo os vengo a segurar[14] de parte nuestra,

---

[10] *doblado* 'el que tiene una cosa en el corazón y otra en la lengua' (Cov.), como más abajo, en 21,4.

[11] *por bien de paz* 'por arreglo amistoso' (DRAE). Medina señala el uso escribanil de la frase, que refuerza la intención oficial que Millalauco da a su misión.

[12] *de* 'por' (I, n. 60).

[13] *extraño* 'extranjero', se escribió con *s*, como correspondía a un vocablo popular, hasta fines del XVII (DCECH).

[14] *segurar* por *asegurar* más que supervivencia de la forma medieval parece caso corriente de pérdida de una de las vocales iguales contiguas; la forma moderna predomina desde el siglo XIV (DCECH).

y así a todos por mí se os certifica
que la ofrecida paz tan deseada
será por los caciques acetada[15].

»Que el ínclito[16] Senado, habiendo oído
de vuestra parte algunas relaciones
con sabio acuerdo y parecer, movido
por legítimas causas y razones,
quiere acetar la paz, quiere partido[17]
de lícitas y honestas condiciones,
para que no padezca tanta gente
del pueblo simple y género inocente[18].

»Que si la fe inviolable y juramento   10
de vuestra parte con amor pedido
y el gracioso y seguro acogimiento
de nuestra voluntad libre ofrecido
pueden dar en las cosas firme asiento
con honra igual y lícito partido
sin que los nuestros súbditos y estados
vengan por tiempo a ser menoscabados,

»a Carlos sin defensa[19] y resistencia
por amigo y señor le admitiremos,
y el servicio indebido y obediencia[20]
de nuestra voluntad le ofreceremos;
mas si queréis llevarlo por violencia,
antes los propios hijos comeremos[21]

---

[15] *acetar* por *aceptar,* como en la octava siguiente (XII, n. 44).

[16] *ínclito* 'célebre' (XII, n. 46).

[17] *partido* 'convenio' como más adelante en el Canto, en 30,3 (IX, n. 49).

[18] *género inocente* 'niños' (VI, n. 27).

[19] *defensa* 'reparo, oposición' *(Aut.,* y ya Cov.). Para la repetición sinonímica, I, n. 112. Otros ejemplos en el Canto: 55,8 («presunción... arrogancia»); 56,3 («presidio... plaza»); 60,7 («huestes y compañas»).

[20] Millalauco quiere subrayar que no se trata de sometimiento («servicio») por derrota («indebido») sino por deliberado ofrecimiento.

[21] Recuérdese la anterior mención de casos de antropofagia indígena en IX,21 y nota correspondiente. Ercilla refuerza la mención anterior,

y veréis con valor nuestras espadas
por nuestro mismo pecho atravesadas.

»Pero por trato llano, sin recelo
podréis por vuestro Rey alzar bandera,
que el Estado, las armas por el suelo,
con los brazos abiertos os espera,
reconociendo que el benigno cielo
le llama a paz segura y duradera,
quedando para siempre lo pasado
en perpetuo silencio sepultado.»

Aquí dio fin al razonar, haciendo
a su modo y usanza una caricia[22],
siempre en su proceder satisfaciendo[23]
a nuestra voluntad y a su malicia;
y el bárbaro poder disminuyendo
nos aumentaba el ánimo y codicia,
dándonos a entender que había flaqueza,
y abundancia de bienes y riqueza.

Oída la embajada, don García,
haciéndole gracioso acogimiento,
en suma respondió que agradecía
la propuesta amistad y ofrecimiento,
y que en nombre del Rey satisfaría
su buena voluntad con tratamiento
que no sólo no fuesen agraviados,
mas de muchos trabajos relevados.

Hizo luego sacar a dos sirvientes,   15
por más confirmación, algunos dones,

---

que había admitido conocer por fuente indígena, con estas palabras es-
cuchadas por él mismo de boca de Millalauco (XVI,83,2).

[22] *caricia* 'demostración de afecto' y aquí, más bien «saludo, reverencia», es italianismo recién documentado literariamente en Cristóbal de
Castillejo. Para otra acepción, XXXVI,12,1.

[23] Madrid, 1578 en 8avo, y Zaragoza, 1578: «en su demostración satisfaciendo».

ropas de mil colores diferentes,
jotas, llautos, chaquiras y listones[24],
insignias y vestidos competentes[25]
a nobles capitanes y varones,
siendo de Millalauco recebido
con palabras y término cumplido.

Así que, con semblante y aparencia
de amigo agradecido y obligado,
pidiendo al despedir grata licencia,
a la barca volvió que había dejado,
y con la acostumbrada diligencia
al tramontar[26] del sol llegó al Estado,
do recebido fue con alegría
de toda aquella noble compañía.

Visto el despacho y la ocasión presente[27],
los caciques la junta dividieron,
y dando muestra de esparcir la gente
a sus casas de paz[28] se retrujeron,
adonde sin rumor, secretamente,
las engañosas armas previnieron,
moviendo del común[29] las voluntades,
aparejadas siempre a novedades.

---

[24] *jotas* 'sandalias' (XVI, n. 63); *llauto* 'cinta' (*ibíd.*); *chaquira* 'brazalete', 'sarta de cuentas' (Morínigo), es indigenismo de la lengua cuna ya documentado en el *Sumario* (1526) de G. Fernández de Oviedo, cap. X «De los indios de Tierra Firme y de sus costumbres y ritos y ceremonias», pág. 141; *listón* 'cinta' (*Aut.* y DCECH, con texto posterior del Inca Garcilaso).

[25] *competente* 'correspondiente, perteneciente' (*Aut.*, y ya Cov.).

[26] *tramontar* 'pasar del otro lado de los montes', es italianismo que Garcilaso (Égl. I, 412) incorpora a la literatura y que a través de Ercilla llega a Góngora (Vilanova II, 245-6); para DCECH es palabra «poco genuina en castellano».

[27] Madrid, 1578 en 8vo. y Zaragoza, 1578: «Visto pues el despacho cautamente». *Despacho* 'conclusión de un asunto' (*Aut.* y ya en Nebrija, según T.L.).

[28] *de paz* 'pacíficamente' (XVI, n. 64). Cfr. III, n. 91 para la forma antigua del pretérito de *traer*.

[29] *común* 'pueblo' (I, n. 78).

Nosotros, no sin causa sospechosos,
allí más de dos meses estuvimos,
y a las lluvias y vientos rigurosos
del implacable invierno resistimos;
mas pasado este tiempo, deseosos[30]
de saber su intención, nos resolvimos
en[31] dejar el isleño alojamiento,
haciendo en tierra firme nuestro asiento.

Ciento y treinta mancebos florecientes[32]
fueron en nuestro campo apercebidos:
hombres trabajadores y valientes
entre los más robustos escogidos,
de armas y de instrumentos convenientes
secreta y sordamente prevenidos[33];
yo con ellos también, que vez ninguna
dejé de dar un tiento[34] a la fortuna,

para que en un pequeño cerro esento[35]   20
sobre la mar vecina relevado,
levantasen un muro de cimiento
de fondo[36] y ancho foso rodeado,
donde pudiese estar sin detrimento[37]
nuestro pequeño ejército alojado,
en cuanto[38] los caballos arribaban,
que ya teníamos nueva que marchaban.

---

[30] Madrid, 1578 en 8vo. y Zaragoza, 1578: «pero al fin deste término ganosos / de venir al efecto concluimos».

[31] *resolverse en* 'concluir' más infinitivo es construcción que se encuentra también en la prosa de la época (Keniston, par. 37.54).

[32] *floreciente* 'escogido, selecto' (Cov. s.v. *florido; Aut.*).

[33] *prevenir* 'preparar, aparejar' *(Aut.;* DCECH con ejs. posteriores).

[34] *dar un tiento* 'someter a prueba' (I, n. 123).

[35] *esento* por *exento* 'liso, sin árboles', 'descubierto, sin obstáculos' como luego en el Canto, en 49,3 (IV, n. 130 donde se aplica tb. a *cerro*).

[36] *fondo* ant. *hondo;* la forma moderna ya se registra en A. de Palencia (1490).

[37] *detrimento* 'perjuicio' es cultismo ya presente en textos de la segunda mitad del siglo xv (C. C. Smith, 269).

[38] *en cuanto* 'mientras' *(Aut.);* cfr. textos en prosa en Keniston par. 28,56.

Pues salidos a tierra, entenderían
la intención de los bárbaros dañada[39],
que en secreto las armas prevenían
con falso rostro y amistad doblada:
de do, si se moviesen, les darían
algún asalto y súbita ruciada[40]
que, quebrantado el ánimo y denuedo,
viniesen a la paz de puro miedo.

Era imaginación fuera de tino
pensar que los soberbios araucanos
quisiesen de concordia algún camino
viéndose con las armas en las manos;
pero con la presteza que convino
los ciento y treinta jóvenes lozanos
pasaron a la tierra sin ayuda
más que el amparo de la noche muda.

Y aunque era en esta tierra cuando
Virgo alargaba a priesa el corto día[41]
las variables horas restaurando
que usurpadas la noche le tenía,
antes que la alba fuese desterrando
las noturnas estrellas, parecía[42]
la cumbre del collado levantada
de gente y materiales ocupada.

Cuáles con barras, picos y azadones
abren los hondos fosos y señales,
cuáles con corvos y anchos cuchillones[43],
hachas, sierras, segures y destrales[44]

---

[39] *dañado* está usado como valor activo 'dañino, que causa daño'.

[40] *ruciada* por *rociada* 'andanada de balas' (*Aut.*). La forma que aparece en el poema se usó por lo menos hasta principios de siglo en América (DCECH) pero ya no la registran los vocabularios actuales.

[41] *Virgo* es decir, finales del invierno en el hemisferio Sur.

[42] *parecer* 'aparecer' (III, n. 25).

[43] *cuchillón* 'cuchillo grande' (*Aut.* con este texto).

[44] *segur* 'hacha' (X, n. 82); *destral* 'hacha pequeña', frente a *segur,* más

cortan maderos gruesos y troncones,
y fijados en tierra, con tapiales
y trabazón de leños y fajinas[45]
levantan los traveses y cortinas[46].

No con tanto hervor[47] la tiria gente   25
en la labor de la ciudad famosa,
solícita, oficiosa y diligente[48]
andaba en todas partes presurosa;
ni César levantó tan de repente
en Dirrachio[49] la cerca milagrosa
con que cercó[50]el ejercito esparcido
del enemigo yerno inadvertido,

cuanto fue de nosotros coronada
de una gruesa muralla la montaña,
de fondo y ancho foso rodeada,

grande, y que se maneja con las dos manos como *hacha*, mencionada anteriormente, vocablo que fue reemplazando a *segur* a partir del siglo xv (DCECH) pero que tuvo uso poético hasta Góngora (así, en el *Polifemo*, octava 45, v. 356).

45 *fajina* 'fortificación' (XI, n. 109).

46 *través* 'obra exterior de fortificación para estorbar el paso' (DCECH con documentación algo posterior); *cortina* como término de fortificación 'trozo de muralla entre baluarte y baluarte', como en 28,5 (Percivale, 1599, en T.L.).

47 *hervor* 'vehemencia' (XIV, n. 91 y tb. IV, n. 44); *Tirio* 'cartaginés', pues Cartago, según la narración virgiliana, fue fundada por Dido, hermana del rey de Tiro, Pigmalión. En verdad, la octava recuerda desde esta palabra el pasaje de la *Eneida* en que Eneas observa asombrado la febril actividad constructora de los habitantes de la recientemente fundada Cartago (*Aeneidos* I, 421-436).

48 Las dos de Madrid, 1578 y Zaragoza, 1578: «acá y allá sirviendo diligente / tan solícita andaba y presurosa».

49 Referencia al intento de bloqueo en 48 a.C. por César; Dyrrachium (hoy Durazzo, en Albania) era una ciudad costera del Epiro en donde Pompeyo había reunido sus fuerzas. Pompeyo se había casado con Julia, la hija de César y Cornelia, quien murió en 54 a.C., de aquí el «yerno» del verso 8. Para la campaña de Dyrrachium, v. Julius Caesar, *Bello Civile* III, XLI-LXXIV, Lucano, *Pharsalia* VI, 11-14.

50 *cerca... cercó* es caso de repetición etimologizadora, recurso retórico frecuente a lo largo del poema (I, n. 4).

con ocho gruesas piezas de campaña[51],
siendo a vista de Arauco levantada
bandera por Felipe, Rey de España,
tomando posesión de aquel Estado
con los demás del padre renunciado[52].

Túvose por un caso nunca oído
de tanto atrevimiento y osadía,
entre la gente plática[53] tenido
más por temeridad[54] que valentía,
que en el soberbio Estado así temido
los ciento y treinta en poco más de un día
pudiésemos salir con una cosa
tanto cuanto difícil peligrosa.

Nuestra gente del todo recogida,
la cual luego segura al fuerte vino[55],
que el alto sitio y pólvora temida
hizo fácil y llano aquel camino,
por las anchas cortinas repartida
según y por el orden que convino;
nos pusimos allí todos a una[56]
debajo del amparo de fortuna.

---

[51] *campaña* se refiere a piezas de artillería, tal vez falconetes, ya mencionadas en XVI,36,7 cuyo uso parece haber sido escaso en la conquista del territorio de América (Salas, 217-218).

[52] Alusión a la abdicación de Carlos V en Felipe II de todos los dominios en Europa y América el 16 de enero de 1556. Cfr. J. Lynch, *Spain under the Habsburgs* N.Y., NYU Press, 1984, I,107. Los hechos que relata el poema se ubican a finales del invierno de 1557 en el hemisferio Sur. La alusión se amplía en las octavas 54 y 55 de este mismo Canto.

[53] *plático* por *práctico* 'versado' como luego en el Canto, en 56,7 *(Aut.)*. Cfr. II, n. 84.

[54] *temeridad* 'audacia irreflexiva', por oposición, como señala el verso, a *valentía*. Juan de Valdés, *Diálogo de la lengua,* lo menciona como uno de los latinismos que desea introducir en castellano (ed. Clás. Cast., 138) pero ya documentado hacia 1440 (DCECH).

[55] Madrid, 1578 en 8vo.: «que al cuarto día segura al fuerte vino».

[56] *a una* 'juntamente' (III, n. 65).

la Fama

La pregonera Fama, ya volando
por el distrito y término[57] araucano,
iba de lengua en lengua[58] acrecentando
el abreviado ejército cristiano,
la gente popular amedrentando
con un hueco rumor y estruendo vano,
que lo incierto a las veces[59] certifica,
y lo cierto, si es mal, lo multiplica.

Llegada, pues, la voz a los oídos   30
de nuestros enemigos conjurados,
no mirando a los tratos y partidos
por una parte y otra asegurados,
con súbita presteza apercebidos
de municiones, armas y soldados,
sin aguardar a más, trataron luego
de darnos el asalto a sangre y fuego.

Juntos para el efeto en Talcaguano,
dos millas poco más de nuestro asiento[60],
el esforzado mozo Gracolano,
de gran disposición y atrevimiento,
dijo en voz alta: «¡Oh gran Caupolicano!,
si en algo es de estimar mi ofrecimiento,
prometo que mañana en el asalto,
arbolaré[61] mi enseña en lo más alto.

---

[57] *término* 'territorio' (I, n. 21). Cfr. más abajo, 36,5 para otra acepción.

[58] *de lengua en lengua* es frase adverbial con que se explica que alguna especie va corriendo de una persona a otra (*Aut.*, con texto posterior de A. López Pinciano). Para los atributos de la Fama, XVI, n. 3.

[59] *a las veces* 'en alguna ocasión' (XI, n. 111).

[60] En efecto, el nuevo asiento estaba junto al lugar donde se había fundado Concepción, cuyo «saco, incendio y ruina» se relató en el Canto VII. Talcaguano o Talcahuano distaba dos leguas de este asiento, sobre la misma bahía de Concepción, como ya se ha señalado en XVI, n. 38.

[61] *arbolar* 'alzar, enarbolar'; DCECH documenta con texto contemporáneo de Cervantes de Salazar; T.L. lo registra a partir de Palet, 1604.

»Y porque a ti, señor, y a todos quiero
haceros de mis obras satisfechos,
con esta usada lanza me profiero[62]
de abrir lugar por los contrarios pechos,
y que será mi brazo el que primero
barahuste[63] las armas y pertrechos,
aunque más dificulten la subida
y todo el universo me lo impida.»

Así dijo; y los bárbaros en esto,
porque ya las estrellas se mostraban,
al fuerte, en escuadrón, con paso presto
cubiertos de la noche se acercaban,
y en una gran barranca[64], oculto puesto,
al pie de la montaña reparaban[65],
aguardando en silencio aquella hora[66]
que suele aparecer la clara aurora.

Aquella noche, yo mal sosegado,
reposar un momento no podía,
o ya fuese el peligro o ya el cuidado
que de escribir entonces yo tenía[67].
Así imaginativo[68] y desvelado,

*El tiempo
de escribir*

---

[62] *proferir* 'ofrecer' (Cov.). La forma no pronominal ya está en A. de
Palencia (1490); con la acepción 'manifestar, declarar', ya en Garcilaso
(Eleg. II,15) en donde no parece significar 'ofrecer' como quiere
DCECH.

[63] *barahustar* 'acometer' (Chaves, 1609, en T.L.); 'desbaratar'
(DCECH con ejs. de mediados del xvi) son acs. que convienen al texto.
Cfr. *Arcaísmos...* para usos actuales en América.

[64] *barranca* 'ribazo, mole de tierra o piedra' es ac. clásica que se conserva en América; la forma de género gramatical femenino es también más
frecuente en América que en España (DRAE remite a *barranco*). Cfr. *Arcaísmos...* s.v. *barranco* para documentación.

[65] *reparar* 'detenerse' (III, n. 70).

[66] Cfr. XIV, n. 11 para esta fórmula retórica de la descripción del
amanecer.

[67] Es obvio por esta octava que el narrador separa el momento de la
escritura del poema y el momento de lo que debieron ser apuntes para el
texto que llega a manos del lector. Cfr. el *Prólogo* con descripción más
dramática de las condiciones de la escritura de estos apuntes.

[68] *imaginativo* 'pensativo, aprensivo' (XIII, n. 91).

506

revolviendo la inquieta fantasía,
quise de algunas cosas desta historia
descargar con la pluma la memoria.

En el silencio de la noche escura[69],   35
en medio del reposo de la gente,
queriendo proseguir en mi escritura
me sobrevino un súbito acidente[70],
cortóme un hielo cada coyuntura,
turbóseme la vista de repente,
y procurando de esforzarme en vano,
se me cayó la pluma de la mano.

Quisiérame[71] quejar, mas fue imposible,
del acidente súbito impedido,
que el agudo dolor y mal sensible[72]
me privó del esfuerzo y del sentido.
Pero pasado el término[73] terrible,
y en mi primero ser[74] restituido,
del tormento quedé de tal manera
cual si de larga enfermedad saliera.

Luego que con sospiros trabajados[75]
desfogando[76] las ansias aflojaron,

---

[69] El verso calca, excepto el inicial *en* que en Garcilaso es *por,* el verso 537 de la Égloga II. Este endecasílabo garcilasiano perduraba intensamente en la memoria de Ercilla puesto que ya había aparecido en IX,44,2 en la versión de la princeps de 1569 y reemplazado no muy hábilmente en las ediciones posteriores a la aparición de esta Segunda Parte; vuelve a variarse en XXIII,23,2. Cfr. IX, n. 63.

[70] *acidente* por *accidente* 'indisposición súbita' (Cov.) es grafía que perdura hasta el xvii (DCECH).

[71] *quisiera* 'hubiera querido', como en el último verso de la estrofa, *saliera* 'hubiera salido' (VII, n. 76).

[72] *sensible* 'que causa dolor' (IX, n. 22).

[73] *término* 'momento' (XVI, n. 117).

[74] *primero ser* 'estado previo' (*Aut.* s.v. *primero).*

[75] *trabajado* 'cansado' (XVI, n. 1).

[76] *desfogar* 'calmar, aplacar' (Oudin, 1607, en T.L.).

mis descaídos[77] ojos agravados
del gran quebrantamiento se cerraron;
así los lasos[78] miembros relajados
al agradable sueño se entregaron,
quedando por entonces el sentido
en la más noble parte recogido.

No bien al dulce sueño y al reposo
dejado el quebrantado cuerpo había,
cuando oyendo un estruendo sonoroso[79]
que estremecer la tierra parecía,
con gesto altivo y término[80] furioso
delante una mujer se me ponía,
que luego vi en su talle y gran persona
ser la robusta y áspera Belona[81].

Vestida de los pies a la cintura,
de la cintura a la cabeza armada
de una escamosa y lúcida[82] armadura,
su escudo al brazo, al lado la ancha espada,
blandiendo en la derecha la asta dura,
de las horribles Furias rodeada,
el rostro airado, la color teñida[83],
toda de fuego bélico encendida,

---

[77] *descaído* por *decaído* (Cuervo, *Dicc.* II, 982a con este texto); *agravar* 'cargar, llevar peso', como ya en XII,60,2 (T.L.).

[78] *laso* 'fatigado' (IV, n. 75).

[79] *sonoroso* por *sonoro* (III, n. 76).

[80] *término* 'modo' (XI, n. 31).

[81] *Belona* Cfr. II, n. 90 y 92. Ésta es la única aparición maravillosa en el poema no para servicio o como parte de la actividad bélica, en la tradición de la poesía épica, sino más bien como mecanismo que permite la unificación temporal y espacial de los hechos del Imperio. Para la función de lo maravilloso mitológico, v. Pierce, 32 y 68.

[82] *lúcido* 'brillante, luminoso' es cultismo tomado de la poesía latina (Ovidio, Horacio, Lucrecio) ya introducido por Mena (Lida de Malkiel, 255).

[83] *teñido* 'manchado con otro color... con singularidad se dice de la sangre» (*Aut.* con texto contemporáneo de A. de Morales). Cfr. J. Pérez de Moya, l.III, c. 10: «y por esto los poetas convenientemente fingen a

la cual me dijo: «¡Oh mozo temeroso!,
el ánimo levanta y confianza,
reconociendo el tiempo venturoso
que te ofrece tu dicha y buena andanza[84];
huye del ocio torpe perezoso,
ensancha el corazón y la esperanza;
y aspira a más de aquello que pretendes,
que el cielo te es propicio, si lo entiendes.

»Que viéndote a escribir aficionado
como se muestra bien por el indicio[85],
pues nunca te han la pluma destemplado[86]
las fieras armas y áspero ejercicio[87];
tu trabajo tan fiel considerado,
sólo movida de mi mismo oficio,
te quiero yo llevar en una parte
donde podrás sin límite ensancharte.

»Es campo fértil, lleno de mil flores,
en el cual hallarás materia llena
de guerras más famosas y mayores,
donde podrá alimentar la vena.
Y si quieres de damas y de amores
en verso celebrar la dulce pena,
tendrás mayor sujeto y hermosura
que en la pasada edad y en la futura.

»"Sígueme", dijo al fin; y yo admirado
viéndola revolver por donde vino,
con paso largo y corazón osado

---

esta deesa furiosa y llena de sangre». Para el género gramatical de *color,* I,
n. 55.
   [84] Madrid, 1578 en 8vo. y Zaragoza, 1578: «de la diestra fortuna y
buena andanza».
   [85] Las dos de Madrid, 1578 y la de Zaragoza, 1578: «y de tu inclina-
ción el claro indicio».
   [86] *destemplar* 'perturbar' (Cuervo, *Dicc.,* II, 1169a).
   [87] *áspero ejercicio* es perífrasis por *guerra* (IV, n. 135); para esta bimembración paralelística, v. IX, n. 112.

comencé de[88] seguir aquel camino,
dejando del siniestro y diestro lado[89]
dos montes, que el Atlante y Apenino
con gran parte no son de tal grandeza
ni de tanta espesura y aspereza.

Salimos a un gran campo, a do natura
con mano liberal y artificiosa
mostraba su caudal y hermosura
en la varia[90] labor maravillosa,
mezclando entre las hojas y verdura
el blanco lirio y encarnada rosa[91],
junquillos, azahares y mosquetas[92],
azucenas, jazmines y violetas.

Allí las claras fuentes murmurando   45
el deleitoso asiento atravesaban,
y los templados vientos respirando[93]
la verde yerba y flores alegraban;
pues los pintados[94] pájaros volando
por los copados[95] árboles cruzaban,
formando con su canto y melodía
una acorde y dulcísima armonía.

---

[88] *comenzar de* es construcción que representa el principio de una
acción como punto de partida; frecuente en textos áureos, ha caído
en desuso.

[89] Madrid, 1578 en 8vo. y Zaragoza, 1578: «pasamos por un bosque
do vi a un lado».

[90] *vario* 'diferente' (VII, n. 15).

[91] Para las reminiscencias de Garcilaso (Égl. I, 103: «el blanco lirio y
colorada rosa»), v. *Lexis,* Lima, II,2 (1978) 205-6. *Encarnado* 'colorado'
corriente hoy en España debió ser menos común en el xvi pues no pasó
a América (DCECH) y no está presente en el vocabulario de Garcilaso ni en el de Herrera, pero de Ercilla pasa a Góngora y Quevedo.
Cfr. IX, n. 83.

[92] *mosqueta* 'rosa pequeña de una especie de zarza» (Cov.; *Aut.* con texto posterior de f. José de Sigüenza).

[93] *respirar* 'soplar, esparcir' es uso traslaticio aplicado a objetos inanimados que registra *Aut.* con texto de D. Saavedra Fajardo- V. tb. 50,6.

[94] *pintado* 'naturalmente matizado de diversos colores' (*Aut.*).

[95] *copado* 'frondoso' (Percivale, 1599, en T.L.; *Aut.* contexto de A. de
Ovalle).

Por mil partes en corros derramadas
vi gran copia de ninfas muy hermosas,
unas en varios juegos ocupadas,
otras cogiendo flores olorosas;
otras suavemente y acordadas[96],
cantaban dulces letras amorosas,
con cítaras y liras en las manos
diestros sátiros, faunos y silvanos[97].

Era el fresco lugar aparejado
a todo pasatiempo y ejercicio.
Quién sigue ya de aquél, ya deste lado
de la casta Diana el duro oficio[98]:
ora atraviesa el puerco, ora el venado,
ora salta la liebre, y con el vicio[99],
gamuzas, capriolas[100] y corcillas
retozan por la yerba y florecillas.

Quién el ciervo herido rastreando
de la llanura al monte atravesaba;
quién el cerdoso puerco fatigando[101]

---

[96] *acordado* 'afinado, entonado' (T.L.).

[97] *silvano* 'divinidad de los bosques' (Ovidio, *Metamorphoseon* I, 192-3; «Sunt mihi semidei, sunt rustica nomina, nymphae / Faunique satyrique et monticolae Silvani») es latinismo usado por Garcilaso (Égl. 2, 1157: «sátiros y silvanos soltá todos») e introducido literariamente por Villena (DCECH) pero sin valor mitológico: «por estado de solitario entiendo hermitaños, anacoritas, emparedados, reclusos o encerrados, silvanos o apartados...» (*Los doce trabajos de Hércules* ed. M. Morreale, pág. 13).

[98] *duro oficio de Diana* es perífrasis de *caza* (IV, n. 135); para este atributo de Diana, J. Pérez de Moya, l.3, c. 2. Recuérdese tb. el «¿íbale tanto en perseguir las fieras?» de Garcilaso (Egl. I,380) dirigido a Diana-Lucina.

[99] *vicio* aquí 'abundancia', como extensión semántica de 'frondosidad'. Cfr. XV, n. 123 para otra acepción.

[100] *capriola* 'cabrita' es latinismo (Virgilio, *Buc.* II, 41) poco usual en español.

[101] *fatigar* 'acosar' es uso latinizante (*Aeneidos* V, 253: «velocis iaculo cervos cursuque fatigat») ya impuesto por Garcilaso (Égl. I,17 que viene del *silvas fatigare* de *Aeneidos* IX,605) y que Ercilla repite en uso no cinegético en XXV,65,4. Cfr. Vilanova, I,198.

los osados lebreles ayudaba;
quién con templados[102] pájaros volando
las altaneras[103] aves remontaba:
acá matan la garza allá la cuerva,
aquí el celoso gamo, allí la cierva.

Estaba medio a medio deste asiento[104],
en forma de pirámide un collado,
redondo en igual círculo y esento,
sobre todas las tierras empinado.
Y sin saber yo cómo, en un momento,
de la fiera Belona arrebatado,
en la más alta cumbre dél me puso,
quedando dello atónito y confuso[105].

Estuve tal un rato, de repente   50
viéndome arriba, que mirar no osaba,
tanto que acá y allá medrosamente
los temerosos ojos rodeaba[106];
allí el templado céfiro clemente[107]
lleno de olores varios respiraba,
hasta la cumbre altísima el collado
de verde yerba y flores coronado.

Era de altura tal que no podría
un liviano neblí[108] subir a vuelo,

---

[102] *templado* 'dispuesto para la caza', referido a halcones y otros pájaros de presa *(Aut.)*. Para las fuentes de escenas de caza que luego inspirarían a Góngora y la influencia de este texto de Ercilla en el *Polifemo* (octava 2,1), Vilanova, I,207 y 211-212.

[103] *altanero* 'el ave de rapiña que vuela por alto' (Nebrija: «altanero halcón»; Cov.); *remontar* 'hacer volar muy alto las aves altaneras' *(Aut.)*.

[104] Las dos de Madrid, 1578 y Zaragoza, 1578: «Estaba justo en medio deste asiento.» *Medio a medio* o *de medio a medio* 'en el centro' (DRAE).

[105] Este llevar de Belona al poeta sobre la cumbre de un monte recuerda el comienzo narrativo de *El laberinto de Fortuna,* oct. 13-15, de Juan de Mena (Lida de Malkiel, 511-512).

[106] *rodear* 'girar', como otras veces en el poema (XIV, n. 83).

[107] Las dos de Madrid, 1578 y Zaragoza, 1578: «allí lleno de olores, blandamente / un agradable viento respiraba».

[108] *neblí* 'especie de halcón pequeño y muy veloz' (Cov.; *Aut.*).

y así, no sin temor, me parecía
mirando abajo estar cerca del cielo;
de donde con la vista descubría
la grande redondez del ancho suelo,
con los términos bárbaros ignotos
hasta los más ocultos y remotos.

Viéndome, pues, Belona allí subido
me dijo: «El poco tiempo que te queda
para que puedas ver lo prometido
hace que detenerme más·no pueda:
mira aquel grueso ejército movido,
el negro humo espeso y polvoreda[109]
en el confín de Flandes y de Francia
sobre una plaza fuerte de importancia.

»Después que Carlos Quinto hubo triunfado
de tantos enemigos y naciones,
y como invicto[110] príncipe hollado
las árticas y antárticas regiones,
triunfó de la fortuna y vano estado
y aseguró su fin y pretensiones
dejando la imperial investidura
en dichosa sazón y coyuntura;

»y movido del pío y santo celo
que del gobierno público tenía,
pareciéndole poco lo del suelo,
según lo que en el pecho concebía,
vuelta la mira[111] y pretensión al cielo,
el peso que en los hombros sostenía
le[112] puso en los del hijo, renunciados
todos sus reinos, títulos y estados.

---

[109] *polvoreda* por *polvareda* (V, n. 44).

[110] *invicto* 'no vencido' (VIII, n. 55).

[111] *volver la mira* es variación de la fórmula *poner la mira en* 'hacer elección de alguna cosa' *(Aut.)* como en XXI, 56,1 y XXX,5,5.

[112] Para este uso de *le* en escritores del xvi, cfr. Lapesa, par. 97,7. Nó-

»Viendo el hijo la próspera carrera
del vitorioso padre retirado,
por hacer la esperanza verdadera
que siempre de sus obras había dado,
en el principio y ocasión primera
aquel copioso ejército ha juntado,
para bajar de la enemiga Francia
la presunción, orgullo y arrogancia.

»Aquélla es Sanquintín[113] que vees delante
que en vano contraviene[114] a su ruina,
presidio[115] principal, plaza importante,
y del furor del gran Felipe dina[116].
Hállase dentro della el Almirante[117],
debajo cuyo mando y diciplina
está gran gente plática de guerra
a la defensa y guarda de la tierra.

»En tres partes allí, como se muestra,
el enemigo campo se reparte:
Cáceres con su tercio a mano diestra,
donde está de Felipe el estandarte;
el prompto[118] Navarrete a la siniestra
con el conde de Mega, y de la parte

---

tese que en este caso el uso se extiende al acusativo masculino referido a un objeto (*peso*).

[113] Población de la Picardía al N.O. de Francia tomada, luego de un sitio memorable, el 10 de agosto de 1557.

[114] *contravenir* 'oponerse', 'resistir' (Percivale, 1599, en T.L.) es acepción que ya *Aut.* consideraba anticuada, con texto contemporáneo, también de carácter bélico, de la *Guerra de Granada* de D. Hurtado de Mendoza.

[115] *presidio* 'guarnición de soldados en una plaza; la plaza misma' (DCECH con documentación contemporánea).

[116] *dino* por *digno* refleja la pronunciación de la época; cfr. J. de Valdés, *Diálogo de la lengua*, 78 (ed. Clás. Cast.).

[117] El almirante Coligny, gobernador de Picardía.

[118] *prompto* 'aparejado para la ejecución de alguna cosa' (*Aut.* s.v. *pronto*), es grafía latinizante que queda reemplazada por *pronto* en el XVII (DCECH).

del burgo, Julián con tres naciones:
españoles, tudescos[119] y valones.

»Llegamos, pues, a tiempo que seguro
podrás ver la contienda porfiada,
y sin escalas, por el roto muro
entrar los de Felipe a pura espada;
verás el fiero asalto y trance duro,
y al fin la fuerte Francia aportillada[120],
que al riguroso hado incontrastable[121]
no hay defensa ni plaza inexpugnable.

»Conviéneme partir de aquí al momento
a meterme entre aquellos escuadrones,
y remover con nuevo encendimiento
los unos y los otros corazones;
tú desde aquí podrás mirar atento
las diferentes armas y naciones
y escribir de una y otra la fortuna,
dando su justa parte a cada una.»

Luego la diosa airada y compañía   60
por el aire en tropel se deslizaron
y en un instante, sin torcer la vía,
cual presto rayo a Sanquintín bajaron,
donde atizando el fuego que ya ardía,
con la amiga Discordia se juntaron,
que andaba entre las huestes y compañas[122]
infundiéndoles ira en las entrañas.

---

[119] *tudesco* 'alemán' (Cov.).

[120] *aportillado* 'abierto, con una brecha' (IV, n. 33).

[121] *incontrastable* es epíteto aplicado a *hado* tb. en III,33,7 y cultismo literario (III, n. 45). Para *riguroso* 'cruel', v. IV, n. 37. El cultismo *inexpugnable* del verso siguiente, ya lo registra C. C. Smith en Santillana (263, s.v. *puño*).

[122] *compaña* 'compañía de soldados' es acepción considerada antigua y de poco uso por *Aut.*, como el anterior «huestes». Para su uso actual en América con la ac. 'compañía', v. DCECH.

En esto el fiero ejército furioso,
por la señal postrera[123] ya movido,
en un turbión[124] espeso y polvoroso
corre al batido muro defendido.
¡Quién fuera de lenguaje tan copioso,
que pudiera esplicar lo que allí vido![125]
Mas, aunque mi caudal no llegue a tanto,
haré lo que pudiere en otro canto.

FIN

---

[123] *postrero* Cfr. XIV, n. 49.
[124] *turbión* 'tempestad' (III, n. 90).
[125] *vido* 'vio' es forma antigua usada en literatura hasta el xvii (XV, n. 17).

CANTO XVIII

¿Cuál será el atrevido que presuma
reducir el valor vuestro y grandeza
a término pequeño y breve suma,
y a tan humilde estilo tanta alteza?
Que aunque por campo próspero la pluma
corra con fértil vena[1] y ligereza,
tanto el sujeto y la materia arguye[2]
que todo lo deshace y disminuye.

Y el querer atreverme a tanto creo[3]

---

[1] *vena* 'inspiración' (XV, n.2).

[2] *sujeto* 'materia' (*Aut.* con texto cervantino; ya en A. de Palencia
(1490) quien lo define como 'sustancia'). *Argüir* 'poner en claro' (Cuervo, *Dicc.* I, 608b, con ejs. desde el xv), aquí, 'destacar, elevarse'; nótese la
concordancia en singular con el sujeto formado por los dos sinónimos
(I, n. 25; IV, n. 125 y XIV, n. 44 para otros casos de concordancias irre-
gulares). Para la repetición sinonímica («el sujeto y la materia») V. I, n.
112. Otros ejemplos de este recurso retórico aparecen en este Canto en
6,7 («temoso y... porfiado»); 23,6 («pendencias... y quistiones»); 30,2
(«cierta y verdadera»); 56,3 («designio y presupuesto»); 64,4 y 69,3
(«blanda y regalada»); 70, 8 («riesgo y trance»); 71,8 («sujeto y sometido»); 73,6 («rendido y entregado»); 75,4 («lugar y puesto»).

[3] Madrid, 1578 en 8vo. y Zaragoza, 1578: «Así que el atreverme cierto creo.»

que me será juzgado a[4] desatino
pues llegado a razón, yo mismo veo
que salgo de los términos a tino[5];
mas de serviros siempre el gran deseo
que siempre me ha tirado a este camino,
quizá adelgazará[6] mi pluma ruda
y la torpeza de la lengua muda[7].

Y así vuestro favor (del cual procede[8]
esta mi presunción y atrevimiento)
es el que agora pido y el que puede
enriquecer mi pobre entendimiento;
que si por vos, Señor, se me concede
lo que a nadie negáis, soltaré al viento
con ánimo la ronca voz medrosa,
indigna de contar tan grande cosa.

Y de vuestra larqueza confiado
por la justa razón con que lo pido,
espero que, Señor, seré escuchado,
que basta para ser favorecido.
Volviendo a proseguir lo comenzado,
dije en el canto atrás que arremetido
había el furioso campo por tres vías
a las aportilladas[9] baterías.

Y en la veloz corrida, contrastando[10]   5

  [4] *juzgar a* 'juzgar por' es construcción poco frecuente que Keniston no registra para la prosa.

  [5] *a tino* 'a tientas', como en XXXII,27,1 (Oudin, 1607, en DCECH; *Aut.* con ejs. posteriores).

  [6] *adelgazar* 'hacer sutil, mejorar' (Cov., «por metáfora»).

  [7] *mudo* 'tartamudo' (Cfr. nota correspondiente en la edición de A. Nicolas).

  [8] Madrid, 1578 en 8vo. y Zaragoza, 1578: «Pero vuestro favor donde procede / y se funda, Señor, mi atrevimiento»; en Madrid, «de do procede».

  [9] *aportillado* 'abierto, con una brecha', como luego en el Canto, en 41,3 (IV, n. 33).

  [10] *contrastar* 'resistir' (III, n. 68).

los tiros y defensas contrapuestas[11],
lo va todo rompiendo y tropellando[12]
con animoso pecho y manos prestas;
y a los batidos[13] muros arribando
por los lados y partes más dispuestas,
los unos y los otros se afrentaron[14]
y los ánimos y armas se tentaron.

Los franceses con muestra valerosa,
armas y defensivos intrumentos,
resisten la llegada impetuosa
y los contrarios ánimos sangrientos;
mas la gente española, más furiosa
cuanto topaba más impedimentos,
con temoso[15] coraje y porfiado
rompe lo más difícil y cerrado.

Vieran en las entradas defendidas
gran contienda, revuelta y embarazos[16],
muertes estrañas, golpes y heridas[17]
de poderosos y gallardos brazos;
cabezas hasta el cuello y más hendidas,
y cuerpos divididos en pedazos:
que no bastaban petos ni celadas
contra el crudo[18] rigor de las espadas.

---

[11] *contrapuesto* 'contrario' (V, n. 47). La repetición de *contra-* intensifica la expresión de la dureza de la batalla.

[12] *tropellar* por *atropellar* (II, n. 114).

[13] *batido* 'derribado' (XIV, n. 20).

[14] *afrentar* 'combatir al enemigo' (Oudin, 1607, en T.L.). Cuervo, *Dicc.* 247a registra este texto para la acepción 'avergonzarse' que no se ajusta al sentido del texto.

[15] *temoso* 'porfiado' era adjetivo menos frecuente para Cov. que *temático* (Nebrija), ambos derivados de *tema,* cultismo de uso literario a partir de mediados del xv con la acepción actual 'porfía', ya en Nebrija.

[16] Las dos ediciones de Madrid, 1578 y Zaragoza, 1578: «gran revuelta con ella y embarazos».

[17] Nótese la estructura paralelística semejante de este verso y el anterior: serie ternaria con epíteto en el primer miembro. Para estructuras binarias, cfr. II, n. 106.

[18] *crudo* 'cruel', como más abajo, en 14,7 (II, n. 108).

La plaza se expugnaba[19] y defendía
con esfuerzo y valor por todos lados:
era cosa de ver la herrería[20]
de las armas y arneses golpeados;
la espantosa y horrenda artillería,
las bombas y artificios arrojados
de pólvora, alquitrán, pez y resina,
aceite, plomo, azufre y trementina[21].

Y a vueltas[22], un granizo y lluvia espesa
de lanzas y saetas arrojaban,
peñas, tablas, maderos que a gran priesa
de los muros y techos arrancaban;
la fiera rabia y gran tesón no cesa,
hieren, matan, derriban; y así andaban
los unos y los otros muy revueltos
en fuego, sangre y en furor envueltos.

Unos la entrada sin temor defienden   10
con libre y animosa confianza,
otros de miedo por vivir ofenden[23],
poniéndoles esfuerzo la esperanza;
otros, que ya la vida no pretenden,
procuran de su muerte la venganza,
y que cayan sus cuerpos de manera
que al enemigo cierren la carrera.

Como el furor indómito y violencia
de una corriente y súbita avenida[24],

---

[19] *expugnar* 'tomar por fuerza, atacar' es cultismo ya presente en Mena
(C. C. Smith, 263).

[20] *herrería* por metonimia, 'estrépido, ruido intenso' (*Aut.* con texto de
Cervantes).

[21] Para esta acumulación nominal, aquí en estructura paralelística
con el verso anterior, frecuente en los pasajes descriptivos del poema
(III, n. 39).

[22] *a vueltas* 'además' (IV, n. 60).

[23] *ofender* 'herir' (I, n. 49). En el verso 7 de la octava, *cayan* es forma
antigua por *caigan* (MGH, par. 113,1a).

[24] *avenida* 'inundación', 'desbordamiento de un río' (Nebrija), Cfr. VI,
n. 66.

que, si halla reparo y resistencia,
hierve y crece allí la agua detenida,
al fin, con mayor ímpetu y potencia,
bramando abre el camino y la salida,
que las defensas rompe y desbarata
y en violento furor las arrebata,

de tal manera la francesa gente,
sin bastar resistencia y fuerza alguna,
la arrebató la próspera corriente
del hado de Felipe y su fortuna;
que, ya sin poder más, forzadamente
a su furia rendida, por la una[25]
parte que estaba Cáceres[26], dio entrada
a la enemiga gente encarnizada.

Y aunque por esta parte el Almirante[27]
el golpe[28] de la gente resistía,
no fue ni pudo al cabo ser bastante
a la pujanza y furia que venía;
quedó prisión[29] con otros, y adelante
la vitoriosa y fiera compañía,
dejando eterna lástima y memoria,
iba siguiendo el hado y la vitoria.

Pues en esta sazón, por la otra parte
que el diestro Navarrete peleaba[30],
sin ser ya la francesa gente parte[31],
a puro hierro la española entraba;
y a despecho y pesar del fiero Marte
que los franceses brazos esforzaba,

---

25 *la una* es uso conjunto de los artículos definido e indefinido no infrecuente en los textos áureos (X, n. 79).

26 Cfr. XVII,57,3.

27 Cfr. XVII,56,5 y nota.

28 *golpe* 'multitud' (Cov.).

29 *prisión* 'prisionero' es ac. anticuada ya para *Aut.* (XXVI,21,7).

30 Es decir, el ala izquierda (XVII,57,5).

31 *ser parte* 'tener participación' (DRAE); aquí, 'poder impedir'.

haciendo gran destrozo y cruda guerra,
de rota[32] a más andar ganaban tierra.

Fue preso allí Andalot, que encomendada[33] 15
le estaba la defensa de aquel lado;
he aquí también por la tercera entrada
que Julián Romero había asaltado[34].
La suspensa fortuna declarada,
abriendo paso al detenido hado[35],
la mano a don Felipe dio de modo,
que vencedor en Francia entró del todo.

Cortó luego un temor y frío yelo
los ánimos del pueblo enflaquecido,
rompiendo el aire espeso y alto cielo
un general lamento y alarido;
las armas arrojadas por el suelo,
escogiendo el vivir ya por partido,
acordaron con mísera huida
perder la plaza y guarecer la vida[36].

Pero los vencedores, cuando vieron
su gran temor y poco impedimento,
los brazos altos y armas suspendieron
por no manchar con sangre el vencimiento;

---

[32] *de rota* 'con total destrucción' *(Aut.): a más andar* 'apresuradamente'
(III, n. 47).

[33] Según A. Nicolas, se trata de François de Coligny, hermano del almirante.

[34] Zaragoza, 1578: «que el fuerte Iulián había asaltado».

[35] Ercilla parece distinguir aquí (como más arriba, en 12,4 y luego en
22,4, entre *fortuna* o la diosa Fortuna 'suerte cambiante' y *hado* 'destino o
voluntad divina', distinción no siempre clara, no sólo en el poema sino,
en verdad, en la vasta y contradictoria tradición literaria medieval y renacentista sobre la que se apoya este motivo. Cfr. Howard R. Patch, *The
Godess Fortuna in Medieval Literature* N.Y.; Octagon, 1974, 78 y ss.; v. tb. J.
C. Caillet-Bois, *Filología* VIII,3 (1962) 403 y ss.

[36] Para la estructura sintáctica del verso, cfr. II, n. 101 y IX, n. 112.
V. otro caso en 25,6. *Guarecer* 'salvar' es acepción medieval muy poco
frecuente ya en textos áureos *(Aut.* trae ej. de la *Historias natural y moral de
las Indias* de J.d e Acosta; cfr. DCECH).

y sin hacer más golpe, arremetieron,
vuelto en codicia aquel furor sangriento,
al esperado saco de la tierra,
premio de la común gente de guerra.

Quién las herradas puertas golpeando
quebranta los cerrojos reforzados;
quién por picas y gúmenas[37] trepando
entra por las ventanas y tejados;
acá y allá rompiendo y desquiciando,
sin reservar lugares reservados[38],
las casas de alto a bajo escudriñaban
y a tiento, sin parar, corriendo andaban[39].

Como el furioso fuego de repente
cuando en un barrio o vecindad se enciende,
que con rebato[40] súbito la gente
corre con priesa y al remedio atiende,
y por todas las partes francamente
quién entra, sale, sube, quién deciende,
sacando uno arrastrando, otro cargado
el mueble de las llamas escapado,

así la fiera gente vitoriosa,   20
con prestas manos y con pies ligeros,
de la golosa[41] presa codiciosa,
abre puertas, ventanas y agujeros,
sacando diligente y presurosa
cofres, tapices, camas y rimeros[42]

---

[37] *gúmena* 'cuerda' (XV, n. 165).

[38] Para la repetición etimologizadora, I, n. 4. Nótese el juego cercano a la paronomasia: *reservar* 'dejar aparte', *reservado* 'oculto'.

[39] Cfr. detalles descriptivos semejantes en el asalto y saco de Concepción por los araucanos (VII, 46 y ss.).

[40] *rebato* 'convocación' (*Aut.* con texto posterior, pero es acepción registrada desde el siglo xv, según DCECH).

[41] *goloso* 'atrayente, excitante' (XVI, n. 143).

[42] *rimero* debe referirse a un mueble en que se acomodaban «cosas en orden unas sobre otras», como *rima* en VII, n. 65, en descripción muy parecida.

523

y lo de más y menos importancia,
sin dejar una mínima ganancia.

No los ruegos, clamores y querellas,
que los distantes cielos penetraban,
de viudas y huérfanas doncellas   *la codicia*
la insaciable codicia moderaban;
antes, rompiendo sin piedad por ellas,
a lo más defendido se arrojaban,
creyendo que mayor ganancia había
donde más resistencia se hacía.

Viéranse ya las vírgines corriendo
por las calles, sin guardia, a la ventura
los bellos rostros con rigor batiendo,
lamentando su hado y suerte dura;
y las míseras monjas, que rompiendo
sus estatutos, límite y clausura,
de aquel temor atónito llevadas,
iban acá y allá descarriadas.

Mas el pío Felipe, antes que entrasen
había mandado a todas las naciones
que con grande cuidado reservasen
las mujeres y casas de oraciones,
y amigos y conformes evitasen
pendencias peligrosas y quistiones:[43]
que del saco y la presa a cada una
diese su parte franca[44] la fortuna.

Las mujeres, que acá y allá perdidas,
llevadas del temor, sin tiento andaban,
por orden de Felipe recogidas
en seguro lugar las retiraban,
donde de fieles guardas defendidas
del bélico furor las amparaban;

---

[43] *quistión* 'pendencia' (II, n. 34).
[44] *franco* 'generoso' (X, n. 17).

que aunque fueron sus casas saqueadas,
las honras les quedaron reservadas.

Que los fieros soldados, obedientes[45]   25
al cristiano y espreso mandamiento,
se mostraban en esto continentes,
frenando aun el primero movimiento;[46]
la revuelta y la mezcla de las gentes,
la mucha confusión y poco tiento
hizo que el daño en la ciudad creciese
y un repentino fuego se encendiese.

Súbito allí la llama alimentada,
arrojando espesísimas centellas[47],
del fresco viento céfiro[48] ayudada
procuraba subir a las estrellas;
la miserable gente afortunada[49],
con dolorosas voces y querellas,
fijos los tiernos ojos en el cielo,
desmayando, esforzaban más el duelo.

A todas partes gritos lastimosos
en vano por el aire resonaban
y los tristes franceses temerosos
en las contrarias armas se arrojaban,
eligiendo por fuerza vergonzosos
el modo de morir que rehusaban,
antes que, como flacos, encerrados,
ser en llamas ardientes abrasados.

---

[45] El texto trae el muy raro *obedeciente* que crea hipermetría; *obediente* aparece en todas las ediciones anteriores.

[46] *primero movimiento* 'inmediato impulso' de la ac. de *movimiento* 'ímpetu de alguna pasión'.

[47] Las dos de Madrid, 1578 y Zaragoza, 1578: «lanzando espeso el humo y las centellas».

[48] *céfiro* 'viento del oeste' (XV, n. 151).

[49] *afortunado* «algunas veces en lenguaje vulgar *estar afortunado* es congojarse y afligirse» (Ayala, 1693, en T.L.), ac. que deriva de la de *fortuna* 'borrasca' (XIII, n. 55).

Mas del piadoso Rey la gran clemencia
había las fieras armas embotado[50],
que con remedio presto y diligencia
todo el furor y fuego fue apagado;
al fin, sin más defensa y resistencia,
dentro de Sanquintín quedó alojado,
con la llave de Francia ya en la mano,
hasta París abierto el paso llano.

El sol ya poco a poco declinaba
al hemisferio antártico encendido,
cuando yo, que alegrísimo miraba
todo lo que en mi canto habéis oído,
vi cerca una mujer que me hablaba,
más blanco que la nieve su vestido,
grave, muy venerable en el aspecto,
persona al parecer de gran respecto[51],

La Razón

diciendo: «Si las cosas que dijere   30
por cierta y verdadera profecía
dificultosa alguna pareciere,
créeme que no es ficción ni fantasía;
mas lo que el Padre Eterno ordena y quiere
allá en su excelso trono y hieraquía,
al cual está sujeto lo más fuerte,
el hado, la fortuna, el tiempo y muerte.

»Desta guerra y rencores encendidos
entre la España y Francia así arraigados,
resultarán conciertos y partidos,

---

[50] *embotado* 'romo' y aquí, por extensión 'inactivo'.

[51] *respecto* por *respeto* es grafía latinizante que sobrevive en la locución
con valor de preposición *respecto a, de;* la distinción entre las dos formas
aparece en el XVIII (DCECH). Se trata de la personificación de la Razón,
como se aclara en 23,28,2. Este artificio poético le permite a Ercilla
transformar en profecía lo que, hasta la octava 65, será un compendio de
los hechos históricos del reinado de Felipe II hasta Lepanto, en 1571,
batalla que se narra en el Canto XXIV.

por una parte y otra procurados,
en los cuales serán restituidos
al duque de Saboya sus estados[52],
con otros muchos medios provechosos,
en bien de Francia y a la España honrosos.

»Y para que más quede asegurada
la paz, con hermandad y firme asiento,
con la prenda de Enrico más amada
contraerá don Felipe casamiento[53].
Pero la cruda muerte acelerada
temprano deshará este ayuntamiento[54],
que el alto cielo así lo determina
y el decreto fatal y orden divina.

»En este tiempo Francia corrompida,
la católica ley adulterando,
negará la obediencia al Rey debida,
las sacrílegas[55] armas levantando;
y con el cebo de la suelta vida
cobrará la maldad fuerza, juntando
de gente infiel ejército formado
contra la Iglesia y propio Rey jurado.

---

[52] Referencia al tratado de paz de Cateau–Cambrésis (2-3 de abril de 1559) que puso fin a cuarenta años de conflictos y dejó al borde de la bancarrota a Francia y a España, sin mayores triunfos para ninguna de las dos partes. Francia, como se señala en el poema, abandonó sus posesiones en Italia: Saboya, el Piamonte y aún Córcega; en cambio, según se da a entender en el último verso de la octava, recuperó Calais y retuvo Metz, Toul y Verdun, dejando libre su territorio de la ocupación de Inglaterra, entonces aliada de España. Cfr. M. Fernández Álvarez «La paz de Cateau-Cambrésis» *Hispania* 19 (1959) 530-44. V. tb. J. Lynch *Spain under the Habsburgs* N.Y.: N.Y.U. Press, 1984 I,177 y ss. y F. Braudel, *El Mediterráneo...*, México: FCE, 1953, II,178-184.

[53] Alusión al casamiento de Felipe con Isabel de Valois, la hija mayor de Enrique de Francia, en junio de 1559.

[54] Referencia a la temprana muerte de Isabel de Valois, en octubre de 1568.

[55] *sacrílego* es cultismo que ya aparece en la *Celestina* (C. C. Smith, 265) y que Ercilla introduce en los textos poéticos áureos (Vilanova, I, 360).

»Por insolencias viejas y pecados
vendrá el reino a ser casi destruido,
y Carlos[56] de su pérfidos soldados
a término dudoso reducido;
serán con desacato derribados
los sumptuosos templos y ofendido
el mismo Sumo Dios y Sacramento,
sobrando a la maldad su sufrimiento;

»mas vuestro Rey, con presta providencia,   35
previniendo al futuro daño luego,
atajará en España esta dolencia
con rigor necesario, a puro fuego[57].
Curada la perversa pestilencia,
las armas enemigas del sosiego
con furia moverá contra el Oriente,
enviando al Peñón su armada y gente[58].

»Aunque no pueda de la vez primera
conseguir el efeto deseado
volverá la segunda, de manera
que el áspero Peñón será expugnado;
y dejando segura la carrera[59]

---

[56] Alusión a Carlos IX, rey de Francia, las guerras de religión en
Francia precedidas por la matanza de protestantes en la noche de San
Bartolomé (24 de agosto de 1572) y que duraron hasta 1598 con el edic-
to de Nantes, establecido por Enrique IV.

[57] En efecto, uno de los primeros actos públicos que presenció Felipe
a su vuelta a España en 1559 fue un auto de fe en Valladolid (J. Lynch,
o.c., I,179).

[58] Referencia a los dos ataques al Peñón de Vélez de la Gomera, en la
costa de lo que hoy es Marruecos. En la primera operación, en julio de
1563, ordenada por el rey, la flota debió regresar a Málaga ante la resistencia de la guarnición turca del islote. Al año siguiente, a fines de agosto, la flota al mando del recientemente nombrado Capitán General de la
Mar, don García de Toledo, ocupó la guarnición y fortificó el Peñón,
impidiendo la actividad corsaria desde la ciudad de Vélez, que fue arra-
sada (Braudel, *o.c.* II, 245).

[59] *carrera* «carrera en la mar se llama el viaje por donde se navega de
una provincia a otra con quien tiene contratación y comunicación»
(E. Salazar, 1600, en T.L.).

y el morisco contorno amedrentado,
por causa de los puertos e invernada
retirará la vitoriosa armada.

»Vendrán a España a la sazón de Hungría
dos príncipes de alteza soberana,
hijos de César Máximo[60] y María,
de Carlos hija y de Felipe hermana,
que acrecentando el gozo y alegría
harán aquella corte y era ufana:
el mayor es Rodolfo, el otro Ernesto,
que a la fama darán materia presto[61].

»Y de sus altas obras prometiendo
en su pequeña edad grande esperanza,
en años y virtud irán creciendo,
virtud y años[62] muy dignos de alabanza,
en quienes se verá resplandeciendo
un excelso valor y la crianza
del barón Dietristán[63], person dina
de dar a tales príncipes dotrina.

»Luego en el año próximo siguiente,
toda la cristiandad amenazando
la gruesa armada del infiel potente,

---

[60] Maximiliano II, rey de romanos, en 1558 y emperador de Alemania (1564-1576), hijo de Fernando, hermano de Carlos V y por tanto, primo de Felipe II. En 45,4 lo llama «César Augusto, emperador romano».

[61] Como Ercilla advierte en 53,4, Rodolfo será proclamado rey de Hungría en 1575 y Ernesto será nombrado gobernador general de los Países Bajos más tarde.

[62] *años y virtud... virtud y años* Para este tipo de repetición anafórica en quiasmo, con valor intensificador, v. Lausberg, par. 612 y ss., especialmente, 625.

[63] *Dietristan* Se trata de Adam de Dietrichstein, a quien tal vez conoció en 1548 el adolescente Ercilla, entonces paje del príncipe Felipe; en efecto, se hallaba Dietrichstein en el séquito de Maximiliano cuando viajó a Valladolid para casarse con la infanta María, mencionada en la octava anterior.

irá contra el Poniente navegando,
con tan gran aparato y tanta gente
que temblarán las costas, y arribando
a la isla de Malta dará fondo[64],
que boja[65] veinte leguas en redondo.

»Donde el grande Maestre y caballeros[66]   40
que dentro asistirán en este medio,
con otros capitanes forasteros
ofrecerán las vidas al remedio,
y siempre constantísimos y enteros[67],
resistirán gran tiempo el fuerte asedio,
haciendo en la defensa tales cosas,
que se podrán tener por milagrosas.

»Serán batidos de uno y otro lado[68]
por la tierra, por mar, por bajo y alto,
y el fuerte de San Telmo aportillado[69],
entrado a hierro en el noveno asalto;
el cual suceso al pueblo bautizado
pondrá en grande peligro y sobresalto,
porque en el puerto la turquesca armada
tendrá por las dos bocas franca entrada.

»Allí se verán hechos señalados,
difíciles empresas peligrosas,
ánimos temerarios arrojados,

---

[64] *dar fondo* 'anclar' (DRAE).

[65] *bojar* 'circundar, circunnavegar' (Percivale, 1599 en T.L.); *Aut.* con
este texto de Ercilla, pero ya se documenta en 1492, según DCECH). Se
refiere al sitio de Malta, la isla de la Orden de los Caballeros de San Juan,
a quienes Soleimán o Solimano como lo llama Ercilla, había ya desaloja-
do de Rodas y Trípoli. El sitio duró de mayo a setiembre de 1565 cuando
las últimas fortalezas que resistieron el ataque, debieron rendirse ante la
superioridad numérica turca, como se narra en las octavas siguientes.

[66] Juan Parissot de la Valette.

[67] *entero* 'firme' (Cov.), 'tenaz' *(Aut.)*.

[68] Las dos ediciones de Madrid, 1578 y Zaragoza, 1578: «Será la isla
batida reciamente.»

[69] Las dos ediciones de Madrid, 1578 y Zaragoza, 1578: «... Santelmo

cuando las esperanzas más dudosas;
postas, muros y fosos arrasados,
crudas heridas, muertes lastimosas,
casos grandes, sucesos infinitos
dignos de ser para en eterno escritos[70].

»Mas cuando ya no baste esfuerzo humano
y la fuerza al trabajo se rindiere,
el muro esté ya raso, el foso llano,
y la esperanza al suelo se viniere;
cuando el sangriento bárbaro inhumano
el cuchillo sobre ellos esgrimiere,
será entonces de todos conocido
lo que puede Felipe y es temido;

»pues con sola una parte de su armada
y número pequeño de soldados,
de su fortuna y crédito guiada,
rebatirá los otomanos hados,
y la afligida Malta restaurada[71],
serán los enemigos retirados,
las fatigadas velas dando al viento
con pérdida increíble y escarmiento[72].

---

crudamente»; el verso 5, en las ediciones mencionadas: «el cual suceso a
la cercada gente». *Aportillado* 'abierto' (IV, n. 33).

[70] Ercilla organiza la octava sobre una estructura especular en que los
dos versos interiores de las dos partes numéricamente iguales en que se
divide la estrofa tienen sintaxis semejante: vv. 2 y 3, dos sustantivos
(inanimado, animado) modificados por dos adjetivos; vv. 6 y 7, estructuras binarias de sustantivo y adjetivo animados en el 6 e inanimados en
el 7, con intensificación semántica creciente.

[71] *restaurado* Cfr. DCECH para el uso eclesiástico medieval; el uso lai-
co en Ercilla aparece tb. en los ejemplos contemporáneos y posteriores
de *Aut.*

[72] Referencia al ataque y decisiva derrota de las tropas turcas en Malta
el 8 de setiembre de 1565, por don García de Toledo, comandante de la
flota del Mediterráneo. Las dos últimas octavas parecen responder a las
críticas por la vacilación y lentitud en decidir este ataque. Para la defensa de esta política, v. Lynch, *o.c.* I,238; Braudel, *o.c.* II,263-271.

«Luego el año después, con poderoso   45
ejército, en persona Solimano
por tierra moverá contra el famoso
César Augusto, Emperador romano[73],
y por la gran Panonia presuroso,
dejando a la derecha al Trasilvano
y atrás la ancha provincia de Dalmacia[74],
bajará a los confines de Corvacia.

»A Siguet, plaza fuerte y recogida[75]
cuatro semanas la tendrá asediada
y al cabo, sin poder ser socorrida,
del fiero Solimán será ocupada;
mas la empresa difícil y la vida
acabará en un tiempo, que la airada
muerte, arribando el limitado curso[76],
pondrá término y punto a su discurso.

»Por otra parte, en Flandes los estados
desasidos de Dios en estos días,
turbarán el sosiego, inficionados[77]
de perversos errores y herejías,
y contra el rey Felipe conspirados
tentarán de maldad diversas vías,
trayendo a estado y condición las cosas
que durarán gran término dudosas.

---

[73] Maximiliano II, como se señaló arriba, n. 60.

[74] Las dos ediciones de Madrid, 1578 y Zaragoza, 1578: «bajará a los confines de Corvacia / que divide su término Dalmacia». *Corvacia* por *Croacia* (XXVII,29,5); Ercilla usa varias denominaciones clásicas para territorios que hoy forman parte, aproximadamente, de Rumania y Yugoeslavia (Panonia, Trasilvano, Dalmacia).

[75] *Siguet* o Szigeth (Szigethuar) en el actual territorio de Hungría, donde murió Solimano el 6 de setiembre de 1566, como recuerda Ercilla (F. de Herrera, *Relación...*, pág. 262). Para los detalles de la campaña, Braudel *o.c.,* II,288 y ss. *Recogido* 'apartado' (XVI, n. 100).

[76] Zaragoza, 1578: «arribado», que parece corrección atinada; *curso* 'carrera' y aquí 'recorrido' (II, n. 73). *Discurso* en el verso siguiente, 'periodo, término' (IX, n. 31).

[77] *inficionado* 'corrompido' (XII, n. 136).

»También con pretensión de libertarse,
en el próspero reino de Granada
los moriscos vendrán a levantarse
y a negar la obediencia al Rey jurada;
la cual alteración, por no estimarse,
ni ser a los principios remediada,
será de grandes daños y costosa
de sangre ilustre y gente valerosa[78].

»Irá a esta guerra un mozo, que escondido
anda en humildes paños y figura,
que su imperial linaje esclarecido
difíciles empresas le asegura,
a quien tienen lo hados prometido
una famosa y súbita ventura:
éste es hijo de Carlos, que aún se cría,
y encubierto estará por algún día[79].

»Andará, como digo, disfrazado,   50
hasta que el padre al tiempo de la muerte
le dejará por hijo declarado,
subiéndole en un punto a tanta suerte;
será de todos con razón amado,
franco, esforzado, valeroso y fuerte.
Es su nombre don Juan, y en esta parte
no puedo más decir ni revelarte.

»Baste que a los moriscos alterados
en su primera edad hará la guerra,
y los presidios[80] rotos y ocupados
los vendrá a retirar dentro en la sierra,
adonde los tendrá tan apretados

---

[78] Referencia a la revuelta de los moriscos en Granada (1568-1570)
de la que la *Guerra de Granada* de Diego Hurtado de Mendoza es la crónica más conocida.

[79] Referencia a don Juan de Austria, quien se hizo cargo del mando
supremo el 13 de abril de 1569; a partir de enero de 1570, inicia la represión con tropas de Italia y del levante español.

[80] *presidio* 'guarnición' (XVII, n. 115).

que al fin reducirá la alzada tierra,
trasplantando en provincias diferentes
las raíces malvadas y simientes[81].

»Esta guerra acabada, de Alemaña,
de damas y gran gente acompañada
la infante Ana vendrá, Reina de España,
con el Rey don Felipe desposada[82];
donde con pompa y majestad estraña
será la insigne boda celebrada
en la antigua Segovia, un tiempo silla
de los famosos reyes de Castilla.

»Serán, pues, los dos príncipes llamados
del padre Emperador, que ya aquel día
querrá dar nuevo asiento en sus estados
y hacer rey a Rodolfo de la Hungría;
así que, para Génova embarcados,
arribarán, pasando a Lombardía,
por la ribera del Danubio amena,
a su ciudad famosa de Viena.

»Cuando ya la revuelta y turbaciones
de los tiempos den muestra de acabarse,
y el bélico furor y alteraciones
parezcan declinar y sosegarse,
entonces en las bárbaras regiones
comenzarán de nuevo a levantarse
las armas de los turcos inhumanos
contra los poderosos venecianos,

---

[81] Para la revuelta y dispersión a Extremadura, La Mancha, Castilla la
Vieja y Galicia, que duró hasta 1571 pero que se extendió hasta 1584-85,
v. J. Caro Baroja, *Los moriscos del reino de Granada* Madrid: Istmo, 1976
(1957), cap. 6, 175 y ss.

[82] Ana de Austria (1549-1580) cuarta y última mujer de Felipe II y
madre del futuro Felipe III; hija del emperador Maximiliano II (primo
de Felipe II, como se ha señalado en la n. 60), se casó con Felipe en noviembre de 1570.

»y sacando una armada poderosa,
de todas sus provincias allegada,
en la vecina Cipro[83], isla famosa,
descargará la furia represada[84]
y con espada cruda y rigurosa
será la tierra dellos ocupada,
entrando a Famagusta[85], ya batida,
sobre palabra falsa y fementida.

»Quedarán, pues, tan arrogantes desto
que, la armada de gente reforzando,
con soberbio designio y presupuesto
irán la vía de Italia navegando;
despreciando del mundo todo el resto,
y aun el poder del cielo despreciando[86]:
tanto será su orgullo y fiera muestra,
nacido del pecado y culpa vuestra.

»Mas el alto Señor, que otro dispone,
y en vuestro bien por su piedad la ordena[87],
que, cuando faltan méritos, compone[88]
con su sangre y pasión la deuda ajena,
y por solo un gemir luego[89] repone

---

[83] *Cipro* o Chipre era posesión valiosa de la república de Venecia; las fuerzas turcas desembarcaron en el mes de julio de 1570 y en setiembre cayó Nicosia, su capital, y pasó a formar parte del imperio turco hasta el siglo XIX. Esta invasión dio origen a la Liga a la que se referirá más abajo el poema. Para el detalle de los hechos v. Fernando de Herrera *Relación de la guerra de Chipre y suceso de la batalla naval de Lepanto* Sevilla, 1572 en *Colección de Documentos inéditos para la Historia de España,* Madrid, 1852, v. 21, caps. 5, 9 y 13.

[84] *represado* 'detenido' (*Aut.* con este uso uso metafórico, s.v. *repressar*).

[85] *Famagusta* es el puerto de Chipre que resistió en poder de los venecianos hasta octubre de 1571 (Braudel, *o.c.* II, 344 y ss. y 371).

[86] Nótese la repetición quiástica del adverbio, que encarece la arrogancia por el triunfo de la flota turca, sólo explicable como castigo divino.

[87] *la ordena* entiéndase «la punición», mencionada cinco versos más abajo.

[88] *componer... deuda* aquí 'saldar', referido a la «deuda» del verso siguiente.

[89] *luego* 'al instante' (I, n. 53).

la punición[90] y merecida pena,
quebrantará con golpe riguroso
la soberbia del bárbaro ambicioso:

»que doliéndose ya de la fatiga
del pueblo pecador, pero cristiano,
contra la gente pérfida enemiga
esgrimirá la poderosa mano;
así de inspiración habrá una Liga,
donde el Papa y Senado veneciano
juntarán su poder, su fuerza y gente
con la del Rey Católico potente[91].

»Será en gracia de todos elegido
general de la Liga el floreciente
mozo que en su niñez —desconocido—
anda en hábito humilde entre la gente[92],
pero no me es a mí ya concedido
revelar lo futuro abiertamente:
basta que lo verás, pues te asegura
más larga vida el hado que ventura.

»Mas si quieres saber desta jornada[93]   60
el futuro suceso nunca oído[94],
y la cosa más grande señalada
que jamás en historia se ha leído,

---

[90] *punición* 'castigo' (XII, n. 3).

[91] La Santa Liga, alianza tripartita entre España, Pío V y el Senado de Venecia fue proclamada en San Pedro el 25 de mayo de 1571. Estaba dirigida principalmente contra el poder turco y duró hasta marzo de 1573, cuando Venecia se retiró de la Liga y reanudó negociaciones unilaterales con Constantinopla. *Inspiración,* del verso 5, en la acepción religiosa de 'impulso divino' *(Aut.).* Cfr. Braudel, *o.c.,* c. 3, 278-391.

[92] Referencia a Don Juan de Austria, hijo natural de Carlos V y medio hermano de Felipe II. El momento de la narración de esta profecía es 1557 y Don Juan, que moriría en Flandes en 1578 a los treinta y tres años, tenía doce años. Cfr. 49,2.

[93] *jornada* 'batalla' (IV, n. 10).

[94] Las dos de Madrid, 1578 y Zaragoza, 1578: «el futuro suceso enteramente»; el verso 3: «que jamás se haya visto entre la gente»; el verso 5: «que ciñe del río Ruco la corriente».

536

cuando acaso pasares la cañada[95]
por donde corre Rauco más ceñido,
verás al pie de un líbano[96] a la orilla
una mansa y doméstica corcilla[97].

»Conviénete seguirla con cuidado,
hasta salir en una gran llanura,
al cabo de la cual verás a un lado
una fragosa[98] entrada y selva escura
y tras la corza tímida emboscado[99]
hallarás en mitad de la espesura
debajo de una tosca y hueca peña
una oculta morada muy pequeña.

»Allí, por ser lugar inhabitable,
sin rastro de persona ni sendero,
vive un anciano, viejo venerable,
que famoso soldado fue primero,
de quien sabrás do habita el intratable[100]
Fitón[101], mágico grande y hechicero,
el cual te informará de muchas cosas
que están aún por venir, maravillosas.

«No quiero decir más en lo tocante
a las cosas futuras, pues parece
que habrá materia y campo asaz bastante[102]

---

[95] *cañada* 'valle estrecho' (Palet, 1604, en T.L.; hacia 1460 en DCECH). Las dos de Madrid, 1578 y Zaragoza, 1578: «Cuando pasares solo la cañada».

[96] *líbano* 'cedro' (II, n. 50).

[97] Cfr. XXIII,27,7.

[98] *fragoso* 'escarpado, rocoso' (A. de Palencia, 1490; DCECH).

[99] *emboscado* 'metido en un bosque', participio del verbo *emboscarse,* ya en Nebrija.

[100] *intratable* 'áspero, duro de genio' (*Aut.,* con ejs. posteriores).

[101] *Fitón* es decir, 'adivino'. Cfr. Alfonso el Sabio, *General Estoria* I, Reyes, CXXXI, t. 2, pág. 343a; del latín de la Vulgata *pytho, -onis* y *phythonissa.* V. tb. J. T. Medina, Ilustración XV, t. IV de la edición del Centenario y Pierce, 56. *Mágico* 'mago', ya en el *Corbacho* de fines del XV (DCECH).

[102] *bastante* usado como adjetivo, era común en la época (DCECH);

en lo que de presente se te ofrece
para llevar tus obras adelante
pues la grande ocasión te favorece;
que a mí sólo hasta aquí me es concedido
el poderte decir lo que has oído.

»Mas si el furor de Marte y la braveza
te tuvieren la pluma destemplada
y quisieres mezclar con su aspereza
otra materia blanda y regalada,
vuelve los ojos, mira la belleza
de las damas de España, que admirada
estoy, según el bien que allí se encierra,
cómo no abrasa Amor toda la tierra.

»Mas tente, que me importa a mí, primero   65
que de los ojos fáciles te fíes,
prevenir el peligro venidero,
para que dél con tiempo te desvíes;
y no aguardes al término postrero
ni en tu fuerza y mi ayuda te confíes,
que aunque quiera después contraponerme[103],
tú cerrarás los ojos por no verme.»

¡Oh condición humana!, que al instante
que me privó que el rostro no volviese[104],
sólo aquel impedirme fue bastante
a que el prompto apetito se encendiese
y así, sin esperar más que adelante

---

entiéndase 'bastante suficiente' ya que *asaz* (y más tarde *harto*) se emplea-
ba desde la Edad Media con valor adverbial *(ibíd.)*; v. ejs. de uso de *asaz*
en prosa, en Keniston, par, 39,6. La combinación tiene valor enfático
para el lector moderno y no parece de empleo frecuente (*asaz* está ausente del vocabulario de Garcilaso, Herrera y Góngora).

[103] *contraponer,* 'oponer' (V. n. 47).

[104] *no volviese* 'volviese'. Los verbos de prohibición (aquí, «privar») o
verba impediendi construían la proposición completiva con *no* pleonástico,
según el uso latino (Keniston, par. 40,32 para ejs en prosa). Para verbos
que expresan *temor,* XV, n. 107.

en el sano consejo procediese,
volví los ojos luego, y de improviso
vi, si decirse puede, un paraíso.

En un asiento fértil y sabroso,
de alegres plantas y árboles cercado,
do el cielo se mostraba más hermoso
y el suelo de mil flores variado[105],
cerca de un claro arroyo sonoroso[106]
que atravesaba el fresco y verde prado,
vi junta toda cuanta hermosura
supo y pudo formar acá natura[107].

Eran las damas del cercado aquellas
que en la dichosa España florecían:
el claro sol, la luna y las estrellas
en su respeto[108] escuras parecían,
y sobre sus cabezas todas ellas
olorosas guirnaldas sostenían
de mil varias maneras rodeadas
de rubias trenzas, ñudos[109] y lazadas.

Andaban por acá y allá esparcidos
gran copia de galanes estimados[110],
al regalado[111] y blando amor rendidos,
corriendo tras sus fines y cuidados;
unos en esperanzas sostenidos,
otros en sus riquezas confiados,

---

105 *variado* 'adornado' (*Aut.*).

106 *sonoroso* Cfr. III, n. 76 para este cultismo.

107 *natura* 'naturaleza' (VI, n. 65).

108 *en su respeto* 'respecto de ella'; *respeto* ant. *respecto.*

109 *ñudo* por *nudo* (X, n. 74). *Lazada* 'atadura que se forma... haciendo primero un nudo apretado del cual nacen cuatro hojas y queda en forma de flor o estrella', 'lazo' (*Aut.*).

110 El verbo concuerda gramaticalmente con el complemento plural de su sujeto, que es *copia* (IV, n. 125 y I, n. 25).

111 *regalado* 'suave, delicado' (*Aut.*) forma con *blando* una expresión fija en Ercilla, ya usada en 64,4. Otra acepción del verbo en n. 113.

todos gozando alegres y contentos
de sus lozanos y altos pensamientos.

En esto, con presteza y furia estraña   70
arrebatado por el aire vano,
la alta cumbre dejé de la montaña,
bajando al deleitoso y fértil llano
donde, si la memoria no me engaña,
vi la mi guía a la derecha mano,
algo medrosa y con turbado gesto
de haberme en tanto riesgo y trance puesto.

Que luego que los pies puse en el suelo,
los codiciosos ojos ya cebando,
libres del torpe y del grosero velo
que la vista hasta allí me iba ocupando,
un amoroso fuego y blando hielo[112]
se me fue por las venas regalando[113],
y el brío rebelde y pecho endurecido
quedó al amor sujeto y sometido.

Y deseoso luego de ocuparme
en obras y canciones amorosas
y mudar el estilo, y no curarme[114]
de las ásperas guerras sanguinosas[115],
con gran gana y codicia de informarme
de aquel asiento y damas tan hermosas,
en especial y sobre todas de una,
que vi a sus pies rendida mi fortuna.

---

[112] La estructura bimembre de epítetos y sustantivos antitéticos característicos, rinde homenaje a la retórica petrarquesca de la poesía lírica, ya anunciada como posibilidad por Bellona en XVII,42,5-8.

[113] *regalar* 'derretir' (*Aut.* con texto de Herrera en las *Anotaciones* al soneto 2 de Garcilaso) es frecuente en la Edad Media y ya raro en los textos áureos (DCECH s.v. *regalar* II).

[114] *curarse* 'preocuparse' (V, n. 18).

[115] *sanguinoso* 'sangriento' (V, n. 48).

Era de tierna edad, pero mostraba
en su sosiego discreción madura,
y a mirarme parece la inclinaba
su estrella, su destino y mi ventura.
Yo, que saber su nombre deseaba,
rendido y entregado a su hermosura,
vi a sus pies una letra[116] que decía:
DEL TRONCO DE BAZÁN DOÑA MARÍA[117].

Y por saber más della, revolviendo[118]
el rostro y voz a la prudente guía,
súbito[119] el alboroto y fiero estruendo
de las bárbaras armas y armonía
me despertó del dulce sueño, oyendo:
«¡Arma, arma!»; ¡presto, presto!», y parecía
romper el alto cielo los acentos
de las diversas voces e instrumentos.

En esta confusión, medio dormido,   75
a las vecinas armas corrí presto,
poniéndome en un punto apercebido
en mi lugar y señalado puesto,
cuando con ferocísimo alarido
por la áspera ladera del recuesto[120]
apareció gran número de gente
y la rosada[121] Aurora en el oriente.

---

[116] *letra* 'inscripción, mote, letrero' (Cov., *Aut.*).
[117] La mujer de Ercilla, con la que se casará en 1570; cuando se casa
con Ercilla, María de Bazán era dama de la reina Isabel, tercera mujer de
Felipe II. Cfr. Medina, *Vida,* 104-112. Para la inclusión de rasgos autobiográficos en textos históricos o épicos (G. Fernández de Oviedo,
J. de Urrea, Luis Zapata), v. *ibíd.,* 105; para el uso ariostesco, Chevalier, 152.
[118] *revolver* 'girar' (IV, n. 87).
[119] *súbito* 'súbitamente' (IV, n. 16).
[120] *recuesto* 'pendiente' (XVI, n. 49).
[121] *rosada* era epíteto característico de la aurora (II, n. 62).

Luego también por una y otra parte,
con no menores voces y denuedo,
tanta gente asomó que al fiero Marte
con su temeridad pusiera miedo.
Mas, para proceder parte por parte,
según estoy cansado, ya no puedo:
en el siguiente y nuevo canto pienso
de declararlo todo por estenso.

FIN

EN ESTE CANTO SE CONTIENE EL ASALTO QUE LOS ARAUCA-
NOS DIERON A LOS ESPAÑOLES EN EL FUERTE DE PENCO; LA
ARREMETIDA DE GRACOLANO A LA MURALLA; LA[1] BATALLA
QUE LOS MARINEROS Y SOLDADOS, QUE HABÍAN QUEDADO
EN GUARDA DE LOS NAVÍOS, TUVIERON EN LA MARINA CON
LOS ENEMIGOS

CANTO XIX

HERMOSAS DAMAS, si mi débil canto
no comienza a esparcir vuestros loores
y si mis bajos versos no levanto
a concetos[2] de amor y obras de amores,
mi priesa es grande, y que decir hay tanto
que a mil desocupados escritores
que en ello trabajasen noche y día,
para todos materia y campo habría.

Y aunque apartado a mi pesar me veo
desta materia y presupuesto[3] nuevo,

---

[1] Las dos ediciones de Madrid, 1578 y Zaragoza, 1578: «La batalla
que los españoles que habían quedado en los navíos tuvieron en la marina con los enemigos.» *Marina* 'playa, costa', como más abajo, en 37,6
(I, n. 16).

[2] *conceto* por *concepto* (I, n. 19). Aquí en la acepción 'metáfora muy violenta'; para la génesis y desarrollo de esta noción, previos al barroco,
v. A. García Berrio, *España e Italia ante el conceptismo* Madrid, CSIC, 1968,
16 y ss.; parece interesante señalar que Gracián en su *Agudeza y arte de ingenio* no trae ninguna mención del texto de Ercilla, ausencia que justifica
esta octava. Cfr. XXII,3, y nota correspondiente.

[3] *presupuesto* 'propósito' (I, n. 112).

543

me sacará al camino el gran deseo
que tengo de cumplir con lo que os debo.
Y si el adorno y conveniente arreo[4]
me faltan, baste la intención que llevo,
que es hacer lo que puedo de mi parte,
supliendo vos lo que faltare en la arte[5].

Mas la española gente, que se queja
con causa justa y con razón bastante,
dándome mucha priesa, no me deja
lugar para que de otras cosas cante,
que el ejército bárbaro la aqueja,
cercando en torno el fuerte en un instante
con terrible amenaza y alarido,
como en el canto atrás lo habéis oído[6].

Luego que en la montaña en lo más alto
tres gruesos escuadrones parecieron[7],
juntos a un mismo tiempo hicieron alto
y el sitio desde allí reconocieron;
visto el foso y el muro, el fiero asalto,
dada la seña, todos tres[8] movieron
esgrimiendo las armas de tal suerte
que a nadie reservaban de la muerte.

El mozo Gracolano, no olvidado   5
de la arrogante oferta y gran promesa[9],
de varias y altas plumas rodeado,

---

[4] Las dos ediciones de Madrid, 1578 y Zaragoza, 1578: «Y si en mi verso el conveniente arreo». Para la repetición sinonímica («adorno... arreo») cfr. I, n. 112. V. tb. en este Canto, 8,6 y 16,1 («destreza y maña»).

[5] *vos* 'vosotros' (II, n. 42); *arte* en singular generalmente concuerda con el artículo *el* en el español actual (S. Fernández, par. 91; Bello-Cuervo, par. 173), pero en los textos áureos la concordancia es vacilante.

[6] Cfr. octavas 74 y 75 del Canto XVIII.

[7] *parecer* por *aparecer* (III, n. 25).

[8] *todos tres* por *los tres juntos*. Cfr. Keniston, par. 13,1 para ejs. en prosa.

[9] Cfr. XVII,31.

blandiendo una tostada pica[10] gruesa
venía dellos gran trecho adelantado,
rompiendo por el humo y lluvia espesa
de la balas y tiros arrojados
por brazos y cañones reforzados.

Llegado al justo término, terciando[11]
la larga pica, arremetió furioso,
y en tierra el firme regatón[12] fijando,
atravesó de un salto el ancho foso;
y por la misma pica gateando[13],
arriba sobre el muro vitorioso,
a pesar de las armas contrapuestas[14]:
lanzas, picas, espadas y ballestas.

No agarrochado[15] toro embravecido
la barrera embistió tan impaciente
ni fue con tanta fuerza resistido
de espesas armas y apiñada gente,
como el gallardo bárbaro atrevido,
que temeraria y venturosamente
rompiendo al parecer lo más seguro[16],
sube por fuerza al defendido muro,

donde sueltas las armas empachadas[17]
(que aprovecharse dellas no podía),
a bocados, a coces y a puñadas

---

[10] *pica* 'lanza larga' (I, n. 31).

[11] *terciar* 'inclinar' (IX, n. 89).

[12] *regatón* 'cuento de la lanza' (XII, n. 17).

[13] *gatear* 'subir hacia arriba con manos y pies' (Nebrija; Cov., *Aut*. con texto de carácter bélico semejante, de 1604, de F. P. de Sandoval).

[14] *contrapuesto* 'contrario' (V, n. 47).

[15] *agarrochado* 'herido de garrocha' (Oudin, 1607; Percivale, 1623, referido a toros, en T.L.). Cfr. XI, n. 91 para este tipo de comparación.

[16] Las dos ediciones de Madrid, 1578 y Zaragoza, 1578: «abriendo lo difícil y más duro».

[17] *empachado* 'que causa fastidio, incomodidad' (Nebrija, para ac. pasiva; cfr. I, n. 44).

ganar la plaza él solo pretendía.
Los tiros, golpes, botes[18] y estocadas
con gran destreza y maña rebatía[19],
poniendo pecho y hombro suficiente
al ímpetu y furor de tanta gente.

En medio de las armas, a pie quedo[20]
sin ellas su promesa sustentaba,
y con gran pertinacia y poco miedo[21]
de morir más adentro procuraba;
y en el vano propósito y denuedo,
herido ya en mil partes, porfiaba,
que su loca fortuna y diestra suerte
tenían suspenso el golpe de la muerte.

Así que en la demanda necia instando[22]   10
se arroja entre los hierros, y se mete
cual perro espumajoso, que rabiando,
adonde más le hieren, arremete;
y el peligro y la vida despreciando,
lo más dudoso y áspero acomete,
desbaratando en torno mil espadas
al obstinado pecho encaminadas.

Viéndose en tal lugar solo y tratado
según la temeraria confianza,
no de su pretensión desconfiado
mas con alguna menos esperanza,

---

[18] *bote* 'golpe de lanza', como luego en 21,1 (III, n. 54).

[19] *rebatir* 'acometer', como luego en 29,2 (I, n. 58); *maña* en la acepción etimológica de 'habilidad'.

[20] *a pie quedo* 'sin mover los pies' (*Aut.* con texto algo posterior de J. de Acosta).

[21] Las dos ediciones de Madrid, 1578 y Zaragoza, 1578: «y con más pertinacia y menos miedo». *Pertinacia* es cultismo documentado tempranamente en este verso (DCECH trae texto de principios del XVII).

[22] *instar* 'repetir, insistir' es cultismo cuyo uso literario se documenta aquí tempranamente (sin embargo, A. de Palencia [1490] ya lo registra en su *Vocabulario*). *Obstinado* del último verso de la octava es también cultismo literario ya presente en el *Corbacho* (C. C. Smith, 245).

a los brazos cerró[23] con un soldado
y de las manos le sacó la lanza,
sobre la cual echándose, en un punto
pensó salvar el foso y vida junto[24].

Mas la instable[25] Fortuna, ya cansada
de serle curadora[26] de la vida,
dio paso en aquel tiempo a una pedrada
de algún gallardo brazo despedida,
que en la cóncava sien la arrebatada[27]
piedra gran parte le quedó sumida,
trabucándole[28] luego de lo alto,
yendo en el aire en la mitad del salto.

Como el troyano Euricio[29] que, volando
la tímida paloma por el cielo,
con gran presteza el corvo arco flechado[30]
la atravesó en la furia de su vuelo,
que retorciendo el cuerpo y revolando[31],
como redondo ovillo vino al suelo,
así el herido mozo en descubierto
dentro del hondo foso cayó muerto.

---

[23] *cerrar* 'atacar' (II, n. 105).

[24] *junto* 'juntamente' (*Aut.*). Nótese el zeugma en *salvar* (el foso) 'pasar por encima' y *salvar* (la vida) 'poner en seguro' (III, n. 49).

[25] *instable* es cultismo usado también por Herrera y Aldana (C. C. Smith, 247).

[26] *curador* 'guardián' (Nebrija).

[27] *arrebatado* 'veloz e impetuoso' (Palet, 1604; Oudin, 1607 en T.L.; *Aut.*, con texto del XVII).

[28] *trabucar* 'volcar' es la primitiva ac. náutica (DCECH) extendida aquí a uso no náutico 'hacer caer'.

[29] *Euricio* es uno de los compañeros de Eneas y hermano del famoso arquero Pándaro (*Ilíada,* canto V); la referencia es a *Aeneidos* V,513-518 en donde se describe el vuelo de la paloma al que pone fin la flecha certera de Eurytion.

[30] *flechar* 'estirar el arco para disparar la flecha' (III, n. 83).

[31] *revolar* por *revolear* 'girar en el aire' (Nebrija, s.v. *rebolar; Aut.* trae texto algo posterior, que cita DCECH, para *revolear*).

De treinta y seis heridas justamente[32],
cayó el mísero cuerpo atravesado,
sin el último golpe de la frente,
que el número cerró ya rematado;
y la pica que el bárbaro valiente
de franca[33] y buena guerra había ganado
quedó arrimada al foso de manera
que un trozo descubierto estaba fuera.

Pero el joven Pinol, que prometido   15
había de[34] acompañarle en el asalto
y con él hasta el foso arremetido[35]
aunque no se atrevió a tan grande salto,
como al valiente amigo vio tendido
y descubrir la pica por lo alto,
la arebató, tomando por remedio
poner con pies ligeros tierra en medio[36].

Mas como no haya maña ni destreza
contra el hado preciso y dura[37] suerte,
ni bastan prestos pies ni ligereza
a escapar de las manos de la muerte,
que al que piensa huir, con más presteza
le alcanza de su brazo el golpe fuerte,
como al ligero bárbaro le avino
en mudando propósito y camino,

que apenas cuatro pasos había dado
cuando dos gruesas balas le cogieron,

[32] *justamente* 'cabalmente' (*Aut.*) y aquí, 'exactamente'.

[33] *franco* 'libre' (XVI, n. 25). El motivo de la pica o lanza, que aparece ya en 5,2, cobra aquí nuevo vigor con Pinol, otro soldado anónimo (17,7) y su primer dueño español (19,3).

[34] *prometer de* más infinitivo es construcción frecuente en los textos áureos (III, n. 72).

[35] La edición de Madrid, 1578 en 8avo. y la de Zaragoza, 1578: «y hasta el peinado foso arremetido».

[36] *poner tierra en medio* «apartarse, alejarse y huir del inconveniente» en Correas, 727a.

[37] *duro* en su doble acepción 'cruel' e 'inalterable' (III, n. 9 con uso semejante).

y de la espalda al pecho atravesado
a un tiempo por dos partes le tendieron.
No dio la alma tan presto que un soldado
de dos que a socorrerle arremetieron
de la costosa lanza no trabase
y con peligro suyo la salvase.

Luego de trompas gran rumor sonando,
la gruesa pica en alto levantaron,
y a toda furia en hila[38] igual cerrando
al foso con gran ímpetu llegaron,
donde forzosamente reparando[39],
la munición y flechas descargaron[40]
en tanta multitud, que parecían
que la espaciosa tierra y sol cubrían.

Pues en esta sazón Martín de Elvira,
que así nuestro español era llamado,
de lejos la perdida lanza mira
que el muerto Gracolán le había ganado.
Con loable vergüenza, ardiendo en ira[41],
de recobrar su honor deliberado[42],
por una angosta puerta que allí había
solo y sin lanza a combatir salía

con un osado joven, que delante   20
venía la tierra y cielo despreciado,
de proporción y miembros de gigante,
una asta de dos costas[43] blandeando,

---

38 *hila* 'hilera' (I, n. 48); *cerrar* 'atacar' (II, n. 105).

39 *reparar* 'detenerse' (III, n. 70).

40 Entiéndase: «los españoles e indios respectivamente», puesto que los araucanos no se habían apoderado todavía de armas de fuego.

41 Madrid, 1578 en 8avo. y Zaragoza, 1578: «y con vergüenza honrosa ardiendo en ira».

42 *deliberado* 'resuelto' (XVI, n. 82 para acepción y régimen sintáctico).

43 *costa* 'lado' (DRAE); en este contexto 'filo', es decir, con una lanza de asta de doble filo; *blandear* 'cimbrar' (III, n. 28).

que acá y allá con término[44] galante
la gruesa y larga pica floreando[45]
ora de un lado y de otro, ora derecho,
quiso tentar del enemigo el pecho,

tirando un recio bote, que cebado[46]
le retrujo seis pasos, de tal suerte
que el gallardo español desatinado[47]
se vio casi en las manos de la muerte;
pero como animoso y reportado
haciendo recio pie, se tuvo fuerte[48],
pensando asir la pica con la mano,
mas este pensamiento salió vano:

que el indio con destreza y gran soltura[49]
saltó ligero atrás, cobrando tierra,
y blandiendo la gruesa pica dura
quiso con otro[50] rematar la guerra;
mas el prompto español, que entrar procura[51],
dándole lado, de la pica afierra[52],
y aguijando[53] por ella, a su despecho
cerró[54] presto con él, pecho con pecho;

---

[44] *término* 'modo' (XI, n. 31).

[45] *florear* 'mover la espada antes de acometer' (*Aut.* con textos del XVII que cita DCECH).

[46] *cebado* 'penetrado' y aquí, 'herido' (Cov. s.v. *cebo:* «la saeta dicen haber cebado cuando ha entrado en la carne»).

[47] *desatinado* 'sin tino, enajenado' (*Aut.*), que explica *reportado* 'refrenado' (*ibíd.*) y aquí 'vuelto en sí' del verso 5 (XVII, n. 8).

[48] *tenerse fuerte* 'resistir' como ya, en uso no reflexivo, en XVI,40,7 y nota.

[49] Las dos ediciones de 1578 y la de Zaragoza, 1578: «que el bárbaro advertido diestramente / dio un gran salto hacia atrás cobrando tierra / y blandiendo la pica reciamente».

[50] *otro* Entiéndase 'otro bote'.

[51] Las dos ediciones de Madrid, 1578 y Zaragoza, 1578: «el español mañoso y diligente». *Entrar* 'herir' (*Aut.*).

[52] *aferrar* Para su conjugación, III, n. 56.

[53] *aguijar* 'obligar' (II, n. 23 para otra acepción).

[54] *cerrar* 'embestir' (II, n. 105).

550

y habiendo con presteza arrebatado
una secreta[55] daga que traía,
cinco veces o seis por el costado
del bravo corazón tentó la vía.
El bárbaro mortal, ya desangrado,
por todas la furiosa alma rendía,
cayendo el cuerpo inmenso en tierra frío,
ya de sangre y espíritu vacío.

El valiente español, que vio tendido
a su enemigo y la vitoria cierta,
cobró la pica y crédito perdido
retrayéndose ufano hacia la puerta
donde, por los amigos conocido,
fue sin contraste en un momento abierta,
y dentro recebido alegremente
con grande aplauso y grita de la gente.

En este tiempo ya por todos lados   25
la plaza los contrarios expugnaban[56],
que a vencer o morir determinados
por los fuegos y tiros se lanzaban;
y encima de los muertos hacinados[57],
los vivos a tirar se levantaban,
de donde más la cierta puntería
el encubierto blanco descubría[58].

Unos con ramas, tierra y con maderos
ciegan[59] el hondo foso presurosos;
otros, que más presumen de ligeros,
hacen pruebas y saltos peligrosos;

---

[55] *secreto* 'oculto' (Cov.: «todo lo que está encubierto y callado»).

[56] *expugnar* 'atacar' (XVIII, n. 19).

[57] *hacinado* Parece documentación temprana de su uso literario (*Aut.* con texto del XVII que registra DCECH).

[58] *encubierto... descubría* Para este tipo de repetición etimologizadora, v. I, n. 4 y otro caso más abajo en 33,3-4 («creciendo... crece»).

[59] *cegar* 'cerrar, macizar alguna cosa que antes estaba abierta o hueca' (Cuervo, *Dicc.*, II,99 con este texto ya documentado por *Aut.*).

y los que les tocaban ser postreros[60],
de llegar a las manos[61] deseosos,
tanto el ir adelante procuraban,
que dentro a los primeros arrojaban.

Mas de los muchos muertos y heridos
de nuestros arcabuces, de mampuesto[62]
y de otros arrojados y caídos,
el foso se cegó y allanó presto;
por do los enemigos atrevidos
arremetieron, el temor pospuesto,
llegando por las partes más guardadas
a medir con nosotros las espadas[63];

y prosiguiendo en el osado intento[64]
de nuevo empiezan un combate duro,
mas otros con mayor atrevimiento
trepaban por las picas sobre el muro,
que al bárbaro furor y movimiento
ningún alto lugar había seguro,
ni parte, por más aspera que fuese,
donde no se escalase y combatiese.

Los nuestros sobre el muro amontonados
los rebaten, impelen[65] y maltratan,
y con lanzas y tiros arrojados

---

[60] *postrero* Cfr. XIV, n. 49 para el uso de este cultismo.

[61] *llegar a las manos* 'pelear, combatir' (DRAE; no trae la expresión Cov. ni *Aut.*).

[62] *mampuesto* en su acepción más general de 'piedra'. Cov. s.v. *mampostería* «el edificio que se hace poniendo las piedras a mano a diferencia de la obra que llaman de sillería y de allí mampuesto». Parece ésta documentación temprana de su uso literario (DCECH s.v. *mano* remite a Cov. y A. de Solís, h. 1680).

[63] *medir la espada con otro* 'haber brega con él' (Correas, 747b).

[64] La edición de Madrid, 1578 en 8vo. y Zaragoza, 1578: «y allí siguiendo el valeroso intento».

[65] *impeler* 'empujar' es cultismo ya documentado en A. de Palencia, 1490 (*impelir*) y presente en otros textos áureos (C. C. Smith, 243; DCECH s.v. *compeler*); para la acumulación verbal, característica de estas descripciones bélicas, v. III, n. 39.

los derriban abajo y desbaratan.
Mas poco los demás escarmentados,
la difícil subida no dilatan,
antes procuran luego[66] embravecidos
ocupar el lugar de los caídos.

Unos así tras otros procediendo,   30
ganosos de honra y de temor desnudos[67],
siempre la priesa y multitud creciendo,
crece la furia de los golpes crudos;
los defendidos términos rompiendo,
cubiertos de sus cóncavos escudos,
nos pusieron en punto y apretura
que estuvo lo imposible en aventura[68].

En este tiempo Tucapel furioso
apareció gallardo en la muralla
esgrimiendo un bastón fuerte y ñudoso[69]
todo cubierto de luciente malla.
Como el león de Libia vedijoso[70],
que abriendo de la tímida canalla
el tejido[71] escuadrón, con furia horrenda
desembaraza la impedida senda,

así el furioso bárbaro arrogante
discurre[72] por el muro, derribando

---

[66] *luego* 'inmediatamente', como más abajo, en 38,6 (I, n. 53).

[67] Para la simetría de los hemistiquios y el quiasmo, v. IX, n. 112; otros casos de bimembración paralelística, más abajo en 33,3 y 34,3.

[68] *aventura* 'riesgo' (*Aut.* con ej. de Cervantes sobre la frase *poner en aventura*). La derrota se ha transformado, indefectiblemente, después del interludio de San Quintín, en «lo imposible».

[69] *ñudoso* por *nudoso* (II, n. 64).

[70] *vedijoso* 'melenudo, de pelo ensortijado' es epíteto virgiliano para león que Ercilla debió tomar de la traducción de la *Eneida* de G. Fernández de Velasco, 1555 (*Aut.* con texto correspondiente a *Aeneidos* II,722, aunque Virgilio usó el epíteto *villosus* en VIII, 177).

[71] *tejido* 'compuesto, ordenado' (*Aut.*).

[72] *discurrir* 'correr por diversas partes', como más abajo, en 52,3 (III, n. 104).

cuanto allí se le opone y vee delante[73],
su misma gente y armas tropellando[74].
Quisiera tener lengua y voz bastante
para poder en suma ir relatando
el singular esfuerzo y valentía
que el bravo Tucapel mostró aquel día.

No las espesas picas ni pertrechos
bastan puestas en contra a resistirle,
ni fuertes brazos ni robustos pechos
pueden, acometiéndole, impedirle;
que montones de gente y armas hechos
rompe y derriba sin poder sufrirle,
y aun, no contento desto, osadamente
se arroja dentro en medio de la gente.

Y al peligro las fuerzas añadiendo,
la poderosa maza rodeaba[75],
unos desbaratando, otros rompiendo,
siempre más tierra y opinión ganaba.
Al fin, los duros golpes resistiendo,
por las armas y gente atravesaba,
hiriendo siempre a diestro y a siniestro,
con grande riesgo suyo y daño nuestro.

También hacia la banda[76] del poniente   35
había Peteguelén arremetido,
y a despecho y pesar de nuestra gente
en lo más alto del bastión subido.
Que el valeroso corazón ardiente
le había por las entrañas esparcido
un belicoso ardor, como si fuera
en la verde[77] y robusta edad primera.

---

[73] Las dos ediciones de Madrid, 1578 y Zaragoza, 1578: «todo lo que allí coge por delante».
[74] *tropellar* por *atropellar* (I, n. 114).
[75] *rodear* 'hacer girar' (XIV, n. 83).
[76] *banda* 'lado' (IV, n. 129).
[77] *verde* 'inmaduro, joven' (III, n. 21).

Mucho no le duró, que a poca pieza[78]
le arrebató una bala desmandada[79]
de los dispuestos hombros la cabeza,
rematando su próspera jornada.
Tras ésta disparó luego otra pieza
hacia la misma parte encaminada,
llevando a Guampicol que le seguía,
y a Surco, Longomilla y Lebopía.

La gente que en las naos había quedado[80],
viendo el rumor y priesa[81] repentina,
cuál salta luego arriba desarmado,
cuál con rodela; cuál con coracina[82];
quién se arroja al batel[83], y quién a nado
piensa arribar más presto a la marina,
llamando cada cual a quien debía
y ninguno aguardaba compañía.

Así a nado y a remo, con gran pena
el molesto y prolijo[84] mar cortaron,
y en la ribera y deseada arena
casi todos a un tiempo pie tomaron[85],

---

[78] *pieza* 'intervalo de tiempo' como en 42,3 (XI, n. 130); nótese la repetición o *traductio* en el verso 5, en rima, pero con cambio de acepción: 'bala', en juego de palabras de larga tradición pues Quintiliano lo considera un caso especial de paronomasia (Lausberg, par. 657 y ss., especialmente, 660 a 664) y San Isidoro, antanaclasis (*ibíd.*). Cfr. I, n. 92.

[79] *desmandado* 'apartado, fuera de lugar' (*Aut.* con otro texto de Ercilla: XIV,1,1 en que se aplica a *lengua,* en la acepción más corriente: 'descomedido').

[80] Cfr. XVII,18-19 donde se cuenta la decisión de enviar a tierra firme ciento treinta «mancebos florecientes» para construir este fuerte en el cerro de Penco.

[81] *priesa* 'aprieto' (XV, n. 72).

[82] *rodela* 'escudo liviano', como en 40,8 (XI, n. 134); *coracina* 'especie de coraza' (II, n. 99).

[83] *batel* 'esquife' (XIII, n. 60). En el verso siguiente, *marina* 'costa' (I, n. 16).

[84] *prolijo* 'dilatado' (XV, n. 119, donde también se aplica al mar).

[85] *tomar pie* 'tomar fuerzas' (*Aut.*) y aquí 'agruparse'.

donde con diciplina y orden buena[86]
un cerrado escuadrón luego formaron,
marchando a socorrer a los amigos
por medio[87] de las armas y enemigos.

Del mar no habían sacado los pies, cuando
por la parte de abajo con ruido
les sale un escuadrón en contra, dando
una furiosa carga y alarido.
Venía el primero el paso apresurando
el suelto Fenistón, mozo atrevido,
que de los otros quiso adelantarse,
con gana y presunción de señalarse.

Nuestra gente con orden y osadía   40
siguiendo su derrota[88] y firme intento,
a la enemiga opuesta arremetía,
que aun de esperar no tuvo sufrimiento;
y a recebir a Fenistón salía
con paso no menor y atrevimiento
y el diestro Julián de Valenzuela,
la espada en mano, al pecho la rodela[89].

Fue allí el primero que empezó el asalto
el presto Fenistón anticipado,
dando un ligero y no pensado salto
con el cual descargó un bastón pesado;
mas Valenzuela, la rodela en alto,
a dos manos el golpe ha reparado[90],

---

[86] *orden* Para su género gramatical en la época, I, n. 111.

[87] El texto *por miedo,* y así las ediciones antiguas desde la princeps, excepto Madrid, 1589-90, que corrige atinadamente.

[88] *derrota* 'camino' (IV, n. 20).

[89] Para la estructura bimembre del verso y quiasmo nominal, IX, n. 112 y también I, n. 102 y 106.

[90] *reparar* 'detener' (III, n. 70); *a dos manos* «además del sentido recto, que vale 'con entrambas manos', metafóricamente se usa para explicar la destreza con que alguno se porta en algún negocio en que diversamente se interesan dos» (*Aut.*).

dejándole atronado[91] de manera
como si encima un monte le cayera[92].

Bajó la ancha rodela a la cabeza
(tanto fue el golpe recio y desmedido),
y el trasportado[93] joven una pieza
fue rodando de manos, aturdido;
mas luego, aunque atronado, se endereza,
y volviendo del todo en su sentido,
pudo al través hurtándose de un salto,
huir la maza que calaba[94] de alto.

Entró el leño por tierra un gran pedazo
con el gran peso y fuerza que traía,
que visto Valenzuela el embarazo
del bárbaro, y el tiempo que él tenía,
metiendo con presteza el pie y el brazo
el pecho con la espada le cosía[95],
y al sacar la caliente y roja espada
le llevó de revés media quijada.

El araucano ya con desatino
le echó los brazos sin saber por donde,
mas el joven, tentando otro camino,
arrancada la daga, la responde;
que con con la priesa y fuerza que convino
tres veces en el cuerpo se la esconde[96],
haciéndole estender, ya casi helados,
los pies y fuertes brazos añudados[97].

---

[91] *atronado* 'atónito, aturdido' (XIV, n. 58).

[92] La comparación hiperbólica es variante de una de Ariosto, *Orlando furioso* XXX,61,7-8.

[93] *trasportado* 'enajenado, privado de sentido' (*Aut.* con texto de Cervantes en contexto no religioso); el verbo ya aparece en A. de Palencia, 1490, pero no en Nebrija (DCECH).

[94] *calar* 'descender, bajar' (IV, n. 23 y II, n. 103).

[95] *coser* 'atravesar, clavar' (Cuervo, *Dicc.* II, 574b con este texto).

[96] *esconder* 'hundir', sobre todo armas blancas.

[97] *añudado* ant. *anudado* (VIII, n. 54). Para *ñudo*, v. X, n. 74.

Ya en aquella sazón ninguno había   45
que sólo un punto allí estuviese ocioso,
mas cada cual solícito corría
a lo más necesario y peligroso[98];
era el estruendo tal, que parecía
el batir de las armas presuroso,
que de sus fijos quicios todo el cielo
desencasado[99], se viniese al suelo.

Por otra parte, arriba en la muralla,
siempre con rabia y priesa hervorosa[100],
andaba muy reñida la batalla
y la vitoria en confusión dudosa.
Vuelta en el aire la cortada malla,
y de sangre caliente y espumosa
tantos arroyos en el foso entraban
que los cuerpos en ella ya nadaban[101].

Así de acá y de allá gallardamente[102]
por la plaza y honor se contendía[103]:
quién sobre el muerto sube diligente,
quién muerto sobre el vivo allí caía.
Don García de Mendoza entre su gente[104]
su cuartel con esfuerzo defendía,

---

[98] Las dos ediciones de Madrid, 1578 y Zaragoza, 1578: «a donde era el favor menesteroso».

[99] *desencasado* 'fuera de sitio' (Nebrija, referido a huesos; Palet, 1604, con la acepción más general, en T. L.); la imagen, asociada al estruendo bélico, ya la había utilizado Ercilla en IV,27,7-8.

[100] *hervoroso* por *fervoroso* 'vehemente' es ya considerado como poco usual por *Aut.,* con cita de XXIII,18,3.

[101] *nadar* en el sentido de 'flotar', pues se refiere a los cuerpos muertos caídos en el foso; la hiperbólica abundancia y el poder gráfico de estas imágenes cruentas de las descripciones de batallas son características del poema de Ercilla y encuentran su antecedente clásico en Lucano.

[102] Las dos ediciones de Madrid, 1578 y Zaragoza, 1578: «Así de ambas las partes reciamente.»

[103] *contender* 'empeñarse en vencer por la fuerza y de igual a igual a un contrario' (Cuervo, *Dicc.* II,456b con ejs. de construcción con *por*).

[104] Las dos ediciones de Madrid, 1578 y Zaragoza, 1578: «Don García de Mendoza osadamente.»

el gran furor y bárbara violencia
haciendo suficiente resistencia.

Don Felipe Hurtado a la otra mano,
don Francisco de Andía y Espinosa,
y don Simón Pereyra, lusitano,
don Alonso Pacheco y Ortigosa,
contrapuestos al ímpetu araucano,
hacían prueba de esfuerzo milagrosa
resistiendo a gran número la entrada
a pura fuerza y valerosa espada.

Basco Xuárez también por otra parte,
Carrillo y don Antonio de Cabrera,
Arias Pardo, Riberos y Lasarte,
Córdoba y Pedro de Olmos de Aguilera,
subidos sobre el alto baluarte
herían en los contrarios de manera
que, aunque eran infinitos, bien seguro
por toda aquella banda estaba el muro.

No menos se mostraba peleando   50
Juan de Torres, Garnica y Campofrío,
don Martín de Guzmán y don Hernando
Pacho, Gutiérrez, Zúñiga, y Verrío,
Ronquillo, Lira, Osorio, Vaca, Ovando[105],
haciendo cosas que el ingenio mío,
aunque libre de estorbos estuviera,
contarlas por estenso no pudiera.

Tanto el daño creció, que de aquel lado
los fieros araucanos aflojaron,
y rostro a rostro[106], en paso concertado,
quebrantado el furor se retiraron;

---

[105] Las dos ediciones de Madrid, 1578 y Zaragoza, 1578: «Diego de
Lira, Osorio, Vaca, Ovando.»
[106] *rostro a rostro* 'frente a frente' (IV, n. 55); aquí, 'sin huir, sin volver
la espalda'.

los otros, visto el daño no pensado,
también del loco intento se apartaron,
quedando Tucapel dentro del fuerte,
hiriendo, derribando y dando muerte.

No desmayó por esto, antes ardía
en cólera rabiosa y viva saña[107],
y aquí y allí furioso discurría[108]
haciendo en todas partes riza[109] estraña;
tropella a Bustamante y a Mexía,
derriba a Diego Peréz y a Saldaña.
Mas ya es razón, pues he cantado tanto,
dar fin al gran destrozo y largo canto.

FIN

---

[107] Para la repetición sinonímica, I, n. 112.

[108] *discurrir* 'correr por diversas partes' (III, n. 104).

[109] *riza* ant. 'estrago' (*Aut.* con textos posteriores; DCECH s.v. *enrizar*).

CANTO XX

NADIE prometa sin mirar primero
lo que de su caudal[2] y fuerza siente,
que quien en prometer es muy ligero
proverbio es que de espacio[3] se arrepiente.
La palabra es empeño verdadero
que habemos de quitar forzosamente
y es derecho común y ley espresa
guardar al enemigo la promesa.

Bien fuera destas leyes va la usanza
que en este tiempo mísero se tiene.
Promesas que os ensanchan la esperanza
y ninguna se cumple ni mantiene;
así la vana y necia confianza
que estribando[4] en el aire nos sostiene,

---

[1] *romper* 'atacar' (IV, n. 27).

[2] *caudal* 'juicio, capacidad', como en 5,8 (XII, n. 98). El verso recoge un vago eco de la *Ad Pisones Epistula*, vv. 38-40: «Sumite materiam ves-tris, qui scribitis, aequam / viribus, et versate diu, quid ferre recusent, / quid vadeant umeri... /».

[3] *de espacio* por *despacio* (II, n. 67).

[4] *estribar* 'apoyar' (XV, n. 33).

se viene al suelo y llega el desengaño
cuando es mayor que la esperanza el daño.

De mí sabré decir cuán trabajada[5]
me tiene la memoria, y con cuidado
la palabra que di, bien escusada,
de acabar este libro comenzado[6];
que la seca materia desgustada[7]
tan desierta y estéril que he tomado
me promete hasta el fin trabajo sumo
y es malo de sacar de un terrón zumo.

¿Quién me metió entre abrojos y por cuestas
tras las roncas trompetas y atambores[8],
pudiendo ir por jardines y florestas
cogiendo varias y olorosas flores,
mezclando en las empresas y requestas[9]
cuentos, ficciones, fábulas y amores,
donde correr sin límite pudiera
y dando gusto, yo lo recibiera?

¿Todo ha de ser batallas y asperezas,   5
discordia, fuego, sangre, enemistades,
odios, rencores, sañas y bravezas,
desatino, furor, temeridades,
rabias, iras, venganzas y fierezas,
muertes, destrozos, rizas, crueldades[10]

---

⁵ *trabajado* 'afligido, inquieto' (Cov., *Aut.*); cfr. XVI, n. 1 para otra
acepción.
⁶ Recuerda el comienzo del Prólogo de la primera edición de la Segunda Parte: «Por haber prometido de proseguir esta historia, no con
poca dificultad y pesadumbre, la he continuado...»
⁷ *desgustrado* 'desagradable, desabrido' (Cov.); cfr. *desgustoso* en
XV,2,8.
⁸ *atambor* por *tambor* (I, n. 54).
⁹ *requesta* «demanda y petición... y de allí requestar y requestar de
amores» (Cov.). Referencia a otros tipos de narrativa (pastoril, caballeresca) en los que era posible mezclar con los hechos y amores de los protagonistas «cuentos, ficciones, fábulas y amores». Cfr. luego 39,3.
¹⁰ Esta acumulación nominal, una de las más extensas del poema, se

que al mismo Marte ya pondrán hastío,
agotando un caudal mayor que el mío?

Mas a mí me es forzoso ser paciente,
pues de mi voluntad quise obligarme;
y así os pido, Señor, humildemente
que no os dé pesadumbre el escucharme.
Quel atrevido bárbaro valiente
aun no me da lugar de disculparme:
tal es la furia y priesa con que viene,
que apresurar la mano me conviene.

El cual, como encerrada bestia fiera,
ora de aquella y ora desta parte
abre sangrienta y áspera carrera[11],
y por todas el daño igual reparte
con un orgullo tal, que acometiera
allá en su quinto trono al fiero Marte[12],
si viera modo de subir al cielo,
según era gallardo de cerbelo[13].

Pero viéndose solo y mal herido
y el ejército bárbaro deshecho,
y todo el fiero hierro convertido[14]

---

propone una síntesis de los hechos bélicos, tanto los dominados por las
acciones (vv. 1 y 6) como por las emociones (vv. 3, 4 y 5) o por ambos
(v. 2); cfr. III, n. 39. La disposición equilibra el caos que reflejan semánticamente las 21 palabras, con la estructura simétrica de los versos: tetramembres los versos 2, 3, 5 y 6; bimembre el 1 y trimembre el 3. Además,
la serie adquiere más coherencia semántica con repeticiones más o menos sinonímicas: *odios* y *bravezas* 'cólera' (Nebrija); *desatino* y *furor* 'locura'
(Cov.); *rabias* e *iras; destrozos* y *rizas* (XIX, n. 109) y aun *bravezas* y *fierezas*
(I, n. 112).

[11] *carrera* 'camino' (VI, n. 32).

[12] *trono* En el sistema astronómico geocéntrico de Ptolomeo, la
esfera de Marte ocupaba el quinto lugar alrededor de la Tierra, después de la Luna, Mercurio, Venus y el Sol. Para Marte, cfr. I, n. 17
y IX, n. 35.

[13] *cerbelo* es italianismo por *cerebro*. Cfr. DCECH en donde se identifica
este texto con la primera documentación literaria de su uso, que se extiende a autores del XVII (Cervantes en *Aut.*).

[14] *convertido* 'dirigido', 'vuelto hacia' es latinismo de sentido no regis-

contra su fuerte y animoso pecho,
se retrujo a una parte, en la cual vido[15]
quel cerro era peinado[16] y muy derecho,
sin muro de aquel lado, donde un salto
había de más de veinte brazas[17] de alto.

Como si en tal razón alas tuviera,
más seguras que Dédalo las tuvo[18],
se arroja desde arriba de manera
que parece que en ellas se sostuvo;
hizo prueba de sí fuerte y ligera,
que el salto, aunque mortal, en poco tuvo,
cayendo abajo el bárbaro gallardo
como una onza ligera o suelto pardo[19].

Mas, bien no[20] se lanzó, que en seguimiento   10
infinidad de tiros le arrojaron,
que, aunque no le alcanzara el pensamiento,
antes que fuese abajo le alcanzaron.
Fue tanto el descargar, que en un momento
en más de diez lugares le llagaron,

---

trado por los diccionaristas del T.L. y poco frecuente en los textos poéticos áureos (no aparece en Garcilaso ni en Góngora); *Aut.* trae textos en
prosa posteriores. Cfr. Kossoff para ejemplo aislado en Herrera.

[15] Para este perfecto dialectal de *retraer,* VI, n. 1; para *vido,* forma antigua del pretérito de *ver,* XV, n. 17.

[16] *peinado* 'escarpado' (V, n. 15).

[17] *braza* o *brazada* 'medida de longitud equivalente a unos seis pies'
(Poza, 1585, en T.L.) que Ercilla vuelve a usar en XXI,41,3.

[18] Alusión a la leyenda ya mencionada en IX,92,7. A la elipsis en la
sintaxis, cercana al anacoluto: «que Dédalo las tuvo» por «que las que
Dédalo tuvo», aceleradora del ritmo del verso, se une la compresión narrativa: estrictamente, fue Ícaro, el hijo de Dédalo, quien, por imprudencia, dejó derretir la cera que su padre había usado para pegarle las
alas y se ahogó en el Egeo (IX, n. 129).

[19] *onza* 'pantera' (XV, n. 21); *suelto* 'veloz' es epíteto que Ercilla usa
dos veces más para *pardo* 'leopardo': en VIII,48,2 y en XV,8,6 en donde
este mismo verso, salvo la conjunción, aparece por primera vez.

[20] *bien no* por *no bien* 'apenas'. Cfr. Keniston, par. 28,56 para ejs. en
prosa y *Aut.* para textos áureos en que la expresión aparece separada
pero con el adverbio de negación precedido; el particular orden de este
texto obedece a razones métricas.

pero no de manera que cayese
ni solo un paso y pie descompusiese.

Viéndose abajo y tan herido, luego[21]
del propósito y salto arrepentido,
abrasado en rabioso y vivo fuego,
terrible y más que nunca embravecido,
quisiera revolver[22] de nuevo al juego
y vengarse del daño recebido;
mas era imaginarlo desatino,
que el cerro era tajado y sin camino.

Cinco o seis veces la difícil vía
y de fortuna el crédito tentaba,
que fácil lo imposible le hacía
el coraje[23] y furor que le incitaba:
por un lado y por otro discurría[24],
todo de acá y de allá lo rodeaba,
como el hambriento lobo encarnizado[25]
rodea de los corderos el cercado.

Mas viendo al fin que era designio vano
y de tiros sobre él la lluvia espesa,
retirándose a un lado, vio en el llano
la trabada batalla y fiera priesa[26];

---

[21] *luego* 'al instante' (I, n. 53).

[22] *revolver* 'volver otra vez' (XI, n. 74). *Juego* por *lucha* es sinonímico festi-
vo para acciones bélicas como otros de este tipo que aparecen en el poema (II, n. 27).

[23] *coraje* 'ira' (XI, n. 22). Para la repetición sinonímica, I, n. 112.
Cfr. más adelante en el Canto: 22,4 («molido y quebrantado»); 25,8
(«riza y batería»); 27,1 («lóbrega y escura»); 35,4 («lugar y asiento»); 39,7
(«maña y artificio»); 51,6 («humilde y bajo»); 61,4 («promptos y aperci-
bidos»); 70,8 («condición y modo»); 72,6 («forma y acto»); 76,3 («ansia y
dolor»).

[24] *discurrir* 'correr por diversas partes', como luego en 26,8 (III,
n. 104).

[25] *encarnizado* 'cebado' (Nebrija).

[26] *priesa* 'aprieto' (XV, n. 72). Para un eco virgiliano en la imagen de
la «lluvia espesa» de tiros, cfr. *Aeneidos* XII, 284-5: «... (it toto turbida ca-
llo / tempestas telorum ac ferrens ingruit imber)».

y como el levantado halcón lozano
que, yendo alta la garza, se atraviesa
el cobarde milano, y desde el cielo
cala[27] a la presa con furioso vuelo,

así el gallardo Tucapel, dejado
el temerario intento infrutuoso[28],
revuelve a la otra banda, encaminado
al reñido combate sanguinoso[29].
En esto el bando infiel desonfiado,
de mucha gente y sangre perdidoso,
se retiró siguiendo las banderas
que iban marchando ya por las laderas.

No por eso torció de su demanda   15
un solo paso el bárbaro valiente,
antes recio embistió por una banda[30],
tropellando[31] de golpe mucha gente,
y dándoles terrible escurribanda[32],
pasó de un cabo a otro francamente[33],
hiriendo y derribando de manera
que dejó bien abierta la carrera[34].

Quién queda allí estropiado, quién tullido,
quién se duele, quién gime, quién se queja,
quién cae acá, quién cae allá aturdido,
quién[35] haciédole plaza, dél se aleja;

[27] *calar a* 'bajar, descender hacia' (IV, n. 23).

[28] *infrutuoso* por *infructuoso* son formas que alternaban de este cultismo que *Aut.* documenta en el XVII. Para *fructuoso* en textos del XV, v. C. C. Smith, 250.

[29] *sanguinoso* 'sangriento' (V, n. 48).

[30] *banda* 'lado' (IV, n. 129).

[31] *tropellar* por *atropellar* (II, n. 114).

[32] *escurribanda* 'castigo', que *Aut.* considera ac. de poco uso e ilustra con texto del poema épico-burlesco la *Mosquea* (1615) de Villaviciosa. Cfr. DCECH s.v. *correr*.

[33] *francamente* 'libremente' (XI, n. 64).

[34] *carrera* 'camino' (VI, n. 32).

[35] Esta repetición anafórica, frecuente en las descripciones bélicas del

y en el largo escuadrón de armas tejido
un gran portillo[36] y ancha calle deja,
con el furor que el fiero rayo apriesa
rompe el aire apretado y nube espesa.

De tal manera Tucapel, abriendo
de parte a parte el escuadrón cristiano,
arriba a los amigos, que siguiendo
iban la retirada a paso llano[37],
con el concierto y orden procediendo,
que vemos ir las grullas el verano,
cuando de su tendida y negra banda
ninguna se adelanta ni desmanda[38].

Nosotros, aunque pocos, cuando vimos
que a espaldas vueltas iban ya marchando,
de nuestro fuerte en gran tropel salimos
en la campaña[39] un escuadrón formando,
y a paso moderado los seguimos,
de la vitoria enteramente usando;
pero dimos la vuelta apresurada
temiendo alguna bárbara emboscada.

Duró, pues, el reñido asalto tanto
que el sol en lo más alto levantado
distaba del poniente en punto cuanto[40]
estaba del oriente desviado.
Nosotros, ya seguros, entretanto

---

poema que requieren vertiginoso recuento de la acción, es figura de larga tradición clásica (Lausberg, par. 629). Este texto se distingue por la
inclusión de dos elementos paralelísticos que dan mayor trabazón expresiva: repeticiones sinonímicas («estropiado... tullido; se duele... gime...
se queja»), series semánticas («cae acá... cae allá»), ordenamiento de formas reflexivas («se duele... se queja»).

[36] *portillo* 'paso'(III, n. 32).

[37] *a paso llano* 'sin tropiezos ni dificultades' (DRAE); v. *a pie llano* en
Correas, 601b, con significado semejante.

[38] *desmandar* aquí 'salir de lugar' (II, n. 36).

[39] *campaña* 'campo de batalla' (III, n. 44).

[40] *en punto cuanto* 'tanto cuanto'; *en punto* 'exactamente' (*Aut.*).

que remataba el curso acostumbrado,
dando lugar a las noturnas horas[41]
del personal trabajo aliviadoras,

el ciego[42] foso alrededor limpiamos,   20
sin descansar un punto diligentes,
y en muchas partes dél desbaratamos
anchas, traviesas[43] y formadas puentes;
los lugares más flacos[44] reparamos,
con industria y defensas suficientes,
fortificando el sitio de manera
que resistir un gran furor pudiera.

La negra noche a más andar cubriendo
la tierra, que la luz desamparaba,
se fue toda la gente recogiendo
según y en el lugar que le tocaba;
la guardia y centinelas repartiendo,
que el tiempo estrecho a nadie reservaba,
me cupo el cuarto de la prima[45] en suerte
en un bajo recuesto[46] junto al fuerte;

donde con el trabajo de aquel día
y no me haber en quince desarmado[47],

---

[41] *noturnas horas* Para el origen dantesco de la objetivación de las horas no mitológicas, cfr. Vilanova I,151; para Garcilaso, égl. II, 1771.

[42] *ciego* 'cegado, cerrado, lleno de tierra y broza' (*Aut.* con texto de Quevedo). Cfr. XIV, n. 44.

[43] *travieso* 'transversal' (*Aut.*); el uso sustantivo de la palabra *traviesa*, que registra DRAE ('madero atravesado') y no aparece todavía en Cov. ni *Aut.*, permitiría, con cambio de puntuación, la lectura del verso con estructura bimembre.

[44] *flaco* 'débil' (I, n. 29).

[45] *cuarto de prima* 'la primera de las tres partes en que se divide la noche para los centinelas' (*Aut.* s.v. *quartos*). Cfr. *prima* 'la parte de la noche desde las ocho a las once' (*Aut.*, que considera la ac. como usada en la milicia).

[46] *recuesto* 'pendiente', como en 25,5 (XVI, n. 49).

[47] Para la probable inutilidad de la armadura en la conquista de América, v. Salas, 238 y ss.; seguramente se refiere solamente a la rodela y la espada que se mencionan en 28,3.

568

el importuno sueño me afligía,
hallándome molido y quebrantado;
mas con nuevo ejercicio resistía,
paseándome deste y de aquel lado
sin parar un momento; tal estaba
que de mis propios pies no me fiaba.

No el manjar de sustancia vaporoso,
ni vino muchas veces trasegado[48],
ni el hábito y costumbre de reposo
me habían el grave[49] sueño acarreado.
Que bizcocho[50] negrísimo y mohoso
por medida de escasa mano dado
y la agua llovediza desabrida
era el mantenimiento de mi vida.

Y a veces la ración se convertía
en dos tasados puños[51] de cebada,
que cocida con yerbas nos servía
por la falta de sal, la agua salada;
la regalada cama en que dormía
era la húmida tierra empantanada,
armado siempre y siempre en ordenanza[52],
la pluma ora en la mano, ora la lanza.

Andando, pues, así con el molesto   25
sueño que me aquejaba porfiando,
y en gran silencio el encargado puesto

---

[48] *trasegado* 'mudado de cuba o tinaja para clarificarlo' (Nebrija según DCECH).

[49] *grave* 'pesado' (II, n. 54).

[50] *bizcocho* 'pan dos veces cocido' (Nebrija s.v. *vizcocho*).

[51] *puño* puñado (Nebrija).

[52] *en ordenanza* 'listo, preparado'; cfr. *Aut. estar de ordenanza* 'frase militar que significa estar el soldado pronto y destinado para ejecutar la orden'; *siempre y siempre* es tipo de repetición que representa la forma más elemental de la geminación por contacto (Lausberg, par. 617) y constituye una forma coloquial de superlativo, hoy común todavía en algunas regiones de América; aparece con alguna frecuencia en el poema, como en XXI,3,1, o XXXII,40,1 (I, n. 92).

de un canto al otro canto paseando,
vi que estaba el un lado del recuesto
lleno de cuerpos muertos blanqueando,
que nuestros arcabuces aquel día
habían hecho gran riza y batería[53].

No mucho después desto, yo que estaba
con ojo alerto[54] y con atento oído,
sentí[55] de rato en rato que sonaba
hacia los cuerpos muertos un ruido,
que siempre al acabar se remataba
con un triste sospiro sostenido,
y tornaba a sentirse, pareciendo
que iba de cuerpo en cuerpo discurriendo.

La noche era tan lóbrega y escura[56]
que divisar lo cierto no podía,
y así por ver el fin desta aventura
(aunque más por cumplir lo que debía)
me vine, agazapado en la verdura,
hacia la parte que el rumor se oía,
donde vi entre los muertos ir oculto
andando a cuatro pies un negro bulto.

Yo de aquella visión mal satisfecho,
con un temor, que agora aun no le niego,
la espada en mano y la rodela[57] al pecho,
llamando a Dios, sobre él aguijé[58] luego.
Mas el bulto se puso en pie derecho,
y con medrosa voz y humilde ruego

---

[53] *batería* 'estrago' (Cov., s.v. *batir*).

[54] *alerto* Cfr. IX, n. 115 para la variante de género gramatical.

[55] *sentir* 'oír' es hoy sustitución corriente en América. Cfr. DCECH y *Arcaísmos*, 224.

[56] *lóbrega y escura* es pareja de sinónimos permanentemente asociados como epítetos de la noche.

[57] *rodela* 'escudo' (XI, n. 134).

[58] *aquijar* 'apresurar' (II, n. 23).

dijo: «Señor, señor, merced te pido,
que soy mujer y nunca te he ofendido.

»Si mi dolor y desventura estraña
a lástima y piedad no te inclinaren
y tu sangrienta espada y fiera saña
de los términos lícitos pasaren,
¿qué gloria adquirirás de tal hazaña,
cuando los justos cielos publicaren
que se empleó en una mujer tu espada,
viuda, mísera, triste y desdichada?[59]

»Ruégote pues, señor, si por ventura   30
o desventura, como fue la mía,
con amor verdadero y con fe pura
amaste tiernamente en algún día,
me dejes dar a un cuerpo sepultura,
que yace entre esta muerta compañía.
Mira que aquel que niega lo que es justo
lo malo aprueba ya y se hace injusto.

»No quieras impedir obra tan pía,
que aun en bárbara guerra se concede,
que es especie y señal de tiranía
usar de todo aquello que se puede.
Deja buscar su cuerpo a esta alma mía[60],
después furioso con rigor procede,
que ya el dolor me ha puesto en tal estremo
que más la vida que la muerte temo[61];

---

[59] Nótese la repetición sinonímica triple, no frecuente en el poema, y que funciona, por simple acumulación semántica intensificadora, como un superlativo (I, n. 112 y III, n. 39).

[60] El recurso retórico de origen petrarquesco por el que la amada es el alma del amado, ya introducido en la lírica castellana por Garcilaso (son. XIX) adquiere una particular frescura en el contexto en que lo integra Ercilla; ya no se trata de la voz poética masculina en busca de su alma, sino del caso opuesto, doblemente conmovedor porque el «cuerpo» yace literalmente sin vida y el «alma» que habla está a punto de perder su cuerpo «real».

[61] El verso es variante antitética del de Garcilaso: «estoy muriendo y

»que no sé mal que ya dañarme pueda:
no hay bien mayor que no le haber tenido;
acábese y fenezca lo que queda
pues que mi dulce amigo ha fenecido.
Que aunque el cielo cruel no me conceda
morir mi cuerpo con el suyo unido,
no estorbará, por más que me persiga,
que mi afligido espíritu le siga.»

En esto con instancia me rogaba
que su dolor de un golpe rematase;
mas yo, que en duda y confusión estaba
aún, teniendo temor que me engañase,
del verdadero indicio no fiaba
hasta que un poco más me asegurase,
sospechando que fuese alguna espía
que a saber cómo estábamos venía.

Bien que[62] estuve dudoso, pero luego
(aunque la noche el rostro le encubría),
en su poco temor y gran sosiego
vi que verdad en todo me decía;
y que el pérfido[63] amor, ingrato y ciego,
en busca del marido la traía,
el cual en la primera arremetida,
queriendo señalarse, dio la vida.

---

aun la vida temo» (Egl. I,60). El episodio se inspira en el clásico modelo
de Argía, que va en busca del cadáver de su marido Polynices para darle
sepultura honrosa. Cfr. Papinius Statius, *Thebais* XII,177-408. V. María
Rosa Lida de Malkiel, *Dido en la literatura española* Londres, Tamesis, 1974
(1942), 134. Para otras posibles (y menos probables) fuentes: Séneca, Je-
nofonte (Panthea y Abradatas en la *Cyropedia,* VII,3,1-7), v. M. Menéndez y Pelayo, *Historia de la poesía Hispano-Americana* II,227 y 234 en *Obras
completas,* XXVIII, Santander, Aldus, 1948. Para la narración de Tegualda, v. S. Aura Bocaz, «El personaje Tegualda, uno de los narradores se-
cundarios de *La Araucana*» en el *Boletín de Filología,* Universidad de Chile
XXVII (1976) 7-28.

[62] *bien que* 'aunque' (Keniston, par. 28,44 para ej. en prosa).

[63] *pérfido* es cultismo literario ya usado por Mena (Lida de Malkiel,
255). Ercilla lo usa en la ac. latina de 'mentiroso' (Ovidio, *Fasti* IV,
380) y crea una fina oposición con la «verdad» de lo que la joven dice.

Movido, pues, a compasión de vella
firme en su casto y amoroso intento,
de allí salido, me volví con ella
a mi lugar y señalado asiento,
donde yo le rogué que su querella
con ánimo seguro y sufrimiento
desde el principio al cabo me contase
y desfogando[64] la ansia descansase.

Ella dijo: «¡Ay de mí!, que es imposible
tener jamás descanso hasta la muerte,
que es sin remedio mi pasión terrible
y más que todo sufrimiento fuerte;
mas, aunque me será cosa insufrible,
diré el discurso de mi amarga suerte;
quizá que mi dolor, según es grave,
podrá ser que esforzándole me acabe[65].

»Yo soy Tegualda, hija desdichada
del cacique Brancol desventurado,
de muchos por hermosa en vano amada,
libre un tiempo de amor y de cuidado;
pero muy presto la fortuna, airada
de ver mi libertad y alegre estado,
turbó de tal manera mi alegría
que al fin muero del mal que no temía.

»De muchos fui pedida en casamiento,
y a todos igualmente despreciaba,
de lo cual mi buen padre descontento,
que yo acetase[66] alguno me rogaba;
pero con franco y libre pensamiento

---

[64] *desfogar* 'aplacar, calmar' (XVII, n. 76).
[65] Este prólogo que antepone la obligación de contar el dolor que la narración misma renueva en el locutor, tiene antecedente ilustre en Eneas: *Aeneidos* II,12-13: «quamquam animus meminisse horret luctuque refugit, / incipiam...».
[66] *acetar* por *aceptar* (XII, n. 44).

de su importuno[67] ruego me escusaba,
que era pensar mudarme desvarío
y martillar sin fruto en hierro frío.

»No por mis libres y ásperas respuestas
los firmes pretensores[68] aflojaron,
antes con nuevas pruebas y requestas
en su vana demanda más instaron,
y con danzas, con juegos y otras fiestas
mudar mi firme intento procuraron,
no les bastando maña ni artificio
a sacar mi propósito de quicio.

»Muy presto, pues, llegó el postrero[69] día   40
desta mi libertad y señorío:
¡oh si lo fuera de la vida mía!
Pero no pudo ser, que era bien mío.
En un lugar que junto al pueblo había
donde el claro Gualebo, manso río,
después que sus viciosos[70] campos riega,
el nombre y agua al ancho Itata entrega[71],

allí, para castigo de mi engaño,
que fuese a ver sus fiestas me rogaron,
y como había de ser para mi daño,
fácilmente comigo lo acabaron[72].
Luego, por orden y artificio estraño,
la larga senda y pasos enramaron,

---

[67] *importuno* 'inoportuno' es cultismo ya usado por F. Pérez de
Guzmán y Mena (C. C. Smith, 263) y preferido por J. de Valdés
(DCECH).

[68] *pretensor* 'pretendiente' (II, n. 30).

[69] *postrero,* como en XXI,29,1 y luego en 60,8: *postrer* como en
XXI,18,4 y XXI,32,1 (XIV, n. 49).

[70] *vicioso* 'deleitoso' (VII, n. 32); el nombre del río parece inventado,
como corresponde al carácter ficticio de la historia.

[71] *entrega* Para la expresión paralela que describe la desembocadura de
otro río, v. VII,3,8 y nota correspondiente; cfr. I, n. 107 para Itata.

[72] *acabar* 'persuadir' (Cov.), 'conseguir, obtener' (Cuervo, *Dicc.,* con
este texto).

574

pareciéndoles malo el buen camino
y que el sol de tocarme no era dino[73].

»Llegué por varios arcos donde estaba
un bien compuesto y levantado asiento,
hecho por tal manera que ayudaba
la maestra natura[74] al ornamento.
El agua clara en torno murmuraba,
los árboles movidos por el viento
hacían un movimiento y un ruido
que alegraban la vista y el oído.

»Apenas, pues, en él me había asentado,
cuando un alto y solene bando echaron,
y del ancho palenque y estacado[75]
la embarazosa gente despejaron.
Cada cual a su puesto retirado,
la acostumbrada lucha comenzaron,
con un silencio tal que los presentes
juzgaran ser pinturas más que gentes.

»Aunque había muchos jóvenes lucidos
todos al parecer competidores,
de diferentes suertes y vestidos,
y de un fin engañoso pretensores;
no estaba en[76] cuáles eran los vencidos,
ni cuáles habían sido vencedores,
buscando acá y allá entretenimiento,
con un ocioso y libre pensamiento,

»Yo, que en cosa de aquellas no paraba[77]   45
el fin de sus contiendas deseando,

---

[73] *dino* por *digno* XVII, n. 116).

[74] *maestra natura* El concepto de la naturaleza como creadora o artífice
(«maestra») y la fuente de donde se adquiere conocimiento deriva del
naturalismo renacentista y del pensamiento neoplatónico. Cfr. A. Castro, *El pensamiento de Cervantes,* 160 y ss. *Natura* 'naturaleza' (IX, n. 3).

[75] *palenque* 'valla' (XI, n. 9); *estacado* o *estacada* 'liza' (X, n. 70).

[76] *estar en* 'pensar, discurrir' (A. Salazar, 1614, en T.L.; *Aut.*).

[77] *parar* 'reparar, prestar atención' (II, n. 77).

ora los altos árboles miraba,
de natura las obras contemplando;
ora la agua que el prado atravesaba,
las varias pedrezuelas numerando,
libre a mi parecer y muy segura
de cuidado, de amor y desventura,

»cuando un gran alboroto y vocería
(cosa muy cierta en semejante juego)
se levantó entre aquella compañía,
que me sacó de seso[78] y mi sosiego.
Yo, queriendo entender[79] lo que sería,
al más cerca de mí pregunté luego
la causa de la grita ocasionada,
que me fuera mejor no saber nada.

»El cual dijo: —Señora, ¿no has mirado
cómo el robusto joven Mareguano
con todos cuantos mozos ha luchado,
los ha puesto de espaldas en el llano?
Y cuando ya esperaba confiado
que la bella guirnarlda de tu mano
la ciñera la ufana y leda[80] frente
en premio y por señal más valiente,

»aquel gallardo mozo bien dispuesto
del vestido de verde y encarnado[81],
con gran facilidad le ha en tierra puesto,
llevándole el honor que había ganado;
y el fácil y liviano[82] pueblo desto
como de novedad maravillado,

---

[78] *sacar de seso* 'sacar de quicio, perturbar' no aparece registrada en los diccionarios áureos ni en *Aut.;* para el zeugma, III, n. 49.

[79] *entender* 'enterarse' (IV, n. 111).

[80] *ledo* 'alegre' como luego en el Canto, en 71,1 (II, n. 22); los adjetivos indican que *frente* es sinécdoque por *rostro,* aunque el significado del verbo se ajusta a la acepción corriente de *frente.*

[81] *encarnado* Para su preferencia sobre *colorado,* IX, n. 83.

[82] *liviano* 'antojadizo, voluble' (III, n. 17).

ha levantado aquel confuso estruendo,
la fuerza del mancebo encareciendo.

»Y también Mareguano que procura
de[83] volver a luchar, el cual alega
que fue siniestro caso y desventura,
que en fuerza y maña el otro no le llega;
pero la condición y la postura[84]
del espreso cartel[85] se lo deniega,
aunque el joven con ánimo valiente
da voces que es contento y lo consiente;

»pero los jueces, por razón, no admiten   50
del uno ni de otro el pedimiento[86],
ni en modo alguno quieren ni permiten
inovación[87] en esto y movimiento,
mas que de su propósito se quiten
si entrambos de común consentimiento,
pareciendo[88] primero en tu presencia
no alcanzaren de ti franca[89] licencia.

»En esto a mi lugar enderezando
de aquella gente un gran tropel venía,
que como[90] junto a mí llegó, cesando
el discorde[91] alboroto y vocería,

---

[83] *procurar de* es régimen verbal común en los textos áureos (Keniston, par. 10,773).

[84] *postura* 'condición, convenio' *(Aut.)*.

[85] *cartel* 'anuncio de desafío' (Nebrija «cartel de desafío») y ya documentado a mediados del xv (DCECH); v. descripción detallada en *Aut*.

[86] *pedimiento* ant. *petición,* cultismo este último, que registra Nebrija como sinónimo de *demanda*.

[87] *inovación* por *innovación* es documentación temprana de su uso literario; para *inovar* en M. Alemán, v. DCECH.

[88] *parecer* por *aparecer,* como en 64,2 (III, n. 25).

[89] *franco* 'generoso' (X, n. 17).

[90] *como* tiene aquí valor temporal 'apenas, cuando'; cfr. Keniston, par. 29, 811 para ej. en prosa; nótese el uso de indicativo contra lo que Keniston afirma.

[91] *discorde* Cfr. VII, n. 11 para este cultismo.

el mozo vencedor la voz alzando,
con una humilde y baja[92] cortesía
dijo: —Señora, una merced te pido,
sin haberla mis obras merecido:

»que si soy estranjero y no merezco
hagas por mí lo que es tan de tu oficio,
como tu siervo natural me ofrezco
de[93] vivir y morir en tu servicio;
que aunque el agravio aquí yo le padezco,
por dar desta mi oferta algún indicio
quiero, si dello fueres tú servida,
luchar con Mareguano otra caída,

»y otra y otra y aun más, si él quiere, quiero,
hasta dejarle en todo satisfecho;
y consiento que al punto y ser primero
se reduza[94] la prueba y el derecho,
que siendo en tu presencia cierto espero
salir con mayor gloria deste hecho.
Danos licencia, rompe el estatuto
con tu poder sin límite absoluto

»Esto dicho, con baja reverencia
la respuesta, mirándome, esperaba;
mas yo, que sin recato y advertencia,
escuchándole atenta le miraba,
no sólo concederle la licencia
pero ya que venciese deseaba,
y así le respondí: —Si yo algo puedo,
libre y graciosamente lo concedo.

---

[92] *bajo* 'humilde', por oposición a *arrogante*, como en 54,1.

[93] *ofrecerse de* alternaba con la construcción actual *ofrecerse a* en los textos del XVI y del XVII (Keniston, par. 37,541 para ejs. en prosa).

[94] *reduza* por *reduzca* es forma popular del presente de subjuntivo semejante a la de otros verbos (crecer, parecer), todavía viva en usos regionales (Rosenblat, par. 239).

»Luego con un gallardo continente   55
ambos juntos de mí se despidieron[95],
y con grande alborozo de la gente
en la cerrada plaza los metieron,
adonde los padrinos igualmente
el sol ya bajo y campo les partieron[96],
y dejándolos solos en el puesto
el uno para el otro movió presto.

»Juntáronse en un punto y porfiando
por el campo anduvieron un gran trecho,
ora volviendo en torno y volteando,
ora yendo al través, ora al derecho,
ora alzándose en alto, ora bajando,
ora[97] en sí recogidos pecho a pecho,
tan estrechos, gimiendo, se tenían,
que recebir aliento aun no podían.

«Volvían a forcejar[98] con un ruido,
que era de ver y oírlos cosa estraña,
pero el mozo estranjero, ya corrido[99]
de su poca pujanza y mala maña,
alzó de tierra al otro y de un gemido
de espaldas le trabuca[100] en la campaña
con tal golpe, que al triste Mareguano
no le quedó sentido y hueso sano.

---

[95] Las dos ediciones de Madrid, 1578 y Zaragoza, 1578: «Luego los dos cortés y alegremente / sin detenerse más se despidieron.»

[96] *partir el sol* o *partir el campo* 'en los desafíos, colocar a los combatientes de modo que la luz del sol les sirva igualmente sin ventaja para ninguno' (DRAE).

[97] *ora... ora* como conjunción distributiva era de uso relativamente reciente. Cfr. ejs. contemporáneos y posteriores en *Aut.* (DCECH s.v. *hora*); pero ya se documenta en Garcilaso *agora... agora* (Égl. I,10-12), *aora... ora* (son, 37,5-6) y *ora... ora* (Égl. III,40). Sin embargo, no es frecuente el uso triple que este texto documenta.

[98] *forcejar* por *forcejear* (X, n. 76).

[99] *corrido* 'avergonzado' (III, n. 20).

[100] *trabucar* 'voltear' (XIX, n. 28).

»Luego de mucha gente acompañado
a mi asiento los jueces le trujeron[101],
el cual ante mis pies arrodillado,
que yo le diese el precio[102] me dijeron.
No sé si fue su estrella o fue mi hado
ni las causas que en esto concurrieron,
que comencé a temblar y un fuego ardiendo
fue por todos mis huesos discurriendo[103].

»Halléme tan confusa y alterada
de aquella nueva causa y acidente[104],
que estuve un rato atónita y turbada
en medio del peligro y tanta gente;
pero volviendo en mí más reportada,
al vencedor en todo dignamente,
que estaba allí inclinado ya en mi falda,
le puse en la cabeza la guirnalda.

»Pero bajé los ojos al momento   60
de la honesta vergüenza reprimidos,
y el mozo con un largo ofrecimiento
inclinó a sus razones mis oídos.
Al fin se fue, llevándome el contento
y dejando turbados mis sentidos;
pues que llegué de amor y pena junto
de solo el primer paso al postrer punto.

»Sentí una novedad que me apremiaba
la libre fuerza y el rebelde brío,
a la cual sometida se entregaba
la razón, libertad y el albedrío.

---

[101] *trujeron* ant. *trajeron* (III, n. 91).

[102] *precio* 'premio', como en 64,2 (X, n. 24).

[103] *discurrir* 'correr por todas partes' (III, n. 104). Para esta imagen del fuego amoroso que se hace lugar común retórico de la lírica amorosa petrarquesca, v. el origen virgiliano en *Aeneidos* IV,66-67: «... est mollis flamma medullas / interea et tacitum vivit sub pectore volnus.»

[104] *acidente* por *accidente* 'suceso inopinado' (*Aut.*).

Yo, que cuando acordé[105], ya me hallaba
ardiendo en vivo fuego el pecho frío,
alcé los ojos tímidos cebados[106],
que la vergüenza allí tenía abajados[107].

»Roto con fuerza súbita y furiosa
de la vergüenza y continencia el freno,
le seguí con la vista deseosa,
cebando más la llaga y el veneno.
Que sólo allí mirarle y no otra cosa
para mi mal hallaba que era bueno,
así que adonde quiera que pasaba
tras sí los ojos y alma me llevaba.

»Vile que a la sazón se apercebía
para correr el palio[108] acostumbrado,
que una milla de trecho y más tenía
el término del curso[109] señalado,
y al suelto[110] vencedor se prometía
un anillo de esmaltes rodeado
y una gruesa esmeralda bien labrada,
dado por esta mano desdichada.

»Más de cuarenta mozos en el puesto
a pretender el precio parecieron
donde, en la raya y el pie cada cual puesto,
promptos y apercebidos atendieron[111]:
que no sintieron la señal tan presto
cuando todos en hila[112] igual partieron

---

[105] *acordar* 'volver uno en su juicio' (Cuervo, *Dicc.* I,139b que la considera acepción del «período ante-clásico»).

[106] *cebado* 'herido' (XIX, n. 46) y *cebando* 'hiriendo, penetrando', cinco versos más abajo.

[107] *abajar* por *bajar* (IV, n. 14).

[108] *palio* 'premio que señalaban en la carrera al vencedor'; aquí, la carrera misma (VI, n. 20).

[109] *curso* 'lugar donde se corren carreras' (I, n. 26).

[110] *suelto* 'veloz' (I, n. 27).

[111] *prompto* por *pronto* (XVII, n. 118). *Atender* 'esperar' (III, n. 31).

[112] *hila* 'hilera' (I, n. 48).

con tal velocidad, que casi apenas
señalaban la planta en las arenas.

»Pero Crepino, el joven estranjero,   65
que así de nombre propio se llamaba,
venía con tanta furia el delantero,
que al presuroso viento atrás dejaba.
El rojo palio al fin tocó el primero
que la larga carrera remataba,
dejando con su término[113] agraciado
el circunstante[114] pueblo aficionado.

»Y con solene triunfo rodeando
la llena y ancha plaza, le llevaron;
pero despúes a mi lugar tornando,
que le diese el anilo me rogaron.
Yo, un medroso temblor disimulando
(que atentamente todos me miraron),
del empacho[115] y temor pasado el punto,
le di mi libertad y anillo junto.

»Él me dijo: —Señora, te suplico
le recibas de mí, que aunque parece
pobre y pequeño el don, te certifico
que es grande la afición con que se ofrece;
que con este favor quedaré rico
y así el ánimo y fuerzas me engrandece,
que no habrá empresa grande ni habrá cosa
que ya me pueda ser dificultosa.

»Yo, por usar de toda cortesía
(que es lo que a las mujeres perficiona)[116],

---

[113] *término* 'modo, condición', como luego en 70,8 (XI, n. 31).

[114] *circunstante* 'que rodea, espectador' es cultismo presente en el *Vocabulario* de A. de Palencia. *Aficionado* 'cautivado' (Cuervo, *Dicc.*, con este texto).

[115] *empacho* 'vergüenza' (Nebrija; DCECH para documentación temprana) y ya en XV,15,1.

[116] *perficionar* por *perfeccionar* es inflexión común en el español antiguo y en usos dialectales de hoy (A. M. Espinosa, *Estudios...*, par. 46).

le dije que el anillo recebía
y más la voluntad de tal persona;
en esto toda aquella compañía
hecha en torno de mi espesa corona,
del ya agradable asiento me bajaron
y a casa de mi padre me llevaron.

»No con pequeña fuerza y resistencia,
por dar satisfación de mí a la gente,
encubrí tres semanas mi dolencia,
siempre creciendo el daño y fuego ardiente;
y mostrando venir a la obediencia
de mi padre y señor, mañosamente
le di a entender por señas y rodeo
querer cumplir su ruego y mi deseo,

»diciendo que pues él me persuadía   70
que tomase parientes y marido,
al parecer según que convenía,
yo por le obedecer le había elegido:
el cual era Crepino, que tenía
valor, suerte y linaje conocido,
junto con ser discreto, honesto, afable,
de condición y término loable.

»Mi padre, que con sesgo y ledo gesto[117]
hasta el fin escuchó el parecer mío,
besándome en la frente, dijo: —En esto
y en todo me remito a tu albedrío,
pues de tu discreción e intento[118] honesto
que elegirás lo que conviene fío,
y bien muestra Crepino en su crianza
ser de buenos respetos y esperanza.

»Ya que con voluntad y mandamiento
a mi honor y deseo satisfizo

---

[117] *sesgo* 'sereno' (IX, n. 149); *gesto* 'rostro' (I, n. 79).
[118] *intento* aquí 'intención, voluntad' (XV, n. 9).

y la vana contienda y fundamento
de los presentes jóvenes deshizo,
el infelice[119] y triste casamiento
en forma y acto público se hizo.
Hoy hace justo un mes, ¡oh suerte dura,
qué cerca está del bien la desventura!

«Ayer me vi contenta de mi suerte,
sin temor de contraste ni recelo;
hoy la sangrienta y rigurosa muerte
todo lo ha derribado por el suelo.
¿Qué consuelo[120] ha de haber a mal tan fuerte?;
¿qué recompensa puede darme el cielo,
adonde ya ningún remedio vale
ni hay bien que con tan grande mal se iguale?

»Éste es, pues, el proceso; ésta es la historia
y el fin tan cierto de la dulce vida:
he aquí mi libertad y breve gloria
en eterna amargura convertida.
Y pues que por tu causa la memoria
mi llaga ha renovado encrudecida[121],
en recompensa del dolor te pido
me dejes enterrar a mi marido;

»que no es bien que las aves carniceras   75
despedacen el cuerpo miserable,
ni los perros y brutas bestias fieras
satisfagan su estómago insaciable[122];
mas cuando empedernido ya no quieras

---

[119] *infelice* por *infeliz* es forma usual en los textos poéticos del XVI
(v. tb. XXI,1,4).

[120] *suelo... consuelo* Para este tipo de juego pseudo-etimológico o paronomasia, v. Lausberg, par. 637. Cfr. IV, n. 18 y ya I, n. 4.

[121] *encrudecer* 'irritar' (las heridas) ya en Nebrija.

[122] Variación del motivo épico que recuerda *Aeneidos* IX,485-6:
el lamento de la madre de Euryalos que es, a su vez, imitación de
Homero («Heu, terra ignota canibus data praeda Latinis / alitibusque ja-
ces!...»).

hacer cosa tan justa y razonable,
haznos con esa espada y mano dura
iguales, en la muerte y sepultura.»

Aquí acabó su historia, y comenzaba
un llanto tal que el monte enternecía
con una ansia y dolor que me obligaba
a tenerle en el duelo compañía;
que ya el asegurarle no bastaba
de cuanto prometer yo le podía:
sólo pedía la muerte y sacrificio
por último remedio y beneficio.

En gran congoja y confusión me viera[123],
si don Simón Pereira, que a otro lado
hacía también la guardia, no viniera
a decirme que el tiempo era acabado;
y espantado también de lo que oyera,
que un poco desde aparte había escuchado,
me ayudó a consolarla, haciendo ciertas
con nuevo ofrecimiento mis ofertas.

Ya el presuroso cielo volteando
en el mar las estrellas trastornaba,
y el Crucero[124] las horas señalando,
entre el sur y sudueste declinaba
en mitad del silencio y noche, cuando
visto cuánto la oferta la obligaba,
reprimiendo Tegualda su lamento,
la llevamos a nuestro alojamiento;

[123] Para el uso del imperfecto de subjuntivo por perfecto, VII,
n. 76.
[124] *crucero* Nombre dado por los navegantes a la constelación conocida
hoy como *Cruz del Sur.* Cfr. J. de Acosta *Historia natural y moral de las Indias*
(1590), I, c. 5: «Crucero llamamos cuatro estrellas notables que hacen
entre sí forma de cruz, puestas con mucha igualdad y proporción»
(BAE, LXXIII,11).

donde en honesta guarda y compañía
de mujeres casadas quedó, en tanto
que el esperado ya vecino día
quitase de la noche el negro manto.
Entretanto también razón sería,
pues que todos descansan y yo canto,
dejarlo hasta mañana en este estado,
que de reposo estoy necesitado[125].

FIN

---

[125] Ercilla combina dos tópicos en esta conclusión que derivan de fórmulas clásicas: cansancio del poeta, la hora tardía; añade a éstos, la novedad de la confusión deliberada entre el tiempo de la historia y el momento de la escritura. Cfr. C. Goic «La tópica de la conclusión en Ercilla» *Revista Chilena de Literatura* (Santiago) IV (otoño 1971) 17-34.

HALLA TEGUALDA EL CUERPO DEL MARIDO Y HACIENDO UN
LLANTO SOBRE ÉL, LE LLEVA A SU TIERRA. LLEGAN A PENCO
LOS ESPAÑOLES Y CABALLOS QUE VENÍAN DE SANTIAGO Y
DE LA IMPERIAL POR TIERRA. HACE CAUPOLICÁN MUESTRA
GENERAL DE SU GENTE

CANTO XXI

¿QUIÉN DE AMOR hizo prueba tan bastante?[1]
¿Quién vio tal muestra y obra tan piadosa
como la que tenemos hoy delante
desta infelice bárbara hermosa?
La fama, engrandeciéndola, levante
mi baja voz, y en alta y sonorosa
dando noticia della, eternamente
corra de lengua en lengua y gente en gente[2].

Cese el uso[3] dañoso y ejercicio
de las mordaces lenguas ponzoñosas,
que tienen de costumbre y por oficio
ofender las mujeres virtuosas.
Pues, mirándolo bien, solo este indicio,
sin haber en contrario tantas cosas,

---

[1] *bastante* 'competente' (XI, n. 29).

[2] *de gente en gente* es expresión fija asociada en numerosos textos con la
fama, como en esta octava (Lida de Malkiel, 519) pero fundamentalmente téngase en cuenta Garcilaso, Égl. I,160 («que siempre sonará de
gente en gente»).

[3] *uso* 'costumbre' (XII, n. 105).

confunde su malicia[4] y las condena
a duro freno y vergonzosa pena.

¡Cuántas y cuántas[5] vemos que han subido
a la difícil cumbre de la fama!
Iudic, Camila, la fenisa Dido
a quien Virgilio injustamente infama;
Penélope, Lucrecia, que al marido
lavó con sangre la violada cama;
Hippo, Tucia, Virginia, Fulnia, Cloelia,
Porcia, Sulpicia, Alcestes y Cornelia.

Bien puede ser entre éstas colocada
la hermosa Tegualda pues parece[6]
en la rara hazaña señalada
cuanto por el piadoso amor merece.
Así, sobre sus obras levantada,
entre las más famosas resplandece
y el nombre será siempre celebrado,
a la inmortalidad ya consagrado,

---

[4] *malicia* entiéndase: 'la malicia («de las mordaces lenguas») confunde con un solo indicio («ofender las mujeres virtuosas»)'.

[5] *cuántas y cuántas* es repetición con valor superlativo, común en exclamaciones (Keniston, par. 14, 423); cfr. XX, n. 52. La octava se hace eco de las listas que componían los tratados en defensa de las mujeres, género que tiene antecedentes clásicos (Plutarco), patrísticos (San Jerónimo) y humanistas en numerosas misceláneas y polianteas que se escriben a partir de la reimpresión de las misceláneas clásicas en el siglo xv y siguiente. Sin embargo, el tema ya lo había renovado el *De claris mulieribus* de Boccaccio, de gran influencia y descendencia en las letras españolas y traducido como *Libro de las illustres mujeres* (Zaragoza, 1494). La lista de Ercilla, que une personajes bíblicos (Judic o Judith) con personajes y personas de la literatura (Camilla, reina de los Volscos, en *Aeneidos* VII,803 y ss.) y la historia latina y griega, proviene en su mayoría de la obra de Boccaccio. Éste, a su vez, se apoya en los *Factorum ac dictorum memorabilium Libri IX* de Valerio Maximo (Lucrecia, Hippo, Tuccia, Verginia, Cloelia, Porcia, Sulpicia, Alcestis) y en Tito Livio (Lucrecia, Tuccia, Verginia), Plinio (Tuccia) y Plutarco (Cornelia, Fulvia, Porcia). Ercilla volverá en defensa de la «fenisa Dido» en la Tercera Parte del poema, Canto XXXII, para narrar su «verdadera historia».

[6] *parecer* por *aparecer* (III, n. 25).

588

Quedó pues (como dije) recogida   5
en parte honesta y compañía segura,
del poco beneficio agradecida,
según lo que esperaba en su ventura;
pero la aurora y nueva luz venida,
aunque el sabroso sueño con dulzura
me había los lasos[7] miembros ya trabado,
me despertó el aquejador[8] cuidado.

Viniendo a toda priesa adonde estaba
firme en el triste llanto y sentimiento,
que sólo un breve punto no aflojaba
la dolorosa pena y el lamento,
yo con gran compasión la consolaba,
haciéndole seguro ofrecimiento
de entregarle el marido y darle gente
con que salir pudiese libremente.

Ella, del bien incrédulo[9], llorando,
los brazos estendidos, me pedía
firme seguridad; y así llamando
los indios de servicio que tenía,
salí con ella, acá y allá buscando.
Al fin, entre los muertos que allí había,
hallamos el sangriento cuerpo helado,
de una redonda bala atravesado.

La mísera Tegualda que delante
vio la marchita faz desfigurada,
con horrendo furor en un instante
sobre ella se arrojó desatinada;
y junta con la suya, en abundante

---

7 *laso* 'fatigado' (IV, n. 75).
8 *aquejador* 'apremiante' es derivado de *aquejar,* no registrado por T.L.
ni DCECH, y conserva la ac. etimológica (DCECH s.v. *quejar*).
9 *incrédulo* 'increíble' es ac. latinizante de este cultismo ya documentado en el *Corbacho* (C. C. Smith, 245), pero infrecuente en la lírica del xvi
(no aparece en Garcilaso ni en Herrera), que explica su uso adjetivo con
bien.

flujo de vivas lágrimas bañada,
la boca le besaba y la herida,
por ver si le podía infundir la vida.

«¡Ay cuitada de mí! —decía—, ¿qué hago
entre tanto dolor y desventura?
¿Cómo al injusto amor no satisfago
en esta aparejada[10] coyuntura?
¿Por qué ya, pusilánime, de un trago
no acabo de pasar tanta amargura?
¿Qué es esto? ¿La injusticia a dónde llega,
que aun el morir forzoso se me niega?»

Así, furiosa por morir, echaba   10
la rigurosa mano al blanco cuello
y no pudiendo más, no perdonaba
al afligido rostro ni al cabello,
y aunque yo de estorbarlo procuraba[11],
apenas era parte a defendello[12],
tan grande era la basca[13] y ansia fuerte
de la rabiosa gana de la muerte.

Después que algo las ansias aplacaron
con la gran persuasión y ruego mío
y sus promesas ya me aseguraron[14]
del gentílico[15] intento y desvarío,

---

[10] *aparejado* 'preparado, provisto' (IV, n. 28); *pusilánime* del verso siguiente es cultismo aquí registrado tempranamente (DCECH da como primera documentación M. Alemán, tomado de *Aut.,* pero ya aparece en la traducción de Dante hecha por D. Fernández de Villegas, 1515, según C. C. Smith, 240).

[11] *procurar de* era construcción corriente en la época (XX, n. 83).

[12] *defender* 'impedir' (II, n. 90).

[13] *basca* 'molestia, ansia' (T.L.), es la acepción más corriente en el XVI. Para la repetición sinonímica, v. I, n. 112. V. tb. en este Canto: 19,1-2 («el alborozo, / el contento»); 37,5 («sazón y punto»); 47,6 («huello... y paso»); 50,4 («batida y golpeada»); 57,5 («derribad y allanad»); 57,6 («tiendas, pabellones»).

[14] *asegurar* 'poner a cubierto de riesgo' (III, n. 130).

[15] *gentílico* 'pagano', pues Teagualda estaba dispuesta a suicidarse, de

590

los prestos yanaconas[16] levantaron
sobre un tablón el yerto cuerpo frío,
llevándole en los hombros suficientes[17]
adonde le aguardaban sus sirvientes.

Mas porque estando así rota la guerra
no padeciese agravio y demasía,
hasta pasar una vecina sierra
le tuve con mi gente compañía;
pero llegando a la segura tierra,
encaminada en la derecha vía,
se despidió de mí reconocida
del beneficio y obra recebida.

Vuelto al asiento, digo que estuvimos
toda aquella semana trabajando,
en la cual lo deshecho rehicimos[18]
el foso y roto muro reparando;
de industria y fuerza al fin nos prevenimos[19]
con buen ánimo y orden, aguardando
al enemigo campo[20] cada día,
que era pública fama que venía.

También tuvimos nueva[21] que partidos
eran[22] de Mapochó nuestros guerreros,

---

aquí el «rabiosa ('demente') gana de la muerte» de la octava anterior; de
este adjetivo infrecuente se hace eco A. de Ovalle en su *Historia de Chile*,
VIII, c. 18 *(Aut.)*.

[16] *yanacona* 'indio mozo amigo que sirve a los españoles' como define
Ercilla en la «Declaración...» al final del poema, es voz de origen quichua documentado en textos a partir de 1536 (Friederici).

[17] *suficiente* 'apto, bastante para lo que se necesita' (IV, n. 120).

[18] *deshecho... rehicimos* es repetición etimologizadora, recurso retórico
frecuente en el poema (I, n. 4). V. más abajo en el Canto: 17,6 («presteza... aprestaba»).

[19] *prevenimos* es tal vez errata por *previnimos,* puesto que rima con los
otros verbos en pretérito, pero así se lee desde la princeps.

[20] *campo* 'ejército en formación' (I, n. 46).

[21] *nueva* 'noticias', aparece con más frecuencia en plural (Cov.); nótese
sin embargo la expresión fija *buena nueva.*

[22] *eran partidos* por *habían partido* era construcción cada vez menos fre-

de armas y municiones bastecidos[23],
con mil caballos y dos mil flecheros.
Mas del lluvioso invierno los crecidos
raudales y las ciénagas y esteros[24],
llevándoles ganado, ropa y gente,
los hacían detener forzosamente.

Estando, como digo, una mañana   15
llegó un indio a gran priesa a nuestro fuerte
diciendo: «¡Oh temeraria gente insana,
huid, huid la ya vecina muerte!
Que la potencia indómita[25] araucana
viene sobre vosotros de tal suerte,
que no bastarán muros ni reparos,
ni sé lugar donde podáis salvaros.»

El mismo aviso trujo[26] a medio día
un amigo cacique[27] de la sierra,
afirmando por cierto que venía
todo el poder y fuerza de la tierra
con soberbio aparato, donde había
instrumentos y máquinas de guerra,
puentes, traviesas[28], árboles, tablones
y otras artificiosas[29] prevenciones.

---

cuente a fines del XVII (Lapesa, par. 97,2); *Mapochó* Cfr. XV, n. 141.
    [23] *bastecido* por *abastecido* es la forma usada por autores del XVI y todavía
en Cervantes (el *abastecer* en Fz. Gómez es errata pues en la princeps figura sin vocal inicial); v. más adelante, 25,7.
    [24] *estero* 'terreno bajo y lagunoso', 'arroyo, torrente' son acep-
ciones americanas hoy corrientes y que se aplican al texto de Ercilla.
Cfr. DCECH para acs. referidas a la costa marina, más frecuentes en
España.
    [25] *indómito* V. I, n. 85 para este epíteto asociado desde Ercilla al espíri-
tu de los araucanos.
    [26] *trujo* por *trajo*, como después, en 22,5 *retrujeron* por *retrajeron*
(III, n. 91).
    [27] *cacique* Para este vocablo de origen arauaco, I, n. 22.
    [28] *traviesa* 'madero atravesado' (DRAE); v. XX, n. 43.
    [29] *artificioso* 'hábil, bien hecho' (X, n. 25).

No desmayó por esto nuestra gente,
antes venir al punto deseaba,
que el menos animoso osadamente
el lugar de más riesgo procuraba,
y con presteza y orden conveniente
todo lo necesario se aprestaba,
esperando con muestra apercebida
al día amenazador de tanta vida.

Fuimos también por indios avisados
de nuestros espiones[30], que sin duda
nos darían el asalto por tres lados
al postrer cuarto de la noche muda[31];
así que, cuando más desconfiados,
no de divina, más de humana ayuda,
por la cumbre de un monte de repente
apareció en buen orden nuestra gente.

¿Quién pudiera pintar el gran contento,
el alborozo de una y otra parte,
el ordenado alarde[32], el movimiento,
el ronco estruendo del furioso Marte,
tanta bandera descogida[33] al viento,
tanto[34] pendón, divisa y estandarte,
trompas, clarines, voces, apellidos[35],
relinchos de caballos y bufidos?

---

[30] *espión* 'espía' (Cov.) parece forma menos frecuente que *espía* (ya en Nebrija).

[31] *mudo* 'silencioso' con sustantivo animizado es uso poético latinizante (*muta solitudo* en Cicerón) que retomará Góngora («¿Por qué el silencio alteras / de una paz muda sí, pero dichosa», II, pág. 208 ed. Foulché-Delbosc) pero infrecuente en el XVI.

[32] *alarde* 'revista de tropas' (DCECH).

[33] *descogido* 'desplegado' (*Aut.* con este texto). Cfr. IV, n. 118.

[34] Para esta repetición anafórica típica de las enumeraciones en los textos épicos medievales, cfr. R. Menéndez Pidal, *Cantar del Mío Cid* II, párrafo 146.8.

[35] *apellido* 'grito de guerra' (XV, n. 68). Para este tipo de acumulación nominal frecuente en el poema, v. III, n. 39.

Ya que[36] los unos y otros con razones   20
de amor y cumplimiento nos hablamos,
y para los caballos y peones[37]
lugar cómodo y sitio señalamos,
tiendas labradas, toldos, pabellones
en la estrecha campaña levantamos
en tanta multitud, que parecía
que una ciudad allí nacido había.

Fue causa la venida desta gente
que el ejército bárbaro vecino,
con nuevo acuerdo y parecer prudente,
mudase de propósito y camino;
que Colocolo, astuta y sabiamente,
al consejo de muchos contravino[38],
discurriendo[39] por términos y modos
que redujo[40] a su voto los de todos.

Aunque, como ya digo, antes tuvieron
gran contienda sobre ello y diferencia
pero al fin por entonces difirieron
la ejecución de la áspera sentencia,
y el poderoso campo retrujeron
hasta tener más cierta inteligencia
del español ejército arribado,
que ya le había la fama acrecentado.

Pero los nuestros de mostrar ganosos
aquel valor que en la nación se encierra,
enemigos del ocio, y deseosos
de entrar talando la enemiga tierra,
procuran con afectos hervorosos[41]

---

[36] *ya que* 'apenas' (IX, n. 20).
[37] *peón* 'soldado de infantería', como luego en 49,6 (DCECH para doc.).
[38] *contravenir* 'oponerse' (Percivale, 1599, en T.L.).
[39] *discurrir* 'reflexionar' (III, n. 104).
[40] *reducir* 'convertir' (I, n. 100).
[41] *hervoroso* 'vehemente' (XIX, n. 100).

apresurar la deseada guerra,
haciendo diligencia y gran instancia
en prevenir las cosas de importancia.

Reformado el bagaje[42] brevemente
de la jornada larga y desabrida,
y bulliciosa y esforzada gente,
ganosa de honra y de valor movida,
murmurando[43] el reposo impertinente
pide que se acelere la partida
y el día tanto de todos deseado,
que fue de aquel en cinco señalado.

Venido el aplazado, alegre día[44],   25
al comenzar de la primer jornada,
llegó de la Imperial gran compañía
de caballeros y de gente armada,
que en aquella ocasión partido había
por tierra, aunque rebelde y alterada,
con gran chusma[45] y bagaje, bastecida
de municiones, armas y comida.

Ya, pues, en aquel sitio recogidos[46]
tantos soldados, armas, municiones,
todos los instrumentos prevenidos,
hechas las necesarias provisiones,
fueron por igual orden repartidos
los lugares, cuarteles y escuadrones,

---

[42] *bagaje* 'impedimenta del ejército' (doc. de mediados del XVI en DCECH; Cov., T.L.).

[43] *murmurar* con objeto directo de aquella persona o cosa de la que se murmura es construcción infrecuente que todavía aparece en Cervantes («Pecadora he sido y aun hoy lo soy, pero no de manera que los vecinos me murmuren» en *Casamiento engañoso* ap. Fz. Gómez).

[44] Las dos ediciones de 1578 y Zaragoza, 1578: «En el alegre y esperado día.»

[45] *chusma* 'conjunto de gente soez' (*Aut.;* DCECH, con doc. contemporánea de Ercilla); aquí, 'multitud de gente de servicio, no armada'.

[46] Las dos de Madrid, 1578 y Zaragoza, 1578: «de cosas importantes advertidos».

para que en el rebato[47] y voz primera
cada cual acudiese a su bandera[48].

Caupolicán también por otra parte[49]
con no menor cuidado y providencia
la gente de su ejército reparte
por los hombres de suerte[50] y suficiencia,
que en el duro ejercicio y bélica arte
era de mayor prueba y esperiencia;
y todo puesto a punto, quiso un día
ver la gente y las armas que tenía.

Era el primero que empezó la muestra
el cacique Pillilco, el cual armado
iba de fuertes armas, en la diestra
un gran bastón de acero barreado[51];
delante de su escuadra, gran maestra
de arrojar el certero dardo usado,
procediendo en buen orden y manera
de trece en trece iguales por hilera.

Luego pasó detrás de los postreros
el fuerte Leucotón, a quien siguiendo
iba una espesa banda de flecheros,
gran número de tiros esparciendo.
Venía Rengo tras él con sus maceros[52]
en paso igual y grave procediendo,
arrogante, fantástico, lozano[53],

---

[47] *rebato* 'acometimiento' (I, n. 58).

[48] *bandera* 'la gente o soldados que militan debajo de ella' *(Aut.)*, aquí, 'escuadrón', ya mencionado dos versos antes.

[49] Las dos ediciones de Madrid, 1578 y Zaragoza, 1578: «Caupolican con no menos doctrina / y gran cuidado en todo y providencia / la gente de su ejército confina».

[50] *suerte* 'estado o linaje' *(Aut.)*. Las dos ediciones de Madrid, 1578 y Zaragoza, 1578 leen el verso siguiente: «que en el arte militar y disciplina».

[51] *barreado* 'reforzado con barras' (I, n. 33).

[52] *macero* 'soldado armado con una maza' (Nebrija).

[53] *fantástico* 'presuntuoso y entonado', como luego en 47,8 y en

con un entero líbano[54] en la mano.

Tras él con fiero término seguía   30
el áspero y robusto Tulcomara,
que vestido en lugar de arnés, traía
la piel de un fiero tigre que matara,
cuya espantosa boca le ceñía
por la frente y quijadas la ancha cara,
con dos espesas órdenes[55] de dientes
blancos, agudos, lisos y lucientes;

al cual en gran tropel acompañaban
su gente agreste y ásperos soldados,
que en apiñada muela[56] le cercaban
de pieles de animales rodeados.
Luego los talcamávidas[57] pasaban,
que son más aparentes[58] que esforzados,
debajo del gobierno y del amparo
del jatancioso[59] mozo Caniotaro.

Iba siguiendo la postrer hilera
Millalermo, mancebo floreciente[60],

XXIX,24,7 (*Aut.*, con este texto); es cultismo incorporado por los autores del siglo xv (v. datos en DCECH). *Lozano* 'valiente, vigoroso', como
luego en el Canto, en 40,5. Cfr. I, n. 93; para la acumulación adjetiva que
en el último verso de la octava siguiente es tetramembre, v. III, n. 39.

[54] *líbano* 'cedro' y aquí, metonimia por maza o lanza de tamaño monu-
mental (II, n. 50).

[55] *orden* 'formación', aquí, 'hilera' (I, n. 111).

[56] *muela* 'círculo' (*Aut.*).

[57] *talcamávida* 'indios habitantes de la montaña de Talcamávida'. Cfr.
A. de Góngora Marmolejo, *Historia de Chile*, LIV, pág. 177 en que se describe este lugar estratégico para entrar en el territorio de Arauco. Ya había sido mencionado en VII,34,7 y vuelve a mencionarse en
XXXVIII,72,1.

[58] *aparente* 'de buen parecer' (*Aut.* ya como acepción «en estilo antiguo»).

[59] *jastancioso* por *jactancioso* es cultismo documentado por *Aut.* con textos posteriores (DCECH, sin fechas pero *jactar* ya lo cita en Santillana).

[60] *floreciente* 'escogido' (XVII, n. 32).

con sus pintadas armas, el cual era
del famoso Picoldo decendiente,
rigiendo los que habitan la ribera
del gran Nibequetén[61], que su corriente
no deja a la pasada fuente y río,
que todos no los traiga al Biobío.

Pasó luego la muestra[62] Mareande
con una cimitarra y ancho escudo,
mozo de presunción y orgullo grande,
alto de cuerpo, en proporción membrudo;
iba con él su primo Lepomande,
desnudo, al hombro un gran cuchillo agudo,
ambos de una devisa[63], rodeados
de gente armada y pláticos[64] soldados.

Seguía el orden tras éstos Lemolemo
arrastrando una pica poderosa
delante de su escuadra, por estremo
lucida entre las otras y vistosa;
un poco atrás del cual iba Gualemo,
cubierto de una piel dura y pelosa
de un caballo marino que su padre
había muerto en defensa de la madre.

Cuentan, no sé si es fábula, que estando   35
bañándose en la mar, algo apartada,
un caballo marino allí arribando,

---

[61] *Nibequetén* o NiveIII: «y pasé un río de dos tiros de arcabuz en
ancho, que iba muy lento e sesgo y daba a los estribos a los caballos, que
entra en el Biubiu cinco leguas antes de la mar» Pedro de Valdivia, *Carta*
al Emperador Carlos V, 15 de octubre de 1550, en BAE, CXXXI,59.
Ercilla ya lo había mencionado en I,62,3 con características semejantes.
Cfr. P. Mariño de Lobera, *Crónica del reino de Chile*, I,3, c. 38 para descripción de los ríos de Chile y dificultoso cauce, en comparación con los
de Europa (*ibíd.*, 319).

[62] *muestra* 'revista' (I, n. 63 para otra acepción).

[63] *devisa* por *divisa* 'señal distintiva'; ambas formas alternaron hasta el
XVII en los textos (Cervantes, solamente usa *divisa,* pero aún *devidir*).

[64] *plático* por *práctico,* como en 42,7 (II, n. 84).

fue dél súbitamente arrebatada
y el marido a las voces aguijando
de la cara mujer, del[65] pez robada,
con el dolor y pena de perdella,
al agua se arrojó luego[66] tras ella.

Pudo tanto el amor, que el mozo osado
al pescado alcanzó, que se alargaba
y abrazado con él, por maña, a nado
a la vecina orilla le acercaba,
donde el marino monstruo sobreaguado[67]
(que también el amor ya le cegaba)
dio recio en seco, al tiempo que el reflujo
de las huidoras[68] olas se retrujo.

Soltó la presa libre y sacudiendo
la dura cola, el suelo deshacía,
y aquí y allí el gran cuerpo retorciendo
contra el mozo animoso[69] se volvía,
el cual, sazón y punto[70] no perdiendo,
a las cercanas armas acudía,
comenzando los dos una batalla,
que el mar calmó y el sol paró a miralla.

Mas con destreza el bárbaro valiente
de fuerza y ligereza acompañada
al monstruo devoraz[71] hería en la frente
con una porra de metal herrada.

---

[65] de 'por' (I, n. 60).

[66] luego 'inmediatamente' (I, n. 53).

[67] sobreaguado 'sobre la superficie del agua' (DRAE; DCECH con doc. de fines del xv).

[68] huidor 'que huye', ya en Nebrija, según Aut. que trae texto del Inca Garcilaso; retrujo por retrajo, como luego, en 51,3, trujo por trajo. Cfr. III, n. 91 para estas formas del pretérito de traer.

[69] mozo animoso para este tipo de paronomasia, IV, n. 18.

[70] punto 'momento, ocasión oportuna' (Nebrija).

[71] devoraz 'voraz' es «voz de poco uso» para Aut., que trae este texto («muy raro» para DCECH). Las dos ediciones de Madrid, 1578 y Zaragoza, 1578: «hería al furioso monstruo reciamente».

Al cabo el indio valerosamente
dio felice[72] remate a la jornada,
dejando al gran pescado allí tendido
que más de treinta pies tenía medido[73].

Y en memoria del hecho hazañoso
digno de le poner en escritura,
del pellejo del pez duro y peloso
hizo una fuerte y fácil armadura.
Muerto Guacol, Gualemo valeroso
las armas heredó y a Quilacura[74],
ques un valle estendido y muy poblado
de gente rica de oro y de ganado.

Pasó tras éste luego Talcaguano,   40
que ciñe el mar su tierra y la rodea,
un mástil grueso en la derecha mano
que como un tierno junco le blandea[75],

[72] *felice* por *feliz* (XVI, n. 90).

[73] Ercilla reescribe desde su experiencia americana el motivo frecuente en autores clásicos del delfín enamorado de un joven, que debió
conocer a través de la *Silva* de Pero Mexía, en cuya Tercera Parte, capítulo XIV «Del estupendo y diabólico amor de un mancebo ateniense y de
los ridículos amores del rey Jerjes y cómo ha acaecido a los animales brutos amar a los hombres y a las mujeres. Y cuéntanse algunos ejemplos».
Mexía se inspira fundamentalmente en Plinio IX, par. 24 y ss., pero la
noción de que los delfines buscaban la amistad de los hombres y eran
sensibles a la música y acompañaban a los navíos, aparece en numerosos
textos clásicos. De todas las historias, la más célebre y repetida es la de
Arión (desde Herodoto a Ovidio, Aeliano, Plinio, Propercio, Aulo Ge-
lio, etc.). Ercilla, tomando como punto de partida la coraza de Gualemo, supone la existencia de una pareja y combina con la leyenda del pez
enamorado el motivo también europeo y particularmente mediterráneo,
del rapto de la amada (por piratas turcos) y el esfuerzo del amado por re-
cobrarla que, de Boccaccio a Cervantes y sus seguidores, será frecuente
en la narración corta del XVII.

[74] *Quilacura* Cfr. P. Mariño de Lobera, *o.c.*, Segunda Parte, XVII: «llegó (Valdivia) a la tierra de Penco donde después fundó la ciudad de la
Concepción; y estando alojado en un pueblo de indios llamado Quilacura, que está trece leguas del puerto de mar...» (BAE, CXXXI,269).

[75] Este símil hiperbólico (exageración épica ya iniciada con el uso de
mástil por *lanza* en el verso anterior) que había aparecido previamente en
XIV,45,4 será retomado por Góngora en el *Polifemo* (Vilanova I, 465).

cubierto de altas plumas, muy lozano,
siguiéndole su gente de pelea,
por los pechos[76] al sesgo atravesadas
bandas azules, blancas y encarnadas[77].

Venía tras él Tomé, que sus pisadas
seguían los puelches, gentes banderizas[78],
cuyas armas son puntas enastadas
de una gran braza[79], largas y rollizas;
y los trulos también, que usan espadas,
de fe mudable y casas movedizas[80],
hombres de poco efeto, alharaquientos[81],
de fuerza grande y chicos pensamientos.

No faltó Andalicán con su lucida
y ejercitada gente en ordenanza,
una cota finísima vestida,
vibrando la fornida y gruesa lanza;
y Orompello, de edad aun no cumplida[82]
pero de grande muestra y esperanza,
otra escuadra de pláticos regía,
llevando al diestro Ongolmo en compañía.

---

[76] Para el número gramatical de *pechos,* III, n. 122.

[77] *encarnado* Cfr. XVII, n. 91.

[78] *banderizo* 'que sigue o hace parcialidades o bandos' (Casas, 1579, etc., en T.L.; *Aut.* y ya en A. de Palencia, según DCECH), que es ampliación del anterior *seguir las pisadas* 'imitar, seguir en todo' *(Aut.).*

[79] *braza* 'medida de longitud' (XX, n. 17).

[80] La referencia corresponde a los puelches (*trulos* parece ser un nombre inventado); cfr. Gerónimo de Vivar, *Crónica...* (1558): «Dentro de esta cordillera a quince y a veinte leguas hay unos valles donde habita una gente los cuales se llaman «puelches» y son pocos, [...] Esta gente no siembra [...]. Susténtase de caza que hay en aquellos valles [...] sus armas [...] son arco y flechas [...] No tienen asiento cierto ni habitación que unas veces se meten a un cabo y otros tiempos a otro» (ed. cit., 163).

[81] *efeto* por *efecto* 'calidad' *(Aut.); alaraquiento* 'alborotador' *(Aut.* con este texto; DCECH sin doc.). Nótese en el verso siguiente la bimembración de dos sustantivos opuestos semánticamente: mundo físico vs. mundo intelectual, modificados por adjetivos en quiasmo y antitéticos. Otro ej. parecido en 53,5 (IX, n. 112).

[82] *edad no cumplida* era, para Ercilla y su tiempo, 'menor de veinte años' (XI,7,7).

Elicura pasó luego tras éstos
armado ricamente, el cual traía
una banda de jóvenes dispuestos,
de grande presunción y gallardía.
Seguían los llaucos, de almagrados gestos[83],
robusta y esforzada compañía,
llevando en medio dellos por caudillo
al sucesor del ínclito Ainavillo[84].

Seguía después Cayocupil, mostrando
la dispuesta persona y buen deseo,
su veterana gente gobernando
con paso grave y con vistoso arreo.
Tras él venía Purén, también guiando,
con no menor donaire y contoneo[85]
una bizarra escuadra de soldados
en la dura milicia ejercitados.

Lincoya iba tras él, casi gigante,   45
la cresta sobre todos levantada,
armado un fuerte peto rutilante[86],
de penachos cubierta la celada.
Con desdeñoso término, delante
de su lustrosa escuadra bien cerrada,
el mozo Peycaví luego guiaba
otro espeso escuadrón de gente brava.

Venía en esta reseña en buen concierto
el grave Caniomangue, entristecido

---

[83] *almagrado gesto* 'rostro teñido de rojo'; *almagre* 'arcilla roja empleada para teñir' (Nebrija: 'barro para teñir').

[84] *ínclito* 'célebre' (XII, n. 46). Para Ainavillo, I,61 y II,38.

[85] *contoneo* 'movimiento grave y con garbo del cuerpo' es documentación temprana de su uso literario (DCECH cita a Cervantes; *Aut.*).

[86] *rutilante* 'brillante' es latinismo utilizado ya por Juan de Padilla (1521) según Lida de Malkiel, 450; nótese también la sintaxis latinizante en «armado un peto» por «armado con un peto» (acusativo de relación o griego) que había utilizado ya Garcilaso, y aparece también en Herrera y en poetas italianizantes como señalarán los comentaristas de Góngora (D. Alonso, 162 y ss.).

por el insigne[87] viejo padre muerto
a quien había en el cargo sucedido:
todo de negro el blanco arnés cubierto,
y su escuadrón de aquel color vestido,
al tardo són y paso los soldados,
de roncos atambores[88] destemplados.

Fue allí el postrero que pasó en la lista
—primero en todo— Tucapel gallardo,
cubierta una lucida sobrevista[89]
de unos anchos escaques[90] de oro y pardo;
grande en el cuerpo y áspero en la vista,
con un huello[91] lozano y paso tardo,
detrás del cual iba un tropel de gente
arrogante, fantástica y valiente.

El gran Caupolicán, con la otra parte
y resto del ejército araucano,
más encendido que el airado Marte[92]
iba con un bastón corto en la mano
bajo de cuya sombra y estandarte
venía el valiente Curgo y Mareguano,
y el grave y elocuente Colocolo,
Millo, Teguán, Lambecho y Guampicolo.

Seguían luego detrás sus plimayquenes[93],
tuncos, renoguelones y pencones,

---

[87] *insigne* es cultismo que aparece en el contemporáneo de Ercilla Ambrosio de Morales (h. 1575 en *Aut.*)*;* la forma romanceada *insine* ya en Mena (DCECH).

[88] *atambor* 'tambor' (I, n. 54).

[89] *sobrevista* 'visera' (XII, n. 16).

[90] *escaque* 'casilla de las divisiones del escudo como en el tablero de ajedrez' (Percivale, 1599 en T.L.).

[91] *huello* 'paso, marca dejada por el paso' (*Aut.* con este texto y ya A. de Palencia, 1490).

[92] La edición de Madrid en 8vo., 1578 y Zaragoza, 1578: «más alardoso que el potente Marte».

[93] *plimaiquenes* o *pilmaiquenes* En efecto, Caupolicán era señor de Pilmaiquén, como se había mencionado en II,17,7-8. Cfr. Góngora Marmolejo, *o.c.* XXVIII, 135.

los itatas, mauleses y cauquenes
de pintadas devisas y pendones;
nibequetenes, puelches y cautenes[94]
con una espesa escuadra de peones
y multitud confusa de guerreros
amigos, comarcanos[95] y estranjeros.

Según el mar las olas tiende y crece   50
así crece la fiera gente armada;
tiembla en torno la tierra y se estremece,
de tantos pies batida y golpeada.
Lleno el aire de estruendo se escurece
con la gran polvoreda[96] levantada,
que en ancho remolino al cielo sube,
cual ciega niebla espesa o parda nube.

Pues nuestro campo en orden semejante
según que dije arriba, don García
al tiempo del partir puesto delante
de aquella valerosa compañía,
con un alegre término[97] y semblante
que dichoso suceso prometía,
moviendo los dispuestos corazones
comenzó de decir estas razones:

«Valientes caballeros, a quien[98] sólo
el valor natural de la persona
os trujo a descubrir el austral polo,
pasando la solar tórrida zona
y los distantes trópicos, que Apolo
(por más que cerca el cielo y le corona)
jamás en ningún tiempo pasar puede
ni el Soberano Autor se lo concede[99]:

---

[94] Para estas derivaciones de topónimos, v. I, n. 109.
[95] *comarcano* 'vecino' (I, n. 84) aquí por oposición a «estranjero».
[96] *polvoreda* por *polvareda* como luego en XXII,11,3 (V, n. 44).
[97] *término* 'modo' como antes en 45,5 (XI, n. 31).
[98] *quien* aquí, con valor plural (III, n. 16).
[99] Referencia a los dos momentos del año (en junio y diciembre) en que el sol (Apolo) se halla en uno de los dos trópicos.

»ya que con tanto afán habéis seguido
hasta aquí las católicas banderas
y al español dominio sometido
innumerables gentes estranjeras,
el fuerte pecho y ánimo sufrido
poned contra esos bárbaros de veras,
que, vencido esto poco, tenéis llano[100]
todo el mundo debajo de la mano.

»Y en cuanto dilatamos este hecho
y de llegar al fin lo comenzado,
poco o ninguna cosa habemos[101] hecho
ni aun es vuestro el honor que habéis ganado,
que, la causa indecisa, igual derecho
tiene el fiero enemigo en campo armado
a todas vuestras glorias y fortuna
pues las puede ganar con sola una.

»Lo que yo os pido de mi parte y digo   55
es que en estas batallas y revueltas,
aunque os haya ofendido[102] el enemigo,
jamás vos le ofendáis a espaldas vueltas[103];
antes le defended como al amigo
si, volviéndose a vos las armas sueltas,
rehuyere el morir en la batalla,
pues es más dar la vida que quitalla.

»Poned a todo en la razón la mira[104],
por quien las armas siempre habéis tomado,
que pasando los términos la ira
pierde fuerza el derecho ya violado.
Pues cuando la razón no frena y tira

---

[100] *llano* adv. 'sin dificultad' *(Aut.)*; para el uso adverbial de adjetivos,
I, n. 62.
[101] *habemos* Cfr. XVI, n. 91 para esta forma del verbo.
[102] *ofender* 'herir' (I, n. 49).
[103] *a espaldas vueltas* 'a traición, por detrás' *(Aut.* con ej. de Quevedo).
[104] *poner la mira en algo* 'buscar los medios para conseguirlo' (Correas,
725b). Cfr. XV, n. 111 y XXX n. 6.

el ímpetu y furor demasiado,
el rigor excesivo en el castigo
justifica la causa al enemigo.

»No sé ni tengo más acerca desto
que decir ni advertiros con razones,
que en detener ya tanto soy molesto
la furia desos vuestros corazones.
¡Sús, sús, pues, derribad y allanad presto[105]
las palizadas, tiendas, pabellones
y movamos de aquí todos a una[106]
adonde ya nos llama la fortuna!»

Súbito las escuadras presurosas
con grande alarde y con gallardo brío[107]
marchan a las riberas arenosas
del ancho y caudaloso Biobío;
y en esquifadas[108] barcas espaciosas
atravesaron luego el ancho río,
entrando con ejército formado
por el distrito y término vedado.

Mas según el trabajo se me ofrece
que tengo de pasar forzosamente,
reposar algún tanto me parece
para cobrar aliento suficiente,
que la cansada voz me desfallece
y siento ya acabárseme el torrente[109];
mas yo me esforzaré si puedo, tanto,
que os venga a contentar el otro canto.

FIN

[105] *¡sús!* Cfr. II, n. 32 para esta interjección de aliento. *Allanar* 'derribar' (XI, n. 116); *pabellón* 'tienda' (XI, n. 114).
[106] *a una* 'juntamente' (III, n. 65).
[107] Cfr. II, n. 101 y IX, n. 112 para la bimembración paralelística.
[108] *esquifado* 'preparado para remar' (Percivale, 1623 en T.L.); Góngora Marmolejo, *o.c.,* 144b: «le enviaron al camino un barco bien esquifado, con mucho refresco».
[109] *torrente* 'voz fuerte y sonora' *(Aut.).*

ENTRAN LOS ESPAÑOLES EN EL ESTADO DE ARAUCO; TRA-
BAN LOS ARAUCANOS CON ELLOS UNA REÑIDA BATALLA;
HACE RENGO DE SU PERSONA GRAN PRUEBA; CORTAN LAS
MANOS POR JUSTICIA A GALUARINO, INDIO VALEROSO

CANTO XXII

PÉRFIDO amor tirano, ¿qué provecho
piensas sacar de mi desasosiego?
¿No estás de mi promesa satisfecho
que quieres afligirme desde luego?
¡Ay!, que ya siento en mi cuidoso[1] pecho
labrarme[2] poco a poco un vivo fuego
y desde allí con movimiento blando
ir por venas y huesos penetrando.

¿Tanto, traidor, te va en que yo no siga[3]
el duro estilo del sangriento Marte,
que así de tal manera me fatiga
tu importuna memoria en cada parte?
Déjame ya, no quieras que se diga
que porque nadie quiere celebrarte,
al último rincón vas a buscarme,
y allí pones tu fuerza en aquejarme.

---

[1] *cuidoso* ant. *cuidadoso* (VII, n. 54).

[2] *labrar* 'mortificar' (VII, n. 78 para otra acepción).

[3] Para el recuerdo de Garcilaso, Égl. I,380-381, *Lexis,* Lima, II,2 (1978) 209.

¿No ves que es mengua[4] tuya y gran bajeza
habiendo tantos célebres varones,
venir a mendigar a mi pobreza
tan falta de concetos[5] y razones,
y en medio de las armas y aspereza
sumido en mil forzosas ocasiones
me cargas por un sueño, quizá vano,
con tanta pesadumbre ya la mano?[6].

Déjame ya, que la trompeta horrenda[7]
del enemigo bárbaro vecino
no da lugar a que otra cosa atienda,
que me tiene tomado ya el camino
donde siento fraguada una contienda,
que al más fértil ingenio y peregrino[8]
en tal revolución embarazado[9],
no le diera lugar desocupado.

¿Qué puedo, pues, hacer, si ya metido   5
dentro en el campo y ocasión me veo,
sino al cabo cumplir lo prometido
aunque tire a otra parte mi deseo?
Pero a término[10] breve reducido?
por la más corta senda, sin rodeo,
pienso seguir el comenzado oficio
desnudo de ornamento y artificio.

---

[4] *mengua* 'descrédito' *(Aut.)*.

[5] *conceto* por *concepto* 'sentencia, agudeza, artificio', es acepción no ligada exclusivamente al conceptismo como movimiento literario. Así,
Gracián en su *Agudeza y arte de ingenio* recoge textos de «agudos antiguos»
(no de Ercilla, aunque es gran admirador de Juan Rufo, el autor de *La
Austríada*, a quien llama «cordobés agudo»). V. luego, 5,8. Para otra
acepción y bibliografía, v. XIX, n. 2.

[6] *cargar la mano* 'castigar severamente' (Sobrino, 1705, en T.L.; *Aut.*
s.v. *cargar*).

[7] *horrendo* es cultismo literario (III, n. 13).

[8] Las dos ediciones de Madrid, 1578 y Zaragoza, 1578: «que al ingenio más raro y peregrino».

[9] *embarazado* 'ocupado, detenido' (Cov.).

[10] *término* 'momento' (XVI, n. 117); en la octava siguiente, verso 4 es,
en cambio, 'territorio' (V. I, n. 21 con definición de *mojón*).

Vuelto a la historia, digo que marchaba
nuestro ordenado campo de manera
que gran espacio en breve se alejaba
del Talcaguano término y ribera[11];
mas cuando el alto sol ya declinaba,
cerca de un agua, al pie de una ladera,
en cómodo lugar y llano asiento
hicimos el primero alojamiento.

Estábamos apenas alojados
en el tendido llano a la marina[12],
cuando se oyó gritar por todos lados:
«¡Arma!, ¡arma!; ¡enfrena!, ¡enfrena!, ¡Aína, aína!»[13]
Luego de acá y de allá los derramados,
siguiendo la ordenanza y diciplina,
corren a sus banderas y pendones
formando las hileras y escuadrones.

Nuestros descubridores[14], que la tierra
iban corriendo por el largo llano,
al remate del cual está una sierra,
cerca del alto monte andalicano,
vieron de allí calar[15] gente de guerra
cerrando el paso a la siniestra mano,
diciendo: «¡Espera!, ¡espera!; ¡Tente, tente!;
veremos quién es hoy aquí valiente.»

Los nuestros, al amparo de un repecho,
en forma de escuadrón se recogieron,
donde con muestra y animoso pecho

[11] Referencia al Biobío; cfr. Góngora Marmolejo, *o.c.:* «Talcaguano, que está ribera del Biobío» (c. LXXII, 208b).

[12] *a la marina* 'junto a la ribera o costa' (XII, n. 68).

[13] *enfrenar* 'echar el freno al caballo' (Nebrija); *aína* 'de prisa' quedó anticuado a partir del XVII (DCECH).

[14] *descubridor* 'en la milicia es lo mismo que explorador o batidor de la campaña» (*Aut.*, con este texto).

[15] *calar* 'descender' (IV, n. 23).

al ventajoso número atendieron[16],
pero los fieros bárbaros de hecho,
sin punto reparar, los embistieron,
haciéndoles tomar presto la vuelta
sin orden y camino, a rienda suelta.

Aunque a veces en partes recogidos,   10
haciendo cuerpo y rostro[17], revolvían
y con mayor valor que de vencidos
al vencedor soberbio acometían.
Pero de la gran furia compelidos,
el camino empezado proseguían,
dejando a veces muerta y tropellada[18]
alguna de la gente desmandada[19].

Los presurosos indios desenvueltos[20],
siempre con mayor furia y crecimiento,
en una espesa polvoreda envueltos,
iban en el alcance y seguimiento.
Los nuestros a calcaño y frenos sueltos[21],
a la sazón con más temor que tiento,
ayudan los caballos desbocados
arrimándoles hierro a los costados.

Pero por más que allí los aguijaban,
con voces, cuerpos, brazos y talones[22],

---

[16] *atender* 'esperar' (III, n. 31). Entiéndase 'esperaron al número superior'.

[17] Ercilla intensifica la frase hecha *hacer rostro* 'volverse al enemigo para esperarle y resistirle', que utilizará en 13,6 en la expresión «hacer cuerpo y rostro» (V, n. 65). Para *revolver* 'volver la cara al enemigo', IV, n. 87.

[18] *tropellar* por *atropellar* (II, n. 114).

[19] *desmandado* 'el soldado apartado de su bandera' (XIX, n. 79).

[20] *desenvuelto* 'diestro, hábil' (Nebrija: «no empachado»).

[21] *a calcaño* (ant. 'talón') *y frenos sueltos* 'velozmente' es ampliación, no desprovista de humor, sobre la frase hecha *a rienda suelta* de 9,8.

[22] Para esta acumulación nominal y la verbal en los v. 6 y 7 de la octava siguiente, características de las descripciones bélicas, v. III, n. 39.

los bárbaros por pies los alcanzaban,
haciéndoles bajar de los arzones.
Al fin, necesitados, peleaban
cual los heridos osos y leones,
cuando de los lebreles aquejados
veen la guarida y pasos ocupados[23].

Como el airado viento repentino
que en lóbrego turbión[24] con gran estruendo
el polvoroso campo y el camino
va con violencia indómita[25] barriendo,
y en ancho y presuroso remolino
todo lo coge, lleva y va esparciendo,
y arranca aquel furioso movimiento
los arraigados troncos de su asiento[26],

con tal facilidad, arrebatados
de aquel furor y bárbara violencia,
iban los españoles fatigados,
sin poderse poner en resistencia.
Algunos, del honor avergonzados,
vuelven haciendo rostro y aparencia
mas otra ola de gente que llegaba
con más presteza y daño los llevaba.

Así los iban siempre maltratando,   15
siguiendo el hado y próspera fortuna,
el rabioso furor ejecutando
en los rendidos, sin clemencia alguna[27].

---

[23] El origen clásico y la reelaboración ariostesca de estas comparaciones venatorias ya ha sido señalado en III, n. 88.

[24] *turbión* 'tormenta súbita' (III, n. 90).

[25] *indómito* V. para este epíteto paradigmático de los araucanos, I, n. 85.

[26] Ercilla había utilizado imagen parecida en XI,66,4; en aquel caso, la furia del agua era el agente destructor que aquí se reemplaza con el viento.

[27] El texto quiere contrastar la falta de clemencia indígena con la arenga de don García, en el Canto anterior, quien solicitaba de sus soldados deponer la ira si el enemigo «... volviéndose a vos las armas suel-

Por el tendido[28] valle resonando
la trulla[29] y grita bárbara importuna,
que arrebatada del ligero viento
llevó presto la nueva a nuestro asiento.

En esto por la parte del poniente
con gran presteza y no menor ruido
Juan Remón arribó con mucha gente,
que el aviso primero había tenido
y en furioso tropel, gallardamente,
alzando un ferocísimo alarido,
embistió la enemiga gente airada,
en la vitoria y sangre ya cebada.

Mas un cerrado muro y baluarte
de duras puntas al romper[30] hallaron,
que con estrago de una y otra parte,
hecho un hermoso choque, repararon[31].
Unos pasados van de parte a parte,
otros muy lejos del arzón volaron,
otros heridos, otros estropeados,
otros de los caballos tropellados.

No es bien pasar tan presto, ¡oh pluma mía!,
las memorables cosas señaladas
y los crudos[32] efetos deste día
de valerosas lanzas y de espadas

---

tas, / rehuyere el morir en la batalla,» (XX,55,6-7). A medida que el
poema avanza hacia el relato de la derrota araucana, se enfatizan las actitudes no heroicas de los pobladores de Arauco.

[28] *tendido* 'extendido, dilatado' (*Aut.* con texto posterior aplicado a
«campo»); *paso tendido* ya había sido usado en IX,52,6.

[29] *trulla* 'bulla y ruido de gente' parece uso temprano de este vocablo
de germanía o de la lengua soldadesca (DCECH y José L. Alonso Hernández, *Léxico del marginalismo del Siglo de Oro,* ambos con documentación
posterior).

[30] *romper* 'atacar', como en 23,8 (IV, n. 27). La imagen de las astas
como muro se repite en 24,2.

[31] *reparar* 'detener' (III, n. 70).

[32] *crudo* 'cruel' (II, n. 108).

que, aunque ingenio mayor no bastaría
a poderlas llevar continuadas,
es justo se celebre alguna parte
de muchas en que puedes emplearte.

El gallardo Lincoya, que arrogante
el primero escuadrón iba guiando,
con muestra airada y con feroz semblante[33]
el firme y largo paso apresurando,
cala la gruesa pica en un instante,
y el cuento entre la tierra y pie afirmando,
recibe en el cruel hierro fornido[34]
el cuerpo de Hernán Pérez atrevido.

Por el lado derecho encaminado   20
hizo el agudo hierro gran herida,
pasando el escaupil doble estofado[35]
y una cota[36] de malla muy tejida.
El ancho y duro hierro ensangrentado
abrió por las espaldas la salida,
quedando el cuerpo ya descolorido
fuera de los arzones suspendido.

Tucapelo gallardo, que al camino
salió al valiente Osorio, que corriendo
venía con mayor ánimo que tino
los herrados talones sacudiendo,
mostrando el cuerpo, al tiempo que convino

---

[33] Para la bimembración paralelística del verso, IX, n. 112; *muestra*
'porte, ademán' (II, n. 63).

[34] *fornido* 'recio, poderoso' (DCECH, con textos posteriores, s.v. *fornir;*
Aut., con texto de Ovalle, referido a personas, como persiste en el uso
actual). Cfr. II, n. 94 y XIV, n. 80.

[35] *escaupil* 'vestidura de fuerte tela acolchada («estofado») de algodón o
hecha con varias mantas sobrepuestas de este mismo material' (Salas, 95
y ss. para examen pormenorizado). Fue adoptado rápidamente por los
españoles, como señala el texto; es palabra de origen náhuatl (Friederici).

[36] *cota* 'jubon' (IV, n. 116).

le dio lado[37], y la maza revolviendo
con tanta fuerza le cargó la mano
que no le dejó miembro y hueso sano.

A Cáceres, que un poco atrás venía,
de otro golpe también le puso en tierra,
el cual con gran esfuerzo y valentía
la adarga embraza y de la espada afierra[38],
y contra la enemiga compañía
se puso él solo a mantener la guerra,
haciendo rostro y pie con tal denuedo
que a los más atrevidos puso miedo[39].

Y aunque con gran esfuerzo se sustenta,
la fuerza contra tantos no bastaba
que ya la espesa turba alharaquienta[40]
en confuso montón le rodeaba.
Pero en esta sazón más de cincuenta
caballos que Reinoso gobernaba
que de refresco a tiempo habían llegado,
vinieron a romper por aquel lado.

Tan recio se embistió, que aunque hallaron
de gruesas astas un tejido muro,
el cerrado escuadrón aportillaron[41],
probando más de diez el suelo duro,
y al esforzado Cáceres cobraron,
que cercado de gente, mal seguro,
con ánimo feroz se sustentaba,
y matando, la muerte dilataba[42].

---

[37] dar lado 'apartarse' (Aut. s.v. dar, con acepción metafórica); revolver 'girar' (IV, n. 87).

[38] aferrar Cfr. III, n. 56 para su conjugación como irregular.

[39] Las dos ediciones de Madrid, 1578 y Zaragoza, 1578: «que algunos muy osados puso miedo».

[40] alharaquiento 'alborotador' (XXI, n. 81).

[41] aportillar 'abrir' (IV, n. 33).

[42] matando... muerte es repetición etimologizadora (I, n. 4); nótese la brillante adaptación del famoso verso de Garcilaso (Égl. I,20: «que en

Don Miguel y don Pedro de Auendaño,   25
Escobar, Juan Iufré, Cortés y Aranda,
sin mirar al peligro y riesgo estraño,
sustentan todo el peso de su banda[43].
También hacen efeto y mucho daño
Losada, Peña, Córdoba y Miranda,
Bernal, Lasarte, Castañeda, Ulloa,
Martín Ruiz y Iuan López de Gamboa.

Pero muy presto la araucana gente,
en la española sangre ya cebada,
los hizo revolver[44] forzosamente,
y seguir la carrera[45] comenzada;
tras éstos, otra escuadra de repente
en ellos se estrelló desatinada,
mas sin ganar un paso de camino,
volver rostros y riendas le convino.

Y aunque a veces con súbita represa
Juan Remón y los otros revolvían,
luego con nueva pérdida y más priesa
la primera derrota proseguían,
y en una polvorosa nube espesa
envueltos unos y otros ya venían,
cuando fue nuestro campo[46] descubierto
en orden de batalla y buen concierto.

Iban los araucanos tan cebados
que por las picas nuestras se metieron

_____

vano su morir van dilatando») que invita al lector a superponer dos imágenes: Cáceres como ciervo acosado (Garcilaso) y Cáceres como el soldado, valiente ante la muerte segura, que la repetición señalada refuerza.
Ver otro ejemplo de este tipo de recurso intensificador en n. 69 más abajo en el Canto.

[43] *banda* 'lado' (IV, n. 129).

[44] *revolver* 'dar la vuelta, volver otra vez', como en el verso 2 de la estrofa siguiente (XI, n. 74).

[45] *carrera* 'camino' (VI, n. 32); en la estrofa siguiente, paralelamente,
derrota tiene la misma acepción (IV, n. 20).

[46] *campo* 'ejército en formación' (I, n. 46).

pero vueltos en sí, más reportados,
el suelto paso y furia detuvieron
y al punto, recogidos[47] y ordenados,
la campaña al través se retrujeron[48]
al pie de un cerro, a la derecha mano,
cerca de una laguna y gran pantano,

donde de nuesto cuerno[49] arremetimos
un gran tropel a pie de gente armada,
que con presteza al arribar les dimos
espesa carga y súbita rociada[50];
y al cieno retirados, nos metimos
tras ellos, por venir espada a espada,
probando allí las fuerzas y el denuedo
con rostro firme y ánimo, a pie quedo[51].

Jamás los alemanes[52] combatieron   30
así de firme a firme y frente a frente,
ni mano a mano[53] dando, recibieron
golpes sin descansar a manteniente[54]
como el un bando y otro, que vinieron
a estar así en el cieno estrechamente
que echar atrás un paso no podían,
y dando apriesa, apriesa recibían[55].

[47] *recogido* 'apartado' (XVI, n. 100).
[48] *retraer* retrotraer (X, n. 53); v. VI, n. 1 para la forma hoy dialectal del perfecto, que reaparece en 43,4.
[49] *cuerno* 'ala, lado del ejército' (Nebrija en T.L.).
[50] *rociada* 'descarga de balas' (*Aut.* con textos del XVII); para la bimembración paralelística del verso, IX, n. 122.
[51] *a pie quedo* 'sin mover los pies' (XIX, n. 20).
[52] Era proverbial en la época la firmeza de los guerreros alemanes en batalla; v. textos más tardíos en M. Herrero García, *Ideas de los españoles del siglo XVII* Madrid, Gredos, 1966, 520 y ss.
[53] *mano a mano* 'a la par' (I, n. 53).
[54] *a manteniente* 'con las dos manos', 'con mano firme y fuerte' (*Aut.;* cfr. Correas, 666a *dar a manteniente*).
[55] Nótese la repetición en quiasmo del modificador de los verbos de significado antitético, que se suma a las expresiones dobles de los versos dos y tres de la octava. Se crea así un recurso que intensifica las descripciones de las actuaciones individuales en el encuentro. Ercilla utiliza

Quién, el húmido[56] cieno a la cintura,
con dos y tres a veces peleaba;
quién, por mostrar mayor desenvoltura,
queriéndose mover más atascaba.
Quién[57], probando las fuerzas y ventura,
al vecino enemigo se aferraba
mordiéndole y cegándole con lodo,
buscando de vencer cualquiera modo[58].

La furia del herirse y golpearse
andaba igual, y en duda la fortuna,
sin muestra ni señal[59] de declararse
mínima de ventaja en parte alguna.
Ya parecían aquéllos mejorarse,
ya ganaban aquéstos la laguna
y la sangre de todos derramada
tornaba el agua turbia colorada.

Rengo, que el odio y encendida ira
le había llevado ciego tanto trecho,
luego que nuestro campo vio a la mira[60]
y que a dar en la muerte iba derecho,
al vecino pantano se retira,
y el fiero rostro y animoso pecho
contra todo el ejército volvía,
y en voz amenazándole decía:

---

frecuentemente todo tipo de repeticiones en los pasajes bélicos, como se
anota en la octava siguiente.

[56] *húmido* por *húmedo*, como en el resto del Canto (II, n. 70).

[57] Para la repetición anafórica de *quien*, frecuente en escenas de guerra, v. XIV,12 y nota correspondiente. Cfr. tb. XX,16,1-4. Nótese uso
semejante con *ya* en la octava siguiente.

[58] *cualquiera modo* es expresión circunstancial que depende del *de* antepuesto al verbo. Para el uso de *cualquiera* como adjetivo invariable ante
sustantivo masculino, v. Keniston, par. 21,2 (XVI, n. 50).

[59] Para la repetición sinonímica, I, n. 112; v. más abajo en el Canto:
36,6 («saña y furia»); 39,2 («ira... furor»); 41,3 («orden y concierto»);
49,1 («contumaz y porfiado»).

[60] *a la mira* 'al alcance', 'cercano' y se opone semánticamente con *vio*,
al «ciego» del verso anterior.

«Venid, venid a mí, gente plebea[61],
en mí sea vuestra saña convertida,
que soy quien os persigue y quien desea
más vuestra muerte que su propia vida.
No quiero ya descanso hasta que vea
la nación española destruida,
y en esa vuestra carne y sangre odiosa
pienso hartar mi hambre y sed rabiosa.»

Así la tierra y cielo amenazando   35
en medio del pantano se presenta
y la sangrienta maza floreando[62],
la gente de poco ánimo amedrenta.
No fue bien conocido en la voz, cuando
haciendo de sus fieros[63] poca cuenta,
algunos españoles más cercanos
aguijamos sobre él con prestas manos.

Mas a Juan, yanacona[64], que una pieza
de los otros osados se adelanta
le machuca[65] de un golpe la cabeza,
y de otro a Chilca el cuerpo le quebranta;
y contra el joven Zúñiga endereza[66]
el tercero, con saña y furia tanta,
que como clavo en húmido terreno
le sume hasta los pechos en el cieno.

Pero de tiros una lluvia espesa[67]
al animoso pecho encaminados,

---

[61] *plebeo* es forma antigua que alternaba desde mediados del siglo xv con *plebeyo* (DCECH).

[62] *florear* 'mover antes de acometer' (XIX, n. 45).

[63] *fieros* 'bravatas' (VIII, n. 10).

[64] *yanacona* 'servidor indio' (XXI, n. 16); *pieza* 'intervalo', aquí con valor espacial.

[65] *machucar* 'herir', 'machacar', (IX, n. 103).

[66] No parece tratarse de Ercilla, como podría deducirse del «aguijamos» de la octava anterior. Cfr. Medina, *Vida* n. 112, pág. 325. Esta escena se reelabora en el *Arauco domado* de Pedro de Oña, XI,88.

[67] Ercilla ya había usado la expresión en XX,13,2.

turbando el aire claro, a mucha priesa
descargaron sobre él de todos lados.
Por esto el fiero bárbaro no cesa,
antes con furia y golpes redoblados,
el lodo a la cintura, osadamente
estaba por muralla de su gente.

Cual el cerdoso jabalí herido[68]
al cenagoso estrecho retirado,
de animosos sabuesos perseguido
y de diestros monteros rodeado[69],
ronca, bufa y rebufa embravecido,
vuelve y revuelve deste y de aquel lado,
rompe, encuentra, tropella, hiere y mata[70]
y los espesos tiros desbarata,

el bárbaro esforzado de aquel modo
ardiendo en ira y de furor insano,
cubierto de sudor, de sangre y lodo,
estaba solo en medio del pantano
resistiendo la furia y golpe todo
de los tiros que de una y otra mano,
cubriendo el sol, sin número salían
y como tempestad sobre él llovían.

Ya el esparcido ejército obediente[71]   40
que el porfiado alcance había seguido,
descubriendo en el llano a nuestra gente,
se había tirado atrás y recogido.

---

68 Para imagen cinegética semejante, XVII,48,3-4; para la repercusión posterior en Góngora, Vilanova I,207-212.

69 Nótese la estructura paralelística con el verso anterior, que renueva las repeticiones etimologizadoras con valor intensificador «bufa y rebufa», «vuelve y revuelve» de los versos siguientes (I, n. 4). V. más arriba en el Canto, n. 42.

70 Para este tipo de acumulación verbal, v. III, n. 39. Para comparación semejante, v. C. de Virués, *El Monserrate* (1587) XIV,44. Ambas están tomadas de Ariosto, *Orlando furioso* XIV,120.

71 Las dos ediciones de Madrid, 1578 y Zaragoza, 1578: «ya la esparcida y demandada gente».

Sólo Rengo, feroz y osadamente
sustenta igual el desigual[72] partido,
a causa que la ciénaga era honda
y llena de espesura a la redonda.

Viendo el fruto dudoso y daño cierto,
según la mucha gente que cargaba,
que a grande priesa en orden y concierto
desta y de aquella parte le cercaba,
por un inculto[73] paso y encubierto,
que la fragosa[74] sierra le amparaba,
le pareció con tiempo retirarse
y salvar sus soldados y él salvarse,

diciéndoles: «Amigos, no gastemos
la fuerza en tiempo y acto infrutuoso[75];
la sangre que nos queda conservemos
para venderla en precio más costoso.
Conviene que de aquí nos retiremos
antes que en este sitio cenagoso
del enemigo puestos en aprieto,
perdamos la opinión, y él el respeto.»

Luego, la voz de Rengo obedecida,
los presurosos brazos detuvieron,
y por la parte estrecha y más tejida
al són del atambor[76] se retrujeron.
Era áspero el lugar y la salida
y así seguir los nuestros no pudieron,
quedando algunos dellos tan sumidos,
que fue bien menester ser socorridos.

---

[72] El uso adverbial del adjetivo (I, n. 62) le permite a Ercilla la repetición etimologizadora semejante a las usadas en la octava 38. Cfr. luego 41,8.

[73] *inculto* 'silvestre' (I, n. 106).

[74] *fragoso* 'escarpado' (XVIII, n. 98).

[75] *infrutuoso* por *infructuoso* (XX, n. 28).

[76] *atambor* ant. *tambor* (I. n. 54).

Por la falda del monte levantado
iban los fieros bárbaros saliendo.
Rengo, bruto, sangriento y enlodado,
los lleva en retaguardia recogiendo,
como el celoso toro madrigado[77]
que la tarda[78] vacada va siguiendo,
volviendo acá y allá espaciosamente
el duro cerviguillo[79] y alta frente.

Nuestro campo por orden recogido,　　　　45
retirado del todo el enemigo,
fue entre algunos un bárbaro cogido,
que mucho se alargó del bando[80] amigo.
El cual a caso[81] a mi cuartel traído
hubo de ser[82], para ejemplar castigo
de los rebeldes pueblos comarcanos,
mandándole cortar ambas las manos.

Donde sobre una rama destroncada
puso la diestra mano, yo presente,
la cual de un golpe con rigor cortada,
sacó luego la izquierda alegremente,
que del tronco también saltó apartada,

---

[77] *madrigado* 'toro padre' (DCECH s.v. *madre,* con doc. temprana).

[78] *tardo* 'lento' (VII, n. 59 y, para acepciones cercanas, XIII, n. 98).

[79] *cerviguillo* 'cerviz gruesa y abultada' (Cov., con referencia especial al toro, y ya en Percivale, según T.L.).

[80] *bando* 'facción' (III, n. 18).

[81] *a caso* por *acaso* 'por casualidad' (III, n. 23).

[82] *haber de* más el infinitivo pasivo de *traer* tiene aquí valor de obligación: 'tuvo que ser traído' (Keniston, par. 34,44). Este tipo de castigo que incluía mutilación fue general en Europa hasta el siglo XVIII y no distintivo de la Conquista española de América. Cfr. John H. Longbein, *Torture and the Law of Proof* Chicago, U. of Chicago Press, 1977, 28. El intento de atribuir esta forma de castigo, como arguye J. Concha («El otro mundo» en *Homenaje a Ercilla,* Concepción, 1969, 70-71) a una «respuesta racista del colonizador» y a la «secuela de toda opresión colonial» es, por cierto, históricamente erróneo. En cambio, debe entenderse, dentro del imaginario épico, como castigo deshonroso para un héroe guerrero, cualquiera fuera su origen, como se señala en 52,6.

sin torcer ceja ni arrugar la frente;
y con desdén y menosprecio dello
alargó la cabeza y tendió el cuello,

diciendo así: «Segad esa garganta
siempre sedienta de la sangre vuestra,
que no temo la muerte ni me espanta
vuestra amenaza y rigurosa muestra,
y la importancia y pérdida no es tanta
que haga falta mi cortada diestra
pues quedan[83] otras muchas esforzadas,
que saben gobernar bien las espadas.

»Y si pensáis sacar algún provecho
de no llegar mi vida al fin postrero[84],
aquí, pues, moriré a vuestro despecho,
que si queréis que viva, yo no quiero;
al fin iré algún tanto satisfecho
de que a vuestro pesar alegre muero,
que quiero con mi muerte desplaceros,
pues sólo en esto puedo ya ofenderos.»

Así que contumaz[85] y porfiado
la muerte con injurias procuraba,
y siempre más rabioso y obstinado,
sobre el sangriento suelo se arrojaba,
donde en su misma sangre revolcado
acabar ya la vida deseaba,

   [83] El texto «queden», por errata obvia.

   [84] *postrero* Cfr. XIV, n. 49; nótese el empleo de opuestos semánticos,
generalmente adscrito a la retórica de la lírica amorosa (vida-muerte;
alegría-pesar; querer-no querer) hábilmente desplazados al discurso pa-
triótico y heroico.

   [85] *contumaz* es adjetivo que ya aparece en poesía cancioneril del siglo
XV (Cuervo, *Dicc.*, que anota otro texto de Ercilla: XXXVII,16,8;
DCECH). También el cultismo *pertinaz* de la estrofa siguiente (C. C.
Smith, 268 con mención de A. de la Torre, Alvar Gómez y Fr. Luis de
León, además de Ercilla). Cfr. XIX, n. 21 para *pertinacia*.

mordiéndose con muestras impacientes
los desangrados troncos[86] con los dientes.

Estando pertinaz desta manera,   50
templándonos la lástima el enojo,
vio un esclavo bajar por la ladera
cargado con un bárbaro despojo;
y como encarnizada bestia fiera
que ve la desmandada[87] presa al ojo,
así con una furia arrebatada
le sale de través a la parada[88].

Y en él los pies y brazos añudados[89],
sobre el húmido suelo le tendía,
y con los duros troncos desangrados
en las narices y ojos le batía[90]:
al fin junto a nosotros, a bocados,
sin poderse valer se le comía[91],
si no fuera con tiempo socorrido,
quedando, aunque fue presto, mal herido.

El bárbaro infernal con atrevida
voz, en pie puesto, dijo: «Pues me queda
alguna fuerza y sangre retenida
con que ofender[92] a los cristianos pueda,
quiero acetar[93], a mi pesar, la vida,
aunque por modo vil[94] se me conceda:
que yo espero sin manos desquitarme,
que no me faltarán para vengarme.

---

[86] *tronco* 'cuerpo truncado' (DRAE) por 'brazo sin mano', como ya antes en 46,5.
[87] *desmandado* 'apartado' (XIX, n. 79).
[88] *salir a la parada* 'salir al encuentro' (Correas, 665a).
[89] *añudado* ant. *anudado* (XIX, n. 97).
[90] *batir* aquí, 'golpear' (XIV, n. 20).
[91] Para casos de leísmo en el poema, XVII, n. 112.
[92] *ofender* 'herir' (I, n. 49).
[93] *acetar* ant. *aceptar* (XII, n. 44).
[94] *modo vil* Referencia a la mutilación sufrida que parecía deshonroso modo de castigo para un soldado.

»Quedaos, quedaos, malditos, que yo os digo,
que en mí tendréis con odio y sed rabiosa,
torcedor[95] y solícito enemigo,
cuando dañar no pueda en otra cosa.
Muy presto entenderéis cómo os persigo,
y que os fuera mi muerte provechosa.»
Diciendo así otras cosas que no cuento,
partió de allí ligero como el viento.

No es bien que así dejemos en olvido
el nombre deste bárbaro obstinado,
que por ser animoso y atrevido
el audaz Galbarino era llamado.
Mas por tanta aspereza he discurrido
que la fuerza y la voz se me ha acabado,
y así habré de parar, porque me siento
ya sin fuerza, sin voz y sin aliento[96].

FIN

---

[95] *torcedor* 'causa de disgusto o aflicción' (DRAE, y ya *Aut.*).
[96] La edición de Madrid en 8vo., 1578 y Zaragoza, 1578: «cansada ya la voz y sin aliento».

LLEGA GALUARINO ADONDE ESTABA EL SENADO ARAUCA-
NO: HACE EN EL CONSEJO UNA HABLA[1] CON LA CUAL DESBA-
RATA LOS PARECERES DE ALGUNOS. SALEN LOS ESPAÑOLES
EN BUSCA DEL ENEMIGO; PÍNTASE LA CUEVA DEL HECHICE-
RO FITÓN Y LAS COSAS QUE EN ELLA HABÍA

CANTO XXIII

JAMÁS debe, Señor, menospreciarse
el enemigo vivo, pues sabemos
puede de una centella[2] levantarse
fuego, con que después nos abrasemos,
y entonces es cordura recelarse
cuando en mayor felicidad nos vemos,
pues los que gozan próspera[3] bonanza
están aún más sujetos a mudanza.

Sólo la muerte próspera asegura
el breve curso del felice[4] hado,
que, mientras la incierta vida dura,
nunca hay cosa que dure en un estado.
Así que quien jamás tuvo ventura

---

[1] *habla* 'arenga' (*Aut.* con textos contemporáneos de *La Araucana*).
[2] *centella* 'chispa' (Nebrija).
[3] *próspera* entiéndase «en la prosperidad».
[4] *felice* por *feliz,* como en el verso 8 *infelice* (XVI, n. 90). El motivo de
la fortuna variable hasta la muerte había sido tratado ya en el exordio al
Canto II y reaparece en XXVI,1. El tópico tiene larga tradición y se remonta a los dichos de los siete sabios de Grecia, la Biblia, Plinio, Ovidio, et. Cfr. Pero Mexía, *Silva de varia lección* III,10,302.

podrá llamarse bienaventurado
y sin prosperidad vivir contento
pues no teme infelice acaecimiento.

Y pues que ya tenemos certidumbre
que nunca hay bien seguro ni reposo,
que es ley usada, es orden y costumbre
por donde ha de pasar el más dichoso,
gastar el tiempo en esto es pesadumbre
y así, por no ser largo y enojoso,
sólo quiero contar a lo que vino
el despreciar al mozo Galbarino.

El cual, aunque herido y desangrado,
tanto el coraje[5] y rabia le inducía
que llegó a Andalicán, donde alojado
Caupolicán su ejército tenía.
Era al tiempo que el ínclito[6] Senado
en secreto consejo proveía[7]
las cosas de la guerra y menesteres,
dando y tomando en ello pareceres.

Cuál con justo temor dificultaba   5
la pretensión de algunos imprudente,
cuál, por mostrar valor, facilitaba
cualquier dificultoso inconveniente,
cuál un concierto lícito aprobaba,
cuál[8] era deste voto diferente

---

[5] *coraje* 'ira' (XI, n. 22). Para la repetición sinonímica, I, n. 112. Para
otros ejemplos en este Canto: 9,5 («hollado y abatido»); 12,2 («tratos y
marañas»); 13,1 («color... apariencia»); 14,8 («allana y facilita»); 22,3
(«astucia y maña»); 22,8 («relación y lengua»); 23,4 («arcabuco y espesura»); 58,7 («turbas y alteras»); 65,1 («tardo y lento»); 85,4 («hervor y encendimiento»).

[6] *ínclito* 'célebre' (XII, n. 46).

[7] *proveer* 'disponer' *(Aut.)*.

[8] *cuál* Para este tipo de anáfora de disposición simétrica, v. XIV, n. 22
y, más próximo, XXII, n. 57.

procurando unos y otros con razones
esforzar[9] sus discursos y opiniones.

En esta confusión y diferencia,
Galbarino arribó apenas con vida,
el cual pidiendo para entrar licencia,
le fue graciosamente concedida
donde con la debida reverencia,
esforzando la voz enflaquecida,
falto de sangre y muy cubierto della,
comenzó desta suerte su querella[10]:

«Si solíades[11] vengar, sacros varones,
las ajenas injurias tan de veras,
y en las estrañas tierras y naciones
hicieron sombra[12] ya vuestras banderas,
¿cómo agora en las propias posesiones
unas bastardas gentes estranjeras
os vienen a oprimir y conquistaros,
y tan tibios estáis en el vengaros?

»Mirad mi cuerpo aquí despedazado,
miembro del vuestro, que por más afrenta
me envían lleno de injurias al Senado
para que dellas sepa daros cuenta.
Mirad vuestro valor vituperado[13]
y lo que en mí el tirano os representa,

---

[9] *esforzar* 'confirmar con nuevos argumentos' *(Aut.* con la expresión
«esforzar una opinión», que usa Ercilla). Nótese que en la octava siguiente aparece en el uso más frecuente con objeto animado). Cfr. IV,
n. 64 para otra acepción.

[10] *querella* 'acusación, queja' *(Aut.).*

[11] *solíades* por *solíais* es forma antigua de la desinencia de la segunda
persona del plural que subsistió hasta fines del XVII. Cfr. Lapesa, par.
96,2. Para otra forma, VII, n. 28.

[12] *hacer sombra* 'hacer deslucir a otro' es sentido metafórico registrado
por *Aut.* pero todavía ausente de Correas y de Covarrubias.

[13] *vituperado* es adjetivo cultista introducido en la literatura por los autores del siglo XV (C. C. Smith, 241 cita al *Corbacho* de 1438 y DCECH a
Alfonso de Palencia, 1492).

jurando no dejar cacique[14] alguno
sin desmembrarlos todos uno a uno.

»Por cierto, bien en vano han adquirido
tanta gloria y honor vuestros agüelos[15]
y el araucano crédito subido
en su misma virtud hasta los cielos,
si agora infame, hollado y abatido,
anda de lengua en lengua[16] por los suelos,
y vuestra ilustre sangre resfriada[17],
en los sucios rincones derramada.

«¿Qué provincia hubo ya que no tremiese[18]   10
de vuestra voz en todo el mundo oída,
ni nación que las armas no rindiese
por temor o por fuerza compelida[19],
arribando a la cumbre porque fuese
tanto de allí mayor vuestra caída,
y al término llegase el menosprecio
donde de los pasados llegó el precio?[20]

»Pues unos estranjeros enemigos
con título[21] y con nombre de clemencia,
ofrecen de acetaros por amigos,

---

[14] *cacique* Cfr. I, n. 22 para este americanismo.

[15] *agüelo* por *abuelo* es forma considerada hoy como vulgarismo y registrada en textos bastante anteriores (Lapesa, par. 116,5).

[16] *de lengua en lengua* 'de boca en boca' y, generalmente, relacionada con
la fama (XVII, n. 58).

[17] *resfriado* 'enfriado' (V, n. 5).

[18] *tremer* 'temblar' (III, n. 73).

[19] *compelido* 'obligado' (Cuervo, *Dicc.* con este texto de Ercilla y
ejemplos de la aparición de este cultismo en textos de finales del XIV).

[20] *precio* en el sentido traslaticio de 'estimación, crédito' (*Aut.*) que
habilita la posibilidad de la repetición etimologizadora con el *menosprecio*
del verso anterior. Cfr. I, n. 4; otros ejemplos de este uso retórico en el
Canto: 40,7 («inhumano... humano», que reaparece en XXVIII,19,2);
57,8 («responderle... respondía»);

[21] *título* 'pretexto' (*Aut.*) es acepción que refuerza el argumento de
Galvarino quien ve con justificada sospecha el ofrecimiento español.

queriéndoos reducir²² a su obediencia.
Y si no os sometéis, que con castigos
prometen oprimir vuestra insolencia,
sin quedar del cuchillo reservado
género, religión, edad ni estado²³.

»Volved, volved en vos²⁴, no deis oído
a sus embustes, tratos y marañas²⁵,
pues todas se enderezan a un partido²⁶
que viene a deslustrar vuestras hazañas;
que la ocasión que aquí los ha traído
por mares y por tierras tan estrañas
es el oro goloso²⁷ que se encierra
en las fértiles venas²⁸ desta tierra.

»Y es un color²⁹, es aparencia vana
querer mostrar que el principal intento
fue el estender la religión cristiana,
siendo el puro interés su fundamento;
su pretensión de la codicia mana,
que todo lo demás es fingimiento,
pues los vemos que son más que otras gentes
adúlteros, ladrones, insolentes.

---

²² *reducir* 'volver', como en XI,29,5 y nota correspondiente.
²³ Para este tipo de acumulación nominal cuatripartita, que vuelve a usarse en 24,7, v. III, n. 39. Nótese en la octava siguiente, verso 2 y en 13,8 acumulación semejante tripartita.
²⁴ *vos* 'vosotros' (II, n. 42).
²⁵ *trato* 'engaño' (Cov. s.v. *trato:* «Tener buen trato o mal trato, negociar con verdad o con engaño. Trato doble, engaño disfrazado»). *Maraña* 'enredo, embuste' ya a mediados del XVI (DCECH).
²⁶ *partido* 'convenio', como luego, en 17,8; aquí, 'estrategia' (IX, n. 49).
²⁷ *goloso* 'que excita el apetito' que ya aparece en contexto semejante en XVI,76,7-8 y debe relacionarse con el virgiliano *hambre* 'codicia' comentado en I, n. 119.
²⁸ *vena* 'veta' (II, n. 121).
²⁹ *color* 'apariencia', 'razonamiento' (XII, n. 61 con ac. paralela).

»Cuando el siniestro hado y dura suerte
nos amenacen cierto[30] en lo futuro,
podemos elegir honrada muerte,
remedio breve, fácil y seguro.
Poned a la fortuna el hombro fuerte,
a dura adversidad corazón duro[31]:
que el pecho firme y ánimo invencible
allana y facilita aun lo imposible.»

No pudo decir más de desmayado   15
por la infinita sangre que perdía,
que el laso cuello ya debilitado
sostener la cabeza aun no podía;
así el rostro mortal desfigurado
en el sangriento suelo se tendía,
dejando, aun a los más endurecidos,
de su esperada muerte condolidos.

Mas como no tuviese tal herida
que pudiese hallar la muerte entrada,
retuvo luego la dudosa vida,
en siéndole la sangre restañada;
y la virtud[32] con tiempo socorrida
fue de tantos remedios confortada,
y el mozo se ayudó de tal manera,
que recobró su sanidad[33] primera.

Fueron de tanta fuerza sus razones
y el odio que a los nuestros concibieron,
que los más entibiados corazones
de cólera rabiosa se encendieron;
así las diferentes opiniones

---

[30] *cierto* 'ciertamente'; para este uso adverbial, I, n. 62.

[31] Para esta repetición en quiasmo y juego de palabras cercano a la paronomasia con los dos significados de *duro* 'cruel' y 'firme' v. XI,82,3-4 y XV, 34,7 (I, n. 92).

[32] *virtud* 'fuerza' es latinismo de sentido que ya aparece en Garcilaso (Eleg. I,186 que Herrera, curiosamente, considera «humilde verso», a pesar del rasgo latinizante señalado en particular).

[33] *sanidad* 'vigor' (A. de Palencia; Nebrija: «incolumitas, -atis»).

a un fin y parecer se redujeron,
quedando para siempre allí escluido
quien tratase de medio y de partido.

Los impacientes mozos, deseosos
de venir a las armas, braveaban[34],
y con muestras y afectos hervorosos[35]
el espacioso tiempo apresuraban;
pero los más maduros y espaciosos[36]
aquella ardiente cólera templaban
y el término[37] de algunos indiscreto,
no reprobando el general decreto.

Dejémoslos un rato, pues, tratando
de dar, no una batalla, sino ciento,
del orden, la manera, dónde y cuándo,
con varios pareceres y un intento;
que me voy poco a poco descuidando
de nuestro alborotado alojamiento
donde estuvimos todos recogidos
con buena guardia y bien apercebidos.

Mas cuando el esperado sol salía,   20
la gente de caballo en orden puesta
marchó, quedando atrás la infantería
y del campo después toda la resta[38],
con tal velocidad, que a mediodía
subimos la temida y agria cuesta
de blancos huesos de cristianos llena,
que despertó el cuidado y nos dio pena[39].

---

[34] *bravear* 'jactarse, amenazar' (Nebrija; *Aut.*).

[35] *hervoroso* 'vehemente' (XIX, n. 100).

[36] *espacioso* 'reposado' pero en el verso anterior, 'lerdo' (como en 24,7; cfr. VIII, n. 24). Para este tipo de repetición o *traductio,* ya utilizada en el discurso de Galvarino (14,6, con el adjetivo *duro*), v. I, n. 92.

[37] *término* 'conducta' (I, n. 2).

[38] *resta* 'resto' (III, n. 117).

[39] Referencia a las grandes pérdidas sufridas en esta cuesta de Andalicán, según se había narrado en VI,19.

Al araucano valle, pues, bajamos,
que el mar le bate al lado del poniente,
donde en llano lugar nos alojamos,
de comidas y pastos suficiente[40];
y luego con promesas enviamos
de aquella vecindad alguna gente
a requerir[41] la tierra comarcana
con la segura paz y ley cristiana.

Mas como al tiempo puesto no volviesen,
y pasasen después algunos días,
ni por astucia y maña no supiesen[42]
de su resolución nuestras espías[43],
fue acordado que algunos se partiesen
por los vecinos pueblos y alquerías,
al salir tardo[44] de la escasa luna,
a tomar relación y lengua[45] alguna.

Así yo apercebido, sordamente,
en medio del silencio y noche escura[46]
di sobre algunos pueblos de repente
por un gran arcabuco[47] y espesura,
donde la miserable y triste gente

---

[40] *suficiente* 'bastante', 'con provisión adecuada de algo'; la construcción con de más sustantivo se va haciendo más rara en autores del xvii.

[41] *requerir* 'examinar' (IV, n. 31).

[42] *ni... no supiesen* El uso de doble negación antes del verbo, aunque en
declinación, todavía aparece en textos del xvi (Keniston, par. 40,81) y
del xvii (Cfr. para Cervantes, J. Cejador, *La lengua de Cervantes* Madrid,
1905, 360).

[43] *espía* Para su género gramatical en textos áureos, XII, n. 79.

[44] *tardo* 'tardío' (VII, n. 59).

[45] *lengua* 'información', como luego en 25,4 (XVI, n. 140).

[46] Para este verso, XVII, n. 69.

[47] *arcabuco* 'bosque espeso' es indigenismo tomado del taíno de Santo
Domingo (DCECH; Friederici, quien lo atribuye al arawak insular, familia de lenguas a la que perteneció el taíno; cfr. A. Tovar, *Catálogo de las
lenguas de América del Sur*, par. 16,1): Cfr. J. de Acosta, *Historia natural...*:
«con ser infinita la tierra, tiene poca habitación, porque de suyo cría
grandes y espesos arcabucos (que así llaman allá los bosques espesos)»
(II, c. 22, BAE, LXXIII, 82b).

632

vivía por su pobreza en paz segura,
que el rumor y alboroto de la guerra
aún no la había sacado de su tierra.

Viniendo, pues, a dar al Chayllacano,
que es donde nuestro campo se alojaba,
vi en una loma, al rematar de un llano,
por una angosta senda que cruzaba
un indio laso[48], flaco y tan anciano
que apenas en los pies se sustentaba,
corvo[49], espacioso, débil, descarnado
cual de raíces de árboles formado.

Espantado del talle y la torpeza   25
de aquel retrato de vejez tardía,
llegué, por ayudarle en su pereza,
y tomar lengua dél, si algo sabía;
mas no sale con tanta ligereza
sintiendo los lebreles por la vía
la temerosa gama fugitiva
como el viejo salió la cuesta arriba.

Yo, sin más atención y advertimiento,
arrimando las piernas al caballo[50],
a más correr salí en su seguimiento
pensando, aunque volaba, de[51] alcanzallo;
mas el viejo[52], dejando atrás el viento,
me fue forzoso a mi pesar dejallo,
perdiéndole de vista en un instante
sin poderle seguir más adelante.

---

48 *laso* 'fatigado' como antes en el Canto, en 15,3 (IV, n. 75).

49 *corvo* 'encorvado' es ac. para personas que *Aut.* no registra y ya Cov.
ejemplifica con sustantivo inanimado: «corva cosa, la que está torcida».

50 *arrimar las piernas al c.* por *arrimar las espuelas al c.* 'picarle para que
parta con celeridad' (*Aut.* s.v. *arrimar,* con texto de Cervantes).

51 *pensar de* es construcción usual en textos áureos (XII, n. 26).

52 *el viejo* entiéndase *al viejo;* este uso de objeto directo animado sin preposición se repite en 33,4 (X, n. 8).

Halléme a la bajada de un repecho
cerca de dos caminos desusados,
por donde corre Rauco más estrecho,
que le ciñen dos cerros los costados;
y mirando a lo bajo y más derecho,
en una selva de árboles copados[53]
vi una mansa corcilla junto al río,
gustando de las hierbas y rocío.

Ocurrió[54] luego a la memoria mía
que la Razón en sueños me dijera[55]
cómo había de topar a caso[56] un día
una simple corcilla en la ribera:
y así yo, con grandísima alegría,
comencé de[57] bajar por la ladera
paso a paso, siguiendo el un[58] camino,
hasta que della vine a estar vecino.

Púdelo bien hacer, que en las quebradas[59]
era grande el rumor de la corriente,
y con pasos y orejas descuidadas
pacía la tierna hierba libremente;
pero cuando sintió ya mis pisadas
y al rumor levantó la altiva frente,
dejó el sabroso pasto y arboleda
por una estrecha y áspera vereda.

---

[53] *copado* 'frondoso' (XVII, n. 95).

[54] *ocurrir* 'acudir' (VI, n. 40).

[55] Referencia a XVIII,29,8; *dijera* 'había dicho' (VII, n. 76).

[56] *a caso* por *acaso* 'casualmente' (III, n. 23).

[57] *comenzar de* por *comenzar a* (XVII, n. 88).

[58] Para el uso de los dos artículos antepuestos, que realza el aspecto distributivo («cerca de dos caminos desusados» en 27,2). Cfr. Keniston, par. 21,2.

[59] *quebrada* 'abertura estrecha y áspera entre montañas' a la que se había aludido en la estrofa 27,4-5 y que reaparece con los epítetos «espesa» y «áspera» en XXVII,61,2 y XXXIII,66,3; para las acepciones americanas 'valle' y 'arroyo', v. DCECH.

Comencéla a seguir a toda priesa
labrando[60] a mi caballo los costados;
mas tomando otra senda, que atraviesa,
se entró por unos ásperos collados;
al cabo enderezó a una selva espesa
de matorrales y árboles cerrados,
adonde se lanzó por una senda
y yo también tras ella a toda rienda.

Perdí el rastro y cerróseme el camino,
sobreviniendo un aire turbulento,
y así de acá y de allá, fuera de tino,
de una espesura en otra andaba a tiento.
Vista pues mi torpeza y desatino,
arrepentido del primer intento
sin pasar adelante me volviera[61]
si alguna senda o rastro yo supiera.

Gran rato anduve así descarriado,
que la oculta salida no acertaba,
cuando sentí por el siniestro lado
un arroyo que cerca mormuraba[62];
y al vecino rumor encaminado,
al pie de un roble que a la orilla estaba
vi una pequeña y mísera casilla
y junto a un hombre anciano la corcilla;

el cual dijo: «¿Qué hado o desventura
tan fuera de camino te ha traído
por este inculto[63] bosque y espesura
donde jamás ninguno he conocido?

---

[60] *labrar* 'mortificar' (*Aut.*), como en XXII,1,6 y aquí 'herir con la espuela'.

[61] Para este uso del imperfecto de subjuntivo en el periodo condicional, XII, n. 57.

[62] *mormurar* por *murmurar* (que ya registra A. de Palencia) es variante común a todas las épocas y frecuente en los clásicos; hoy pertenece a la lengua vulgar (DCECH).

[63] *inculto* 'silvestre' (I, n. 106).

Que si por caso adverso y suerte dura
andas de tus banderas foragido[64],
haré cuanto pudiere de mi parte
en buscar el remedio y escaparte.»

Viendo el ofrecimiento y acogida
de aquel estraño y agradable viejo,
más alegre que nunca fui en mi vida
por hallar tal ayuda y aparejo;
le dije la ocasión de mi venida,
pidiéndole me diese algún consejo
para saber la cueva do habitaba
el mágico[65] Fitón, a quien buscaba.

El venerable viejo y padre anciano[66]   35
con un sospiro y tierno sentimiento
me tomó blandamente por la mano,
saliendo de su frágil aposento;
y por ser a la entrada del verano,
buscamos a la sombra un fresco asiento
en una pedregosa y tosca fuente,
do comenzó a decirme lo siguiente:

«Mi tierra es en Arauco y soy llamado
el desdichado viejo Guaticolo,
que en los robustos años fui soldado
en cargo antecesor de Colocolo;
y antes, por mi persona en estacado[67]
siete campos vencí de solo a solo[68],
y mil veces de ramos fue ceñida
esta mi calva frente envejecida.

---

[64] *foragido* 'salido fuera' y aquí, 'extraviado' (DCECH s.v. *ir*).

[65] *mágico* 'mago', como en 45,2, ya en el *Corbacho* (C. C. Smith, 156).

[66] Nótese que la obvia sinonimia *viejo-anciano* está atenuada por el cambio de función sintáctica que convierte al segundo en adjetivo.

[67] *estacado* por *estacada* 'liza'. Cfr. X, n. 70 y II, n. 33.

[68] *de solo a solo* 'sin terceros' (XVI, n. 125); *campo* 'desafío' (XVI, n. 113).

»Mas como en esta vida el bien no dura
y todo está sujeto a desvarío[69],
mudóse mi fortuna en desventura,
y en deshonor perpetuo el honor mío:
que por estraño caso y suerte dura
perdí con Ainavillo en desafío
la gloria en tantos años adquirida,
quitándome el honor y no la vida.

»Viéndome, pues, con vida y deshonrado
(que mil veces quisiera[70] antes ser muerto),
de cobrar el honor desesperado
me vine, como ves, a este desierto,
donde más de veinte años he morado
sin ser jamás de nadie descubierto
sino agora de ti, que ha sido cosa
no poco para mí maravillosa.

»Así que tantos tiempos he vivido
en este solitario apartamiento,
y pues que la fortuna te ha traído
a mi triste y humilde alojamiento,
haré de voluntad lo que has pedido,
que tengo con Fitón conocimiento
que, aunque intratable y áspero, es mi tío,
hermano de Guarcolo, padre mío.

»Al pie de una asperísima montaña,   40
pocas veces de humano pie pisada,
hace su habitación y vida estraña
en una oculta y lóbrega morada
que jamás el alegre sol la baña,
y es a su condición acomodada,

---

69 *desvarío* 'cambio, variación' es ac. común en la Edad Media y todavía para Cov. *desvariar* 'variar' con cita de las *Partidas*. La ac. moderna ya
se registra en textos del xv (Cuervo, *Dicc.*, 1185b).
70 *quisiera* por *hubiera querido* (VII, n. 76).

por ser fuera de término[71], inhumano,
enemigo mortal del trato humano.

»Mas su saber y su poder es tanto
sobre las piedras, plantas y animales,
que alcanza por su ciencia y arte[72] cuanto
pueden todas las causas naturales;
y en el escuro reino del espanto[73]
apremia a los callados infernales[74]
a que digan por áspero conjuro[75]
lo pasado, presente y lo futuro.

»En la furia del sol y luz serena
de noturnas tinieblas cubre el suelo,
y sin fuerza de vientos llueve y truena,
fuera de tiempo el sosegado cielo;
el raudo curso de los ríos enfrena[76],

---

[71] *fuera de término* 'apartado, fuera del paso de la gente', califica tanto la morada «acomodada a su condición» como al mismo Fitón, en uso zeugmático.

[72] *arte* 'habilidad' (XIV, n. 36).

[73] Esta perífrasis del infierno combina magistralmente dos recuerdos de Garcilaso: Son. XV,8: «bajaron a los reinos del espanto», calificada por Herrera en sus *Anotaciones* como figura ornatísima y muy poética y que hace más sublime la oración» (ed. Gallego Morell, 354) y también Égl. III,139 «al triste reino de la escura gente». Reaparece en 59,3: «profundo reino escuro» que reescribe Égl. II,940: «convocaré el inferno y reino escuro». El mismo Herrera rehace la figura en «el negro lago y sombras del espanto» en Canc. VI,80 (pág. 815 de la edición de C. Cuevas, Madrid, Cátedra, 1985). V. *Lexis,* Lima, II,2 (1978) 209. Para su perduración en P. de Oña y Cervantes, Lida de Malkiel, 518.

[74] *callados infernales* Se refiere a las silenciosas divinidades infernales a las que se dirige Fitón más adelante (octavas 80-81), y a las que debe amenazar para que respondan a sus órdenes.

[75] *conjuro* Parece documentación literaria temprana de su uso. Los diccionarios no la registran hasta 1636 (T.L.) y *Aut.* trae texto de la *Historia de España* del P. Mariana (1592-1605) con esta acepción: «palabras que usan los hechiceros para sus maleficios».

[76] Estos atributos de Fitón descritos en ésta y las dos octavas que siguen, son, en verdad, un motivo que tiene venerable tradición clásica; v. por ej., Ovidio, *Heroides* VII, 85-87: «illa reluctantes curru deducere lunam / mititur, et tenebris abdere solis equos; / illa refrenat aquas, obli-

638

y las aves en medio de su vuelo
vienen de golpe abajo amodorridas[77],
por sus fuertes palabras compelidas.

»Las yerbas en su agosto reverdece
y entiende la virtud de cada una;
el mar revuelve, el viento le obedece
contra la fuerza y orden de la luna[78].
Tiembla la firme tierra y se estremece
a su voz eficaz, sin causa alguna
que la altere y remueva por de dentro,
apretándose recio con su centro.

»Los otros poderosos elementos
a las palabras déste están sujetos
y a las causas de arriba y movimientos
hace perder la fuerza y los efetos.
Al fin por su saber y encantamentos
escudriña y entiende los secretos,
y alcanza por los astros influentes[79]
los destinos y hados de las gentes.

»No sé, pues, cómo pueda encarecerte   45
el poder deste mágico adivino;
sólo en tu menester quiero ofrecerte
lo que ofrecerte puede un su[80] sobrino.
Mas para que mejor esto se acierte
será bien que tomemos el camino,

---

quaque flumina histit;» referidos a una maga griega. Nótese la cercanía
del verbo *refrenat* de Ovidio y el *enfrena* de Ercilla. Cfr. tb. *Metamorphoseon*
VII,196 y ss. para los poderes de Medea; Lucano VI, 460 y ss.; *Aeneidos*
IV,487 y ss.; v. Lida de Malkiel, 502.

[77] *amodorrido* 'aturdido' (Palet, 1605 en T.L.); para Cov. ya era «vocablo viejo rústico» (s.v. *moderno*) que se ajusta a la persona de Guaticolo;
pero *Aut.* todavía la registra en Quevedo.

[78] Referencia a la influencia de la luna en las mareas, ya poetizada por
Lucano en VI, 479 como uno de los poderes que vencen los magos.

[79] *influente* ant. *influyente* (DCECH) ambos todavía ausentes en *Aut.*

[80] Para el uso de artículo indefinido más posesivo antepuesto, XV,
n. 93.

pues es la hora y sazón desocupada
que podemos tener mejor entrada.»

Luego de allí los dos nos levantamos
y atando a mi caballo de la rienda
a paso apresurado caminamos
por una estrecha y intricada senda,
la cual seguida un trecho, nos hallamos
en una selva de árboles horrenda[81],
que los rayos del sol y claro cielo
nunca allí vieron el umbroso[82] suelo.

Debajo de una peña socavada,
de espesas ramas y árboles cubierto,
vimos un callejón y angosta entrada
y más adentro una pequeña puerta
de cabezas de fieras rodeada,
la cual de par en par estaba abierta,
por donde se lanzó el robusto anciano
llevándome trabado de la mano.

Bien[83] por ella cien pasos anduvimos
no sin algún temor de parte mía,
cuando a una grande bóveda salimos
do un perpetua luz en medio ardía:
y a cada banda[84] en torno della vimos
poyos puestos por orden, en que había
multitud de redomas sobre escritas[85]
de ungüentos, yerbas y aguas infinitas[86].

---

[81] *horrendo* Cfr. III, n. 13 para este cultismo.

[82] *umbroso* es cultismo ya usado por J. de Montemayor (*Aut.*) y frecuente en Herrera.

[83] Para este uso del adverbio *bien* con significación cuantitativa 'aproximadamente, seguramente', v. *Esbozo* par. 3,9,11.

[84] *banda* 'lado' como luego en el Canto, en 77,6 (IV, n. 129).

[85] *sobre escrito* o *sobrescrito* 'rotulado' (*Aut.* s.v. *sobrescrito*, con este texto).

[86] La lista de materiales de virtud mágica enumerada en las octavas que siguen proviene, en su mayor parte, de Lucano (VI, 670 y ss.) y el libro IX; J. de Mena (*Laberinto de Fortuna*, 241 y ss.) ya había imitado el

Vimos allí del lince preparados
los penetrantes ojos virtuosos[87]
en cierto tiempo y conjunción sacados
y los del basilisco[88] ponzoñosos;
sangre de hombres bermejos[89] enojados,
espumajos de perros[90] que rabiosos
van huyendo del agua, y el pellejo
del pecoso chersidros cuando es viejo[91].

También en otra parte parecía[92]
la coyuntura de la dura hiena[93],
y el meollo del cencris[94], que se cría
dentro de Libia en la caliente arena
y un pedazo del ala de una harpía[95],
la hiel de la biforme anfisibena[96]

---

primer pasaje de la *Pharsalia* antes mencionado. Cfr. las notas correspondientes de la edición de Ducamin; Menéndez y Pelayo, II,227; Lida de Malkiel, 505.

[87] *virtuoso* 'vigoroso, que posee fuerza' (Cov. s.v. *virtud); '*que tiene valor curativo' (*Aut.*). Tanto Lucano (VI, 672: «viscera non lyncias... defuit») como Mena, que lo imita, *(Laberinto...* 241a «Pulmón de Linceo allí non fallesçe») mencionan las vísceras y no los ojos, cuyo poder «penetrante» es creencia que tiene raíces medievales y clásicas y que perdura hasta hoy.

[88] *basilisco* Cfr. III, c. 33 y Lucano IX,828 para el poder de su veneno. Ya en los padres de la Iglesia se había transformado en símbolo demoníaco proverbial, de aquí su presencia en este texto.

[89] *bermejo* «el hombre que tiene el cabello y barba de color rojo muy subido... y assí son tenidos los bermejos por cautelosos y astutos» (Cov.).

[90] Cfr., como para los versos 1 y 2, Lucano VI, 671: «... Non spuma canum quibus unda timori est, / ... defuit».

[91] *chersidros* o *chersydros,* especie de serpiente anfibia (Lucano, IX, 711).

[92] *parecer* 'aparecer' (III, n. 25).

[93] *hiena* Cfr. Lucano, VI, 672: «... non durae nodus hyaenae / defuit...» y Plinio, *N.H.,* VIII, par. 105.

[94] *cancris* o *canchris* 'especie de serpiente de piel manchada' (Lucano, IX,712; Plinio, *N.H.,* XX, par. 245).

[95] *harpía* Monstruo alado con nariz en forma de pico (*Aeneidos,* III,216-218 para su descripción).

[96] *anfisibena* o *amphisibaena* Serpiente de dos cabezas (Plinio, *N.H.* VIII, vergens par. 85) de aquí el «biforme»; Lucano, IX, 719: «et gravis in geminum vergens caput amphisibaena».

y la cola del áspide revuelta[97],
que da la muerte en dulce sueño envuelta.

Moho de calavera destroncada
del cuerpo que no alcanza sepultura;
carne de niña por nacer, sacada
no por donde la llama la natura[98];
y la espina también descoyuntada
de la sierpe cerastas[99], y la dura
lengua de la emorróys[100], que aquel que hiere
suda toda la sangre hasta que muere.

Vello de cuantos monstruos prodigiosos
la superflua natura ha producido[101];
escupidos de sierpes venenosos,
las dos alas del jáculo temido[102];
y de las seps los dientes ponzoñosos[103],
que el hombre o animal della mordido,
de súbito hinchado como un odre,
huesos y carne se convierte en podre.

---

[97] *aspide* o *aspid* Serpiente venenosa cuya mordedura causa «profundísimo sueño al cual sigue el pasmo universal y la muerte» (*Aut.* con texto del *Guzmán de Alfarache*, que menciona esta característica).

[98] Cfr. Lucano, VI,706-710 para el uso de carne humana en conjuros y hechicerías. Para el empleo de materia fetal para «remediar amores», recuérdese el *mantillo de niño* entre los elementos que usaba Celestina en su práctica hechicera (Daniel Devoto, «Un ingrediente de Celestina» en *Textos y contextos* Madrid, Gredos, 1974,150-169. Para *natura* 'naturaleza', que reaparece en el Canto en 54,8, v. IX, n. 3.

[99] *cerastas* o, mejor, *cerastes* 'serpiente con dos pares de cuernos (a veces, cuatro pares, como en Plinio, *N.H.* VIII, par. 85). Cfr. Lucano IX, 716: «... spinaque vagi torquente Cerastae».

[100] *emorróys* o *hemorróis* 'especie de serpiente venenosa'. Cfr. Lucano IX,708-9 y Plinio, *N.H.* XXIII, par. 43.

[101] El texto, sin duda por error, trae *da procedido*. Seguimos aquí la lectura de la princeps y las demás ediciones antiguas hasta Madrid, 1589-1590.

[102] *jáculo* Cfr. VII, n. 42 para la fuente en Lucano. V. además Plinio, *H.N.* VIII, par. 85.

[103] *seps* 'especie de serpiente venenosa' (Lucano, IX, 764 y ss.).

Estaba en un gran vaso trasparente
el corazón del grifo[104] atravesado,
y ceniza del fénix, que en Oriente
se quema él mismo de vivir cansado[105];
el unto de la scítala serpiente[106],
y el pescado echinéys, que en mar airado
al curso de las naves contraviene
y a pesar de los vientos las detiene[107].

No faltaban cabezas de escorpiones
y mortíferas sierpes enconadas[108];
alacranes y colas de dragones
y las piedras del águila preñadas[109];
buches de los hambriento tiburones[110],
menstruo y leche de hembras azotadas[111],
landres, pestes, venenos, cuantas cosas
produce la natura ponzoñosas.

---

[104] *grifo* Para este animal cuadrúpedo fabuloso con cabeza de águila y orejas puntiagudas, Plinio, *H.N.* X, par. 136.

[105] Referencia a los quinientos años atribuidos a la vida del fénix, que prepara su propia pira funeraria (Ovidio, *Metamorphoseon* XV, 391-407.

[106] *scítala* o *scytala* 'serpiente ponzoñosa de cuerpo de igual grosor', de aquí el nombre, pues *scytala* también significaba 'rollo, cilindro', particularmente los de madera para poner pergaminos (Lucano, IX, 717).

[107] *echineys* o *echeneis* es el pez llamado también *rémora* (Lucano, VI, 674-675). Su presencia en la cueva de Fitón se debe a que también se lo usaba en preparaciones de filtros amorosos y por su poder para retardar procesos judiciales (Plinio, IX, par. 79).

[108] *enconado* 'venenoso' ac. ya documentada en Berceo (DCECH s.v. *enconar*). Cfr. IV, n. 86.

[109] Cfr. Lucano VI, 676 y J. de Mena, *Laberinto...* 241, g-h; también llamada en latín *aetites* (Plinio, XXVII, par. 187) a la que se atribuía entre otras, la virtud de facilitar los partos e impedir el aborto, poder que el *Diccionario* de Alcedo (1789) denunciará como «imaginario»; se trata de una piedra con cavidad interior que contiene (o no) otra piedra pequeña; de aquí el «preñada».

[110] *tiburón* es indigenismo de origen incierto, tal vez tupí (Friederici; DCECH). La primera documentación aparece en un topónimo (1519, Fernández de Enciso). Oviedo la usa ya en el *Sumario* (1526), cap. 83 junto a *manatí* (otro indigenismo) sin mencionar, como en otras oportunidades, el origen indígena de los dos vocablos.

[111] El valor mágico de la menstruación ya estaba establecido en Pli-

643

Yo, que con atención mirando andaba
la copiosa botica embebecido[112]
por una puerta que a un rincón estaba,
vi salir un anciano consumido
que sobre un corvo junco se arrimaba;
el cual luego de mí fue conocido
ser el que había corrido por la cuesta[113],
que apenas le alcanzara una ballesta,

diciéndome: «No es poco atrevimiento
el que, siendo tan mozo, has hoy tomado
de venir a mi oculto alojamiento
do sin mi voluntad nadie ha llegado;
mas porque sé que algún honrado intento
tan lejos a buscarme te ha obligado,
quiero por esta vez hacer contigo
lo que nunca pensé acabar conmigo.»

Visto por mi apacible compañero,
la coyuntura y tiempo favorable,
pues el viejo, tan áspero y severo,
se mostraba doméstico y tratable,
se detuvo mirándome primero
con un comedimiento y muestra afable,
por ver si responderle yo quería;
mas viéndome callar, le respondía

diciendo: «¡Oh gran Fitón, a quién es dado
penetrar de los cielos los secretos,
que del eterno curso[114] arrebatado,
no obedecen la ley, a ti sujetos!
Tú, que de la Fortuna y fiero hado

---

nio, *N.H.* XXVIII, par. 23; *azotar* 'purgar, sangrar (Correas, 1627, en
T.L., s.v. *azote*).

[112] *embebecido* 'absorto' (V, n. 27).

[113] Para uso en prosa de preposiciones de infinitivo semejantes, Keniston par. 37, 87. Cfr. antes, octavas 24-26 para el encuentro que aquí se recuerda.

[114] *curso* 'carrera' (II, n. 73). Entiéndase 'eterna carrera veloz'.

revocas, cuando quieres, los decretos,
y el orden natural turbas y alteras,
alcanzando las cosas venideras,

»y por mágica ciencia y saber puro
rompiendo el cavernoso y duro suelo,
puedes en el profundo reino escuro[115],
meter la claridad y luz del cielo;
y atormentar con áspero conjuro
la caterva[116] infernal, que con recelo
tiembla de tu eficaz fuerza, que es tanta
que sus eternas leyes le quebranta,

«sabrás que a este mancebo le ha traído   60
de tu espantoso nombre la gran fama,
que en las indias regiones estendido
hasta el ártico polo se derrama.
El cual por mil peligros ha rompido
tras su deseo corriendo, que le llama
a celebrar las cosas de la guerra
y el sangriento destrozo desta tierra.

»Que estando así una noche retirado
escribiendo el suceso de aquel día,
súbito fue en un sueño arrebatado,
viendo cuanto en la Europa sucedía:
donde le fue asimismo revelado[117]
que en tu escondida cueva entendería[118]
estraños casos, dignos de memoria,
con que ilustrar pudiese más su historia,

---

[115] Cfr. más arriba, n. 73.
[116] *caterva* 'turba, banda desordenada' es latinismo usado ya por Mena (DCECH) cuyo uso se expande, después de Ercilla, en textos del XVII (ejs. de Cervantes en DCECH). Para su inclusión en censuras anticultistas, v. D. Alonso, 97 y téngase en cuenta el uso cómico en el *Quijote*.
[117] Cfr. XVII,35.
[118] *entender* 'enterarse, oír' (IV, n. 111).

»y que noticia le darías de cosas
ya pasadas, presente y futuras,
hazañas y conquistas milagrosas,
peregrinos sucesos y aventuras,
temerarias empresas espantosas,
hechos que no se han visto en escrituras:
este encarecimiento[119] le molesta
y nos tiene suspensos tu respuesta.»

Holgó el mago de oír cuán estendida
por aquella región su fama andaba
y vuelta a mí la cara envejecida,
todo de arriba abajo me miraba;
al fin, con voz pujante y expedida[120]
que poco con las canas conformaba,
y aspecto grave y muestra algo severa,
la respuesta me dio desta manera:

«Aunque en razón[121] es cosa prohibida
profetizar los casos no llegados,
y es menos alargar a uno la vida
contra los estatutos de los hados,
ya que ha sido a mi casa tu venida
por incultos[122] caminos desusados,
te quiero complacer, pues mi sobrino
viene aquí por tu intérprete y padrino.»

Diciendo así, con paso tardo[123] y lento,   65
por la pequeña puerta cavernosa[124]

---

[119] *encarecimiento* 'exageración' (Palet, 1604, en T.L.); Guaticolo intenta despertar la vanidad de Fitón para conseguir que quiebre «los estatutos de los hados», como se apunta en los versos siguientes.

[120] *expedido* 'ágil, pronto' recuerda su uso en Garcilaso, dos veces aplicado a la voz: «con expedida lengua y rigurosa» (Égl. II, 399); y luego con voz clara y expedida» (*ibid.*, 1104). V. tb. XXXVI,7,3.

[121] *en razón* 'por lo que toca a', 'en cuanto a' (*Aut.*).

[122] *inculto* 'silvestre' (I, n. 106).

[123] *tardo* 'lento' (XXII, n. 78).

[124] *cavernoso* Cfr. IV, n. 107.

me metió de la mano a[125] otro aposento
y luego en una cámara hermosa,
que su fábrica[126] estraña y ornamento
era de tal labor y tan costosa
que no sé lengua que contarlo pueda,
ni habrá imaginación a que no exceda[127].

Tenía el suelo por orden ladrillado[128]
de cristalinas losas trasparentes,
que el color entrepuesto y variado,
hacía labor y visos[129] diferentes;
el cielo alto, diáfano, estrellado
de innumerables piedras relucientes,
que toda la gran cámara alegraba
la varia luz que dellas revocaba[130].

Sobre colunas de oro sustentadas
cien figuras de bulto[131] en torno estaban,
por arte tan al vivo trasladadas
que un sordo bien pensara que hablaban;
y dellas las hazañas figuradas
por las anchas paredes se mostraban,
donde se vía[132] el estremo y excelencia,
de armas, letras, virtud y continencia.

---

[125] *meter a* por *meter en* es construcción infrecuente que se explica si se entiende *meter* 'llevar'.

[126] *fábrica* en la ac. latina de 'arquitectura, artesanía' es cultismo que ya se documenta en J. de Mena *(Laberinto...,* 5g y Santillana). Cfr. C. C. Smith, 248.

[127] *exceder* es derivado cultista de *ceder,* ya documentado en J. de Mena, como otros de la misma familia de palabras (DCECH).

[128] *ladrillado* 'cubierto', hablando del suelo (Cov.).

[129] *viso* 'resplandor, reflejo de la superficie de las cosas' *(Aut.;* DCECH con ejemplos del xvi). En el verso anterior, *entrepuesto* ant. 'interpuesto' *(Aut.,* con textos de Guevara y Herrera; a fines del xvi ya se documenta el derivado moderno, DCECH).

[130] *revocar* 'volver atrás' (Cov.; *Aut.)* y aquí, por extensión, 'reflejar' (XV, n. 50).

[131] *figura de bulto* 'estatua, escultura' (Palet, 1604, en T.L. s.v. *bulto;* Cov.).

[132] *vía* ant. *veía* conservado regionalmente en América. Cfr. J. Hernández, *Martín Fierro,* I, 216, para la lengua gauchesca.

En medio desta cámara espaciosa,
que media milla en cuadro[133] contenía,
estaba una gran poma[134] milagrosa,
que una luciente esfera la ceñía,
que por arte y labor maravillosa
en el aire por sí se sostenía:
que el gran círculo y máquina de dentro
parece que estribaban[135] en su centro.

Después de haber un rato satisfecho
la codiciosa vista en las pinturas,
mirando de los muros, suelo y techo
la gran riqueza y varias esculturas,
el mago me llevó al globo derecho[136]
y vuelto allí de rostro a las figuras,
con el corvo cayado señalando,
comenzó de[137] enseñarme, así hablando:

«Habrás de saber, hijo, que estos hombres   70
son los más desta vida ya pasados,
que por grandes hazañas sus renombres
han sido y serán siempre celebrados;
y algunos, que de baja estirpe y nombres
sobre sus altos hechos levantados,
los ha puesto su próspera fortuna
en el más alto cuerno de la luna[138].

»Y esta bola que ves y compostura[139]
es del mundo el gran término abreviado,

---

[133] *en cuadro* 'en forma cuadrada' (*Aut.* con textos del XVII).

[134] *poma* o *pomo* 'especie de esfera de vidrio' (*Aut.*) como luego en el Canto, 76,6. Es acepción tomada de la forma parecida a la de una manzana (DCECH).

[135] *estribar* 'apoyarse' (XV, n. 33).

[136] *derecho* 'directamente, derechamente' (XIV, n. 33); para este uso adverbial de adjetivos, v. I, n. 62.

[137] *comenzar de* por *comenzar a* (XVII, n. 88).

[138] *poner (colocar) sobre el cuerno de la luna* 'alabar' (X, n. 4).

[139] *compostura* 'fábrica, composición' (Palet, 1604, en T.L.; *Aut.* con texto de fray Luis).

que su dificilísima hechura
cuarenta años de estudio me ha costado.
Mas no habrá en larga edad cosa futura
ni oculto disponer de inmóvil[140] hado
que muy claro y patente no me sea
y tenga aquí su muestra y viva idea.

»Mas, pues tus aparencias[141] generosas
son de escribir los actos de la guerra,
y por fuerza de estrellas rigurosas
tendrás materia larga en esta tierra,
dejaré de aclararte algunas cosas
que la presente poma y mundo encierra,
mostrándote una sola que te espante
para lo que pretendes importante:

»que pues en nuestro Arauco ya se halla
materia a tu propósito cortada,
donde la espada y defensiva malla
es más que en otra parte frecuentada,
sólo te falta una naval batalla[142]
con que será tu historia autorizada,
y escribirás las cosas de la guerra
así de mar también como de tierra[143].

»La cual verás aquí tal, que te juro
que vista, la tendremos por dudosa,
y en el pasado tiempo y el futuro
no se vio ni verá tan espantosa;

[140] *inmóvil* es documentación temprana de este cultismo (C. C. Smith, 258) que *Aut.* ejemplifica con textos posteriores de Saavedra Fajardo y Quevedo, s.v. *inmóvil*.

[141] *aparencia* por *apariencia*, que está documentado hasta Henríquez, 1579 (T.L.) y el *Quijote* (DCECH).

[142] Adelanta la descripción de la batalla de Lepanto, que se narra en el Canto siguiente.

[143] Es a través de la voz de Fitón que Ercilla justifica la presencia del episodio de Lepanto en la épica de la conquista de Chile: se trata de «autorizar» la historia con la inclusión de todos los posibles avatares bélicos que universalizan, así, la narración.

y el gran Mediterráneo mar seguro
quedará por la gente vitoriosa,
y la parte vencida y destrozada
la marítima fuerza quebrantada[144].

»Por tanto, a mis palabras no te alteres   75
ni te espante el horrísono[145] conjuro;
que si atento con ánimo estuvieres,
verás aquí presente lo futuro.
Todo, punto por punto, lo que vieres
lo disponen los hados, y aseguro
que podrás, como digo, ser de vista
testigo y verdadero coronista»[146].

Yo, con mayor codicia, por un lado
llegué el rostro a la bola trasparente,
donde vi dentro un mundo fabricado
tan grande como el nuestro, y tan patente
como en redondo espejo relevado[147].
Llegando junto el rostro, claramente

---

[144] En efecto, la victoria sobre la armada turca el 7 de octubre de
1571 representó la quiebra del peligro que el poderío naval turco significaba. Pero no representó una derrota total ni quedó el Mediterráneo
«mar seguro», como dice el poema. Los turcos volvieron a ocupar Túnez
(mayo de 1574) y La Goleta (agosto del mismo año) con lo que desapareció definitivamente la presencia de España en aquellas costas. Cfr. M.
Tuñón de Lara, *Historia de España,* Madrid, Labor, 1989, V,193 y un análisis detallado en F. Braudel, *El Mediterráneo y el mundo mediterráneo en la
época de Felipe II,* México, FCE, 1953, II,353 y ss. Para una revisión de las
consecuencias de este «choque fronterizo en la brutal contienda entre
dos civilizaciones diferentes», v. Andrew C. Hess, «La batalla de Lepanto y su lugar en la historia del Mediterráneo» en J. H. Elliott, ed. *Poder y
sociedad en la España de los Austrias,* Barcelona, Crítica, 1982.

[145] *horrísono* es latinismo introducido en textos literarios por Ercilla,
sin duda a través de Virgilio, *Aeneidos* IX,55, y pronto usado por Herrera
(Kossoff).

[146] *coronista* por *cronista* es variante muy usada hasta la primera mitad
del XVII; la forma moderna ya aparece a fines del XVI (DCECH).

[147] *relevado* 'trabajado con relieve' (IV, n. 42).

vemos[148] dentro un anchísimo palacio
y en muy pequeña forma grande espacio.

Y por aquel lugar se descubría
el turbado y revuelto mar Ausonio[149],
donde se difinió la gran porfía,
entre César Augusto[150] y Marco Antonio;
así en la misma forma parecía
por la banda de Lepanto y Favonio[151],
junto a las Curchulares[152], hacia el puerto,
de galeras el ancho mar cubierto.

Mas viendo las devisas[153] señaladas
del Papa, de Felipe y venecianos,
luego reconocí ser las armadas
de los infieles turcos y cristianos,
que en orden de batalla aparejadas
para venir estaban a las manos[154],

---

[148] *vemos* es probable errata por *vimos*, que tiene mayor sentido que un presente histórico en esta octava.

[149] *Ausonio* Como adjetivo significó poéticamente en latín 'romano, de Italia' (*Aeneidos*, IV, 349); en verdad, la batalla naval de Actium a la que se refiere la octava, tuvo lugar en el mar Jónico, en 31 a.C., a las afueras del golfo de Ambracia. En el promontorio que da el nombre a la batalla, M. Antonio había instalado su campamento; el adjetivo reaparece en XXIV,1,4.

[150] *César Augusto* es decir, C. Octavio, al que el Senado romano concedió el título de *Augustus* en el año 27 a.C.

[151] *Lepanto* Nombre del largo golfo en donde la flota de la Liga (España, Venecia, el Papa) encerraron a los 230 barcos de la flota turca. *Favonio* 'oeste'.

[152] *Curchulares* Las islas Curzolares en el mar Jónico, llamadas Echinades en la antigüedad (Plinio, *N.H.*, l.II, 85, par. 201). Cfr. F. de Herrera, *Relación de la guerra de Chipre y suceso de la batalla naval de Lepanto* (1572), capítulo XXV: «Están entre Lepanto y la Chafalonia unos peñascos o islas llamadas Cuzorales a ocho millas de Lepanto, contrapuestas a la boca del río Aqueloo, que hoy llaman Aspropotamo y antiguamente fueron las islas Echinades... No muy lejos de aquí está aquel cabo donde Augusto César combatió en batalla naval con Marco Antonio y lo venció.» *CDI* XXI (1852) 347. *Chafalonia* es la actual Kefalinia.

[153] *devisa* por *divisa* (XXI, n. 63).

[154] *venir a las manos* 'batallar con las armas' (DCECH).

aunque a mi parecer no se movían,
ni más que figuradas[155] parecían.

Pero el mago Fitón me dijo: «Presto
verás una naval batalla estraña,
donde se mostrará bien manifiesto
el supremo valor de nuestra España.»
Y luego con airado y fiero gesto,
hiriendo el ancho globo con la caña,
una vez al través, otra al derecho,
sacó una horrible voz del ronco pecho,

diciendo: «¡Orco amarillo, Cancerbero![156]   80
¡Oh gran Plutón, retor[157] del bajo infierno!
¡Oh cansado Carón[158], viejo barquero,
y vos, laguna Estigia y lago Averno![159]
¡Oh Demogorgon[160], tú, que lo postrero

---

[155] *figurado* 'delineado' (*Aut.*)

[156] *Orco* es divinidad infernal sinónima del Plutón griego del verso siguiente, como ya lo llama San Isidro (J. Pérez de Moya, LII, capítulo 17,I,126). *Cancerbero* de *Can* y *Cerbero*, *Cerberus* es el perro de tres cabezas, guardián de los infiernos (Cicerón, *Tusculanae disputationes* I,10). El adjetivo *amarillo* 'pálido', en Lucano VI,714-15 (*pallentis... Orci*).

[157] *retor* por *rector* 'el que dirige' es cultismo ya usado por Alvar Gómez, h. 1525, primera edición, 1587; C. C. Smith, 264 y DCECH). Para Plutón, Pérez de Moya, *o.c.*, l.II, cap. XIV,I,124 y ss.

[158] *Carón* «Carón hijo de Herebo y de la noche, según Hesíodo, es el barquero que los poetas fingen que pasa las ánimas por el Flegeton y los demás ríos» (Pérez de Moya, *o.c.*, 1,7, cap. VI, II,317); cfr. *Aeneidos* VI, 298 y ss. para la descripción de este «horrendo barquero» («portitor horrendus»).

[159] *Estigia* es la laguna infernal en la que juraban los dioses (*Aeneidos* VI,323-4). Cfr. Pérez de Moya, l.7, cap. II,II,309 y ss. *Averno* es el lago de la Campania en Italia donde los poetas latinos ubicaban una de las entradas del infierno (*Aeneidos* VI,126).

[160] *Demogorgon* «dios padre de todos los dioses y todas las cosas, que habitaba en las entrañas de la tierra» (*ibíd.*, l.2 cap. I,I,39 y ss. Ercilla debió tomarlo de Juan de Mena, *Laberinto...*, 252f; Mena, a su vez, recogió de la *Genealogie deorum gentilium*, liber I el dato que relaciona a Demogorgon con la laguna Estigia. La relación con Statius y Lactancio debió tomarla Lida de Malkiel, 508, del ya citado Pérez de Moya o directamente de Boccaccio (t. I,14 y ss.; utilizo la edición de V. Romano, Bari, Laterza, 1951).

habitas del tartáreo[161] reino eterno,
y las hervientes aguas de Aqueronte[162],
de Leteo, Cocito y Flegetonte![163]

»¡Y vos, Furias[164], que así con crueldades
atormentáis las ánimas dañadas,
que aún temen ver las ínferas[165] deidades
vuestras frentes de víboras crinadas[166];
y vosotras, gorgóneas[167] potestades
por mis fuertes palabras apremiadas,
haced que claramente aquí se vea,
aunque futura, esta naval pelea!

»¡Y tú, Hécate[168] ahumada y mal compuesta,
nos muestra lo que pido aquí visible!

---

[161] *tartáreo* 'infernal' (*Aeneidos* VI,395; Lucano VI,712); Pérez de Moya, l.7, cap. XII,II,327.

[162] *Aqueronte* o *Acheronte,* primer río infernal que atravesaban las almas (Pérez de Moya, 1,7, cap. I,II,307-309).

[163] *Leteo* 'río infernal cuyas aguas hacían olvidar el pasado' Cfr. Lucano V,221 y Pérez de Moya, l.7, cap. V,II,316. *Cocito* (*Aeneidos,* VI,132) río infernal sobre cuya identidad había diversas opiniones entre los antiguos. *Flegetonte* (*Aeneidos* VI,265) río infernal de aguas ardientes. Pérez de Moya, l.7, cap. III,II,312 lo asimila al Cocito.

[164] *Furias* o Euménides «ejecutoras o verdugos y testigos de los que los jueces han condenado a padecer tormentos en el Tártaro» (*ibíd.,* l.7, cap. XII,II,328 y ss.). Cfr. Lucano VI,695: «Eumenides Stygiumque nefas Poenaeque nocentum.»

[165] *ínfero* 'profundo, infernal' es latinismo ausente de los diccionarios que Ercilla debió tomar de Boccaccio, *Genalogie...,* por ej. en el «Prohemium» del liber primus, en que aparece en la forma sustantiva o, tal vez, directamente del italiano.

[166] *crinado* aquí 'en forma de crines', es latinismo presente ya en Mena; debe tenerse en cuenta, sin embargo, Lucano VI, 655-656 en que se describe a la maga Ericto como semejante a una furia: «... voltusque aperitur crine remoto, / et coma uipereis substringitur horrida sertis.» V. tb. *Aeneidos* VI,280-281 (*vipereum crinem*).

[167] *Gorgónea* porque una de las tres Gorgonas, Medusa, fue amada de Poseidón, dios del mar.

[168] *Hécate* Diosa de los fantasmas y la magia, como recuerda Lucano (VI,700): «... nostraeque Hecates pars ultima, per quam / manibus et mihi sunt tacitae commercia linguae»; habitaba los infiernos, de aquí el «ahumada» y su presencia en el conjuro de Ericto.

¡Hola! ¿A quién digo? ¿Qué tardanza es ésta,
que no os hace temblar mi voz terrible?
Mirad que romperé la tierra opuesta
y os heriré con luz aborrecible
y por fuerza absoluta y poder nuevo
quebrantaré las leyes del Erebo»[169].

No acabó de decir bien esto, cuando
las aguas en el mar se alborotaron,
y el seco lesnordeste[170] respirando,
las cuerdas y anchas velas se estiraron;
y aquellas gentes súbito anhelando[171],
poco a poco moverse comenzaron,
haciendo de aquel modo en los objetos
todas las demás causas sus efetos[172].

Mirando, aunque espantado, atentamente
la multitud de gente que allí había,
vi que escrito de letras en la frente
su nombre y cargo cada cual tenía,
y mucho me admiró los que al presente
en la primera edad yo conocía
verlos en su vigor y años lozanos,
y otros floridos jóvenes ya canos[173].

Luego, pues, los cristianos dispararon   85
una pieza en señal de rompimiento[174],

[169] *Erebo* El infierno de los antiguos, también llamado Tártaro (cfr.
«tartáreo reino eterno» de 80,6). La recreación de la fórmula de este conjuro por Ercilla tiene su precedente en Mena (*Laberinto...*, 251) y ambos
se apoyan en Lucano VI,730 y ss., especialmente 741-750. Cfr. Ducamin, Menéndez y Pelayo, 227 y Lida de Malkiel, 505.

[170] *lesnordeste* 'viento del este-nordeste'.

[171] *anhelar* 'respirar' (Cuervo, *Dicc.* I, 468b); *súbito* 'súbitamente'
(IV, n. 16).

[172] *efeto* por *efecto* (XXI, n. 81).

[173] Recuérdese que el momento de la narración es fines de 1557 a
principios de 1558 y lo que aparece en la esfera de Fitón son los «futuros» hechos de Lepanto, en 1571.

[174] *rompimiento* 'ataque' (XVI, n. 99; v. tb. IV, n. 27), que reaparece
en XXIV,2,6.

y en alto un crucifijo enarbolaron,
que acrecentó el hervor y encendimiento:
todos humildemente le salvaron[175]
con grande devoción y acatamiento,
bajo del cual estaban a los lados
las armas de los fieles colegados[176].

En esto, con rumor de varios[177] sones,
acercándose siempre, caminaban;
estandartes, banderas y pendones
sobre las altas popas tremolaban;
las ordenadas bandas y escuadrones,
esgrimiendo las armas se mostraban
en torno las galeras rodeadas
de cañones de bronce y pavesadas[178].

Mas en el bajo tono que ahora llevo
no es bien que de tan grande cosa cante,
que, cierto, es menester aliento nuevo,
lengua más espedida[179] y voz pujante;
así medroso desto, no me atrevo
a proseguir, Señor, más adelante.
En el siguiente y nuevo canto os pido.
me deis vuestro favor y atento oído.

FIN

---

[175] *salvar* 'saludar' es ac. antigua (DCECH) ausente en *Aut.* y DRAE.

[176] *colegados* por *coligados* 'miembros de la Liga, aliados'.

[177] *vario* 'diferente' (VII, n. 15).

[178] *pavesada* o *empavesada* 'protección de los navíos contra el abordaje' (*Aut.*).

[179] *espedida* por *expedida* 'desenvuelta'. Cfr. Garcilaso, Égl. II,399 y 1104, como epíteto para «lengua» y «voz» respectivamente. La forma moderna *expedito,* ya en Cervantes («El licenciado Vidriera»), tal vez por italianismo (DCECH).

EN ESTE CANTO SÓLO SE CONTIENE LA GRAN BATALLA NA-
VAL, EL DESBARATE Y ROTA[1] DE LA ARMADA TURQUESCA
CON LA HUIDA DE OCHALÍ[2]

CANTO XXIIII

LA SAZÓN, gran Felipe, es ya llegada
en que mi voz, de vos favorecida,
cante la universal y gran jornada
en las ausonias olas definida;
la soberbia otomana derrocada,
su marítima fuerza destruida,
los varios hados, diferentes suertes,
el sangriento destrozo y crudas muertes[3].

---

[1] *rota* 'derrota' (DCECH con doc. contemporánea de Hurtado de
Mendoza, 1580); para la repetición sinonímica, I, n. 112 y más abajo en
el Canto, n. 15. DCECH documenta esta acepción de *desbarate* a partir
de 1517. Lepanto pasó a llamarse, por antonomasia, «la gran batalla naval».
Para la repercusión en la literatura, v. J. López de Toro *Los poetas de Le-
panto*, Madrid, 1950 y M. Gaylord Randel *The Historical Prose of Fernando de
Herrera*, Londres, Támesis, 1971, especialmente, cap. IV: «History and
Poetry», 93-111.

[2] *Óchalí* es decir, Euldj Alí, renegado calabrés convertido en rey de
Argel desde 1568. Logró escapar con treinta galeras turcas a su mando,
gracias a su velocidad y destreza de maniobra (Braudel, *o.c.* II,370).

[3] Nótese el uso de estructuras paralelísticas en la octava: vv. 4-6, sustantivo con adjetivo antepuesto (vv. 4 y 5) o pospuesto (v. 5) más participio y los versos 7 y 8, de estructuras bimembres sintáctica y semánticamente paralelísticas (IX, n. 112 y también II, n. 102 y n. 106).
Otros ejemplos en el Canto, en 66,8 (con adjetivos en quiasmo); 78,6
y 98,8.

Abridme, ¡oh sacras Musas!, vuestra fuente
y dadme nuevo espíritu y aliento,
con estilo y lenguaje conveniente
a mi arrojado y grande atrevimiento
para decir estensa y claramente
desde naval conflito el rompimiento
y las gentes que están juntas a una[4]
debajo deste golpe de fortuna.

¿Quién bastará a contar los escuadrones
y el número copioso de galeras,
la multitud y mezcla de naciones,
estandartes, enseñas y banderas;
las defensas, pertrechos, municiones,
las diferencias de armas y maneras,
máquinas, artificios y instrumentos,
aparatos, divisas y ornamentos?[5]

Vi corvatos, dalmacios, esclavones[6],
búlgaros, albaneses, trasilvanos,
tártaros, tracios, griegos, macedones,
turcos, lidios, armenios, gorgianos[7],
sirios, árabes, licios, licaones[8],

---

[4] *a una* 'juntamente' es frase adverbial repetitiva con valor superlativo (III, n. 65).

[5] Para este tipo de acumulación nominal propia de las descripciones
bélicas, v. III, n. 39; la estrofa siguiente, enteramente construida sobre
una enumeración de unidades trimembres y tetramembres, es ejemplo límite de este recurso frecuente en el poema. Cfr. otro ejemplo
en 54,8.

[6] *corvatos* por *croatos* 'habitantes de Croacia' (Sobrino, 1705, en T.L.);
dalmacios 'habitantes de la Dalmacia, la antigua provincia romana a lo
largo del Adriático, en lo que hoy es, en parte, Yugoslavia; *esclavones*
'pueblo vecino a los búlgaros' según el historiador del siglo VI Jordanes,
que fue obispo de Ravenna.

[7] *gorgianos* por *georgianos* 'pueblo de Asia' mencionado ya por Pomponio Mela.

[8] *licios* 'habitantes de Lycia', región costera del Asia Menor. «patria de
la Quimera» (Ovidio, *Metamorphoseon* VI,340) en el actual territorio de
Turquía; *licaones* 'habitantes de Lycaonia, al nordeste de Lycia (Tito Livio, 37,54,11).

númidas, sarracenos, africanos[9],
genízaros, sanjacos, capitanes[10],
chauces, behelerbeyes y bajanes[11].

Vi allí también de la nación de España   5
la flor de juventud y gallardía,
la nobleza de Italia y de Alemaña,
una audaz y bizarra compañía[12]:
todos ornados de riqueza estraña,
con animosa muestra y lozanía,
y en las popas, carceses y trinquetes[13],
flámulas[14], banderolas, gallardetes.

Así las dos armadas, pues, venían
en tal manera y orden navegando[15]

---

[9] *númidas* 'habitantes de la provincia romana de Numidia, en Africa'; corresponde aproximadamente al actual territorio de Argelia; *sarracenos* 'habitantes de la Arabia Felix (DRAE), que corresponde aproximadamente al actual territorio de Arabia Saudita; *africanos* 'habitantes de la provincia romana de África' al nordeste de Numidia, en la costa del actual territorio de Túnez.

[10] *genízaro o jenízaro* 'soldado de la infantería turca' (DRAE), 'mestizo' (*Aut.*, con texto de la *Historia de Chile* de Ovalle; cfr. luego 38,1). *Sanjaco* 'gobernador de un territorio en el imperio turco' (DRAE).

[11] *chauz* 'alguacil'. Cfr. «En esto entró un chauz (que es como un alguacil) y dijo...» (Cervantes, «El amante liberal», en Fz. Gómez); *behelerbey* 'funcionario turco'; *bajáu o bajá* 'virrey' (Cervantes, *ibíd.*: Antes de entrar en Nicosia donde viene proveído por Virrey o por Bajá, como los turcos llaman a los virreyes» en Fz. Gómez).

[12] Cfr. Fernando de Herrera, *Relación...*, c. XVII «La gente de guerra que iba en la armada» para la composición de las «docientas galeras Reales»; para los «tres mil alemanes» de los que eran coroneles «el conde Alberico de Ladrón y Vincinguerra de Arco», v. *ibíd.*, 317.

[13] *carcés* o *calcés* 'cabeza de madero que se pone a la cabeza del mástil para sustentar la gavia' (A. Chaves, 1538, en T.L.; DCECH s.v. *calcés*); *trinquete* 'el mástil principal más pequeño' (XIII, n. 63).

[14] *flámula* 'bandera pequeña' (*Aut.* con textos del XVII) parece la documentación más temprana del uso de este cultismo (C. C. Smith, 256).

[15] Para la repetición sinonímica («manera y orden»), v. I, n. 112. Cfr. más adelante en el Canto: 6,7 («vislumbres y reflejos»); 7,7 («disposición, figura y arte»); 8,2 («talle y apostura»); 9,2 («bullicio y alboroto»); 10,3 («ánimo y valor»); 28,2 («moveros ni incitaros»); 35,8 («ánimo y denuedo»); 41,6 («gritos y apellidos»); 47,8 («valor, virtud y valentía»);

que dos espesos bosques parecían
que poco a poco se iban allegando[16].
Las cicaladas[17] armas relucían
en el inquieto mar reverberando,
ofendiendo[18] la vista desde lejos
las agudas vislumbres y reflejos.

Por nuestra armada al uno y otro lado
una presta fragata discurría,
donde venía un mancebo levantado
de gallarda aparencia y bizarría,
un riquísimo y fuerte peto armado,
con tanta autoridad, que parecía
en su disposición, figura y arte[19],
hijo de la Fortuna y del dios Marte.

Yo, codicioso de saber quién era,
aficionado al talle y apostura,

53,8 («ira, saña, furor y rabia...»); 71,4 («estrago y... matanza»); 80,7 («ira y rabia»); 80,3 («sagaz y astuto»); 95,5 («deshecho... y destrozador»); 100,8 («tiendas... y pabellones»). Para repeticiones triples y cuádruples, n. 87.

[16] Ercilla rehace el famoso pasaje virgiliano de la descripción del escudo en que Vulcano ha grabado los momentos más importantes de la futura historia de Roma (*Aeneidos*, VIII, 626 y ss.); aquí, particularmente, rinde homenaje al encuentro, ya mencionado en XXIII,77,4, de la flota de M. Antonio y de César Augusto en Actium (*ibíd.* 691 y ss.): «... pelago credas innare reuolsas / Cycladas aut montis concurrere montibus altos: / tanta mole uiri turritis puppibus instant». *Allegar* ant. *llegar* (II, n. 18).

[17] *cicalado* 'pulido, afilado', es forma antigua de *acicalado*, de la que este texto parece documentación temprana (DCECH; Minschev, 1617, con la expresión de Ercilla: «cicaladas armas», en T.L.); para *acicalado*, v. XXV,30,4. El resto de la octava es amplificación de *Aeneidos*, VIII, 675-677: «In medio classi aeratas Actia bella, / cernere erat, totumque instructo Marte uideres / feruere Leucatem auroque effulgere fluctus». Ercilla enfatiza, pues, los paralelos históricos y discursivos entre Actium y Lepanto a través de la reelaboración del texto de Virgilio. Para Troya y Lepanto, v. más abajo, 42,1-4.

[18] *ofender* 'herir' como luego en el Canto, en 70,6 (I, n. 49).

[19] *arte* aquí, 'gallardía' por extensión de la ac. 'modo, manera' (Cov.).

660

mirando atentamente la manera,
el aire, el ademán y compostura,
en la fuerte celada, en la testera[20]
vi escrito en el relieve y grabadura
(de letras de oro, el campo en sangre tinto):
DON IUAN, HIJO DE CÉSAR CARLOS QUINTO.

El cual acá y allá siempre corría
por medio del bullicio y alboroto
y en la fragata cerca dél venía
el viejo secretario, Juan de Soto,
de quien el mago anciano me decía
ser en todas las cosas de gran voto[21],
persona de discursos[22] y esperiencia,
de muchas expedición y suficiencia[23].

Don Iuan a la sazón los exhortaba   10
a la batalla y trance peligroso,
con ánimo y valor que aseguraba
por cierta la vitoria y fin dudoso;
y su gran corazón facilitaba
lo que el temor hacía dificultoso,
derramando por toda aquella gente
un bélico furor y fuego[24] ardiente

---

[20] *testera* 'extremo, cabecera' (*Aut.,* con texto algo posterior; DCECH).

[21] *ser de voto* o *ser voto* 'ser inteligente', 'tener toda la inteligencia que requiere la materia' (*Aut.*).

[22] *discurso* 'razonamiento' (Franciosini, 1620, en T.L.; *Aut.*). Valdés lo consideraba italianismo (*ibíd.*); compárese con la opinión de Alí sobre don Juan en 32,4-6, que dejará entrever como una de las razones de la derrota turca, la arrogancia de su comandante.

[23] *expedición* 'habilidad' (*Aut.,* con textos posteriores; DCECH sin documentación); *suficiencia* 'inteligencia' como luego, en 32,2 (*Aut.,* con textos posteriores).

[24] Nótese la aliteración encarecedora *furor-fuego* con los epítetos en quiasmo que adelanta el tono de la arenga que se inicia en la octava siguiente; así, por ejemplo, en 11,6. Ver más adelante en el Canto, 66,8 donde la aliteración se da con *furor* y *fiero* (IX, n. 77).

diciendo: «¡Oh valerosa compañía,
muralla de la Iglesia inexpugnable[25],
llegada es la ocasión, éste es el día
que dejáis vuestro nombre memorable,
calad[26] armas y remos a porfía
y la invencible fuerza y fe inviolable
mostrad contra estos pérfidos paganos
que vienen a morir a vuestras manos!

»Que quien volver de aquí vivo desea
al patrio nido[27] y casa conocida,
por medio desa armada gente crea
que ha de abrir con la espada la salida;
así cada cual mire que pelea
por su Dios, por su Rey y por la vida,
que no puede salvarla de otra suerte
si no es trayendo el enemigo a muerte.

«Mirad que del valor y espada vuestra
hoy el gran peso y ser del mundo pende;
y entienda cada cual que está en su diestra
toda la gloria y premio que pretende.
Apresuremos la fortuna nuestra
que la larga tardanza nos ofende
pues no estáis de cumplir vuestro deseo
mas del poco de mar que en medio veo.

»Vamos, pues, a vencer; no detengamos
nuestra buena fortuna que nos llama;

---

[25] *inexpugnable* es epíteto de *muralla;* se trata de un cultismo ya usado por Santillana (C. C. Smith, 163) y que retoma Ercilla; infrecuente en los textos poéticos áureos (no lo usa Garcilaso, F. de Herrera una sola vez, no aparece en Góngora), es palabra que utiliza abundantemente Cervantes.

[26] *calar* 'preparar' es extensión del significado 'terciar enristrando' la lanza, la pica, etc.; *calar remos* 'sumergirlos'. Cfr. Cuervo, *Dicc.* para ambas acepciones y este texto para el segundo caso (II, 33a); para el zeugma, III, n. 47.

[27] *patrio nido* Cfr. XVI, n. 61.

662

del hado el curso próspero sigamos
dando materia y fuerzas a la fama:
que solo deste golpe derribamos
la bárbara arrogancia y se derrama
el sonoroso[28] estruendo desta guerra
por todos los confines de la tierra.

»Mirad por ese mar alegremente   15
cuánta gloria os está ya aparejada,
que Dios aquí ha juntado tanta gente
para que a nuestros pies sea derrocada,
y someta hoy aquí todo el Oriente
a nuestro yugo la cerviz domada
y a sus potentes príncipes y reyes
les podamos quitar y poner leyes.

«Hoy con su perdición establecemos
en todo el mundo el crédito cristiano,
que quiere nuestro Dios que quebrantemos
el orgullo y furor mahometano.
¿Qué peligro, ¡oh varones!, temeremos
militando debajo de tal mano?
¿Y quién resistirá vuestras espadas
por la divina mano gobernadas?

»¿Sólo os ruego que, en Christo confiando
que a la muerte de cruz por vos[29] se ofrece,
combata cada cual por Él mostrando
que llamarse su mílite[30] merece.
Con propósito firme protestando[31]
de vencer o morir, que si parece

---

[28] *sonoroso* por *sonoro* (III, n. 76).

[29] *vos* 'vosotros', como en 28,3 (II, n. 42).

[30] *mílite* es latinismo infrecuente (no aparece en Herrera, Garcilaso ni Góngora) aquí documentado por primera vez (C. C. Smith, 257) y recuperado por Cervantes.

[31] *protestar* 'afirmar' (A. de Palencia, 1490).

663

la vitoria[32] de premio y gloria llena,
la muerte por tal Dios no es menos buena.

»Y pues con este fin nos dispusimos
al peligro y rigor desta jornada
y en la defensa de su ley venimos
contra esa gente infiel y renegada,
la justísima causa que seguimos
nos tiene la vitoria asegurada,
así que ya del cielo prometido,
os puedo yo afirmar que habéis vencido.»

Súbito[33] allí los pechos más helados
de furor generoso se encendieron,
y de los torpes miembros resfriados[34],
el temor vergonzoso sacudieron.
Todos, los diestros brazos levantados,
la vitoria o morir le prometieron,
teniendo en poco ya desde aquel punto
el contrario poder del mundo junto.

El valeroso joven, pues, loando   20
aquella voluntad asegurada,
con súbita presteza el mar cortando,
atravesó por medio de la armada
de blanca espuma el rastro levantando,
cual luciente cometa arrebatada[35],
cuando veloz, rompiendo el aire espeso,
le suele así dejar gran rato impreso.

Así que brevemente habiendo puesto
en orden las galeras y la gente,

---

[32] *vitoria* por *victoria* como antes, en 10,4 y luego, en 18,6 y en 19,6.

[33] *súbito* 'súbitamente', como luego en 89,1 (IV, n. 16).

[34] *resfriado* 'enfriado, destemplado', como en 35,8 (V, n. 5).

[35] *arrebatado* 'veloz, impetuoso' (*Aut.*; Cuervo, *Dicc.* I, 631b). Para el género gramatical de *cometa*, XVI, n. 56. Para la tradición clásica de la imagen del cometa en el cielo, Virgilio, *Georgica* I,365-367.

a la suya real se acosta[36] presto,
donde fue saludado alegremente;
y señalando a cada cual su puesto
con el concierto y modo conveniente,
zafa[37] la artillería, y alistada,
iba la vuelta de[38] la turca armada.

Llevaba el cuerno[39] de la diestra mano
el sucesor del ínclito Andrea Doria[40],
de quien el largo mar Mediterrano[41]
hará perpetua y célebre memoria
y Augustín Barbarigo, veneciano,
proveedor de la armada senatoria[42],
llevaba el otro cuerno a la siniestra
con orden no menor y bella muestra.

Pues los cuernos iguales y ordenados
la batalla guiaba el hijo dino[43]
del gran Carlos[44], cerrando los dos lados

---

[36] *acostar* ant. 'arrimar' es ac. que en la época clásica queda restringida a este uso náutico (DCECH; Cuervo, *Dicc.* I, 151b con este texto).

[37] *zafar* 'preparar, desembarazar' es acepción náutica (*Aut.* con texto posterior. Cfr. DCECH para la ampliación de significados en América, frecuente en el léxico marinero y primera documentación en 1539.

[38] *vuelta* 'camino'; cfr. III, n. 109 para la frase adverbial *la vuelta de* 'hacia', como en 25,3.

[39] *cuerno* 'lado', como en 39,8 y en el resto del Canto (XXII, n. 49).

[40] Juan Andrea Doria, quien tenía a su mando, por lo menos, cincuenta y tres galeras (Cfr. F. de Herrera, *Relación*... c. 19, 323).

[41] *Mediterrano* por *Mediterráneo;* Ercilla debió haber conocido a Andrea Doria en 1548, en el viaje del entonces Príncipe Felipe a Flandes, para visitar a su padre, el emperador. Ercilla viajó en el séquito y la escuadra que los transportó de Barcelona a Génova estaba al mando de Andrea Doria (Medina, *Vida,* 27); para *ínclito,* XII, n. 46.

[42] *senatorio* 'del senado' (*Aut.,* con este texto de Ercilla; DCECH sin fecha). Se refiere al senado veneciano y Agostino Barbarigo era uno de los dos proveedores de la flota veneciana (Braudel, II,367-368); además, comandaba las cincuenta y tres galeras del «cuerno siniestro de toda la armada» (Herrera, 324).

[43] *dino* por *digno* (XVII, n. 116).

[44] Alusión a don Juan de Austria, comandante de la flota de la Liga.

las galeras de Malta y Lomelino[45];
la del Papa y Venecia a los costados,
así continuaban su camino,
cargando con igual compás y estremos
las anchas palas de los largos remos.

Iban seis galeazas delanteras,
bastecidas de gente y artilladas[46],
puestas de dos en dos en las fronteras,
que a manera de luna iban cerradas.
Seguían luego detrás treinta galeras
al general socorro señaladas,
donde el marqués de Santa Cruz venía
con una valerosa compañía[47].

Por el orden y término que cuento   25
la católica armada caminaba[48]
la vuelta de la infiel que a sobreviento[49],
ganándole la mar, se aventajaba;
pero luego a deshora calmó el viento
y el alto mar sus olas allanaba,

---

[45] *Malta:* «de Malta estaban tres galeras cuyo general era Pedro Justi-
niano, prior de Mecina, con muchos caballeros de la Religión, como
aquellos que con particular cuidado profesaban enemistad con los turcos» (Herrera, 322). *Lomelino* es decir, Pedro Batista Lomelin, del que había cuatro galeras en la flota (Herrera, 318).

[46] «Las seis galeazas repartió igualmente en la batalla y los cuernos y
cada una escuadra había de llevar remolcando las que le tocasen, dando
igual parte del trabajo a sus galeras» (*ibíd.*, 324). *Galeaza* «galeaza y galeón
tomaron el nombre de la galera, aunque son navíos más fuertes y menos
ligeros, pero sufren los golpes del agua por ser de alto bordo» (Cov. s.v.
galera). Según *Aut.*, la *galeaza* tenía veinte cañones («artilladas») y la popa
«era capaz de muchos artilleros». *Artillado* 'armado de artillería' es documentación temprana de su uso literario (*Aut.* con textos del XVII;
DCECH no lo trae).

[47] «Don Álvaro de Bazán, marqués de Santa Cruz, hijo de aquel famoso D. Alonso que reconoció la Goleta cuando la ganó el emperador, era
general de las (treinta galeras) de Nápoles y traía consigo...» (Herrera,
319): «... la retaguardia, el marqués de Santa Cruz...» (*ibíd.*, 324).

[48] *caminar* 'ir de viaje de un lugar a otro' (Cuervo, *Dicc.* II, 50b-51a).

[49] *a sobreviento* 'con viento a favor' (*Aut.*, con este texto).

remitiendo fortuna la sentencia
al valor de los brazos y excelencia.

Opuesto al Barbarigo, al cuerno diestro
va Siroco, virrey de Alejandría[50],
con Memeth Bey, cosario y gran maestro[51],
que a Negroponto[52] a la sazón regía.
Ochalí[53], renegado, iba al siniestro
con Carabey, su hijo en compañía
y en medio en la batalla bien cerrada[54]
Alí, gran general de aquella armada[55].

El cual, reconociendo el duro hado,
y de su perdición la hora postrera,
como prudente capitán y osado,
de la alta popa en la real galera,

---

[50] *Siroco* «El cuerno diestro, que algunos lo hacen de cincuenta y cinco galeras y otros mucho mayor, regía Siroco, famoso cosario gobernador de Alejandría que los turcos llaman Escandería, el cual tenía con su galera en lugar opuesto el Bragadino» (*ibíd.*, 355). Ambrosio Bragadino traía otra de las galeazas del cuerno siniestro al mando de Barbarigo, como señala Ercilla (*ibíd.*, 353).

[51] *Memethbey* o Mahemet Bey, como escribe Herrera (*ibíd.*, 355). *Cosario* por *corsario* (XI, n. 62).

[52] *Negroponto* era el nombre de la antigua isla de Eubea, en manos de los turcos desde 1479 y transformada en importante base de abastecimiento (Braudel, I,89 y II,366).

[53] *Ochali* Cfr. Herrera, 355: «El diestro guiaba con los cosarios Ochalí, virrey de Argel, opuesto a Juan Andrea y Carabey su hijo y Caracial con los dos hijos de Cara Mustafá.» Ochalí o Euldj Alí, «renegado, formado en la escuela de corsarios argelinos» fue, según Braudel, responsable de la reconstrucción de la armada turca después de 1571 «y la adaptación a ella del armamento occidental» (Braudel, II,648). V. tb. el art. cit. de Andrew C. Hess, 101-102, en XXIII, n. 144.

[54] *batalla* 'el centro del ejército, a distinción de la vanguardia y retaguardia', aquí aplicado a la armada (Oudin, 1607, en T.L.; para *Aut.* era ya acepción anticuada).

[55] Cfr. F. de Herrera, *o.c.*, 355: «La batalla, que sería de noventa galeras, tenía en medio della Alí Bajá, general de mar en un hermoso bajel de veinte y nueve bancos, lleno de banderas y tres fanales, con cuatrocientos cincuenta turcos, de los cuales trecientos arcabuceros y ciento flecheros.»

con un semblante alegre y confiado
que mostraba, fingido por defuera,
el cristiano poder disminuyendo,
hizo esta breve plática, diciendo:

«No será menester, soldados, creo,
moveros ni incitaros con razones,
que ya por las señales que en vos veo,
se muestran bien las fieras intenciones;
echad fuera la ira y el deseo
desos vuestros fogosos corazones
y las armas tomad, en cuyo hecho
los hados ponen hoy nuestro derecho:

»que jamás la fortuna a nuestros ojos
se mostró tan alegre y descubierta
pues cargada de gloria y de despojos,
se viene ya a meter por nuestra puerta.
Rematad el trabajo y los enojos
desta prolija[56] guerra, haciendo cierta
la esperanza y el crédito estimado
que de vuestro valor siempre habéis dado.

»No os altere la muestra y el ruido   30
con que se acerca la enemiga armada:
que sabed que ese ejército movido
y gente de mil reinos allegada,
Fortuna a una cerviz la ha reducido
porque pueda de un golpe ser cortada,
y deis por vuestra mano en solo un día
del mundo al Gran Señor la monarquía[57].

»Que esas gentes sin orden que allí vienen
en el valor y número inferiores,
son las que nos impiden y detienen

---

[56] *prolijo* 'dilatado' (XV, n. 119).
[57] Gran señor es decir, el sultán Selim II; «gran señor» era el apelativo
con que se designaba al Sultán del imperio turco (Braudel, II, 232).

el ser de todo el mundo vencedores.
Muestren las armas el poder que tienen,
tomad de esos indignos posesores
las provincias y reinos del Poniente
que os vienen a entregar tan ciegamente.

»Que ese su capitán envanecido
es de muy poca edad y suficiencia,
indignamente al cargo promovido,
sin curso[58], diciplina ni esperiencia
y así, presuntuoso y atrevido,
con ardor juvenil y inadvertencia
trae toda esa gente condenada
a la furia y rigor de vuestra espada.

»No penséis que nos venden muy costosa
los hados la vitoria deste día,
que lo más desa armada temerosa
es de la veneciana Señoría,
gente no ejercitada ni industriosa,
dada más al regalo y pulicía[59]
y a las blandas delicias de su tierra
que al robusto ejercicio de la guerra.

»Y esotra turbamulta[60] congregada
es pueblo soez[61] y bárbara canalla
de diversas naciones amasada,

---

[58] *curso* 'práctica, ejercitación' (Oudin, 1607, en T.L.).

[59] *pulicía* 'cortesía, urbanidad' (*Aut.*, con texto posterior). Cfr. II, n. 79 para otra acepción.

[60] *turbamulta* es un compuesto cultista documentado por primera vez en Ercilla (C. C. Smith, 269).

[61] *soez* 'humilde, de baja condición' es palabra infrecuente en los clásicos, aunque ya documentada en Santillana (DCECH); rechazada por Valdés y ausente de los diccionarios hasta principios del XVII, aparece repetidamente en el *Quijote* en boca de su protagonista, lo que hace pensar a Corominas que parece vocablo típico del estilo de los libros de caballerías. Este texto, sin embargo, y su presencia en *Los baños de Argel* en boca del guardián Baxí (Fz. Gómez) permiten suponer más de una influencia literaria y más de una especialización léxica.

en quien conformidad jamás se halla.
Gente que nunca supo qué es espada,
que[62] antes que se comience la batalla
y el espantoso són de artillería
la romperá su misma vocería.

»Mas vosotros, varones invencibles, 35
entre las armas ásperas criados
y en guerras y trabajos insufribles
tantas y tantas[63] veces aprobados,
¿qué peligros habrá ya tan terribles
ni contrarios ejércitos ligados
que basten a poneros algún miedo,
ni a resfriar vuestro ánimo y denuedo?

»Ya me parece ver gloriosamente
la riza[64] y mortandad de vuestra mano
y ese interpuesto mar con más creciente,
teñido en roja sangre el color cano[65].
Abrid, pues, y romped[66] por esa gente,
echad a fondo ya el poder cristiano
tomando posesión de un golpe solo
del Gange a Chile y de uno al otro polo»[67].

Así el Bajá en el limitado trecho
los dispuestos soldados animaba
y de la heroica empresa y alto hecho

---

[62] *que* por *a la que* es anacoluto otras veces registrado en el poema.
[63] *tantas y tantas* Para estas repeticiones o anadiplosis con valor superlativo, I, n. 92.
[64] *riza* 'estrago' (XIX, n. 109).
[65] Hay un vago recuerdo de *Aeneidos* VIII,695: «arua noua Neptunia caede rubescunt» reforzado por el uso del latinismo *cano* 'blanco', aplicado a la espuma de mar, de larga tradición clásica (III, n. 99). Para la brillante reelaboración de Herrera, v. Soneto LXXXVIII «Por la victoria de Lepanto» v. 4 (ed. C. Cuevas, Madrid, Cátedra, 1985, 725).
[66] *romper* 'atacar' (IV, n. 27).
[67] *polo* es expresión ya utilizada poéticamente por Garcilaso (Égl. II, 1757) y que reaparece con variantes en Herrera (Kossoff) y Góngora (Alemany).

el próspero suceso aseguraba
pero en lo hondo del secreto[68] pecho
siempre el negocio más dificultaba,
tomando por agüero ya contrario
la gran resolución del adversario.

Y más cuando un genízaro forzado[69]
que iba sobre la gata[70] descubriendo,
después de haberse bien certificado
las galeras de allí reconociendo,
dijo: «El cuerpo de en medio y diestro lado
y el socorro que atrás viene siguiendo,
si mi vista de aquí no desatina,
es de la armada y gente ponentina»[71].

Sintió el Bajá no menos que la muerte
lo que el cristiano cierto le afirmaba
pero mostrando esfuerzo y pecho fuerte
el secreto dolor disimulaba,
y así al cuerpo de en medio, que por suerte
según orden de guerra le tocaba,
enderezó su escuadra aventajada
de sus tendidos[72] cuernos abrigada.

---

[68] *secreto* adj. 'oculto', como en 38,4. En este ejemplo, como en
XIX,23,2, es infrecuente la adjetivación con *pecho* y *daga* respectivamente.

[69] *genízaro forzado* es decir, obligado a aparecer como turco pero «cristiano cierto», como se le denomina en la octava siguiente.

[70] *gata* «Themístocles... fue el primero que inventó poner encima del
árbol de la galera una que se llama *gata* que es a nuestra manera de casti-
llete de do los marineros pudiesen bien atalayar y los que anduviesen en
la guerra pelear» (A. de Guevara, *Arte de marear* ed. A. Rallo, Madrid,
Cátedra, 1984, 317).

[71] *ponentino* 'occidental' (ausente en Cov. y todavía en *Aut.*, que sólo
trae *ponentisco*, no aparece en el vocabulario de poetas áureos como Garcilaso, Herrera ni Góngora; DCECH sin datos). Parece estar tomado de
la *Relación...* de Herrera: «después que entendieron que las galeras del rey
Filipo, que ellos (los turcos) suelen llamar Ponentinas, se hallaban en
aquel lugar» (pág. 352).

[72] *tendido* 'dilatado' (XXII, n. 28).

Llegado el punto ya del rompimiento[73]   40
que los precisos hados señalaron,
con una furia igual y movimiento
las potentes armadas se juntaron,
donde por todas partes a un momento
los cargados cañones dispararon
con un terrible estrépito de modo
que parecía temblar el mundo todo.

El humo, el fuego, el espantoso estruendo
de los furiosos tiros escupidos[74],
el recio destroncar y encuentro horrendo
de las proas y mástiles rompidos,
el rumor de las armas estupendo[75],
las varias voces, gritos y apellidos[76],
todo en revuelta confusión hacía
espectáculo horrible y armonía[77].

No la ciudad de Príamo asolada
por tantas partes sin cesar ardía
ni el crudo efeto de la griega espada
con tal rigor y estrépito se oía[78],
como la turca y la cristiana armada
que, envuelta en humo y fuego, parecía
no sólo arder el mar, hundirse el suelo,
pero venirse abajo el alto cielo.

---

[73] *rompimiento* 'ataque' (XVI, n. 99).

[74] *escupir* 'disparar las armas de fuego' (*Aut.*, con ejemplo posterior). Cfr. X, n. 42.

[75] *estupendo* 'que causa estupor' es latinismo de incorporación reciente y este texto es probablemente la documentación literaria más temprana de su uso (C. C. Smith, 248 cita a Aldana, muerto en 1579, pero sus obras comenzaron a publicarse en 1589; cfr. Palet, 1604 en T.L.).

[76] La acumulación nominal tripartita repite la estructura del primer verso de la octava con el epíteto en quiasmo; *apellido* 'clamor, grito' (XV, n. 68).

[77] Como en tantos otros casos, el adjetivo califica al sustantivo antepuesto y también al pospuesto.

[78] Referencia a la toma de Troya «la ciudad de Príamo»; para *crudo* 'cruel', II, n. 108.

El gallardo don Iuan, reconocida
la enemiga real[79] que iba en la frente,
hendiendo recio el agua rebatida
rompe por medio de la llama ardiente;
mas la turca, con ímpetu impelida
le sale a recebir, donde igualmente
se embisten con furiosos encontrones
rompiendo los herrados espolones[80].

No estaban las reales aferradas
cuando de gran tropel sobrevinieron
siete galeras turcas bien armadas
que en la cristiana súbito embistieron[81];
pero de no menor furia llevadas,
al socorro sobre ellas acudieron
de la derecha y de la izquierda mano
la general del Papa y veneciano[82],

do con segunda autoridad venía
por general del Sumo Quinto Pío
Marco Antonio Colona, a quien seguía
una escuadra de mozos de gran brío[83];
tras la cual al socorro arremetía

45

---

[79] *real* 'la galera principal de reyes o estados' (*Aut.*), 'la nave capitana'.
Cfr. Herrera, cap. XXVII, 357. V. la descripción de la galera de Alí Bajá,
en 355; la de don Juan, en 320.

[80] «Desta suerte vinieron a embestirse ambas derechas, como si las
trajeran con una cuerda y fue tanto el ímpetu que la proa de la enemiga
entró por cima de la de España más de tres bancos y se hicieron pedazos
los espolones» (*ibíd.*, 357); *espolón* 'punta con que se remata la proa
(G. Palacios, 1587, en T.L.; *Aut.* con textos posteriores).

[81] Según Herrera (pág. 358) fueron seis las galeras «que se acostaron a
la Real cristiana».

[82] Herrera: «... tenía don Juan a la mano derecha la capitana del Papa
y a la izquierda la de Venecia» (pág. 358).

[83] «Del Sumo Pontífice había doce galeras que eran las de Florencia
con su general Marco Antonio Colona, caballero del Tusón, gran con-
destable de Nápoles y duque de Poliano y Tallarozo» (Herrera,
pág. 321). Colona vuelve a mencionarse en plena acción, en 80,1-4. Para
la actuación del Papa Pío, cfr. las brillantes páginas que le dedica Braudel, II,278 y ss.

por el camino y paso más vacío
la Patrona de España y Capitana[84],
rompiendo el golpe y multitud pagana.

El Príncipe de Parma valeroso,
que iba en la capitana ginovesa[85]
hendiendo el mar revuelto y espumoso,
se arroja en medio de la escuadra apriesa.
La confusión y revolver furioso
y del humo la negra nube espesa
la codiciosa vista me impedía
y así a muchos allí desconocía[86].

Mons de Leñí con su galera presto
por su parte embistió y cerró el camino,
donde llegó de los primeros puesto
el valeroso príncipe de Urbino,
que a la bárbara furia contrapuesto,
con ánimo y esfuerzo peregrino,
gallarda y singular prueba hacía
de su valor, virtud y valentía[87].

---

[84] «De la parte contraria tenía D. Juan a la popa, a la capitana del Comendador mayor y la Patrona de España...» (Herrera, 358).

[85] Según Herrera, 354, en la capitana de Génova iban su general Etor Espinosa y el príncipe de Parma.

[86] *desconocer* 'no reconocer', 'no distinguir' (*Aut.* con texto posterior). Los versos de Ercilla con clara elaboración poética del vigoroso pasaje descriptivo correspondiente en la *Relación*... de Herrera: «pero el mesmo mar, no pudiendo sustentar aquel ruido espantable, bramaba, revolviendo las ondas llenas de espuma que poco antes estaban sosegadas, y atronados los hombres no se oían y el cielo se arrebató de los ojos de todos con la hermosa oscuridad de aquellas llamas» (pág. 358).

[87] «Emanuel Filiberto, duque de Saboya y Príncipe de Piamonte, primo hermano del rey Filipo, que en la nobleza de sangre real y antigüedad de grado y divinidad ecede a todos los príncipes de la Europa, que no sean reyes, envió tres galeras con su general Monseñor de Leni y conde de Sofrasco, en cuya capitana iba el príncipe de Urbino, con más de cien caballeros y soldados escogidos» (Herrera, 322). La triple repetición sinonímica exalta la figura del príncipe de Urbino, ya calificado en el verso cuatro como «valeroso». Para ejemplo de sinonimia cuádruple, menos frecuente, y con valor superlativo más que básicamente intensificador, v. más abajo en el Canto, 53,8. *Virtud* 'valor', XVI, n. 135.

Luego con igual ímpetu y denuedo
llegan unas con otras abordarse,
cerrándose tan juntas que a pie quedo[88]
pueden con las espadas golpearse.
No bastaba la muerte a poner miedo
ni allí se vio peligro rehusarse,
aunque al arremeter viesen derechos
disparar los cañones a los pechos.

Así la airada gente, deseosa
de ejecutar sus golpes, se juntaban
y cual violenta tempestad furiosa,
los tiros y altos brazos descargaban.
Era de ver la priesa hervorosa[89]
con que las fieras armas meneaban,
la mar de sangre súbito[90] cubierta,
comenzó a recebir la gente muerta.

Por las proas, por popas y costados   50
se acometen y ofenden sin sosiego:
unos cayendo mueren ahogados,
otros a puro hierro, otros a fuego[91],
no faltando en los puestos desdichados
quien[92] a los muertos sucediese luego:
que muerte ni rigor de artillería,
jamás bastó a dejar plaza vacía[93].

---

[88] *cerrar* 'atacar' como luego en el Canto, en 69,8 (II, n. 105); *a pie quedo* 'sin mover los pies' (XXII, n. 51).

[89] *hervoroso* por *fervoroso* (XIX, n. 100).

[90] *súbito* 'súbitamente' (IV, n. 16).

[91] El verso es amplificación sobre el sentido literal de la locución adverbial *a hierro y fuego* 'sin cuartel'.

[92] *quien* tiene en este texto valor plural (III, n. 16).

[93] Cfr. Herrera, *Relación...* «porque pocas o ninguna vez una armada contra otra se juntó en batalla con tanto fervor y osadía y nunca se acuerda la memoria de nuestros padres haber peleado con mayor contención de armas en mar, no haber sucedido batalla en que más gente muriese, porque en todas partes caían muertos con ostinada dureza de corazón» (págs. 358-359). Cfr. XIV,33,3-4 para expresión paralela.

Quién por saltar en el bajel contrario
era en medio del salto atravesado;
quién por herir sin tiempo al adversario
caía en el mar, de su furor llevado;
quién[94] con bestial designio temerario
en su nadar y fuerzas confiado,
al odioso enemigo se abrazaba
y en las revueltas olas se arrojaba.

¿Cuál será aquel que no temblase viendo
el fin del mundo y la total ruina,
tantas gentes a un tiempo pereciendo,
tanto cañón, bombarda y culebrina?[95].
El sol los claros rayos recogiendo,
con faz turbada de color sanguina[96],
entre las negras nubes se escondía,
por no ver el destrozo de aquel día.

Acá y allá con pecho y rostro airado
sobre el rodante carro presuroso[97],
de Tesifón y Aleto acompañado[98],
discurre el fiero Marte sanguinoso[99].
Ora sacude el fuerte brazo armado,
ora bate el escudo fulminoso[100],

---

[94] *quien... quien* como en la estrofa siguiente, *tantas... tanto* son repeticiones frecuentes en la poesía épica en general y también en *La Araucana;*
como, por ej., en este Canto, en las octavas 54 y 56 (XIV, n. 22). Cfr. Ra-
món Menéndez Pidal, *Cantar del Mío Cid,* I, par. 146.

[95] *bombarda* 'arma de fuego de gran calibre' (IX, n. 58); *culebrina* 'pieza
de artillería de gran distancia' (DCECH con texto posterior de Mateo
Alemán; Cov.; *Aut.*).

[96] *sanguino* 'sanguíneo' (X, n. 5).

[97] *rodante* es vocablo poco frecuente en los textos áureos; ausente todavía en *Aut.* y sin documentación en DCECH.

[98] Dos de las tres Furias, divinidades infernales ya mencionadas en
XVII,39,6 a propósito de Belona, hermana de Marte y guiadora de su
carro. Cfr. Pérez de Moya, I,242 y II, 328. *Aleto* por *Allecto; Tesifon* por *Ti-
siphone.*

[99] *sanguinoso* 'sangriento', como luego en 90,2 (V, n. 48).

[100] *fulminoso* 'resplandeciente' es derivado infrecuente que *Aut.* considera voz poética y documenta con texto de la *Nápoles recuperada* del príncipe de Esquilache (1651); DCECH sin documentación.

infundiendo en la fiera y brava gente
ira, saña, furor y rabia ardiente.

Quién, faltándole tiros, luego[101] afierra
del pedazo de remo o de la entena;
quién trabuca[102] al forzado y lo deshierra
arrebantando el grillo o la cadena.
No hay cosa de metal, de leño y tierra
que allí para tirar no fuese buena,
rotos bancos, postizas, batayolas[103],
barriles, escotillas, portañolas[104].

Y las lanzas y tiros que arrojaban   55
(aunque del duro acero resurtiesen[105])
en las sangrientas olas ya hallaban
enemigos que en sí los recibiesen;
y ardiendo en la agua fría peleaban
sin que al adverso hado se rindiesen,
hasta el forzoso y postrimero[106] punto
que faltaba la fuerza y vida junto.

Cuáles, su propia sangre resorbiendo[107],

---

[101] *luego* 'al instante' (I, n. 53); para la conjugación de *aferrar* v. III, n. 56. La octava es ceñida imitación de Lucano III,670-675 que, a su vez, es amplificación de *Aeneidos* I, 150 «furor arma ministrat».

[102] *trabucar* 'volcar, derribar' (XIX, n. 28); *forzado* 'galeote' (Cov., s.v. *forzoso*).

[103] *postiza* en las galeras, 'apoyo exterior de los remos' (DRAE); *batayola* o *batallola* 'barandilla que se colocaba sobre las bordas de la galera tras la que se apostaban los soldados para combatir' (Percivale, 1599, en T.L.; DCECH s.v. *batalla* para doc. contemporánea de Ercilla).

[104] *escotilla* 'compuerta para pasar de la cubierta a la bodega' (A. Chaves, 1538, en T.L.; DCECH); *portañola* 'tronera por donde salen las bocas de las piezas de artillería' (*Aut.* con cita de D. García de Palacios de 1587 que recoge DCECH); este texto parece la documentación literaria más temprana de su uso.

[105] *resurtir* 'saltar', como en 58,4 (XV, n. 167).

[106] *postrimero* Cfr. XV, n. 161; para *postrero,* que aparece luego, en 64,2, v. XIV, n. 49.

[107] En el texto, *resolviendo,* por evidente errata. Todas las ediciones anteriores, desde la princeps, traen *resorbiendo* 'volviendo a sorber, tragar'.

andan agonizando sobreaguados[108];
cuáles, tablas y gúmenas[109] asiendo,
quedan, rindiendo el alma, enclavijados[110];
cuáles hacer más daño no pudiendo,
a los menos heridos abrazados,
se dejan ir al fondo forcejando,
contentos con morir allí matando[111].

No es posible contar la gran revuelta
y el confuso tumulto y son horrendo.
Vuela la estopa en vivo fuego envuelta,
alquitrán y resina y pez ardiendo,
la presta llama con la brea revuelta
por la seca madera discurriendo,
con fieros estallidos y centellas
creciendo, amenazaba las estrellas[112].

Unos al mar se arrojan por salvarse,
del crudo hierro y llamas perseguidos;
otros, que habían probado el ahogarse,
se abrazan a los leños encendidos[113];
así que con la gana de escaparse
a cualquiera remedio vano asidos,
dentro del agua mueren abrasados,
y en medio de las llamas ahogados.

Muchos, ya con la muerte porfiando,
su opinión aun muriendo sostenían,
los tiros y las lanzas apañando[114]

---

[108] *sobreaguado* 'flotante' (XXI, n. 67).

[109] *gúmena* 'cuerda gruesa' (XV, n. 165).

[110] *enclavijado* 'trabado' (*Aut.*, con doc. del XVII; DCECH s.v. *llave*, sin datos).

[111] Cfr. Lucano, III,694: «... Saevus complectitur hostem / hostis, et implicitis gaudent subsidere membris / meregentesque mori...»

[112] Esta octava recuerda Lucano III,681-686, en donde se describen los estragos causados por las llamas de antorchas incendiarias.

[113] Cfr. Lucano III,686-687: «Hic recipit fluctus, extinguat ut aequore flammas, / hic, ne mergantur, tabulis ardentibus haerent.»

[114] *apañar* 'coger, apoderarse' es acepción frecuente en textos litera-

que de las fuertes armas resurtían[115],
y en las huidoras olas estribando[116]
los ya cansados brazos sacudían,
empleando en aquellos que topaban
la rabia y pocas fuerzas que quedaban.

Crece el furor y el áspero ruido   60
del contino[117] batir apresurado;
el mar de todas partes rebatido[118],
hierve y regüelda[119] cuerpos de apretado.
Y sangriento, alterado y removido,
cual de contrarios vientos arrojado,
todo revuelto en una espuma espesa,
las herradas galeras bate apriesa.

En la alta popa, junto al estandarte,
el ínclito[120] don Iuan resplandecía
más encendido que el airado Marte,
cercado de una ilustre compañía.
De allí provee remedio a toda parte,
acá da priesa, allá socorro envía,
asegurando a todos su persona
soberbio triunfo y la naval corona.

Don Luys de Requesens[121] de otra banda
provoca, exhorta, anima, mueve, incita,

---

rios desde el siglo xv (DCECH); el verso y los dos siguientes recuerdan
Lucano, III, 690-693.

[115] El antecedente de esta proposición de relativo es «tiros» del verso
anterior.

[116] *estribar* 'apoyarse' (XV, n. 33).

[117] *contino* por *continuo* es forma frecuente «más vulgar» en textos del xv
y del xvi (DCECH).

[118] *batir... rebatido* es repetición etimologizadora, recurso retórico que
vuelve a usarse en 63,3-4 («remediando... remedio»). Cfr. I, n. 4.

[119] *regoldar* 'regurgitar' es voz frecuente en los clásicos (DCECH), a
pesar del calificativo de «torpe» que le otorga don Quijote (II, c. 43).

[120] *ínclito* 'célebre' (XII, n. 46).

[121] Se refiere a D. Luis de Zúñiga y Requesens, comendador de Castilla
y lugarteniente de Don Juan, quien tenía a su cargo cuatro galeras de España (Herrera, 320); para *banda* 'costado' (IV, n. 129).

679

corre, vuelve, revuelve, torna y anda
donde el peligro más le necesita.
Provee, remedia, acude, ordena, manda,
insta, da priesa, induce y solicita[122],
a la diestra, siniestra, a popa, a proa,
ganando estimación y eterna loa.

Pues el Conde de Pliego[123] don Fernando,
diligente, solícito y cuidoso[124],
acude a todas partes remediando
lo de menos remedio y más dudoso.
Así pues del cristiano y turco bando
cada cual inquiriendo[125] un fin honroso,
procuraban matando, como digo,
morir en el bajel del enemigo[126].

Era tanta la furia y tal la priesa,
que el fin y día postrero parecía;
de los tiros la recia lluvia espesa
el aire claro y rojo mar cubría[127];
crece la rabia, el disparar no cesa[128]

---

[122] Para estas acumulaciones verbales (quíntuple en los versos 2 y 3 y cuádruple en el verso 4) frecuentes en las descripciones bélicas del poema, como las nominales ya señaladas en la nota 5 de este Canto (III, n. 39).

[123] Se trata de D. Fernando Carrillo, conde de Pliego, asistente de Sevilla, mayordomo mayor y caballerizo mayor de don Juan, iba en la galera Real junto con el Comendador mayor.

[124] *cuidoso* ant. *cuidadoso* (VII, n. 54).

[125] *inquirir* 'buscar' es acepción clásica hoy infrecuente de este cultismo que ya se registra en el siglo xv (C. C. Smith, 164).

[126] Los dos últimos versos son reelaboración algo discursiva de Lucano, III,705-707, como son amplificación personal los hechos atribuidos al Comendador y al conde de Pliego.

[127] El «rojo mar» del verso es apagado eco del poderoso «...Cruor altus in unda / spumat...» de Lucano, III,572-3, y forma parte de una imagen cara a Ercilla: las flechas como lluvia que oscurece el aire (XXII,37,1-3 y tb. XX,13,2).

[128] Restituimos el adverbio de negación *no,* presente en la princeps y en las dos ediciones de Madrid, 1578, pero ausente en Madrid, 1589-90 y en nuestro texto, sin duda por descuido del cajista.

de la presta y continua batería,
atronando el rumor de las espadas
las marítimas costas apartadas.

El buen marqués de Santa Cruz[129], que estaba 65
al socorro común apercebido,
visto el trabado juego[130] cuál andaba
y desigual en partes el partido,
sin aguardar más tiempo se arrojaba
en medio de la priesa y gran ruido,
embistiendo con ímpetu furioso
todo lo más revuelto y peligroso.

Viendo, pues, de enemigos rodeada
la galera real con gran porfía,
y que de otra refresco bien armada
a embestirla con ímpetu venía,
saltóle de través, boga arrancada[131],
y al encuentro y defensa se oponía,
atajando con presto movimiento,
el bárbaro furor y fiero intento.

Después, rabioso, sin parar corriendo
por la áspera batalla discurría:
entra, sale y revuelve socorriendo
y a tres y a cuatro a veces resistía.
¿Quién podrá punto a punto ir refiriendo
las gallardas espadas que este día,
en medio del furor se señalaron
y el mar con turca sangre acrecentaron?

---

[129] Don Alvaro de Bazán, «hijo de aquel famoso don Alvaro que reconoció la Goleta cuando la ganó el Emperador era general de las de
Nápoles» (Herrera, 319), comandaba la escuadra de treinta galeras que
iba a la retaguardia (*ibíd.*, 324). La octava y las siguientes reconstruyen
poéticamente los hechos narrador por Herrera, particularmente en
pág. 363.

[130] Para *juego* 'lucha', como *partido* en el verso siguiente (II, n. 27).

[131] *boga arrancada* 'movimiento precipitado y con fuerza de los remos'
(*Aut.* con este texto, s.v. *arrancado*).

Don Iuan en esto, airado e impaciente
la espaciosa[132] fortuna apresuraba
poniendo espuelas[133] y ánimo a su gente
que envuelta en sangre ajena y propia andaba.
Alí Bajá, no menos diligente,
con gran hervor[134] los suyos esforzaba,
trayéndoles contino[135] a la memoria
el gran premio y honor de la vitoria.

Mas la real cristiana, aventajada
por el grande valor de su caudillo,
a puros brazos y a rigor de espada
abre recio en la turca un gran portillo[136]
por do un grueso tropel de gente armada,
sin poder los contrarios resistillo,
entra con un rumor y furia estraña,
gritando: «¡Cierra!, ¡cierra!; ¡España!, ¡España!»

Los turcos, viendo entrada su galera   70
del temor y peligro compelidos,
revuelven sobre sí de tal manera
que fueron los cristianos rebatidos[137];
pero añadiendo furia a la primera
los fuertes españoles ofendidos,
venciendo el nuevo golpe de la gente,
los vuelven a llevar forzosamente

hasta el árbol[138] mayor, donde afirmando
el rostro y pie con nueva confianza

---

[132] *espacioso* 'lento' (VIII, n. 24); para *revolver* de la octava anterior y de 70,3, v. IV, n. 87.

[133] *poner espuelas* 'estimular' (VII, n. 60).

[134] *hervor* por *fervor* (IV, n. 44).

[135] *contino* 'continuamente' es uso adverbial de esta forma más vulgar del adjetivo *continuo* (I, n. 62), frecuente en los textos áureos (DCECH). Cfr. II, n. 17 para la frase adverbial de *contino*. V. arriba en el Canto, n. 117.

[136] *portillo* 'paso' (III, n. 32).

[137] *rebatir* 'acometer' (XIX, n. 19).

[138] *árbol* 'mástil' (Nebrija *«árbol de naves»*).

renuevan la batalla, refrescando
el fiero estrago y bárbara matanza.
Carga socorro de uno y otro bando,
fatígales y aqueja la tardanza
de vencer o morir desesperados,
dando gran priesa a los dudosos hados.

La grande multitud de los heridos
que a la batida proa recudían[139]
causaban que a las veces[140] detenidos,
los unos a los otros se impedían;
pero, de medicinas proveídos,
luego de nuevo a combatir volvían,
las enemigas fuerzas reprimiendo
que iban, al parecer, convalenciendo.

En esta gran revuelta y desatino,
que allí cargaba más que en otro lado,
viniendo a socorrer don Bernardino[141]
(más que de vista de ánimo dotado),
fue con súbita furia en el camino
de un fuerte esmerilazo[142] derribado,
cortándole con golpe riguroso
los pasos y designio valeroso.

Fue el poderoso golpe de tal suerte,
demás de la pesada y gran caída,
que resistir no pudo el peto fuerte
ni la rodela a prueba guarnecida.

[139] *recudir* ant. *acudir* (DCECH, s.v. *acudir*).
[140] *a las veces* 'a veces' (XI, n. 111).
[141] Don Bernardino de Cárdenas, marqués de Beteta (Herrera, 321): «y como D. Lope tuviese muchos heridos y muertos en la proa que estaba a su cargo, le fue a socorrer D. Bernardino de Cárdenas, y al pasar le dieron con un esmeril sobre la rodela que lo derribó atormentado y murió dello en el día siguiente».
[142] *esmeril* 'pieza de artillería pequeña, mayor que el mosquete' (Cov. y ya en Percivale, 1599, según T.L.); *esmerilazo* 'golpe de esmeril' (Cov.). Esta parece ser la documentación literaria más temprana (DCECH sin fecha).

Al fin el joven con honrada muerte
del todo aseguró la inquieta vida,
envainando en España mil espadas
en contra y daño suyo declaradas.

En esto por tres partes fue embestida   75
la famosa de Malta capitana,
y apretada de todas y batida
con vieja enemistad y furia insana;
mas la fuerza y virtud tan conocida,
de aquella audaz caballería cristiana[143],
la multitud pagana contrastando,
iba de punto en punto[144] mejorando.

Pero el virrey de Argel, cosario experto
que a la mira[145] hasta entonces había estado,
hallando al cuerno diestro el paso abierto,
que del todo no estaba bien cerrado,
antes que se pusiesen en concierto,
furioso se lanzó por aquel lado,
echándole de nuevo tres bajeles[146]
con infinito número de infieles.

Los fuertes caballeros peleando
resisten aquel ímpetu y motivo[147]
pero al cabo, Señor, sobrepujando
a las fuerzas el número excesivo,

---

[143] Alusión a las actividades de los caballeros de la Orden de Malta.
Cfr. arriba, n. 45.

[144] Para *de punto en punto* 'por momentos, progresivamente', frase adverbial no registrada por DRAE, pero que también Cervantes usa más de una vez, v. Fz. Gómez, s.v. *punto*.

[145] *a la mira* 'al alcance' (XXII, n. 60). Para esta «bravísima batalla», las siete galeras de Ochalí, mencionado en 26,5 y la de Malta, v. Herrera, 361-362.

[146] *tres bajeles* es la lectura de todas las ediciones menos la nuestra, que trae *tras* por errata.

[147] *motivo* 'movimiento' es cultismo ya presente en el *Corbacho* y en Juan de Mena (C. C. Smith, 258; *Aut.*); cfr. «ímpetu y movimiento» en 89,8.

los entran con gran furia degollando
sin tomar a rescate un hombre vivo,
vertiendo en el revuelto mar furioso
de baptizada sangre un río espumoso.

Las galeras de Malta, que miraron
con tal rigor su capitana entrada,
los fieros enemigos despreciaron
con quien tenían batalla comenzada
y batiendo los remos se lanzaron
con nueva rabia y priesa acelerada[148]
sobre la multitud de los paganos,
verdugos de los mártires cristianos.

Tanto fue el sentimiento en los soldados
y la sed de venganza de manera
que embistiendo a los turcos por los lados,
entran haciendo riza carnicera[149].
Así que vitoriosos y vengados
recobraron su honor y la galera,
hallando solos vivos los primeros
al General y cuatro caballeros.

Marco Antonio Colona, despreciando   80
el ímpetu enemigo y la braveza,
combate animosísimo, igualando
con la honrosa ambición la fortaleza.
Pues Sebastián Veniero, contrastando[150]
la turca fuerza y bárbara fiereza,

---

[148] *acelerado* 'violento' (VII, n. 38). Nótese que la mención de los caballeros de Malta permite la acumulación del hostil léxico religioso que
alude a los que antes eran, más comúnmente, los «turcos».

[149] *riza* 'estrago' (XIX, n. 109); para el uso adjetivo de *carnicero*, v. II,
n. 13.

[150] Sebastián Veniero era el capitán de la flota veneciana, compuesta,
según Herrera, de «ciento y nueve galeras con su general Sebastián Veniero y el Canaleto, proveedor de la dicha armada y seis galeras gruesas,
cuyo capitán era Francisco Duodo» (*ibíd.,* 322).

vengaba allí con ira y rabia justa
la injuria recebida en Famagusta[151].

La capitana de Sicilia[152] en tanto,
también Portau Bajá la combatía[153],
la cual ya por el uno y otro canto[154]
cercada de galeras la tenía.
Era el valor de los cristianos tanto
que la ventaja desigual suplía,
no sólo sustentado igual la guerra
pero dentro del mar ganando tierra[155];

que don Iuan, de la sangre de Cardona,
ejercitando allí su viejo oficio,
ofrece a los peligros la persona[156]
dando de su valor notable indicio;
y la fiera nación de Barcelona[157]
hace en los enemigos sacrificio,
trayendo hasta los puños las espadas
todas en sangre bárbara bañadas.

---

[151] En efecto, los jefes de la flota se enteraron, en vísperas de Lepanto,
que Famagusta, el último reducto de resistencia veneciana en Chipre,
se había rendido al asedio turco pocos días antes (Braudel, II,371).
Cfr. XVIII,55,7 y nota correspondiente.

[152] D. Juan de Cardona era el general de las diez galeras de Sicilia y
traía en su capitana a D. Enrique de Cardona, D. Juan de Osorio y el
maestro de campo D. Diego Enríquez y algunos caballeros sicilianos
(Herrera, 318); se lo nombra en 82,1; para los peligros pasados por su
capitana, que quedó «cuajada de flechas... más que ninguna de todas las
galeras», v. *ibíd.*, 367.

[153] Portau Bajá, «capitán señalado en las galeras de Hungría» estaba
junto a Alí Bajá, general de mar *(ibíd.,* 355).

[154] *canto* 'lado' (III, n. 84).

[155] *ganar tierra* analógicamente 'alcanzar el fin deseado' *(Aut.* s.v. *ganar);* Ercilla juega con el sentido literal para lograr la oposición *mar/
tierra* que enriquece el verso.

[156] *persona* 'cuerpo' (VI, n. 43).

[157] En efecto, en la capitana de don Luis de Zúñiga y Requesens «iban
muchos caballeros catalanes» a las órdenes de su capitán D. Alejandro de
Torrellas *(ibíd.,* 320; 364 para sus hechos de guerra).

No pues con menos ánimo y pujanza
el sabio Barbarigo combatía,
igualando el valor a la esperanza
que de su claro esfuerzo se tenía:
ora oprime la turca confianza,
ora a la misma muerte rebatía,
haciendo suspender la flecha airada
que ya derecho en él tenía asestada.

Bien que[158] con muestra y ánimo esforzado
contrastaba la furia sarracina,
no pudo contrastar[159] al duro hado
o, por mejor decir, orden divina,
que ya el último término llegado,
de una furiosa flecha repentina
fue herido en el ojo en descubierto,
donde a poco de rato[160] cayó muerto.

Aunque fue grande el daño y sentimiento   85
de ver tal capitán así caído,
no por eso turbó el osado intento
del veneciano pueblo embravecido,
antes con más furor y encendimiento
a la venganza lícita movido,
hiere en los matadores de tal suerte
que fue recompensada bien su muerte.

---

[158] *bien que* 'aunque' (XX, n. 62).

[159] *contrastar* 'resistir' (III, n. 68); *saracino* por *sarracino* que es forma usual del adjetivo en textos del XVI (desde Garcilaso) del actual *sarraceno*, ya documentado en Mena (DCECH).

[160] *a poco de rato* por *al poco rato;* la octava poetiza los hechos narrados por Herrera, 360-1: «fue herido mortalmente de una flecha en un ojo y cayendo animó generosamente a los suyos y vivió hasta que sabiendo que la vitoria era ganada, dijo: "que daba las gracias a Dios que lo hubiese guardado tanto que viese vencida la batalla y roto aquel común enemigo que tanto deseó ver destruido". Los venecianos con el dolor de su muerte y rabia de venganza peleaban animados de la ventaja que tenían los turcos, que daban al través, porque muchas veces el dolor de la afrenta y el deseo de venganza aun a los soldados viles enciende en valor».

En este tiempo andaba la pelea
bien reñida del lado y cuerno diestro,
donde el sagaz y astuto Iuan Andrea
se mostraba muy plático[161] maestro;
también Héctor Espínola pelea[162]
con uno y otro a diestro y a siniestro,
señalándose en medio de la furia
la experta y diestra gente de Liguria.

Bien dos horas y media y más había
que duraba el combate porfiado,
sin conocer en parte mejoría
ni haberse la vitoria declarado,
cuando el bravo don Iuan, que en saña ardía
casi quejoso del suspenso hado,
comenzó a mejorar sin duda alguna,
declarada del todo su fortuna.

En esto con gran ímpetu y ruido,
por el valor de la cristiana espada
el furor mahomético oprimido,
que la turca real del todo entrada,
do el estandarte bárbaro abatido,
la Cruz del Redentor fue enarbolada
con un triunfo solenne y grande gloria,
cantando abiertamente la vitoria.

Súbito un miedo helado discurriendo
por los míseros turcos, ya turbados,
les fue los brazos luego entorpeciendo
dejándolos sin fuerzas desmayados;
y las espadas y ánimos rindiendo,
a su fortuna mísera entregados,
dieron la entrada franca, como cuento,
al ímpetu enemigo y movimiento.

---

[161] *plático* por *práctico* (II, n. 84).
[162] o *Etor Espinosa* como a veces llama Herrera al general de la capitana de Génova (Herrera, 354 y 372). V. arriba, n. 85.

Ya, pues, del cuerno izquierdo y del derecho   90
de la vitoria sanguinosa usando,
con furia inexorable todo a hecho[163]
los van por todas partes degollando:
quién al agua se arroja, abierto el pecho;
quién se entrega a las llamas, rehusando
el agudo cuchillo riguroso[164],
teniendo el fuego allí por más piadoso.

El astuto Ochalí, viendo su gente
por la cristiana fuerza destruida
y la deshecha armada totalmente
al hierro, fuego y agua ya rendida,
la derrota[165] tomó por el poniente,
siguiéndole con mísera huida
las bárbaras reliquias[166] destrozadas,
del hierro y fuego apenas escapadas.

Pero el hijo de Carlos, conociendo
del traidor renegado el bajo intento,
con gran furia el movido mar rompiendo
carga, dándole caza, en seguimiento.
Iban tras ellos al través saliendo,
el de Bazán y el de Oria a sotavento
con una escuadra de galeras junta,
procurando ganarles una punta.

Mas la triste canalla, viendo angosta
la senda y ancho mar según temía,
vuelta la proa a la vecina costa,
en tierra con gran ímpetu embestía
y cual se vee tal vez saltar langosta

163 *a hecho* 'sin distinción ni diferencia' (DRAE); *inexorable* es cultismo
que toma Ercilla de Garcilaso (XIV, n. 15).
164 *riguroso* 'cruel' (IV, n. 37). Cfr. los comentarios de Herrera en términos semejantes, pág. 364 y 370.
165 *derrota* 'camino, ruta' (IV, n. 20).
166 *reliquia* 'resto' (VI, n. 13).

en multitud confusa, así a porfía
salta la gente al mar embravecido,
huyendo del peligro más temido.

Cuál con brazos, con hombros, rostro y pecho
el gran reflujo de las olas hiende;
cuál sin mirar a fondo y largo trecho,
no sabiendo nadar, allí lo aprende.
No hay parentesco, no hay amigo estrecho,
ni el mismo padre el caro hijo atiende[167],
que el miedo, de respetos enemigo,
jamás en el peligro tuvo amigo.

Así que del temor mismo esforzados   95
en la arenosa playa pie tomaron,
y por las peñas y árboles cerrados
a más correr huyendo se escaparon.
Deshechos, pues, del todo y destrozados
los miserables bárbaros quedaron,
habiendo fuerza a fuerza y mano a mano[168],
rendido el nombre de Austria al otomano

Estaba yo con gran contento viendo
el próspero suceso prometido,
cuando en el globo el mágico[169] hiriendo
con el potente junco retorcido
se fue el aire ofuscando y revolviendo,
y cesó de repente el gran ruido,
quedando en gran quietud la mar segura,
cubierto de una niebla y sombra escura.

Luego Fitón con plática sabrosa
me llevó por la sala paseando,
y sin dejar figura, cada cosa
me fue parte por parte declarando.

---

[167] *atender* 'esperar' (III, n. 31).
[168] Cfr. XXV,11,8 para construcción semejante.
[169] *mágico* 'mago' (XVIII, n. 101).

Mas teniendo temor que os sea enojosa
la relación prolija, iré dejando
todo aquello, aunque digno de memoria,
que no importa ni toca a nuestra historia.

Sólo diré que con muy gran contento
del mago y Guaticolo despedido,
aunque tarde, llegué a mi alojamiento,
donde ya me juzgaban por perdido.
Volviendo, pues, la pluma a nuestro cuento,
que en larga digresión me he divertido[170],
digo que allí estuvimos dos semanas
con falsas armas y esperanzas vanas[171].

Pero en resolución nunca supimos
de nuestros enemigos cautelosos
ni su designio y ánimo entendimos,
que nos tuvo suspensos y dudosos;
lo cual considerado, nos partimos
desmintiendo[172] los pasos peligrosos
en su demanda, entrando por la tierra
con gana y fin de rematar la guerra.

Una tarde que el sol ya declinaba   100
arribamos a un valle muy poblado,
por donde un grande arroyo atravesaba,
de cultivadas lomas rodeado;
y en la más llana que a la entrada estaba,
por ser lugar y sitio acomodado,
la gente se alojó por escuadrones,
las tiendas levantando y pabellones[173].

---

[170] *divertirse* 'apartarse de un asunto' (Cuervo, *Dicc.* con otros textos del XVI; DCECH s.v. *verter*).

[171] *falsa arma* 'alarma falsa' (*Aut.* con este texto). Nótese el juego con la frase hecha *arma falsa,* id., para resaltar los epítetos con el quiasmo.

[172] *desmentir* 'mudar', 'confundir'. Cfr. *desmentir el camino* 'mudarle para deslumbrar a los que siguen a alguno' (*Aut.;* Cuervo, *Dicc.* II,1108a con otro texto de *La Araucana:* XXXII,26,4); v. XIV, n. 8.

[173] *pabellón* 'tienda' (XI, n. 114).

Estaba el campo apenas alojado
cuando de entre unos árboles salía
un bizarro araucano bien armado,
buscando el pabellón de don García;
y a su presencia el bárbaro llegado,
sin muestra ni señal de cortesía
le comenzó a decir... Pero entre tanto
será bien rematar mi largo canto.

FIN

ASIENTAN LOS ESPAÑOLES SU CAMPO EN MILLARAPUÉ; LLE-
GA A DESAFIARLOS UN INDIO DE PARTE DE CAUPOLICÁN;
VIENEN A LA BATALLA MUY REÑIDA Y SANGRIENTA; SEÑÁ-
LANSE TUCAPEL Y RENGO; CUÉNTASE TAMBIÉN EL VALOR
QUE LOS ESPAÑOLES MOSTRARON AQUEL DÍA

CANTO XXV

COSA ES digna de ser considerada
y no pasar por ella fácilmente
que gente tan ignota[1] y desviada
de la frecuencia[2] y trato de otra gente,
de inavegables golfos rodeada,
alcance lo que así difícilmente
alcanzaron por curso[3] de la guerra
los más famosos hombres de la tierra.

Dejen de encarecer los escritores
a los que el arte militar hallaron,
ni más celebren ya a los inventores
que el duro acero y el metal forjaron,
pues los últimos indios moradores

---

[1] *ignoto* 'desconocido' es cultismo ya presente en textos del siglo XV
(XV, n. 102).

[2] *frecuencia* 'frecuentación' es cultismo documentado desde la traducción de Dante por Fernández de Villegas (1515) según C. C. Smith, 250;
para la repetición sinonímica, I, n. 112. Cfr. más adelante en el Canto,
25,2 («fiero y crudo»); 33,8 («allana y facilita»); 34,2 («derrota y disignio»); 42,5 («muestra y término»); 74,7 («techos y tejados»).

[3] *curso* 'ejercicio, experiencia' (XXIV, n. 58).

de araucano Estado así alcanzaron
el orden de la guerra y diciplina,
que podemos tomar dellos dotrina[4].

¿Quién les mostró[5] a formar los escuadrones,
representar en orden la batalla,
levantar caballeros[6] y bastiones,
hacer defensas, fosos y muralla,
trincheas[7], nuevos reparos, invenciones
y cuanto en uso militar se halla,
que todo es un bastante[8] y claro indicio
del valor desta gente y ejercicio?

Y sobre todo debe ser loado
el silencio en la guerra y obediencia,
que nunca fue secreto revelado
por dádiva, amenaza ni violencia,
como ya en lo que dellos he contado
vemos abiertamente la esperiencia,
pues por maña jamás ni por espías
dellos tuvimos nueva en tantos días,

aunque en los pueblos comarcanos fueron   5
presas de sobresalto[9] muchas gentes
que al rigor del tormento resistieron,

---

[4] *dotrina* por *doctrina* es grafía que persiste en autores del XVII y todavía recoge *Aut.*, señalando la frecuencia de su uso (s.v. *doctrina*). La invención del arte militar volvió a atraer la atención de los escritores del Renacimiento, especialmente después de la utilización de armas de fuego. De este interés se hace eco Pero Mexía en su *Silva* (I, cap. 7), autor leído con particular cuidado por Ercilla, como ya hemos señalado, y a quien debe referirse aquí muy probablemente.

[5] *mostrar* 'enseñar' es ac. antigua usada por los autores clásicos (DCECH).

[6] *caballero* 'fortificación' (I, n. 61).

[7] *trinchea* ant. *treinchera* aparece también en el contemporáneo A. de Morales (*Aut.*).

[8] *bastante* 'suficiente'; para este uso adjetivo, XI, n. 29.

[9] *de sobresalto* 'sorpresivamente' (XIV, n. 18).

con gran constancia y firmes continentes[10].
Tanto que muchas veces nos hicieron
andar en los discursos[11] diferentes
que pudiera causar notable daño,
creciendo su cautela[12] y nuestro engaño.

Pero, como ya dije arriba, estando
apenas nuestro ejército alojado,
vino un gallardo mozo preguntando
dó estaba el capitán aposentado;
y a su presencia el bárbaro llegando,
con tono sin respeto levantado,
habiéndose juntado mucha gente,
soltó la voz, diciendo libremente:

«¡Oh capitán cristiano!, si ambicioso
eres de honor con título adquirido,
al oportuno tiempo venturoso,
tu próspera fortuna te ha traído:
que el gran Caupolicano, deseoso
de probar tu valor encarecido,
si tal virtud y esfuerzo en ti se halla,
pide de solo a solo[13] la batalla;

»que siendo de personas informado
que eres mancebo noble, floreciente[14],
en la arte militar ejercitado,

---

[10] *continente* 'semblante' (Cuervo, *Dicc.* II, 469a con este texto, entre muchos otros de autores clásicos).

[11] *discurso* 'razonamiento' (XXIV, n. 22); *andar en* 'ocuparse' (Cuervo, *Dicc.* I, 157b).

[12] *cautela* 'astucia' (II, n. 98). Nótese la construcción de los dos sustantivos coordinados, opuestos por los posesivos y los significados, que vuelve a utilizar en el último verso, tres octavas más abajo.

[13] *de solo a solo* 'sin interferencia' (XVI, n. 125). Para la reelaboración de este episodio en *La Numancia* de Cervantes en donde el numantino Caravino propone una batalla similar a Scipión, v. nota correspondiente en la edición de Schevill y Bonilla (V,152,16) de las *Obras Completas,* Madrid, 1920.

[14] *floreciente* 'escogido' (XVII, n. 32).

capitán y cabeza desta gente,
dándote por ventaja de su grado
la eleción de las armas, francamente[15],
sin excepción de condición alguna,
quiere probar tu fuerza y su fortuna.

»Y así por entender que muestras gana
de encontrar el ejército araucano,
te avisa que al romper de la mañana
se vendrá a presentar en este llano,
do con firmeza de ambas partes llana,
en medio de los campos, mano a mano[16]
si quieres combatir sobre este hecho,
remitirá a las armas el derecho,

»con pacto y condición que si vencieres,   10
someterá la tierra a tu obediencia
y dél podrás hacer lo que quisieres
sin usar de respeto ni clemencia;
y cuando tú por él vencido fueres,
libre te dejará en tu preeminencia,
que no quiere otro premio ni otra gloria
sino sólo el honor de la vitoria.

»Mira que sólo que esta voz se estienda
consigues nombre y fama de valiente,
y en cuanto el claro sol sus rayos tienda
durará tu memoria entre la gente;
pues al fin se dirá que por contienda
entraste valerosa y dignamente
en campo[17] con el gran Caupolicano,
persona por persona y mano a mano.

»Esto es a lo que vengo, y así pido
te resuelvas en breve a tu albedrío,

---

[15] *francamente* 'libremente' (XI, n. 64).

[16] *campo* es decir, entre uno y otro ejército en formación (I, n. 46), o entre uno y otro lugar de desafío, como en 11,7 (XI, n. 30). Para *mano a mano,* que reaparece dos octavas más abajo y en 42,3, v. I, n. 53.

[17] *entrar en campo* 'pelear en desafío' (*Aut.* con texto posterior).

si quieres por el término ofrecido
rehusar o acetar[18] el desafío;
que aunque el peligro es grande y conocido,
de tu altiveza[19] y ánimo confío
que al fin satisfarás con osadía
a tu estimado honor y al que me envía.»

Don García le responde: «Soy contento
de acetar el combate, y le aseguro
que el plazo puesto y señalado asiento
podrá a su voluntad venir seguro.»
El indio, que escuchando estaba atento,
muy alegre le dijo: «Yo te juro
que esta osada respuesta eternamente
te dejará famoso entre la gente.»

Con esto, sin pasar más adelante,
las espaldas volvió y tomó la vía,
mostrando por su término[20] arrogante
en la poca opinión que nos tenía.
Algunos hubo allí que en el semblante
juzgaron ser mañosa y doble espía[21],
que iba a reconocer con este tiento
la gente, y pertrechado alojamiento.

Venida, pues, la noche, los soldados   15
en orden de batalla nos pusimos,
y a las derechas picas arrimados
contando las estrellas estuvimos,
del sueño y graves[22] armas fatigados,
aunque crédito entero nunca dimos

---

[18] *acetar* por *aceptar,* como en la octava siguiente (XII, n. 44).

[19] *altiveza* alternó con la forma actual en autores del XVI y del XVII, pero ya no la recoge *Aut.* que, en cambio, trae el anticuado *altivedad.*

[20] *término* 'conducta', 'modo' (I, n. 2 y XI, n. 31).

[21] Para el género gramatical de *espía,* v. XII, n. 79; para *mañoso* 'hábil', XVI, n. 145.

[22] *grave* 'pesado' (II, n. 54).

al indio, por pensar que sólo vino
a tomar lengua[23] y descubrir camino.

Ya la espaciosa[24] noche declinando
trastornaba al ocaso sus estrellas,
y la aurora al oriente despuntando
deslustraba la luz de todas ellas,
las flores con su fresco humor rociando,
restituyendo en su color aquellas
que la tiniebla lóbrega importuna
las había reducido a sola una,

cuando con alto y súbito alarido
apareció por uno y otro lado,
en tres distantes partes dividido,
el ejército bárbaro ordenado.
Cada escuadrón de gente muy fornido[25],
que con gran muestra y paso apresurado
iba en igual orden, como cuento,
cercando nuestro estrecho alojamiento.

La gente de caballo, aparejada
sobre las riendas la enemiga espera;
mas antes que llegase, anticipada,
se arroja por una áspera ladera,
y al escuadrón siniestro encaminada
le acomete furiosa, de manera
que un terrapleno[26] y muro poderoso
no resistiera el ímpetu furioso.

Pero Caupolicán, que gobernando
iba aquel escuadrón algo delante,
el paso hasta su gente retirando,

23 *lengua* 'información' (XVI, n. 140).
24 *espacioso* 'lerdo, lento' (VIII, n. 24).
25 *fornido* 'provisto' (II, n. 94).
26 *terrapleno* era la forma común en textos del XVI y del XVII (DCECH; *Aut.*).

hizo calar[27] las picas a un instante,
donde los pies y brazos afirmando
en las agudas puntas de diamante,
reciben el furor y encuentro estraño
haciendo en los primeros mucho daño.

Unos, sin alas, con ligero vuelo   20
desocupan atónitos las sillas;
otros, vueltas las plantas hacia el cielo,
imprimen en la tierra las costillas;
y los que no probaron allí el suelo
por apretar más recio las rodillas,
aunque más se mostraron esforzados,
quedaron del encuentro maltratados.

De sus golpes los nuestros no faltaron[28],
que todos sin errar fueron derechos:
cuáles de banda[29] a banda atravesaron;
cuáles atropellaron con los pechos.
Todos en un instante se mezclaron,
viniendo a las espadas más estrechos
con tal priesa y rumor, que parecía,
la espantosa vulcánea herrería[30].

El bravo general Caupolicano,
rota la pica, de la maza afierra[31],
y a la derecha y a la izquierda mano
hiere, destroza, mata y echa a tierra[32].
Hallándose muy junto a Berzocano[33],

---

[27] *calar* 'bajar', como luego en 52,2 (II, n. 103).

[28] *faltar de* 'carecer' (DRAE, que lo considera desusado).

[29] *banda* 'lado', como en 26,4 (IV, n. 129).

[30] *vulcánea herrería* es imagen mitológica ya mencionada en el poema (II, n. 109).

[31] Para la conjugación de *aferrar* (III, n. 56).

[32] Para este tipo de acumulación verbal que reaparece en el verso 3 de la octava siguiente, v. III, n. 39.

[33] Madrid, 1578 en 8vo., y Zaragoza, 1578: «hallando junto a sí a Talaberano».

los dientes y furioso puño cierra
descargándole encima tal puñada[34],
que le abolló en los cascos la celada.

Tras éste otro derriba y otro mata,
que fue por su desdicha el más vecino,
abre, destroza, rompe y desbarata,
haciendo llano el áspero camino,
y al yanacona[35] Tambo así arrebata
que como halcón al pollo o palomino[36],
sin poderle valer los más cercanos,
le ahoga y despedaza entre las manos.

Bernal y Leucotón, que deseando
andaba de encontrarse en esta danza[37],
se acometen furiosos, descargando
los brazos con igual ira y pujanza,
y las altas cabezas inclinando
a su pesar usaron de crianza[38]
hincando a un tiempo entrambos las rodillas
con un batir de dientes y ternillas[39].

Mas cada cual de presto se endereza,   25
comenzando un combate fiero y crudo[40]:
ya tiran a los pies, ya a la cabeza;
ya abollan la celada, ya el escudo[41].
Así, pues, anduvieron una pieza[42]
mas pasar adelante esto no pudo,

---

[34] *puñada* 'herida de puño' (Nebrija; *Aut.* con textos del XVII).

[35] *yanacona* Cfr. XXI, n. 16 y la *Declaración* para este quechuismo.

[36] Para este tipo de comparación con la caza de altanería, XI, n. 17.

[37] Las demás ediciones *andaban; danza* 'lucha' (II, n. 27).

[38] *de crianza* alude al hecho de hincar la rodilla; este tipo de humor de origen ariostesco, ya había aparecido en la octava 20 y se repite en 48, 7-8 (XV, n. 63).

[39] *ternilla* 'cartílago' (Nebrija; *Aut.*).

[40] *crudo* 'cruel' (II, n. 108).

[41] Para estas estructuras simétricas características de las descripciones bélicas, XIV, n. 22 y XXIV, n. 94.

[42] *pieza* 'rato' (XI, n. 130).

que un gran tropel de gentes que embistieron
por fuerza a su pesar los despartieron[43].

Don Miguel y don Pedro de Avendaño[44],
Rodrigo de Quiroga, Aguirre, Aranda,
Cortés y Iuan Iufré con riesgo estraño
sustentan todo el peso de su banda;
también hacen efeto y mucho daño
Reynoso, Peña, Córdova, Miranda,
Monguía, Lasarte, Castañeda, Ulloa,
Martín Ruyz y Iuan López de Gamboa.

Pues don Luys de Toledo peleando,
Carranza, Aguayo, Zúñiga y Castillo
resisten el furor del indio bando[45]
con Diego Cano, Pérez y Ronquillo;
los primos Alvarados Iuan y Hernando,
Pedro de Olmos, Paredes y Carrillo
derriban a sus pies gallardamente,
aunque a costa de sangre, mucha gente.

El escuadrón de en medio, viendo asida
por el cuerno[46] derecho la contienda,
acelerando el tiempo y la corrida,
acude a socorrer con furia horrenda;
mas nuestra gente en tercios[47] repartida
la sale a recibir a toda rienda,
y del terrible estruendo y fiero encuentro
la tierra se apretó contra su centro.

Hubo muchas caídas señaladas,
grandes golpes de mazas y picazos;

---

[43] *despartir* 'separar a los que riñen' (II, n. 38 y II, n. 107).

[44] Esta estrofa aparece en el lugar de la octava 57, con algunas variantes, en Madrid, 1578 en 8vo, y Zaragoza, 1578.

[45] *bando* 'facción' (III, n. 18).

[46] *cuerno* 'lado' (XXII, n. 49).

[47] *tercio* 'regimiento de infantería' es acepción frecuente a partir del siglo XVI (*Aut.* con texto algo anterior; DCECH).

lanzas, gorguces[48] y armas enastadas
volaron hasta el cielo en mil pedazos[49];
vienen en un momento a las espadas
y aun otros más coléricos a brazos,
dándose con las dagas y puñales
heridas penetrables y mortales.

El fiero Tucapel, habiendo hecho   30
su encuentro en lleno y muerto un buen soldado,
poco del diestro golpe satisfecho
le arrebató un estoque acicalado[50]
con el cual barrenó a Guillermo el pecho,
y de un revés y tajo arrebatado
arrojó dos cabezas con celadas
muy lejos de sus troncos apartadas[51].

Mata de un golpe a Torbo fácilmente
y dio a Iuan Ynarauna tal herida
que la armada cabeza por la frente
cayó sobre los hombros dividida.
Tira una punta, y a Picol valiente[52]
le echó fuera las tripas y la vida,
pero en esta sazón inadvertido
de más de diez espadas fue herido.

Carga sobre él la gente forastera[53]
al rumor del estrago que sonaba,
y cercándole en torno como fiera[54]

[48] *gorguz* 'dardo o lanza corta', ya documentado en el siglo xv y atri-
buido a los moros en autores del xvi (DCECH) para su uso en textos
americanos, v. Friederici, s.v. *gurguz*.

[49] Para esta hipérbole de origen ariostesco (*Orlando Furioso* 23,82,7-8
por ej.), v. Chevalier, pág. 149, n. 170.

[50] *acicalado* 'afilado'; para la forma *cicalado*, v. XXIV, n. 17.

[51] La imagen recuerda *Aeneidos* IX,754-755.

[52] Las dos de Madrid, 1578 y Zaragoza, 1578: «revuelve la estocada
diestramente / y al robusto Picol quitó la vida».

[53] Las dos de Madrid, 1578 y Zaragoza, 1578: «Carga sobrél en esto
mucha gente»; Zaragoza: «... sobrél de presto mucha gente.»

[54] Las dos de Madrid, 1578 y Zaragoza, 1578: «... en torno fieramen-

702

en confuso montón le fatigaba,
mas él con gran desprecio de manera
el esforzado brazo rodeaba[55],
que a muchos con castigo y escarmiento
les reprimió el furor y atrevimiento.

Tanto en más ira y más furor se enciende
cuanto el trabajo y el peligro crece,
que allí la gloria y el honor pretende
donde mayor dificultad se ofrece;
lo más dudoso y de más riesgo emprende
y poco lo posible le parece,
que el pecho grande y ánimo invencible
le allana y facilita lo imposible.

El último escuadrón y más copioso
su derrota y disignio[56] prosiguiendo,
con paso aunque ordenado presuroso,
por la tendida loma iba subiendo;
y en el dispuesto llano y espacioso
nuestro escuadrón del todo descubriendo,
se detuvo algún tanto astutamente
reconociendo el sitio y nuestra gente.

Delante desta escuadra, pues, venía   35
el mozo Galbarín sargenteando[57],

---

te». El verso 5: «con un gran desdén y altiva frente». Las variantes de
ésta y de la octava anterior en el texto que seguimos, apuntan a una descripción más gráfica y pormenorizada.

[55] *rodear* 'girar' (XIV, n. 83).

[56] *derrota* 'camino' (IV, n. 20); *disignio* por *designio* 'rumbo' (*Aut.;* T.L.
con ambas formas) es cultismo aquí documentado tempranamente
(C. C. Smith, 266).

[57] *sargentear* 'animar' (*Aut.* con este texto; DCECH s.v. *siervo*)*;* la octava recuerda el castigo que los españoles impusieron a Galbarino
en XXII,45. Para la aparición del mismo verbo en el relato de este episodio
en la *Crónica...* de Gerónimo de Vivar (ed. de L. Saez-Godoy, 242
y n. 1603), y posible fuente de Ercilla, v. D. Janick «La valoración del
indio en *La Araucana*» en *La imagen del indio en la Europa moderna,* Sevilla,
CSIC, 1990, pág. 372.

que sus troncados brazos descubría,
las llagas aún sangrientas amostrando.
De un canto al otro apriesa discurría[58]
el daño general representando,
encendiendo en furor los corazones
con muestras eficaces y razones,

diciendo: «¡Oh valentísimos soldados,
tan dignos deste nombre, en cuya mano
hoy la fortuna y favorables hados
han puesto el ser y crédito araucano!
Estad de la victoria confiados,
que este tumulto y aparato vano
es todo el remanente[59], y son las heces
de los que habéis vencido tantas veces.

»Y esta postrer batalla fenecida[60]
de vosotros así tan deseada,
no queda cosa ya que nos impida,
ni lanza enhiesta, ni contraria espada.
Mirad la muerte infame o triste vida
que está para el vencido aparejada,
los ásperos tormentos excesivos
que el vencedor promete hoy a los vivos.

»Que si en esta batalla sois vencidos
la ley perece y libertad se atierra[61],
quedando al duro yugo sometidos,
inhábiles del uso de la guerra;
pues con las brutas bestias siempre uñidos[62],

---

[58] *discurrir* 'correr', 'saltar', como en 43,2 y en 46,6 (III, n. 104). *Amostrar* ant. *mostrar* del verso anterior, ya era anticuado para fines del XVII (Ayala, 1693 en T.L.) pero usual en la poesía del XVI (Garcilaso, Egl. 3, 312; son. 4).

[59] *remanente* 'resto', como en XXVI,39,3, parece documentación temprana de su uso literario (*Aut.* con texto del *Guzmán;* DCECH).

[60] *postrer* cfr. XIV, n. 49; *fenecido* 'terminado', muy usual en textos áureos, no es frecuente en el uso actual.

[61] *aterrar* 'derribar' (IV, n. 40).

[62] *uñido* ant. *uncido,* está hoy relegado al uso regional (DCECH).

habéis de arar y cultivar la tierra,
haciendo los oficios más serviles
y bajos ejercicios mujeriles.

»Tened, varones, siempre en la memoria
que la deshonra eternamente dura
y que perpetuamente esta vitoria
todas vuestras hazañas asegura.
Considerad, soldados, pues, la gloria
que os tiene aparejada la ventura,
y el gran premio y honor que, como digo,
un tan breve trabajo trae consigo.

»Que aquel que se mostrare buen soldado   40
tendrá en su mano ser lo que quisiere,
que todo lo que habemos[63] deseado,
la fortuna con ella hoy nos requiere;
también piense que queda condenado
por rebelde y traidor quien no venciere,
que no hay vencido justo y sin castigo
quedando por juez el enemigo.»

De tal manera el bárbaro valiente
despertaba la ira y la esperanza
que el escuadrón apenas obediente
podía sufrir el orden y tardanza;
mas ya que la señal última siente,
con gran resolución y confianza
derribando las picas, bien cerrado[64],
ir se dejó de su furor llevado.

En el esento[65] y pedregoso llano,
que más de un tiro de arco se estendía,

---

[63] Para esta antigua forma de la primera persona del plural del presente indicativo de *haber*, XVI, n. 91.

[64] *cerrado* 'unido', 'apretado' de la expresión *cerrarse el escuadrón* (*Aut.* s.v. *cerrar*).

[65] *esento* por *exento* 'descubierto' (IV, n. 130).

nuestro escuadrón a un tiempo mano a mano
asimismo al encuentro le salía,
donde con muestra y término[66] inhumano
y el gran furor que cada cual traía
se embisten los airados escuadrones
cayendo cuerpos muertos a montones.

No duraron las picas mucho enteras,
que en rajas por los aires discurrieron;
las estendidas mangas y hileras[67]
de golpe unas con otras se rompieron.
Hubo muertes allí de mil maneras,
que muchos sin heridas perecieron
del polvo y de las armas ahogados,
otros de encuentros fuertes estrellados.

Trábase entre ellos un combate horrendo[68]
con hervorosa[69] priesa y rabia estraña,
todos en un tesón igual poniendo
la estrema industria, la pujanza y maña.
Sube a los cielos el furioso estruendo,
retumba en torno toda la campaña,
cubriendo los lugares descubiertos[70]
la espesa lluvia de los cuerpos muertos.

Hierve el coraje, crece la contienda   45
y el batir sin cesar siempre más fuerte;
no hay malla y pasta[71] fina que defienda

---

[66] *termino* 'modo' (IX, n. 88).

[67] *manga* «cierta forma de escuadrón en la milicia, cual es la manga de
arcabuceros, por ser formada a la larga» (Cov.; *Aut.*, con texto posterior); *hilera* se refiere a la infantería.

[68] *horrendo* Cfr. para este cultismo, III, n. 13.

[69] *hervoroso* por *fervoroso* (XIX, n. 100). Para la estructura bimembre paralelística que se repite en 52,1 y, en forma más rigurosa, en 45,1.
Cfr. IX, n. 112 y ya en II, n. 102 y n. 106.

[70] *cubriendo... descubiertos* es repetición etimologizadora (I, n. 104); la
imagen de la «lluvia espesa» ya aplicada a las balas (XXIV, n. 127) y a las
flechas (XXII,37,1-3) es recurso frecuente en el poema.

[71] *pasta* 'aleación', el metal mismo (XV, n. 47); para *batir* 'golpear', ac.

la entrada y paso a la furiosa muerte,
que con irreparable furia horrenda
todo ya en su figura lo convierte,
naciendo del mortal y fiero estrago,
de espesa y negra sangre un ancho lago.

Rengo orgulloso, que al siniestro lado
iba siempre avivando la pelea,
de la roedora[72] afrenta estimulado
que en Mataquito recibió de Andrea[73],
el ronco tono y brazo levantado
discurre todo el campo y lo rodea
acá y allá por una y otra mano,
llamando el enemigo nombre en vano.

Andrea, pues, asimesmo procurando
fenecer la quistión[74], le deseaba;
mas lo que el uno y otro iba buscando,
la dicha de los dos lo desviaba,
que el italiano mozo, peleando
en el otro escuadrón, distante andaba,
haciendo por su estraña fuerza cosas
que, aunque lícitas, eran lastimosas.

Mata de un golpe a Trulo y endereza
la dura punta y a Pinol barrena,
y sin brazo a Teguán una gran pieza
le arroja dando vueltas por la arena;
lleva de un golpe a Changle la cabeza
y por medio del cuerpo a Pon cercena;
hiende a Norpo hasta el pecho, y a Brancolo
como grulla le deja en un pie solo.

---

frecuente en el poema, v. Cuervo, *Dicc.* I, 858b, con cuatro ejemplos de
La Araucana.

[72] *roedor* 'atormentador', parece documentación temprana de su uso
literario (*Aut.* sin texto; DCECH).

[73] Cfr. XIV,50 y XV,5-30 en donde Andrea dejó «aturdido... entre la
muerta gente» a Rengo, como ya se había recordado en XVI,40.

[74] *quistión* 'pendencia' (II, n. 34).

Veis, pues, aquí a Orompello, el cual haciendo
venía por esta parte mortal guerra,
que al gran tumulto y voces acudiendo,
vio cubierta de muertos la ancha tierra;
y al ginovés gallardo conociendo,
como cebado tigre con él cierra[75],
alta la maza y encendido el gesto,
sobre las puntas de los pies enhiesto.

Fue de la maza el ginovés cogido   50
en el alto crestón de la celada[76],
que todo lo abolló y quedó sumido
sobre la estofa de algodón colchada[77].
Estuvo el italiano adormecido,
gomita[78] sangre, la color mudada,
y vio, dando de manos por el suelo,
vislumbres y relámpagos del cielo.

Redobla otro gallardo mozo luego
con más furor y menos bien guiado,
que a no ser a soslayo[79], el fiero juego
del todo entre los dos fuera acabado.
El ginovés, desatinado y ciego,
fue un poco de través[80], mas recobrado,
se puso en pie con priesa no pensada,
levantando a dos manos la ancha espada.

[75] *cerrar con* 'trabar batalla, venir a las manos' (II, n. 105 y Cuervo, *Dicc.* II,135b, con este texto).

[76] *crestón* 'penacho o remate de la celada' (*Aut.* con texto similar en XXXI,19,4). Cfr, n. 79.

[77] *colchado* por *acolchado* era la forma corriente hasta el XVII; ésta es documentación previa a los textos de *Aut.*, que aún prefiere la forma antigua.

[78] *gomitar* por *vomitar* (XIV, n. 71 en texto semejante); para el género gramatical de *color* v. I, n. 55.

[79] *a soslayo* o *al soslayo* 'oblicuamente, al través' es frase adverbial frecuente en textos clásicos junto con *de soslayo,* más común modernamente (*Aut.;* DCECH con textos cervantinos); *duro juego* 'lucha' (II, n. 27).

[80] *ir de través* 'ir de lado' (*Aut.*) y aquí, 'tropezar'.

Y con la estrema rabia y fuerza rara
sobre el joven la cala de manera
que si el ferrado leño no cruzara,
de arriba a bajo en dos le dividiera:
tajó el tronco cual junco o tierna vara,
y si la espada el filo no torciera,
penetrara[81] tan honda la herida
que privara al mancebo de la vida.

Viéndose el araucano, pues, sin maza,
no por eso amainó al furor la vela[82],
antes con gran presteza de la plaza
arrebata un pedazo de rodela,
y al punto sin perder tiempo lo embraza
y, como aquel que daño no recela,
con sólo el trozo de bastón cortado
aguija al enemigo confiado.

Hirióle en la cabeza, y a una mano[83]
saltó con ligereza y diestro brío
hurtando el cuerpo, así que el italiano
con la espada azotó el aire vacío.
Quiso hacello otra vez, mas salió en vano,
que entrando recio al tiempo del desvío,
fue el ginovés tan presto que no pudo
sino cubrirse con el roto escudo.

Echó por tierra la furiosa[84] espada   55
del defensivo escudo una gran pieza,
bajando con rigor a la celada,
que defender no pudo la cabeza.
Hasta el casco caló[85] la cuchillada,

---

[81] Cfr. VII, n.2 para el uso de imperfecto de subjuntivo por pluscuamperfecto en el periodo condicional.

[82] *amainar la vela* 'aflojar, ceder' metafóricamente (Correas, 613b;
Aut. con textos posteriores). Cfr. XV, n. 141.

[83] *a una mano* 'con movimiento circular' (DRAE).

[84] *furiosa* es ejemplo de análage, pues modifica a Andrea (II, n. 122).

[85] *calar* 'penetrar' (IX, n. 114).

quedando el mozo atónito una pieza,
pero en sí vuelto, viéndole tan junto,
le echó los fuertes brazos en un punto.

El bravo ginovés, que al fiero Marte
pensara desmembrar, recio le asía
pero salió engañado, que en este arte
ninguno al diestro joven le excedía.
Revuélvense por una y otra parte,
el uno el pie del otro rebatía[86],
intricando las piernas y rodillas
con diestras y engañosas zancadillas.

Don García de Mendoza no paraba,
antes como animoso y diligente
unas veces airado peleaba,
otras iba esforzando allí la gente.
Tampoco Juan Remón ocioso estaba,
que de soldado y capitán prudente
con igual diciplina y ejercicio
usaba en sus lugares el oficio.

Santillán y don Pedro de Navarra[87],
Ávalos, Viezma, Cáceres, Bastida,
Galdámez, don Francisco Ponce, Ybarra,
dando muerte, defienden bien su vida;
el fator Vega y contador Segarra
habían echado aparte una partida,
siguiéndolos Velázquez y Cabrera,
Verdugo, Ruyz, Riberos y Ribera.

Pasáronlo, pues, mal al otro lado
según la mucha gente que acudía,
si don Felipe, don Simón, y Prado,
don Francisco Arias, Pardo y Alegría,

---

[86] *rebatir* 'acometer' (XIX, n. 19).
[87] Madrid, 1578 en 8vo. y Zaragoza, 1578 traen aquí la estrofa 26 con
algunas variantes.

Barrios, Diego de Lira, Coronado
y don Iuan de Pineda en compañía,
con valeroso esfuerzo combatiendo,
no fueran los contrarios reprimiendo.

También acrecentaban el estrago,   60
Florencio de Esquivel y Altamirano,
Villarroel, Dorán, Vergara, Lago,
Godoy, Gonzalo Hernández, y Andicano.
Si de todos aquí mención no hago,
no culpen la intención sino la mano,
que no puede escrebir lo que hacían
tantas[88] como allí a un tiempo combatían.

Sonaba a la sazón un gran ruido
en el otro escuadrón de mediodía
y era que el fiero Rengo embravecido,
llevado de su esfuerzo y valentía
se había por la batalla así metido
que volver a los suyos no podía,
y de menuda[89] gente rodeado
andaba muy herido y acosado:

aunque se envuelve entre ellos de manera
al un lado y al otro golpeando
que en rueda los hacía tener afuera,
muchos en daño ajeno escarmentando,
pero la turba acá y allá ligera
le va por todas partes aquejando
con tiros, palos y armas enastadas
como a fiera, de lejos arrojadas.

Uno deja tullido y otro muerto,
sin valerles defensa ni armadura;
a quien acierta el golpe en descubierto

---

[88] *tantas* concuerda con *manos;* sinécdoque por *soldados;* a su vez *manos* está en relación zeugmática con *mano* del verso 6.
[89] *menudo* 'despreciable' (*Aut.* con texto de fray Luis).

del todo le deshace y desfigura;
y el de menos efeto y más incierto
quebranta brazo, pierna o coyuntura;
vieran arneses rotos y celadas
junto con las cabezas machucadas[90].

Mas aunque, como digo, combatiendo
mostraba esfuerzo y ánimo invencible,
le van a tanto estrecho[91] reduciendo
que poder escapar era imposible;
y por más que se esfuerza resistiendo,
al fin era de carne, era sensible[92],
y el furioso y continuo movimiento
la fuerza le ahogaba y el aliento.

Estaba ya en el suelo una rodilla   65
que aun apenas así se sustentaba,
y la gente solícita, en cuadrilla
sin dejarle alentar[93] le fatigaba,
cuando de la otra parte por la orilla
de la alta loma Tucapel llegaba,
haciendo con la usada y fuerte maza,
por dondequiera que iba larga plaza.

Como el toro feroz desjarretado[94]
cuando brama, la lengua ya sacada,
que de la turbamulta[95] rodeado

---

[90] *machucar* 'machacar', como todavía en América (IX, n. 103; *Arcaísmos...* s.v. *machucar*).

[91] *estrecho* 'riesgo' (I, n. 18).

[92] *sensible* Cfr. IX, n. 22 para este cultismo.

[93] *alentar* 'respirar' (IX, n. 19); *fatigar* 'acosar' (XVII, n. 102 para este uso virgiliano. El adjetivo *solícito* del verso anterior aplicado a la «menuda gente» de la octava 61 es claramente irónico.

[94] *desjarretado* ant. *dejarretado* es doc. temprana de esta forma; para la comparación con el juego de toros v. XI, n. 91. V. tb. VI,53 y XIX,7. Comparaciones no relacionadas con el juego, en III,66 y XXII,44. Para la escena que describe la comparación, v. J. Deleito, *,,,También se divierte el pueblo* Madrid, Espasa-Calpe, 1954, 129 y ss.

[95] *turbamulta* es cultismo temprano (XXIV, n. 60).

procura cada cual probar su espada,
y en esto de repente al otro lado
la cerviz yerta y frente levantada,
asoma otro famoso de Jarama[96],
que deshace la junta y la derrama,

así el famoso Rengo ya en el suelo
hincada una rodilla combatía
en medio del montón que sin recelo
poco a poco cerrándole venía,
cuando el sangriento y bravo Tucapelo
que por allí la grita le traía,
viéndole así tratar, sin poner duda,
rompe por el tropel a darle ayuda.

Dejó por tierra cuatro o seis tendidos,
que estrecha plaza y paso le dejaron,
y los otros en círculo esparcidos
del fatigado Rengo se arredraron[97],
y contra Tucapel embravecidos,
las armas y la grita enderezaron;
mas él daba de sí tan buen descargo,
que los hacía tener bien a lo largo[98].

Llegóse a Rengo y dijo: «Aunque enemigo,
esfuerza, esfuerza Rengo, y ten[99] hoy fuerte,
que el impar Tucapel está contigo
y no puedes tener siniestra suerte;
que el favorable cielo y hado amigo
te tiene aparejada mejor muerte,
pues está cometida al brazo mío,
si cumples a su tiempo el desafío»[100].

---

[96] Eran famosos por su bravura los toros que pastaban a orillas del Jarama, río al este de Madrid.

[97] *arredrarse* 'apartarse, separarse' (Cuervo, *Dicc.* con este texto).

[98] *a lo largo* 'a distancia' (*Aut.* s.v. *largo*).

[99] *tener* 'sostener, resistir' (*Aut.* con textos posteriores); nótese la repetición con oscilación semántica con *tiene* 'posee' en el verso 6. Para *fuerte* 'fuertemente', como luego en 71,8 *claro* 'claramente', v. I, n. 62.

[100] Referencia a XVI,61.

Rengo le respondió: «Si ya no fuera
por ingrato en tal tiempo reputado,
contigo y con mi débito[101] cumpliera,
que no estoy, como piensas, tan cansado.»
En esto más ligero que si hubiera
diez horas en el lecho reposado,
se puso en pie y a nuestra gente asalta,
firme el membrudo cuerpo y la maza alta.

Tucapel replicó: «Sería bajeza
y cosa entre varones condenada
acometerte, vista tu flaqueza,
con fuerza y en sazón aventajada.
Cobra, cobra tu fuerza y entereza,
que el tiempo llegará que esta ferrada
te dé la pena y muerte merecida,
como hoy te ha dado claro aquí la vida.»

No se dijeron más y por la vía
los dos competidores araucanos,
haciéndose amistad y compañía,
iban como si fueran dos hermanos.
Guardaba el uno al otro y defendía,
y así con diligencia y prestas manos,
abriendo el escuadrón gallardamente,
llegaron a juntarse con su gente.

En esto a todas partes la batalla
andaba muy reñida y sanguinosa[102],
con tal furia y rigor, que no se halla
persona sin herida, ni arma ociosa;
cubre la tierra la menuda malla,
y en la remota Turcia cavernosa[103]

---

[101] *débito* es cultismo ya usado en el poema (I, n. 24).

[102] *sanguinoso* 'sangriento' como en 75,4 (V, n. 48).

[103] *Turcia* se refiere probablemente al territorio ocupado por los Tur-
cae o Tyrcae, pueblo escita, entre el mar Negro y el Mar Rojo (Plinio,
N.H. VI,19); *cavernoso* (IV, n. 107).

por fuerza arrebatados de los vientos,
hieren los duros y ásperos acentos.

Era el rumor del uno y otro bando
y de golpes la furia apresurada,
como ventosa y negra nube, cuando
de vulturno o del céfiro[104] arrojada
lanza una piedra súbita, dejando
la rama de sus hojas despojada,
y los muros, los techos y tejados
son con priesa terrible golpeados.

Pues de aquella manera y más furiosas   75
las homicidas[105] armas descargaban,
y con hondas heridas rigurosas[106]
los sanguinosos cuerpos desangraban.
El gran rumor y voces espantosas
en los vecinos montes resonaban;
el mar confuso al fiero són retrujo[107]
de sus hinchadas olas el reflujo.

Pero la parte que a la izquierda mano
la batalla primera había trabado,
donde por su valor Caupolicano
contrastaba[108] al furor del duro hado,
a pura fuerza el escuadrón cristiano
del contrario tesón sobrepujado,
comenzó poco a poco a perder tierra
hacia la espesa falda de la sierra.

---

[104] *Vulturno* 'viento del sudeste' (Mexía, *Silva...*, IV,22: «y dicen que (los latinos) le pusieron este nombre *vultur*, que quiere decir *buitre;* porque este viento suena mucho cuando corre como el vuelo de aquel ave», II, pág. 394. Cfr. XXVII, n. 108 para la forma *volturno*. Para *céfiro*, XV, n. 171.

[105] *homicida* es latinismo ya usado en el poema (III, n. 34).

[106] *riguroso* 'cruel' (IV, n. 37).

[107] *retrujo* es forma antigua y dialectal del pretérito de *retraer* (VI, n. 1).

[108] *contrastar* 'resistir' (III, n. 68).

Fue tan grande la priesa[109] desta hora,
y el ímpetu del bárbaro violento[110],
que por el araucano en voz sonora
se cantó la vitoria y vencimiento[111].
Mas la misma Fortuna burladora
dio la vuelta a la rueda en un momento[112],
en contra de la parte mejorada,
barajando la suerte declarada.

Que el último escuadrón, donde estribaba
nuestro postrer remedio y esperanza
metido en el contrario peleaba
haciendo fiero estrago y gran matanza,
que ni el valor de Ongolmo allí bastaba,
ni del fuerte Lincoya la pujanza,
ni yo basto a contar de una vez tanto,
que es fuerza diferirlo al otro canto.

FIN

---

[109] *priesa* 'aprieto' (XV, n. 72).
[110] Las dos de Madrid, 1578 y Zaragoza, 1578: «... bárbaro potente».
[111] Las dos de Madrid, 1578 y Zaragoza, 1578: «... victoria abiertamente».
[112] Las dos de Madrid, 1578 y Zaragoza, 1578: «la rueda revolvió súbitamente».

EN ESTE CANTO SE TRATA EL FIN DE LA BATALLA Y RETIRA-
DA DE LOS ARAUCANOS; LA OBSTINACIÓN Y PERTINACIA DE
GALBARINO Y SU MUERTE. ASIMISMO SE PINTA EL JARDÍN Y
ESTANCIA DEL MAGO FITÓN

CANTO XXVI

NADIE puede llamarse venturoso
hasta ver de la vida el fin incierto[1],
ni está libre del mar tempestuoso
quien surto[2] no se ve dentro del puerto.
Venir un bien tras otro es muy dudoso,
y un mal tras otro mal es siempre cierto;
jamás próspero tiempo fue durable
ni dejó de durar el miserable.

El ejemplo tenemos en las manos,
y nos muestra bien claro aquí la historia
cuán poco les duró a los araucanos
el nuevo gozo y engañosa gloria,
pues llevando de rota[3] a los cristianos
y habiendo ya cantado la vitoria,

---

[1] Cfr. XXIII,2; para posible fuente petrarquesca, cfr. nota correspondiente en la edición de Ducamin; sin embargo, la expresión tiene
antiguo abolengo pues ya se atribuye a Solón, uno de los «siete sabios de
Grecia» de los que circularon colecciones de dichos desde la antigüedad.
Cfr. P. Mexía, *Silva...* IV, c. 10 de donde debió tomar Ercilla el concepto
que aquí se poetiza.

[2] *surto* 'anclado' es participio del verbo *surgir* (XV, n. 117).

[3] *de rota* 'con total destrucción' (XVIII, n. 32).

de los contrarios hados rebatidos[4],
quedaron vencedores los vencidos

que, como os dije, el escuadrón postrero[5]
adonde por testigo yo venía,
ganando tierra siempre más entero
al bárbaro enemigo retraía;
que aunque el fuerte Lincoya el delantero
a la adversa fortuna resistía,
no pudo resistir últimamente,
el ímpetu y la furia de la gente.

Por una espesa y áspera quebrada[6]
que en medio de dos lomas se hacía,
la bárbara canalla, quebrantada
la dañosa soberbia y osadía,
ya del torpe temor señoreada,
esforzadas espaldas revolvía,
huyendo de la muerte el rostro airado,
que clara a todos ya se había mostrado.

Siguen los nuestros la vitoria apriesa   5
que aun no quieren venir en el partido[7],
y de la inculta[8] breña y selva espesa
inquieren lo secreto y escondido;
el gran estrago y mortandad no cesa,
suena el destrozo y áspero ruido[9],
tirando a tiento golpes y estocadas
por la espesura y matas intricadas[10].

---

[4] *rebatido* 'atacado, acometido' (XIX, n. 19).

[5] Cfr. XXV,34.

[6] *quebrada* 'apertura entre elevaciones' (XXIII, n. 59).

[7] *venir en* 'acordar, convenir' (II, n. 89); *partido* 'condición, trato' (IX, n. 49); (*Aut.*); *venir en el partido* en el texto es «concluir la lucha».

[8] *inculta* 'silvestre, salvaje' (I, n. 106).

[9] Nótese la estructura paralelística con verbos y adjetivos en quiasmo, de los versos 5 y 6.

[10] *intricado* por *intrincado* (IX, n. 9).

Jamás de los monteros en ojeo[11]
fue caza tan buscada y perseguida,
cuando con ancho círculo y rodeo
es a término[12] estrecho reducida,
que con impacientísimo deseo
atajados los pasos y huida,
arrojan en las fieras montesinas
lanzas, dardos, venablos, jabalinas[13],

como los nuestros hasta allí cristianos,
que los términos lícitos pasando,
con crueles armas y actos inhumanos,
iban la gran vitoria deslustrando[14],
que ni el rendirse, puestas ya las manos[15],
la obediencia y servicio protestando[16],
bastaba aquella gente desalmada
a reprimir la furia de la espada[17].

Así el entendimiento y pluma mía,
aunque usada[18] al destrozo de la guerra,
huye del gran estrago que este día
hubo en los defensores de su tierra;

---

[11] *ojeo* 'modo de ahuyentar la caza para que se levante' (*Aut.* y ya en Nebrija, según DCECH).

[12] *término* 'territorio, espacio' (I, n. 21).

[13] Para esta acumulación nominal, v. III, n. 39. Para las imágenes cinegéticas, XVII,48.

[14] *deslustrar* es cultismo que ya aparece en la «Historia de Leandro y Hero» de Boscán (C. C. Smith, 265); v. luego, en 35,6 *deslustrador*.

[15] *poner las manos* es frase hecha para el gesto de petición de misericordia o piedad (*Aut.*).

[16] *protestar* 'afirmar vehementemente' (XXIV, n. 31).

[17] Así como en el primer Canto Ercilla había denunciado la codicia de algunos conquistadores, en el segundo y tercero la acusación de crueldad está presente en más de un pasaje, como en esta octava. Codicia y crueldad «deslustran» la justicia de la guerra contra los araucanos. Para esta actitud ambivalente ante la conquista, v. José Durand «Ercilla y la honra araucana», *Filología* X (1964) 113-134; sobre esta octava, 131-132. Cfr. XXXI,49.

[18] *usado* 'acostumbrado' como más abajo en el Canto, en 24,5 (II, n. 16).

la sangre, que en arroyos ya corría
por las abiertas grietas de la sierra,
las lástimas, las voces y gemidos
de los míseros bárbaros rendidos.

Los de la izquierda mano, que miraron
su mayor escuadrón desbaratado,
perdiendo todo el ánimo dejaron
la tierra y el honor que habían ganado;
así, la trompa a retirar tocaron
y con paso, aunque largo, concertado,
altas y campeando[19] las banderas,
se dejaron calar[20] por las laderas.

No será bien pasar calladamente   10
la braveza de Rengo sin medida,
pues que[21], desbaratada ya su gente
y puesta en rota[22] y mísera huida,
fiero, arrogante, indómito, impaciente[23],
sin mirar al peligro de la vida
dando más furia a la ferrada[24] maza,
solo sustenta la ganada plaza.

Y allí como invencible y valeroso
solo estuvo gran rato peleando
pero viendo el trabajo infrutuoso
y gente ya ninguna de su bando,
con paso tardo, grave y espacioso[25],
volviendo el rostro atrás de cuando en cuando
tomó a la mano diestra una vereda,
hasta entrar en un bosque y arboleda

[19] *campear* 'lucir' (T.L.), 'hacer ver ostentosamente' (*Aut.* con texto de Cervantes).
[20] *calar* 'descender' (IV, n. 23).
[21] *pues que* 'porque' (XVI, n. 93).
[22] *rota* 'derrota' (XXIV, título).
[23] Para esta acumulación nominal, frecuente en el poema, v. III, n. 39.
[24] *ferrado* 'reforzado con hierro' (II, n. 28).
[25] *espacioso* 'reposado' (XXIII, n. 37).

donde ya de la gente destrozada
había el temor algunos escondido,
pero viendo de Rengo la llegada
cobrando luego el ánimo perdido,
con nuevo esfuerzo y muestra confiada,
en escuadrón formado y recogido,
vuelven el rostro y pechos[26] esforzados
a la corriente de los duros[27] hados.

Yo, que de aquella parte discurriendo
a vueltas del[28] rumor también andaba,
la grita y nuevo estrépitu[29] sintiendo
que en el vecino bosque resonaba,
apresuré los pasos, acudiendo
hacia donde el rumor me encaminaba,
viendo al entrar del bosque detenidos
algunos españoles conocidos.

Estaba a un lado Iuan Remón gritando:
«Caballeros, entrad, que todo es nada»[30],
mas ellos, el peligro ponderando,
dificultaban la dudosa entrada.
Yo, pues, a la sazón a pie arribando
donde estaba la gente recatada,
Iuan Remón, que me vio luego de frente,
quiso obligarme allí públicamente,

diciendo: «¡Oh don Alonso! quien procura   15
ganar estimación y aventajarse,
éste es el tiempo y ésta es coyuntura

---

[26] *pechos*, con valor singular, cfr. III, n. 122.
[27] *duro* 'inalterable' (III, n. 9).
[28] *a vueltas de* 'con' (IV, n. 60).
[29] *estrépitu* por *estrépito* ya aparece en la *Celestina* (DCECH) con la forma moderna, y no lo registran los diccionaristas del T.L. hasta Minsheu (1617), pero después de Ercilla ya lo usa Cervantes desde *La Galatea* (Fz. Gómez), Quevedo *(Aut.)*, etc.
[30] Madrid, 1578 en 8vo. y Zaragoza, 1578: «A ellos, caballeros, que no es nada»; Madrid, 1578 en 4to. trae ya el texto que seguimos.

en que puede con honra señalarse.
No impida vuestra suerte esta espesura
donde quieren los indios entregarse,
que el que abriere la entrada defendida,
le será la vitoria atribuida.»

Oyendo, pues, mi nombre conocido
y que todos volvieron[31] a mirarme,
del honor y vergüenza compelido,
no pudiendo del trance ya escusarme,
por lo espeso del bosque y más temido
comencé de[32] romper y aventurarme,
siguiéndome Arias Pardo, Maldonado,
Manrique, don Simón y Coronado.

Los cuales, de vivir desesperados,
los obstinados indios embistieron,
que en una espesa muela[33] bien cerrados
las españolas armas atendieron[34].
En esto ya al rumor por todos lados
de nuestra gente muchos acudieron,
comenzando con furia presurosa
una guerra sangrienta y peligrosa.

Renuévase el destrozo, reduciendo
a término dudoso el vencimiento,
el menos animoso acometiendo
el más dificultoso impedimento.
¿Cuál será aquel que pueda ir escribiendo
de los brazos la furia y movimiento
y déste y de aquel otro la herida,
y quién a cuál allí quitó la vida?

---

[31] *volver* por *volverse* 'girar, darse vuelta'.
[32] *comenzar de* por *comenzar a* (XVII, n. 88); *romper* por 'arrojarse' (DRAE).
[33] *muela* 'círculo' (XXI, n. 56).
[34] *atender* 'esperar' (III, n. 31).

Unos hienden por medio, otros barrenan
de parte a parte los airados pechos;
por los muslos y cuerpo otros cercenan,
otros miembro por miembro caen deshechos.
Los duros golpes todo el bosque atruenan,
andando de ambas partes tan estrechos
que vinieron algunos de impacientes
a los brazos, a puños y a los dientes.

Pero la muerte allí difinidora[35]   20
de la cruda[36] batalla porfiada,
ayudando a la parte vencedora
remató la contienda y gran jornada[37];
que la gente araucana en poca de hora[38]
en aquel sitio estrecho destrozada,
quiso rendir al hierro antes la vida,
que al odioso español quedar rendida[39].

Tendidos por el campo amontonados
los indómitos[40] bárbaros quedaron,
y los demás con pasos ordenados,
como ya dije atrás, se retiraron;
de manera que ya nuestros soldados,
recogiendo el despojo que hallaron
y un número copioso de prisiones[41]
volvieron a su asiento y pabellones[42].

---

[35] *difinidor* por *definidor* como hasta el siglo XVIII *(Aut.)*. La expresión
es posiblemente elegante variación de «hic tibi mortis erant metae...» de
Aeneidos XII, 546.

[36] *crudo* 'cruel', como en 23,2 (II, n. 108).

[37] *jornada* 'batalla' (IV, n. 10). Para la repetición sinonímica, v. I,
n. 112. Otro ejemplo en el Canto, en 44,8 («oculta y encubierta»).

[38] *poca de hora* «Locución que se usaba en lo antiguo y equivalía a breve
espacio de tiempo» *(Aut.)*.

[39] Para la repetición etimologizadora («rendir... rendida»), v. I, n. 104.

[40] *indómito* es cultismo y epíteto paradigmático de los araucanos, que
reaparece en 43,2 (I, n. 85).

[41] *prisión* 'prisionero' (XVIII, n. 29).

[42] *pabellón* 'tienda de campaña' (XI, n. 114).

Fueron entre estos presos escogidos
doce, los más dispuestos y valientes,
que en las nobles insignias y vestidos
mostraban ser personas preeminentes[43];
éstos fueron allí constituidos[44]
para amenaza y miedo de las gentes,
quedando por ejemplo y escarmiento
colgados de los árboles al viento.

Yo a la sazón al señalar llegando[45],
de la cruda sentencia condolido,
salvar quise uno dellos, alegando
haberse a nuestro ejército venido;
mas él luego los brazos levantando
que debajo del peto había escondido,
mostró en alto la falta de las manos
por los cortados troncos aún no sanos.

Era, pues, Galbarino este que cuento,
de quien el canto atrás os dio noticia,
que porque fuese ejemplo y escarmiento
le cortaron las manos por justicia,
el cual con el usado atrevimiento,
mostrando la encubierta inimicicia[46],
sin respeto ni miedo de la muerte
habló, mirando a todos, desta suerte:

«¡Oh gentes fementidas, detestables[47],   25
indignas de la gloria deste día!

---

[43] *preeminente* Cfr. I, n. 23 para este cultismo poco usual.

[44] *constituido* 'colocado' es cultismo que Cuervo, *Dicc.* documenta en el siglo xv; cfr. otros ejs. en XXXI,12,2 y XXXI,28,3, con acepciones paralelas.

[45] Entiéndase 'en el momento de señalar'.

[46] *inimicicia* es latinismo infrecuente que retoma Cervantes en la *Galatea,* en uso único (Fz. Gómez).

[47] *fementido* 'falso', 'sin palabra' pertenece al léxico afrentoso desde Berceo, pero su decadencia a mediados del xvi le permite a Cervantes utilizarlo tanto en la retórica del reproche en el discurso amoroso (*Gala-*

724

Hartad vuestras gargantas insaciables
en esta aborrecida sangre mía.
Que aunque los fieros hados variables,
trastornen la araucana monarquía,
muertos podremos ser, mas no vencidos,
ni los ánimos libres oprimidos.

»No penséis que la muerte rehusamos,
que en ella estriba[48] ya nuestra esperanza;
que si la odiosa vida dilatamos
es por hacer mayor nuestra venganza.
Que cuando el justo fin no consigamos
tenemos en la espada confianza
que os quitará, en nosotros convertida,
la gloria de poder darnos la vida.

»Sús[49], pues, ya ¿qué esperáis o qué os detiene
de no me dar mi premio y justo pago?
La muerte y no la vida me conviene,
pues con ella a mi deuda satisfago;
pero si algún disgusto y pena tiene
este importante y deseado trago[50],
es no veros primero hechos pedazos
con estos dientes y troncados[51] brazos.»

De tal manera el bárbaro esforzado,
la muerte en alta voz solicitaba

---

tea, Las dos doncelllas) como en el paródico de la lengua de los caballeros andantes (*Quijote*); sin embargo, todavía lo recupera Ercilla para el discurso fervoroso de Galbarino. *Detestable* parece documentación temprana de su uso literario (Aut., con textos posteriores de Cervantes y J. Polo de Medina; DCECH sin documentación; el verbo aparece, según Cuervo, *Dicc.* en un texto de 1561 de Fray Luis de Granada.

[48] *estribar* 'apoyarse' (XV, n. 33).

[49] *¡sús!* Cfr. II, n. 32 para esta interjección usada para infundir ánimo.

[50] *trago* en la ac. metafórica 'infortunio, adversidad' (*Aut.* con texto posterior del p. Juan de la Torre, 1616).

[51] *troncado* es forma rara de *truncado* (DCECH) que se hace eco del *troncos* de 23,8.

de la infelice[52] vida ya cansado,
que largo espacio a su pesar duraba;
y en el gentil[53] propósito obstinado
diciéndonos injurias, procuraba
un fin honroso de una honrosa[54] espada
y rematar la mísera jornada.

Yo, que estaba a par dél, considerando
el propósito firme y osadía,
me opuse contra algunos, procurando
dar la vida a quien ya la aborrecía;
pero al fin los ministros[55], porfiando
que a la salud[56] de todos convenía,
forzado me aparté y él fue llevado
a ser con los caciques justiciado[57].

A la entrada de un monte, que vecino   30
está de aquel asiento, en un repecho
por el cual atraviesa un gran camino
que al valle de Lincoya va derecho,
con gran solennidad y desatino
fue el insulto[58] y castigo injusto hecho,
pagando allí la deuda con la vida,
en muchas opiniones no debida[59].

Por falta de verdugo, que no había,
quien el oficio hubiese acostumbrado,

---

[52] *infelice,* como luego en 38,3, es forma poética (XX, n. 120).

[53] *gentil* 'pagano'; cfr. *gentílico,* id. en XXI, n. 15.

[54] Este tipo de repetición de epítetos en quiasmo tiene valor intensificador y aparece varias veces en el poema (XIV, n. 17 para ejemplo parecido).

[55] *ministro* 'oficial que ejecuta los mandatos del juez' (*Aut.*).

[56] *salud* 'bien público o particular' (*Aut.*).

[57] *justiciar* ant. *ajusticiar,* que ya aparece en Oudin, 1607 (T.L.).

[58] *insulto* 'daño' (XIII, n. 56).

[59] La diferencia de opiniones queda retóricamente intensificada en la octava por el sarcástico oxímoron del quinto verso («solennidad y desatino»); la aliteración («insulto... injusto»); paronomasia («vida... debida»); figura etimológica («deuda... debida»).

quedó casi por uso de aquel día
un modo de matar jamás usado.
Que a cada indio de aquella compañía
un bastante cordel le fue entregado
diciéndole que el árbol eligiese[60]
donde a su voluntad se suspendiese.

No tan presto los pláticos[61] guerreros
del cierto asalto la señal tocando,
por escalas, por picas y maderos
suben a la muralla gateando[62]
cuanto aquellos caciques[63], que ligeros
por los más grandes árboles trepando,
en un punto a las cimas arribaron
y de las altas ramas se colgaron.

Mas uno dellos, algo arrepentido
de su ligera priesa y diligencia,
a nuestra devoción ya reducido[64],
vuelto pidió, para hablar, licencia;
y habiéndosela todos concedido,
con voz algo turbada y aparencia,
los ánimos cristianos comoviendo,
habló contritamente[65] así diciendo:

«Valerosa nación, invicta[66] gente,
donde el estremo de virtud se encierra,
sabed que soy cacique y decendiente

---

[60] Las dos de Madrid, 1578 y Zaragoza, 1578: «... árbol señalase /
donde a su modo él mismo se colgase».

[61] *plático* por *práctico* (II, n. 84).

[62] *gatear* 'subir, trepar' (*Aut.* con texto de carácter bélico semejante,
de 1604, de F. P. de Sandoval).

[63] *cacique* que se repite en 34,3 es aquí sinónimo del «personas preeminentes» de 22,4 (I, n. 22).

[64] *reducido* 'convertido' (I, n. 100).

[65] *contritamente* es adverbio no registrado en los diccionarios de época
ni en *Aut.*; para *contrito*, que también usa Ercilla, v. XVI, n. 34.

[66] *invicto* 'no vencido' (VII, n. 55).

del tronco más antiguo desta tierra:
no tengo padre, hermano, ni pariente,
que todos son ya muertos en la guerra
y pues se acaba en mí la decendencia,
os ruego uséis conmigo de clemencia.»

Quisiera[67] proseguir, si Galbarino,   35
que le miraba con airada cara,
de súbito saliéndole al camino,
la doméstica[68] voz no le atajara
diciendo: «Pusilánime[69], mezquino,
deslustrador de la progenie[70] clara,
¿por qué a tan gran bajeza así te mueve,
el miedo torpe de una muerte breve?

»Dime, infame traidor, de fe mudable,
¿tienes por más partido[71] y mejor suerte
el vivir en estado miserable
que el morir como debe un varón fuerte?
Sigue el hado, aunque adverso, tolerable,
que el fin de los trabajos es la muerte,
y es poquedad que un afrentoso medio
te saque de la mano este remedio.»

Apenas la razón había acabado,
cuando el noble cacique arrepentido
al cuello el corredizo lazo echado,
quedó de una alta rama suspendido;
tras él fue el audaz bárbaro obstinado,
aun a la misma muerte no rendido

---

[67] *quisiera* por *hubiera querido* (VIII, n. 2).

[68] *doméstico* 'manso' en infrecuente uso adjetivo referido a personas.

[69] *pusilánime* Cfr. XXI, n. 10 para este cultismo.

[70] *progenie* es latinismo que probablemente toma Ercilla de Juan de Mena (C. C. Smith, 246, quien remite a la *Yliada en romance*, 79); según *Aut.* aparece también en Santillana.

[71] *partido* 'ventaja' (XI, n. 87).

y los robustos robles[72] desta prueba
llevaron aquel año fruta nueva[73].

Habida la vitoria, como cuento,
y el enemigo roto retirado,
dejando el infelice alojamiento
todo de cuerpos bárbaros sembrado,
llegamos sin desmán ni impedimento
a la bajada y sitio desdichado
do Valdivia fundó la casa fuerte
y le dieron después infame muerte[74].

Levantamos un muro brevemente
que el sitio de la casa circundaba,
donde el bagaje, chusma y remanente[75]
con menos daño y más seguro estaba.
De allí el contorno y tierra inobediente[76],
sin poderlo estorbar se salteaba[77],
haciendo siempre instancia[78] y diligencia
de traerla sin sangre a la obediencia.

---

[72] *robusto roble* es ejemplo atractivo de repetición etimologizadora latinizante, pues la aliteración resulta del uso de dos palabras de étimo común en latín: *robusto* del lat. *robustus,* derivado del latino *robus,* variante de
robur 'roble' y 'robusto'.

[73] El verso asocia y resemantiza hábilmente una dramática imagen
popularizada por el romancero de los siete infantes de Lara; cfr. *Romancero general,* BAE, X,450, núm. 681, «Presenta Almanzor a Gustios la cabeza de sus hijos»: «... En esto vino una fuente / que cubría una toalla / y
en ella siete cabezas / de aquel tronco muertas ramas. / Mira la fuente
Gonzalo / y dice: —¡ay, fruta temprana! / ¿quién vos trasportó de Burgos / a los campos de Arabiana?...»

[74] Se refiere al fuerte en el valle de Tucapel, destruido por los indios
(II, 65 y ss.) y al golpe del «ferrado leño» del viejo Leocato, que mata a
Valdivia, de aquí el epíteto «infame», Para *casa fuerte* del verso anterior,
v. IV, n. 21.

[75] *bagaje* 'impedimenta' (XXI, n. 42); *remanente* 'resto' (XXV, n. 59).

[76] Las dos de Madrid, 1578 y Zaragoza, 1578: «De allí la tierra en torno fácilmente.»

[77] *saltear* 'asaltar' (II, n. 97).

[78] *hacer instancia* 'volver a pedir' (*Aut.*).

Una mañana al comenzar del día
saliendo yo a correr[79] aquella tierra,
donde por cierto aviso se tenía
que andaba gente bárbara de guerra,
dejando un trecho atrás la compañía,
cerca de un bosque espeso y alta sierra[80]
sentí cerca una voz envejecida,
diciendo: «¿Dónde vais?, que no hay salida.»

Volví el rostro y las riendas hacia el lado
donde la estraña voz había salido,
y vi a Fitón el mágico[81] arrimado
al tronco de un gran roble carcomido
sobre el herrado junco recostado,
que como fue de mí reconocido,
del caballo salté ligeramente,
saludándole alegre y cortésmente.

Él me dijo: «Por cierto, bien pudiera
tomar de vos legítima venganza
y en esa vuestra gente que anda fuera,
que habéis hecho en los nuestros tal matanza;
pero aunque más razón y causa hubiera,
haciendo vos de mí tal confianza,
no quiero ni será justo dañaros,
antes en lo que es lícito ayudaros.

»Que es orden de los cielos que padezca
esta indómita gente su castigo[82]
y antes que contra Dios se ensoberbezca
le abaje[83] la soberbia el enemigo
y aunque vuestra ventura agora crezca,

---

[79] *correr* 'recorrer' (VII, n. 63).
[80] Las dos de Madrid, 1578 y Zaragoza, 1578: «en un boscaje al pie de una alta sierra».
[81] *mágico* 'mago', como lo llama en XXVII,3,7 (XVIII, n. 101).
[82] En XVI,29 ya se habían mencionado razones teológicas para la derrota de la rebelión indígena (XVI, n. 65).
[83] *abajar* por *bajar* (IV, n. 14).

no durará gran tiempo porque os digo
que, como a los demás, el duro hado
os tiene su descuento aparejado.

»Si la fortuna así a pedir de boca[84]
os abre el paso próspero a la entrada,
grandes trabajos y ganancia poca
al cabo sacaréis desta jornada;
y porque a mí decir más no me toca,
me quiero retirar a mi morada,
que también desta banda[85] tiene puerta
pero a todos oculta y encubierta.»

Yo de le ver así, maravillado,
y más de la siniestra profecía,
mi caballo en un líbano arrendado[86],
le quise hacer un rato compañía:
y al fin de muchos ruegos acetado[87],
siendo el viejo decrépito la guía[88],
hendimos la espesura y breña estraña
hasta llegar al pie de la montaña.

45

En un lado secreto y escondido,
donde no había resquicio ni abertura,
con el potente báculo torcido
blandamente tocó en la peña dura;
y luego con horrísono[89] ruido,
se abrió una estrecha puerta y boca escura[90]

[84] *a pedir de boca* 'según se desea', es frase adverbial familiar, frecuente hasta hoy, que aparece en los diccionarios desde Oudin, 1607, según T.L.

[85] *banda* 'lado' (IV, n. 129).

[86] *líbano* 'cedro' (II, n. 50); *arrendar* 'atar por las riendas a una caballería' (Nebrija: «arrendar caballo»).

[87] *acetado* por *aceptado* (XII, n. 44).

[88] *guía* tenía concordancia femenina en los textos clásicos (S. Fernández, par. 88).

[89] *horrísono* Cfr. XXIII, n. 145 para este cultismo.

[90] *escuro* por *oscuro* (XIV, n. 10).

por do tras él entré, erizado el pelo,
pisando a tiento el peñascoso suelo.

Salimos a un hermoso verde prado,
que recreaba el ánimo y la vista,
do estaba en ancho cuadro fabricado
un muro de belleza nunca vista,
de vario jaspe y pórfido escacado[91]
y al fin de cada escaque una amatista;
en las puertas de cedro barreadas[92]
mil sabrosas historias entalladas[93].

Abriéronse en llegando el mago a punto
y en un jardín entramos espacioso,
do se puede decir que estaba junto
todo lo natural y artificioso.
Hoja no discrepaba de otra un punto,
haciendo cuadro o círculo hermoso,
en medio un claro estanque, do las fuentes
murmurando enviaban sus corrientes.

No produce natura[94] tantas flores
cuando más rica primavera envía
ni tantas variedades de colores
como en aquel jardín vicioso[95] había;
los frescos y suavísimos olores,
las aves y su acorde melodía
dejaban las potencias y sentidos
de un ajeno[96] descuido poseídos.

---

[91] *vario* 'variado, diferente' (VII, n. 15); *pórfido* 'especie de mármol' es variante de *pórfiro* ya en Laguna, 1555, según *Aut.*; es forma frecuente en los textos clásicos y hasta hoy; *escacado* o *escaqueado* 'en forma de cuadrados' ('escaque') 'como el tablero de ajedrez' (XXI, n. 90).

[92] *barreado* 'con barras de metal' (I, n. 33).

[93] *entallado* 'esculpido, tallado' (Nebrija: «entallada cosa»).

[94] *natura* 'naturaleza' como en XXVII, título (VI, n. 65).

[95] *vicioso* 'deleitoso' (VII, n. 32 y XX,40,7).

[96] *ajeno* 'enajenado, embelesado' (Cuervo, *Dicc.* I, 300b, con este texto).

De mi fin y camino me olvidara[97],   50
según suspenso estuve una gran pieza[98],
si el anciano Fitón no me llamara
haciéndome señal con la cabeza.
Metióme por la mano en una clara
bóveda de alabastro, que a la pieza
del milagroso globo respondía[99],
adonde ya otra vez estado había.

Quisiera ver la bola, mas no osaba
sin licencia del mago avecinarme,
mas él, que mis deseos penetraba,
teniendo voluntad de contentarme,
asido por la mano me acercaba,
y comenzando él mesmo a señalarme,
el mundo me mostró, como si fuera
en su forma real y verdadera.

Pero para decir por orden cuanto
vi dentro de la gran poma lucida[100],
es, cierto, menester un nuevo canto
y tener la memoria recogida.
Así, Señor, os ruego que entretanto
que refuerzo la voz enflaquecida[101],
perdonéis si lo dejo en este punto,
que no puedo deciros tanto junto.

FIN

---

97 *olvidara* por *hubiera olvidado* (VII, n. 76).

98 *pieza* 'rato, intervalo' (XI, n. 130).

99 *responder* 'corresponder' (DRAE); el texto se refiere a XXIII,65-69
en que se describe la cámara de la *sphera mundi* en «la cueva del hechicero
Fitón».

100 *poma* 'esfera' (XXIII, n. 134). *Lucido* 'esplendoroso, brillante' es el
participio con valor activo del verbo *lucir;* Ercilla también usa el cultismo
lúcido en XVII,39,3.

101 *enflaquecido* 'debilitado' (III, n. 80).

EN ESTE CANTO SE PONE LA DESCRIPCIÓN DE MUCHAS PRO-
VINCIAS, MONTES, CIUDADES FAMOSAS POR NATURA Y POR
GUERRAS. CUÉNTASE TAMBIÉN CÓMO LOS ESPAÑOLES LE-
VANTARON UN FUERTE EN EL VALLE DE TUCAPEL; Y CÓMO
DON ALONSO DE ERCILLA HALLÓ A LA HERMOSA GLAURA

CANTO XXVII

Siempre la brevedad es una cosa
con gran gran razón de todos alabada
y vemos que una plática es gustosa
cuanto más breve y menos afectada;
y aunque sea la prolija[1] provechosa,
nos importuna, cansa y nos enfada,
que el manjar más sabroso y sazonado
os deja, cuando es mucho, empalagado.

Pues yo que en un peligro tal me veo,
de la larga carrera[2] arrepentido,
¿cómo podré llevar tan gran rodeo,
y ser sabroso al gusto y al oído?
Pero aunque de agradar es mi deseo,
estoy ya dentro en la ocasión metido;
que no se puede andar mucho en un paso
ni encerrar gran materia en chico vaso.

---

[1] *prolijo* 'dilatado' (XV, n. 119).
[2] *carrera* 'camino' (VI, n. 32).

Cuando a alguno, Señor, le pareciere
que me voy en el curso deteniendo,
el estraño camino considere
y que más que una posta[3] voy corriendo.
En todo abreviaré lo que pudiere
y así a nuestro propósito volviendo,
os dije como el indio mago anciano
señalaba la poma[4] con la mano.

Era en grandeza tal que no podrían
veinte abrazar el círculo luciente[5],
donde todas las cosas parecían[6]
en su forma distinta y claramente:
las campos y ciudades se veían,
el tráfago y bullicio de la gente,
las aves, animales, lagartijas,
hasta las más menudas sabandijas.

El mágico me dijo: «Pues en este   5
lugar nadie nos turba ni embaraza,
sin que un mínimo punto oculto reste
verás del universo la gran traza:
lo que hay del norte al sur, del leste al oeste,
y cuanto ciñe el mar y el aire abraza,
ríos, montes, lagunas, mares, tierras
famosas por natura y por las guerras[7].

   [3] *posta* 'distancia entre un apeadero ('posta') y otro'; aquí 'asunto',
'acontecimiento', que extiende la metáfora de la narración como
camino.
   [4] *poma* 'esfera' (XXIII, n. 134).
   [5] Las dos ediciones de Madrid, 1578 y Zaragoza, 1578: «veinte abrazar el cerco enteramente».
   [6] *parecer* por *aparecer* como luego en el Canto, 52,7 (III, n. 25).
   [7] *natura* 'naturaleza' como luego en el Canto, en 38,5 (VI, n. 65). Es
expresión que ya aparece en el título del Canto. Para la tradición del motivo de la descripción geográfica en los poemas narrativos medievales y
su adopción en el *Laberinto* de Juan de Mena, v. Lida de Malkiel, 30 y ss.
No parece, sin embargo, digresión episódica en *La Araucana,* pues la
nueva configuración del orbe, con el descubrimiento europeo del continente americano, daba nuevo interés a esta visión moderna del mundo;

»Mira al principio de Asia a Calcedonia[8]
junto al Bósforo enfrente de la Tracia[9];
a Lidia, Caria, Licia y Licaonia[10],
a Panfilia, Bitinia y a Galacia[11];
y junto al Ponto Euxino a Paflagonia;
la llana Capadocia y la Farnacia[12]
y la corriente de Eufrates[13] famoso,
que entra en el mar de Persia caudaloso.

»Mira la Syria, vees allá la indina[14]
tierra de promisión de Dios privada,
y a Nazarén[15] dichosa en Palestina,
do a María Gabriel dio la embajada.

---

en ella, desde la perspectiva española, conviven los viejos nombres geográficos de Plinio y Estrabón con los de la Europa moderna y la novísima América, en inédita enumeración que da nuevo significado al motivo.

[8] *Calcedonia* Antigua ciudad de Bithynia, junto al Bósforo, como dice el texto, y frente a Byzantium.

[9] *Tracia* es el nombre antiguo de la región que hoy ocupa la porción europea de Turquía.

[10] Nombres de cuatro regiones de Asia Menor: las tres primeras están enumeradas de Norte a Sur; *Licia* o Lycias es la costera sobre el Mediterráneo; *Lycaonia* se extiende al este de las otras nombradas.

[11] Regiones de Asia Menor al este de las mencionadas en primer término en el verso anterior: *Pamphylia,* junto al Egeo; *Galatia* y *Bithynia* más al norte sucesivamente, pero el verso la ubica de oeste a este, lo que explica la mención inmediata de *Paphlagonia,* al este de Bithynia y, como ella, junto al mar Negro o *Pontus Euxinus,* según se especifica en el verso 5.

[12] *Capadocia* era el nombre de otra región interior al este de las ya mencionadas; *Pharnacea* o *Pharnacia* era una ciudad en el Ponto, región al norte de Capadocia.

[13] Probablemente debe leerse *Eufratés,* siguiendo la regla de Nebrija, «las dicciones bárbaras o cortadas del latín (tienen el acento agudo) en la última sílaba muchas veces», como en 15,4: «Semiramís»; en cambio, en 14,1 sigue la acentuación grave etimológica. Cfr. A. de Nebrija, *Gramática castellana* II,2, pág. 38 ed. P. Galindo Romeo y L. Ortiz Muñoz, Madrid, 1946.

[14] *indino* por *indigno* era grafía y pronunciación común hasta el XVII en textos literarios (Cuervo, *Dicc.* II, 1232), y hasta hoy en la lengua popular (DCECH).

[15] *Nazarén* por *Nazareth.*

Vees las sacras reliquias y ruina
de la ciudad por Tito desolada[16],
do el Autor de la vida escarnecido
a vergonzosa muerte fue traído.

»Mira el tendido[17] mar Mediterrano
que la Europa del África separa,
y el mar Bermejo en punta a la otra mano,
que abrió Moisén sus aguas con la vara[18];
mira el golfo de Ormuz y mar Persiano[19],
y aunque a partes la tierra no está clara[20],
verás hacia la banda descubierta,
las dos Arabias, Félix y Desierta[21].

»Mira a Persia y Carmania[22], que confina
con Susiana al lado del poniente,
donde el forjado acero se fulmina[23]
de pasta y temple fino y excelente,
Drangiana y Gedrosía, que camina
hasta el mar de India y ferias del Oriente
y adelante siguiendo aquella vía
verás la calurosa Aracosía[24].

---

[16] Referencia a Jerusalén y su destrucción por Tito en el año 70. En las dos ediciones de Madrid, 1578 y Zaragoza, 1578: «de la ciudad por tantos asolada».

[17] *tendido* 'dilatado' (XXII, n. 28).

[18] Referencia al relato de Exodo 14,21-29.

[19] Modernamente, el estrecho de Ormuz y el Golfo Pérsico.

[20] Madrid, 1578 en 8vo. y Zaragoza, 1578: «y en medio aunque la tierra no está clara». *A partes* 'a trechos, en partes' es frase adverbial hoy infrecuente.

[21] Denominación, en el mundo antiguo, del actual territorio de Arabia Saudita, aproximadamente. La Arabia Desierta correspondía a la parte norte.

[22] *Carmania* era una comarca de la antigua Persia y actual territorio de Irán.

[23] *fulminar* 'fundir los metales' (DRAE) es cultismo presente en autores del xv (C. C. Smith, 251).

[24] *Drangiana* y *Gedrosía* son comarcas al este de las anteriormente señaladas; la primera, al norte de la segunda y, como dice el poema, al oeste de *Aracosía*. Todas estas regiones las describe Plinio, en el libro VI de la *Naturalis Historia*.

»Dentro y fuera del Gange mira tanta   10
tierra de India, al Levante prolongada;
vees el Catay[25] y su ciudad de Canta
que sobre el Indo mar está fundada;
la China y el Maluco[26] y toda cuanta
mar se estiende del leste y la apartada
Trapobana famosa, antiguamente
término y fin postrero del Oriente[27].

»Vees la Hircania, Tartaria y los albanos[28],
hacia la Trapisonda[29] dilatados,
y otros reinos pequeños comarcanos
tributarios de Persia y aliados:
los yberos que llaman gorgianos[30],
y los pobres circasos derramados,
que su lunada tierra en parte angosta[31]
toma del mar Mayor[32] toda la costa.

---

[25] *Catay* era el nombre antiguo de un extenso territorio que comprendía la actual Mongolia y otras partes de China, según las épocas. Ercilla extiende el territorio hasta la bahía de Bengal («el Indo mar») pero lo separa de China.

[26] *Maluco*, es decir, las islas de Maluco y actual Molucas. Cfr. G. Fernández de Oviedo, *Historia...* Primera Parte, XX,1 y ss. (BAE, CXVIII, 217 y ss., que trata del viaje de Magallanes a Oriente).

[27] *Trapobana* es la antigua Ceilán, hoy Sri Lanka (Plinio, *N.H.*, VI,81; Ovidio, Pomponio Mela, de aquí la mención de «famosa antiguamente»).

[28] *Hircania* era una provincia romana al Sudeste del Mar Caspio o Hircano, como se lee en 14,7 y en IX,72,5. Cfr. Pomponio Mela 3,5,7; *albanos* eran los habitantes de Albania, nombre latino de una comarca en la costa centro-sudoeste del mar Caspio que se menciona en 12,2. Cfr. Plinio, *N.H.* VI,38.

[29] *Trapisonda* o Trapezus en la antigüedad; ciudad y comarca circundante a orillas del mar Negro en el actual territorio de Turquía.

[30] Los *iberos gorgianos* eran los habitantes de Iberia, comarca en la actual Georgia (Valerius Flaccus, *Argonautica* 6,120). Para *Gorgiano* v. XXIV,4,4.

[31] *lunado* 'curvado, en forma de cuarto creciente' es latinismo infrecuente que Ercilla toma probablemente de Virgilio, *Aeneidos* I, 490. No lo registra aún *Aut.*; DCECH sin textos.

[32] *Mar Mayor* es el Mar Negro. Cfr. nota correspondiente en la edición de A. Nicolas.

»Vees el revuelto Cirro caudaloso[33],
que la Iberia y Albania así rodea,
y el alto monte Cáucaso fragoso,
que su cumbre gran tierra señorea:
mira el reino de Colcos[34], tan famoso
por la isla nombrada de Medea,
adonde el trabajado Jasón vino
en busca del dorado vellocino[35].

»Mira la grande Armenia memorable
por su ciudad de Tauris señalada[36];
y al sur la religiosa y venerable
Soltania, sin respeto arruinada
por la tártara furia irreparable
de grande Taborlán, que de pasada
cuanto encontró lo puso por el suelo,
cual ira o rayo súbito del cielo[37].

»Mira a Tigris y Eufrates, que poniendo
punto a Mesopotamia, en compañía
hasta el golfo de Persia van corriendo
dejando a un lado a Egypto y a Suría[38];
vees la Patria y la Media, que torciendo[39]
su corva costa, abraza al mediodía

---

[33] *Cirro* o Cyrus, río que desemboca en el mar Caspio (Plinio, *N.H.*
VI,26) al sur de los territorios que menciona el poema.

[34] *Colchos* o Colchis es la Cólquide, patria de Medea.

[35] *trabajado* 'cansado' (XVI, n. 1); el adjetivo hace referencia, precisamente, a la difícil navegación y aventura de Jasón y los argonautas,
para recobrar en la Cólquida el vellocino de oro, custodiado por un
dragón.

[36] *Tauris* es probablemente la actual ciudad de Tabriz, en Irán, aunque
el antiguo territorio denominado Armenia se extendía en lo que hoy es
el este de Turquía.

[37] *Taborlán* por Tamerlán (1336-1405) de cuya «disciplina y arte militar» escribió P. Mexía en su *Silva...* (II,28), bien conocida por Ercilla.

[38] *Suría*, según la forma griega, o Syria en latín.

[39] *Patria* por Partia o Parthia y la Media eran comarcas de Asia en el
actual territorio de Irán, la antigua Persia.

el Caspio mar, por otro nombre Hircano,
que en forma oval se estiende al subsolano[40].

»Mira la Asiria y su ciudad famosa,   15
donde la confusión de lenguas vino,
que sus muros, labor maravillosa,
hizo Semiramís, madre de Nino[41]:
donde la acelerada y presurosa
muerte a Alexandre[42] le salió al camino,
cortándole en su próspera corrida
el hilo de los hados y la vida.

»Mira en África, el sur, los estendidos
reinos del Preste Juan[43], donde parece
que entre los más insignes y escogidos
Sceva en sus edificios resplancede.
Tres frutos da en el año repartidos,
y tres veces se agosta y reverdece;
tiene en veinte y dos grados su postura
al antártico polo por la altura.

»Vees a Gogia y sus montes levantados,
que a todos sobrepujan en grandeza,
canos[44] siempre de nieve los collados
y abajo peñascales y aspereza,
que forman un gran muelle, rodeados
de breñales espesos y maleza,

---

[40] *subsolano* 'sudeste'. Cfr. la *Silva...* de Pero Mexía (IV, c. XXII) ya
mencionada, para el nombre del viento correspondiente; v. *Aut.* con
este texto.

[41] Referencia a Babilonia; para la acentuación aguda de Semíramis,
v. arriba nota 13.

[42] *Alexandre* es decir, Alejandro Magno; para los prodigios y presagios
que anunciaron a Alejandro su muerte al regresar a Babilonia, v. la vida
de Alejandro en Plutarco, *Vidas Paralelas,* entre muchos otros, como Lucano X,46 por ejemplo.

[43] *Preste Juan* El emperador de Etiopía (Cov. y ya desde el siglo xv).

[44] *cano* 'canoso' y aquí, 'nevado' (III, n. 99).

morada de osos, puercos y leones,
tigres, panteras, grifos y dragones[45].

»Destos peñascos ásperos pendientes,
llamados hoy el monte de la Luna,
nacen del Nilo las famosas fuentes[46],
y dellos ríos sin nombre y fama alguna,
que aunque tuercen y apartan sus corrientes
se vienen a juntar a una laguna
tan grande, que sus senos y laderas
baten de tres provincias las riberas[47]:

»a Gogia y Beguemedros al oriente,
y a Dambaya al poniente; del cual lado
hay islas donde habita varia gente
y todo el ancho círculo es poblado.
De aquí el famoso Nilo mansamente
nace, y después más grande y reforzado
parte a Gogia de Amara y va tendido
sin ser de las riberas restringido

»hasta un angosto paso peñascoso   20
que le va los costados estrechando,
de donde con estrépito furioso
se va en las cataratas embocando;
después más ancho, grave y espacioso
llega a Méroe[48], gran isla, costeando,
que contiene tres reinos eminentes
en leyes y costumbres diferentes.

---

[45] La enumeración mezcla nombres de animales de la naturaleza con
los de animales fabulosos como los *grifos* 'animales cuadrúpedos y alados
con rostro de águila' de cuya existencia no duda del todo todavía
Cov. (s.v.); *dragón* 'serpiente' (Alcalá, 1505 en T.L., pero ya en el XIV según DCECH; la forma latinizante *draco* en Berceo).

[46] Ya en la *Geographia* de Ptolomeo IV,8; para la tradición clásica de la
búsqueda de estas «famosas» fuentes, v. nota correspondiente en la edición de A. Nicolas; cfr. Lida de Malkiel, *La idea de la fama...*, 191-192.

[47] Se refiere sin duda al lago Tana, en el actual territorio de Etiopía.

[48] *Meroe* Isla del Nilo.

742

»Mira al Cayro, que incluye tres ciudades
y el palacio real de Dultibea,
las torres, los jardines y heredades,
que su espacioso círculo rodea;
las pirámides mira y vanidades
de los ciegos[49] antiguos, que aunque sea
señal de sus riquezas la hechura,
fue más que el edificio la locura.

»Mira los despoblados arenosos
de la desierta y seca Libia ardiente;
Garamanta[50] y los pueblos calurosos,
donde habita la bruta y negra gente;
mira los trogloditas[51] belicosos,
y los que baña Gambra en su corriente[52]:
mandingos, monicongos, y los feos
zapes, biafras, gelofos y guineos.

»Vees de la costa de África el gran trecho,
los puertos señalados y lugares
de las bocas del Nilo hasta el estrecho
por do se comunican los dos mares.
Apolonia, las Sirtes y derecho[53]
Trípol, Túnez y junto si mirares,

---

[49] *ciego* 'irreflexivo' y en este texto, 'pagano'.

[50] *Garamanta* o Garamantes, nombre correspondiente a una región del actual territorio de Libia, al sur de la zona costera.

[51] *trogloditas* Habitantes de un extenso territorio que incluye partes de Libia, Sudán y Etiopía.

[52] *Gambra* (*Gamba*, en la edición de Zaragoza, 1578) debe ser errata por Gambia, río de África, en los actuales territorios de Gambia y Senegal, que desemboca en el Atlántico y en cuyas costas se habían establecido los portugueses ya en el siglo xv con comercio de esclavos, de aquí la lista de nombres de pueblos de África en los versos siguientes.

[53] *Apolonia* o Apolhonia, ciudad costera de la antigua Cyrenaica y actual Libia. *Sirtes* son los golfos Syrtis Major y Syrtis Minor que corresponden a los actuales de Sidra en Libia y de Gabès en Tunisia; de aquí la mención inmediata de Trípol o Trípoli, y de Túnez y Cartago. Cfr. XXXIII, n. 6.

verás aun las reliquias[54] y el estrago
de la ciudad famosa de Cartago.

»Mira a Sicilia fértil y abundosa,
a Cerdeña y a Córcega de frente,
y en la costa de Italia la viciosa[55]
tierra que va corriendo hacia el poniente;
mira la ilustre Nápoles famosa
y a Roma, que gran tiempo altivamente
se vio del universo apoderada
y de cada nación después hollada.

»Mira en Toscana a Sena[56] y a Florencia   25
y dejando la costa al mediodía,
a Bolonia, Ferrara y la eminencia
de la isleña ciudad y señoría[57];
Padua, Mantua, Carmona y a Placencia[58],
Milán, la tierra y parque de Pavía,
adonde en una rota[59] de importancia
Carlos prendió a Francisco, rey de Francia.

»Mira a Alexandria, y por Liguria entrando
a la soberbia Génova y Saona[60];

---

[54] *reliquia* 'resto', 'vestigio' (VI, n. 13).

[55] *vicioso* 'deleitoso' (VII, n. 32).

[56] *Sena* por *Siena*, como trae la edición de Zaragoza, 1578.

[57] Referencia a la República de Venecia, de aquí el «señoría» que aludía a la soberanía de esta república.

[58] *Carmona* es errata por *Cremona*, y así ya en latín; *Placencia* ant. Placentia es la actual Piacenza.

[59] *rota* 'derrota' (XXIV, título), alude a la batalla de Pavía (febrero de 1525) en que el rey de Francia, Francisco I, herido, fue hecho prisionero. Llevado a Madrid, permaneció allí hasta 1526 cuando, a cambio de su libertad, se comprometió a la entrega del ducado de Borgoña y a la restitución del Milanesado a Francisco Sforza, aliado del emperador Carlos V; sin embargo, las hostilidades no cesaron hasta 1529, con la firma del tratado de Cambray.

[60] *Saona* por Savona. La Alexandría del verso anterior es la Alessandria italiana, al norte de Génova. En esta población el Emperador recibió un contingente de tres mil soldados españoles destinados a la campaña de Francia, cuyo maestre de campo era Garcilaso de la Vega. V. Carta

y el Piamonte y Saboya atravesando,
a León[61], a Tolosa y a Bayona;
y sobre el viento coro[62] volteando,
Burdeos, Putiers, Orliens, París, Perona[63],
Flandes, Brabante, Güeldres, Frisia, Olanda[64],
Ingalterra, Escocia, Ybernia, Yrlanda[65];

»a Dinamarca, Dacia[66] y a Noruega
hacia el mar de Dantisco y costa helada[67],
y a Suecia, que al confín de Gocia llega[68]
que está en torno del mar fortificada,
de donde a la Xelandia se navega;
y mira allá a Grolandia[69] desviada
del solar curso y la zodiaca vía,
do hay seis meses de noche y seis de día.

»Mira al norte a Moscovia, que es tenida
por última región de lo poblado,
que rematan su término y medida

---

del 20 de mayo de 1536 en Garcilaso de la Vega, *Obras completas* ed.
E. Rivers.

[61] *León* es la actual Lyon.

[62] *coro* es decir, en dirección noroeste (XI, n. 102).

[63] *Putiers* por Poitiers; *Orliens* por Orleans; *Perona* es probablemente Peronne, ciudad situada sobre el río Somme, sitiada por Carlos V en 1536.

[64] Nombres de diversas regiones y estados de los países bajos. *Flandes,* en la actual Bélgica; *Brabante* en el sur de la actual Holanda y norte de Bélgica. *Gueldres* o Geldres en el actual territorio del norte de Holanda (Gelderland); *Frisia* y *Olanda,* en el actual territorio de Holanda.

[65] *Hibernia* es el antiguo nombre latino de Irlanda, o parte de ella, en la geografía de Ercilla.

[66] *Dacia* era el nombre latino de una región al Sudeste de la Germania (aproximadamente la actual Rumania), pero el texto tiene que referirse a una región de los países escandinavos.

[67] *Dantisco,* es decir, el mar Báltico.

[68] *Gocia* por Gotland, isla del mar Báltico. Pero también puede referirse a Gotia, denominación antigua del territorio al sur de la actual Suecia, de aquí la mención del «confín».

[69] *Xelandia* o *Selandia* en otras ediciones, es la actual Islandia; en el verso siguiente, *Grolandia* por Groenlandia.

las rifeas[70] montañas por un lado,
y de las fuentes del Tanays tendida
llega al monte Hyperbóreo y mar helado[71],
confina con Sarmacia y Tartaría[72]
y corre por el Austro[73] hasta Rusía.

»Mira[74] a Livonia, Prusia, Lituania[75],
Samogocia, Podolia[76] y a Rusía,
a Polonia, Silesia y a Germania,
a Moravia, Bohemia, Austria y Vngría,
a Corvacia, Moldavia[77], Trasilvania,
Valaquia, Vulgaría, Esclavonía[78],
a Macedonia, Grecia, la Morea[79],
a Candia[80], Chipre, Rodas y Iudea.

---

[70] *rifeo* 'correspondiente a los montes Rifeos o Riphaei' (Pomponio Mela I,19; Plinio IV,78) en donde, según los geógrafos antiguos (a los que sigue el texto) se hallaban las fuentes del Tanais, actual río Don, que separaba Europa de Asia (Virgilio, *Georgicas* IV,517; Plinio,IV,78). El adjetivo *rifeas* es recuerdo virgiliano (*ibíd.*, I,240 y IV,518).

[71] *Hiperbóreo* o *Hyperboreus* 'septentrional' y, aquí, el Polo Norte o la zona más al norte.

[72] *Sarmacia* es la Sarmatia de los romanos (Plinio, IV, 81) era una vasta zona de los actuales territorios de Rusia y Polonia, entre el Volga y el Vístula, que limitaba vagamente al este con la Tartaria. El principado de Moscovia era considerado como región distinta de Rusia.

[73] *Austro* 'viento del sur' (XIII, n. 65).

[74] Nombres de diversas comarcas cercanas o pertenecientes al actual territorio de Rusia.

[75] *Livonia* en el Báltico, ocupaba aproximadamente el actual territorio de Estonia. *Lituania* comprendía un territorio mucho más extenso que el actual, al este de Polonia.

[76] *Samogocia* o Samogitia ocupaba el territorio actual de Lituania aproximadamente. *Podolia* es una región de la actual Rumania al nordeste y la zona fronteriza de Rusia.

[77] *Corvacia* por Crovacia, hoy Croacia, en Yugoeslavia; *Moldavia* ocupaba aproximadamente el actual territorio de Hungría y norte de Rumania.

[78] *Valaquia* o Wallaquia, era una región al norte del actual territorio de Bulgaria. *Esclavonia* por Eslavonia, era una región al este de Croacia, perteneciente al reino húngaro.

[79] *Morea* es el territorio actual del sur de Grecia: el Peloponeso aproximadamente. Esta posesión de la república de Venecia fue ocupada por los turcos en 1540.

[80] *Candia* es hoy Iraklion, ciudad en Creta.

»Mira al poniente a España y la aspereza
de la antigua Vizcaya, de do[81] es cierto
que procede y estiende la nobleza[82],
por todo lo que vemos descubierto;
mira a Bermeo cercado de maleza,
cabeza de Vizcaya, y sobre el puerto[83]
los anchos muros del solar de Ercilla,
solar antes fundado que la villa.

»Vees a Burgos, Logroño y a Pamplona;
y bajando al poniente, a la siniestra,
Zaragoza, Valencia, Barcelona;
a León y a Galicia de la diestra.
Vees la ciudad famosa de Lisbona,
Coymbra y Salamanca, que se muestra
felice en todas ciencias, do solía
enseñarse también nigromancía[84].

»Mira a Valladolid, que en llama ardiente
se irá como la fénix[85] renovando,

---

[81] *do* por *donde* era de uso exclusivo en la lengua literaria y sólo poética
a partir del xv (DCECH), ya usado por Ercilla en XXIII,56,4 y luego en
este mismo Canto, en 54,7.

[82] Las dos ediciones de Madrid, 1578 y Zaragoza, 1578: «que depende
y procede la nobleza».

[83] Las dos de Madrid, 1578 y Zaragoza, 1578: «cabeza y primer tronco
desta rama / y tu Torre de Ercilla sobre el puerto / de las montañas altas
encubierto». Aunque nacido y bautizado en Madrid, en agosto de 1533,
Ercilla se sentía orgulloso de su ancestral origen vizcaíno, que confirma-
ba su condición hidalga y lo recuerda en este texto. Cfr. Medina, *Vida*,
19 y 20.

[84] *felice* por *feliz* 'próspero' *(Aut.)*; cfr. XVI, n. 90. Ya Pedro Ciruelo
en su *Reprobación de las supersticiones y hechicerías* (1530) señalaba que la ni-
gromancia se había practicado «en tiempos pasados... mayormente en
Toledo y Salamanca». Cfr. L. Thorndike, *A History of Magic and Experi-
mental Science* V,283; v. tb. P. E. Russell, *Temas de «La Celestina»* Barcelona,
Ariel, 1978, 251.

[85] *fénix* ya documentado en Juan de Mena (C. C. Smith, 249); aunque
el uso femenino se halla en uso hasta el xvii (Cfr. el ejemplo de Lope en
DCECH), para Mena ya era masculino, como en el mismo texto de *La
Araucana*: XXIII, n. 105.

y a Medina del Campo casi enfrente,
que las ferias la van más ilustrando[86];
mira a Segovia y su famosa puente,
y el bosque y la Fonfrida atravesando
al Pardo y Aranjuez, donde natura
vertió todas sus flores y verdura.

»Mira aquel sitio inculto montuoso
al pie del alto puerto[87] algo apartado,
que aunque le vees desierto y pedregoso
ha de venir en breve a ser poblado:
allí el Rey don Felipe vitorioso,
habiendo al franco en San Quintín domado,
en testimonio de su buen deseo,
levantará un católico trofeo[88].

»Será un famoso templo incomparable
de sumptuosa fábrica y grandeza[89],
la máquina del cual hará notable,
su religioso celo y gran riqueza.
Será edificio eterno y memorable,
de inmensa majestad y gran belleza,
obra, al fin, de un tal rey, tan gran cristiano,
y de tan larga y poderosa mano.

»Mira luego a Madrid, que buena suerte   35
le tiene el alto cielo aparejada;
y a Toledo, fundada en sitio fuerte,
sobre el dorado[90] Tajo levantada;
mira adelante a Córdoba, y la muerte

---

86 Alusión al mercado de lana que convierte a Medina del Campo en gran mercado internacional de Castilla.

87 *puerto* 'paso de montaña' (Nebrija «puerto de monte»).

88 Referencia al Escorial, que Felipe II mandó edificar entre 1563 y 1584. Para San Quintín, v. Canto XVIII. Cfr. Medina, *Vida*, 149.

89 *fábrica* 'artesanía' (XXIII, n. 126).

90 Alusión ya frecuente en los clásicos latinos (Catulo, Ovidio, Plinio, etc.) que recoge Garcilaso (Égl. III,106, por ej.) acerca de la presencia de oro en la corriente del Tajo.

que airada amenazando está a Granada,
esgrimiendo el cuchillo sobre tantas
principales cabezas y gargantas[91].

»Mira a Sevilla, vees la realeza
de templos, edificios y moradas,
el concurso[92] de gente y la grandeza
del trato[93] de las Indias apartadas,
que de oro, plata, perlas y riqueza
dos flotas en un año entran cargadas
y salen otras dos de mercancía
con gente, munición y artillería[94].

»Mira a Cádiz donde Hércules famoso
sobre sus hados prósperos corriendo,
fijó las dos colunas vitorioso,
Nihil ultra en el mármol escribiendo[95];
mas Fernando católico glorioso[96],
los mojonados términos rompiendo,
del ancho y Nuevo Mundo abrió la vía,
porque en un mundo solo no cabía.

»Mira por el Océano bajando
entre el húmido Noto y el Poniente[97]
las islas de Canaria, reparando

91 Referencia al levantamiento de los moriscos en Granada en 1568.
Cfr. Julio Caro Baroja, *Los moriscos de Granada,* c. VI.

92 *concurso* 'multitud' (X, n. 81).

93 *trato* 'comercio' *(Aut.,* y ya en Nebrija: «trato de mercadería»).

94 Las dos flotas, en convoy, salían una para Nueva España y otra
para Tierra Firme, en mayo y agosto. Las flotas de vuelta a España (a
partir de 1564, salían por abril (la de Nueva España) y en agosto (la de
Tierra Firme). Cfr. J. de Veitía y Linage, *Norte de contratación de las Indias
Occidentales (1674),* Buenos Aires, 1945, libro II, cap. IV, par. 8 y 30.

95 La alusión a las columnas de Hércules, límite del mundo antiguo,
es frecuente en la poesía renacentista; para la relación con Dante
(Infierno XXVI,107-109) y Ariosto *(O.F.* XXXIII,98), cfr. Vilanova,
II,388-389.

96 Las dos de Madrid, 1578 y Zaragoza, 1578: «mas Carlos Quinto
Máximo glorioso».

97 *Noto* 'viento sur' (XIII, n. 65). *Poniente* 'viento del oeste' (P. Mexía,

en aquella del Hierro especialmente,
que falta de agua, la natura obrando,
las aves, animales y la gente
beben la que de un árbol se distila
en una bien labrada y ancha pila[98].

»Mira a la banda diestra las Terceras[99]
que están de portugueses ocupadas,
y corriendo al sudueste, las primeras
islas que descubrió Colón, pobladas
de gentes nunca vistas estranjeras,
entre las cuales son más señaladas,
los Lucayos[100], San Iuan, la Dominica,
Santo Domingo, Cuba y Iamaíca.

»Vees de Bahama la canal angosta[101],   40
y siguiendo al poniente la Florida,
la tierra inútil y lucida costa
hasta la Nueva España proseguida
donde Cortés, con no pequeña costa
y gran trabajo y riesgo de la vida,
sin término ensanchó por su persona
los límites de España y la corona[102].

Silva... IV, 22), 393: «Y al viento... que nace del poniente, llamaron los griegos *Zéfiro*... y el vulgar castellano e italiano lo llamamos *poniente*»).

[98] Para una descripción de este árbol, «miraglo de la isla del Hierro», cfr. G. Fernández de Oviedo, *Historia...* libro II, c. IX (BAE, t. LXVII,36).

[99] *Terceras* es decir, las Azores, ocupadas por los portugueses en 1493.

[100] *Lucayos* Islas por donde comenzó el descubrimiento de Cristóbal Colón, en opinión de Oviedo, *o.c.* Parte I, Libro I, c. V y VI. Alcedo las denomina, en el siglo XVIII, en la forma femenina, como hasta hoy.

[101] *canal* era ya de género gramatical ambiguo en latín (*canalis;* cfr. DCECH) y hasta hoy, aunque como término geográfico parece más frecuente hoy la concordancia masculina.

[102] Según Medina (*Vida,* 135 y nota 417), Gabriel Lasso de la Vega transcribió esta octava en su *Elogio de los tres varones* (1600); cfr. el *Epítome* de A. de León Pinelo (Washington, Unión Panamericana, 1958, pág. 74) para la descripción de este volumen que contiene elogios a tres

»Mira a Ialisco y Mechoacán[103], famosa
por la raíz medicinal que tiene;
y a México abundante y populosa,
que el indio nombre antiguo aun hoy retiene;
vees al sur la poblada y montuosa
tierra, que en punta prolongarse viene,
que los dos anchos mares por los lados
la van adelgazando los costados.

«A Panamá y al Nombre de Dios mira,
que sus estrechos términos defienden
a dos contrario mares, que con ira
romper la tierra y anegar pretenden.
Vees la fragosa sierra de Capira[104],
Cartagena y las tierras que se estienden
de Santa Marta y cabo de la Vela
hasta el lago y ciudad de Venezuela;

»a Bogotá y Cartama, que confina
con Arma[105] y Cali, tierra prolongada,
Popayán, Pasto y Quito, que vecina
está a la equiniocial línea templada[106].
Mira allá a Puerto Viejo, do la mina
de ricas esmeraldas fue hallada[107],

_____

capitanes españoles: el rey don Jaime de Aragón, don Alonso Bazán,
marqués de Santa Cruz y Hernán Cortés.

[103] _Ialisco_ por _Xalisco_ o _Jalisco,_ provincia también llamada por los españoles Nueva Galicia; v. Oviedo, _o.c._ Parte II, libro XV, cap. 2 para su
descripción, _Mechoacán,_ como en otros autores e historiadores de Indias
(Oviedo, Bernal Díaz, etc.), hoy _Michoacán._ Referencia a la «raíz de Mechoacán» a la que se le atribuían numerosas virtudes curativas (P. José
de Acosta, _Historia natural...,_ l.IV, cap. 29 (BAE, LXXIII,123); v. tb. el
«Vocabulario» del _Diccionario_ de Alcedo, s.v. Michoacán).

[104] _fragoso_ 'escarpado, rocoso' (XVIII, n. 98). _Capira_ está en el actual
territorio de Colombia.

[105] _Arma_ es probablemente Santiago de Armas, en la provincia de
Antioquia, en la actual Colombia, fundada por Sebastián de Belalcázar
en 1542.

[106] Es decir, Ecuador.

[107] _Puerto Viejo_ Capital del partido del mismo nombre en la provincia
de Guayaquil, en el actual territorio del Ecuador. Para las esmeraldas del

y las tierras que corren por la vía
del Euro, del Volturno y Mediodía[108].

»Vees Guayaquil, que abunda de madera
por sus espesos montes y sombríos;
Túmbez, Payta y su puerto, que es primera
escala donde surgen los navíos[109].
Piura, Loxa, la Zarza[110] y Cordillera,
de do nacen y bajan tantos ríos
que riegan bien dos mil millas de suelo,
donde jamás cayó lluvia del cielo.

»Mira los grandes montes y altas sierras[111]   45
bajo la zona tórrida nevadas,
los Mojos, Bracamoros[112] y las tierras
de incultos chachapoyas[113] habitadas.
Caxamarca y Truxillo, que en las guerras
fueron famosas siempre y señaladas,
y la ciudad insigne de los Reyes,
silla de las Audiencias y virreyes[114].

Puerto Viejo, véase temprana referencia de 1548 en Oviedo, *o.c.* Parte I,
Libro VI, c. XXVII (BAE, t. 1, pág. 184-185).

[108] *Euro* o Subsolano, 'viento del este'; *Volturno* por Vulturno 'viento
del Sudeste' (XXV, n. 105). *Mediodía* 'viento del sur' (P. Mexía, *Silva...*
IV,XXII)).

[109] *surgir* 'fondear' (XV, n. 117). Referencia a las embarcaciones que
navegaban de Tierra Firme, Acapulco y otros puertos hacia el Callao y
hacían escala en Paita, en el corregimiento de Piura, para provisio
nes y desembarcar pasajeros y mercadería para las provincias del Perú
(Alcedo).

[110] *Zarza* Antiguo nombre de la capital en la provincia y corregimiento de Loxa, hoy en Ecuador.

[111] Las dos ediciones de Madrid, 1578 y la de Zaragoza del mismo año
no traen esta estrofa.

[112] *Mojos* o Moxos y *Bracamoros* son nombres de territorios en el
norte del Perú actual (Alcedo). Para Bracamoros, que no aparece en
Alcedo con artículo aparte, Oviedo, *o.c.* Parte III, Libro XI, c. 10 (BAE,
t. V,262-263 y Cieza, *Crónica...* I, c. LVII.

[113] Para los chachapoyas, «los más blancos y agraciados de todos
cuantos yo he visto», según Cieza, v. su *Crónica...* I, c. LXXVIII.

[114] Es decir, Lima (XII, n. 1).

»Y a Guánuco, Guamanga y el templado
terreno de Arequipa, y los mojones
del Cuzco, antiguo pueblo y señalado
asiento de los Ingas y orejones[115].
Mira el solsticio y trópico pasado,
del austral Capricornio las regiones,
de varias gentes bárbaras estrañas
los ríos, lagunas, valles y montañas.

»Mira allá a Chuquiabo[116], que metido
está a un lado la tierra al sur marcada,
y adelante el riquísimo y crecido
cerro de Potosí, que de cendrada[117]
plata de ley y de valor subido
tiene la tierra envuelta y amasada,
pues de un quintal de tierra de la mina
las dos arrobas son de plata fina.

»Vees la villa de Plata[118], la postrera
por el levante a la siniestra mano,
y atravesando la alta cordillera,
Calchaquí, Pilcomayo y Tucomano,
los iuries, los diaguitas y ribera
de los comechingones[119] y el gran llano
y frutífero término remoto,
hasta la fortaleza de Gaboto.

»Vees, volviendo a la costa, los collados
que corren por la banda de Atacama,
y a la diestra la costa y despoblados
do no hay ave, animal, yerba ni rama.

---

[115] *orejones* 'familiares de los Incas' (I, n. 86).
[116] *Chuquiabo* o Chuquiavo, la actual La Paz o Nuestra Señora de La
Paz, fundada por Alonso de Mendoza en 1548.
[117] *cendrado* 'depurado, afinado' (X, n. 26).
[118] *Plata* o Chuquisaca o Charcas, hoy Sucre, en Bolivia.
[119] Los iuríes, diaguitas y comechingones eran naciones indígenas
que habitaban lo que se conocía como la provincia del Tucumán, es decir, el sudeste del virreinato del Perú.

Ves los copayapós, indios granados,
que de grandes flecheros tienen fama,
Coquimbo, Mapachó[120], Cauquén y el río
de Maule y el de Ytata y Biobío.

»Vees la ciudad de Penco y el pujante   50
Arauco, estado libre y poderoso;
Cañete, la Imperial, y hacia el levante
la Villa Rica y el volcán fogoso;
Valdivia, Osorno, el lago y adelante
las islas y archipiélago famoso
y siguiendo la costa al sur derecho
Chiloé, Coronados y el estrecho

»por donde Magallanes con su gente
al Mar del Sur salió desembocando[121],
y tomando la vuelta del poniente
al Maluco guió noruesteando.
Vees las islas de Acaca y Zabú enfrente,
y a Matán, do murió al fin peleando;
Bruney, Bohol, Gilolo, Terrenate,
Machián, Mutir, Badán, Tidore y Mate.

»Vees las manchas de tierras, tan cubiertas
que pueden ser apenas divisadas:
son las que nunca han sido descubiertas
ni de estranjeros pies jamás pisadas,
las cuales estarán siempre encubiertas
y de aquellos celajes ocupadas
hasta que Dios permita que parezcan
porque más sus secretos se engrandezcan.

»Y como vees en forma verdadera
de la tierra la gran circunferencia,

---

120 *Mapachó* por Mapochó.
121 *Mar del Sur* era el nombre del Océano Pacífico (I, n. 12). Para las
islas y lugares del Maluco, v. G. Fernández de Oviedo, *Historia General...*
Segunda Parte, Libro XX BAE, CXVIII,212 y ss.

pudieras entender, si tiempo hubiera,
de los celestes cuerpos la excelencia,
la máquina y concierto de la esfera,
la virtud de los astros y influencia,
varias revoluciones, movimientos
los cursos naturales y violentos.

»Mas aunque quiera yo de parte mía
dejarte más contento y satisfecho,
ha mucho rato que declina el día
y tienes hasta el sitio largo trecho.»
Así, haciéndome el mago compañía
me trujo[122] hasta ponerme en el derecho
camino, do encontré luego mi gente,
que me andaba a buscar confusamente[123].

Llegamos al asiento en punto cuando   55
entraban a la guardia los amigos,
donde gastamos tiempo, procurando
reducir[124] a la paz los enemigos
unas veces por bien, acariciando[125];
otras por amenazas y castigos,
haciendo sin parar corredurías[126],
por los vecinos pueblos y alquerías.

Mas no bastando diligencia en esto
ni las promesas, medios y partidos,
que en su protervo[127] intento y presupuesto
estaban siempre más endurecidos.
Vista, pues, la importancia de aquel puesto
por estar en la tierra más metidos,

---

122 *trujo* por trajo (III, n. 91).
123 Madrid, 1578 y 8vo. y Zaragoza, 1578: «que me andaba buscando diligente».
124 *reducir* 'convertir' (I, n. 100).
125 *acariciando* 'halagando' (III, n. 46).
126 *correduría* 'correría, asalto' (*Aut.*, con texto de A. de Ovalle).
127 *protervo* 'obstinado' (XVI, n. 132); *presupuesto* 'propósito' con repetición sinonímica ya utilizada en el poema (I, n. 112).

con maduro consejo fue acordado
sustentar el lugar fortificado.

Y proveyendo al esperado daño
de algunos bastimentos que faltaban,
que aunque era fértil y abundante el año,
los campos en cogollo y berza estaban[128],
don Miguel de Velasco y Avendaño
con los que más a punto se hallaban,
haciéndoles yo escolta y compañía,
tomamos de Cautén la recta vía.

Aunque con riesgo, sin contraste alguno
los peligrosos términos pasamos
y en tiempo aparejado y oportuno
a la Imperial ciudad salvos llegamos,
donde a los moradores de uno en uno[129]
con palabras de amor los obligamos
no sólo a dar graciosa la comida
pero a ofrecer también hacienda y vida.

Así que alegres, sin rumor de guerra,
con pan, frutas, semillas y ganados,
dimos presto la vuelta por la tierra
de pacíficos indios y alterados;
y al descubrir de la purena sierra[130]
hallamos una escolta de soldados,
digo de nuestra gente, que venía
a asegurar la peligrosa vía.

---

[128] El verso deslexicaliza la frase adverbial *estar en berza* 'estar los sembrados antes de espigar' (Correas, 632a).

[129] *de uno en uno* 'uno a uno' (*Aut.* s.v. *uno,* con texto posterior).

[130] *purena* 'perteneciente a Purén'. Cfr. I, n. 109 para estas derivaciones adjetivas de palabras araucanas. Se refiere a las elevaciones que rodean el valle donde se asentaba el fuerte al que se dirigen los españoles.

El sol ya derribado al ocidente
había en el mar los rayos zabullido[131]
dando la noche alivio a nuestra gente
del cansancio y trabajo padecido,
pero al romper del alba, alertamente[132]
se comenzó a marchar con gran ruido,
el cargado bagaje y el ganado
de todas las escuadras rodeado.

Iba yo en la avanguardia[133] descubriendo
por medio de una espesa y gran quebrada[134],
cuando vi de través salir corriendo
una mujer, al parecer turbada;
yo tras ella los prestos pies batiendo,
luego[135] de mi caballo fue alcanzada;
el que saber el fin desto desea,
atentamente el otro canto lea.

FIN

---

[131] *zabullir* ant. *zambullir,* es la forma preferida por los autores del XVI y XVII, y aún por *Aut.*

[132] Para esta alusión no mitológica del amanecer, que aparece en Dante, cfr. Vilanova, I,160.

[133] *avanguardia* ant. *vanguardia* y usual hasta el XVII (DCECH).

[134] *quebrada* 'abertura entre montañas' (XXIII, n. 59).

[135] *luego* 'de inmediato' (I, n. 53).

CUENTA GLAURA SUS DESDICHAS Y LA CAUSA DE SU VENIDA.
ASALTAN LOS ARAUCANOS A LOS ESPAÑOLES EN LA QUEBRA-
DA DE PURÉN; PASA ENTRE ELLOS UNA RECIA BATALLA; SA-
QUEAN LOS ENEMIGOS EL BAGAJE[1]; RETÍRANSE ALEGRES,
AUNQUE DESBARATADOS

CANTO XXVIII

Quien tiene libre y sosegada vida
le conviene vivir más recatado[2],
que siempre es peligrosa la caída
del que está del peligro descuidado;
y vemos muchas veces convertida
la alegre suerte en miserable estado,
en dura sujeción las libertades
y tras prosperidad adversidades.

Es Fortuna tan varia, es tan incierta,
ya que[3] se muestre alguna vez amiga,
que no ha llamado el bien a nuestra puerta
cuando el mal dentro en casa nos fatiga;
y pues sabemos ya por cosa cierta,
que nunca hay bien a quien[4] un mal no siga,

---

[1] *bagaje* 'equipo militar' (XXI, n. 42).

[2] *recatado* 'prudente' (VII, n. 41).

[3] *ya que* 'aunque' (IX, n. 43); para otra acepción, v. IX, n. 20.

[4] Para este uso de *quien* con antecedente inanimado y, aquí, abstracto,
v. III, n. 5.

759

roguemos que no venga y si viniere,
que sea pequeño el mal que le siguiere.

Que yo, de acuchillado[5] en esto, siento
que es de temer en parte la ventura;
el tiempo alegre pasa en un momento
y el triste hasta la muerte siempre dura;
y porque viene bien a nuestro cuento,
a la bárbara oíd, que en la espesura
alcancé, como os dije, que en su traje
mostraba ser persona de linaje.

Era mochacha grande, bien formada,
de frente alegre y ojos estremados,
nariz perfeta, boca colorada,
los dientes en coral fino engastados[6];
espaciosa de pecho y relevada[7],
hermosas manos, brazos bien sacados,
acrecentando más su hermosura
un natural donaire y apostura[8].

Yo, queriendo saber a qué venía   5
sola por aquel bosque y aspereza,
con más seguridad que prometía
su bello rostro y rara gentileza,

---

[5] *acuchillado* 'experto, experimentado', ya utilizado por Garcilaso (Égl. II, 355). El Brocense anota a propósito de este texto el refrán «No hay mejor cirujano que el bien acuchillado» y así en Correas, 244b.

[6] Madrid, 1578 en 8vo. y Zaragoza, 1578: «perlas los dientes en rubís cercados».

[7] *relevado* 'bien formado, en relieve', cualidad ya mencionada en el verso 1 (IV, n. 42).

[8] *donaire y apostura* es decir, 'gracia en los gestos y elegancia en su apariencia física'; el retrato de Glaura acumula detalles no siempre simultáneamente presentes en las descripciones de la lírica contemporánea. Para los antecedentes literarios, cfr. C. V. Aubrun, «Poesía épica y novela: el episodio de Glaura en *La Araucana*» *RIb* XXI (1956) 261-273. Para la huella de Ariosto, Chevalier, 152 y ya Ducamin. Cfr. Lía Schwartz Lerner, «Tradición literaria y heroínas indias en *La Araucana*» *RIb* XXXVIII (1972) 615-625, espec. 623 y ss.

la aseguré del miedo que traía;
la cual, dando un sospiro que a terneza
al más rebelde corazón moviera[9],
comenzó su razón en tal manera:

«No sé si ya me queje desdichada
o agradezca a los hados y a mi suerte,
que me abren puerta y que me dan entrada[10]
para que pueda recebir la muerte;
pero si ya la historia desastrada[11]
quieres saber y mi dolor, tan fuerte
que aun le agravia mi poco sentimiento,
te ruego que al proceso estés atento.

»Mi nombre es Glaura, en fuerte hora nacida[12],
hija del buen cacique Quilacura,
de la sangre de Friso esclarecida,
rica de hacienda, pobre de ventura;
respetada de muchos y servida
por mi linaje y vana hermosura
mas, ¡ay de mí!, ¡cuánto mejor me fuera
ser una simple y pobre ganadera!

»En casa de mi padre a mi contento,
como única heredera yo vivía,
que su felicidad y pensamiento,
en sólo darme gusto lo ponía.
Mi voluntad en todo y mandamiento
como inviolable ley se obedecía,
no habiendo de contento y gusto cosa
que fuese para mí dificultosa.

---

9 *moviera* por *hubiera movido* (VII, n. 76).
10 Para este tipo de bimembración simétrica o paralelística, v. IX,
n. 112; nótese en 7,4 cómo se refuerza la simetría en la antítesis de los
dos adjetivos núcleos de ambos miembros.
11 *desastrado* 'desdichado' (XIV, n. 76).
12 El pasaje tiene reminiscencias del *Orlando furioso* (XIII,4), en donde
Isabella cuenta su historia a Orlando y la comienza de modo semejante;
fuerte hora 'la desgraciada y aciaga' (Cov., s.v. *fuerte*).

»Mas presto el invidioso amor tirano[13],
turbador del sosiego, adredemente
trujo a mi tierra y casa a Fresolano,
mozo de fuerzas y ánimo valiente,
de mi infelice[14] padre primo hermano
y mucho más amigo que pariente,
a quien la voluntad tenía rendida,
no habiendo entre los dos cosa partida.

»Mi padre, como amigo aficionado,   10
que yo le regalase[15] me mandaba
y así yo con llaneza y gran cuidado,
por hacerle placer, lo procuraba;
mas él, luego, el propósito estragado,
cuya fidelidad ya vacilaba,
corrompió la amistad, salió de tino,
echando por ilícito camino.

»O fue el trato que tuvo allí conmigo
o por mejor decir, mi desventura,
que ésta sería más cierto, como digo,
que no la mal juzgada hermosura:
que ingrato al hospedaje del amigo,
del deudo y deuda haciendo poca cura[16],
me comenzó de[17] amar y buscar medio
de dar a su cuidado[18] algún remedio.

«Visto yo que por muestras y rodeo
muchas veces su pena descubría,

---

[13] Madrid, 1578 en 8vo. y Zaragoza, 1578: «Pero el injusto y ciego amor tirano.»

[14] Para la forma *infelice* v. XX, n. 120.

[15] *regalar* 'agasajar', acepción ya presente en Nebrija según DCECH y muy frecuente en los textos áureos.

[16] *deudo y deuda* es repetición etimologizadora y también juego paronomásico que refuerza la intensidad de la ofensa; *cura* 'cuidado, obligación' (Nebrija). Cfr. V, n. 18.

[17] *comenzar de* es construcción que ya había aparecido en el poema (XVII, n. 88).

[18] *cuidado* 'inquietud' (XIII, n. 94).

conocí que su intento y mal deseo
de los honestos límites salía
mas, ¡ay!, que en el que yo padezco, veo
lo que el mísero entonces padecía,
que a término he llegado al pie del palo[19]
que aun no puedo decir mal de lo malo.

»Hallábale mil veces sospirando
en mí los engañados ojos puestos;
otras andaba tímido tentando
entrada a sus osados presupuestos[20];
yo la ocasión dañosa desviando,
con gravedad y términos honestos
(que es lo que más refrena la osadía)
sus erradas quimeras deshacía.

»Estando sola en mi aposento un día,
temerosa de algún atrevimiento,
ante mí de rodillas se ponía
con grande turbación y desatiento[21],
diciéndome temblando: —¡Oh Glaura mía!,
ya no basta razón ni sufrimiento,
ni de fuerza una mínima me queda
que a la del fuerte amor resistir pueda.

»Tu, señora, sabrás que el día primero   15
de mi felice y próspera venida[22],
me trujo amor al término postrero[23]

---

[19] *al pie del palo* 'al pie de la horca' (Correas, 631b) y aquí 'a punto de morir'; *palo* 'horca' (J. L. Alonso Hernández, *Léxico del marginalismo del Siglo de Oro*, Salamanca, 1977.

[20] *presupuesto* 'propósito' (I, n. 112).

[21] *desatiento* 'turbación' (VIII, n. 28); para la repetición sinonímica, ya utilizada en IX,90,5, v. I, n. 112. Además, en este Canto: 15,2 («felice y próspera»); 20,7 («postigo... puerta falsa»); 27,2 («furioso y emperrado»); 37,4 («frenética y furiosa»); 48,1 («destreza... arte»).

[22] *próspero* 'feliz' es acepción latina hoy poco usual frente a la más común 'materialmente propicio'.

[23] *postrero* Cfr. XIV, n. 49.

desta penosa y desdichada vida;
mas ya que por tu amor y causa muero
quiero saber si dello eres servida,
porque siéndolo tú, no sé yo cosa
que pueda para mí ser tan dichosa.

Viéndole al parecer determinado
a cualquiera violencia y desacato,
disimuladamente por un lado
salí dél, sin mostrar algún recato,
diciéndole de lejos: —¡Oh malvado,
incestuoso, desleal, ingrato[24],
corrompedor de la amistad jurada,
y ley de parentesco conservada!...

»Iba estas y otras cosas yo diciendo
que el repentino enojo me mostraba,
cuando con priesa súbita y estruendo
un cristiano escuadrón nos salteaba[25],
que en cerrado tropel arremetiendo,
nuestra alta casa en torno rodeaba,
saltando Fresolano en mi presencia,
a la debida y justa resistencia

«diciendo: —¡Oh fiera tigre endurecida,
inhumana y cruel con los humanos![26].
Vuelve, acaba de ser tú la homicida,
no dejes que hacer a los cristianos,
vuelve, verás que acabo aquí la vida
pues no puedo a las tuyas, a sus manos;
que aunque no sea la muerte tan honrosa,
a lo menos será más piadosa.

---

[24] Para este tipo de acumulación nominal con valor intensificador, III, n. 39; para el latinismo de origen eclesiástico *incestuoso*, ya en Mena, v. Lida de Malkiel, 251.

[25] *saltear* 'asaltar' (II, n. 97).

[26] Esta repetición etimologizadora («inhumana... humana») que ya había utilizado en XXIII,40,7-8 en rima, se intensifica con el *homicida* del verso siguiente.

»Así furioso, sin mirar en nada
se arroja en medio de la armada gente,
donde luego una bala arrebatada
le atravesó el desnudo pecho ardiente;
cayó, ya la color[27] y voz turbada,
diciendo: —¡Glaura, Glaura!, últimamente[28]
recibe allá mi espíritu, cansado
de dar vida a este cuerpo desdichado.

»Llegó mi padre en esto al gran ruido,   20
sólo armado de esfuerzo y confianza
mas luego[29] en el costado fue herido
de una furiosa y atrevida lanza;
cayó el cuerpo mortal descolorido
y vista mi fortuna[30] y malandanza,
por el postigo de una falsa puerta[31]
salí a mi parecer, más que ellos muerta.

«Acá y allá turbada al fin por una
montaña comencé luego a emboscarme[32],
dejándome llevar de mi fortuna
que siempre me ha guiado a despeñarme;
así que, ya sin tino y senda alguna
procuraba, ¡cuitada!, de alejarme,
que con el gran temor me parecía
que yendo a más correr, no me movía.

»Mas como suele acontecer contino[33],
que huyendo el peligro y mal presente

---

[27] *color* era de género gramatical femenino en la época (I, n. 55). Nótese la concordancia en singular de *turbada* en relación zeugmática compleja (III, n. 49).

[28] *últimamente* 'finalmente' (*Aut.* con texto posterior).

[29] *luego* 'inmediatamente', como en 23,6, 32,1 y 52,5 (I, n. 53).

[30] *fortuna* 'adversidad' (XIV, n. 19); 'hado, destino' en la octava siguiente (II, n. 5).

[31] *postigo* «puerta tras casa» según define Nebrija; *puerta falsa* 'puerta
trasera' (Cov.).

[32] *emboscarse* 'esconderse en el bosque' (Nebrija: *«in silvas me recipio»*).

[33] *contino* 'con frecuencia' (XXIV, n. 117).

se suele ir a parar en un camino
que nos coge y anega la creciente,
así a mí, desdichada, pues, me avino
que por salvar la vida impertinente,
de un mal en otro mal, de lance en lance
vine a mayor peligro y mayor trance[34].

»Iba, pues, siempre mísera corriendo
por espinas, por zarzas, por abrojos,
aquí y allí y acá y allá volviendo[35]
a cada paso los atentos ojos,
cuando por unos árboles saliendo
vi dos negros cargados de despojos,
que luego en el instante que me vieron
a la mísera presa[36] arremetieron.

»Fui dellos prestamente despojada
de todo cuanto allí venía vestida,
aunque yo triste no estimaba en nada
el perder los vestidos y la vida;
pero el honor y castidad preciada
estuvo a punto ya de ser perdida,

---

[34] *trance* 'momento decisivo y peligroso', como en Garcilaso (Egl. I, 371: «en aquel duro trance de Lucina») y 'momento de la muerte' (*Aut.* con texto posterior, Nebrija, Cervantes, etc. Cfr. DCECH).

[35] Las repeticiones y paralelismos cumplen función intensificadora que añade dramatismo al relato. Para la tradición clásica (Virgilio) y renacentista (Ariosto) de la imagen de los amantes en áspero camino, v. Vilanova, II,704-5.

[36] *presa* 'botín', 'víctima' tomada de la lengua de la caza: 'ave a quien prende el halcón u otra ave de rapiña' (*Aut.*). Nótese el súbito cambio de punto de vista por el que el relato autobiográfico se transforma en narración en tercera persona, para subrayar la violencia del acto y el pudor de la voz narrativa. Nótese que el ataque a la india indefensa se pone en manos de dos negros, circunstancia que permite, entre otras cosas, reflejar la violencia que acompañó el contacto de este otro grupo transatlántico con los pobladores originales de las tierras conquistadas. En efecto, a pesar de su condición de esclavos, los africanos acompañaron a los expedicionarios españoles en calidad de personal de ayuda o auxiliar. Cfr. N. Sánchez Albornoz, *La población de América Latina,* Madrid, Alianza, 1973, págs. 92 y ss.

mas mis voces y quejas fueron tantas
que a lástima y piedad movía las plantas.

»Usó el cielo conmigo de clemencia   25
guiando a Cariolán a mis clamores,
que visto el acto inorme[37] y la insolencia
de aquellos enemigos violadores,
corrió con provechosa diligencia,
diciendo: ¡Perros, bárbaros, traidores![38]
Dejad, dejad al punto la doncella
si no la vida dejaréis con ella[39].

»Fueron sobre él los dos en continente[40]
mas él, flechando[41] el arco que traía,
al más adelantado y diligente
la flecha hasta las plumas le escondía.
Hízose atrás dos pasos diestramente
y al otro la segunda flecha envía
con brújula tan cierta y diestro tino[42],
que al bruto corazón halló el camino.

»Cayó muerto, y el otro mal herido
cerró con él furioso y emperrado[43],

---

[37] *inorme* por *enorme* 'fuera de norma', es latinismo de sentido que ya
utilizaba Juan de Mena y hoy olvidado (Lida de Malkiel, 253; v. tb.
M. Morreale, *Castiglione y Boscán* II,78 para su rechazo en Boscán).

[38] Nótese que Cariolán, en el relato de Glaura, usa epítetos afrentosos
españoles para insultar al enemigo; *perro*, específicamente, era insulto
que aparece en textos literarios como usado recíprocamente por moros,
judíos y españoles.

[39] *dejad... la vida dejaréis* es repetición con oscilación semántica cercana a la paronomasia que aparece con alguna frecuencia en el poema
(I, n. 92).

[40] *en continente* 'en seguida' por *incontinenti* locución adverbial latina soldada (Nebrija, según DCECH); la forma castellana soldada también aparece en textos áureos (Cuervo, *Dicc.* II,469).

[41] *flechar* 'estirar el arco para disparar la flecha' (III, n. 83).

[42] *tino* 'puntería' y todavía en Cervantes con esta acepción, que es con
la que aparece la palabra en el xv (*Aut.;* DCECH).

[43] *emperrado* 'irritado y rabioso' (Casas, 1570 en T.L.); *cerrar* 'atacar'
(II, n. 105).

mas Cariolán, valiente y prevenido,
en el arte de la lucha ejercitado,
aunque el negro era grande y muy fornido,
de su destreza y fuerzas ayudado,
alzándole en los brazos hacia el cielo
le trabucó[44] de espaldas en el suelo

»y sacando una daga acicalada[45],
queriendo a hierro rematar la cuenta[46],
por el desnudo vientre y por la ijada,
tres veces la metió y sacó sangrienta.
Huyó por allí la alma acelerada
y libre Cariolán de aquella afrenta,
se vino para mí con gran crianza[47],
pidiéndome perdón de la tardanza.

»Supo decir allí tantas razones
(haciendo amor conmigo así el oficio)
que medrosa de andar en opiniones[48],
que es ya dolencia de honra y ruin indicio,
por evitar al fin murmuraciones
y no mostrarme ingrata al beneficio
en tal sazón y tiempo recebido,
le tomé por mi guarda y mi marido.

»Y temiendo que gente acudiría,   30
por el espeso monte[49] nos metimos,
donde sin rastro ni señal de vía,

---

[44] *trabucar* 'volcar' (XIX, n. 28).

[45] *acicalado* 'pulido', como en XXV,30,4 (Cfr. XXIV,6,5 para la forma *cicalado*).

[46] *rematar la cuenta* aquí 'concluir la tarea'.

[47] *crianza* 'urbanidad' (Nebrija: *«crianza de ciudad»*).

[48] *andar en opiniones* 'estar puesto en duda su crédito o estimación' (DRAE). El texto aplica, como en otros casos, criterios sociales españoles a la voz de Glaura («opiniones», «honra»; «murmuraciones» en los versos siguientes).

[49] *monte* 'bosque de árboles' es acepción viva hoy en América (*Arcaísmos...*).

un gran rato perdidos anduvimos;
pero, señor, al declinar del día
a la ribera de Lauquén[50] salimos
por do venía una escuadra de cristianos
con diez indios atrás presas las manos.

»Descubriéronnos súbito[51] en saliendo,
que en todo al fin nos perseguía la suerte,
sobre nosotros de tropel corriendo,
—¡Aguarda, aguarda!, ¡ten!, gritando fuerte.
Pero mi nuevo esposo allí temiendo
mucho más mi deshonra que su muerte,
me rogó que en el bosque me escondiese
mientras que él con morir los detuviese.

»Luego el temor, a trastornar bastante[52]
una flaca[53] mujer inadvertida,
me persuadió poniéndome delante
la horrenda muerte y la estimada vida[54].
Así cobarde, tímida, inconstante[55],
a los primeros ímpetus rendida,
me entré, viéndolos cerca, a toda priesa,
por lo más agrio[56] de la senda espesa.

»Y en lo hueco de un tronco, que tejido
de zarzas y maleza en torno estaba,
me escondí sin aliento ni sentido,

---

[50] *Lauquén* es topónimo que no reaparece en el poema ni registran los cronistas primitivos ni Alcedo, en clara correspondencia con la obvia calidad «literaria» del episodio y en oposición a la voluntad «histórica» de los hechos bélicos.

[51] *súbito* 'súbitamente' (IV, n. 16).

[52] Entiéndase 'suficiente como para trastornar a'.

[53] *flaco* 'débil' (I, n. 29).

[54] Para esta bimembración paralelística antitética, v. IX, n. 112.

[55] A los dos adjetivos del segundo verso se añade esta acumulación tripartita descategorizadora con un cuarto término complejo en el verso siguiente, que describe con intensidad el estado de ánimo perturbado de la protagonista-narradora del episodio.

[56] *agrio* 'áspero' (IV, n. 128; v. tb. IX, n. 144).

que aun apenas de miedo resollaba;
de donde escuché luego un gran ruido
que el bosque cerca y lejos atronaba
de espadas, lanzas y tropel de gente
como que[57] combatiesen fuertemente.

»Fue poco a poco, al parecer, cesando
aquel rumor y grita que se oía,
cuando la obligación ya calentando
la sangre que el temor helado había,
revolví sobre mí, considerando
la maldad y tradición que cometía
en no correr con mi marido a una[58]
un peligro, una muerte, una fortuna.

»Salí de aquel lugar, que a Dios pluguiera   35
que en él quedara viva sepultada[59],
corriendo con presteza a la ribera
adonde le dejé desatinada[60];
mas cuando no vi rastro ni manera
de le poder hallar, sola y cuitada[61],
podrás ver qué sentí, pues era cierto
que no pudo escapar de preso o muerto.

»Solté ya sin temor la voz en vano,
llamando al sordo cielo, injusto y crudo[62];
preguntaba: —¿Dó está mi Cariolano?
Y todo al responder lo hallaba mudo.
Ya entraba en la espesura, ya en lo llano

---

[57] *como que* 'como si'. Cfr. Keniston, par. 29.751 para ejemplos en la prosa contemporánea.

[58] *a una* 'juntamente' (III, n. 65).

[59] Madrid, 1578 en 8vo. y Zaragoza, 1578: «que en él fuera mi cuerpo sepultado».

[60] Madrid, 1578 en 8vo. y Madrid, 1578: «a donde a Cariolán había dejado».

[61] Madrid, 1578 en 8vo. y Zaragoza, 1578: «de hallarle aunque de mí fue muy buscado».

[62] *crudo* 'cruel' (II, n. 108).

salía corriendo, que el dolor agudo,
en mis entrañas siempre más furioso,
no me daba momento de reposo.

»No te quiero cansar ni lastimarme
en decirte las bascas[63] que sentía;
no sabiendo qué hacer ni aconsejarme
frenética y furiosa[64] discurría.
Muchas veces propuse de[65] matarme
mas por torpeza y gran maldad tenía
que aquel dolor en mí tan poco obrase
que a quitarme la vida no bastase.

»En tanta pena y confusión envuelta,
de contrarios y dudas combatida,
al cabo ya de le buscar resuelta
pues no daba el dolor fin a mi vida,
hacia el campo español he dado vuelta
de noche, y desde lejos escondida,
por el honor, que mal me le asegura
mi poca edad y mucha desventura.

»Y teniendo noticia que esta gente
era la vuelta de Cautén pasada[66],
también que había de ser forzosamente
por este paso estrecho la tornada[67],
quise venir en traje diferente[68],
pensando que entre tantos, disfrazada,

---

[63] *basca* 'ansia' (XXI, n. 13).

[64] *frenética y furiosa* La aliteración de la f- inicial intensifica en el plano
fonético la repetición sinonímica del eje semántico.

[65] *proponer de* es construcción no pronominal frecuente en la época,
pero también hay ejemplos de su uso transitivo con infinitivo; para la
prosa, v. Keniston par. 37.32 y 37.541.

[66] *la vuelta de* 'hacia' (III, n. 109); *era pasada* por *había pasado* (XXI,
n. 22). Para el uso de *ser* en la formación de tiempos verbales compuestos
en textos del XVI, v. Keniston, par. 33.82 y 33.821 para *pasar*.

[67] *tornada* 'vuelta de viaje' (*Aut.*) ya en el Cid (DCECH).

[68] Las dos de Madrid, 1578 y Zaragoza, 1578: «me dispuse a venir cu-
biertamente».

771

alguna nueva o rastro hallaría
deste que la fortuna me desvía[69].

»¿Qué remedio me queda ya captiva,   40
sujeta al mando y voluntad ajena,
que para que mayor pena reciba,
aun la muerte no viene, porque es buena?
Pero aunque el cielo cruel quiera que viva
al fin me ha de acabar ya tanta pena,
bien que[70] el estado en que me toma es fuerte
mas nadie escoge el tiempo de su muerte.»

Así la bella joven lastimada
iba sus desventuras recontando,
cuando una gruesa bárbara emboscada
que estaba a los dos lados aguardando,
alzó al cielo una súbita algarada[71]
las salidas y pasos ocupando,
creciendo indios así, que parecían
que de las yerbas bárbaros nacían.

Llegó al instante un yanacona[72] mío,
ganado no había un mes, en buena guerra,
diciéndome: «Señor, échate al río,
que yo te salvaré, que sé la tierra;
que pensar resistir es desvarío
a la gente que cala[73] de la sierra.
Bien puedes, ¡oh señor!, de mí fiarte,
que me verás morir por escaparte.»

---

[69] Entiéndase 'de quien la fortuna'.

[70] *bien que* parece tener en este texto valor causal, más que el tradicional concesivo, frecuente en textos áureos (Keniston, par. 28.44).

[71] *algarada* 'tumulto, vocería de tropas' (DCECH con doc. medieval, s.v. *algara*).

[72] *yanacona* 'indio amigo' (XXI, n. 16).

[73] *calar* 'descender' (IV, n. 23).

Yo, que al mancebo el rostro revolvía[74]
a agradecer la oferta y buen deseo,
vi a Glaura que sin tiento arremetía
diciendo: «¡Oh justo Dios!, ¿qué es lo que veo?
¿Eres mi dulce esposo? ¡Ay, vida mía!
En mis brazos te tengo y no lo creo:
¿Qué es esto? ¿Estoy soñando o estoy despierta?
¡Ay, que tan grande bien no es cosa cierta!»

Yo atónito de tal acaecimiento,
alegre tanto dél como admirado,
visto de Glaura el mísero lamento
en felice suceso rematado,
no habiendo allí lugar de cumplimiento[75]
por ser revuelto el tiempo y limitado,
dije: «Amigos, a Dios; y lo que puedo,
que es daros libertad, yo os la concedo.»

Sin otro ofrecimiento ni promesa   45
piqué al caballo, que salió ligero,
pero aunque más los indios me den priesa[76],
quiero, Señor, que aquí sepáis primero
cómo a la entrada de la selva espesa
Cariolán vino a ser mi prisionero,
cuando medrosa de perder la vida
en el tronco quedó Glaura escondida.

Sabed, sacro Señor[77], que yo venía
con algunos amigos y soldados,
después de haber andado todo el día

---

[74] *revolver* 'girar, volver' como luego en el Canto, *revuelto* 'vuelto', en 50,7 (IV, n. 87).

[75] *cumplimiento* 'ceremonia' (VIII, n. 20).

[76] Este tipo de interrupciones de la anécdota en momentos dramáticos abunda en el poema; en esta ocasión la voz irónica del narrador-protagonista da un sesgo humorístico a la admisión de la huida poco heroica y hace manifiesto el recurso narrativo creador del suspenso.

[77] Para esta forma de tratamiento, v. XVI, n. 5.

en busca de enemigos desmandados[78];
mas ya que[79] a nuestro asiento me volvía
con diez prisiones[80] bárbaros atados,
a la entrada de un monte y fin de un llano
descubrimos muy cerca a Cariolano.

Corrió luego sobre él toda la gente
pensando que alas le prestara el miedo,
pero con gran desprecio y alta frente,
apercibiendo el arco estuvo quedo[81].
Llegando, pues, a tiro diestramente
hirió a Francisco Osorio y Acebedo,
arrancando una daga, desenvuelto
el largo manto al brazo ya revuelto.

Tanta fue la destreza, tanto el arte[82]
del temerario bárbaro araucano,
que no fue el gran tropel de gente parte[83]
a que dejase un sólo paso el llano[84];
que saltando de aquella y desta parte
todos los golpes hizo dar en vano,
unos hurtando el cuerpo desmentidos,
otras del manto y daga rebatidos.

Yo, que ver tal batalla no quisiera[85],
al animoso mozo aficionado,
en medio me lancé diciendo: «¡Afuera,
caballeros, afuera, haceos a un lado!,

---

[78] *desmandado* 'sin orden, rebelde' (I, n. 49).

[79] *ya que* 'apenas' (IX, n. 20).

[80] *prisión* 'prisionero' (XVIII, n. 29).

[81] *quedo* 'quieto' (II, n. 7).

[82] *arte* 'destreza', ya en el Cid; intensifica con la sinonimia, el paralelismo de la estructura bimembre.

[83] *ser... parte* 'tener poder para algo' (*Aut.* s.v. *parte*).

[84] Madrid, 1578 en 8vo. y Zaragoza, 1578: «a que dejase al peligroso
llano».

[85] *quisiera* por *había querido*. Para este uso del imperfecto de subjuntivo
por el pluscuamperfecto de indicativo, cfr. VII, n. 76.

que no es bien que el valiente mozo muera,
antes merece ser remunerado,
y darle así la muerte ya sería
no esfuerzo ni valor, mas villanía.»

Todos se detuvieron conociendo   50
cuán mal el acto infame les estaba;
sólo el indio no cesa, pareciendo
que de alargar la vida le pesaba[86].
Al fin la daga y paso recogiendo[87],
pues ya la cortesía le obligaba,
revuelto a mí me dijo: «¿Qué te importa
que sea mi vida larga o que sea corta?

»Pero de mí será reconocida
la obra pía y voluntad humana:
pía por la intención, pero entendida
se puede decir impía y inhumana,
que a quien ha de vivir mísera vida
no le puede estar mal muerte temprana,
así que en no matarme, como digo,
cruel misericordia usas conmigo.

»Mas porque no me digan que ya niego
haber de ti la vida recebido,
me pongo en tu poder y así me entrego
a mi fortuna mísera rendido.»
Esto dicho la daga arrojó luego[88]
doméstico[89] el que indómito había sido,

---

[86] *pesar de* es construcción que también aparecía en prosa (Keniston, par. 29.441 con ejemplo de proporción en subjuntivo).

[87] Nótese el zeugma semántico complejo con el verbo *recoger* 'guardar' y 'detener' respectivamente (III, n. 49).

[88] *luego* 'de inmediato' se opone dramáticamente al pluscuamperfecto del verbo en el verso siguiente.

[89] *doméstico* 'manso' en uso adjetivo para calificar seres humanos, hace posible la repetición paronomásica con *indómito* (I, n. 85). Cfr. Cov. s.v. «... y no sólo al animal llamamos doméstico, mas aun al que está obediente al padre o al señor».

quedando desde allí siempre conmigo
no en figura de[90] siervo, mas de amigo.

Ya el ejercicio y belicoso estruendo
de las armas y voces resonaban.
Unos van en montón allá corriendo,
otros acá socorro demandaban.
Era la senda estrecha y no pudiendo
ir atrás ni adelante, reparaban
que el bagaje, la chusma[91] y el ganado
tenía impedido el paso y ocupado.

Es el camino de Purén derecho
hacia la entrada y paso del Estado;
después va en forma oblica[92] largo trecho
de dos ásperos cerros apretado,
y vienen a ceñirle en tanto estrecho
que apenas pueden ir dos lado a lado,
haciendo aun más angosta aquella vía
un arroyo que lleva en compañía.

Así a trechos en partes del camino   55
revueltos unos y otros voceando,
andaban en confuso remolino,
la tempestad de tiros reparando[93].
No basta de la pasta[94] el temple fino,

---

90 *figura* 'forma, situación' en la expresión *en figura de* 'como', era de
uso frecuente en la lengua jurídica (*Aut.*). Todo el episodio, destinado a
justificar la salvación del enemigo, está construido, apropiadamente,
sobre juegos de opuestos, antítesis y paradojas: «mentar-rememorar»
(49,5-6); «valor-villanía» (49,8); «pía-impía»; «humana-inhumana»
(51,2-4); «cruel-misericordia» (51,8); «doméstico-indómito» (52,6);
«siervo-amigo» (52,8).

91 *bagaje* 'impedimenta' (XXI, n. 42); *chusma* 'multitud' (XXI, n. 44).
Cfr. descripción semejante en XXI,25,7.

92 *oblico* por *oblicuo*, ya en A. de Palencia, pero aplicado a la gramática;
con valor geométrico, ya en H. Núñez (DCECH).

93 *reparar* 'detener' (III, n. 70).

94 *pasta* 'aleación' (XV, n. 47).

grebas[95], petos, celadas abollando
la furia que zumbaba a la redonda
de galga[96], lanza, dardo, flecha y honda.

Unos al suelo van descalabrados
sin poder en las sillas sostenerse;
otros, cual rana o sapo, aporreados
no pueden aunque quieren removerse;
otros a gatas, otros derrengados,
arrastrando procuran acogerse
a algún reparo o hueco de la senda
que de aquel torbellino los defienda;

que en este paso estrecho el enemigo,
la gente y munición por orden puesta,
tenía a nuestros soldados, como digo,
de ventaja las piedras y la cuesta
donde puedo afirmar como testigo
que era la lluvia tan espesa y presta
de las piedras, que, cierto, parecía
que el cerro abajo en piezas se venía[97].

Como cuando se vee el airado cielo
de espesas nubes lóbregas cerrado
querer hundir y arruinar el suelo,
de rayos, piedra y tempestad cargado;
las aves mata en medio de su vuelo,
la gente, bestias fieras y ganado
buscan, corriendo acá y allá perdidas,
los reparos, defensas y guaridas,

---

[95] *greba* 'armadura de la pierna' (I, n. 41).
[96] *galga* 'piedra grande arrojada desde lo alto' (DCECH). Para estas enumeraciones acumulativas que reaparecen en la octava 62, v. III, n. 39.
[97] Para esta imagen de los proyectiles (balas, piedras, flechas) como lluvia, frecuente en las escenas bélicas del poema, v. XXIV, n. 127 y XXV, n. 70.

así los españoles constreñidos
de aquel granizo y tempestad furiosa
buscan por todas partes mal heridos
algún árbol o peña cavernosa,
do reparados algo y defendidos
con la virtud antigua generosa[98],
cobrando nuevo esfuerzo y esperanza,
a la vitoria aspiran y venganza.

Y desde allí con la presteza usada   60
las apuntadas miras asestando,
les comienzan a dar una rociada[99],
muchos en poco tiempo derribando.
Ya por la áspera cuesta derrumbada[100]
venían cuerpos y peñas volteando
con un furor terrible y tan estraño
que muertos aun hacían notable daño.

Así andaba la cosa entre tanto
que en esta estrecha plaza peleaban,
con no menor revuelta al otro canto[101]
donde mayores voces resonaban.
Se habían los indios desmandado[102] tanto
que ya el bagaje y cargas saqueaban,
haciendo grande riza y sacrificio[103]
en la gente de guarda y de servicio.

Quién con carne, con pan, fruta o pescado
sube ligeramente a la alta cumbre;
quién de petaca[104] o de fardel cargado

---

[98] *virtud* 'valor' (XVI, n. 135). *Generoso* 'ilustre' (III, n. 48).

[99] *rociada* 'descarga de balas' (XXII, n. 50).

[100] *derrumbado* 'empinado, que se precipita' *(Aut.)*; cfr. IV, n. 132.

[101] *canto* 'lado' (III, n. 84).

[102] *desmandarse* 'descomedirse' (II, n. 36).

[103] Madrid, 1578 en 8vo. y Zaragoza del mismo año: «habiendo hecho primero sacrificio». *Riza* 'estrago' (XIX, n. 109).

[104] *petaca* 'cesta, maleta' americanismo de origen náhuatl (Friederici, DCECH s.v. petate) ya documentado en 1530 y generalizado rápida-

corre sin embarazo y pesadumbre.
Del alto y bajo, de uno y otro lado[105]
al saco[106] acude allí la muchedumbre,
cual banda de palomas al verano
suele acudir al derramado grano.

Viéndonos ya vencidos sin remedio
por la gran multitud que concurría,
procuré de tentar el postrer[107] medio
que en nuestra vida y salvación había;
y así rompiendo súbito por medio
de la revuelta y empachada[108] vía,
llegué do estaban hasta diez soldados
en un hueco del monte arrinconados,

diciéndoles el punto en que la guerra
andaba de ambas partes tan reñida
que, ganada la cumbre de la sierra,
la vitoria era nuestra conocida;
porque toda la gente de la tierra
andaba ya en el saco embebecida,
y sólo en ver así ganado el alto
los bastaba a[109] vencer el sobresalto.

Luego, resueltos a morir de hecho[110],   65
todos los once juntos, de cuadrilla
los caballos lanzamos al repecho,

mente en el territorio americano. Ercilla añade un sinónimo que aclara
para lectores españoles el significado del neologismo. Cfr. Alcedo, *Voc.*,
para descripción detallada correspondiente al siglo XVIII.

[105] Para este tipo de bimembración paralelística abundante en el poema, v. IX, n. 112.

[106] *saco* 'saqueo', como en 64,6 (VII, n. 2).

[107] *postrer* XIV, n. 49 para este cultismo.

[108] *empachado* 'ocupado' (XIX, n. 17). Nótese cómo el narrador asume en los cantos finales, un papel más activo y de autoridad en los hechos bélicos narrados.

[109] *bastar* con *a* que expresa el objeto que se puede lograr, era usual en la época (Cuervo, *Dicc.* I,855a con ej. de II,5,3-5).

[110] *de hecho* 'valientemente' (I, n. 63).

cada cual solevado[111] alto en la silla;
y aunque el fragoso cerro era derecho,
por la tendida y áspera cuchilla[112]
llegamos a la cumbre deseada,
de breña espesa y árboles poblada.

Saltamos a pie todos al momento,
que ya allí los caballos no prestaban[113],
que llenos de sudor, faltos de aliento,
no pudiendo moverse, ijadeaban[114];
donde sin dilación ni impedimento
al lado que los indios más cargaban,
en un derecho y gran derrumbadero,
nos pusimos a vista y caballero[115],

dándoles una carga de repente
de arcabuces y piedras, que os prometo[116]
que aunque llevó de golpe mucha gente,
hizo el súbito miedo más efeto.
Y así remolinando[117] torpemente,
les pareció, según el grande apricto,
moverse en contra dellos cielo y tierra,
viendo por alto y bajo tanta guerra.

Luego con animosa confianza
en nuestra ayuda algunos arribaron
que, deseosos de áspera venganza,
el daño y miedo en ellos aumentaron

---

[111] *solevado* 'elevado' (A. de Palencia, 1490, en DCECH) es acepción
que ya no registra *Aut.*

[112] *cuchilla* 'ceja o línea de cumbre', aquí, 'cuesta'; es acepción que perdura en América (*Arcaísmos...*), está en desuso en España pero no es desconocida (DCECH). Cfr. para ejs. en América desde 1560, Cuervo,
Apuntaciones... par. 520 y Friederici.

[113] *prestar* 'ser útil' (IV, n. 89).

[114] *ijadear* ant. *jadear* (IV, n. 58).

[115] *ponerse a vista y caballero* 'ponerse delante y fortificados' (*Aut.* s.v. *vista* y *caballero*). Cfr. I, n. 61.

[116] *prometer* 'asegurar' (VIII, n. 25).

[117] *remolinar* por *arremolinarse* (VI, n. 16).

tanto que ya perdida la esperanza,
a retirarse algunos comenzaron
poniendo prestos pies en la huida,
remedio de escapar la ropa y vida.

Cuál por aquella parte, cuál por ésta,
cargado de fardel o saco guía;
cuál por lo más espeso de la cuesta
arrastrando el ganado se metía.
Cuál con hambre y codicia deshonesta
por sólo llevar más se detenía,
costando a más de diez allí la vida
la carga y la codicia desmedida.

Así la fiesta[118] se acabó, quedando   70
saqueados en parte y vencedores
la vitoria y honor solennizando
con trompetas, clarines y atambores[119],
al rumor de las cuales caminando
con buena guardia y diestros corredores[120],
llegamos al real[121] todos heridos
donde fuimos con salva recebidos.

Los bárbaros a un tiempo retirados
por un áspero risco y monte espeso
se fueron a gran paso, consolados
con el sabroso[122] robo, del suceso;
y adonde estaba el General llegados,

---

[118] *fiesta* 'lucha' es otro de los sinónimos festivos que aparecen a lo largo del poema (II, n. 27); el tono que el texto imprime al episodio es de contenida ironía: la vacilación entre la codicia y el peligro, en la estrofa anterior; otras expresiones, como por ejemplo, «escapar la ropa y vida» en 68,8.

[119] *atambor* por *tambor* (I, n. 54).

[120] *corredor* 'explorador' (III, n. 1).

[121] *real* 'campamento, lugar donde está acampado el ejército' (*Aut.* con texto de P. Mexía); antes llamado *asiento* (46,5 y XXVII,55,1); se trata de la fortificación de Valdivia en Millarapue, nuevamente ocupada por los españoles: XXVI,38-39.

[122] *sabroso* 'placentero' (*Aut.*). Cfr. VIII, n. 38 para sentido pasivo.

(que sabido el desorden y el exceso
que rindió la vitoria al enemigo)
hizo de algunos ejemplar castigo.

Y habiendo en Talcamávida juntado
del destrozado campo el remanente[123],
a consultar las cosas del Estado
llamó a la principal y digna gente
donde, después de haber allí tratado
de lo más importante y conveniente,
les dijo libremente todo cuanto
podrá ver quien leyere el otro canto.

FIN

---

[123] *campo* 'ejército' (I, n. 46); *remanente* 'resto' (XXV, n. 59).

ENTRAN LOS ARAUCANOS EN NUEVO CONSEJO; TRATAN DE
QUEMAR SUS HACIENDAS. PIDE TUCAPEL QUE SE CUMPLA EL
CAMPO[1] QUE TIENE APLAZADO CON RENGO; COMBATEN LOS
DOS EN ESTACADO[2] BRAVA Y ANIMOSAMENTE

CANTO XXIX

¡Oh, CUÁNTA fuerza tiene!; ¡oh cuánto incita
el amor de la patria, pues hallamos
que en razón nos obliga y necesita
a que todo por él lo pospongamos!
Cualquier peligro y muerte facilita:
al padre, al hijo, a la mujer dejamos
cuando en trabajo[3] a nuestra patria vemos,
y como a más parienta la acorremos[4].

Buen testimonio desto nos han sido
las hazañas de antiguos señaladas,
que por la cara patria han convertido[5]
en sus mismas entrañas las espadas,
y su gloriosa fama han estendido
las plumas de escritores celebradas,

---

[1] *campo* 'desafío' como luego en 16,7.

[2] *estacado* por *estacada* (X, n. 70).

[3] *trabajo* 'penuria' (I, n. 104).

[4] *acorrer* 'socorrer' (Cuervo, *Dicc.* II,149a con este texto, ya lo considera arcaico y ejemplifica con el uso cervantino que imita los libros de caballerías).

[5] *convertir* 'dirigir, enderezar' es muy poco frecuente con *en,* como aquí aparece (Cuervo, *Dicc.* II,522a, con este texto).

Mario, Casio, Filón, Cosdro Ateniense[6]
Régulo, Agesilao y el Uticense[7].

Entrar, pues, en el número merece
esta araucana gente, que con tanta
muestra de su valor y ánimo ofrece
por la patria al cuchillo la garganta[8],
y en el firme propósito parece
que ni rigor de hado y toda cuanta
fuerza pone en sus golpes la fortuna
en los ánimos hace mella alguna.

Que habiendo en sólo tres meses perdido
cuatro grandes batallas de importancia,
no con ánimo triste ni abatido
mas con valor grandísimo y constancia
estaban, como atrás habéis oido,
en consejo de guerra, haciendo instancia[9]
en darnos otro asalto; mas la mano
tomó[10] diciendo así Caupolicano:

---

[6] Las enumeraciones ejemplares acerca de «casos célebres» en diversos asuntos, eran frecuentes en las polianteas o misceláneas de la época, que Ercilla conocía bien, como la ya mencionada *Silva* de Pero Mexía, en donde hay un capítulo, por ejemplo, dedicado a los desterrados por las repúblicas (II,21). *Mario* sin duda es Gaius Marius, hijo adoptivo del Gaius Marius que inició la primera Guerra Civil en Roma y se suicidó en el sitio de Praeneste. *Casio* es Gaius Cassius Longinus; se suicidó en Philippi, ciudad de Macedonia en donde él y Brutus fueron vencidos por Antonius y Octavius. *Filón* (Quintus Publilius Philo?): no parece haber noticia de su suicidio. *Codro ateniense* se refiere a un primitivo rey de Atenas que se sacrificó para que los atenienses pudiesen vencer a los dorios, según el oráculo de Delphi.

[7] *Régulo* es Marcus Attilius Regulus, cónsul; fue apresado y ajusticiado en Cartago (Cicerón, *De Officiis* III, par. 99 y ss). *Agesilao*, rey de Esparta, al final de su vida ofreció sus servicios a Ariobarzanes, rey de Cappadocia y a Nectanabis, rey de Egipto, para aliviar las finanzas de Esparta. *El uticense* es Marcus Porcius Cato de Utica, donde se suicidó después de la muerte de Pompeyo, a quien apoyó en todo momento contra César.

[8] Cfr. XXXVI,33,3-4 para expresión semejante, de dramático sesgo autobiográfico (*RIb* 86 [Enero-Marzo, 1974] 120-123).

[9] *hacer instancia* 'volver a pedir' (XXVI, n. 78).

[10] *tomar la mano* 'adelantarse' (II, n. 39).

«Conviene, ¡oh gran Senado religioso!,   5
que vencer o morir determinemos,
y en sólo nuestro brazo valeroso
como último remedio confiemos.
Las casas, ropa y mueble infrutuoso
que al descanso nos llaman, abrasemos,
que habiendo de morir, todo nos sobra
y todo con vencer después se cobra.

»En necesario y justo que se entienda
la grande utilidad que desto viene:
que no es bien que haya asiento en la hacienda
cuando el honor aún su lugar no tiene,
ni es razón que soldado alguno atienda
a más de aquello que a vencer conviene
ni entibie las ardientes voluntades
el amor de las casas y heredades.

»Así que en esta guerra tan reñida
quien pretende descanso, como digo,
piense que no hay más honra, hacienda y vida
de aquella que quitare al enemigo;
que la virtud[11] del brazo conocida
será el rescate y verdadero amigo
pues no ha de haber partido ni concierto[12],
sino sólo matar o quedar muerto.»

Oído allí por los caciques[13] esto,
muchos suspensos sin hablar quedaron
y algunos dellos, con turbado gesto
enarcando las cejas, se miraron;

---

[11] *virtud* 'valor' (XVI, n. 135).

[12] En el texto, «no ha de ver partido», sin duda por errata; las demás
ediciones antiguas «haber», que mantenemos. *Partido* 'convenio, concierto', como luego en 13,6 y 50,6 (IX, n. 49). Para las sinonimias, v. I,
n. 112 y, más adelante en el Canto, 19,5 («muestra y... semblante»); 22,2
(«esento y descubierto»); 39,3 («impedimento y embarazo»); 41,3 («rabia... ira»); 41,6 («pujanza... fuerza»).

[13] *cacique* Cfr. I, n. 22 para este indigenismo.

pero rompiendo aquel silencio puesto,
sobre ello un rato dieron y tomaron[14],
hallando en su favor tantas razones
que se llevó tras sí las opiniones.

Así el valiente Ongolmo, no esperando
que otro en tal ocasión le precediese,
aprueba a voces la demanda, instando
en que por obra luego se pusiese[15].
Siguió este parecer Purén, jurando
de[16] no entrar en poblado hasta que viese
sin medio ni concierto[17], a fuerza pura,
su patria en libertad y paz segura.

Lincoya y Caniomangue, pues, no fueron   10
en jurar el decreto perezosos,
que aun más de lo posible prometieron,
según eran gallardos y animosos.
También Rengo y Gualemo se ofrecieron
y los demás caciques orgullosos,
Talcaguán, Lemolemo y Orompello:
hasta el buen Colocolo vino en ello[18].

Resueltos pues, en esto y decretado
según que[19] aquí lo habemos referido,
Tucapelo, que a todo había callado
con gran sosiego y con atento oído,
después del alboroto sosegado
y aquel arduo negocio definido,

---

[14] *dar y tomar* 'disputar, contender' (*Aut.*, pero ya en Oudin, 1607 «dares y tomares», según T.L.).

[15] *poner por obra* 'pasar a ejecutar' (*Aut.*); *luego* 'inmediatamente' como en 19,4 y 23,3 (I, n. 53).

[16] *jurar de* es construcción que también se halla en la prosa del XVI (Keniston, par. 37.541).

[17] *sin medio ni concierto* es decir 'sin diligencia ni pacto'.

[18] *venir en* 'convenir' como en 12,2 (II, n. 89).

[19] *según que* 'como' tiene valor de subordinante modal (Keniston, par. 28.49 para ejs. en prosa).

puesto en pie levantó la voz ardiente
que jamás hablar pudo blandamente,

diciendo: «Capitanes: yo el primero
en lo que el General propone vengo
por parecerme justo; y así quiero
que se abrase y asuele cuanto tengo;
en lo demás, al brazo me refiero,
que si un mes en su fuerza le sostengo,
pienso escoger después a mi contento
el mayor y mejor repartimiento.

»Y si algún miserable no concede
lo que tan justamente le es pedido,
por enemigo de la patria quede
y del militar orden escluido:
que ya por nuestra parte no se puede
venir a ningún medio[20] ni partido
sin dejar de perder, pues la contienda
es sobre nuestra libertad y hacienda.

»Así que yo también determinado
de[21] seguir vuestros votos y opiniones,
aunque parece en tiempo tan turbado
que muevo nuevas causas y quistiones,
del natural honor estimulado
y por otras legítimas razones
no puedo ya dejar por ningún arte[22]
de echar del todo un gran negocio a parte[23].

»Ya tendréis en memoria el desafío   15
que Rengo y yo tenemos aplazado;

---

[20] *medio* 'arreglo, diligencia' (*Aut.*).
[21] *determinado de* por *determinado a* (VI, n. 35).
[22] *arte* 'modo, manera' como luego, en 26,5 (*Aut.* con textos de Santa Teresa y Garcilaso, son. XVII).
[23] Entiéndase 'de ningún modo puedo dejar de concluir un asunto resuelto sólo en parte'.

asimismo el que tuve con su tío[24]
que quiso más morir desesperado.
Viendo el gran deshonor y agravio mío
y cuánto a mi pesar se ha dilatado[25]
quiero, sin esperar a más rodeo,
cumplir la obligación y mi deseo.

»Que asaz gloria y honor Rengo ha ganado
entre todas las gentes, pues se trata
que conmigo ha de entrar en estacado[26]
y así vanaglorioso lo dilata;
mas yo, de tanta dilación cansado,
pues que[27] cada ocasión lo desbarata,
pido que nuestro campo[28] se fenezca,
que no es bien que mi crédito padezca.

»Pues ya Peteguelén, viejo imprudente,
con aparencia de ánimo engañosa,
a morir se arrojó entre tanta gente
por parecerle muerte más piadosa,
y así se me escapó mañosamente[29],
que fue puro temor y no otra cosa,
pues si ambición de gloria le moviera
de mi brazo la muerte pretendiera[30].

[24] Referencia a Peteguelén (XVI,54-56); para su muerte, mencionada en el verso siguiente, v. XIX,35-36. Tucapel llama *desesperado* 'suicida' al viejo jefe araucano porque, «a morir se arrojó», como dice luego en la octava 17 y enjuicia despectivamente este acto de arrojo descrito en términos positivos por la voz poética.

[25] Madrid, 1578 en 8vo. y Zaragoza, 1578: «y cuánto sin razón se ha dilatado».

[26] *entrar en estacado* o *estacada* 'entrar en el campo de desafío' (*Aut.* con ej. de Cervantes); cfr. X, n. 70 y II, n. 33.

[27] *pues que* 'porque' (XVI, n. 93). Para la repetición etimologizante *dilata... dilación* de los versos anteriores, v. I, n. 4. Cfr. otro ejemplo en 58,7 («pide... pedir»).

[28] *campo* 'desafío' (XVI, n. 113).

[29] *mañosamente* 'hábilmente' (XVI, n. 147).

[30] *pretendiera* por *hubiera pretendido*. Para el uso de imperfecto de subjuntivo por pluscuamperfecto en los periodos condicionales, v. VIII, n. 2. Cfr. uso semejante más adelante, en 32,7-8 y 41,7-8.

»También Rengo, de industria, cauteloso,
anda en los enemigos muy metido,
buscando algún estorbo o modo honroso
que le escuse cumplir lo prometido,
y debajo de muestra de animoso
procura de[31] quedar manco o tullido
y para combatir no habilitado,
glorioso con me haber desafiado.»

Así hablaba el bárbaro arrogante,
cuando el airado Rengo, echando fuego,
sin guardar atención, se hizo adelante
diciendo: «La batalla quiero luego,
que ni tu muestra y fanfarrón semblante[32]
me puede a mí causar desasosiego;
las armas lo dirán y no razones
que son de jatanciosos baladrones»[33].

Arremetiera Tucapel, si en esto   20
Caupolicán, que a tiempo se previno,
con presta diligencia en medio puesto,
la voz no le atajara y el camino,
y con severa muestra y grave gesto[34]
reprehendiendo el loco desatino,
por rematar entre ellos la porfía
concedió a Tucapel lo que pedía.

Pues el campo y el plazo señalado
que fue para de aquel en cuatro días,

---

[31] *procurar de* era régimen verbal común en la época (XX, n. 83). Tucapel intenta demostrar que enfrentarlo en desafío es más temible que luchar contra los españoles; el poema establece, así, la justa dimensión épica de la lucha en Chile contra los araucanos.

[32] *semblante* 'gesto' (*Aut.*). *Fanfarrón* ant. *panfarrón* (primera doc., 1541) ya se halla en Laguna (1555) según DCECH.

[33] *baladrón* 'parlero' (Nebrija), es ac. que se ajusta al texto mejor que la más común 'fanfarrón, jactancioso', que crea redundancia más que repetición sinonímica.

[34] Madrid, 1578 en 8vo. y Zaragoza, 1578: «y con algún rigor y grave gesto».

nacieron en el pueblo alborozado
sobre el dudoso fin muchas porfías.
Quién apostaba ropa, quién ganado,
quién tierras de labor, quién granjerías;
algunos, que ganar no deseaban,
las usadas mujeres apostaban[35].

Cercaron una plaza de tablones
en un esento[36] y descubierto llano,
donde los dos indómitos[37] varones
armados combatiesen mano a mano,
publicando en pregón las condiciones
por el estilo y término araucano,
para que a todos manifiesto fuese
y ninguno inorancia pretendiese[38].

Llegado el plazo, al despuntar del día
con gran gozo de muchos esperado,
luego la bulliciosa compañía
comenzó a rodear el estacado.
Era tal el aprieto, que no había
árbol, pared, ventana ni tejado
de donde descubrirse algo pudiese
que cubierto de gente no estuviese.

El sol algo encendido y perezoso
apenas del oriente había salido,
cuando por una parte el animoso
Tucapel asomó con gran ruido;
por otra, pues, no menos orgulloso,

---

[35] *usado* 'deslucido por el uso' (*Aut.*) y aquí, 'viejo'. Para estos rasgos
de humor que recuerdan a Ariosto, v. Chevalier, 156-157. Para otra interpretación, Pierce, 54. Por lo demás, Ercilla ya había exaltado el carácter guerrero de las araucanas en el Prólogo y en el Canto X.

[36] *esento* 'descubierto' (IV, n. 130).

[37] *indómito* Cfr. I, n. 85 para este cultismo caracterizador de los araucanos.

[38] *pretender* 'dar como excusa' es acepción latinizante y ya aparece en
Quintiliano también usada con *ignorantia*.

al mismo tiempo aparecer se vido
el fantástico[39] Rengo muy gallardo,
ambos con fiera muestra y paso tardo.

Las robustas personas adornadas
de fuertes petos dobles relevados[40],
escarcelas[41], brazales y celadas,
hasta el empeine de los pies armados;
mazas cortas de acero barreadas[42]
gruesos escudos de metal herrados,
y al lado izquierdo cada cual ceñido
un corvo y ancho alfanje[43] guarnecido.

25

Tenía, Señor, la plaza a cada parte
puertas como palenque de torneo[44],
por las cuales el uno y otro Marte
entran en ancho círculo y rodeo.
Después que con vistoso y gentil arte
su término acabaron y paseo,
airoso cada cual quedó a su lado
dentro de la gran plaza y estacado.

Hecho por los padrinos el oficio,
cual se requiere en actos semejantes,
quitando todo escrúpulo[45] y indicio
de ventaja y cautelas[46] importantes,

---

[39] *fantástico* 'presuntuoso', es epíteto cultista ya empleado para Rengo
(XXI, n. 53).

[40] *relevado* 'trabajado en relieve' (IV, n. 42).

[41] *escarcela* 'parte de la armadura que cubría el muslo desde la cintura'
(Cov.). Es documentación temprana de esta acepción, ausente en los
diccionarios anteriores a Cov. (DCECH para doc. posterior).

[42] *barreado* 'reforzado con metal' (I, n. 33).

[43] *alfanje* 'puñal, espada corta' debe considerarse como añadido de
corte literario, pues los indios no usaban este tipo de arma, a menos que
Ercilla se refiera a una especie de *macana* corta (Salas, págs. 78 y ss. para
extensa descripción de los diversos tipos).

[44] *palenque* 'valla' (XI, n. 9).

[45] *escrúpulo* es cultismo ya documentado a principios del XVI
(DCECH).

[46] *cautela* 'astucia' (II, n. 98). Toda la descripción traspone los modos

cesó luego el estrépito y bullicio
en todos los atentos circunstantes[47],
oyendo el són de la trompeta en esto
que robó la color[48] de más de un gesto.

Luego los dos famosos combatientes
que la tarda señal sólo atendían[49],
con bizarros y airosos continentes
en paso igual a combatir movían;
y descargando a un tiempo los valientes[50]
brazos, de tales golpes se herían,
que estuvo cada cual por una pieza[51]
sobre el pecho inclinada la cabeza.

Redoblan los segundos de manera
que aunque fueron pesados los primeros,
si tal reparo y prevención no hubiera,
no llegara el combate a los terceros,
¡Quién por estilo igual decir pudiera
el furor destos bárbaros guerreros,
viendo el valor del mundo en ellos junto
y la encendida cólera en su punto!

Fue de tal golpe Tucapel cargado   30
sobre el escudo en medio de la frente,
que quedó por un rato embelesado[52],
suspensos los sentidos y la mente.
Llegó Rengo con otro apresurado
pero salió el efeto diferente,
que el estruendo del golpe y dolor fiero
le despertó del sueño del primero.

---

del desafío europeo al escenario araucano, no sólo en los actos de preparación sino también en la lengua en que se narra.

[47] *circunstante* 'espectador' (XX, n. 115).

[48] *color* Cfr. I, n. 55 para su género gramatical; *gesto* 'rostro' (I, n. 78).

[49] *tardo* 'tardío' (VII, n. 59); *atender* 'esperar' (III, n. 31); para *continente*
'compostura, semblante', v. XXV, n. 10.

[50] *valiente* 'fuerte' (I, n. 59).

[51] *pieza* 'intervalo', como en 37,4 (XI, n. 130).

[52] *embelesado* 'aturdido, atontado', ya en la *Celestina* (DCECH).

Serpiente[53] no se vio tan venenoso
defendiendo a los hijos en su nido,
como el airado bárbaro furioso,
más del honor que del dolor sentido;
así fuera de término rabioso,
de soberbia diabólica movido,
sobre el gallardo Rengo fue en un punto,
descargando la rabia y maza junto.

Salióle al fiero Rengo favorable
aquel furor y acelerado brío;
que la ferrada maza irreparable[54]
el grueso estremo descargó en vacío;
fue el golpe, aunque furioso, tolerable,
quitándole la fuerza el desvarío,
que a cogerle de lleno, yo creyera
que con él el combate feneciera.

Mas aunque fue al soslayo[55], el araucano
se fue un poco al través desvaneciendo;
al fin puso en el suelo la una[56] mano,
sostener la gran carga no pudiendo;
pero viendo el peligro no liviano,
sobre el fuerte contrario revolviendo[57],
con su desenvoltura y maza presta
le vuelve aun más pesada la respuesta.

Era cosa admirable la fiereza
de los dos en valor al mundo raros,

---

[53] *serpiente* era de género gramatical vacilante en la época.

[54] *irreparable* 'que no se puede detener' es latinismo de origen virgiliano que DCECH no fecha para textos españoles; cfr. *Aeneidos* X,467: «irreparabile tempus».

[55] *al soslayo* 'de soslayo, al través, oblicuamente', como luego en 51,2, era forma de la locución adverbial frecuente en los textos clásicos (DCECH con ejemplos de los siglos áureos; *Aut.* con texto de 1540 con *de soslayo*).

[56] Para este uso de artículo definido más indefinido, que reaparece en 38,7, v. X, n. 79.

[57] *revolver* 'volverse al enemigo para combatirle' (IV, n. 87).

la providencia, el arte, la destreza,
las entradas, heridas y reparos[58];
tanto que temo ya de mi torpeza
no poder por sus términos contaros
la más reñida y singular batalla,
que en relación de bárbaros se halla.

Así el fiero combate igual andaba   35
y el golpear de un lado y de otro espeso,
que el más templado golpe no dejaba
de magullar la carne o romper hueso;
el aire cerca y lejos retumbaba
lleno de estruendo y de un aliento grueso,
que era tanto el rumor y batería[59]
que un ejército grande parecía.

Dio el fuerte Rengo un golpe a Tucapelo,
batiéndole de suerte la celada[60],
que vio lleno de estrellas todo el suelo[61]
y la cabeza le quedó atronada[62];
pero en sí vuelto, blasfemando al cielo,
con aquella pujanza aventajada
hirió tan presto a Rengo al desviarse
que no tuvo lugar de repararse.

Cayó el pesado golpe en descubierto,
cargando a Rengo tanto la cabeza
que todos le tuvieron ya por muerto
y estuvo adormecido una gran pieza;
mas del peligro y del dolor despierto[63]

---

[58] *reparo* 'defensa' (VIII, n. 5). Para este tipo de acumulación nominal característico de las descripciones de batallas, III, n. 39.

[59] *batería* aquí, 'ruido de golpes' (DRAE). Cfr. el segundo verso de la octava siguiente (IV, n. 93).

[60] Madrid, 1578 en 8vo. y Zaragoza, 1578: «cogiendo medio a medio la celada».

[61] Para esta imagen, v. Ariosto, *Orlando furioso* XLI, 96.

[62] *atronado* 'aturdido' (XIV, n. 58).

[63] Madrid, 1578 en 8vo. y Zaragoza, 1578: «pero del gran peligro allí despierto».

la abollada celada se endereza
y sobre Tucapel furioso aguija,
que la maza rompió por la manija.

Mas viéndole sin maza en esta guerra
(que en dos trozos saltó lejos quebrada),
la suya con desprecio arroja en tierra,
poniendo mano a la fornida[64] espada;
en esto Tucapel otra vez cierra[65],
la suya fuera en alto levantada
mas Rengo, hurtando el cuerpo a la una mano,
hizo que descargase el golpe en vano.

Llegó el cuchillo al suelo y gran pedazo
aunque era duro, en él quedó enterrado,
y en este impedimento y embarazo
fue Tucapel herido por un lado
de suerte que el siniestro guardabrazo[66]
con la carne al través cayó cortado,
y procurando segundar[67] no pudo,
que vio calar[68] el gran cuchillo agudo.

Debajo del escudo recogido   40
Rengo el desaforado golpe espera,
el cual fue en dos pedazos dividido
con la cresta de acero y la mollera[69].
El bárbaro quedó desvanecido
y por poco en el suelo se tendiera,

---

64 *fornido* es caso de enálage, pues el adjetivo corresponde al brazo que maneja la espada.

65 *cerrar* 'atacar' (II, n. 105).

66 *guardabrazo* 'armadura de acero para cubrir y defender el brazo' (*Aut.*). El texto, como otras veces, y en la estrofa siguiente también, adapta la vestimenta indígena a la tradición española.

67 *segundar* 'repetir' (IV, n. 82).

68 *calar* 'descender' (IV, n. 23).

69 *mollera* 'parte del casco que la cubre'; es decir, además de partir el escudo, rompió también la cresta y mollera del casco.

mas el esfuerzo raro y ardimiento
venció al grave dolor y desatiento[70].

No por esto medroso se retira
antes hacer cruda[71] venganza piensa
y así lleno de rabia, ardiendo en ira[72]
acrecentada por la nueva ofensa,
furioso de revés un golpe tira
con la estrema pujanza y fuerza inmensa,
que a no topar tan fuerte la armadura,
le dividiera en dos por la cintura.

Metióse tan adentro que no pudo
salir del enemigo ya vecino
por lo cual, arrojando el roto escudo,
valerse de los brazos le convino.
Tucapel, que robusto era y membrudo,
al mismo tiempo le salió al camino,
echándole los suyos de manera
que un grueso y duro roble deshiciera.

Pero topó con Rengo, que ninguno
le llevaba ventaja en la braveza:
de diez, de seis, de dos él era el uno
de más agilidad y fortaleza.
Llegados a las presas[73], cada uno
con viva fuerza y con igual destreza,
tientan y buscan de una y de otra parte
el modo de vencer la industria y arte[74].

---

[70] *desatiento* 'turbación' (VIII, n. 28).
[71] *crudo* 'cruel' (II, n. 108).
[72] Nótese la repetición sinonímica con valor intensificador superlativo de los dos sustantivos del verso, que reaparece en el verso seis de la octava, con refuerzo expresivo en la construcción paralelística y los adjetivos en quiasmo.
[73] *presa* 'acción de prender, agarrar o tomar alguna cosa' (*Aut.*), como en 48,8.
[74] *arte* 'habilidad', como en 44,5 (XVII, n. 6).

Así que pecho a pecho forcejando[75]
andaban con furioso movimiento,
tanto los duros brazos añudando[76]
que apenas recebir pueden aliento,
y al arte nuevas fuerzas ayuntando[77],
aspira cada cual al vencimiento,
procurando por fuerza, como digo,
de poner en el suelo al enemigo.

Era, cierto, espectáculo espantoso   45
verlos tan recia y duramente asidos,
llenos de sangre y de un sudor copioso
los rostros y los ojos encendidos;
el aliento ya grueso y presuroso,
el forcejar, gimir[78] y los ronquidos
sin descansar un punto en todo el día
ni haber ventaja alguna o mejoría.

Mas Tucapel ardiendo en viva saña,
teniéndose por flojo y afrentado,
ara y revuelve[79] toda la campaña,
cargando recio deste y de aquel lado.
Rengo con gran destreza y cauta maña,
recogido en su fuerza y reportado[80],
su opinión y propósito sostiene
y en igual esperanza se mantiene.

---

[75] *forcejar* por *forcejear,* como en la octava siguiente y en XXX,14,5.
[76] *añudando* ant. *anudando* (XIX, n. 79).
[77] *ayuntar* 'juntar' ya anticuado para *Aut.* (Cuervo, *Dicc.* para ejs. hasta el XVIII).
[78] *gimir* por *gemir* es forma analógica con las vocales tónicas del tema de presente.
[79] *arar* 'esforzarse mucho' es acepción figurada que registra Cov., con la que el texto juega, al añadir «revuelve» que reintegra parcialmente el vocablo a su acepción básica. Además, ayuda a contrastar el ardor de Tucapel, con la maña de Rengo.
[80] *reportado* 'moderado' (XVII, n. 8) refuerza la cautela de Rengo ya señalada con el *recogido* que inicia el verso.

Viendo, pues, al contrario algo metido,
le quiso rebatir[81] el pie derecho
mas Tucapel, a tiempo recogido,
lo suspende de tierra sobre el pecho,
y entre los duros músculos ceñido
le estremece, sacude y tiene estrecho
tanto, que con el recio apretamiento
no le deja tomar tierra ni aliento.

Creyendo de aquel modo, fácilmente
dar fin al hecho y rematar la guerra[82],
Rengo, que era destrísimo y valiente,
hizo con fuerza pie cobrando tierra,
y de rabiosa cólera impaciente[83]
de un fuerte rodeón[84] se desafierra,
llevándose en las manos apretado
cuanto en la dura presa había agarrado.

Fue Tucapel un rato descompuesto
dando al un lado y otro zancadillas,
y Rengo de la fuerza que había puesto
hincó en el suelo entrambas las rodillas.
Ambos corrieron a las armas presto,
rajando los escudos en astillas
con tempestad de golpes presurosos,
más fuertes que al principio y más furiosos.

Estaban los presentes admirados   50
de aquel duro tesón y valentía,
viéndolos en mil partes ya llagados
y la sangre que el suelo humedecía;
los arneses y escudos destrozados
y que ningún partido y medio había

---

[81] *rebatir* 'atacar' (XIX, n. 19).

[82] Las dos de Madrid, 1578 y Zaragoza, 1578: «En esto, pues, creyendo fácilmente / de aquella suerte rematar la guerra.»

[83] Las dos de Madrid, 1578 y Zaragoza, 1578: «hizo pie con gran fuerza y cobró tierra / donde a un tiempo estorbado reciamente».

[84] *rodeón* 'vuelta en redondo' (*Aut.*); *desaferrarse* 'desasirse' (X, n. 63).

sino sólo quedar el uno muerto
aunque morir los dos era más cierto.

Dio Rengo a Tucapel una herida,
cogiéndole al soslayo la rodela
que, aunque de gruesos cercos guarnecida,
entró como si fuera blanda suela.
No quedó allí la espada detenida,
que gran parte cortó de la escarcela
y un doble zaragüel[85] de ñudo grueso,
penetrando la carne hasta el hueso.

No se vio corazón tan sosegado
que no diese en el pecho algún latido
viendo la horrenda muestra y rostro airado
del impaciente bárbaro ofendido[86]
que, el roto escudo lejos arrojado,
de un furor infernal ya poseído,
de suerte alzó la espada que yo os juro
que nadie allí penso quedar seguro.

¡Guarte, Rengo, que baja, guarda, guarda[87],
con gran rigor y furia acelerada
el golpe de la mano más gallarda
que jamás gobernó bárbara espada!
Mas quien el fin deste combate aguarda
me perdone si dejo destroncada[88]
la historia en este punto, porque creo
que así me esperará con más deseo.

FIN DE LA SEGUNDA PARTE

---

[85] *zaragüel* 'calzón o pantalón muy ancho' en forma singular menos frecuente, pero todavía en uso en zonas de España (DCECH).

[86] *ofendido* 'herido' (I, n. 49).

[87] *¡guarte!* es síncopa por *¡guárdate!* '¡cuídate!' (Keniston, par. 30.46 con ejs. en prosa); *¡guarda!* y *¡guar!* '¡cuidado!' se emplea todavía en América (DCECH). Cfr. B. Jiménez Patón, *o.c.* cap. 8, 98 quien usa este texto como ejemplo de «Epizeuxis o Paliología» (I, n. 92).

[88] *destroncar* 'cortar' (III, n. 57).

TERCERA PARTE
DE

LA ARAUCANA

de don Alonso de Ercilla y Zúñiga,
Caballero de la Orden de Santiago,
Gentilhombre de la Cámara
de la Magestad del Emperador

Dirigida al Rey don Felipe nuestro señor

En Madrid. En casa del Licenciado Castro

Año de 1597

TERCERA PARTE DE LA ARAUCANA
DE DON ALONSO DE ERCILLA Y CUÑIGA

CONTIENE ESTE CANTO EL FIN QUE TUVO EL COMBATE
DE TUCAPEL Y RENGO. ASIMISMO LO QUE PRAN, ARAUCA-
NO, PASÓ CON EL INDIO ANDRESILLO, YANACONA DE LOS
ESPAÑOLES

CANTO XXX

CUALQUIERA[1] desafío es reprobado
por ley divina y natural derecho,
cuando no va el designio enderezado
al bien común y universal provecho,
y no por causa propia y fin privado
mas por autoridad pública hecho,
que es la que en los combates y estacadas
justifica las armas condenadas.

Muchos querrán decir que el desafío
es de derecho y de costumbre usada
pues con el ser del hombre y albedrío
justamente la ira fue criada[2];
pero sujeta al freno y señorío

---

[1] *cualquiera* Para la ausencia de apócope ante masculino singular,
XVI, n. 50.

[2] Para la legitimidad y la falta de necesidad de los desafíos, V. A. Al-
ciatus, *De singulari certamine* que Ercilla debió conocer a través de la
traducción de Juan Martín Cordero, *Alciato de la manera de desafío*, Amberes, 1558.

de la razón, a quien encomendada
quedó, para que así la corrigiese
que los términos justos no excediese.

Y el Profeta nos da por documento[3]
que en ocasión y a tiempo nos airemos[4],
pero con tal templanza y regimiento
que de la raya y punto no pasemos[5],
pues dejados llevar del movimiento,
el ser y la razón de hombres perdemos
y es visto que difiere en muy poco
el hombre airado y el furioso loco.

Y aunque se diga, y es verdad, que sea
ímpetu natural el que nos lleva,
y por la alteración de ira se vea
que a combatir la voluntad se mueva,
la ejecución, el acto, la pelea
es lo que se condena y se reprueba
cuando aquella pasión que nos induce,
al yugo de razón no se reduce.

Por donde claramente, si se mira,   5
parece como parte conveniente,
ser en el hombre natural la ira
en cuanto a la razón fuere obediente;
y en la causa común puesta la mira[6],
puede contra el campión[7] el combatiente

---

[3] *documento* 'enseñanza' es cultismo ya usado por Juan de Padilla (1520). Cfr. C. C. Smith, 245.

[4] *airarse* 'encolerizarse' (Cuervo, *Dicc.* I,298a, con este texto). La referencia bíblica debe ser a Isaías, 63 especialmente par. 5.

[5] *pasar de la raya y punto* es amplificación de la frase proverbial *pasar de raya* 'adelantarse más de lo que es justo' (Cov.).

[6] *poner la mira* 'elegir, empeñarse' (XXI, n. 104).

[7] *campión* mod. *campeón* es italianismo cuya primera documentación parece establecerla este texto (DCECH); Cov. lo da como «vocablo castellano antiguo». Por otra parte, la forma moderna la registra *Aut.* ya en las *Morales* de Plutarco, traducidas por Diego Gracián de Alderete, Alcalá, 1548.

usar della en el tiempo necesario,
como contra legítimo adversario.

Mas si es el combatir por gallardía,
o por jatancia vana o alabanza,
o por mostrar la fuerza y valentía,
o por rencor, por odio, o por venganza;
si es por declaración de la porfía
remitiendo a las armas la probanza,
es el combate injusto, es prohibido,
aunque esté en la costumbre recebido[8].

Tenemos hoy la prueba aquí en la mano
de Rengo y Tucapel, que peleando
por sólo presunción y orgullo[9] vano
como fieras se están despedazando;
y con protervia[10] y ánimo inhumano
de llegarse a la muerte trabajando,
estaban ya los dos tan cerca della
cuanto lejos de justa su querella.

Digo que los combates, aunque usados,
por corrupción del tiempo introducidos,
son de todas las leyes condenados
y en razón militar no permitidos,
salvo en algunos casos reservados
que serán a su tiempo referidos,
materia a los soldados importante
según que lo veremos adelante.

---

[8] *recibir* 'admitir, aprobar' (*Aut.*).
[9] Para la repetición sinonímica, I, n. 112. V. más adelante en el Canto, 15,4 («procuran y trabajan»); 16,8 («aliento... y fuerza»); 17,4 («muestra y señal»); 18,2 («vigor y aliento»); 22,1 («punto y término»); 24,3 («casos y trances»); 32,2 («mísera, transida»); 46,7 («vaso... seno»); 49,4 y 58,2 («el tiempo y la ocasión»); 50,3 («término y estado»); 50,4 («fortuna y... hado»), 64,2 («diverso y diferente») y más adelante en el Canto, la nota 84.
[10] *protervia* 'obstinación' (XVI, n. 132).

Déjolo aquí indeciso, porque viendo
el brazo en alto a Tucapel alzado,
me culpo, me castigo y reprehendo
de haberle tanto tiempo así dejado[11];
pero a la historia y narración volviendo,
me oísteis ya gritar a Rengo airado,
que bajaba sobre él la fiera espada
por el gallardo brazo gobernada:

el cual viéndose junto, y que no pudo   10
huir del grave golpe la caída,
alzó con ambas manos el escudo,
la persona[12] debajo recogida;
no se detuvo en él el filo agudo,
ni bastó la celada aunque fornida,
que todo lo cortó, y llegó a la frente
abriendo una abundante y roja fuente.

Quedó por grande rato adormecido
y en pie difícilmente se detuvo,
que, del recio dolor desvanecido,
fuera de acuerdo[13] vacilando anduvo;
pero volviendo a tiempo en su sentido,
visto el último término en que estuvo,

---

[11] En efecto, la Tercera Parte se publicó once años después, en 1589, de la primera edición de la Segunda Parte. La acumulación verbal del verso anterior tiene efecto irónico que no pasará inadvertido para Cervantes, quien emplea recurso semejante y deja «con las espadas altas y desnudas» al vizcaíno y a don Quijote al final de la «Primera Parte» de la *Primera Parte* del *Quijote,* capítulo 8: «... en aquel punto tan dudoso paró y quedó destroncada tan sabrosa historia, sin que nos diese noticia...». El recuerdo de *La Araucana* se intensifica humorísticamente, a partir de las señales que el propio texto de Ercilla ofrecía, y Cervantes recrea el episodio sin dejar de reproducir las palabras claves de la última octava del Canto XXIX, para placer del lector contemporáneo competente.

[12] *persona* 'cuerpo', como en 13,3 (VI, n. 43).

[13] *fuera de acuerdo* 'sin sentido' *(Aut.),* como se aclara dos versos después.

de manera cerró[14] con Tucapelo
que estuvo en punto[15] de batirle al suelo.

Hallóle tan vecino y descompuesto
que por poco le hubiera trabucado[16],
que de la gran pujanza que había puesto,
anduvo de los pies desbaratado;
pero volviendo a recobrarse presto,
viéndose del contrario así aferrado,
le echó los fuertes y ñudosos[17] brazos
pensando deshacerle en mil pedazos,

y con aquella fuerza sin medida,
le suspende, sacude y le rodea[18];
mas Rengo, la persona recogida,
la suya[19] a tiempo y la destreza emplea.
No la falta de sangre allí vertida
ni el largo y gran tesón en la pelea
les menguaba la fuerza y ardimiento,
antes iba el furor en crecimiento.

En esto Rengo a tiempo el pie trocado
del firme Tucapel ciñó el derecho,
y entre los duros brazos apretado
cargó sobre él con fuerza el duro pecho.
Fue tanto el forcejar, que ambos de lado,
sin poderlo escusar, a su despecho,
dieron a un tiempo en tierra de manera
como si un muro o torreón cayera.

Pero con rabia nueva y mayor fuego   15
comienzan por el campo a revolcarse

---

[14] *cerrar* 'embestir' (II, n. 105).
[15] *estar en punto de* por *estar a punto de* (*Aut.*).
[16] *trabucar* 'volcar' (XIX, n. 28).
[17] *ñudoso* por *nudoso* (II, n. 64).
[18] *rodear* 'hacer girar' (XIV, n. 83).
[19] *la suya* entiéndase 'su fuerza'.

y con puños de tierra a un tiempo luego[20]
procuran y trabajan por cegarse,
tanto que al fin el uno y otro ciego,
no pudiendo del hierro aprovecharse,
con las agudas uñas y los dientes
se muerden y apedazan[21] impacientes.

Así, fieros, sangrientos y furiosos,
cuál ya debajo, cuál ya encima andaban,
y los roncos acezos[22] presurosos
del apretado pecho resonaban;
mas no por esto un punto vagorosos[23]
en la rabia y el ímpetu aflojaban,
mostrando en el tesón y larga prueba
criar aliento nuevo y fuerza nueva[24].

Eran pasadas ya tres horas, cuando
los dos campiones, de valor iguales,
en la creciente furia declinando
dieron muestra y señal de ser mortales,
que las últimas fuerzas apurando
sin poderse vencer, quedaron tales
que ya en parte ninguna se movían
y más muertos que vivos parecían.

Estaban par a par desacordados[25],
faltos de sangre, de vigor y aliento,
los pechos garleando[26] levantados,

---

[20] *puño* 'puñado' (XX, n. 51); *luego* 'inmediatamente' (I, n. 53).

[21] *apedazar* 'despedazar' (IX, n. 121).

[22] *acezo* 'jadeo' ya era anticuada para *Aut.*; para su conservación en América, junto con *acecido* id., cfr. *Arcaísmos...*, s.v. *acezar*.

[23] *vagoroso* o *vagaroso* 'descuidado, perezoso', 'lento' es adjetivo que ya *Aut.* califica de poético.

[24] La repetición del mismo adjetivo, frecuente en el poema, tiene valor encarecedor o superlativo (XXI, n. 5 para otro tipo).

[25] *par a par* 'igualmente' es locución sobre la frase *a par* (Cov.) y que aparece ya en Torres Naharro. *Desacordado* 'aturdido' (Palet, 1604 en T.L., pero ya en Nebrija con otra acepción).

[26] *garlear* 'jadear' acepción alejada de 'triunfar' de la lengua de germanía (Alonso Hernández); cfr. *garlear* 'parlotear' (*ibíd.*).

llenos de polvo y de sudor sangriento;
los brazos y los pies enclavijados,
sin muestra ni señal de sentimiento,
aunque de Tucapel pudo notarse
haber más porfiado a levantarse.

La pierna diestra y diestro brazo echado
sobre el contrario a la sazón tenía,
lo cual de sus amigos fue juzgado
ser notoria ventaja y mejoría
y aunque esto es hoy de muchos disputado,
ninguno de los dos se rebullía[27],
mostrando ambos de vivos solamente
el ronco aliento y corazón latiente.

El gran Caupolicano, que asistiendo   20
como juez de la batalla estaba,
el grave caso y pérdida sintiendo,
apriesa en la estacada plaza entraba;
el cual, sin detenerse un punto, viendo
que alguna sangre y vida les quedaba,
los hizo levantar en dos tablones
a doce los más <u>ínclitos</u>[28] varones.

Y siguiendo detrás con todo el resto
de la nobleza y gente más preciada,
fue con honra solene y pompa puesto
cada cual en su tienda señalada,
donde acudiendo a los remedios presto,
y la sangre con tiempo restañada,
la cura fue de suerte que la vida
les fue en breve sazón restituida.

Pasado el punto y término temido,
iban los dos a un tiempo mejorando,

---

[27] *rebullirse* 'moverse' (*Aut.*, con textos posteriores de A. de Herrera y
C. Suárez de Figueroa).
[28] *ínclito* 'célebre' (XII, n. 46).

aunque del caso Tucapel sentido,
no dejaba curarse braveando[29];
pero el prudente General sufrido,
con blandura la cólera templando,
así de poco en poco le redujo[30]
que a la razón doméstica le trujo.

Quedó entre ellos la paz establecida,
y con solennidad capitulado,
que en todo lo restante de la vida
no se tratase más de lo pasado,
ni por cosa de nuevo sucedida
en público lugar ni reservado
pudiesen combatir ni armar quistiones[31]
ni atravesarse en dichos ni en razones;

mas siempre como amigos generosos
en todas ocasiones se tratasen
y en los casos y trances peligrosos
se acudiesen a tiempo y ayudasen.
Convenidos así los dos famosos,
porque más los conciertos[32] se afirmasen
comieron y bebieron juntamente
con grande aplauso y fiesta de la gente.

Dejarélos aquí desta manera   25
en su conformidad y ayuntamiento,
que me importa volver a la ribera
del río que muda nombre en cada asiento,
pues ha mucho que falto y ando fuera
de nuestro molestado alojamiento,

---

[29] *bravear* 'jactarse' (XXIII, n. 34).

[30] *de poco en poco* 'poco a poco' no lo registran los diccionarios (Cov.,
Aut., DCECH). Cfr. *de punto en punto* 'progresivamente' (XXIV, n. 144).
Reducir 'persuadir', 'volver a la obediencia' como luego, en 41,4 *reducido*
'vuelto a la obediencia' (XI, n. 46).

[31] *quistión* 'pendencia' (II, n. 34).

[32] *concierto* 'pacto, convenio' (Nebrija).

para decir el punto en que se halla
después del trance y última batalla[33].

Luego que la vitoria conseguimos
con más pérdida y daño que ganancia,
al fuerte a más andar nos recogimos[34],
que estaba del lugar larga distancia
y aunque poco después, Señor, tuvimos
otros muchos rencuentros[35] de importancia
no sin costa de sangre y gran trabajo
iré, por no cansaros, al atajo.

Y pasando en silencio otra batalla
sangrienta de ambas partes y reñida,
que aunque por no ser largo aquí se calla,
será de otro escritor encarecida[36].
Vista de munición y vitualla
la plaza por dos meses bastecida,
pareció por entonces provechoso
dejar por capitán allí a Reinoso

que las demás ciudades, trabajadas[37]
de las pasadas guerras, nos llamaban,
y las leyes sin fuerza arrinconadas,
aunque mudas, de lejos voceaban;
las cosas de su asiento desquiciadas,
todos sin gobernarse gobernaban,
estando de perderse el reino a canto[38]

---

[33] Referencia a la batalla de Millarapué que se había narrado en los
Cantos XXV y XXVI.

[34] Cfr. XXVI,38 y 39 para la reconstrucción de este fuerte que había
sido de Tucapel.

[35] *rencuentro* por *reencuentro* 'choque, combate' (*Aut.* con textos del xvi).

[36] No hay noticias de estos encuentros en la documentación estudiada
por José T. Medina, ni en los otros cronistas de la conquista de Chile
(*Vida*, 58).

[37] *trabajado* 'cansado', como luego en 54,8 (XVI, n. 1).

[38] *a canto* 'a punto' como ya en XII,42,4 (*Aut.* con textos contemporáneos, no aparece en los diccionaristas del T.L.).

por falta de gobierno[39], habiendo tanto.

Mas viendo la comarca tan poblada,
fértil de todas cosas y abundante,
para fundar un pueblo aparejada
y el sitio a la sazón muy importante,
quedó primero la ciudad trazada,
de la cual hablaremos adelante,
que aunque de buen principio y fundamento
mudó después el nombre y el asiento[40].

Dejando, pues, en guarda de la tierra   30
los más diestros y pláticos[41] soldados,
en orden de batalla y són de guerra
rompimos por[42] los términos vedados;
y atravesando de Purén la sierra,
de la hambre y las armas fatigados,
a la Imperial llegamos salvamente
donde hospedada fue toda la gente.

Puso el Gobernador luego[43] en llegando
en libertad las leyes oprimidas,
la justicia y costumbres reformando
por los turbados tiempos corrompidas,
y el exceso y desórdenes quitando
de la nueva codicia introducidas,
en todo lo demás por buen camino
dio la traza y asiento[44] que convino.

---

[39] Nótese la repetición etimologizante que juega con la polisemia de *gobernar: gobernarse* 'controlarse', *gobernar* 'mandar', *gobierno* 'guía' y 'mando'.
[40] Se refiere a la fundación de la ciudad de Cañete (Medina, *Vida,* 59). Cfr. Góngora Marmolejo, *o.c.,* 132).
[41] *plático* 'práctico', como en 41,2 (II, n. 84).
[42] *romper por* 'lanzarse' (XXVI, n. 32).
[43] *luego* 'de inmediato' como en 33,1 (I, n. 53).
[44] *dar asiento en algo* 'disponerlo, arreglarlo, ponerlo en orden' (*Aut.*).

No habíamos aún los cuerpos satisfecho
del sueño y hambre mísera transida[45],
cuando tuvimos nueva que de hecho
toda la tierra en torno removida[46],
rota la tregua y el contrato hecho,
viendo así nuestra fuerza dividida
ayuntaban[47] la suya con motivo
de no dejar presidio[48] ni hombre vivo.

Luego, pues, hasta treinta apercebidos
de los que más en orden nos hallamos,
por la espesura de Tirú metidos,
la barrancosa tierra atravesamos
y los tomados pasos desmentidos[49],
no con pocos rebatos[50] arribamos
sin parar ni dormir noche ni día,
al presidio español y compañía,

donde ya nuestra gente había tenido
nueva del trato y tierra rebelada,
que por estraño caso acontecido,
de la junta y designio fue avisada
y habiendo alegremente agradecido
el socorro y ayuda no pensada,
nos dio del caso relación entera,
el cual pasa, Señor, desta manera:

el araucano ejército, entendiendo   35
que su próspera suerte declinaba

---

45 *transido* 'miserable, acongojado, escaso' (*Aut.*) en uso adjetivo infrecuente.
46 *remover* 'conmover, alterar' (*Aut.*, en acepción restringida a alteraciones del cuerpo).
47 *ayuntar* 'reunir' (XXIX, n. 77).
48 *presidio* 'guarnición', como en la octava siguiente (XVII, n. 115).
49 *desmentido* 'disimulado, engañado' (Cov.; *Aut.* «*desmentir el camino* es mandarle para deslumbrar a los que siguen a alguno», con texto de la *Historia de Chile* de A. de Ovalle).
50 *rebato* 'acometimiento, asalto' (I, n. 58).

y que Caupolicán iba perdiendo
la gran figura en que primero estaba,
en secretos concilios discurriendo,
del capitán ya odioso murmuraba
diciendo que la guerra iba a lo largo[51]
por conservar la dignidad del cargo;

no con tan suelta voz y atrevimiento
que el más libre y osado no temiese,
y del menor edicto[52] y mandamiento
cuanto una sola mínima excediese:
que era tanto el castigo y escarmiento
que no se vio jamás quien se atreviese
a reprobar el orden[53] por él dado
según era temido y respetado.

Pero temiendo al fin como prudente
el revolver del hado incontrastable[54]
y la poca obediencia de su gente,
viéndole ya en estado miserable,
que la buena fortuna fácilmente
lleva siempre tras sí la fe mudable
y un mal suceso y otro cada día
la más ardiente devoción resfría[55],

quiso, dando otro tiento[56] a la fortuna,
que del todo con él se declarase,
y no dejar remedio y cosa alguna
que para su descargo no intentase.
Entre muchas, al fin, resuelto en una,

---

[51] *a lo largo* por *a la larga* 'lentamente' (DRAE; XXV, n. 98 para otra acepción).

[52] *edicto* 'proclama pública' ya en A. de Palencia en la forma *edito* (DCECH) como en Nebrija; ésta es temprana documentación del uso literario de la forma culta *(Aut.* con texto posterior del p. Mariana).

[53] Cfr. I, n. 111 para el género gramatical de *orden*.

[54] *incontrastable* V. III, n. 45 para eco virgiliano.

[55] *resfriar* 'enfriar', como en 39,4 (V, n. 5).

[56] *dar tiento* 'someter a prueba' (I, n. 123).

antes que su intención comunicase,
con la presteza y orden que convino
de municiones[57] y armas se previno.

No dando, pues, lugar con la tardanza
a que el miedo el peligro examinase
y algún suceso y súbita mudanza
los ánimos del todo resfriase,
con animosa muestra y confianza
mandó que de la gente se aprestase
al tiempo y hora del silencio mudo[58],
el más copioso número que pudo.

Hizo una larga plática al Senado,   40
en la cual resolvió que convenía
dar el asalto al fuerte por el lado
de la posta de Ongolmo al mediodía,
que de cierto espión[59] era avisado
cómo la gente que en defensa había,
demás de estar segura y descuidada,
era poca, bisoña y desarmada;

que el capitán ausente había llevado
la plática en la guerra y escogida,
de no volver atrás determinado
hasta dejar la tierra reducida
y en las nuevas conquistas ocupado,
sin poder ser la plaza socorrida,
en breve por asaltos fácilmente
podrían entrarla[60] y degollar la gente.

Fue tan grave y severo en sus razones
y tal la autoridad de su presencia,

[57] *munición* 'bastimento, provisión' (IV, n. 106).
[58] *mudo* Para el uso de epítetos pleonásticos con valor encarecedor en las descripciones, v. Lausberg, párrafo 680.
[59] *espión* 'espía' (XXI, n. 30).
[60] *entrar* 'invadir, asaltar' (VIII, n. 17).

que se llevó los votos y opiniones
en gran conformidad sin diferencia,
y con ánimo y firmes intenciones
le juraron de nuevo la obediencia
y de seguir hasta morir, de veras,
en entrambas fortunas sus banderas.

Luego Caupolicano resoluto[61]
habló con Pran, soldado artificioso[62],
simple en la muestra, en el aspecto bruto,
pero agudo, sutil y cauteloso,
prevenido, sagaz, mañoso, astuto,
falso, disimulado, malicioso,
lenguaz, ladino[63], prático, discreto,
cauto, pronto, solícito y secreto[64],

el cual en puridad[65] bien instruido
en lo que el arduo caso requería,
de pobre ropa y parecer vestido,
del presidio español tomó la vía,
y fingiendo ser indio foragido[66]
se entró por la cristiana ranchería[67]
entre los indios mozos de servicio,
dando en la simple muestra dello indicio.

---

[61] *resoluto* 'resuelto' (II, n. 119).

[62] *artificioso* 'hábil' (X, n. 25).

[63] *lenguaz* 'hablador' (DCECH s.v. *lengua* con texto posterior de M. Alemán); *ladino* 'indio que hablaba español', como en 47,5 es aplicación americana también usada para negros y portugueses, de la acepción inicial que se refería al moro que hablaba la lengua romance. El texto también es documentación temprana de este uso americano (Friederici, con textos desde 1565 para negros y DCECH con documentación posterior).

[64] Es ejemplo paradigmático de acumulación adjetiva (dieciocho adjetivos en dos grupos trimembres y tres tetramembres) con valor encarecedor superlativo que se repite en 45,7 a 48,5-6 (III, n. 39).

[65] *puridad* 'secreto' es frecuente hasta el siglo XVII y hoy anticuada (DCECH).

[66] *foragido* 'extraviado' (XXIII, n. 64).

[67] *ranchería* 'campamento' (XII, n. 12).

Debajo de la cual miraba atento,
sin mostrar atención, lo que pasaba,
y con disimulado advertimiento
los ocultos designios penetraba;
tal vez entrando en el guardado asiento,
en la figura rústica, notaba
la gente, armas, el orden, sitio y traza,
lo más fuerte y lo flaco de la plaza.

Por otra parte oyendo y preguntando
a las personas menos recatadas,
iba mañosamente escudriñando
los secretos y cosas reservadas,
y aquí y allí los ánimos tentando
buscaba con razones disfrazadas
vaso capaz y suficiente seno[68]
donde vaciar pudiese el pecho lleno.

Tentando, pues, los vados[69] y el camino
por donde el trato fuese más cubierto,
de tiento en tiento y lance en lance, vino
a dar consigo en peligroso puerto;
que engañado de un bárbaro ladino
Andresillo llamado, de concierto
salieron juntos a buscar comida,
cosa a los yanaconas[70] permitida.

y con dobles y equívocas razones
que Pran a su propósito traía,
vino el otro a decir las vejaciones
que el araucano Estado padecía,
los insultos, agravios, sinrazones,

---

[68] Nótese la repetición sinonímica y la estructura paralelística con adjetivos en quiasmo: ambos son recursos intensificadores frecuentes en el poema.

[69] *tentar vado* 'intentar algo con precaución' (*Aut.* y ya Correas, 733a).

[70] *yanacona* 'indio de servicio' (XXI, n. 16 para este quichuismo).

las muertes, robos, fuerza y tiranía,
trayendo a la memoria lastimada
el bien perdido y libertad pasada.

Visto el crédulo Pran que había salido
tan presto el falso amigo a la parada[71],
hallando voluntad y grato oído
y el tiempo y la ocasión aparejada,
de la engañosa muestra persuadido,
el disfrace[72] y la máscara quitada,
abrió el secreto pecho y echó fuera
la encubierta intención desta manera,

diciéndole: «Si sientes, ¡oh soldado!,   50
la pérdida de Arauco lamentable
y el infelice término y estado
de nuestra opresa patria miserable,
hoy la fortuna y poderoso hado,
mostrándonos el rostro favorable,
ponen sólo en tu mano libremente
la vida y salvación de tanta gente.

»Que el gran Caupolicano, que en la tierra
nunca ha sufrido igual ni competencia,
y en paz ociosa y en sangrienta guerra[73]
tiene el primer lugar y la obediencia,
quiere (viendo el valor que en ti se encierra,
tu industria grande y grande suficiencia)
fiar en ocasión tan oportuna
el estado común de[74] tu fortuna;

---

[71] *salir a la parada* 'salir al encuentro' (XXII, n. 88).

[72] *disfrace* por *disfraz,* como *infelice* en 50,3 (XX, n. 120).

[73] Nótese el paralelismo sintáctico en el verso bimembre y la antítesis de los epítetos en quiasmo, que refleja la oposición semántica de los sustantivos; el discurso de Pran se apoya en este tipo de paralelismo, oposiciones y repeticiones con valor intensificador y superlativo, que se repiten en el verso 6, en el 4 de la octava siguiente y en 57,1 y 5-6 (I, n. 92).

[74] *fiar de* 'confiar a'; entiéndanse los dos últimos versos: 'confiar a tu fortuna en esta ocasión tan propicia el estado araucano'.

»y que a ti, como causa, se atribuya
el principio y el fin de tan gran hecho,
siendo toda la gloria y honra tuya,
tuya la autoridad, tuyo el provecho.
Sola una cosa quiere que sea suya,
con la cual queda ufano y satisfecho,
que es haber elegido tal sujeto
para tan grande y importante efeto.

»Pues a ti libremente cometido
puede suceso próspero esperarse,
y a tu dichosa y buena suerte asido,
quiere llevado della aventurarse;
y así en figura humilde travestido[75],
porque de mí no puedan recatarse[76],
vengo cual vees, para que deste modo
te dé yo parte dello y seas el todo[77],

»haciéndote saber cómo querría
(si no es de algún oculto inconveniente)
dar el asalto al fuerte a mediodía
con furia grande y número de gente,
por haberle avisado cierta espía[78]
que en aquella sazón seguramente
descansan en sus lechos los soldados,
de la molesta noche trabajados,

»y sin recato la ferrada puerta,   55
no siendo a nadie entonces reservada,
franca[79] de par en par, siempre está abierta
y la gente durmiendo descuidada;

---

[75] *travestido* 'disfrazado' (*Aut.* con este texto; DCECH).
[76] *recatarse* 'recelarse' (*Aut.* con texto algo posterior de Ambrosio de Morales, y ya en Nebrija).
[77] *dar parte* 'informar, notificar' (DRAE). Nótese la silepsis en el uso de *parte* dentro de la frase hecha y con el significado recto que permite el tropo con *todo*.
[78] *espía* V. XII, n. 79 para su género gramatical.
[79] *franco* 'libre' (XVI, n. 125).

la cual de salto[80] fácilmente muerta
y la plaza después desmantelada[81],
en la región antártica no queda
quien resistir nuestra pujanza pueda.

»Así que de tu ayuda confiado
que todo se lo allana y asegura,
cerca de aquí tres leguas ha llegado
cubierto de la noche y sombra escura;
adonde de su ejército apartado
debajo de[82] palabra y fe segura,
quiere comunicar solo contigo
lo que sumariamente aquí te digo.

»Ensancha, ensancha el pecho, que si quieres
gozar desta ventura prometida,
demás del grande honor que consiguieres
siendo por ti la patria redimida,
sólo a ti deberás lo que tuvieres
y a ti te deberán todos la vida,
siendo siempre de nos reconocido
haberla de tu mano recebido.

»Mira, pues, lo que desto te parece,
conoce el tiempo y la ocasión dichosa,
no seas ingrato al cielo que te ofrece
por sólo que la acetes tan gran cosa;
da la mano a tu patria, que perece
en dura servidumbre vergonzosa,
y pide aquello que pedir se puede,
que todo desde aquí se te concede.»

Dio fin con esto a su razón, atento
al semblante del indio sosegado,

---

[80] *de salto* 'súbitamente' (III, n. 107).

[81] *desmantelado* parece primera documentación literaria de su uso
(*Aut.* con este texto y en *desmantelar* uno de la *Historia de Chile* de A. de
Ovalle; DCECH s.v. *manto*).

[82] *debajo de* ant. 'bajo' (DRAE).

que sin alteración y movimiento[83]
hasta acabar la plática había estado:
el cual con rostro y parecer contento
aunque con pecho y ánimo doblado[84],
a las ofertas y razón propuesta
dio sin más detenerse esta respuesta:

«¿Quién pudiera aquí dar bastante indicio   60
de mi intrínsico gozo y alegría
de ver que esté en mi mano el beneficio
de la cara y amada patria mía?
Que ni riqueza, honor, cargo ni oficio,
ni el gobierno del mundo y monarquía
podrán tanto conmigo en este hecho
cuanto el común y general provecho:

»que sufrir no se puede la insolencia
desta ambiciosa gente desfrenada[85]
ni el disoluto[86] imperio y la violencia
con que la libertad tiene usurpada.
Por lo cual la Divina Providencia
tiene ya la sentencia declarada,
y el ejemplar castigo merecido
al araucano brazo cometido.

»Vuelve a Caupolicán, y de mi parte
mi pronta voluntad le ofrece cierta,
que cuanto en esto quieras alargarte,
te sacaré yo a salvo de la oferta;
y mañana, sin duda, por la parte
de la inculta marina[87] más desierta

---

[83] «alteración y movimiento» como «rostro y parecer» del verso 5 y «pecho y ánimo» del verso 6, son repeticiones sinonímicas que enfatizan dramáticamente la traición del indio yanacona y forman parte de la retórica de su respuesta en la octava siguiente: «gozo y alegría» del verso 2 y «cara y amada» del verso 4. V. la nota 9 de este Canto.

[84] *doblado* 'fingido' (XVII, n. 10).

[85] *desfrenado* por *desenfrenado* (XI, n. 105).

[86] *disoluto* 'destructor' (I, n. 89).

[87] *inculto* 'salvaje' (I, n. 106); *marina* 'costa' (I, n. 16).

seré con él, do trataremos largo
desto que desde aquí tomo a mi cargo.

»Por la sospecha que nacer podría
será bien que los dos nos apartemos
y deshecha por hoy la compañía,
adonde nos aguardan arribemos;[88]
que mañana de espacio[89] a mediodía
con mayor libertad nos hablaremos,
y de mí quedarás más satisfecho.
¡Adiós, que es tarde; adiós, que es largo el trecho!»

Así luego partieron, el camino
llevándole diverso y diferente,
que el uno al araucano campo vino
y el otro adonde estaba nuestra gente;
el cual con gozo y ánimo malino
hablando al capitán secretamente,
le dijo punto a punto[90] todo cuanto
oirá quien escuchare[91] el otro canto.

FIN

---

[88] *arribar* 'acercarse' (II, n. 115).

[89] *de espacio* 'despacio' (II, n. 67).

[90] *punto a punto* 'punto por punto' es frase adverbial poco usual, que no registran *Aut.* ni DRAE.

[91] Para la polisemia de *oír* y *escuchar* y sus relaciones con *leer,* aún después del advenimiento de la imprenta, v. Margit Frenk «Ver, oír leer...» en *Homenaje a Ana María Barrenechea* Madrid, Castalia, 1984, 235 y ss. Cfr. XXXI,8,2.

CUENTA ANDRESILLO A REINOSO LO QUE CON PRAN DEJABA
CONCERTADO. HABLA CON CAUPOLICÁN CAUTELOSAMENTE,
EL CUAL, ENGAÑADO, VIENE SOBRE EL FUERTE, PENSANDO
HALLAR A LOS ESPAÑOLES DURMIENDO

CANTO XXXI

LA MÁS FEA maldad y condenada,
que más ofende a la bondad divina,
es la traición sobre amistad forjada,
que al cielo, tierra y al infierno indina[1],
que aunque el señor de la traición se agrada
quiere mal al traidor y le abomina[2]:
¡tal es este nefario maleficio[3],
que indigna al que recibe el beneficio!

Raras veces veréis que el alevoso
en estado seguro permanece;

---

[1] *indinar* por *indignar* (XXVII, n. 14); la ortografía cultista actual aparece en el verso 8 de esta octava, fuera de rima.

[2] *quiere mal... abomina* Nótese la repetición sinonímica con intensificación semántica (I, n. 112) como en 3,7 («odio y rabia»); 13,2 («intento y designio»); 13,5 («resuelto... determinado»); 14,8 («traza y modo»); 16,3 («oculta y encubierta»); 19,7 («talle y apostura»); 21,7 («provoca... intriga»); 33,3 («ánimo y aliento»).

[3] *nefario* 'malvado, impío' es cultismo latinizante que ya aparece en la *Celestina* (C. C. Smith, 249 s.v. *fasto* en donde se cita su uso en Ercilla); el texto emplea *maleficio* también, en el sentido latino de «crimen»; la expresión equivale pues a 'crimen impío' y también explora la oposición con «beneficio» del verso siguiente, en clara repetición etimologizadora. Cfr. construcción semejante en XXXII,62.

de nadie amado, a todo el mundo odioso[4]
que el mismo interesado le aborrece;
amigo en todo tiempo sospechoso,
aunque trate verdad no lo parece
y al cabo no se escapa del castigo
que la misma maldad lleva consigo.

Si en ley de guerra es pérfido el que ofende[5]
debajo de[6] seguro al enemigo,
¿qué será aquel que al enemigo vende
la libertad y sangre del amigo,
y el que con rostro de leal pretende
ser traidor a su patria, como digo,
poniéndole con odio y rabia tanta
el agudo cuchillo a la garganta?[7]

Guardarse puede el sabio recatado[8]
del público enemigo conocido,
del perverso, insolente, del malvado,
pero no del traidor nunca ofendido
que en hábito de amigo disfrazado
el desnudo puñal lleva escondido:
no hay contra el desleal seguro puerto
ni enemigo mayor que el encubierto.

La prueba es Andresillo, que dejaba   5
al amigo engañado y satisfecho;
el cual con la gran priesa que llevaba
en poco espacio[9] atravesó gran trecho

---

[4] Nótese la bimembración sinonímica con valor intensificador del verso, frecuente en el poema.

[5] *ofender* 'herir' (I, n. 49).

[6] *debajo de* 'bajo' (XXX, n. 82); *seguro* 'licencia, salvoconducto' (II, n. 83 y I, n. 115).

[7] Ercilla volverá a utilizar esta poderosa imagen en más intensa situación autobiográfica en XXXVI,33,3-4; para su recuperación en un texto de Jorge L. Borges, v. *RIb* XL,86 (1974) 121 y ss.

[8] *recatado* 'prudente' (VII, n. 41).

[9] *espacio* 'tiempo'; el texto juega con la bisemia de *espacio* para la oposición con *trecho*. Cfr. luego, en 20,4 la misma expresión literal.

y puesto ante Reinoso, el cual estaba
seguro y descuidado de aquel hecho,
preciándose el traidor de su malicia,
della y de la traición le dio noticia,

diciéndole: «Sabrás que usando el hado
hoy de piadoso término[10] contigo,
las cosas de manera ha rodeado
que puedo serte provechoso amigo,
pues en mi voluntad libre ha dejado
la muerte o salvación de tu enemigo,
remitiendo a las manos de Andresillo
la arbitraria sentencia y el cuchillo.

»Mas negando la deuda y fe debida
a mi tierra y nación, por tu respeto
quiero, señor, sacrificar la vida
por escapar la tuya deste aprieto,
y en contra de mi patria aborrecida
volver las armas y áspero decreto,
desviando gran número de espadas
que están a tu costado enderezadas.»

Tras esto allí les dijo todo cuanto
con Pran le sucedió y habéis oído,
que, si me acuerdo, en el pasado canto
lo tengo largamente referido.
Quedó Reinoso atónito de espanto
y con ánimo y rostro agradecido
los brazos amorosos le echó al cuello,
dándole encarecidas gracias dello.

Y alabando la astucia y artificio
con que del trato doble usado había,
exageró el famoso y gran servicio
que a todo el reino y cristiandad hacía,

---

[10] *término* 'trato, conducta' (I, n. 2).

diciendo que tan grande benficio
siempre en nuestra memoria duraría
y con honroso premio de presente[11]
sería remunerado largamente.

Quedaron, pues, de acuerdo que otro día[12],   10
sin que noticia dello a nadie diese,
en el tiempo y lugar que puesto había
con el vecino capitán se viese;
que de la vista y habla entendería
lo que más al negocio conviniese,
trayéndole por mañas y rodeo
al esperado fin de su deseo.

Hízolo pues así; pero antes desto
a la salida de un espeso valle
halló al amigo en centinela puesto,
esperándole ya para guialle
donde Caupolicán con ledo gesto[13],
saliendo algunos pasos a encontralle
adelantado un trecho de su gente
le recibió amorosa y cortésmente,

diciendo: «¡Oh capitán!, hoy por el cielo
en esta dignidad constituido,
a quien la redempción del patrio[14] suelo
justa y méritamente[15] ha cometido,
bien sé que sólo con honrado celo
de virtud propia y de valor movido,
aspiras a arribar do ningún hombre
tendrá puesto adelante más su nombre;

---

[11] *de presente* o *al presente* 'ahora' *(Aut.).*
[12] *otro día* 'al día siguiente' (X, n. 66).
[13] *ledo gesto* 'alegre rostro' (II, n. 22 y I, n. 81 respectivamente).
[14] *patrio* es adjetivo cultista (XVI, n. 61).
[15] *méritamente* 'merecidamente' *(Aut.* con textos posteriores; no lo registra DCECH).

y habiendo de tu pecho penetrado
el intento y designio valeroso,
de tu fortuna próspera guiado,
que promete suceso venturoso,
estoy resuelto, estoy determinado[16]
que con golpe de gente numeroso
demos, siendo tú sólo nuestra guía[17],
sobre[18] el fuerte español a mediodía.

atacar

»Para lo cual ha sido mi venida
sorda y secretamente en esta parte,
donde siendo tu boca la medida[19],
quiero del justo premio asegurarte
y ver si a ti esta empresa cometida[20],
quieres della y nosotros encargarte,
dando, como cabeza y dueño, en todo
el orden[21], la instrución, la traza y modo.

»Que demás de[22] las honras, te aseguro   15
de parte del Senado un señorío,
y por el fuerte Eponamón[23] te juro
que éste será escogido a tu albedrío.
En tus manos me pongo y aventuro
y a tu buen parecer remito el mío,
para que des el orden que convenga
y el esperado bien no se detenga.

---

[16] Para esta repetición paralelística y bimembración del verso, enfatizadoras, que reaparece en 41,1 v. IX, n. 112.

[17] *guía* V. XXVI, n. 88 para su género gramatical.

[18] *dar sobre* 'acometer, atacar' (XVI, n. 97).

[19] *ser su boca la medida* 'pedir cuanto se quiera' (*Aut*. con este texto).

[20] *cometido* 'encomendado' (Cuervo, *Dicc*. 219a con otro texto de Ercilla); el texto utiliza el participio en función absoluta.

[21] *orden* 'mandato', como en la octava siguiente; para su género gramatical, I, n. 111.

[22] *demás de* 'además de' (Keniston, par. 41.32 para ejs. en prosa).

[23] *Eponamón* era el nombre araucano del demonio, según Ercilla (*Declaración*... al final del poema y I, n. 77).

»Pues con tu ayuda y mi esperanza cierta,
que me prometen próspera jornada[24],
en una parte oculta y encubierta
tengo cerca de aquí mi gente armada,
y antes que sea de alguno descubierta
y la plaza enemiga preparada,
que es el peligro solo que esto tiene,
apresurar la esecución[25] conviene.

»Resuélvete, ¡oh varón!, y determina,
como de ti se espera, brevemente,
que detrás deste monte a la marina[26]
está el copioso ejército obediente,
y porque puedas ver la diciplina,
los ánimos, las armas y la gente,
podrás llegar allá, que aquí te aguardo,
con esperanza y ánimo gallardo.»

El traidor pertinaz[27], que atento estaba
a cuanto el General le prometía,
no la oferta ni el premio le mudaba
de la fea maldad que cometía;
bien que algún tanto tímido dudaba
viendo de aquel varón la valentía,
el ser gallardo y el feroz semblante,
la proporción y miembros de gigante.

Venía el robusto y grande cuerpo armado
de una fuerte coraza barreada[28],
con un drago[29] escamoso relevado

---

[24] *jornada* 'batalla', como en 22,6 (IV, n. 10).

[25] *esecución* por *ejecución* es la forma que prefiere Nebrija, pero los diccionaristas del xvii ya ofrecen las dos formas (T.L.).

[26] *a la marina* 'junto a la costa' (XII, n. 68).

[27] *pertinaz* es cultismo que ya aparece en el xv (XXII, n. 85); para *pertinacia*, XIX, n. 21.

[28] *barreado* 'con barras de metal' (I, n. 33).

[29] *drago* es forma más popular que alternaba con *dragón* (DCECH con

sobre el alto crestón de la celada;
en la derecha su bastón ferrado,
ceñida al lado una tajante espada[30],
representando en talle y apostura
del furibundo[31] Marte la figura.

Visto por Andresillo cuán barato   20
podía salir con el malvado hecho,
teniendo en su traición y doble trato
andado en poco tiempo tanto trecho,
con alegre semblante y rostro grato,
aunque con doble y engañoso pecho,
hincando ambas rodillas en el llano
tal respuesta volvió a Caupolicano:

«¡Oh gran Apó![32]: no pienses que movido
por honra, por riqueza o por estado,
a tus pies y obediencia soy venido
a servirte y morir determinado;
que todo lo que aquí me has ofrecido
y lo que puede más ser deseado
no me provoca tanto ni me instiga[33]
cuanto la gran razón que a ello me obliga.

»Gracias al cielo doy, pues mi esperanza,
en tu prudencia y gran valor fundada,
la siento ya con próspera bonanza[34]

---

ejs. desde Juan Ruiz) que aparece en XXVII,17,8. *Relevado* 'en relieve'
(IV, n. 42).

[30] *espada* Para esta designación de la *macana* indígena, v. XXIX, n. 43 y
también I, n. 90.

[31] *furibundo* es cultismo que viene de la traducción latina de la *Yliada*
de Mena (C. C. Smith, 251).

[32] *Apó* 'señor' según la *Declaración*... al final del poema. Tb. *Apo* y *Apu*
(Friederici).

[33] *instigar* 'provocar' (A. de Palencia, 1490, s.v. *incessere*) es cultismo
ausente en Nebrija y otros diccionaristas, pero ya documentado desde
mediados del xv (DCECH); todavía es poco usual en los autores del xvii
pero a partir de entonces es de uso culto común.

[34] *bonanza* 'mar calmo' (XV, n. 130 y II, n. 4); el sintagma *próspera bo-*

ir al derecho puerto encaminada;
y porque no nos dañe la tardanza
será bien que apresures la jornada,
siguiendo la fortuna, que se muestra
declarada en favor de parte nuestra;

»que nuestros enemigos sin recelo
a las armas[35] de noche acostumbrados,
cuando va el sol en la mitad del cielo
descansan en sus toldos[36] desarmados,
y desnudos y echados por el suelo,
en vino y dulce sueño sepultados,
pasan la ardiente siesta en gran reposo
hasta que el sol declina caluroso.

»Y si estás, como dices, prevenido
y la gente vecina, en ordenanza,
que goces luego[37] la ocasión te pido,
no dejando pasar esta bonanza;
que el tiempo es malo de cobrar, perdido,
mayormente si daña la tardanza;
y pues no te detiene cosa alguna
no detengas[38] tus hados y fortuna.

»Que a darte la vitoria yo me obligo,   25
no por el galardón que dello espero,
que la virtud la paga trae consigo

nanza ya lo había empleado Ercilla en II,2,1, tb. con valor traslaticio,
como en 24,4.

[35] *arma* 'anuncio de asalto' (*Aut.*). Cfr. *falsa arma* en XXIV,98,8.

[36] *toldo* 'tienda' es doc. temprana de la generalización de significado de
esta palabra náutica (DCECH trae texto contemporáneo de Góngora)
que reaparece en 43,7 Cfr. XIV, n. 20 para su aplicación en América.

[37] *luego* 'inmediatamente' como en 41,5 (I, n. 53).

[38] *detienes... detengas* Para esta repetición etimologizadora, I, n. 4. El
mismo recurso aparece en 39,4 («moviera... movible»); 32,1-2 («notado... notar»); 39,8 («engañador... engañado»); 40,3 («dormir dormidos»); 40,4 («cuidado descuidados»); 48,8 («cuidado... descuido»).

y ella misma es el premio verdadero;
basta lo que en servirte yo consigo,
y así graciosamente me prefiero[39]
de ponerte sin pérdida en la mano
la desnuda garganta del tirano.

»Mañana disfrazado, al tiempo cuando
vaya el sol en mitad de su jornada,
vendrá a mi estancia Pran, donde aguardando
estaré su venida deseada;
y en el presidio y franca[40] plaza entrando,
verá la gente entonces entregada
al ordinario y descuidado sueño,
sin prevención, y al parecer sin dueño.

«Esta noche, callada y quietamente,
desviada a la diestra del camino
venga a ponerse en escuadrón la gente
una milla del fuerte y más vecino;
y cuando asome el sol por el oriente,
echada en recogido remolino,
bajas las armas por la luz del día,
aguarde allí el aviso y orden mía.

»Quiero ver, pues que dello eres servido,
por ir del todo alegre y satisfecho,
tu dichoso escuadrón constituido
para tan alto y señalado hecho;
por quien Arauco ya restituido
en sus primeras fuerzas y derecho,
echada la española tiranía,
estenderá su nombre y monarquía.»

---

[39] *preferirse* 'ofrecerse, obligarse' (*Aut.;* DCECH); cfr. *proferirse* en XVII, n. 62.

[40] *presidio* 'guarnición', como en 32,6 y 45,5 (XVII, n. 115). *Franco* 'libre' (XVI, n. 125).

Quedó Caupolicano de manera
que tuvo el trato y hecho por seguro,
diciéndole razones que moviera
no un corazón movible, pero un muro;
y en señal de firmeza verdadera
le dio un lucido llauto de oro puro[41]
y un grueso mazo de chaquira prima[42],
cosa entre ellos tenida en grande estima.

Y del alegre Pran acompañado   30
al pie de un alto cerro montuoso[43]
vio el araucano ejército emboscado,
de brava gente y número copioso:
quedó el traidor de verlo algo turbado
y en la falsa y mudable fe dudoso:
que en el ánimo vario y movedizo
hace el temor lo que virtud no hizo.

Pero ya la maldad apoderada
dándole espuelas, y ánimo bastante,
la duda tropelló[44] representada,
llevando el mal propósito adelante.
Y así, encubriendo la intención dañada
con mentirosas muestras y semblantes,
loó el traidor encarecidamente
el sitio, el orden, armas y la gente[45].

Y después de inquirir[46] y haber notado
lo que notar entonces convenía,

---

[41] *llauto* 'cinta de la cabeza' (XVI, n. 63).

[42] *chaquira* 'sarta, brazalete' (XVII, n. 24); *primo* 'excelente, primoroso' (DCECH para diversas acepciones).

[43] *montuoso* 'boscoso', que reaparece en 33,6 y en XXXIII,64,4, es cultismo de documentación literaria temprana (*Aut.* con texto posterior, DCECH); para el *emboscado* del verso siguiente, XVIII, n. 99.

[44] *tropellar* por *atropellar* (II, n. 114).

[45] Para esta acumulación nominal, III, n. 39.

[46] *inquirir* 'buscar' (XXIV, n. 125).

visto el grande aparato y tanteado
la gente armada y cantidad que había,
advertido de todo y enterado,
llegó al presidio al rematar del día,
adonde le esperaba ya Reinoso,
de su larga tardanza sospechoso.

Hizo con singular advertimiento[47]
de su jornada relación copiosa,
dándole mayor ánimo y aliento
nuestra llegada a tiempo provechosa.
Que si estuvistes[48] a mi canto atento,
por la mañana y costa montuosa
al socorro llegué aquel mismo día
con los treinta que dije en compañía[49].

Gastóse aquella noche previniendo
las armas e instrumentos militares
el foso, muro y plaza requiriendo[50],
señalando a la gente sus lugares,
hasta que fue la aurora descubriendo
con turbia luz los hondo valladares[51],
dando triste señal del día esperado
por tanta sangre y muerte señalado.

Jamás se vio en los términos australes   35
salir el sol tan tardo a su jornada,
rehusando de dar a los mortales
la claridad y luz acostumbrada:
al fin salió cercado de señales,
y la luna delante dél menguada,

---

[47] *advertimiento* 'cuidado, deliberación' *(Aut.).*
[48] *estuvistes* por *estuvisteis* (VII, n. 28).
[49] Cfr. XXX,33; v. también Medina, *Vida,* 59.
[50] *requerir* 'examinar' (IV, n. 31).
[51] *valladar* aquí 'valle'. Cfr. Cov. s.v. *valle:* «de valle se dijo valladar»,
pues la ac. más frecuente y la que registran los diccionarios: 'vallado', no
parece aplicable a este texto.

vuelto el mudable y blanco rostro al cielo
por no mirar al araucano suelo.

Hecha la prevención en confianza
por una y otra parte ocultamente,
con iguales designios y esperanza
aunque con hado y suerte diferente.
Veis aquí a Pran, que solo y a la usanza
de los mitayos[52] indios diligentes,
cargado con un haz de blanco trigo
viene a buscar al alevoso amigo,

que a la salida de su rancho[53] estaba
mirando a los caminos ocupado,
pareciéndole ya que se pasaba
el tiempo del concierto aún no llegado.
Tanto ya la maldad le aceleraba
de una furia maligna espoleado,
que siempre en lo que mucho se desea
no hay brevedad que dilación no sea.

Llegado Pran, le aseguró de cierto
que la gente en dos tercios dividida
había el murado sitio descubierto,
sin ser de nadie vista ni sentida.
Y con paso callado y gran concierto,
doméstica[54], ordenada y recogida
los pechos y las armas arrastrando,
venía derecha[55] al fuerte caminando.

Con muestra del designio diferente
dio Andresillo señal de su alegría,

---

[52] *mitayo* 'indio dado por sorteo y repartimiento en los pueblos para el trabajo'; palabra de origen quechua (*mitta* 'vez, turno'). Cfr. Friederici para documentación desde 1553.

[53] *rancho* Cfr. XIV, n. 20 para el uso americano del vocablo.

[54] *doméstico* 'manso' (XXVI, n. 68).

[55] *derecha* 'directamente'; cfr. I, n. 62 para el uso adverbial de adjetivos en el poema.

diciendo que sin duda nuestra gente
ya según su costumbre dormiría;
luego, disimulada y quietamente,
sin más se detener, de compañía
entraron en el fuerte preparado
el falso engañador y el engañado.

Vieron en sus estancias recogidos   40
todos los oficiales y soldados,
sobre sus lechos, sin dormir dormidos,
con aviso y cuidado descuidados;
los arneses acá desguarnecidos,
los caballos allá desensillados
todo de industria al parecer revuelto,
en un mudo[56] silencio y sueño envuelto.

Visto el reposo, Pran, visto el sosiego[57]
y poca guardia que en el fuerte había,
alegre dello tanto cuanto ciego
en no ver la sospecha que traía,
sin detenerse un solo punto, luego
por una corta senda que él sabía,
haciendo de sus pies y aliento prueba,
fue a dar al campo la esperada nueva.

Apenas había el bárbaro traspuesto,
cuando Andresillo en tono levantado
dijo: «¡Oh fuertes soldados, en quien[58] puesto
está el fin de la guerra deseado!
Tomad las vencedoras armas presto

---

[56] *mudo* V. Lausberg, par. 680 para el uso poético de epítetos pleonásticos.

[57] Nótese la repetición simple, luego de varias repeticiones etimologizadoras en las dos estrofas previas, con valor enfatizador, que refuerza la ceguera de Pran, quien, en verdad, no *ve* nada: «ciego» lo llama el poema dos versos más abajo. Cfr. repetición más intensa aún por la violenta antítesis de los sustantivos en 49,3 (I, n. 92).

[58] *quien* 'quienes' (III, n. 16 para el uso plural de *quien* en los textos clásicos).

y romped el silencio ya escusado
saliendo a toda priesa, porque os digo
que a las puertas tenéis al enemigo.»

Marinero jamás tan diligente
de entre la vedijosa bernia[59] salta
cuando los gritos del piloto siente
y la borrasca súbita le asalta,
como nosotros, que ligeramente,
oyendo de Andresillo la voz alta,
de los toldos con ímpetu salimos
y a las vecinas armas acudimos.

Quién[60] al usado peto arremetía,
quién encaja la gola[61] y la celada
quién ensilla el caballo y quién salía
con arcabuz, con lanza o con espada;
fue en un punto la gruesa artillería
a las abiertas puertas asestada[62],
llenos de tiros mil, de mil maneras,
los traveses, cortinas y troneras[63].

Puesta en orden la plaza y encargado   45
según el puesto a cada cual su oficio,
el silencio importante encomendado
trabó las lenguas y aquietó el bullicio,
quedando aquel presidio tan callado,
que la gente extramuros de servicio,
visto el sosiego y gran quietud, juzgaba
que todo en igual sueño reposaba.

---

[59] *bernia* 'manta' (ya en Nebrija: 'vestidura'; DCECH para doc. previa). El epíteto *vedijosa* define *bernia* ya en Cov.
[60] Nótese la repetición anafórica de *quien,* característica de las descripciones bélicas a lo largo del poema (XIV, n. 22).
[61] *gola* 'parte de la armadura que cubre la garganta' (I, n. 41).
[62] *asestar* 'dirigir, apuntar' (*Aut.;* DCECH). Cfr. IX, n. 91.
[63] *través* y *cortina* 'partes de la muralla' (XVII, n. 46); *tronera* 'abertura
en la fortificación para disparar la artillería' (II, n. 85).

836

No fue Pran en el curso negligente,
pues apenas estábamos armados,
cuando los enemigos de repente
se descubrieron cerca por dos lados.
Venían tan escondida y sordamente,
bajas las armas y ellos inclinados,
que entraran, si la vista ya no fuera
más presta que el oído y más ligera.

Como el cursado[64] cazador que tiene
la caza y el lugar reconocido,
que poco a poco el cuerpo bajo viene
entre la yerba y matas escondido:
ya apresura el andar, ya le detiene,
mueve y asienta el paso sin ruido
hasta ponerse cerca y encubierto
donde pueda hacer el tiro cierto,

con no menor silencio y mayor tiento
los encubiertos indios parecieron[65]
y sobre nuestro fuerte en un momento
a treinta y menos pasos se pusieron,
de do[66] sin són de trompa ni instrumento
en callado tropel arremetieron
más de dos mil en número a las puertas,
con más cuidado que descuido abiertas.

No sé con qué palabras, con qué gusto
este sangriento y crudo[67] asalto cuente,
y la lástima justa y odio justo,
que ambas cosas concurren juntamente.
El ánimo ahora humano, ahora robusto
me suspende y me tiene diferente[68],

---

[64] *cursado* 'experimentado' (IX, n. 72).
[65] *parecer* por *aparecer* (III, n. 25).
[66] *do* 'donde' (XXVII, n. 81).
[67] *crudo* 'cruel' (II, n. 108).
[68] *diferente* 'que difiere' y aquí, 'vacilante'; está usado como participio activo calcado del latín (Lida de Malkiel, 141); este uso latinizante jerar-

837

que si al piadoso celo satisfago,
condeno y doy por malo lo que hago.

Si del asalto y ocasión me alejo,
dentro della y del fuerte estoy metido;   50
si en este punto y término lo dejo,
hago y cumplo muy mal lo prometido;
así dudoso el ánimo y perplejo,
destos juntos contrarios combatido,
lo dejo al otro canto reservado,
que de consejo estoy necesitado.

FIN

quiza la voz poética y ubica en el espacio de la tradición clásica la expresión de la perplejidad.

ARREMETEN LOS ARAUCANOS EL FUERTE; SON REBATIDOS[1]
CON MISERABLE ESTRAGO DE SU PARTE. CAUPOLICÁN SE RE-
TIRA A LA SIERRA DESHACIENDO EL CAMPO[2]. CUENTA DON
ALONSO DE ERCILLA, A RUEGO DE CIERTOS SOLDADOS, LA
VERDADERA HISTORIA Y VIDA DE DIDO

CANTO XXXII

EXCELENTE virtud, loable cosa
de todos dignamente celebrada
es la clemencia ilustre y generosa,
jamás en bajo pecho aposentada;
por ella Roma fue tan poderosa,
y más gentes venció que por la espada,
domó y puso debajo de sus leyes
la indómita[3] cerviz de grandes reyes.

No consiste en vencer sólo la gloria
ni está allí la grandeza y excelencia
sino en saber usar de la vitoria,
ilustrándola más con la clemencia.
El vencedor es digno de memoria
que en la ira se hace resistencia
y es mayor la vitoria del clemente,
pues los ánimos vence juntamente.

---

[1] *rebatir* 'rechazar' *(Aut.)*; cfr. XIX, n. 19 para otra acepción.
[2] *campo* 'ejército', como en 61,1 y 24,7 (I, n. 46).
[3] *indómito* v. I, n. 85 para este latinismo.

Y así no es el vencedor tan glorioso
del capitán cruel inexorable[4],
que cuanto fuere menos sanguinoso[5]
tanto será mayor y más loable;
y el correr del cuchillo riguroso
mientras dura la furia es disculpable,
mas pasado, después, a sangre fría,
es venganza, crueldad y tiranía.

La mucha sangre derramada ha sido
(si mi juicio y parecer[6] no yerra)
la que de todo en todo[7] ha destruido
el esperado fruto desta tierra;
pues con modo inhumano han excedido
de las leyes y términos de guerra,
haciendo en las entradas[8] y conquistas
crueldades inormes[9] nunca vistas.

Y aunque ésta en mi opinión dellas es una,   5
la voz común en contra me convence
que al fin en ley de mundo y de fortuna
todo le es justo y lícito al que vence.
Mas dejada esta plática importuna,
me parece ya tiempo que comience

---

[4] *inexorable* es cultismo presente en Garcilaso (Egl. I, n. 377) quien lo utiliza hábilmente para Diana, en el claro sentido etimológico 'que no se conmueve ante súplicas'; en *La Araucana*, como otras veces, el adjetivo se humaniza y en el plano de la narración épica adquiere un matiz de dramática inmediatez (XIV, n. 15).

[5] *sanguinoso* 'cruel' (V, n. 48).

[6] *juicio y parecer* Para la repetición sinonímica, v. I, n. 112. Otros ejemplos en el Canto, en 7,2 («riza... destrozo y batería»); 15,5 («pena y sentimiento»); 24,2 («roto, deshecho»); 38,8 («impide... detiene»); 78,5 («trato y término»); 86,6 («provecho y bien»); 79,3 («cara... amada»).

[7] *de todo en todo* 'completamente' (VII, n. 16).

[8] *entrada* 'ocupación, fuerza de armas' en *Aut.* con textos contemporáneos (VIII, n. 17 donde ya aparece *entrar* 'ocupar, invadir').

[9] *inorme* por *enorme* es forma alternante en textos hasta el XVII y que ya *Aut.* considera menos común (XXVIII, n. 37); aquí está usada en sentido moral: 'perverso, malvado'. Vuelve a usarse en el Canto en 63,1 y 68,8.

el crudo[10] estrago y excesivo modo,
en parte justo, y lastimoso en todo.

Dejé el bárbaro campo sobre el fuerte
en medio del furor y arremetida,
y la callada y encubierta muerte
de mil géneros de armas prevenida.
Llevado, pues, del hado y dura suerte
con presto paso y con fatal corrida[11],
emboca por la puerta y falsa entrada[12]
el gran tropel de gente amontonada.

¡Dios sempiterno[13], qué fracaso estraño,
qué riza, qué destrozo y batería[14]
hubo en la triste gente, que al engaño
ciega, pensando de[15] engañar, venía!
¿Quién podrá referir el grave daño,
la espantosa y tremenda artillería,
el ñublado[16] de tiros turbulento
que descargó de golpe en un momento?

Unos vieran de claro[17] atravesados,
otros llevados la cabeza y brazos,

---

[10] *crudo* 'cruel', como en 10,1; 23,2 y 35,7 (II, n. 108).

[11] La bimembración del verso se refuerza con la estructura paralelística y la intensificación semántica en serie. Otros ejemplos en el Canto, en 8,8; 60,4 y 68,4.

[12] *falsa entrada* en el sentido de 'engañosa', pues los españoles habían dejado las puertas «con más cuidado que descuido abiertas» (XXXI,48,8).

[13] *sempiterno* es cultismo que *Aut.* ya registra para Lucena (1463). Cfr. DCECH.

[14] *batería* 'estrago de artillería' (IV, n. 93); *riza* 'estrago', reaparece en 11,6 (XIX, n. 109).

[15] *pensar de* Cfr. XII, n. 26 para esta construcción. Para la repetición etimologizadora («engaño... engañar»), v. I, n. 4. Otros ejemplos en el Canto, 8,5 («miembros... desmembrados»); 13,7 («deshechos y hechos»).

[16] Para *ñublado* por *nublado*, como en 18,2 y tb. para el cultismo *turbulento*, v. IV,63,7 y nota correspondiente, en donde el sintagma *ñublado turbulento* (o *turbolento*) se utiliza en su acepción atmosférica literal.

[17] *de claro* o *de claro en claro* 'de un extremo al otro' o 'de parte a parte' (Cov.; Oudin en T.L.).

otros sin forma alguna machucados[18],
y muchos barrenados de picazos;
<u>miembros sin cuerpos, cuerpos[19] desmembrados</u>,
lloviendo lejos trozos y pedazos,
hígados, intestinos, rotos huesos,
entrañas vivas y bullentes sesos.

Como la estrecha bien cebada mina[20]
cuando con grande estrépito revienta,
que la furia del fuego repentina,
las torres vuela y máquinas avienta,
con más estruendo y con mayor ruina
la fuerza de la pólvora violenta
voló y hizo pedazos en un punto
cuanto del escuadrón alcanzó junto.

La mudable sin ley cruda fortuna   10
despedazó el ejército araucano,
no habiendo un solo tiro ni arma alguna
que errase el golpe ni cayese en vano.
Nunca se vio morir tantos a una[21]
y así, aunque yo apresure más la mano,
no puedo proseguir, que me divierte[22]
tanto golpe, herida, tanta muerte[23].

Aún no eran bien los tiros disparados
cuando por verse fuera en campo raso,

---

[18] *machucado* 'machacado, aplastado' (IX, n. 103).
[19] Para la repetición simple o anadiplosis, v. I, n. 92.
[20] *mina* 'artificio subterráneo que se hace y labra en los sitios de las plazas poniendo al fin de él una recámara llena de pólvora atacada para que dándola fuego, arruine las fortificaciones de la plaza' (Cov.; *Aut.* con texto de Nebrija).
[21] *a una* 'juntamente' (III, n. 65).
[22] *divertirse* 'apartarse' como más adelante en 47,5; aquí, 'detener' (XXIV, n. 170).
[23] Los inéditos destrozos que causan los tiros de las armas de fuego sobre el ejército araucano se representan con un realismo descriptivo que tiene, sin embargo, antecedente clásico en Lucano; en efecto, la *Farsalia* abunda en escenas cruentas de bullentes desmembraciones que Ercilla renueva para el escenario americano. Cfr., por ejemplo, III, 603 y ss.

los caballos a un tiempo espoleados
rompen la entrada y ocupado paso,
y en los segundos indios, que ovillados
estaban como atónitos del caso,
hacen riza y mayor carnicería
que pudiera hacer la artillería.

Quién aquéste y aquél alanceando
abre sangrienta y ancha la salida,
quién a diestro y siniestro golpeando
priva a aquéstos y a aquéllos de la vida;
no hay ánimo ni brazo allí tan blando
que no cale[24] y ahonde la herida,
ni espada de tan grueso y boto[25] filo
que no destile sangre hilo a hilo[26].

Quisiera aquí despacio figurallos,
y figurar[27] las formas de los muertos:
unos atropellados de caballos,
otros los pechos y cabeza abiertos,
otros que era gran lástima mirallos,
las entrañas y sesos descubiertos,
vieran otros deshechos y hechos piezas,
otros cuerpos enteros sin cabezas.

Las voces, los lamentos, los gemidos,
el miserable y lastimoso duelo,
el rumor de las armas y alaridos
hinchen el aire y cóncavo[28] del cielo;
luchando con la muerte los caídos
se tuercen y revuelcan por el suelo,

---

[24] *calar* aquí, 'hacer más hondo', 'penetrar' (IX, n. 114).

[25] *boto* 'romo' (IV, n. 114).

[26] *hilo a hilo* 'lentamente' aplicado a los líquidos (*Aut.* con texto del XVII).

[27] *figurarlos y figurar* La anadiplosis imperfecta aprovecha la leve oscilación semántica 'representar' y 'describir' (I, n. 92).

[28] *cóncavo* 'concavidad' (III, n. 98). Para la enumeración anterior, característica de las descripciones bélicas, v. III, n. 39.

saliendo a un mismo tiempo tantas vidas
por diversos lugares y heridas[29].

Ya que[30] libre dejó el súbito espanto   15
al embaucado[31] Pran, que estaba fuera,
visto el destrozo cierto, y falso cuanto
el traidor de Andresillo le dijera,
la pena y sentimiento pudo tanto
que aunque escaparse el mísero pudiera,
en medio de las armas desarmado
a morir se arrojó desesperado.

Mas los últimos indios venturosos
a los cuales llegó sólo el estruendo,
volviendo las espaldas presurosos
muestran las plantas de los pies huyendo;
los nuestros, del alcance deseosos,
en carrera veloz los van siguiendo,
hiriendo y derribando en los postreros
los menos diligentes y ligeros.

Pero algunos valientes, que estimaban
la ganada opinión más que la vida,
volviendo el pecho y armas refrenaban
el ímpetu de muchos y corrida;
y aunque con grande esfuerzo peleaban,
era presto la guerra difinida,
que la furiosa muerte allí su espada
traía de entrambos cortes afilada.

---

[29] El texto recuerda «... volnere multo / effugientem animam...» de
Lucano III,622-3.

[30] *ya que* 'apenas' (IX, n. 20).

[31] *embaucado* es tetrasílabo; para ejs. de pronunciación con diéresis y
usos americanos, v. Cuervo, *Apuntaciones*... par. 306. Nótese cómo se representa la angustia de Pran mediante la acumulación de los recursos retóricos de antítesis («cierto y falso»), repetición sinonímica («pena y sentimiento») y etimologizadora («armas desarmado») que culmina en la
polisemia de *desesperado;* 'sin esperanza', 'colérico' y 'suicida'.

Como en el ya revuelto cielo, cuando
se forman por mil partes los ñublados
que van unos creciendo, otros menguando,
otros luego de nuevo levantados;
mas el noroeste frígido soplando
los impele y arroja amontonados
hasta buscar del ábrego[32] el reparo,
dejando el cielo raso y aire claro,

así la gente atónita y turbada
en partes dividida se esparcía,
y a las veces juntándose, esforzada,
haciendo cuerpo y rostro[33] revolvía.
Pero de la violencia arrebatada,
dejó el campo y banderas aquel día,
quedando de los rotos escuadrones
gran número de muertos y prisiones[34].

Deshechos, pues, del todo y destruidos,   20
y acabado el alcance y seguimiento,
los presos y despojos repartidos,
volvimos al dejado alojamiento
donde trece caciques elegidos
para ejemplar castigo y escarmiento,
a la boca de un grueso tiro atados,
fueron, dándole fuego, justiciados[35].

Muchos habrá de preguntar ganosos
si en el montón y número de gente
algunos de los indios valerosos
fueron muertos allí confusamente;
pues en todos los hechos peligrosos

---

[32] *ábrego* 'viento del Sur' (Alcalá, 1505; Brocense, 1580 según T.L.).

[33] *hacer cuerpo y rostro* es amplificación de la frase *hacer rostro* 'resistir'
(V, n. 65). *Revolver* 'volverse y embestir al enemigo' (IV, n. 87).

[34] *prisión* 'prisionero' (XVIII, n. 29).

[35] *tiro* 'la pieza de artillería que tira la pelota' (Cov.). *Justiciar* por *ajusticiar;* ambas formas alternaban en la época (XXVI, n. 57).

Rengo, Orompello y Tucapel valiente
iban delante en la primera hilera,
abriendo siempre el paso y la carrera.

Respondo a esto, Señor, que no venía
capitán ni cacique señalado,
visto que el General usado había
de fraude y trato entrellos reprobado,
diciendo ser vileza y cobardía
tomar al enemigo descuidado,
y vitoria sin gloria y alabanza
la que por bajo término se alcanza.

Así que una arrogancia generosa[36]
los escapó[37] del trance y muerte cruda,
que ninguno por ruego ni otra cosa
quiso en ello venir[38] ni dar ayuda,
teniendo por hazaña vergonzosa
vencer gente sin armas y desnuda:
que el peligro en la guerra es el que honra
y el que vence sin él, vence sin honra.

Quedó Caupolicán desta jornada
roto, deshecho y falto de pujanza,
que fue mucha la sangre derramada
y poca de su parte la venganza:
el cual viendo la turba amedrentada
y el ardor resfriado[39] y la esperanza,
deshizo el campo entonces conveniente,
dando licencia a la cansada gente.

Quísose entretener[40] mientras pasaba
de los contrarios hados la corrida,

25

---

[36] *generoso* 'que estima más lo decoroso que lo útil' (*Aut.*).
[37] *escapar* 'librar' en uso transitivo (*Aut.*).
[38] *venir en* 'convenir' (II, n. 89).
[39] *resfriado* 'enfriado' (V, n. 5).
[40] *entretener* 'dilatar, suspender, demorar' (Oudin, 1607, en T.L.; *Aut.*)

conociendo de sí que peleaba
con cansada fortuna envejecida.
Así la gente en partes derramaba[41]
con orden que estuviese apercebida
en cualquiera ocasión y movimiento,
para el primer aviso y mandamiento.

Y con solos diez hombres retirado,
gente de confianza y valentía,
ora en el monte inculto[42], ora en poblado,
desmintiendo[43] los rastros parecía,
y en lugares ocultos alojado
jamás gran tiempo en una[44] residía,
usando de su bárbara insolencia
por tenerlos en miedo y obediencia.

Nosotros en su incierto rastro a tino[45]
andábamos haciendo mil jornadas,
no dejando lugar circunvecino[46]
que no diésemos salto y trasnochadas[47].
Y en los más apartados del camino
hallábamos las casas ocupadas
de gente forajida[48] de la tierra
que ya andaba huyendo de la guerra,

parece documentación temprana de su uso literario; DCECH señala su
presencia en el *Quijote* y J. de Valdés (1535) lo quería «aprovechar para la
lengua castellana» de la lengua italiana (*Diálogo de la lengua,* ed. Clás,
Cast., 139,1) lo que indica que para la época en que escribe Ercilla se
consideraría italianismo reciente.

[41] *derramar* 'repartir, esparcir' (XV, n. 98).

[42] *inculto* 'salvaje' (I, n. 106), tb. 'inexperto', como en 40,6.

[43] *desmentir* 'confundir' (XXIV, n. 172); *parecer* por *aparecer* (III, n. 25).

[44] *en una* entiéndase, 'en una estancia, casa'.

[45] *a tino* 'a tientas' (XVIII, n. 5).

[46] *circunvecino* parece documentación temprana de su uso literario
(Cov.; *Aut.* con textos del XVII y DCECH sin ejs.).

[47] *salto* 'asalto' (II, n. 97 para *saltear* 'asaltar'); *trasnochada* 'vela, vigilancia' (*Aut.*).

[48] *forajido* 'extraviado, escapado' (XXIII, n. 64).

diciendo que de grado[49] volvería
a sus yermas estancias y heredades,
pero que el General los compelía[50]
usando de inhumanas crueldades;
y si en esto remedio se ponía,
llanas estaban ya las voluntades
para dejar las armas los soldados,
de la prolija[51] guerra quebrantados.

Y aunque esto era fingido, gran cuidado
se puso en inquirir[52] toda la tierra,
no quedando lugar inhabitado,
monte, valle, ribera, llano y sierra[53]
donde no fuese el bárbaro buscado;
mas por bien ni por mal, por paz ni guerra,
aunque todo con todos lo probamos,
jamás señal, ni lengua[54] dél hallamos.

No amenaza, castigo ni tormento   30
pudo sacar noticia o rastro alguno,
ni caricia[55], interés ni ofrecimiento
jamás a corromper bastó a ninguno;
andábamos atónitos y a tiento,
según la variedad de cada uno,
de día, de noche, acá y allá perdidos,
del sueño y de las armas afligidos.

Saliendo yo a correr la tierra un día
por caminos y pasos desusados,
llevando por escolta y compañía
una escuadra de pláticos[56] soldados

---

[49] *de grado* 'con voluntad' (XIII, n. 24).

[50] *compeler* 'obligar' (XXIII, n. 19).

[51] *prolijo* 'dilatado' (XV, n. 119).

[52] *inquirir* 'buscar' (XXIV, n. 125).

[53] Para este tipo de acumulaciones nominales, v. III, n. 39. Otro caso, en 65,3.

[54] *lengua* 'información' (XVI, n. 140).

[55] *caricia* 'halago' (XVII, n. 22).

[56] *plático* por *práctico* (II, n. 84).

848

dimos en una oculta ranchería[57]
de domésticos indios ausentados,
que por ser grande el bosque y la distancia
tomaron por segura aquella estancia.

Sobre un haz de arrancada yerba estaba
en la cabeza una mujer herida,
moza que de quince años no pasaba,
de noble traje y parecer, vestida.
Y en la color quebrada[58] se mostraba
la falta de la sangre, que esparcida
por la delgada y blanca vestidura,
la lástima aumentaba y hermosura.

Pregunté qué ocasión la había traído
a lugar tan estraño y apartado,
cómo y por qué razón la habían herido
y de inhumana crueldad usado.
Ella, con rostro y ánimo caído
y el tono del hablar debilitado,
me dijo: «Es cosa cierta y prometida
la muerte triste tras la alegre vida.

»Porque entiendas el dejo[59] y desvarío
que el humano contento trae consigo,
aún no es cumplido un mes que el padre mío,
usando de privado[60] amor conmigo,
me dio esposo elegido a mi albedrío,
esposo y juntamente grande amigo,
tal y de tantas partes[61], que yo creo
que en él hallara término el deseo.

---

[57] *ranchería* 'campamento', 'conjunto de viviendas indígenas' (XII, n. 12).

[58] *color quebrada* 'palidez'; para el género gramatical de *color* v. I, n. 55; *quebrado* 'debilitado' (DRAE).

[59] *dejo* 'desabrimiento' (*Aut.*, con textos posteriores; DCECH sin doc.).

[60] *privado* 'especial, particular' (Cov., s.v. *privar*).

[61] *partes* 'prendas, dotes' (X, n. 56).

»Pero su esfuerzo raro y valentía,
que della por estremo era dotado,
le trujo[62] a la temprana muerte el día
que fue nuestro escuadrón despedazado,
donde cerca de mí, que le seguía,
un tiro le pasó por el costado,
que fuera menos crudo y más derecho
si abriera antes el paso por mi pecho.

»Cayó muerto, quedando yo con vida,
vida más enojosa que la muerte;
mas viéndome un soldado así afligida
(en parte condolido de mi suerte)
me dio, por acabarme, esta herida
con brazo aunque piadoso no tan fuerte
que mi espíritu suelto le siguiese
y un bien tras tanto mal me sucediese.

»Dio conmigo en el suelo fácilmente
aunque no me privó de mi sentido,
pasando el golpe y furia de la gente
en confuso tropel con gran ruido.
Pero luego un cacique[63] mi pariente,
que en un hoyo al pasar quedó escondido,
en brazos me sacó del gran tumulto
trayéndome a este bosque y sitio oculto

«donde espero morir cada momento;
mas ya como esperado bien se tarda,
que es costumbre ordinaria del contento,
no acabar de llegar a quien le aguarda.
Y aunque ya de mi vida al fin me siento,
conmigo el cielo término no guarda[64],

---

[62] *trujo* por *trajo* (III, n. 91).

[63] Para el indigenismo *cacique*, ya usado en el Canto en 20,5 cfr. I, n. 22.

[64] *guardar término* 'observar, tener miramientos'; *término* 'conducta' como en 46,5 y 78,5 (I, n. 2).

ni la llamada muerte y tiempo viene,
que mi deseo la impide y la detiene.

»La vida así me cansa y aborrece[65],
viendo muerto a mi esposo y dulce amigo,
que cada hora que vivo me parece
que cometo maldad, pues no le sigo;
y pues el tiempo esta ocasión me ofrece,
usa tú de piedad, señor, conmigo,
acabando hoy aquí lo que el soldado
dejó por flojo brazo comenzado.»

Así la triste joven luego, luego[66]   40
demandaba la muerte, de manera
que algún simple de lástima a su ruego
con bárbara piedad condecendiera.
Mas yo, que un tiempo aquel rabioso fuego
labró en mi inculto pecho, viendo que era
más cruel el amor que la herida,
corrí presto al remedio de la vida.

Y habiéndola algún tanto consolado,
y traído a que viese claramente
que era el morir remedio condenado
y para el muerto esposo impertinente[67],
con el zumo de yerbas aplicado
(medicina ordinaria desta gente)[68]
le apreté la herida lastimosa,
no tanto cuanto grande, peligrosa.

---

[65] *aborrecer* 'aburrir, fastidiar' (Cuervo, *Dicc.* I,51a con este texto); para
el uso dialectal actual, *Arcaísmos...* s.v. *aburrición*.

[66] *luego, luego* es superlativo por repetición (S. Fernández, par. 77; Keniston, par. 39.473 para usos en la prosa del XVI. *Luego* 'inmediatamente,
reaparece en este Canto en 72,6 y 73,4 (I, n. 53).

[67] *impertinente* 'no pertinente, irrelevante' (*Aut.* con textos posteriores;
DCECH sin documentación).

[68] Cfr. P. Mariño de Lobera, *Crónica del reino de Chile* l.I, c. XII: «también hay en la tierra yerbas medicinales, como el *lanco* para heridas, y
muchas veces en veinticuatro horas sana» (BAE t. CXXXI,259).

Dejando pues un prático ladino[69]
para que poco a poco la llevase,
y en los tomados pasos y camino
del peligro al pasar la asegurase,
partir a mi jornada me convino;
mas primero que della me apartase
supe que se llamaba Lauca y que era
hija de Millalauco y heredera[70].

La vuelta del presidio[71] caminando
sin hallar otra cosa de importancia,
iba con los soldados platicando
de la fe de las indias y constancia
de muchas (aunque bárbaras) loando
el firme amor y gran perseverancia,
pues no guardó la casta Elisa Dido[72]
la fe con más rigor a su marido.

Mas un soldado joven, que venía
escuchando la plática movida,
diciendo me atajó que no tenía
a Dido por tan casta y recogida,
pues en la Eneyda de Marón[73] vería
que del amor libídino[74] encendida,

---

[69] *prático* por *práctico* 'diestro, versado' ya usado abundantemente en el poema en la variante *plático; ladino* 'indígena que habla español' (XXX, n. 63).

[70] El episodio de Lauca, que ilustra ejemplarmente el tópico de la fidelidad conyugal más allá de la muerte, prepara (y justifica) la interpolación de la historia de Dido. Cfr. Lía Schwartz Lerner, «Tradición literaria y heroínas indias en *La Araucana» RIb* 81 (1972) 615-625.

[71] *la vuelta de* 'hacia, camino de' (III, n. 109); *presidio* 'guarnición' como en 49,1 (XVII, n. 115).

[72] *Elisa Dido* Referencia al personaje de Dido, reina de Cartago, en el libro IV del poema del «mantuano» Virgilio, como se menciona en la octava siguiente. Para el menos usado nombre de Elissa o Elisa, *Aeneidos* IV,335.

[73] Marón es el sobrenombre castellanizado de Virgilio: Publius Vergilius Maro.

[74] *libídino* 'sensual, desordenado' es latinismo infrecuente que *Aut.* no

siguiendo el torpe fin de su deseo
rompió la fe y promesa a su Sicheo[75].

Visto, pues, el agravio tan notable   45
y la objeción siniestra[76] del soldado,
por el gran testimonio incompensable[77],
a la casta fenisa[78] levantado,
pareciéndome cosa razonable
mostrarle que en aquello andaba errado
él y todos los más que me escuchaban
que en la misma opinión también estaban[79],

les dije que, queriendo el Mantuano[80]
hermosear su Eneas floreciente[81]
porque César Augusto Octaviano
se preciaba de ser su decendiente[82],
con Dido usó de término inhumano
infamándola injusta y falsamente,
pues vemos por los tiempos haber sido
Eneas cien años antes que fue Dido[83].

---

registra y tampoco DRAE ni DCECH. Ercilla lo toma del sustantivo *libídine* introducido con poco éxito por Mena (DCECH).

[75] *Sicheo* o *Sichaeus,* esposo de Dido y señor de Fenicia (*Aeneidos,* I,343 etc.).

[76] *siniestro* 'avieso, mal intencionado' (*Aut.,* con texto posterior).

[77] *incompensable* 'imposible de galardonar' (Cov. s.v. *compensable*) es decir, el «gran testimonio» de Virgilio era, a pesar de su autoridad sin discusión, insostenible.

[78] *fenisa* 'fenicia', pues Dido era originaria de Tiro (*Aeneidos,* I,670: «Phoenissa Dido»; IV,529, etc.).

[79] Para la tradición de la defensa de Dido en las letras españolas, v. María Rosa Lida de Malkiel, *Dido en la literatura española* Londres, Támesis, 1974, especialmente sobre Ercilla, 127 y ss.

[80] *Mantuano* es decir, Virgilio, nacido en Mantua y protegido de Augusto (César Augusto Octaviano).

[81] *floreciente* 'escogido' (XVII, n. 32).

[82] En efecto, el hijo de Aeneas, Ascanius, fue tb. llamado por los autores latinos, *Iulus* por lo que la familia Iulia pretendía descender de él. A su vez, C. Octavius Augustus, a través de su madre Atia, sobrina de C. Iulius Caesar se consideraba descendiente de Aeneas.

[83] Para el uso de *ser* con el valor de «existir, vivir» v. Keniston, par. 35.5 con ejs. en prosa.

Quedaron admirados en oírme[84],
que así Virgilio a Dido disfamase[85],
haciendo instancia todos en pedirme
que su vida y discurso[86] les contase.
Yo pensando también con divertirme,
que la cuerda el trabajo algo aflojase[87],
los quise complacer y también quiero[88]
daros aquí razón de mí primero:

Cuento una vida casta, una fee pura
de la fama y voz pública ofendida,
en esta no pensada coyuntura
por raro ejemplo y ocasión traída,
y una falsa opinión que tanto dura
no se puede mudar tan de corrida[89],
ni del rudo común[90], mal informado,
arrancar un error tan arraigado.

Y pues de aquí al presidio yo no hallo
cosa que sea de gusto ni contento,
sin dejar de picar siempre al caballo,
ni del tiempo perder sólo un momento,
no pudiendo eximirme[91] ni escusallo

[84] *en oírme* por *al oírme* Para este uso temporal de *en* más infinitivo en la prosa del XVI, Keniston, par. 37,768.

[85] *disfamar* ant. *difamar* y todavía preferido por *Aut.*

[86] *discurso* 'hechos' es palabra que todavía siente J. de Valdés en su *Diálogo de la lengua* (1535) que debería llevarse al castellano (Clás. Cast., 139) pero ya está en textos de principios del XVI (C. C. Smith, 243) con otras acepciones. Para «discurso de la vida» en el Inca Garcilaso, v. *Aut.*

[87] *aflojar la cuerda* 'aliviar' (XII, n. 66).

[88] Barcelona, 1592 y Amberes, 1597: «recorriendo de nuevo la memoria / les comencé a decir así la historia», que sigue José T. Medina.

[89] *de corrida* 'con presteza, rápidamente' (*Aut.* con texto algo anterior de A. Laguna); cfr. *de corrido* en XV, n. 28.

[90] *común* 'pueblo' (I, n. 78).

[91] *eximir* es cultismo que ya utiliza Santillana (C. C. Smith, 164;

por ser historia y agradable el cuento[92],
quiero gastar en él, si no os enfada,
este rato y sazón desocupada.

Que el áspero sujeto desabrido,   50
tan seco, tan estéril y desierto,
y el estrecho camino que he seguido,
a puros brazos del trabajo abierto,
a término me tienen reducido
que busco anchura y campo descubierto
donde con libertad, sin fatigarme,
os pueda recrear y recrearme.

Viendo que os tiene sordo y atronado[93]
el rumor de las armas inquieto,
siempre en un mismo ser continuado,
sin mudar són ni variar sujeto,
por espaciar[94] el ánimo cansado
y ser el tiempo cómodo y quieto,
hago esta digresión, que a caso[95] vino
cortada a la medida del camino.

Y pues una ficción impertinente
que destruye una honra es bien oída,
y a la reina de Tiro injustamente
infama y culpa su inculpable[96] vida,

---

en T.L. sólo a partir de Rosal, 1601); cfr. *esento* en I, n. 85 y IV,
n. 130.

[92] Nótese la insistencia en la naturaleza apropiada de esta interpolación narrativa; se trata de narrar hechos ocurridos («historia») dentro del marco literariamente valioso («agradable el cuento»). La historia de Dido, pues, se ajusta a la propuesta inicial del poema y explica la aclaración de los últimos dos versos de la octava anterior y las cuatro siguientes.

[93] *atronado* 'aturdido' (XIV, n. 58).

[94] *espaciar* 'recrear, distraer, pasear' (Nebrija, s.v. *espaciarse*, es la forma más frecuente hasta *Aut.*; ya aparece en Juan Ruiz según DCECH).

[95] *a caso* 'casualmente' (III, n. 23).

[96] Para la repetición etimologizante, I, n. 4.

la verdad, que es la ley de toda gente,
por quien es en su honor restituida,
¿por qué no debe ser, siendo cantada,
en cualquiera sazón bien escuchada?

Que la causa mayor que me ha movido
(demás de ser cual veis importunado)
es el honor de la constante Dido,
inadvertidamente condenado.
Preste, pues, atención y grato oído
quien a oír la verdad es inclinado,
que el mal ofende (aun dicho en pasatiempo)
y para decir bien siempre es buen tiempo.

Cartago antes que Roma fue fundada
setenta años contados comúnmente[97]
por Dido, ilustre reina, venerada
por diosa un tiempo de la tiria[98] gente.
Del rey Belo su padre fue casada
con el sumo Pontífice asistente
del gran templo de Alcides, el cual era
después del Rey la dignidad primera.

Éste es aquel Siqueo ya nombrado,   55
a quien Dido guardó la fe inviolable,
varón sabio en sus ritos y abastado[99]
de bienes y tesoro inestimable.
Mas lo que para alivio había allegado

---

[97] La fundación de esta ciudad y colonia fenicia en el norte de África
se ubicaba tradicionalmente, según los historiadores romanos, alrededor
del 814 a.C. o unos setenta años antes de la función de Roma (Velleius
Paterculus *Historiae Romanae* I,6; v. tb. M. Junianus Justinus, *Historiae Phi-
lipicae*, epítome latino de Pompeyo Trogo, vastamente conocido en la
Edad Media y muy citado en el Renacimiento.

[98] *tirio* 'fenicio' y aquí, como en Virgilio, 'cartaginés' (*Aeneidos*,
I,20 etc.) por ser colonia fenicia, como se ha señalado en la nota
anterior.

[99] *abastado* 'provisto' (Cov.); Ercilla recuerda el «... ditissimus auri /
Phoenicum...» (*Aeneidos*, I,343-344) a pesar de los reproches a Virgilio.
Cfr. Lida de Malkiel, *o.c.* 132 para otros recuerdos virgilianos.

fue causa de su muerte miserable;
que, en fin, lo que codicia mucha gente
ninguno lo posee seguramente.

Dejó Belo dos hijos herederos,
uno Pigmaleón y el otro Dido,
a quien[100] en los consejos postrimeros
encargó la hermandad y amor unido;
lo cual, aunque duró los días primeros,
de cudicia el hermano corrompido
por haber[101] los tesoros del cuñado,
le dio la muerte envuelta en un bocado.

Sintió, pues, la mujer su muerte tanto
que no bastando a resistir la pena,
soltó con doloroso y fiero llanto
de lágrimas un flujo en larga vena,
y cubriendo de triste y negro manto
los bellos miembros y la faz serena,
con pompa funeral cerimoniosa
dio al cuerpo sepultura sumptuosa[102].

Y aunque del casto amor notable indicio
fue el soberbio sepulcro y monumento,
no igualó en la grandeza el edificio
al dolor de la Reina y sentimiento;
que siempre con devoto sacrificio
y continuos sollozos y lamento
llamando al sordo espíritu, hacía
a las frías cenizas compañía,

diciendo: «¿Es justo, dioses, que yo quede
en este solitario apartamiento?
¡Ay!, que de tibia fe y amor procede

---

¹⁰⁰ *quien* 'quienes' (III, n. 16).
¹⁰¹ *haber* 'tener' (IX, n. 41).
¹⁰² *sumptuoso* es cultismo con grafía latinizante ya registrado en el *Corbacho* con la forma moderna (C. C. Smith, 267).

no acabar de matarme el sentimiento;
el mal no es grande que sufrir se puede
y corto al que no basta sufrimiento;
mas quiere el cielo dilatar mi muerte
porque dure el dolor, más que ella fuerte.»

Aunque el odio y rencor disimulaba   60
contra el pérfido hermano poderoso,
venganza al cielo sin cesar clamaba
con ira muda y con gemir rabioso[103],
y cuando sola a ratos se hallaba,
desfogando aquel ímpetu bascoso
soltaba, con un bajo són gimiendo,
la reprimida rabia y voz, diciendo:

«Traidor, dime ¿qué caso irremediable
debajo de hermandad y ley fingida
a maldad te movió tan detestable
contra tu misma sangre cometida?
Si fue sed de riquezas insaciable,
quitárasle el tesoro y no la vida,
templando tu impiedad y furia insana
el amor y respeto de tu hermana.

«Si no miraste, ingrato, al beneficio
que dél como cuñado recebías,
miraras al nefario[104] sacrificio
que del hermano de tu madre hacías,
y al malvado y horrendo maleficio[105]
en tu pecho forjado tantos días,
pues no podrás decir que fue acidente,
que nunca nadie es malo de repente.

---

[103] Nótese la bimembración paralelística con acepciones antitéticas y
funciones sintácticas cruzadas en «muda» y «gemir» frente a la sinonimia
de «ira» y «rabioso».

[104] *nefario* 'impío' (XXXI, n. 3).

[105] *maleficio* 'crimen' (XXXI, n. 3).

«Si de tu inorme intento y desatino
me hubieras con indicios advertido,
no por tan duro y áspero camino
el tesoro alcanzaras pretendido;
mas el mal cuando viene por destino
no puede ser a tiempo prevenido.
¡Ay!, ¿qué aprovecha el lamentarme ahora?,
que siempre es tarde ya cuando se llora.

»¿Por qué, fiero enemigo, así quisiste
dejarte arrebatar de tu deseo,
tan ciego de codicia, que no viste
que matabas a Dido con Sicheo?
Materia de maldad al mundo diste[106]
con un hecho atrocísimo y tan feo,
que durará en los siglos por memoria
de tu traición la abominable historia.

«¿Cabe en razón, es cosa permitida,   65
que, siendo tú traidor, siendo tirano,
perverso, atroz, sacrílego, homicida[107],
tengas con estos nombres el de hermano?
Y viéndome contigo convenida,
mi crédito andará de mano en mano
padeciendo mi honor agravio injusto:
que no dice la fama cosa al justo[108].

»Mas si huyo de ti, fiero enemigo,
te irrito a que me sigas, pues que huyo.
Si a mi marido en la fortuna sigo,

---

[106] El verso recuerda Garcilaso, Egl. I,155: «Materia diste al mundo
de esperanza.»

[107] *sacrílego* Cfr. XVIII, n. 55 para este cultismo y III, n. 34 para el latinismo *homicida*.

[108] *al justo* 'exactamente' y aquí 'verdaderamente' (*Aut.* con texto de
Cervantes); Ercilla atribuye, anacrónicamente, el concepto de honra
contemporáneo suyo a Dido y de esta manera hace al personaje más cercano a los valores de sus lectores. No otra cosa sucede con los personajes
araucanos.

todo lo que pretendes queda tuyo.
Si habiéndole tú muerto estoy contigo,
mancho la fama y mi opinión destruyo[109],
que en parte ya parece que consiente
quien perdona ligera y fácilmente.

»¿Qué medio he de buscar a mal tan fuerte
que el cielo ni la tierra no le tiene,
y aquel forzoso y último, mi suerte
(porque padezca más) me le detiene?
¡Ay!, que si es malo desear la muerte,
es peor el temerla, si conviene;
que no es pena el morir a los cuitados
sino fin de las penas y cuidados.

«Mas ya que el ser tú rey y recatado
la venganza legítima me impida,
procuraré atajar tu fin dañado
con muestra doble y hermandad fingida;
y cuando pienses verte apoderado,
quedarás con mi súbita partida
sin hermana, tesoro y sin derecho
y con la infamia del inorme hecho.»

Así la triste Reina dolorosa
sobre el rico sepulcro lamentando,
pasaba vida triste y soledosa[110]
la venganza y el tiempo deseando.
Pero de alguna fuerza recelosa,
de su prudencia y discreción usando,
doméstica, amorosa y blandamente
al hermano escribió, que estaba ausente,

---

[109] La primera edición de la Tercera Parte (Madrid, 1589): «la fe mancillo y mi opinión destruyo». El verso debió parecer de significado ambiguo a los editores posteriores aunque el texto se refería a la «fe» matrimonial, ciertamente.

[110] *soledoso* 'solitario' es adjetivo ausente de los diccionarios hasta Acad. 1884 (DCECH), que no registra ejemplos previos a 1876.

haciéndole entender que ya cansada
del llanto y soledad que padecía
en aquellos palacios y morada
do tuvo un tiempo alegre compañía,
de la triste memoria lastimada,
dando algún vado a su dolor, quería
irse con él poniendo fin al lloro
con todas sus riquezas y tesoros;

para lo cual secreta y prestamente,
una fornida flota le enviase,
donde con todo su tesoro y gente
en arribando al puerto se embarcase
porque con el seguro conveniente
el mar que estaba en medio atravesase,
que era solo el temido impedimento
de su esperado y último contento.

Llegada, pues, la nueva al ambicioso
rey de aquello que tanto deseaba,
viendo que al fin y puerto venturoso
sus cosas la fortuna encaminaba,
alegre más que nunca y codicioso,
luego una gruesa flota despachaba
de naves y galeras, bastecida
de gente, de regalos y comida.

Llegó al puerto la flota deseada
con presta y no pensada diligencia,
do la gente del Rey desembarcada
fue luego a dar a Dido la obediencia,
que mostrando placer de su llegada,
con loable cuidado y providencia
hizo luego hospedar toda la gente
espléndida, cumplida y largamente.

En siendo tiempo, la cuidosa[111] Dido
a su gente mandó que se aprestase,
y con alarde y público ruido
los empacados[112] muebles embarcase,
haciendo que de noche y escondido
en su nave al tesoro se cargase
con tan grande secreto, que ninguno
tuvo dello noticia o rastro alguno.

Tenía sesenta cajas prevenidas,   75
llenas de gruesa arena y aplomadas[113],
de fuertes cerraduras guarnecidas,
con dobles planchas de metal herradas;
éstas fueron en público traídas
donde a vista de todos embarcadas
daban muestra que en ellas iba el oro,
las joyas, las riquezas y tesoro.

Luego Elisa, con tierno sentimiento
del lastimado pueblo se embarcaba,
dando presto la vela al manso viento
que favorable en popa respiraba[114].
La nave con sereno movimiento
el llano y sosegado mar cortaba,
comenzando a seguir toda la flota
de la alta capitana la derrota[115].

Aquella noche y el siguiente día
corrió[116] con viento próspero la armada,

---

[111] *cuidoso* 'cuidadoso' (VII, n. 54).

[112] *empacado* 'embalado' es documentación temprana de su uso literario; *Aut.* cita texto de 1680 de la Recop. de Leyes de Indias que recoge
DCECH. No la registran los diccionarios del T.L. y parece acepción ini-
cialmente usual en las Indias.

[113] *aplomado* 'pesado' (Percivale, 1599, en T.L.); el verbo ya aparece en
A. de Guevara (DCECH).

[114] *respirar* 'soplar' (XVII, n. 93).

[115] *derrota* 'camino, rumbo' (IV, n. 20).

[116] *correr* 'navegar' (Cuervo, *Dicc.* II,557b, con este texto y ya en
G. Fernández de Oviedo).

mas ya que el mar las costas encubría
y del todo se vio Dido engolfada[117],
la noble y obediente compañía
al borde de su nave congregada,
hizo en torno allegar la demás gente,
que a la vista también fuese presente,

diciéndoles con pecho valeroso,
que su designio y pretensión no era
ir al injusto hermano cauteloso[118],
de quien era enemiga verdadera,
porque con trato y término alevoso
debajo de[119] hermandad y fe sincera,
movido de sacrílego deseo
había dado la muerte a su Sicheo.

Por donde ella también, no asegurada
de sus secretos fraudes y traiciones,
quería dejar la cara patria amada,
su reino, su morada y posesiones,
y al mar dudoso y vientos entregada
buscar nuevas provincias y regiones,
adonde con seguro[120] viviría
lejos de su dominio y tiranía.

Y pues que sus riquezas habían sido   80
la causa de su daño y perdimiento
matándole por ellas el marido,
y lo serían quizá del seguimiento,
todas consigo las había traído
con voluntad y resoluto intento[121]

---

[117] *engolfado* 'en alta mar' (Oudin, 1607, en T.L. pero *engolfarse* en
Nebrija).
[118] *cauteloso* 'astuto, malicioso' (XVII, n. 1).
[119] *debajo de* 'bajo, so pretexto de' (XXX, n. 82).
[120] *seguro* 'seguridad' (I, n. 115).
[121] *resoluto* 'determinado' (II, n. 119); *intento* 'ánimo, designio' (*Aut.*).
Cfr. XV, n. 9.

de echarlas en el mar, do pereciesen[122],
porque jamás a su poder viniesen.

Hizo luego sacar allí tras esto
los cofres del arena barreados[123]
y con alarde y auto[124] manifiesto
en el profundo mar fueron lanzados;
los ministros del Rey con triste gesto[125],
atónitos, confusos y turbados
se miraban, teniendo por estraña
de la animosa Reina la hazaña.

Y por el grave caso discurriendo[126]
que mudos y espantados los tenía,
la furia del Rey mozo conociendo,
que el perdido tesoro aumentaría,
suspensos y medrosos, no sabiendo
qué razón o descargo bastaría
a[127] que el airado Rey no los culpase
y en ellos su furor no ejecutase.

Pues como la entendida Reina viese
camino y coyuntura aparejada
por do a su devoción se redujese[128]
la gente del hermano amedrentada,
antes que el tiempo y la tardanza diese
lugar a alguna novedad pensada,
haciendo sosegar toda la gente,
les dijo, prosiguiendo, lo siguiente:

---

[122] *perecer* está usado en el sentido latino de 'perderse, ser destruido' (*pecuniam perire* en Cicerón) no frecuente en castellano, con objetos inanimados.

[123] *barreado* 'reforzado con barras metálicas' (I, n. 33).

[124] *auto* es duplicación semiculta de *acto*, usual hasta hoy en la lengua judicial y desde Alfonso el Sabio (DCECH).

[125] *gesto* 'rostro' (I, n. 81).

[126] *discurir por* 'reflexionar sobre' (III, n. 104).

[127] *bastar a* por *bastar para* tiene tb. ejs. en la prosa de la época (Keniston, par. 37.541).

[128] *reducir* 'convertir' (I, n. 100).

«Amigos, que del firme intento mío
habéis visto a los ojos ya la prueba,
y cómo la fortuna a su albedrío
errando por el ancho mar me lleva,
podréis volver, si ya no es desvarío,
a dar al Rey la desabrida[129] nueva
del tesoro anegado, y mi huida
a tierra y a región no conocida.

»Pero ya conocéis por esperiencia   85
su irreparable furia acelerada[130],
que viendo que volvéis a su presencia
sin el tesoro y prenda deseada,
descargará con bárbara impaciencia
sobre vuestra cerviz la mano airada,
sin escuchar descargo ni disculpa,
añadiendo maldad y culpa a culpa.

»Y pues es de temer la tiranía
y el ímpetu de un mozo rey airado
que así del caro reino y patria mía
a buscar nuevas tierras me ha sacado,
quien quisiere seguir mi compañía
no se verá de mí desamparado,
mas de todo el provecho y bien que espero
será participante y compañero.

»El lugar y aparejo[131] es oportuno,
y para haber consejo me remueve[132]
así que, pues sois sabios, cada uno

---

[129] *desabrido* 'que causa disgusto' (Cuervo, *Dicc.* II,938b).
[130] *irreparable* 'que no se puede detener' (XXIX, n. 54); *acelerado* 'violento' (VII, n. 38).
[131] *aparejo* 'oportunidad' (III, n. 93).
[132] Así la primera edición de la Tercera Parte (Madrid, 1589); otras ediciones, incluida Madrid, 1589-90: «y para haber consejo el tiempo es breve». *Haber* 'tener' (IX, n. 41); *remover,* aquí 'incitar particularmente' que es ac. poco usual sobre la más frecuente 'mover, quitar'.

elija de dos males el más leve.
Si al Rey volvéis no ha de escapar ninguno,
y este dolor y lástima me mueve
a quereros rogar que vais[133] conmigo
por no ser yo la causa del castigo.

»Las muertes figurad y crueldades
que en vosotros habrán de esecutarse[134];
no miréis a las casas y heredades,
que todo por la vida es bien dejarse,
que en fortunas[135] y grandes tempestades
sólo en lo que se escapa ha de pensarse,
conociendo que están todos los bienes
sujetos a peligros y vaivenes.»

A las razones de la Reina atentos
los turbados ministros estuvieron,
y en la perpleja mente y pensamientos
mil cosas en un punto revolvieron;
al cabo (aunque diversos los intentos),
todos de un parecer se resolvieron
de[136] seguirla hasta el fin en su viaje
dándole la obediencia y vasallaje.

La fe con juramento establecida,   90
sin que ninguno dellos rehusase,
dando vela a la flota detenida,
mandó Dido que a Cipro[137] enderezase,
donde graciosamente recebida,

---

[133] *vais* por *vayáis* (VII, n. 39).

[134] *esecutar* por *ejecutar* son grafías que alternan en el mismo poema, como se ve en la octava 82,8 (III, n. 108).

[135] *fortuna* 'borrasca', como en XIII, n. 55 pero el texto tiene en juego otras acepciones de *fortuna* 'hado' y 'adversidad' (II, n. 5 y XIV, n. 19 respectivamente).

[136] *resolverse de* por *resolverse a* alternan también en textos de prosa contemporáneos (Keniston, par. 37.541).

[137] *Cipro* hoy Chipre es forma más cercana al nombre latino *Cypros*.

como allí su designio declarase,
llevó del ciprioto pueblo amigo
ochenta mozas vírgenes consigo

para a tiempo casarlas con la gente
que en su servicio y devoción llevaba,
buscando alguna tierra conveniente
donde fundar un pueblo deseaba:
así la vía de la África al poniente
con favorable viento navegaba.
Mas forzoso será, según me siento,
dividir en dos partes este cuento.

FIN

PROSIGUE DON ALONSO LA NAVEGACIÓN DE DIDO HASTA
QUE LLEGÓ A BISERTA; CUENTA CÓMO FUNDÓ A CARTAGO Y
LA CAUSA POR QUÉ SE MATÓ. TAMBIÉN SE CONTIENE EN
ESTE CANTO LA PRISIÓN DE CAUPOLICÁN

CANTO XXXIII

MUCHOS entran con ímpetu y corrida
por la carrera de virtud fragosa[1],
y dan en la del vicio más seguida,
de donde es el volver difícil cosa.
El paso es llano y fácil la salida
de la vida reglada a la anchurosa
y más agrio el camino y ejercicio
del vicio a la virtud, que della al vicio.

Así Pigmaleón había tenido
señales de virtud en su crianza,
y con grandes principios prometido
de justo y liberal buena esperanza,
pero de[2] la codicia pervertido,
hizo en breve sazón tan gran mudanza,
que no sólo de bienes fue avariento,
pero inhumano, pérfido y sangriento.

[1] *carrera* 'camino' (VI, n. 32) y más abajo, 30,5, con la acepción traslaticia 'empresa, gesta'; *fragoso* 'áspero' (XVIII, n. 98).
[2] *de* 'por', como luego en 78,6 (I, n. 60).

869

Lo cual nos dice bien la alevosía
de la secreta muerte del cuñado
que alegre y contentísimo vivía
en la ley de hermandad asegurado[3];
mayormente que entonces parecía
el Rey a la virtud aficionado,
que no hay maldad más falsa y engañosa
que la que trae la muestra[4] virtuosa.

Ésta no le salió como pensaba
sino al contrario en todo y diferente,
pues no sólo no vio lo que esperaba
pero perdió las naves y la gente.
La reina viento en popa navegaba,
como dije, la vuelta del[5] poniente,
tocando con sus naves y galeras
en algunas comarcas y riberas.

Torció el curso a la diestra bordeando   5
de las vadosas Sirtes[6] recelosa,
y a vista de Licudia atravesando,
corrió[7] la costa de África arenosa;
y siempre tierra a tierra navegando,
pasó por entre el Ciervo y Lampadosa,
llegando en salvo[8] a Túnez con la armada,
por el fatal decreto allí guiada.

Donde viendo el capaz[9] y fértil suelo
de frutíferas plantas adornado

---

[3] Este verso parece reminiscencia del virgiliano «... securus amo-
rum / germanae...» (Aeneidos I,350); cfr. Lida de Malkiel, o.c., 132.

[4] muestra 'apariencia' (XXX,19,5).

[5] la vuelta de 'hacia' (III, n. 109).

[6] vadoso 'de poca profundidad' (ya en Mena, DCECH), 'de muchos
vados' (Nebrija). Las Sirtes o Syrtes eran dos golfos con numerosos bancos de arena en la costa norte de África, entre Cyrene y Carthago, en el
actual territorio de Libia. Cfr. XXVII, n. 53.

[7] correr 'navegar' (XXXII, n. 116).

[8] en salvo 'sin peligro' (Aut. con textos posteriores).

[9] capaz 'apto' (Aut.).

y el aire claro y el sereno cielo[10]
clemente al perecer y muy templado,
perdido del hermano ya el recelo
por verle tan distante y apartado,
quiso fundar un pueblo de cimiento,
haciendo en él su habitación y asiento;

para lo cual trató luego de hecho
con los vecinos que en el sitio había
le vendiesen de tierra tanto trecho
cuanto un cuero de buey circundaría.
Los moradores, viendo que provecho
de su contratación[11] se les seguía,
con la Reina en el precio convenidos,
hicieron sus asientos y partidos.

Hecha la paga, el sitio señalado,
mandó Dido buscar con diligencia
un grande y grueso buey que, desollado,
hizo estirar el cuero en su presencia;
y en tiras sutilísimas cortado,
tanto trecho tomó, que a la prudencia
de la Reina sagaz y aviso[12] estraño,
le quisieron poner nombre de engaño.

Pero recompensó la demasía
dejándolos contentos y pagados,
descubriendo a los suyos que traía
los ocultos tesoros escapados;
que usado del ardid y astucia había
de los cofres de arena al mar lanzados

---

[10] Para este tipo de bimembración paralelística v. IX, n. 112.

[11] *contratación* 'pacto, convenio' (Nebrija).

[12] *prudencia... y aviso* es repetición sinonímica intensificadora, como en 9,5 («ardid y astucia»); 21,2 («gobierno y regimiento»); 24,7 («casas y manida»); 29,1 («común... llano»); 33,2 («ancianos viejos»); 36,6 («promesa... protesto»); 36,7 («descanso y quietud»); 53,5 («el concurso y moradores»); 54,1 («cierto y verdadero»); 55,2 («estraño... peregrino»); 62,4 («bosque y arboleda»); 66,2 («lóbrego y sombrío»).

871

porque, cuando el hermano lo supiese,
faltando la ocasión, no la siguiese.

Corregidas las faltas y defectos
al orden de vivir perjudiciales,
fueron por la prudente Reina electos
cónsules, magistrados y oficiales;
y traídos maestros arquitectos,
juntos los necesarios materiales,
dio principio la Reina valerosa
a la labor de la ciudad famosa.

Fue la ciudad por orden fabricada,
mostrándose los hados más propicios,
en breve ennoblecida y ilustrada[13]
de sumptuosos[14] y altos edificios;
y la nueva república ordenada,
leyes instituyó, criando[15] oficios
con que el pueblo en razón se mantuviese
y en paz y orden[16] política viviese.

Y por el gran valor y entendimiento
con que el pueblo obediente gobernaba,
iba siempre el concurso[17] en crecimiento
y los términos[18] cortos dilataba;
así que el trato y agradable asiento
los ánimos y gustos provocaba[19],
viniendo a avecindarse muchas gentes,
de tierras y lugares diferentes;

10

---

[13] *ilustrado* 'ennoblecido, engrandecido' (I, n. 6 y n. 30).
[14] *sumptuoso* por *suntuoso* como en XXXII,57,8 y luego en este Canto, 52,4.
[15] *criar* 'crear, instituir' es acepción frecuente en los textos áureos (Cuervo, *Dicc.* II,501).
[16] *orden* era de género gramatical vacilante (I, n. 111).
[17] *concurso* 'multitud, población', como luego en 53,5 (X, n. 81).
[18] *término* 'territorio' (I, n. 21).
[19] *provocar* 'atraer, incitar' (*Aut.*).

872

y como en esos tiempos aún no había
la invención del papel después hallada,
que en pieles de animales se escribía,
y era cualquiera piel *carta* llamada,
del cual nombre aún usamos hoy en día,
así aquella ciudad edificada
en el lugar por una piel medido,
de *carta* la llamó *Cartago* Dido[20].

Hízose en poco tiempo tan famosa
y de tanta grandeza y eminencia,
que era cosa de ver maravillosa
el trato de las gentes y frecuencia,
mostrando aquella Reina valerosa
en gobernar el pueblo tal prudencia,
que muchos otros príncipes y reyes
de su nueva ciudad tomaron leyes.

Y aunque era tal su ser, tal su cordura,   15
que por diosa vinieron a tenella,
ninguna de su tiempo en hermosura
pudo ponerse al paragón[21] con ella.
Así que por milagro de natura[22]
como cosa no vista iban a vella,
que no sé en las idólatras del suelo,
a quien mayores partes diese el cielo.

Grandes matronas[23] hubo que animosas
por la fama a la muerte se entregaron,

---

[20] La etimología inventada sirve para justificar le leyenda de su fundación. Cartago es la latinización de la palabra griega *Karhedón* formada sobre *Kart-Hadash* fenicia. *Charta* o *carta*, como escribe el texto, era el vocablo que en latín designaba la hoja de papiro (I, n. 20).

[21] *paragón* por *parangón* 'comparación' (X, n. 72 para otra acepción).

[22] *natura* 'naturaleza' (VI, n. 65).

[23] *matrona* 'dama, mujer casada' es cultismo sin documentación literaria previa; aquí tiene intenso carácter valorativo. Cfr. Horacio *Odas* III,4,59 en donde se aplica a la diosa Juno con el valor de 'augusta'. Este significado encarecedor siguió vivo en la lengua literaria en los autores del xvii. Cfr. F. de Quevedo, «Epístola satírica y censoria...», 65: «Todas

otras que por hazañas milagrosas
las opresas repúblicas libraron;
pero todas perfetas tantas cosas
como en Dido, en ninguna se juntaron:
fue rica, fue hermosa, fue castísima,
sabia, sagaz, constante y prudentísima[24].

Llegó luego la voz desto al oído
del franco Yarbas, rey musilitano[25],
mozo brioso y de valor, temido
en todo el ancho término africano;
el cual con juvenil furia movido
de un impaciente y nuevo amor lozano[26],
a la Reina despacha embajadores,
de su consejo y reino los mayores,

pidiéndole que en pago del tormento
que por ella pasaba cada hora,
quisiese con felice[27] casamiento
de su persona y reino ser señora;
donde no, que con justo sentimiento
(como de tan gran rey despreciadora)
sobre ella con ejército vendría
y su gente y ciudad asolaría.

Hecha, pues, la embajada en el Senado,
que no quiso la reina estar presente,
les fue a los senadores intimado[28]

---

matronas y ninguna dama, / que nombres de el halago cortesano / no
admitió lo severo de su fama» (*Poesía selecta* ed. Lía Schwartz Lerner e Ig-
nacio Arellano, Barcelona, PPU, 1989, 121).

[24] Esta acumulación nominal encarecedora es frecuente en las descripciones y retratos a lo largo del poema (III, n. 39).

[25] *franco* 'generoso' (X, n. 17). *Musilitano* o, mejor, como en 26,6 *mauritano* es decir, 'de Mauritania', territorio del NO de África correspondiente aproximadamente al actual Marruecos.

[26] *lozano* aquí 'sensual' (DCECH s.v. *loza*); cfr. I, n. 93 para otra ac.

[27] *felice* Cfr. XVI, n. 90 para esta forma.

[28] *intimar* 'dar a conocer' es cultismo ya registrado a fines del s. xv
(DCECH).

874

el ruego y la amenaza juntamente.
Causóles turbación, considerado
el casto voto y vida continente
que la constante Reina profesaba
que al intento de Yarbas repugnaba.

Luego que los ancianos entendieron[29]   20
la demanda de Yarbas arrogante,
llevar por artificio pretendieron
el negocio difícil adelante;
así que ante la Reina parecieron[30]
con triste rostro y tímido semblante,
bajos los ojos, la color[31] turbada,
mostrando desplacer con la embajada,

diciéndole: «Sabrás que habiendo oído
Yarbas tu buen gobierno y regimiento[32]
por la parlera fama[33] encarecido
y desta tu ciudad el crecimiento,
de una loable pretensión movido,
pide, que, sin algún detenimiento,
veinte de tu consejo más instrutos[34]
vayan a reformar sus estatutos.

»Y siendo de sufrir áspera cosa,
impropia a nuestra edad y profesiones,
dejar la patria cara y paz sabrosa
por ir a incultas tierras y naciones
a corregir de gente sediciosa
las costumbres y viejas condiciones,

---

[29] *entender* 'enterarse, oír' (IV, n. 111).

[30] *parecer* por *aparecer* (III, n. 25).

[31] Para el género gramatical de *color,* I, n. 55. Notar los adjetivos en quiasmo y la bimembración paralelística de este verso y el anterior, que reaparece en 22,3. Se trata de recursos retóricos encarecedores, característicos de las abundantes descripciones en el poema (IX, n. 112).

[32] *regimiento* 'gobierno' (II, n. 21).

[33] *parlera fama* es epíteto y construcción tradicionales (I, n. 87).

[34] *instruto* 'instruido' (XII, n. 53).

875

todos sus consejeros los rehúsan,
y con causas legítimas se escusan.

»Viendo que el caro y último sosiego
sin esperanza de volver perdemos,
y no condecendiendo al impío[35] ruego
en gran peligro la ciudad ponemos,
pues con grueso poder y armada luego[36]
al indignado joven Rey tendremos,
para asolar a hierro y fiera llama
tu pueblo insigne y celebrada fama.

«Esto es, en suma, lo que Yarbas pide
con ruegos de amenaza acompañados,
pero nuestra cansada edad lo impide,
y las leyes nos hacen jubilados;
pues no es razón, si por razón se mide,
que de largos trabajos quebrantados
dejemos nuestras casas y manida[37]
en el último tercio de la vida.

«Si a los peligros en la edad primera   25
por adquirir honor nos arrojamos,
es bien que en la cansada postrimera[38]
gocemos del descanso que ganamos,
y a nuestra abandonada cabecera,
al tiempo incierto de morir, tengamos
quien nos cierre los ojos con ternura
y dé a nuestras cenizas sepultura.

«Y pues tiene de[39] ser en tu presencia
esta perjudicial demanda puesta,

---

[35] *impío* 'cruel, injusto' (*Aut.*), es cultismo del que hay un ejemplo suelto en J. de Mena (C. C. Smith, 261); en el texto es bisílabo por razones métricas.

[36] *luego* 'inmediatamente' como en 38,3; 59,3 y 86,6 (I, n. 53).

[37] *manida* 'alojamiento, estancia' (*Aut.* con textos de Fray Luis y V. Espinel; DCECH para doc. adicional).

[38] *postrimero* Cfr. XV, n. 161 para este cultismo.

[39] *tener de* 'tener que' expresa obligación (Keniston, par. 34.82).

conviene que con maña y advertencia
te prevengas de medios y respuesta,
atajando tu seso y providencia
el mal que el mauritano Rey protesta[40],
de modo que la paz y amor conserves
y de nuevos trabajos nos reserves.»

Estuvo atenta allí la reina Elisa
a la compuesta habla artificiosa,
y con alegre rostro y grave risa,
aunque sentía en el ánimo otra cosa[41],
a todos los trató y miró de guisa
tan agradable, blanda y amorosa,
que si en verdad la relación pasara,
de sus casas y quicios los sacara[42],

diciendo: «Amigos caros, que a los hados
jamás os vi tan rendidos vez alguna
y en los grandes peligros esforzados
hicistes siempre rostro a la fortuna[43]:
¿cómo de tantas prendas olvidados
en tan justa ocasión, por sólo una
breve incomodidad de una jornada
queréis ver vuestra patria arruinada?

»Es a todos común, a todos llano[44],
que debe (como miembro y parte unida)
poner por su ciudad el ciudadano

---

[40] *protestar* 'amenazar', 'declarar' (III, n. 24).

[41] Este verso y el anterior son reelaboración de *Aeneidos* I,208-209:
«Talia voce refert curisque ingentibus aeger / spem voltu simulat, premit altum corde dolorem», luego de las palabras con que Eneas exhorta
y anima a sus compañeros y que Ercilla, paradójicamente, pone en boca
de Dido (Lida de Malkiel, *o.c.*, 132-133).

[42] *sacar de sus casas y quicios* es juego sobre el sentido literal de la frase
proverbial *sacar a uno de sus casillas* 'irritar' (S. Ballesta, 1587, en T.L. y
otros diccionarios de la época).

[43] *fortuna* aquí con las acepciones de 'adversidad' y 'destino' (XIV,
n. 19).

[44] *llano* 'corriente' (*Aut.*).

no sólo su descanso, mas la vida,
y por razón y por derecho humano
de justa deuda natural debida,
a posponer el hombre está obligado
por el sosiego público el privado.

«¡Al alto y grande Iúpiter pluguiera 30
que bastara ofrecer la vida mía,
que presto el judicioso[45] mundo viera
cuán voluntariamente la ofrecía!
Y pues habéis pasado la carrera
por tan estrecha y trabajosa vía,
no es bien que al rematar tan largo trecho
borréis y deshagáis cuanto habéis hecho.»

Visto los senadores cómo Dido
(por el camino de razón llevada)
en el armado lazo había caído,
en sus mismas palabras enredada,
cambiando en rostro alegre el afligido,
las manos altas y la voz alzada,
le dicen: «Todos juntos como estamos
tus urgentes razones aprobamos.

»Justamente, Señora, sentenciaste,
sacándonos de duda y grande aprieto,
que no hay razón tan eficaz que baste
contra la autoridad de tu decreto;
y porque tiempo en esto no se gaste,
es bien que te aclaremos el secreto
pues por ningún respeto ni avenencia[46]
puedes contravenir a tu sentencia.

«Sabrás, Reina, que Yarbas no te envía
por tus ancianos viejos impedidos,

[45] *judicioso* ant. 'juicioso' (XVI, n. 147).
[46] *avenencia* 'conveniencia' (Nebrija); nótese la repetición etimologizadora con *contravenir* del verso siguiente (I, n. 4).

que en todo buen gobierno y policía[47]
tiene su reino y pueblos corregidos[48].
Sólo quiere tu gracia y compañía,
ofreciéndote en dote mil partidos[49],
con útiles y honrosas condiciones
y un infinito número de dones.

»Advierte que, si a caso[50] no acetares
el santo conyugal ayuntamiento,
y con errado acuerdo despreciares
su larga[51] voluntad y ofrecimiento,
harás que el hierro y llamas militares
asuelen[52] a Cartago de cimiento,
así que en tu eleción y a tu escogida
queda la guerra o paz comprometida.

»Que si el buen ciudadano alegremente   35
debe ofrecerse por la patria amiga,
con más razón y fuerza más urgente
como cabeza a ti la ley te obliga,
y no puedes con causa suficiente
dejar de redemir nuestra fatiga,
dándonos con el tiempo prosperado[53]
la sucesión y fruto deseado.

»Cuando a seguir estés determinada
el casto infrutuoso presupuesto[54],
mira a tus pies esta ciudad prostrada[55]

---

[47] *policía* 'política', 'orden político' (*Aut.;* DCECH).
[48] *corregido* 'sometido' (I, n. 113).
[49] *partido* 'ventaja' (XI, n. 87).
[50] *a caso* por *acaso* 'por casualidad', como luego en 56,1 (III, n. 23).
[51] *largo* 'generoso, espléndido' (Cov.; *Aut.*).
[52] Para la tendencia moderna a conjugar *asolar* sin diptongación en España y América, v. *Esbozo,* par. 2.12.3c.
[53] *prosperado* 'hecho feliz y afortunado' (*Aut.* con textos contemporáneos, pero DCECH ya lo documenta en Hernán Núñez, 1499 es «palabra muy rara» según C. C. Smith, 163.
[54] *presupuesto* 'propósito' (I, n. 112).
[55] *prostrado* es cultismo que alterna en los textos áureos con el hoy más

y al inocente cuello el lazo puesto,
que por ti renunció la patria amada,
debajo de promesa y de protesto[56]
que al descanso y quietud que pretendías
el sosiego común antepondrías.»

Sintió la Reina tanto al improviso[57]
la gran demanda y condición propuesta,
que por más que encubrir la pena quiso,
della el rostro señal dio manifiesta.
Mas con su discreción y grande aviso,
suspendiendo algún tanto la respuesta,
soltó la voz serena y sosegada
que la gran turbación tenía trabada,

diciéndoles: «Amigos, yo quisiera
para que todo escándalo se evite,
que responderos luego yo pudiera
antes que Yarbas más nos necesite.
Pero el negocio y caso es de manera
que mi estado y grandeza no permite[58]
que me resuelva a responder tan presto
aunque os parezca a todos que es honesto.

»Que es mostrar liviandad y demás deso,
falto a la obligación y fe que debo
si del intento casto y voto espreso
a la primera persuasión me muevo,
borrando el inviolable sello impreso
de mi primero amor con otro nuevo;
así que combatida de contrarios,
son el tiempo y consejo necesarios.

---

frecuente *postrado*, que es el único que registra *Aut.;* Cervantes, o sus impresores, escriben *prostrado* en *La Galatea* y *postrado* en el *Quijote* y las *Novelas ejemplares.*

[56] *protesto* o *protesta* 'promesa' *(Aut.);* otras acepciones en VII, n. 12.
[57] *al improviso* 'de improviso' (III, n. 129).
[58] *permite* concuerda gramaticalmente con *grandeza* aunque se refiere también a *estado* (IV, n. 125).

»Tres meses pido, amigos, solamente
para acordar lo que se debe en esto,
y dar satisfación de mí a la gente
en no determinarme así tan presto;
que el libertado[59] vulgo maldiciente
aun quiere calumniar lo que es honesto;
y como instituidores de las leyes,
tienen más ojos sobre sí los reyes.

»Yarbas no se dará por enemigo
en cuanto el fin de los tres meses llega,
y pasado este término me obligo
de[60] responderle grata a lo que ruega.
Tomar, pues, menos plazo del que digo
mi honestidad y estimación lo niega
y no conviene a Dido dar disculpa,
que es indicio de error y arguye culpa.»

Cerróse[61] aquí la Reina, y fue forzado
hacer con los de Yarbas nuevo asiento,
que aguardasen el tiempo señalado
para determinar el casamiento;
los cuales, por el ruego del Senado
y el gracioso hospedaje y tratamiento,
quedaron en Cartago aquellos días
con grandes regocijos y alegrías.

Y aunque el Senado en la demanda instaba
por el provecho y general sosiego,
la Reina la respuesta dilataba
dando gratos oídos a su ruego;
y entre tanto en secreto aparejaba
lo que tenía pensado desde luego[62],

---

[59] *libertado* 'osado, sin freno ni vergüenza' (I, n. 83).

[60] *obligarse de* es construcción que se encuentra tb. en textos en prosa de la época (Keniston, par. 37.541).

[61] *cerrarse* 'mantenerse firme', 'callar' (*Aut.*).

[62] *desde luego* 'sin tardanza' (DRAE); cfr. Keniston, par. 39.6 para ejs. en prosa.

que era acabar la vida miserable,
primero que mudar la fe inmudable.

Llegado aquel funesto último día,
el pueblo en la ancha plaza congregado,
ricamente la Reina se vestía,
subiendo en un esento[63] y alto estrado,
al pie del cual una hoguera había
para la inmola[64] y sacrificio usado,
de donde a los atentos circunstantes
les dijo las palabras semejantes:

«¡Oh fieles compañeros, que contino   45
en todos los trabajos lo mostrastes[65],
que por seguir mis hados y camino,
vuestras casas y patria renunciastes!
Hoy la fortuna y áspero destino,
por el último fin de sus contrastes,
me fuerzan a dejar a costa mía,
vuestra cara y amable compañía.

«Si apartarme de amigos tan leales
hace esta mi partida dolorosa,
los consultados dioses celestiales
no disponen ni pueden otra cosa.
Y así, para desviar los grandes males
que tienen a Cartago temerosa
pues ponen en mis manos el remedio,
quiero quitar la causa de por medio;

»que pues del Cielo el áspero decreto
de poder tener bien me inhabilita,

---

[63] *esento* 'descubierto' (IV, n. 130).

[64] *inmola* 'inmolación' es forma no registrada en los diccionarios y sin duda temprana; *Aut.* documenta *inmolación* en la traducción de la *Farsalia* de Lucano por J. de Jáuregui (1684).

[65] *mostrastes* por *mostrasteis* como en el verso 4 *renunciastes* por *renunciasteis*. Cfr. VII, n. 28 para estas desinencias. Para *contino* del verso anterior, XXIV, n. 117.

y el ver a mi ciudad puesta en aprieto
a quebrantar la fe me necesita,
quiero cortar a Yarbas el sujeto
del engañado amor que así le incita,
dando a mi vida fin, pues deste modo,
faltando la ocasión, cesará todo.

»Esto será con darme yo la muerte
y aunque os parezca este remedio estraño,
es más fácil, más breve y menos fuerte[66]
y, en fin, particular y poco el daño;
pues sin peligro vuestro desta suerte
saldrá el errado Yarbas de su engaño
y yo conservaré con más pureza
del casto y viudo lecho la limpieza.

»Hoy por el precio de una corta vida
la vejación redimo de Cartago,
dejando ejemplo y ley establecida
que os obligue a hacer lo que yo hago;
y con mi limpia sangre aquí esparcida[67]
al cielo y a la tierra satisfago
pues muero por mi pueblo y guardo entera
con inviolable amor la fe primera.

»No lamentéis mi muerte anticipada   50
pues el cielo la aprueba y soleniza,
que una breve fatiga y muerte honrada[68],
asegura la vida y la eterniza.
Que si el cuchillo de la Parca airada
al que quiere vivir le atemoriza,
no os debe de pesar si Dido muere,
pues vive el que se mata cuanto quiere.

---

[66] *fuerte* 'terrible, malo' es acepción figurada y peyorativa frecuente en textos medievales (DCECH). Cfr. *fuerte hora* en XXVIII, n. 12.

[67] La edición de Madrid, 1589: «y con mi sangre aquí por mí esparcida».

[68] El verso anticipa magistralmente el reproche de Fresia a Caupolicán en 80,3, en donde aparece expresión semejante.

»A Dios, a Dios, amigos, que ya os veo
libres y a mi marido satisfecho...»
Y no les dijo más con el deseo
que tenía de acabar el fiero hecho.
Así, llamando el nombre de Sicheo,
se abrió con un puñal el casto pecho,
dejándose caer de golpe luego
sobre las llamas del ardiente fuego.

Fue su muerte sentida en tanto grado
que gran tiempo en Cartago la lloraron,
y en memoria del caso señalado,
un sumptuoso templo le fundaron,
donde con sacrificio y culto usado
mientras las cosas prósperas duraron
de aquella su ciudad ennoblecida,
por diosa de la patria fue tenida.

Y aborreciendo el nombre de señores
muerta la memorable reina Dido,
por cien sabios ancianos senadores
de allí adelante el pueblo fue regido;
y creciendo el concurso y moradores
vino a ser poderoso y tan temido
que un tiempo a Roma en su mayor grandeza
le puso en gran trabajo y estrecheza.

Éste es el cierto y verdadero cuento
de la famosa Dido disfamada[69],
que Virgilio Marón sin miramiento,
falsó[70] su historia y castidad preciada
por dar a sus ficiones ornamento;
pues vemos que esta reina importunada,

---

[69] Para *disfamar* XXXII, n. 85.
[70] *falsar* ant. *falsear* que ya se documenta a principios del XVII (DCECH).

884

pudiéndose casar y no quemarse,
antes quemarse quiso que casarse[71].

Iban todos atentos escuchando   55
el estraño suceso peregrino,
cuando al fuerte llegamos, acabando
la historia juntamente y el camino.
Y en él aquella noche reposando,
venida la mañana nos convino
procurar de[72] tener con diligencia
del buscado enemigo inteligencia[73].

Mas un indio que a caso inadvertido,
fue de una escolta nuestra prisionero,
hombre en las muestras de ánimo atrevido,
suelto de manos y de pies ligero
con promesas y dádivas vencido,
dijo: «Yo me resuelvo y me profiero[74]
de daros llanamente hoy en la mano
al grande General Caupolicano.

»En un áspero bosque y espesura,
nueve millas de Ongolmo desviado,
está en un sitio fuerte por natura
de ciénagas y fosos rodeado,
donde por ser la tierra tan segura
anda de solos diez acompañado,
hasta que vuestra próspera creciente
aplaque el gran furor de su corriente[75].

---

[71] Retruécano sobre «Melius est enim nubere quam uri» de la Primera
Epístola a los Corintios.

[72] *procurar de* es construcción común en los textos áureos (XX,
n. 83).

[73] *inteligencia* 'trato, noticia secreta' (*Aut.* con texto de H. Núñez, 1495,
y de la Recop. de Leyes de Indias).

[74] *proferirse* 'ofrecerse' (XVII, n. 62).

[75] *corriente* 'conducta, serie de actos generalmente perjudiciales' (*Aut.*)
es metáfora lexicalizada que conforma los dos últimos versos de la octava y explica el *creciente* del verso anterior.

»Por una estrecha y desusada vía,
sin que pueda haber dello sentimiento[76],
seré en la noche escura[77] yo la guía,
llevando vuestra gente en salvamento;
y antes que se descubra el claro día
daréis en el oculto alojamiento,
donde cumplir del todo yo me obligo,
pena de la cabeza, lo que digo.»

Fue la razón del mozo bien oída,
viéndole en su promesa tan constante
y así luego una escuadra prevenida
de gente experta y número bastante
para toda sospecha apercebida,
llevando al indio amigo por delante,
salió a la prima noche[78] en gran secreto,
con paso largo y caminar quieto.

Por una senda angosta e intricada,   60
subiendo grandes cuestas y bajando,
del solícito bárbaro guiada,
iba a paso tirado[79] caminando;
mas la escura tiniebla adelgazada
por la vecina aurora, reparando[80]
junto a un arroyo y pedregosa fuente,
volvió el indio diciendo a nuestra gente:

»Yo no paso adelante, ni es posible
seguir este camino comenzado,
que el hecho es grande y el temor terrible
que me detiene el paso acobardado,
imaginando aquel aspecto horrible
del gran Caupolicán contra mí airado,

---

[76] *sentimiento* 'percepción' y aquí, 'ruido'. Cfr. *sentir* 'oír' en XX, n. 55.
[77] *escuro* por *oscuro*, como en 60,5 (XIV, n. 10).
[78] *prima noche* 'al principio de la noche' *(Aut.* s.v. *primo);* cfr. XX, n. 45.
[79] *a paso tirado* 'aceleradamente'. Cfr. *a paso largo* en XII, n. 8.
[80] *reparar* 'detenerse' (III, n. 70).

cuando venga a saber que solo he sido
el soldado traidor que le ha vendido.

»Por este arroyo arriba, que es la guía
aunque sin rastro alguno ni vereda,
daréis presto en el sitio y ranchería[81]
que está en medio de un bosque y arboleda;
y antes que aclare el ya vecino día,
os dad priesa a llegar, porque no pueda
la centinela[82] descubrir del cerro
vuestra venida oculta y mi gran yerro.

»Yo me vuelvo de aquí pues he cumplido
dejándoos, como os dejo, en este puesto,
adonde salvamente os he traído
poniéndome a peligro manifiesto;
y pues al punto justo habéis venido,
os conviene dar priesa y llegar presto,
que es irrecuperable y peligrosa
la pérdida del tiempo en toda cosa.

»Y si sienten rumor desta venida,
el sitio es ocupado y peñascoso,
fácil y sin peligro la huida
por un derrumbadero montuoso[83]:
mirad que os daña ya la detenida,
seguid hoy vuestro hado venturoso,
que menos de una milla de camino
tenéis al enemigo ya vecino.»

No por caricia[84], oferta ni promesa   65
quiso el indio mover el pie adelante,

---

[81] *ranchería* 'campamento' (XII, n. 12).

[82] Para el género gramatical de *centinela,* que reaparece en 67,1 v. XIII, n. 83.

[83] *derrumbadero* 'despeñadero' (IV, n. 132); *montuoso* 'boscoso' (XXXI, n. 43).

[84] *caricia* 'favor' (*Aut.*). Cfr. XVII, n. 22 para otra acepción también aplicable a este texto.

ni amenaza de muerte o vida o presa
a sacarle del tema[85] fue bastante;
y viendo el tiempo corto y que la priesa
les era a la sazón tan importante,
dejándole amarrado a un grueso pino,
la relación siguieron y camino.

Al cabo de una milla y a la entrada
de un arcabuco[86] lóbrego y sombrío,
sobre una espesa y áspera quebrada[87]
dieron en un pajizo y gran bohío[88];
la plaza en derredor fortificada
con un despeñadero sobre un río,
y cerca dél, cubiertas de espadañas,
chozas, casillas, ranchos y cabañas.

La centinela en esto, descubriendo
de la punta de un cerro nuestra gente,
dio la voz y señal, apercibiendo
al descuidado general valiente;
pero los nuestros en tropel corriendo
le cercaron la casa de repente,
saltando el fiero bárbaro a la puerta,
que ya a aquella sazón estaba abierta.

Mas viendo el paso en torno embarazado
y el presente peligro de la vida,
con un martillo fuerte y acerado
quiso abrir a su modo la salida;
y alzándole a dos manos, empinado,
por dalle mayor fuerza a la caída,

---

[85] *tema* 'porfía, obstinación' (Nebrija). Para el género gramatical vacilante de este cultismo, v. IX, n. 154.

[86] *arcabuco* es indigenismo prontamente adoptado por los escritores españoles del XVI y XVII (XXIII, n. 47).

[87] *quebrada* 'abertura de montaña' (XXIII, n. 59).

[88] *bohío* 'choza indígena de América' es palabra del dialecto arahuaco de las Antillas, registrada ya por Pedro Mártir (Friederici, DCECH).

topó una viga arriba atravesada
do la punta encarnó y quedó trabada;

pero un soldado a tiempo atravesando
por delante, acercándose a la puerta,
le dio un golpe en el brazo, penetrando
los músculos y carne descubierta;
en esto el paso el indio retirando,
visto el remedio y la defensa incierta,
amonestó a los suyos que se diesen,
y en ninguna manera resistiesen.

Salió fuera sin armas, requiriendo   70
que entrasen en la estancia asegurados,
que eran pobres soldados, que huyendo
andaban de la guerra amedrentados;
y así con priesa y turbación, temiendo
ser de los forajidos salteados[89],
a la ocupada puerta había salido,
de las usadas armas prevenido.

Entraron de tropel, donde hallaron
ocho o nueve soldados de importancia
que, rendidas las armas, se entregaron
con muestras aparentes de inorancia.
Todos atrás las manos los ataron[90]
repartiendo el despojo y la ganancia,
guardando al capitán disimulado
con dobladas prisiones y cuidado,

que aseguraba con sereno gesto
ser un bajo soldado de linaje,

---

[89] *saltear* 'asaltar' (II, n. 97).
[90] Entiéndase 'a todos les ataron las manos atrás'; *las manos* es ejemplo
de acusativo griego: 'en cuanto a las manos'. Para la persistencia de esta
construcción gramatical cultista y literaria que adopta Herrera y ya había usado Garcilaso, pero que en el XVII se consideró típicamente gon-
gorina, D. Alonso, *Góngora,* 162 y ss. Nótese el objeto directo de persona
sin preposición *a* (X, n. 8).

pero en su talle y cuerpo bien dispuesto,
daba muestra de ser gran personaje.
Gastóse algún espacio y tiempo en esto,
tomando de los otros más lenguaje[91],
que todos contestaban que era un hombre
de estimación común y poco nombre.

Ya entre los nuestros a gran furia andaba
el permitido robo y grita usada,
que rancho, casa y choza no quedaba
que no fuese deshecha y saqueada,
cuando de un toldo[92], que vecino estaba
sobre la punta de la gran quebrada,
se arroja una mujer, huyendo apriesa
por lo más agrio de la breña espesa.

Pero alcanzóla un negro a poco trecho
que tras ella se echó por la ladera,
que era intricado el paso y muy estrecho,
y ella no bien usada en la carrera.
Llevaba un mal envuelto niño al pecho
de edad de quince meses, el cual era
prenda del preso padre desdichado,
con grande estremo dél y della amado.

Trújola[93] el negro suelta, no entendiendo   75
que era presa y mujer tan importante;
en esto ya la gente iba saliendo
al tino del arroyo resonante,
cuando la triste palla[94] descubriendo

---

[91] *tomar lenguaje* 'tomar noticia' (XVI, n. 140).
[92] *toldo* 'vivienda indígena' (XIV, n. 20).
[93] *trujo* por *trajo* (III, n. 91 para estas formas del pretérito).
[94] *palla* «señora noble de linaje... de muchos vasallos y hacienda» (*Declaración*... al final del poema). Es palabra quichua que Frederici documenta tardíamente en el Inca Garcilaso (1602). En el verso anterior, *tino* 'rumor, ruido'. Cfr. Cuervo, *Dicc.* I, 752a, para la etimología de *atinar*, que no logra convencer a Corominas, s.v. *tino I*; este texto de Ercilla, sin embargo, refuerza la hipótesis de Cuervo.

al marido que preso iba adelante,
de sus insignias y armas despojado,
en el montón de la canalla atado,

no reventó con llanto la gran pena
ni de flaca mujer dio allí la muestra,
antes de furia y viva rabia llena,
con el hijo delante se le muestra
diciendo: «La robusta mano ajena
que así ligó tu afeminada diestra
más clemencia y piedad contigo usara[95]
si ese cobarde pecho atravesara.

»¿Eres tú aquel varón que en pocos días
hinchó la redondez[96] de sus hazañas,
que con sólo la voz temblar hacías
las remotas naciones más estrañas?
¿Eres tú el capitán que prometías
de[97] conquistar en breve las Españas,
y someter el ártico hemisferio
al yugo y ley del araucano imperio?[98]

»¡Ay, de mí! ¡Cómo andaba yo engañada
con mi altiveza[99] y pensamiento ufano,
viendo que en todo el mundo era llamada
Fresia, mujer del gran Caupolicano!
Y agora miserable y desdichada
todo en un punto me ha salido vano,
viéndote prisionera en un desierto,
pudiendo haber honradamente muerto.

---

[95] Para el uso del imperfecto con valor de pluscuamperfecto, como en 80,5 y 7-8, cfr. VIII, n. 2.

[96] *redondez*. Entiéndase 'redondez de la tierra'.

[97] *prometer de* es uso común en textos áureos (III, n. 72).

[98] Fresia recuerda la arenga de Caupolicán en el valle de Arauco (VIII,16 y ss.).

[99] *altiveza* es hoy forma anticuada (XXV, n. 19).

»¿Qué son de aquellas pruebas peligrosas,
que así costaron tanta sangre y vidas,
las empresas difíciles dudosas
por ti con tanto esfuerzo acometidas?
¿Qué es de aquellas vitorias gloriosas
de esos atados brazos adquiridas?
¿Todo al fin ha parado y se ha resuelto
en ir con esa gente infame envuelto?

»Dime: ¿faltóte esfuerzo, faltó espada   80
para triunfar de la mudable diosa?[100].
¿No sabes que una breve muerte honrada
hace inmortal la vida y gloriosa?
Miraras a esta prenda[101] desdichada,
pues que de ti no queda ya otra cosa,
que yo, apenas la nueva me viniera,
cuando muriendo alegre te siguiera.

»Toma, toma tu hijo, que era el ñudo[102]
con que el lícito amor me había ligado;
que el sensible dolor y golpe agudo
estos fértiles pechos han secado.
Cría, críale tú que ese membrudo
cuerpo en sexo de hembra se ha trocado;
que yo no quiero título de madre
del hijo infame del infame padre»[103].

Diciendo esto, colérica y rabiosa,
el tierno niño le arrojó delante,
y con ira frenética y furiosa[104]

_____

[100] *mudable diosa* se refiere a Fortuna, representada sobre una rueda en movimiento (II, n. 5).

[101] *prenda* 'niño, hijo querido'. Para las fuentes latinas de esta ac. metafórica y familiar (Ovidio, *Metam.* XI,543), v. DCECH.

[102] *ñudo* ant. *nudo* (X, n. 75).

[103] Para la repetición del epíteto en quiasmo con valor enfático, como la repetición del verbo en el verso 5 de esta octava, v. I, n. 92.

[104] Nótese la aliteración de la fricativa inicial en los adjetivos que intensifica la expresión de odio de esta madre que renuncia a su materni-

se fue por otra parte en el instante.
En fin, por abreviar, ninguna cosa
(de ruegos, ni amenazas) fue bastante
a que la madre ya cruel volviese
y el inocente hijo recibiese.

Diéronle nueva madre y comenzaron
a dar la vuelta y a seguir la vía,
por la cual a gran priesa caminaron
recobrando al pasar la fida[105] guía
que atada al tronco por temor dejaron;
y en larga escuadra al declinar del día
entraron en la plaza embanderada
con gran aplauso y alardosa[106] entrada.

Hízose con los indios diligencia
por que con más certeza se supiese
si era Caupolicán, que su aparencia
daba claros indicios que lo fuese;
pero ni ausente dél ni en su presencia
hubo entre tantos uno que dijese
que era más que un incógnito[107] soldado
de baja estofa y sueldo moderado.

Aunque algunos, después más animados,   85
cuando en particular los apretaban,
de su cercana muerte asegurados,
el sospechado engaño declaraban.

---

dad en defensa del honor del estado araucano, para adquirir estatura épica y factura literaria equiparable a la de una matrona romana.

[105] *fido* 'fiel' es cultismo «anticuado y raro» para DCECH; ésta parece documentación temprana de su uso literario (*Aut.* con textos posteriores; C. C. Smith no lo registra). Para el género gramatical de *guía,* cfr. XXVI, n. 88).

[106] *alardoso* 'que hace alarde' (IV, n. 119). El texto contrasta fuertemente la cruda tristeza del episodio previo con la festiva vuelta al fuerte para intensificar el elemento trágico del destino de Caupolicán.

[107] *incógnito* es cultismo ya presente en la *Celestina* (C. C. Smith, 243) pero poco usual hasta Ercilla (de quien lo toma Góngora) y ausente en Herrera y Cervantes. D. Alonso no lo registra.

Pero luego delante dél llevados,
con medroso temblor se retrataban[108],
negando la verdad ya comprobada[109],
por ellos en ausencia confesada.

Mas viéndose apretado y peligroso
y que encubrirse al cabo no podía,
dejando aquel remedio infrutuoso[110],
quiso tentar el último que había;
y así, llamando al capitán Reynoso,
que luego vino a ver lo que quería,
le dijo con sereno y buen semblante
lo que dirán mis versos adelante.

FIN

---

[108] *retratarse* por *retractarse* (I, n. 72).
[109] Madrid, 1589: «y alguno que mostrar quiso denuedo / olió súbito mal de puro miedo» que Ercilla cambió porque debió considerar este recurso humorístico en conflicto con el principio retórico del decoro.
[110] *infrutuoso* por *infructuoso* (XX, n. 28).

894

HABLA CAUPOLICÁN A REYNOSO Y, SABIENDO QUE HA DE MORIR, SE VUELVE CRISTIANO; MUERE DE MISERABLE MUERTE AUNQUE CON ÁNIMO ESFORZADO. LOS ARAUCANOS SE JUNTAN A LA ELECIÓN DEL NUEVO GENERAL. MANDA EL REY DON FELIPE LEVANTAR GENTE PARA ENTRAR EN PORTUGAL

CANTO XXXIIII

¡OH VIDA miserable y trabajosa
a tantas desventuras sometida!
¡Prosperidad humana sospechosa
pues nunca hubo ninguna sin caída!
¿Qué cosa habrá tan dulce y tan sabrosa
que no sea amarga al cabo y desabrida?
No hay gusto, no hay placer sin su descuento,
que el dejo[1] del deleite es el tormento.

Hombres famosos en el siglo ha habido
a quien la vida larga ha deslustrado,
que el mundo los hubiera preferido
si la muerte se hubiera anticipado:
Aníbal desto buen ejemplo ha sido
y el Cónsul que en Farsalia derrocado[2]
perdió por vivir mucho, no el segundo,
mas el lugar primero deste mundo.

---

[1] *dejo* 'desabrimiento' (XXXII, n. 59).

[2] *Cónsul* Referencia a Gnaeus Pompeius derrotado por J. César el 9 de agosto de 48 a.C. en las cercanías de Pharsalus, ciudad de Tesalia, en Grecia; huyó a Egipto donde fue asesinado el 28 de septiembre.

Esto confirma bien Caupolicano,
famoso capitán y gran guerrero,
que en el término[3] américo-indiano
tuvo en las armas el lugar primero;
mas cargóle Fortuna así la mano[4]
(dilatándole el término postrero)[5],
que fue mucho mayor que la subida
la miserable y súbita caída.

El cual, reconociendo que su gente
vacilando en la fe titubeaba,
viendo que ya la próspera creciente
de su fortuna apriesa declinaba,
hablar quiso a Reynoso claramente;
que venido a saber lo que pasaba,
presente el congregado pueblo todo,
habló el bárbaro grave deste modo:

«Si a vergonzoso estado reducido   5
me hubiera el duro y áspero destino[6],
y si esta mi caída hubiera sido
debajo de hombre y capitán indino[7],
no tuve así el brazo desfallecido
que no abriera[8] a la muerte yo camino
por este propio pecho con mi espada,
cumpliendo el curso y mísera jornada;

---

[3] *término* 'territorio' (I, n. 21); el texto utiliza la polisemia del vocablo para repetirlo en el verso 6 con la acepción 'momento' como luego, en 8,8 (XVI, n. 117). V. más adelante, estrofas 16 y 17 para otras acepciones.

[4] *cargar la mano* 'castigar severamente' (XXII, n. 6).

[5] *postrero,* como luego en 43,7 y *postrer* en 66,3 (XIV, n. 49).

[6] Los epítetos *duro* y *áspero* operan en dos planos semánticos al multiplicar en los dos sentidos, recto y metafórico, el carácter «vergonzoso» del estado de Caupolicán: «no blando» y «no liso» y también es «cruel» y «riguroso» respectivamente.

[7] *debajo de* 'bajo' (XXX, n. 82; *indino* por *indigno* XXVII, n. 14).

[8] *abriera* 'hubiera abierto' (VII, n. 76 y, para periodo condicional, VIII, n. 2).

«mas juzgándote digno y de quien puedo
recebir sin vergüenza yo la vida
lo que de mí pretendes te concedo
luego que a mí me fuere concedida;
ni pienses que a la muerte tengo miedo,
que aquesa[9] es de los prósperos temida,
y en mí por esperiencia he probado,
cuán mal le está el vivir al desdichado.

»Yo soy Caupolicán, que el hado mío
por tierra derrocó mi fundamento,
y quien del araucano señorío
tiene el mando absoluto y regimiento[10].
La paz está en mi mano y albedrío
y el hacer y afirmar cualquier asiento
pues tengo por mi cargo y providencia
toda la tierra en freno y obediencia,

»Soy quien mató a Valdivia en Tucapelo,
y quien dejó a Purén desmantelado;
soy el que puso a Penco por el suelo
y el que tantas batallas ha ganado;
pero el revuelto[11] ya contrario cielo,
de vitorias y triunfos rodeado,
me ponen[12] a tus pies a que te pida
por un muy breve término la vida.

---

[9] *aquesa* forma enfática poco frecuente del pronombre demostrativo
que fue perdiendo uso ya a fines de la edad media. Para Juan de Valdés
(1535) estas formas «ni se escriben ni tampoco me acuerdo oíroslas decir
jamás a vos» (*Diálogo...*, Clás. Cast., 152).

[10] *regimiento* 'gobierno' (II, n. 21). Para la repetición sinonímica cfr. I,
n. 112. Otros ejemplos en el Canto, en 8,5 («revuelto... contrario»); 8,6
(«vitorias y triunfos»); 22,4 («concurso y multitud»); 33,4 («alteración y
movimiento»); 35,5 («amedrentó ni acobardó»); 35,8 («rabia... ira»);
36,2 («afrenta y oprobio»); 37,8 («pretende... aspira»); 40,6 («industria y
artificio»); 49,6 («turba y atemoriza»); 49,8 («turbó y amedrentó») 51,6
(«atribula y atormenta»); 55,6 («apremia y constriñe»); 55,8 («entrada libre y paso llano»); 64,7 («maña y arte»).

[11] *revuelto* 'vuelto en contra, opuesto' (IV, n. 87) para *revolver*.

[12] *ponen* establece una concordancia de sentido con su sujeto *cielo*, que
está pensado como plural colectivo.

»Cuando mi causa no sea justa, mira
que el que perdona más es más clemente
y si a venganza la pasión te tira,
pedirte yo la vida es suficiente.
Aplaca el pecho airado, que la ira[13]
es en el poderoso impertinente;
y si en darme la muerte estás ya puesto,
especie de piedad es darla presto.

»No pienses que aunque muera aquí a tus manos, 10
ha de faltar cabeza en el Estado,
que luego[14] habrá otros mil Caupolicanos
mas como yo ninguno desdichado;
y pues conoces ya a los araucanos,
que dellos soy el mínimo[15] soldado,
tentar nueva fortuna[16] error sería.
yendo tan cuesta abajo ya la mía.

»Mira que a muchos vences en vencerte,
frena el ímpetu y cólera dañosa:
que la ira examina[17] al varón fuerte,
y el perdonar, venganza es generosa.
La paz común destruyes con mi muerte,
suspende ahora la espada rigurosa[18],
debajo de la cual están a una[19]
mi desnuda garganta y tu fortuna.

»Aspira a más y a mayor gloria atiende,
no quieras en poca agua así anegarte,

---

[13] Para la repetición etimologizadora («airado... ira»), v. I, n. 4; otros
ejemplos en el canto, en 11,1 («vences... vencerte»); 17,7-8 y 18,1 («mudanzas... mudarle... mudóle»); 30,2 («hacer... hecho»); 33,5-6 («turba...
turbación»).
[14] *luego* 'al instante' (I, n. 53).
[15] *mínimo* Cfr. XV, n. 20 para este superlativo.
[16] *fortuna* aquí con valor de 'suerte', 'destino' (II, n. 5).
[17] *examinar* 'poner a prueba' con sujeto abstracto era usual en los textos áureos (*Aut.* con cita de Quevedo).
[18] *riguroso* 'excesivo, cruel' (IV, n. 37).
[19] *a una* 'juntamente' (III, n. 65).

que lo que la fortuna aquí pretende,
sólo es que quieras della aprovecharte.
Conoce el tiempo y tu ventura entiende,
que estoy en tu poder, ya de tu parte,
y muerto no tendrás de cuanto has hecho,
sino un cuerpo de un hombre sin provecho.

»Que si esta mi cabeza desdichada
pudiera, ¡oh capitán! satisfacerte,
tendiera el cuello a que con esa espada
remataras aquí mi triste suerte;
pero deja la vida condenada[20]
el que procura apresurar su muerte,
y más en este tiempo, que la mía
la paz universal perturbaría.

»Y pues por la esperiencia claro has visto,
que libre y preso, en público y secreto,
de mis soldados soy temido y quisto[21],
y está a mi voluntad todo sujeto,
haré yo establecer la ley de Christo,
y que, sueltas las armas, te prometo
vendrá toda la tierra en mi presencia
a dar al Rey Felipe la obediencia.

»Tenme en prisión segura retirado   15
hasta que cumpla aquí lo que pusiere;
que yo sé que el ejército y Senado
en todo aprobarán lo que hiciere.
Y el plazo puesto y término pasado,
podré también morir, si no cumpliere:
escoge lo que más te agrada desto,
que para ambas fortunas estoy presto.»

---

[20] *condenada* es decir, «deja la vida con condena (de castigo eterno) el
que procura apresurar la muerte». El texto atribuye a Caupolicán conceptos de raíz cristiana, que adelantan el anuncio de su conversión en la
octava 18.

[21] *quisto* 'estimado' (I, n. 97).

No dijo el indio más, y la respuesta
sin turbación mirándole atendía[22],
y la importante vida o muerte presta
callando con igual rostro pedía;
que por más que fortuna contrapuesta
procuraba abatirle, no podía,
guardando, aunque vencido y preso, en todo
cierto término[23] libre y grave modo.

Hecha la confesión, como lo escribo,
con más rigor y priesa que advertencia,
luego a empalar y asaetearle vivo
fue condenado en pública sentencia.
No la muerte y el término excesivo
causó en su gran semblante diferencia,
que nunca por mudanzas vez alguna
pudo mudarle el rostro la fortuna,

Pero mudóle Dios en un momento,
obrando en él su poderosa mano
pues con lumbre de fe y conocimiento
se quiso baptizar y ser christiano.
Causó lástima y junto[24] gran contento
al circunstante[25] pueblo castellano,
con grande admiración de todas gentes
y espanto de los bárbaros presentes.

Luego aquel triste, aunque felice día[26],
que con solennidad le baptizaron,
y en lo que el tiempo escaso permitía
en la fe verdadera le informaron,
cercado de una gruesa compañía

---

[22] *atender* 'esperar' (III, n. 31).

[23] *término* 'conducta', pero en la estrofa siguiente 'modo', como en 25,7 y 28,5 (I, n. 2 y XI, n. 31 respectivamente).

[24] *junto* 'juntamente' (XIX, n. 24).

[25] *circunstante* 'espectador' (XX, n. 115).

[26] Madrid, 1589: «Luego aquel ya para él felice día.»

de bien armada gente le sacaron
a padecer la muerte consentida,
con esperanza ya de mejor vida.

Descalzo, destocado[27], a pie, desnudo,   20
dos pesadas cadenas arrastrando,
con una soga al cuello y grueso ñudo[28],
de la cual el verdugo iba tirando,
cercado en torno de armas y el menudo[29]
pueblo detrás, mirando y remirando
si era posible aquello que pasaba
que, visto por los ojos, aún dudaba.

Desta manera, pues, llegó al tablado,
que estaba un tiro de arco del asiento
media pica del suelo levantado,
de todas partes a la vista esento[30];
donde con el esfuerzo acostumbrado,
sin mudanza y señal de sentimiento,
por la escala subió tan desenvuelto
como si de prisiones[31] fuera suelto.

Puesto ya en lo más alto, revolviendo[32]
a un lado y otro la serena frente,
estuvo allí parado un rato viendo
el gran concurso[33] y multitud de gente,
que el increíble caso y estupendo[34]
atónita miraba atentamente,
teniendo a maravilla y gran espanto
haber podido la fortuna tanto.

---

[27] destocado 'con la cabeza descubierta' (Aut. con este texto).
[28] ñudo por nudo (X, n. 75).
[29] menudo 'plebeyo, vulgar' (Aut. con textos posteriores).
[30] esento 'descubierto' (IV, n. 130).
[31] prisión 'cadena, atadura' (Aut.); cfr. abajo, 27,2.
[32] revolver 'girar' (IV, n. 88).
[33] concurso 'multitud' (X, n. 81).
[34] estupendo 'paralizante, que causa estupor' (XXIV, n. 75).

Llegóse él mismo al palo donde había
de ser la atroz sentencia ejecutada
con un semblante tal, que parecía
tener aquel terrible trance en nada,
diciendo: «Pues el hado y suerte mía
me tienen esta muerte aparejada,
venga, que yo la pido, yo[35] la quiero
que ningún mal hay grande, si es postrero.»

Luego llegó el verdugo diligente,
que era un negro gelofo, mal vestido,
el cual viéndole el bárbaro presente
para darle la muerte prevenido,
bien que con rostro y ánimo paciente
las afrentas de más había sufrido,
sufrir no pudo aquélla, aunque postrera,
diciendo en alta voz desta manera;

«¿Cómo que en christiandad y pecho honrados 25
cabe cosa tan fuera de medida,
que a un hombre como yo tan señalado
le dé muerte una mano así abatida?[36].
Basta, basta morir al más culpado,
que al fin todo se paga con la vida;
y es usar deste término conmigo
inhumana venganza y no castigo.

«¿No hubiera[37] alguna espada aquí de cuantas
contra mí se arrancaron[38] a porfía,
que usada a nuestras míseras gargantas,
cercenara de un golpe aquesta mía?

---

[35] Para este uso enfático del pronombre personal, v. *Esbozo*, párrafo 3,10,2. Para otra repetición con valor enfático, 25,5.

[36] *abatido* 'abyecto, vil' (Casas, 1570 y los otros diccionaristas del T.L.).

[37] *hubiera* por *había* intensifica la duda, lo que da mayor significado retórico a la pregunta (*Esbozo*, párrafo 3,13,3).

[38] *arrancar la espada* 'desenvainarla' (*Aut.;* Cuervo, *Dicc.* I, 619a, con este texto).

902

Que aunque ensaye su fuerza en mí de tantas
maneras la fortuna en este día
acabar[39] no podrá que bruta mano
toque al gran General Caupolicano.»

Esto dicho y alzando el pie derecho
(aunque de las cadenas impedido)
dio tal coz al verdugo que gran trecho
le echó rodando abajo mal herido;
reprehendido el impaciente hecho,
y él del súbito enojo reducido[40],
le sentaron después con poca ayuda
sobre la punta de la estaca aguda.

No el aguzado palo penetrante
por más que las entrañas le rompiese
barrenándole el cuerpo, fue bastante
a que al dolor intenso se rindiese:
que con sereno término y semblante,
sin que labrio ni ceja retorciese,
sosegado quedó de la manera
que si asentado en tálamo estuviera.

En esto, seis flecheros señalados,
que prevenidos para aquello estaban
treinta pasos de trecho, desviados
por orden y de espacio[41] le tiraban;
y aunque en toda maldad ejercitados,
al despedir la flecha vacilaban,
temiendo poner mano en un tal hombre
de tanta autoridad y tan gran nombre.

Mas Fortuna cruel, que ya tenía   30
tan poco por hacer y tanto hecho,

---

[39] *acabar* 'conseguir' (XX, n. 72). En 30,8 'ser posible' (Cuervo, *Dicc.*,
II,10b con textos posteriores; DCECH para origen latino).
[40] *reducido* 'vuelto' (VI, n. 18).
[41] *de espacio* 'lentamente' (II, n. 67).

si tiro alguno avieso[42] allí salía,
forzando el curso le traía derecho
y en breve, sin dejar parte vacía,
de cien flechas quedó pasado el pecho,
por do aquel grande espíritu echó fuera,
que por menos heridas no cupiera.

Paréceme que siento enternecido[43]
al mas cruel y endurecido oyente
deste bárbaro caso referido
al cual, Señor, no estuve yo presente,
que a la nueva conquista había partido
de la remota y nunca vista gente;
que si yo a la sazón allí estuviera,
la cruda[44] ejecución se suspendiera.

Quedó abiertos los ojos[45] y de suerte
que por vivo llegaban a mirarle,
que la amarilla y afeada muerte
no pudo aún puesto allí desfigurarle.
Era el miedo en los bárbaros tan fuerte
que no osaban dejar de respetarle,
ni allí se vio en alguno tal denuedo,
que puesto cerca dél no hubiese miedo.

La voladora fama presurosa
derramó por la tierra en un momento
la no pensada muerte ignominiosa[46],

---

[42] *avieso* 'desviado de su blanco' es ac. hoy anticuada, pero usual hasta el XVII (DCECH).

[43] Madrid, 1589, significativamente, no trae esta estrofa que Ercilla agregó a partir de la edición siguiente, Madrid, 1589-90.

[44] *crudo* 'cruel' (II, n. 108).

[45] *abiertos los ojos* Nótese la construcción absoluta con valor descriptivo, equivalente a un modificador circunstancial con preposición. El carácter latinizante de la estructura sintáctica tiene el propósito de dar jerarquía clásica a la expresión. Cfr., para este tipo de construcciones, Keniston, párrafo 25,391.

[46] *ignominioso* V. para este cultismo, III, n. 48.

causando alteración y movimiento.
Luego la turba, incrédula y dudosa,
con nueva turbación y desatiento
corre con priesa y corazón incierto
a ver si era verdad que fuese muerto.

Era el número tanto que bajaba
del contorno y distrito comarcano[47],
que en ancha y apiñada rueda estaba
siempre cubierto el espacio llano.
Crédito allí a la vista no se daba
si ya no le tocaban con la mano
y aún tocado, después les parecía
que era cosa de sueño o fantasía.

No la afrentosa muerte impertinente[48]   35
para temor del pueblo esecutada[49]
ni la falta de un hombre así eminente
(en que nuestra esperanza iba fundada)
amedrentó ni acorbardó la gente;
antes de aquella injuria provocada
a la cruel satisfación aspira,
llena de nueva rabia y mayor ira.

Unos con sed rabiosa de venganza
por la afrenta y oprobio recebido,
otros con la codicia y esperanza
del oficio y bastón[50] ya pretendido,
antes que sosegase la tardanza
el ánimo del pueblo removido[51],
daban calor y fuerzas a la guerra
incitando a furor toda la tierra.

---

[47] *comarcano* 'vecino' (I, n. 84).

[48] *impertinente* 'no pertinente' es decir, en este caso, 'sin buen propósito', como se demuestra en los versos siguientes y en la octava 36 (XXXII, n. 67).

[49] *esecutado* por *ejecutado* (III, n. 108).

[50] *bastón* 'mando, especialmente el de la guerra' (*Aut.*, con texto de la *Historia de Chile* de Ovalle y ya Cov. 'insignia de suprema potestad'.

[51] *removido* 'alterado, incitado' (XXX, n. 46; XXXII, n. 132).

Si hubiese de escribir la bravería[52]
de Tucapel, de Rengo y Lepomande,
Orompello, Lincoya y Lebopía,
Purén, Cayocupil y Mareande,
en un espacio largo no podría
y fuera menester libro más grande,
que cada cual con hervoroso[53] afecto
pretende allí y aspira a ser electo.

Pero el cacique Colocolo, viendo
el daño de los muchos pretendientes,
como prudente y sabio conociendo
pocos para el gran cargo suficientes,
su anciana gravedad[54] interponiendo
les hizo mensajeros diligentes
para que se juntasen a consulta[55]
en lugar apartado y parte oculta.

Los que abreviar el tiempo deseaban,
luego[56] para la junta se aprestaron,
y muchos, recelando que tardaban,
la diligencia y paso apresuraron;
otros que a otro camino enderezaban,
por no se declarar no rehusaron,
siguiendo sin faltar un hombre solo
el sabio parecer de Colocolo.

Fue entre ellos acordado que viniesen   40
solos, a la ligera, sin bullicio,
porque los enemigos no tuviesen
de aquella nueva junta algún indicio,
haciendo que de todas partes fuesen

---

[52] *bravería* 'bravata, amenaza' (IX, n. 100).

[53] *hervoroso* 'vehemente' (XIX, n. 100).

[54] Todas las ediciones previas, «anciana autoridad» que parece lectura más apropiada.

[55] *consulta* 'conferencia' (*Aut.* con este texto).

[56] *luego* 'de inmediato' (I, n. 53).

indios que con industria y artificio
instasen en la paz siempre ofrecida,
con muestra humilde y contrición fingida.

El plazo puesto y sitio señalado
en un cómodo valle y escondido,
la convocada gente del Senado
al término llegó constituido;
y entre ellos Tucapel determinado
do por bien o por mal ser elegido,
y otros que con menores fundamentos,
mostraban sus preñados[57] pensamientos.

Siento fraguarse nuevas disensiones[58],
moverse gran discordia y diferencia,
hervir con ambición los corazones,
brotar el odio antiguo y competencia;
variar los designios y opiniones
sin manera o señal de conveniencia,
fundando cada cual su desvarío
en la fuerza del brazo y albedrío.

Entrados, como digo, en el consejo,
los caciques[59] y nobles congregados,
todos con sus insignias y aparejo,
según su antigua preeminencia armados,
Colocolo, sagaz y cauto viejo,
viéndolos en los rostros demudados,
aunque aguardaba a la sazón postrera,
adelantó la voz desta manera.

---

[57] *preñado* 'oculto, interior' *(Aut.);* cfr. XXIII, n. 109.

[58] *disensión* es cultismo que registra Nebrija según T.L. s.v. *discusión;*
aparece en la *Celestina* (C. C. Smith, 266) pero infrecuente en textos
áureos: no aparece en Herrera ni Góngora y una sola vez en Cervantes.

[59] *cacique* para este indigenismo que reaparece en 50,4, cfr. I,
n. 22.

Pero si no os cansáis, Señor, primero
que os diga lo que dijo Colocolo,
tomar otro camino largo quiero
y volver el designio[60] a nuestro polo.
Que aunque a deciros mucho me profiero[61],
el sujeto que tomo basta solo
a levantar mi baja voz cansada
de materia hasta aquí necesitada.

Mas si me dais licencia yo querría[62]   45
(para que más a tiempo esto refiera)
alcanzar, si pudiese, a don García[63]
aunque es diversa y larga la carrera[64];
el cual en el turbado reino había
reformado los pueblos de manera
que puso con solícito cuidado
la justicia y gobierno en buen estado.

Pasó de Villarrica[65] el fértil llano
que tiene al sur el gran volcán vecino,

---

[60] *designio* 'rumbo' (XXV, n. 56).

[61] *proferirse* 'ofrecerse' (XVII, n. 62). El verso anterior adelanta la intención de narrar los sucesos europeos («otro polo») que las ediciones desde 1597 postergan hasta el Canto XXVII.

[62] A partir de esta estrofa, y hasta XXXVI, 43 inclusive, la edición de Madrid, 1597, que nuestro texto transcribe, publicó por primera vez las adiciones correspondientes a las actividades de don García, la expedición al Sur y la vuelta a España de Ercilla. El título del Canto, sin embargo, conservó, por descuido, la mención de la ocupación de Portugal, que se narrará en el Canto XXXVII y último. Para opinión negativa acerca de la validez de estos añadidos (a mi parecer, injustificada), v. José Durand, «La *Araucana* en sus 35 Cantos originales», *Anuario de letras,* México, XVI (1978) 291-294. Cfr. en la Introducción, «Esta edición».

[63] Referencia al gobernador de Chile, don García Hurtado de Mendoza, hijo de don Andrés Hurtado de Mendoza, Marqués de Cañete y virrey del Perú. Cfr. XIII,12-13 en donde aparece mencionado por primera vez.

[64] *carrera* 'camino' (VI, n. 32).

[65] Valdivia fundó en abril de 1552 la población de Villarrica (*Carta* del 26 de octubre, 1552, BAE, vol. CXXX, 69) junto al lago y al norte del volcán del mismo nombre. Allí Ercilla alcanzó a don García, según lo afirma en la estrofa siguiente (Medina, *Vida,* pág. 65 y nota).

fragua (según afirman) de Vulcano,
que regoldando[66] fuego está contino.
De allí volviendo por la diestra mano,
visitando la tierra al cabo vino
al ancho lago y gran desaguadero,
término de Valdivia y fin postrero,

donde también llegué, que sus pisadas
sin descansar un punto voy siguiendo,
y de las más ciudades convocadas
iban gentes en número acudiendo
pláticas[67] en conquistas y jornadas;
y así el tumulto bélico creciendo
en sordo són confuso ribombaba[68]
y el vecino contorno amedrentaba;

que arrebatado del ligero viento,
y por la fama lejos esparcido,
hirió el desapacible y duro acento
de los remotos indios el oído;
los cuales, con turbado sentimiento,
huyen del nuevo y fiero són temido
cual medrosas ovejas derramadas[69]
del aullido del lobo amedrentadas.

Nunca el escuro[70] y tenebroso velo
de nubes congregadas de repente,
ni presto rayo que rasgando el cielo
baja tronando envuelto en llama ardiente,

---

[66] *regoldar* 'regurgitar' (XXIV, n. 119); *contino* 'continuamente'
(XXIV, n. 135). Al atribuir al volcán Villarrica la sede de la fragua de
Vulcano, Ercilla no hace sino americanizar el mito que relacionaba con
volcanes (el Etna, el Vesuvio) las artes de herrero del antiguo dios italiano del fuego o Vulcanus (II, n. 109).

[67] *plático* por *práctico*, como en 53,2 (II, n. 84); para *jornada* 'acción de
guerra' (IV, n. 10).

[68] *ribombar* por *rimbombar* (XI, n. 128). Nótese la aliteración de -s- con
valor intensificador.

[69] *derramado* 'esparcido', como en 52,2 (XV, n. 98).

[70] *escuro* por *oscuro* (XIV, n. 10).

ni terremoto cuando tiembla el suelo,
turba y atemoriza así la gente,
como el horrible estruendo de la guerra
turbó y amedrentó toda la tierra.

Quién sin duda publica que ya entraban   50
destruyendo ganados y comidas;
quién que la tierra y pueblos saqueaban
privando a los caciques de las vidas;
quién que a las nobles dueñas deshonraban
y forzaban las hijas recogidas[71],
haciendo otros insultos[72] y maldades
sin reservar lugar, sexo ni edades.

Crece el desorden, crece el desconcierto[73]
con cada cosa que la fama aumenta,
teniendo y afirmando por muy cierto
cuanto el triste temor les representa.
Sólo el salvarse les parece incierto
y esto los atribula y atormenta;
allá corren gritando, acá revuelven[74],
todo lo creen y en nada se resuelven.

Mas luego que el temor desatinado
que la gente llevaba derramada
dejó en ella lugar desocupado
por donde la razón hallase entrada,
el atónito pueblo reportado,
su total perdición considerada,
se junta a consultar en este medio
las cosas importantes al remedio.

Hallóse en este vario ayuntamiento
Tunconabala, plático soldado,

---

[71] *recogido* 'apartado' (XVI, n. 100).
[72] *insulto* 'daño' (XIII, n. 56).
[73] Para esta estructura bimembre paralelística, con repetición léxica, morfológica y semántica de valor intensificador, IX, n. 112.
[74] *revolver* 'girar', 'discurrir' (IV, n. 87 y XII, n. 50).

persona de valor y entendimiento,
en la araucana escuela dotrinado[75],
que por cierta quistión[76] y acaecimiento
de su tierra y parientes desterrados,
se redujo a doméstico ejercicio,
huyendo el trato bélico y bullicio[77].

El cual, viendo en el pueblo diferente[78]
el miedo grande y confusión que había,
pues sin oír trompeta ni ver gente
le espantaba su misma vocería,
en un lugar capaz[79] y conveniente
junta toda la noble compañía.
Sosegado el rumor y alteraciones,
les comenzó a decir estar razones:

«Escusado es, amigos, que yo os diga   55
el peligroso punto en que nos vemos
por esta gente pérfida enemiga
que ya, cierto, a las puertas la tenemos;
pues el temor que a todos nos fatiga,
nos apremia y constriñe a que entreguemos
la libertad y casas al tirano,
dándole entrada libre y paso llano.

«¿A qué fosado muro o antepecho[80],
a qué fuerza[81] o ciudad, a qué castillo
os podéis retirar en este estrecho,
que baste sola una hora a resistillo?
Si queréis hacer rostro[82] y mostrar pecho,
desnudo le ofrecemos al cuchillo,

---

[75] *dotrinado* ant. *adoctrinado* (XXV, n. 4 para *dotrina*).
[76] *quistión* 'pendencia' (II, n. 34).
[77] *bullicio* 'sedición' (XII, n. 133).
[78] *diferente* 'desavenido' (XI, n. 38).
[79] *capaz* 'apto' (XXXIII, n. 9).
[80] *antepecho* 'parapeto' (Percivale, 1589, en T.L.).
[81] *fuerza* 'plaza amurallada', como en 58,1 (I, n. 57).
[82] *hacer rostro* 'enfrentar' (V, n. 65).

pues nos coge esta furia repentina
sin armas, capitán, ni diciplina.

«Que estos barbudos crueles y terribles
del bien universal usurpadores,
son fuertes, poderosos, invencibles[83],
y en todas sus empresas. vencedores;
arrojan rayos con estruendo horribles,
pelean sobre animales corredores,
grandes, bravos, feroces y alentados[84],
de solo el pensamiento gobernados[85].

»Y pues contra sus armas y fiereza
defensa no tenéis de fuerza o muro,
la industria ha de suplir nuestra flaqueza
y prevenir con tiempo el mal futuro;
que mostrando doméstica llaneza
les podéis prometer paso seguro,
como a nación vecina y gente amiga,
que la promesa en daño a nadie obliga,

»haciendo en este tiempo limitado
retirar con silencio y buena maña
la ropa, provisiones y ganado
al último rincón de la montaña,
dejando el alimento tan tasado,
que vengan a entender que esta campaña
es estéril, es seca y mal templada,
de gente pobre y mísera habitada.

»Porque estos insaciables avarientos,   60
viendo la tierra pobre y poca presa[86],
sin duda mudarán los pensamientos

---

[83] Para esta acumulación nominal trimembre y la de cuatro adjetivos en el verso 7 de la octava, III, n. 39.

[84] *alentado* 'animoso' (VI, n. 61).

[85] Es decir, que obedecen al pensamiento del jinete sin necesidad de rienda o espuela. Para *de* 'por', como en 59,8 v. I, n. 60.

[86] *presa* 'botín' (VI, n. 5).

dejando por inútil esta empresa;
y la falta de gente y bastimentos
los echará deste distrito apriesa,
guiados por la breña y gran recuesto[87]
de do quizá no volverán tan presto.

»Tenéis de Ancud el paso y estrecheza
cerrado de peñascos y jarales,
por do quiso impedir naturaleza
el trato a los vecinos naturales;
cuya espesura grande y aspereza
aún no pueden romper los animales,
y las aves alígeras[88] del cielo
sienten trabajo en el pasarle a vuelo.

«LLevados por aquí, sin duda creo
que viendo el alto monte peligroso
corregirán[89] el ímpetu y deseo,
volviendo atrás el paso presuroso.
Y si quieren buscar algún rodeo,
desviarse de aquí será forzoso,
dejando esta región por miserable
libre de su insolencia intolerable.

»Y aunque la libertad y vida mía
sé que corre peligro en el viaje,
con rústica y desnuda compañía
salir quiero a encontrarlos al pasaje,
y fingiendo ignorancia y alegría,
vestido de grosero y pobre traje,
ofrecerles en don una miseria
que arguya y dé a entender nuestra laceria[90].

---

87 *recuesto* 'pendiente de montaña' (XVI, n. 49).
88 *alígero* 'alado' es latinismo poético que reaparece en Cervantes y Lope (*Aut.*) pero no usan Mena, Herrera ni Góngora.
89 *corregir* 'templar, moderar' (Cuervo, *Dicc.* con texto de Garcilaso, canc. V). Cfr. I, n. 113 y X, n. 43).
90 *laceria* 'miseria, hambre' (Cov., pero ya desde el siglo XIII).

»Quizá viendo el trabajo y poco fruto
que se puede esperar de la pobreza,
la estéril tierra y mísero tributo,
el linaje de gente y rustiqueza[91],
mudarán el intento resoluto[92]
que es de buscar haciendas y riqueza,
haciéndoles volver con maña y arte[93]
las armas y designios a otra parte.»

No acabó su razón el indio cuando   65
se levantó un rumor entre la gente
el parecer a voces aprobando,
sin mostrarse ninguno diferente;
y así la ejecución apresurando
en lo ya consultado conveniente,
corrieron al efeto, retirados
los muebles, vituallas y ganados.

Ya el español con la presteza usada
al último confín había venido,
dando remate a la postrer jornada
del límite hasta allí constituido;
y puesto el pie en la raya señalada,
el presuroso paso suspendido,
dijo (si ya escucharlo no os enoja)
lo que el canto dirá, vuelta la hoja.

FIN

---

[91] *rustiqueza* o *rustiquez* que DCECH documenta en el XVII, apoyado en textos de *Aut.* (Cervantes y Lope); también aparece en Herrera (Kossoff) pero no en Góngora. Para DCECH es forma italiana.

[92] *resoluto* 'determinado' (II, n. 119).

[93] *arte* 'habilidad' (XIV, n. 36).

ENTRAN LOS ESPAÑOLES EN DEMANDA DE LA NUEVA TIE-
RRA. SÁLELES AL PASO TUNCONABALA; PERSUÁDELES A QUE
SE VUELVAN PERO VIENDO QUE NO APROVECHA, LES OFRE-
CE UNA GUÍA[1] QUE LOS LLEVA POR GRANDES DESPEÑADE-
ROS, DONDE PASARON TERRIBLES TRABAJOS[2]

CANTO XXXV

¿QUÉ CERROS hay que el interés no allana
y qué dificultad que no la rompa?
¿Qué pecho fiel, qué voluntad tan sana,
que éste no le inficione y la corrompa?[3].
Destruye el trato de la vida humana,
no hay orden que no altere y la[4] interrompa,
ni estrecha entrada ni cerrada puerta
que no la facilite y deje abierta.

---

[1] *guía* era de género gramatical femenino en la época, como en 10,5;
24,8; 26,3 y 29,8 en este Canto (XXVI, n. 88).

[2] *trabajo* 'penuria', como luego en 5,3 (I, n. 104).

[3] *inficionar* 'corromper' (XII, n. 136). Para la repetición sinonímica
(«le inficione y la corrompa») v. I, n. 112. Otras repeticiones en este
Canto: 2,2 («ñudo y vínculo»); 7,2 («extremo y término»); 12,8 («cataduras y visajes»); 13,7 («designios y opiniones»); 21,3 («selvatiquez y rustiqueza»); 21,7 («yerma, desierta y despoblada»); 28,2 («briosos y lozanos»); 29,4 («máquinas y quimeras»); 29,5 («alegres y contentos»); 35,2
(«impedimentos y embarazos»); 37,7 («se muestra y se parece»).

[4] *la* concuerda con *orden* 'ordenamiento', femenino en la época
(I, n. 111), *interromper* por *interrumpir* tb. en Cervantes (DCECH) en cuyos textos alterna con la forma actual.

915

Éste de parentescos y hermandades
desata el ñudo[5] y vínculo más fuerte,
vuelve en enemistad las amistades
y el grato amor en desamor convierte;
inventor de desastres y maldades,
tropella[6] a la razón, cambia la suerte,
hace al hielo caliente, al fuego.frío
y hará subir por una cuesta un río.

Así por mil peligros y derrotas[7],
golfos profundos, mares no sulcados[8],
hasta las partes últimas ignotas
trujo[9] sin descansar tantos soldados,
y por vías estériles remotas
del interés incitador llevados,
piensan escudriñar cuanto se encierra
en el círculo inmenso de la tierra[10].

Dije que don García había arribado
con prática y.lucida compañía
al término de Chile señalado
de do nadie jamás pasado había;

---

[5] *ñudo* por *nudo* (X, n. 74).

[6] *tropellar* por *atropellar* (II, n. 114).

[7] *derrota* 'camino' (IV, n. 20).

[8] *sulcar* por *surcar* es forma latinizante de este cultismo de sentido, de tradición virgiliana *(Aeneidos* V,158: «... longa sulcant vada salsa carina») que recoge Herrera (Cervantes y Góngora, *surcar*).

[9] *trujo* 'trajo' (III, n. 91) es forma de pretérito todavía usual en hablas dialectales.

[10] En este exordio hay un vago eco de la doctrina estoica que condena el interés por los bienes del mundo, pero la voz poética habla desde el momento de la escritura: el joven conquistador Ercilla correrá la aventura de la exploración de nuevas tierras. Desde el presente de la madurez (cuando el poema se escribe) la condena se apropia de conceptos tradicionales de la filosofía moral. Cfr. K. L. Blüher, *Séneca en España,* 212. La condena es, sin embargo, parcial, como reconoce Tunconabala luego, en 16,5. Para un texto de Erasmo de similares recursos retóricos, v. en el adagio *Los Silenos de Alcibíades:* «A la zaga de ellas [riquezas] corren todos los hombres a través de los peligros, a través de los incendios» (Erasmo, *Obras escogidas* Madrid, Aguilar, 1956, 1074).

y en medio de la raya el pie afirmado,
que los dos nuevos mundos dividía,
\presente yo y atento a las señales,
las palabras que dijo fueron tales:

«Nación a cuyos pechos invencibles   5
no pudieron poner impedimentos
peligros y trabajos insufribles,
ni airados mares, ni contrarios vientos,
ni otros mil contrapuestos[11] imposibles,
ni la fuerza de estrellas ni elementos,
que rompiendo por todo habéis llegado,
al término de orbe limitado:

«veis otro nuevo mundo, que encubierto
los cielos hasta agora le han tenido,
el difícil camino y paso abierto
a sólo vuestros brazos concedido;
veis de tanto trabajo el premio cierto
y cuanto os ha Fortuna prometido,
que siendo de tan grande empresa autores,
habéis de ser sin límite señores;

»y la parlera fama discurriendo[12]
hasta el extremo y término postrero,
las antiguas hazañas refiriendo
pondrá esta vuestra en el lugar primero;
pues en dos largos mundos no cabiendo,
venís a conquistar otro tercero,
donde podrán mejor sin estrecharse
vuestros ánimos grandes ensancharse.

»Y pues es la sazón tan oportuna
y poco necesarias las razones,
no quiero detener vuestra fortuna,
ni gastar más el tiempo en oraciones.

---

[11] *contrapuesto* 'contrario' (V, n. 47).
[12] Para el epíteto de *fama* v. I, n. 87; para *discurrir* 'correr', III, n. 104.

Sús[13], tomad posesión todos a una
desas nuevas provincias y regiones,
donde os tienen los hados a la entrada
tanta gloria y riqueza aparejada.»[14].

Luego pues de tropel[15] toda la gente
a la plática apenas detenida,
pisó la nueva tierra libremente,
jamás del estranjero pie batida[16];
y con orden y paso diligente,
por una angosta senda mal seguida,
en larga retahila[17] y ordenada,
dimos principio a la primer jornada.

Caminamos sin rastro algunos días   10
de sólo el tino por el sol guiados,
abriendo pasos y cerradas vías
rematadas en riscos despeñados;
las mentirosas fugitivas guías
nos llevaron por partes engañados,
que parecía imposible al más gigante
poder volver atrás ni ir adelante.

Ya del móvil primero arrebatado
contra su curso el sol hacia el poniente,
al mundo cuatro vueltas había dado[18]
calentando del pez la húmida frente[19],

---

13 *¡sús!* exclamación de aliento (II, n.32). *Auna* 'juntamente' (III, n.65).

14 *aparejar* 'preparar' (IV, n. 28).

15 *de tropel* es más frecuente en los textos clásicos (y la única forma que usa Cervantes) que la moderna *en tropel* ausente todavía en *Aut.*

16 *batir* aquí 'pisar', por extensión del significado 'golpear' (XIV, n. 20).

17 *retahila* 'hileras rectas' es temprana documentación de este probable cultismo (DCECH) que *Aut.* trae sin documentación.

18 Es decir, 'habían caminado ya cuatro días'.

19 Referencia al signo del zodíaco correspondiente a los meses de febrero y marzo. Cfr. la fecha de 28 de febrero en XXXVI,29 cuando la expedición emprende la vuelta. Para el problema de las fechas, v. Medi-

cuando al bajar de un áspero collado
vimos salir diez indios de repente
por entre un arcabuco[20] y breña espesa,
desnudos, en montón, trotando apriesa.

Del aire, de la lluvia y sol curtidos,
cubiertos de un espeso y largo vello,
pañetes[21] cortos de cordel ceñidos,
altos de pecho y de fornido cuello,
la color y los ojos encendidos,
las uñas sin cortar, largo el cabello[22],
brutos campestres, rústicos salvajes,
de fieras cataduras y visajes.

Venía un robusto viejo el delantero,
al cual el medio cuerpo le cubría
un roto manto de sayal grosero
que mísera pobreza prometía.
Éste, pues, como dije allá primero,
era Tunconabal[23], que pretendía
mudar nuestros designios y opiniones
con fingidos consejos y razones.

Fuimos luego sobre ellos, recelando
ser gente de montaña fugitiva;
mas ellos, nuestros pasos atajando,

---

na, *Vida*, 66 y ss. Para la repetición de esta perífrasis que señala el trans-
currir de los días, v. luego, 27,5-6.

[20] *arcabuco* es indigenismo que vuelve a aparecer en el Canto en 31,2
(XXIII, n. 47).

[21] *pañete* 'especie de calzoncillo rústico' (*Aut.*, que documenta la voz
más tardíamente, y así DCECH).

[22] Nótese la construcción paralelística bimembre con epítetos en
quiasmo, que se vuelve a usar en 30,1; además hay repetición sinonímica de carácter enfático para reforzar la extrañeza de la aparición, rasgo
descriptivo que se prolonga al verso siguiente y que el propio Tunconabala confirmará en su discurso en 18,1-2 y 19,5-6. Cfr. IX, n. 112 y I, n.
112. V. tb. la octava 16 en que el paralelismo se desarrolla a lo largo de
los primeros cuatro versos.

[23] Cfr. XXXIV,53,2 en donde se le llama Tunconabala.

venían a más andar la cuesta arriba,
y al pie de una alta peña reparando[24]
por do un quebrado arroyo se derriba,
todos nos aguardaron sin recelo,
puestas sus flechas y arcos en el suelo.

Luego el anciano a voces y en estraña   15
lengua de nuestro intérprete entendida
dijo: «¡Oh gente infeliz, a esta montaña
por falso engaño y relación traída,
do la serpiente y áspera alimaña
apenas sustentar pueden la vida,
y adonde el hijo bárbaro nacido
es de incultas[25] raíces mantenido!

«¿Qué información siniestra, qué noticia
incita así vuestro ánimo invencible?
¿Qué dañado consejo o qué malicia
os ha facilitado lo imposible?
Frenad, aunque loable, esa cudicia
que la empresa es difícil y terrible;
y vais sin duda todos engañados
a miserable muerte condenados,

«que cuando no encontréis gente de guerra
que os ponga en el pasaje impedimento,
hallaréis una sierra y otra sierra,
y una espesura y otra y otras ciento,
tanto que la aspereza de la tierra,
por la falta de yerba y nutrimento[26]
y contagión[27] del aire, no consiente
en su esterilidad cosa viviente.

---

[24] *reparar* 'detenerse' (III, n. 70).

[25] *inculto* 'silvestre' (I, n. 106). Nótese en la octava la alternancia de *do* (XXVII, n. 81) y *adonde;* v. también 31,7 y 40,4.

[26] *nutrimento* es documentación temprana del vocablo (*Aut.* cita texto de *El pasajero* de C. Suárez de Figueroa, 1617, y así tb. DCECH).

[27] *contagión* por *contagio* es forma común en textos áureos hasta mediados del XVII (DCECH) y todavía en Sobrino, 1705 (T.L.).

«Y aunque me veis en bruto transformado
a la silvestre vida reducido,
sabed que ya en un tiempo fui soldado,
y que también las armas he vestido;
así que por la ley que he profesado,
viendo que va este ejército perdido,
la lástima me mueve a aconsejaros
que sin pasar de aquí, queráis tornaros;

»que estas yermas campañas y espesuras
hasta el frígido sur continuadas,
han de ser el remate y sepulturas
de todas vuestras prósperas jornadas.
Mirad destos salvajes las figuras
de quien[28] son como fieras habitadas,
y el fruto que nos dan escasamente,
del cual os traigo un mísero presente.»

En esto, de un fardel de ovas[29] marinas   20
a la manera de una red tejidas,
sacó diversas frutas montesinas,
duras, verdes, agrestes, desabridas,
carne seca de fieras salvajinas[30]
y otras silvestres rústicas comidas;
langosta al sol curada y lagartijas,
con mil varias inmundas sabandijas.

Admirónos la forma y la estrañeza
de aquella gente bárbara notable,
la gran selvatiquez y rustiqueza[31],

---

28 *quien* por *quienes* (III, n. 16).

29 *ova* 'alga' (Nebrija: «ova que nace en el agua», y ya desde principios
del xv, según DCECH); el texto añade «marina» pues también designaba
la que crecía en fuentes y estanques, como su étimo latino *ulva* (Virgilio,
Georg. III, n. 175).

30 *salvajina* 'montaraz' es considerado raro por DCECH; ya en Gómez
Manrique (Lida de Malkiel, 167); es referencia al *charqui* o cecina, del
que harán luego mención J. de Acosta y Garcilaso Inca (Friederici).

31 *selvatiquez* es, según Herrera en sus *Anotaciones* a Garcilaso, italianis-

el fiero aspecto y término[32] intratable.
La espesura de montes y aspereza,
y el fruto de aquel suelo miserable,
tierra yerma, desierta y despoblada,
de trato y vecindad tan apartada.

Preguntámosle allí, si prosiguiendo
la tierra, era delante montuosa;
respondiónos el viejo sonriendo
ser más áspera, dura y más fragosa[33],
y que si así la montaña iba creciendo
que era imposible y temeraria cosa
romper tanta maleza y espesura[34]
puesta allí por secreto de natura[35].

Pero visto nuestro ánimo ambicioso,
que era de proseguir siempre adelante,
y que el fingido aviso malicioso
a volvernos atrás no era bastante,
con un afecto tierno y amoroso,
mostrando en lo esterior triste semblante,
puesto un rato a pensar, afirmó cierto[36]
haber cerca otro paso más abierto[37];

que por la banda[38] diestra del poniente
dejando el monte del siniestro lado,
había un rastro, cursado[39] antiguamente,

mo que Garcilaso (son. 28,6) toma del *Filostrato* de Boccaccio; tb. debe
serlo *rustiqueza* (DCECH) del que este texto es documentación temprana
(*Aut.* trae cita de Nieremberg, de principios del XVII y, para la forma femenina, otra de Lope). Cfr. *Lexis,* Lima, II,2 (1978) 208.

[32] *término* 'conducta, actitud' (I, n. 2).

[33] *fragoso* 'escarpado' (XVIII, n. 98).

[34] *maleza y espesura* La expresión reaparece en 32,6 con rima semejante.

[35] *natura* 'naturaleza' como en 32,2 (VI, n. 65).

[36] *cierto* 'ciertamente' (XII, n. 41). Para la adverbialización de adjetivos, cfr. I, n. 62.

[37] Para el uso de este tipo de construcción latinizante de infinitivo
que ya había empleado en 14,1-2 (XV, n. 10).

[38] *banda* 'lado' (IV, n. 129).

[39] *cursado* 'frecuentado, utilizado' (*Aut.*).

de la nàcida yerba ya borrado,
por do podía pasar salva la gente
aunque era el trecho largo y despoblado,
para lo cual él mismo nos daría
una prática lengua y fida guía[40].

Fue de nosotros esto bien oído,   25
que alguna gente estaba ya dudosa,
y el donoso presente recebido,
también la recompensa fue donosa[41]:
un manto de algodón rojo teñido
y una poblada[42] cola de raposa,
quince cuentas de vidrio de colores,
con doce cascabeles sonadores.

La dádiva, del viejo agradecida,
por ser joyas entre ellos estimadas,
y la guía solícita venida
con todas las más cosas aprestadas,
pusimos en efeto la partida
siguiéndonos los indios dos jornadas,
dando vuelta después por otra senda,
dejándonos el indio en encomienda.

La cual[43] nos iba siempre asegurando
gran riqueza, ganado y poblaciones,
los ánimos estrechos ensanchando

---

[40] *lengua* 'intérprete' parece documentación temprana de su uso literario; DCECH registra el empleo adjetivo en el *Guzmán; fido* 'fiel' (XXXIII, n. 113).

[41] *donoso* 'generoso' que DCECH registra en Berceo pero que parece casi olvidado en los textos áureos que favorecen la acepción moderna 'gracioso'; probablemente ambas acepciones están presentes en el texto y Ercilla las emplea irónicamente, como se deduce de la estrofa siguiente, vv. 1 y 2, y de la repetición que enfatiza el significado opuesto. Para la repetición en quiasmo, más expresiva, v. 28,4.

[42] *poblado* 'espeso, abundante' (*Aut.* referido a árboles y DRAE, con definición más amplia); hoy tb. frecuente para *cejas,* por ej., uso que se ajusta más al texto.

[43] Entiéndase 'la cual [guía]'.

con falsas y engañosas relaciones,
diciendo: «Cuando Febo volteando
seis veces alumbrare estas regiones,
os prometo, so pena de la vida,
henchir del apetito[44] la medida.»

No sabré encarecer nuestra altiveza,
los ánimos briosos y lozanos[45],
la esperanza de bienes y riqueza,
las vanas trazas y discursos vanos.
El cerro, el monte, el risco y la aspereza[46]
eran caminos fáciles y llanos,
y el peligro y trabajo exorbitante[47]
no osaban ya ponérsenos delante.

Íbamos sin cuidar de bastimentos
por cumbres, valles hondos, cordelleras,
fabricando en los llenos pensamientos,
máquinas[48] levantadas y quimeras.
Así ufanos, alegres y contentos
pasamos tres jornadas las primeras
pero a la cuarta, al tramontar[49] del día,
se nos huyó la mentirosa guía.

El mal indicio, la sospecha cierta   30
los ánimos turbó más esforzados
viendo la falsa trama descubierta
y los trabajos ásperos doblados;
mas, aunque sin camino y en desierta
tierra, del gran peligro amenzados

---

[44] *apetito* 'codicia' (I, n. 19 y III, n. 4 para este latinismo de sentido).

[45] *lozano* La expresión reaparece en 42,7.

[46] Para este tipo de acumulación nominal en las descripciones, con valor enfatizante, III, n. 39.

[47] *exorbitante* es cultismo sin documentación literaria previa según C. C. Smith, 260 (*Aut.* trae textos del XVII: D. Hurtado de Mendoza, 1627, y V. Espinel, 1618).

[48] *máquina* 'fantasía, maquinación', que es ac. clásica ya en Cicerón.

[49] *tramontar* es italianismo garcilasiano (XVII, n. 26).

y la hambre y fatiga todo junto,
no pudo detenernos solo un punto.

Pasamos adelante, descubriendo
siempre más arcabucos y breñales,
la cerrada espesura y paso abriendo
con hachas, con machetes y destrales[50];
otros con pico y azadón rompiendo
las peñas y arraigados matorrales,
do el caballo hostigado y receloso
afirmase seguro el pie medroso.

Nunca con tanto estorbo a los humanos
quiso impedir el paso la natura
y que así de los cielos soberanos,
los árboles midiesen el altura,
ni entre tantos peñascos y pantanos
mezcló tanta maleza y espesura,
como en este camino defendido,
de zarzas, breñas y árboles tejido.

También el cielo en contra conjurado,
la escasa y turbia luz nos encubría
de espesas nubes lóbregas cerrado,
volviendo en tenebrosa noche el día,
y de granizo y tempestad cargado
con tal furor el paso defendía,
que era mayor del cielo ya la guerra
que el trabajo y peligro de la tierra.

Unos presto socorro demandaban
en las hondas malezas sepultados;
otros, «¡ayuda!, ¡ayuda!», voceaban,
en húmidos pantanos atascados;

---

[50] *machete* parece ser temprana documentación literaria de su uso
(DCECH para su aparición en documento de 1550 y empleo en romances de germanía fechables en el xvi). *Destral* 'hacha pequeña' (XVII,
n. 44).

otros iban trepando, otros rodaban
los pies, manos y rostros desollados,
oyendo aquí y allí voces en vano,
sin poderse ayudar ni dar la mano.

Era lástima oír los alaridos, 35
ver los impedimentos y embarazos,
los caballos sin ánimo caídos,
destroncados los pies, rotos los brazos;
nuestros sencillos débiles vestidos
quedaban por las zarzas a pedazos;
descalzos y desnudos, sólo armados,
en sangre, lodo y en sudor bañados.

Y demás del trabajo incomportable[51],
faltando ya el refresco y bastimento,
la aquejadora hambre miserable
las cuerdas apretaba del tormento;
y el bien dudoso y daño indubitable[52]
desmayaba la fuerza y el aliento,
cortando un dejativo[53] sudor frío,
de los cansados miembros todo el brío.

Pero luego también considerando
la gloria que el trabajo aseguraba,
el corazón los miembros reforzando,
cualquier dificultad menospreciaba,
y los fuertes opuestos contrastando
todo lo por venir facilitaba,

---

[51] *incomportable* 'insufrible' (XI, n. 135).

[52] *indubitable* es cultismo que reaparece en Cervantes (*Aut.*) pero ausente en Garcilaso, Herrera y Góngora (DCECH sin documentación). El paralelismo de los dos hemistiquios se encarece por la oposición semántica de los abstractos («bien» y «daño») y la figura etimológica de los dos adjetivos («dudoso», «indubitable»).

[53] *dejativo* 'flojo, desmayado' (Oudin, 1607, en T.L.; *Aut.* con textos del XVII; DCECH sin documentación) es uso literario temprano, aquí con sentido activo 'que afloja', 'debilitador'.

que el valor más se muestra y se parece[54]
cuando la fuerza de contrarios crece.

Así, pues, nuestro ejército rompiendo
de sólo la esperanza alimentado,
pasaba a puros brazos descubriendo
el encubierto cielo deseado.
Íbanse ya las breñas destejiendo,
y el bosque de los árboles cerrado
desviando sus ramas intricadas
nos daban paso y fáciles entradas.

Ya por aquella parte, ya por ésta
la entrada de la luz desocupando,
el yerto risco y empinada cuesta
iban sus altas cumbre allanando;
la espesa y congelada niebla opuesta,
el grueso vapor húmido exhalando,
así se adelgazaba y esparcía,
que penetrar la vista ya podía.

Siete días perdidos anduvimos   40
abriendo a hierro el impedido paso,
que en todo aquel discurso[55] no tuvimos
do poder reclinar el cuerpo laso[56].
Al fin una mañana descubrimos
de Ancud el espacioso y fértil raso[57],
y al pie del monte y áspera ladera
un estendido lago y gran ribera[58].

---

[54] *parecer* 'aparecer' (III, n. 25).
[55] *discurso* 'período' (IX, n. 31).
[56] *laso* 'fatigado' (IV, n. 75).
[57] *raso* 'llano, espacio abierto' (*Aut.*).
[58] Probablemente el lago Llauquihue (Medina, *Vida*, 68), por cuya ribera y hacia el sur alcanzaron el seno de Reloncaví, al que se refiere en la octava siguiente. Para las diferencias con Mariño de Lobera y Góngora Marmolejo, v. 34-45, n. 175 de la obra citada.

Era un ancho arcipiélago[59], poblado
de innumerables islas deleitosas,
cruzando por el uno y otro lado
góndolas y piraguas presurosas.
Marinero jamás desesperado
en medio de las olas fluctuosas[60]
con tanto gozo vio el vecino puerto,
como nosotros el camino abierto.

Luego, pues, en un tiempo arrodillados,
llenos de nuevo gozo y de ternura,
dimos gracias a Dios, que así escapados
nos vimos del peligro y desventura;
y de tantas fatigas olvidados,
siguiendo el buen suceso y la ventura,
con esperanza y ánimo lozano
salimos presto al agradable llano.

El enfermo, el herido, el estropeado,
el cojo, el manco, el débil, el tullido,
el desnudo, el descalzo, el desgarrado,
el desmayado, el flaco, el deshambrido[61]
quedó sano, gallardo y alentado,
de nuevo esfuerzo y de valor vestido,
pareciéndole poco todo el suelo
y fácil cosa conquistar el cielo.

---

[59] *arcipiélago* es variante que no registra ya (*Aut.* y tampoco DCECH,
pero que aparece en Palet (1604) y Percivale (1623) según T.L.; v. tb.
XXXV,17,6. *Piragua,* en el cuarto verso, es indigenismo de la lengua caribe 'especie de canoa grande' ya documentado en G. Fernández de
Oviedo, 1535 (Friederici; DCECH). Esta parece la primera documentación literaria del uso de *góndola* 'embarcación pequeña' en castellano
(DCECH trae textos del XVII, asociados o no, como en Ercilla, con Venecia).

[60] *fluctuoso* es cultismo ya presente en Mena y la *Celestina* con grafía romanceada: *flutuoso* (Lida de Malkiel, 261 y 478).

[61] *deshambrido* 'hambriento' (*Aut.* con texto de 1543). Para este tipo de
enumeraciones nominales hiperbólicas, III, n. 39.

Mas con todo este esfuerzo, a la bajada
de la ribera, en partes montuosa,
hallamos la frutilla coronada
que produce la murta virtuosa[62];
y aunque agreste, montés, no sazonada,
fue a tan buena sazón y tan sabrosa,
que el celeste maná y ollas de Egito[63]
no movieran mejor nuestro apetito.

Cual banda de langostas enviadas
por plaga a veces del linaje humano,
que en las espigas fértiles granadas
con un sordo rozar[64] no dejan grano,
así pues en cuadrillas derramadas,
suelta la gente por el ancho llano,
dejaba los murtales más copados[65]
de fruta, rama, y hoja despojados.

A puñados la fruta unos comían
de la hambre aquejados importuna;
otros ramos y hojas engullían,
no aguardando a cogerla una por una.
Quien huye al repartir la compañía,
buscando en lo escondido parte alguna
donde comer la rama desgajada
de las rapaces uñas escapada,

45

---

62 Cfr. J. de Acosta, *Historia natural...* (1590), l.IV, c. 19: «la que llaman frutilla de Chile tiene también apetitoso comer, que cuasi tira al sabor de guindas; mas en todo es muy diferente, porque no es árbol, sino
yerba que crece poco y se esparce por la tierra...» (BAE, t. LXXIII,
113a). La explicación del «coronada» de Ercilla aparece en el «Vocabulario» del *Diccionario...* de Alcedo s.v. *murtilla* (Mirtus Baccifolia):
«... fruta, la cual es una baya del tamaño de la ciruela, a veces redonda y
otras oval, de color rojo, coronada de cuatro puntas verdes como la granada».
63 *Egito* por *Egipto; ollas de Egipto* es expresión proverbial que alude a la
abundancia de alimentos (Éxodo, 16,3 y Números 11,5). El eco del texto bíblico continúa en la estrofa siguiente con el recuerdo de la plaga de
langostas sobre Egipto (Éxodo 10,12).
64 *rozar* aquí 'cortar' *(Aut.)*.
65 *copado* 'frondoso' (XVII, n. 95).

como el montón de las gallinas, cuando
salen al campo del corral cerrado,
aquí y allí solícitas buscando
el trigo de la troj[66] desperdiciado,
que con los pies y picos escarbando,
halla alguna el regojo[67] sepultado,
y alzándose con él, puesta en huida,
es de las otras luego perseguida,

así aquel que arrebata buena parte,
déste y de aquél aquí y allí seguido,
huyendo se retira luego en parte
donde pueda comer más escondido.
Ninguno, si algo alcanza, lo reparte,
que no era tiempo aquel de ser partido,
ni allí la caridad, aunque la había,
estenderse a los prójimos podía.

Estando con sabor desta manera
gustando aquella rústica comida,
llegó una corva góndola ligera
de doce largos remos impelida,
que zabordando[68] recio en la ribera,
la chusma[69] diestra y gente apercebida
saltaron luego en tierra sin recato
con muestra de amistad y llano trato.

Más si queréis saber quién es la gente[70],   50
y la causa de haber así arribado,

---

[66] *troj* 'granero' (VII, n. 72).
[67] *regojo* 'porción sobrante de pan', es vocablo infrecuente en la literatura (*Aut.* sin doc.; DCECH con este texto).
[68] *zabordar* 'encallar' (XV, n. 158), como se explica en XXXVI,2,8 y vuelve a usarse en 26,7.
[69] *chusma* 'remeros', como en XXXVI,2,7 (XXI, n. 45 para otra ac.).
[70] Se trata de los indios chilotes, habitantes de la isla y archipiélago de Chiloe que el poema opone, por su actitud pacífica, a los belicosos araucanos. De aquí que Ménendez y Pelayo defina el episodio como «el idilio de la tierra austral y el archipiélago de Chiloe» (*o.c.,* 224). Para un análisis de las correspondencias históricas del episodio, C. Keller R., «El ter-

no puedo aquí decíroslo al presente,
que estoy del gran camino quebrantado.
Así para sazón más conveniente
será bien que lo deje en este estado,
porque pueda entretanto repararme
y os dé menos fastidio el escucharme.

FIN

---

cer mundo o comentarios sobre dos octavas reales de don Alonso de Ercilla» *BAChH* XXVII, 64 (1961) 46-77, espec., 62. Para una lectura
ideológica descontextualizada, J. Concha «El otro nuevo mundo» en *Homenaje a Ercilla,* Concepción, 1969, 31-82, particularmente, 73 y ss.; v. tb.
R. Perelmuter-Pérez, «El paisaje idealizado en *La Araucana» HR* 54,2
(1986) 129-146, especialmente, 141 y ss. en que se analiza el episodio
desde un punto de vista retórico.

SALE EL CACIQUE DE LA BARCA A TIERRA, OFRECE A LOS ES-
PAÑOLES TODO LO NECESARIO PARA SU VIAJE Y PROSI-
GUIENDO ELLOS SU DERROTA, LES ATAJA EL CAMINO EL DE-
SAGUADERO DEL ARCIPIÉLAGO; ATRAVIÉSALE DON ALONSO
EN UNA PIRAGUA CON DIEZ SOLDADOS; VUELVEN AL ALO-
JAMIENTO Y DE ALLÍ POR OTRO CAMINO A LA CIUDAD
IMPERIAL[1]

CANTO XXXVI

QUIEN muchas tierras vee, vee muchas cosas
que las juzga por fábulas la gente;
y tanto cuanto son maravillosas[2],
el que menos las cuenta es más prudente;
y aunque es bien que se callen las dudosas
y no ponerme en riesgo así evidente,
digo que la verdad hallé en el suelo
por más que afirmen que es subida al cielo[3].

---

[1] Madrid, 1589-90: «Embárcase don Alonso de Ercilla para España y
recorre varias provincias de Europa; manda el rey don Felipe levantar
gente para entrar en Portugal.» Para el indigenismo *cacique,* que reaparece en 15,3 y 18,1, v. I, n. 22; *derrota* 'camino', como en 17,3 (IV, n. 20).
Piragua es indigenismo que vuelve a usarse en 12,6; 22,7 y 27,7 (XXXV,
n. 59).

[2] La fuente de este exordio en Ariosto VII, 1 (M. Chevalier, 153,
n 187).

[3] Se trata del mito de Astrea, la diosa de la justicia que huye al cielo
(Ovidio, *Met.,* I, 150 y Juvenal VI, 19); en el Renacimiento se recrea el
mito añadiéndole o alternando el atributo de diosa de la Verdad. Cfr.
Lope de Vega, *La Dorotea* I, esc. 4, pág. 28 (ed. E. Morby, Madrid, Castalia, 1980, 98); F. de Quevedo, *Sueños y discursos,* 99 (ed. Felipe C. R. Mal-

Estaba retirada en esta parte
de todas nuestras tierras escluida,
que la falsa cautela, engaño y arte[4]
aun nunca habían hallado aquí acogida;
pero dejada esta materia aparte,
volveré con la priesa prometida
a la barca de chusma y gente llena
que bogando embistió recio en la arena

donde un gracioso mozo bien dispuesto
con hasta quince en número venía:
crespo, de pelo negro y blanco gesto[5],
que el principal de todos parecía,
el cual con grave término[6] modesto
junta nuestra esparcida compañía,
nos saludó cortés y alegremente,
diciendo en lengua estraña lo siguiente:

»Hombres o dioses rústicos, nacidos
en estos sacros bosques y montañas,
por celeste influencia producidos

---

donado, Madrid, Castalia, 1972). Cfr. Lía Schwartz Lerner, *Quevedo:
metáfora y representación*, Navarra, 1986, 117. Para la rima «suelo... cielo» v.
R. Perelmuter-Pérez, art. cit., 140.

[4] *cautela* 'astucia' (II, n. 98); *arte* 'habilidad' (XIV, n. 36). En efecto, la
verdad, como la justicia, abandona el mundo en la edad de hierro, cuando la inocencia se pierde y abunda la «falsa cautela, engaño y arte». Ercilla representa estas poblaciones australes como la réplica de una edad de
oro o paraíso perdido.

[5] *gesto* 'rostro' (I, n. 79). No parece referirse *blanco* solamente al color
de la piel sino también a la disposición de ánimo, por oposición a «ne-
grete y cetrino que es tenido por agudo, sagaz y ladino» (Correas, 1627,
en T.L.; tb, *Aut.* 'persona honrada, noble' pero no es clara su documentación áurea fuera de este ejemplo). La ac. racial, aunque intensifica el
aspecto mítico, que acerca el pasaje a un encuentro paradisíaco europei-
zante, se opone, en cambio, a la voluntad documental del poema y no
parece aplicarse del todo a las convenciones genéricas. Sin embargo, v.
más adelante, 7,7 menos ambiguo, al que se opone, sin embargo la sorpresa de los indios ante hombres «blancos, rubios, espesos y barbados»
de 16,3.

[6] *término* 'modo', como en 7,3 (IX, n. 88).

934

de sus cerradas y ásperas entrañas:
¿por cuál caso o fortuna sois venidos
por caminos y sendas tan estrañas
a nuestros pobres y últimos rincones,
libres de confusión y alteraciones?

»Si vuestra pretensión y pensamiento   5
es de buscar región más espaciosa,
y en la prosecución[7] de vuestro intento
tenéis necesidad de alguna cosa,
toda comodidad y aviamiento[8]
con mano larga[9] y voluntad graciosa
hallaréis francamente[10] en el camino
por todo el rededor[11] circunvecino.

»Y si queréis morar en esta tierra,
tierra donde moréis aquí os daremos;
si os aplace[12] y os agrada más la sierra,
allá seguramente os llevaremos;
si queréis amistad, si queréis guerra,
todo con ley igual os lo ofrecemos:
escoged lo mejor que, a elección mía,
la paz y la amistad escogería.»

---

[7] *prosecución* es cultismo poco usual que *Aut.* documenta en el contemporáneo Ambrosio de Morales (1575); ausente en Cervantes, Herrera y Góngora (DCECH no trae datos).

[8] *aviamiento* 'arreglo, provisión' (Cuervo, *Dicc.* s.v. *aviar*).

[9] *con mano larga* 'generosamente' (*Aut.*).

[10] *francamente* 'libremente' (XI, n. 64); nótese en 7,5 *franco* 'generoso' (X, n. 17).

[11] *rededor* 'contorno' (*Aut.* con texto contemporáneo tb. en uso sustantivo).

[12] *aplacer* ant. *placer* (Cuervo, *Dicc.* con doc. hasta el XVII). Para la repetición sinonímica («place... agrada»), v. I, n. 112. Otros ejemplos en el Canto, en 7,6 («traza y talle» este último, en la ac. 'disposición'); 22,4 («remate y fin postrero»); 25,1 («congoja y agonía»); 26,4 («brava y arriscada»); 34,1 («este acontecimiento, este suceso»); 35,6 («astucias y cautelas»); 41,3 («traté y comuniqué»); 43,4 («diferentes y encontrados»); 44,7 («rumor y són»); 46,2 («estrépito... y ruido»).

Mucho agradó la suerte, el garbo, el traje
del gallardo mancebo floreciente[13],
el expedido[14] término y lenguaje
con que así nos habló bizarramente;
el franco ofrecimiento y hospedaje,
la buena traza y talle de la gente,
blanca, dispuesta, en proporción fornida,
de manto y floja túnica vestida;

la cabeza cubierta y adornada
con un capelo[15] en punta rematado
pendiente atrás la punta y derribada,
a las ceñidas sienes ajustado,
de fina lana de vellón rizada
y el rizo[16] de colores variados,
que lozano y vistoso parecía
señal de ser el clima y tierra fría.

Las gracias le rendimos de la oferta
y voluntad graciosa que mostraba,
ofreciendo también la nuestra cierta,
que a su provecho y bien se enderezaba;
pero al fin nuestra falta descubierta
y lo mal que la hambre nos trataba,
le pedimos refresco y vitualla
debajo de[17] promesa de pagalla.

Luego con voz y prisa diligente,   10
vista la gran necesidad que había,
mandó a su prevenida y pronta gente
sacar cuanto en la góndola traía,
repartiéndolo todo francamente

---

[13] *floreciente* 'escogido' (XVII, n. 32).
[14] *expedido* 'ágil' (XXIII, n. 120).
[15] *capelo* 'sombrero' es italianismo ya presente en Nebrija, referido sólo al de cardenales. Todavía Cov. lo considera extranjerismo: «en castellano lo llamamos *chapelo* y más corruptamente *chapeo*».
[16] *rizo* 'especie de terciopelo no cortado' (Cov.).
[17] *debajo de* 'bajo' (XXX, n. 82).

por aquella hambrienta compañía,
sin de nadie acetar[18] solo un cabello,
ni aun querer recebir las gracias dello.

Esforzados así desta manera,
y también esforzada[19] la esperanza,
se comenzó a marchar por la ribera
según nuestra costumbre, en ordenanza;
y andada una gran legua, en la primera
tierra que pareció cómoda estanza[20],
cerca del agua, en reparado asiento
hicimos el primer alojamiento.

No estaba nuestro campo aún asentado
ni puestas en lugar las demás cosas,
cuando de aquella parte y deste lado
hendiendo por las aguas espumosas,
cargadas de maíz[21], fruta y pescado
arribaron piraguas presurosas,
refrescando la gente desvalida,
sin rescate, sin cuenta ni medida.

La sincera bondad y la caricia[22]
de la sencilla gente destas tierras
daban bien a entender que la cudicia
aún no había penetrado aquellas sierras;
ni la maldad, el robo y la injusticia

---

[18] *acetar* por *aceptar* (XII, n. 44).

[19] *Esforzados... esforzada* es repetición que reaparece en 14,4 («ancho y ancha»). En este caso, hay oscilación semántica pues en el primero significa 'animar' y en el segundo 'reforzar'.

[20] *estanza* por *estancia* alternaban ya desde la Edad Media; es la forma que usa Garcilaso (Égl. II, 502).

[21] *maíz* es indigenismo de origen taíno de la isla de Haití incorporado al español desde Colón y en latín desde Pedro Mártir en sus *Décadas* (1493), fue difundido por toda América por los españoles (DCECH, Friederici). Para el indigenismo *piragua* 'canoa grande' del título del Canto y del verso siguiente y 23,7, cfr. XXXV, n. 59.

[22] *caricia* 'demostración de afecto' (XVII, n. 22).

(alimento ordinario de las guerras)
entrada en esta parte habían hallado
ni la ley natural inficionado[23].

Pero luego nosotros, destruyendo
todo lo que tocamos de pasada,
con la usada insolencia el paso abriendo
les dimos lugar ancho y ancha entrada;
y la antigua costumbre corrompiendo,
de los nuevos insultos[24] estragada,
plantó aquí la cudicia su estandarte
con más seguridad que en otra parte.

Pasada aquella noche, el día siguiente,   15
la nueva por las islas estendida,
llegados dos caciques juntamente
a dar el parabién de la venida
con un largo y espléndido[25] presente
de refrescos y cosas de comida
y una lanuda oveja y dos vicuñas[26]
cazadas en la sierra a puras uñas.

Quedábanse suspensos y admirados
de ver hombres así no conocidos,
blancos, rubios, espesos y barbados,
de lenguas diferentes y vestidos.
Miraban los caballos alentados[27]

[23] *inficionar* 'corromper' (XII, n. 136).

[24] *insulto* 'daño' (XIII, n. 56).

[25] *espléndido* es cultismo que incorporan a la lengua poética los autores del siglo xv (C. C. Smith, 247) pero ausente en Garcilaso y Góngora y raro en Herrera.

[26] *vicuña* Cfr. XVI, n. 80 para este quichuismo. La «lanuda oveja», sin duda es una *llama*, como se deduce del texto de Cieza de León en la nota ya mencionada. Añádase J. de Acosta, *Historia...*, I, XXI: «... otro género de ganado que nosotros llamamos ovejas de las Indias, las cuales, demás de la lana y carne, con que se visten y mantienen los indios, sirven también de recua y jumentos para llevar cargas» (BAE, XXXIV y más extensamente en I.4, c, 41, 136 en donde se le llama «carnero o llama»; v. 18,6.

[27] *alentado* 'animoso' (VI, n. 61).

938

en medio de la furia corregidos[28].
y más los espantaba el fiero estruendo
del tiro de la pólvora estupendo[29].

Llevábamos el rumbo al sur derecho
la torcida ribera costeando,
siguiendo la derrota del Estrecho
por los grados la tierra demarcando.
Pero cuanto ganábamos de trecho,
iba el gran arcipiélago ensanchado,
descubriendo a distancias desviadas
islas en grande número pobladas.

Salían muchos caciques al camino
a vernos como a cosa milagrosa,
pero ninguno tan escaso vino
que no trujese en don alguna cosa:
quién el vaso capaz de nácar fino,
quién la piel del carnero vedijosa,
quién el arco y carcaj, quién la bocina[30],
quién la pintada concha peregrina[31].

Yo, que fui siempre amigo e inclinado
a inquirir y saber lo no sabido,
que por tantos trabajos arrastrado
la fuerza de mi estrella me ha traído,
de alguna gente moza acompañado
en una presta góndola metido,
pasé a la principal isla cercana,
al parecer de tierra y gente llana.

[28] *corregido* 'templado, dominado' (X, n. 43).

[29] *estupendo* 'que causa estupor' (XXIV, n. 75).

[30] *bocina* debe hacer referencia al instrumento indígena que Cieza de León, refiriéndose al Perú, define como «trompeta... que era bocina de indios» *Crónica del Perú*, Tercera Parte, cap. 52, 200 (ed. cit.).

[31] Para este tipo de anáfora descriptiva con repetición de *quien*, v. XIV, n. 22.

Vi los indios, y casas fabricadas
de paredes humildes y techumbres,
los árboles y plantas cultivadas,
las frutas, las semillas y legumbres;
noté dellos las cosas señaladas,
los ritos, ceremonias y costumbres,
el trato y ejercicio[32] que tenían
y la ley y obediencia en que vivían.

Entré en otras dos islas, paseando
sus pobladas y fértiles orillas,
otras fui torno a torno[33] rodeando
cercado de domésticas barquillas,
de quien[34] me iba por puntos[35] informando
de algunas nunca vistas maravillas,
hasta que ya la noche y fresco viento
me trujo[36] a la ribera en salvamento.

Pues otro día[37] que el campo caminaba,
que de nuestro viaje fue el tercero,
habiendo ya tres horas que marchaba
hallamos por remate y fin postrero[38]
que el gran lago en el mar se desaguaba
por un hondo y veloz desaguadero[39],
que su corriente y ancha travesía
el paso por allí nos impedía.

---

[32] *ejercicio* 'ocupación' (Nebrija; Casas, 1570 en T.L. pero ya en la *Celestina*, según C. C. Smith, 246).

[33] *torno a torno* por *en torno*, es locución adverbial mucho menos frecuente y no aparece en *Aut.* ni DRAE.

[34] *quien* por *quienes* (III, n. 16).

[35] *por puntos* aquí 'puntualmente, detalladamente'; para la ac. más común 'por instantes', v. *Aut.* y así hasta hoy en DRAE que no registra la ac. del texto.

[36] *trujo* por *trajo* (III, n. 91).

[37] *otro día* 'al día siguiente' (X, n. 66).

[38] *postrero* v. XIV, n. 49 para este cultismo.

[39] Referencia al canal de Chacao, por donde el extremo norte de la isla de Chiloe se acerca al continente (Medina, *Vida*, 69).

Cayó una gran tristeza, un gran nublado[40]
en el ánimo y rostro de la gente,
viendo nuestro camino así atajado
por el ancho raudal de la creciente;
que los caballos de cabestro[41] a nado
no pudieran[42] romper la gran corriente,
ni la angosta piragua era bastante
a comportar[43] un peso semejante;

y volver pues atrás, visto el terrible
trabajo intolerable y excesivo,
tenían según razón por imposible
poder llegar en salvo[44] un hombre vivo;
quedar allí era cosa incompatible
y temerario el ánimo y motivo
de proseguir el comenzado curso[45]
contra toda opinión y buen discurso[46].

Viendo nuestra congoja y agonía   25
un joven indio, al parecer ladino[47]
alegre se ofreció que nos daría
para volver otro mejor camino;
fue excesiva en algunos la alegría,
y así dar vuelta luego[48] nos convino,
que ya el rígido invierno a los australes
comenzaba a enviar recias señales.

---

[40] *nublado* 'turbación del ánimo' (Aut.) es ac. metafórica que no registra aún Cov.
[41] *de cabestro* 'llevado del cabestro' es decir, no con el jinete montado
sino llevando éste al caballo por el cabestro. *Cabestro* 'el cordel que se ata
a la cabezada de la caballería' (Nebrija: «para atar bestia»).
[42] *pudieran* por *hubieran podido* (VII, n. 76).
[43] *comportar* 'tolerar' (IV, n. 41).
[44] *en salvo* 'sin peligro' (XXXII, n. 8).
[45] *curso* 'camino, carrera' (II, n. 73).
[46] *discurso* 'razonamiento' (XXIV, n. 22).
[47] *ladino* 'indio que habla español' (XXX, n. 63).
[48] *luego* 'de inmediato' (I, n. 53).

Mas yo, que mis designios verdaderos
eran de ver el fin desta jornada,
con hasta diez amigos compañeros,
gente gallarda, brava y arriscada[49],
reforzando una barca de remeros
pasé el gran brazo y agua arrebatada,
llegando a zabordar, hechos pedazos,
a puro remo y fuerza de los brazos.

Entramos en la tierra algo arenosa,
sin lengua[50], y sin noticia, a la ventura,
áspera al caminar y pedregosa,
a trechos ocupada de espesura;
mas visto que la empresa era dudosa
y que pasar de allí sería locura,
dimos la vuelta luego a la piragua,
volviendo atravesar la furiosa agua.

Pero yo por cumplir el apetito
que era poner el pie más adelante,
fingiendo que marcaba aquel distrito,
cosa al descubridor siempre importante,
corrí una media milla do un escrito
quise dejar para señal bastante,
y en el tronco que vi de más grandeza
escribí con un cuchillo en la corteza[51]:

> Aquí llegó, donde otro no ha llegado,
> don Alonso de Ercilla, que el primero
> en un pequeño barco deslastrado[52],
> con solos diez pasó el desaguadero

[49] *arriscado* 'valiente' (DCECH s.v. *riesgo,* con ejs. actuales que prueban su relativa vigencia en la lengua escrita). Cfr. IV,28,7 donde aparece por primera vez en el poema (*Aut.* cita este texto).

[50] *lengua* en su doble ac. 'información' (XVI, n. 140) y tb. 'intérprete' (XXXV, n. 40).

[51] El verso es hipermétrico.

[52] *deslastrado* 'sin lastre' parece temprana documentación de su uso literario (*Aut.* con este texto; DCECH).

942

el año de cincuenta y ocho entrado
sobre mil y quinientos, por hebrero,
a las dos de la tarde, el postrer día,
volviendo a la dejada compañía[53].

Llegando, pues, al campo, que aguardando   30
para partir nuestra venida estaba,
que el riguroso invierno comenzando,
la desierta campaña amenazaba,
el indio amigo prático[54] guiando,
la gente alegre el paso apresuraba,
pareciendo el camino, aunque cerrado,
fácil con la memoria del pasado.

Cumplió el bárbaro isleño la promesa
que siempre en su opinión estuvo fijo,
y por una encubierta selva espesa
nos sacó de la tierra, como dijo.
Voy pasando por esto a toda priesa,
huyendo cuanto puedo el ser prolijo[55]
que aunque lo fueron mucho los trabajos[56],
es menester echar por los atajos.

A la Imperial llegamos, do hospedados
fuimos de los vecinos generosos
y de varios[57] manjares regalados
hartamos los estómagos golosos.
Visto, pues, en el pueblo así ayuntado
tantos gallardos jóvenes briosos
se concertó una justa y desafío
donde mostrase cada cual su brío.

---

[53] Para las dificultades cronológicas que genera la estrofa, v. Medina, *Vida*, n. 180, págs. 347 y ss. V. tb. el trabajo de C. Keller R. citado en XXXV, n. 70. Para las discrepancias con Góngora Marmolejo, Medina, *Vida*, 71 y ss.

[54] *prático* por *práctico*. La forma más frecuente en las tres partes del poema es, sin embargo, *plático*.

[55] *prolijo* 'dilatado' (XV, n. 119).

[56] *trabajo* 'penuria' (I, n. 104).

[57] *vario* 'diferente' (VII, n. 15).

al wosa Dacar la espada en compañia De un señor

Turbó la fiesta un caso no pensado[58]
y la celeridad del juez fue tanta,
que estuve en el tapete, ya entregado
al agudo cuchillo la garganta[59].
El inorme[60] delito exagerado
la voz y fama pública le canta,
que fue solo poner mano a la espada
nunca sin gran razón desenvainada.

Este acontecimiento, este suceso
fue forzosa ocasión de mi destierro,
teniéndome después gran tiempo preso
por remendar con éste el primer yerro;
mas aunque así agraviado, no por eso
(armado de paciencia y duro hierro)
falté en alguna acción y correría[61]
sirviendo en la frontera noche y día[62].

Hubo allí escaramuzas sanguinosas[63],   35
ordinarios rebatos[64] y emboscadas,
encuentros y refriegas peligrosas,
asaltos y batallas aplazadas,
raras estratagemas[65] engañosas,

---

[58] Cfr. 37,70 en donde se vuelve a mencionar el episodio («caso»).

[59] *entregado... la garganta* entiéndase 'en cuanto a la garganta'. Para este tipo de construcción con participio, generalmente denominada «acusativo griego», *Esbozo*, par. 3,16,15c con este texto de Ercilla. Cfr. XXI, n. 86. Para las reverberaciones modernas de estos versos, *RIb* 86 (1974) 119-123, especialmente, 122.

[60] *inorme* 'perverso' (XXXII, n. 9) es uso irónico que se aclara en los versos siguientes.

[61] *correría* 'ataque, asalto' (Casas, 1570, en T.L.; *Aut* con texto contemporáneo).

[62] Para los pormenores del incidente, v. Medina, *Vida* 77 y ss.; tb. Góngora Marmolejo, c. 29, 136 y Mariño de Lobera, l.I, c. 11, 395 en cuyos datos y los de otros documentos, Medina se apoya.

[63] *sanguinoso* 'sangriento, cruel', como luego en XXXVII,11,1 (V, n. 48).

[64] *rebato* 'acometida' (I, n. 58); en 37,5 en cambio, 'incidente inesperado'.

[65] *estratagema* es italianismo del que este texto parece temprana documentación literaria (DCECH, con texto de 1595).

944

astucias y cautelas nunca usadas,
que aunque fueron en parte de provecho,
algunas nos pusieron en estrecho[66].

Mas después del asalto y gran batalla
de la albarrada de Quipeo temida[67],
donde fue destrozada tanta malla
y tanta sangre bárbara vertida,
fortificado el sitio y la muralla,
aceleré mi súbita partida[68];
que el agravio, más fresco cada día,
me estimulaba siempre y me roía.

Y en un grueso barcón[69], bajel de trato,
que velas altas de partida estaba,
salí de aquella tierra y reino ingrato
que tanto afán y sangre me costaba;
y sin contraste alguno ni rebato,
con el austro[70] que en popa nos soplaba,
costa a costa[71] y a veces engolfado
llegué al Callao de Lima celebrado.

Estuve allí hasta tanto que la entrada[72]
por el gran Marañón hizo la gente,

---

[66] *estrecho* 'riesgo, peligro' (I, n. 18).

[67] *albarrada* 'muralla' (VI, n. 56). *Quipeo* o *Quiapeo*, como aparece en Mariño de Lobera (l.2, c. 11,397). Cfr. Medina, *Vida,* 80 que fecha el ataque al fuerte en el mes de diciembre de 1558 y en el que no estuvo presente Ercilla.

[68] Probablemente en el mismo diciembre de 1558 o principios de enero de 1559.

[69] *barcón* 'embarcación menor que, cuando estaba aparejada de mástil y de velas, servía para navegaciones costeras' (DCECH, DRAE); *Aut.* lo define sin embargo, como aumentativo.

[70] *austro* 'viento del sur' (XIII, n. 65).

[71] *costa a costa* 'cerca de la costa, costeando'; v. *golfo* en 46,6.

[72] *entrada* 'ocupación' (XXXII, n. 8) y aquí 'expedición'. Se refiere a la expedición enviada por el virrey del Perú a la región del río Amazonas en 1560 a cargo de don Pedro de Urzúa y de la que se apoderó Lope de Aguirre, luego de una serie de asesinatos. Ercilla, pues, debió partir de Lima a mediados de 1561.

donde Lope de Aguirre en la jornada,
más que Nerón y Herodes inclemente,
pasó tantos amigos por la espada
y a la querida hija juntamente,
no por otra razón y causa alguna
mas de para morir juntos a una[73].

Y aunque más de dos mil millas había
de camino, por partes despoblado,
luego de allí por mar tomé la vía[74],
a más larga carrera[75] acostumbrado,
y a Panamá llegué, do el mismo día
la nueva por el aire había llegado
del desbarate[76] y muerte del tirano,
saliendo mi trabajo y priesa en vano[77].

Estuve en Tierra Firme detenido   40
por una enfermedad larga y estraña
mas luego que me vi convalecido,
tocando en las Terceras, vine a España[78],
donde no mucho tiempo detenido,
corrí la Francia, Italia y Alemaña,
a Silesia, y Moravia hasta Posonia,
ciudad, sobre el Danubio, de Panonia[79].

Pasé y volví a pasar estas regiones
y otras y otras por ásperos caminos;
traté y comuniqué varias naciones,

---

[73] *a una* 'juntamente' (III, n. 65) y aquí 'al mismo tiempo'.

[74] No es claro el texto. Según interpreta Medina, debió haber una expedición enviada desde Lima para detener a Aguirre y Ercilla se alistaría en ella. Sin embargo, no parece haber documentación al respecto. Medina, *Vida,* 367-370.

[75] *carrera* 'camino' (VI, n. 32).

[76] *desbarate* 'destrucción' (XXIV, n. 1). Cfr. *Aut.* con este texto.

[77] Debió ser hacia noviembre de 1561 (Medina, *Vida,* 368).

[78] Es decir, las islas Azores. Llegaría a España a mediados de 1563, después de ocho años en América.

[79] *Panonia* es el nombre romano del territorio actual de Hungría aproximadamente.

946

viendo cosas y casos peregrinos[80],
diferentes y estrañas condiciones,
animales terrestres y marinos,
tierras jamás del cielo rociadas,
y otras a eterna lluvia condenadas.

¿Cómo me he divertido[81] y voy apriesa
del camino primero desviado?
¿Por qué así me olvidé de la promesa
y discurso de Arauco comenzado?
Quiero volver a la dejada empresa
si no tenéis el gusto ya estragado;
mas yo procuraré deciros cosas
que valga por disculpa el ser gustosas.

Volveré a la consulta comenzada
de aquellos capitanes señalados[82],
que en la parte que dije diputada[83]
estaban diferentes y encontrados;
contaré la elección tan porfiada,
y cómo al fin quedaron conformados[84];
los asaltos, encuentros y batallas,
que es menester lugar para contallas[85].

---

[80] A la repetición sinonímica del verso anterior se añade la paronomasia «cosas y casos» para intensificar el valor expresivo de la enumeración (IV, n. 18).

[81] *divertirse* 'apartarse' (XXIV, n. 170).

[82] Cfr. XXXIV, 43,8.

[83] *diputado* 'señalado' (*Aut.*; Cuervo, *Dicc.* II, 1240a).

[84] *conformado* por *conforme*, que ya se usaba más frecuentemente, como
hasta hoy (Cuervo, *Dicc.* II, 366a con este texto).

[85] La voz poética deja, con estos versos, el texto abierto para posibles
continuaciones, como era factible en el género épico y en las historias y
novelas de diverso tipo. Esta promesa no debe tomarse, pues, en un sentido absolutamente literal. La continuación estaría, sin duda, ligada al
éxito de esta versión final del poema. En efecto, ésta es la última octava
correspondiente al segmento añadido en 1597. Medina (*Vida*, 187-88)
sin duda por distracción, dado su dominio bibliográfico, atribuye al editor de 1597 el añadido de la campaña de Felipe II en Portugal. Pero este
material estaba ya presente en la edición princeps de Madrid de la Tercera Parte, 1589 en las cuatro últimas octavas del anteúltimo Canto y las

¿Qué hago, en qué me ocupo, fatigando
la trabajada mente y los sentidos,
por las regiones últimas buscando
guerras de ignotos[86] indios escondidos
y voy aquí en las armas tropezando,
sintiendo retumbar en los oídos
un áspero rumor y són de guerra
y abrasarse en furor toda la tierra?

Veo toda la España alborotada   45
envuelta entre sus armas vitoriosas,
y la inquieta Francia ocasionada[87]
descoger[88] sus banderas sospechosas;
en la Italia y Germania desviada
siento tocar las cajas sonorosas[89],
allegándose en todas las naciones,
gentes, pertrechos, armas, municiones.

Para decir tan grande movimiento
y el estrépito bélico y ruido
es menester esfuerzo y nuevo aliento
y ser de vos, Señor, favorecido;
mas ya que el temerario atrevimiento
en este grande golfo me ha metido,
ayudado de vos, espero cierto[90]
llegar con mi cansada nave al puerto.

Que si mi estilo humilde y compostura
me suspende la voz amedrentada,
la materia promete y me asegura

sesenta y cinco primeras del último, que corresponden allí a los Cantos XXXIV y XXXV.

[86] *ignoto* Para este cultismo, que vuelve a usarse en XXXVII,66,4
v. XV, n. 102.

[87] *ocasionado* en la ac. antigua 'puesto en peligro' (*Aut.;* DCECH).

[88] *descoger* 'desplegar' (IV, n. 118).

[89] *sonoroso* Cfr. III, n. 76 para este cultismo.

[90] *cierto* 'ciertamente' (I, n. 62 y XII, n. 41).

que con grata atención será escuchada.
Y entre tanto, Señor, será cordura
pues he de comenzar tan gran jornada,
recoger el espíritu inquieto
hasta que saque fuerzas del sujeto[91].

FIN

---

[91] *sujeto* 'materia' (XVIII, n. 2).

hasta que saque fuerzas del sujeto[91].
recoger el espíritu inquieto
pues he de comenzar tan gran jornada,
Y entre tanto, Señor, será cordura
que con grata atención será escuchada.

FIN

---

[91] sujeto 'materia' (XVIII, n. 2).

EN ESTE ÚLTIMO CANTO SE TRATA CÓMO LA GUERRA ES DE
DERECHO DE LAS GENTES, Y SE DECLARA EL QUE EL REY
DON FELIPE TUVO AL REINO DE PORTUGAL, JUNTAMENTE
CON LOS REQUERIMIENTOS QUE HIZO A LOS PORTUGUESES
PARA JUSTIFICAR MÁS SUS ARMAS

CANTO XXXVII[1]

Canto el furor del pueblo castellano
con ira justa y pretensión movido,
y el derecho del reino lusitano
a las sangrientas armas remitido[2].
La paz, la unión, el vínculo christiano
en rabiosa discordia convertido,
las lanzas de una parte y otra airadas
a los parientes pechos arrojadas.

La guerra fue del cielo derivada
y en el linaje humano transferida,
cuando fue por la fruta reservada
nuestra naturaleza corrompida.
Por la guerra la paz es conservada
y la insolencia humana reprimida,

[1] Sin duda, el cajista por descuido, copió el número de Madrid, 1589-
90 y transcribió «Canto XXXV». Excepto en tres casos que señalaremos, Madrid 1597 sigue esa edición.
[2] *remitido* 'entregado al dictamen'; *remitir* es cultismo que C. C. Smith,
257 ya encuentra en F. Pérez de Guzmán, a mediados del xv.

por ella a veces Dios el mundo aflige,
le castiga, le emienda y le corrige[3];

por ella a los rebeldes insolentes
oprime la soberbia y los inclina,
desbarata y derriba a los potentes
y la ambición sin término termina;
la guerra es de derecho de las gentes
y el orden militar y diciplina
conserva la república y sostiene,
y las leyes políticas mantiene.

Pero será la guerra injusta luego
que del fin de la paz se desviare,
o cuando por venganza o furor ciego,
o fin particular se comenzare;
pues ha de ser, si es público el sosiego,
pública la razón que le turbare:
no puede un miembro solo en ningún modo
romper la paz y unión del cuerpo todo;

que así como tenemos profesada   5
una hermandad en Dios y ayuntamiento,
tanto del mismo Christo encomendada

---

[3] *le emienda y le corrige* es repetición sinonímica (I, n. 112) frecuente en este Canto: 11,2 («justa y derechamente»); 11,8 («a caso ni a fortuna»); 15,2 («corrompe y inficiona»); 15,5 («a despecho y pesar»); 19,8 («estraga e inficiona»); 26,8 («compendio y... suma») 31,2 («favor y... gracia») 35,7 («inconstante y variable»); 45,2 («ley y fuero» como en 51,8); 46,1 («escluido y apartado»); 52,8 («derecha y justamente»); 56,6 («discordia y diferencia»); 62,3 («temoso y porfiado»); 62,5 («terco y obstinado»); 64,4 («proterva y contumaz»); 74,1 («fin y término postrero»). Esta estrofa y las siguientes exponen conceptos cristianos sobre la guerra que tienen su origen en San Agustín y que fueron desarrollándose a lo largo de la Edad Media y se aplicaron de modo diverso en América. Cfr. L. Hanke *Estudios sobre Las Casas* Caracas, 1968, 137. V. tb. August J. Aquila, *«La Araucana»: A Sixteenth-Century View of War and its Effects on Men*, 1973 University Microphilms International, Ann Arbor, Michigan, particularmente caps. I y II, págs. 62 y ss. Para este origen celestial de la guerra, previo a la creación del mundo y que hace referencia a la lucha entre Lucifer y el arcángel Michael, v. *Apocalipsis* XII,7.

en el último eterno Testamento[4],
no puede ser de alguno desatada
esta paz general y ligamiento,
si no es por causa pública o querella
y autoridad del rey defensor della.

Entonces como un ángel sin pecado,
puesta en la causa universal la mira[5],
puede tomar las armas el soldado
y en su enemigo esecutar[6] la ira;
y cuando algún respeto o fin privado
le templa el brazo, encoge y le retira,
demás de que en peligro pone el hecho,
peca y ofende al público derecho.

Por donde en justa guerra permitida
puede la airada vencedora gente
herir, prender, matar en la rendida
y hacer al libre, esclavo y obediente:
que el que es señor y dueño de la vida,
lo es ya de la persona y justamente
hará lo que quisiere del vencido,
que todo al vencedor le es concedido.

Y pues en todos tiempos y ocasiones
por la causa común, sin cargo alguno,
en batallas formadas y escuadrones
puede usar de las armas cada uno,
por las mismas legítimas razones
es lícito el combate de uno a uno,
a pie, a caballo, armado, desarmado,
ora sea campo abierto, ora estacado.

En guerra justa es justo el desafío,
la autoridad del príncipe interpuesta,

4 Cfr. San Juan XIII, 12-17 y XV,9-12.
5 *poner la mira en* 'elegir' (XXI, n. 104).
6 *esecutar* por *ejecutar* (III, n. 108).

bajo de cuya mano y señorío
la ordenada república está puesta;
mas si por caso propio o albedrío
se denuncia el combate y se protesta,
o sea provocador o provocado
es ilícito, injusto y condenado,

y los christianos príncipes no deben   10
favorecer jamás ni dar licencia
a condenadas armas que se mueven
por odio, por venganza o competencia;
ni decidan las causas, ni se prueben
remitiendo a las fuerzas la sentencia,
pues por razón oculta a veces veo
que sale vencedor el que fue reo.

Y el juicio de las armas sanguinoso
justa y derechamente se condena,
pues vemos el incierto fin dudoso,
según la Suma Providencia ordena;
que el suceso ora triste, ora dichoso
no es quien[7] hace la causa mala o buena,
ni jamás la justicia en cosa alguna
está sujeta a caso[8] ni a fortuna.

Digo también que obligación no tiene
de inquirir el soldado diligente
si es lícita la guerra y si conviene
o si se mueve injusta o justamente;
que sólo al rey, que por razón le viene
la obediencia y servicio de su gente
como gobernador de la república,
le toca examinar la causa pública.

Y pues del rey como cabeza pende
el peso de la guerra y grave carga,

---

[7] Para este uso de *quien* con antecedente inanimado, v. III, n. 5.
[8] *caso* 'fortuna, suerte, hado' (Nebrija).

y cuanto daño y mal della depende[9]
todo sobre sus hombros solo carga.
Debe mucho mirar lo que pretende,
y antes que dé al furor la rienda larga[10],
justificar sus armas prevenidas,
no por codicia y ambición movidas.

Como Felipe en la ocasión presente[11],
que de precisa obligación forzado,
en favor de las leyes justamente
las permitidas armas ha tomado;
no fundando el derecho en ser potente
ni de codicia de reinar llevado,
pues se estiende su cetro y monarquía
hasta donde remata el sol su vía.

Mas de ambición desnudo y avaricia   15
(que a los sanos corrompe y inficiona)[12],
llamado del derecho y la justicia
contra el rebelde reino va en persona;
y a despecho y pesar de la malicia
que le niega y le impide la corona,
quiere abrir y allanar con mano armada
a la razón la defendida entrada.

Y aunque con justa indignación movido,
sus fuerzas y poder disimulando
detiene el brazo en alto suspendido;
el remedio de sangre dilatando;
y con prudencia y ánimo sufrido

9 *depender* 'seguirse, originarse' (*Aut.* con este texto; Cuervo, *Dicc.* con
este ejemplo y textos previos, desde el xv).

10 *dar rienda larga* o, más comúnmente (y el único que cita DRAE) *dar
rienda suelta* 'dar libre curso'. Es expresión usual en América.

11 En efecto, muerto el rey don Sebastián sin herederos, Felipe II,
como hijo de Isabel, la hija mayor del rey Manoel I de Portugal, se consideraba con legítimos derechos al trono de Portugal («en favor de las leyes»; «llamado del derecho y la justicia»).

12 *inficionar* 'corromper', como en 19,8 y en 30,8 (XII, n. 136).

su espada y pretensión justificando
quebrantará después con aspereza
del contumaz rebelde la dureza[13].

Oprimirá con fuerza y mano airada
la soberbia cerviz de los traidores,
despedazando la pujante armada
de los galos piratas valedores[14];
y con rigor y furia disculpada,
como hombres de la paz perturbadores,
muerto Felipe Strozi su caudillo,
serán todos pasados a cuchillo[15].

No manchará esta sangre su clemencia,
sangre[16] de gente pérfida enemiga,
que si el delito es grave y la insolencia,
clemente es y piadoso el que castiga.
Perdonar la maldad es dar licencia
para que luego otra mayor se siga;
cruel es quien perdona a todos todo,
como el que no perdona en ningún modo.

---

[13] A fin de conseguir que sus derechos fueran reconocidos, Felipe II lanzó una fuerte campaña diplomática y de propaganda, pero, fundamentalmente, en junio de 1580 el ejército español entró en territorio de Portugal a través de la frontera de Badajoz. Comandaba las tropas el duque de Alba y el propio Felipe II observó el rápido avance de las tropas hacia Lisboa. Cfr. John Lynch, *Spain under the Habsburgs* Nueva York, NYU, 1981, I,326 y ss. Para *contumaz* que vuelve a usarse en 64,4, cfr. XXII, n. 85.

[14] *valedor* 'defensor, favorecedor' (*Aut.*). Se refiere el poema a la expedición que Francia fletó a las Azores para apoyo del pretendiente Don Antonio, prior de Crato y nieto de Manoel I. Felipe II envió al Marqués de Santa Cruz con una fuerza de 27 navíos, que derrotó a la flota francesa en 1582 y nuevamente en 1583.

[15] Felipe Strozzi había sido designado general de la flota francesa enviada a las Azores. Para el romance escrito por Ercilla sobre esta batalla naval y publicado en Lisboa en 1586 en el *Elogio... del... señor don Álvaro de Baçán* de Mosquera de Figueroa. Cfr. Medina, *Vida*, 132 y 400, n. 414. V. tb. ahora, Arthur L.-F. Atkins, «El romance de Ercilla *A los veyntidós de Iulio*» en *Homenaje a Eugenio Asensio* Madrid, Gredos, 1988, 57-66.

[16] *sangre... sangre* es repetición enfatizadora usual en el poema

Que no está en perdonar el ser clemente
si conviene el rigor y es importante,
que el que ataja y castiga el mal presente
huye de ser cruel para adelante.
Quien la maldad no evita, la consiente,
y se puede llamar participante
y el que a los malos públicos[17] perdona
la república estraga e inficiona.

No quiero yo decir que no es gran cosa   20
la clemencia, virtud inestimable,
que el perdonar vitoria es gloriosa,
y en el más poderoso más loable;
pero la paz común tan provechosa
no puede sin justicia ser durable,
que el premio y el castigo a tiempo usados
sustentan las repúblicas y estados.

Y no todo el exceso y mal que hubiere
se puede remediar ni se castiga,
que el tiempo a veces y ocasión requiere
que todo no se apure ni se siga;
príncipe que saberlo todo quiere
sepa[18] que a perdonar mucho se obliga:
que es medicina fuerte y rigurosa
descarnar hasta el hueso cualquier cosa.

La clemencia a los mismos enemigos
aplaca el odio y ánimo indignado,
engendra devoción, produce amigos,
y atrae el amor del pueblo aficionado;

(I, n. 92). Cfr. más adelante, 22,7 («propio y propio»); 65,6-7 («trabajo
infrutuoso... trabajo infrutuoso»); 74,7 («incierto... incierta»).

[17] *público* en el sentido de 'servidor público, funcionario o dirigente'.
[18] *saberlo... sepa* es repetición etimologizadora (I, n. 4). V. tb. 28,8
(«inobediente... obediencia»); 54,8 («aclarar ni declararse»); 66,6 («innavegables navegando»); 74,6 («acabar... acabe»).

que el continuo rigor en los castigos
hace al príncipe odioso y defamado[19]:
oficio es propio y propio de los reyes
embotar[20] el cuchillo de las leyes.

Y se puede decir que no importara
disimular los males ya pasados
si dello ánimo el malo no tomara
para nuevos insultos[21] y pecados;
el miedo del castigo es cosa clara
que reprime los ánimos dañados
y el ver al malhechor puesto en el palo[22],
corrige la maldad y emienda al malo.

Mas también el castigo no se haga
como el indocto y crudo[23] cirujano
que siendo leve el mal, poca la llaga,
mete los filos mucho por lo sano,
y con el enconoso[24] hierro estraga
lo que sanara sin tocar la mano;
que no es buena la cura y esperiencia
si es más recia y peor que la dolencia.

Quiérome declarar[25], que algún curioso
dirá que aquí y allí me contradigo:
virtud es castigar cuando es forzoso
y necesario el público castigo;
virtud es perdonar el poderoso

---

[19] defamado ant. difamado (Aut. lo considera ya anticuado; no lo registran T.L. ni DCECH).

[20] embotar 'debilitar' (Aut.) y aquí 'hacer menos riguroso'.

[21] insulto 'daño', como en 53,4 (XIII, n. 56).

[22] poner en el palo 'ahorcar' (J. L. Alonso Hernández, Léxico del marginalismo del siglo de oro Salamanca, 1977 s.v. palo).

[23] indocto 'ignorante' (Aut. con textos posteriores) es latinismo frecuente en Cicerón y en Horacio (ad Pisonem, 380); crudo 'cruel' (II, n. 108).

[24] enconoso 'enconado' (II, n. 35).

[25] declararse 'expresarse con claridad', como en 54,8 y en 56,7 (Cuervo, Dicc. II,828a, con textos posteriores).

25

la ofensa del ingrato y enemigo
cuando es particular, o que se entienda
que puede sin castigo haber emienda.

Voime de punto en punto divirtiendo[26],
y el tiempo es corto y la materia larga,
en lugar de aliviarme, recibiendo
en mis cansados hombros mayor carga;
así de aquí adelante resumiendo
lo que menos importa y más me carga,
quiero volver a Portugal la pluma,
haciendo aquí un compendio y breve suma[27].

¿Qué es esto, ¡oh lusitanos!, que engañados
contraponéis el obstinado pecho
y con armas y brazos condenados
queréis violar las leyes y el derecho?
¡Qué! ¿No mueve esos ánimos dañados
la paz común y público provecho,
el deudo, religión, naturaleza,
el poder de Felipe y la grandeza?

Mirad con qué largueza os ha ofrecido
hacienda, libertades y esenciones[28],
no a término forzoso reducido,
mas con formado campo y escuadrones;
y casi murmurando, ha detenido
las armas, convenciéndoos con razones,
cual padre que reduce por clemencia
al hijo inobediente a la obediencia.

26 *de punto en punto* 'progresivamente' (XXIV, n. 144). *Divertirse* 'apartarse' (XXIV, n. 170).

27 *suma* 'resumen' (II, n. 60).

28 En efecto, aún antes de la ocupación, Felipe II había prometido a los portugueses que respetaría sus derechos y en las Cortes de Thomar (1581) se establecieron los generosos términos por los que habría que regirse la anexión (J. Lynch, *o.c.*, 327).

¿Qué ciega pretensión, qué embaucamiento,
qué pasión pertinaz[29] desatinada
saca así la razón tan de su asiento,
y tiene vuestra mente trastornada,
que una unida nación por sacramento
y con la cruz de Christo señalada,
envuelta en crueles armas homicidas[30],
dé en sus propias entrañas las heridas,

y unas mismas divisas y banderas   30
salgan de alojamientos diferentes,
trayendo mil naciones estranjeras
que derraman[31] la sangre de inocentes
y introducen errores y maneras
de pegajosos vicios insolentes[32],
dejando con su peste derramada
la católica España inficionada?

A vos, Eterno Padre Soberano,
el favor necesario y gracia pido
y os suplico queráis mover mi mano
pues en vos y por vos todo es movido,
para que al portugués y al castellano
dé justamente lo que le es debido,
sin que me tuerza y saque de lo justo
particular respeto ni otro gusto.

Y pues Vos conocéis los corazones
y el justo celo con que el mío se mueve,
y en los buenos propósitos y acciones
el principio tenéis y el fin se os debe,
dadme espíritu igual, dadme razones

---

[29] *pertinaz* es cultismo que ya aparece en la Segunda Parte (XXII, n. 85).

[30] *homicida* Para este cultismo v. III, n. 34.

[31] Las ediciones anteriores «derramen».

[32] *insolente* 'excesivo' es cultismo ya presente en Juan de Mena (*Aut.*) pero que tarda en generalizarse (DCECH).

con que informe mi pluma que se atreve
a emprender (temeraria y arrojada)
con tan poco caudal tan gran jornada.

Queriendo Sebastián, rey lusitano,
con ardor juvenil y movimiento
romper el ancho término africano
y oprimir el pagano atrevimiento,
prometiéndole entrada y paso llano
su altivo y levantado pensamiento,
allegó de aquel reino brevemente
la riqueza, poder, la fuerza y gente.

Mas el Rey don Felipe, que al sobrino
vio moverse a la empresa tan ligero,
el errado designio contravino
con consejo de padre verdadero;
y pensando apartarle del camino
que iba a dar a tan gran despeñadero,
hizo que en Guadalupe se juntasen
para que allí sobre ello platicasen[33].

No bastaron razones suficientes   35
ni el ruego y persuasión del grave tío,
ni una gran multitud de inconvenientes
que pudieran volver atrás un río,
ni el poner la cerviz de tantas gentes
bajo de un solo golpe al albedrío
de la inconstante y variable diosa[34],
de revolver el mundo deseosa,

que el orgulloso mozo, prometiendo
lo que el justo temor dificultaba,

---

[33] En efecto, el rey don Sebastián acudió a Guadalupe para entrevistarse con Felipe II en 1576; en esta entrevista el rey de España consiguió disuadirlo de la peligrosa aventura de tomar Larache.

[34] Es decir, la diosa greco-romana Fortuna, ya descrita desde el principio del poema: II, 1-2 (I, n. 5).

los prudentes discursos rebatiendo,
todos los contrapuestos tropellaba[35],
y tras la libre voluntad corriendo
su muerte y perdición apresuraba,
que no basta consejo ni advertencia
contra el decreto y la fatal sentencia.

¿Quién cantará el suceso lamentable
aunque tenga la voz más expedida[36]
y aquel sangriento fin tan miserable
de la jornada y gente mal regida[37],
la ruina de un reino irreparable,
la fama antigua en sólo un día perdida,
todo por voluntad de un mozo ardiente,
movido sin razón por acidente?

Otro refiera el aciago día,
que a los más tristes en miseria excede,
que aunque sangrienta está la pluma mía,
correr por tantas lástimas no puede.
Quiero seguir la comenzada vía,
si el alto cielo aliento me concede,
que ya de aquesta parte también siento
armarse un gran ñublado[38] turbulento.

Después que el mozo Rey voluntarioso
al africano ejército asaltando,
en el ciego tumulto polvoroso
murió en montón confuso peleando,
y la fortuna de un vaivén furioso
derrocó cuatro reyes, ahogando
la fama y opinión de tanta gente,
revolviendo las armas del Poniente,

---

[35] *contrapuesto* 'contrario' (V, n. 47); *tropellar* por *atropellar* (II, n. 111).
[36] *expedido* 'ágil, pronto' (XXIII, n. 120).
[37] El rey don Sebastián murió en la batalla de Alcázar-Kebir el 4 de agosto de 1578.
[38] *ñublado* ant. *nublado* (IV, n. 94).

fue luego en Portugal por rey jurado
don Enrique, el hermano del agüelo[39]
Cardenal y presbítero ordenado,
persona religiosa y de gran celo,
de años y enfermedades agravado,
más que para este mundo para el cielo,
ofreciéndole el reino la fortuna,
con poca vida y sucesión ninguna[40].

El gran Felipe, en lo íntimo sintiendo
del reino y muerto Rey la desventura,
y del enfermo don Enrique viendo
la mucha edad y vida mal segura,
como sobrino y sucesor, queriendo
aclarar su derecho en coyuntura,
que por la transversal propincua vía[41]
a los reyes y títulos tenía[42],

con celosa y loable providencia
hizo juntar doctísimos varones
de grande christiandad y suficiencia,
desnudos de interese[43] y pretensiones,
que conforme a derecho y a conciencia,
no por torcidas vías y razones,
mirasen en el grado que él estaba
si el pretendido reino le tocaba.

---

[39] En efecto, el cardenal Enrique era el único hijo legítimo del rey Manoel I que sobrevivió a don Sebastián. *Agüelo* por *abuelo* es forma aún usual en las hablas regionales de España y América (XXII, n. 15).

[40] Don Enrique, ya anciano y enfermo de epilepsia, gobernó desde agosto de 1578 hasta febrero de 1580.

[41] *transversal* 'el pariente que no desciende por línea recta en el parentesco' *(Aut.);* cfr. luego, 45,2; *propincuo* 'cercano' es cultismo frecuente en textos literarios desde el siglo xv, tb. en la forma *propinco* (Mena, en Lida de Malkiel, 235); considerado ya pedante por Lope (DCECH), Cervantes lo usa en textos paródicos pero tb. en la prosa de estilo elevado.

[42] Las ediciones anteriores: «a los reinos y títulos tenía».

[43] *interese* por *interés* era forma común en el xvi *(Aut.)* y todavía en el *Quijote* (DCECH) y el *Persiles*.

Que doña Catalina, como parte,
Duquesa de Verganza, pretendía
por hija del infante don Duarte
que de derecho el reino le venía[44];
y también don Antonio de otra parte
a la corona y cetro se oponía;
mas aunque del común favorecido,
era por no legítimo escluido[45];

y que hecho el examen, cada uno,
a tan arduo negocio conveniente,
sin miramiento ni respeto alguno
diesen sus pareceres libremente;
porque en tiempo quieto y oportuno,
prevenido al mayor inconveniente,
si el reino a la razón no se allanase,
sus armas y poder justificase.

Todos los cuales claramente viendo   45
que el transversal por ley y fuero llano
no representa al padre, sucediendo
el legítimo deudo más cercano,
el varón a la hembra prefiriendo,
y al de menos edad el más anciano,
yendo la sucesión y precedencia
por derecho de sangre y no de herencia,

don Antonio escluido y apartado
por ley humana y por razón divina,
y el derecho igualmente examinado
de don Felipe y doña Catalina
decendientes del tronco en igual grado,
él sobrino de Enrique, ella sobrina,

---

[44] Se trata de Catalina de Médicis, duquesa de Braganza y reina madre de Francia.

[45] En efecto, don Antonio, prior de Prato, era hijo del infante don Luis (hijo de Manoel I) y de Violante Gómez y, por esto, considerado descendiente ilegítimo. Para *común* 'pueblo' del verso anterior, v. I, n. 78.

él varón, ella hembra, él rey temido,
mayor de edad y de mayor nacido,

atento al fuero, a la costumbre, al hecho
y otras muchas razones que juntaron
con recto, justo, igual y sano pecho[46],
sin discrepar, conformes declararon
ser don Felipe sucesor derecho
y el reino por la ley le adjudicaron
con tierras, mares, títulos y estados
bajo de la corona conquistados[47].

Vista, pues, don Felipe su justicia
por tan bastantes[48] hombres declarada,
sospechoso del odio y la malicia
de la plebeya gente libertada[49],
y la intrínsica y vieja inimicicia[50]
en los pechos de muchos arraigada,
quiso tentar en estas novedades
el ánimo del pueblo y voluntades.

Y con piadoso celo, deseando
el bien del reino y público sosiego,
en la mente perpleja iba trazando
cómo echar agua al encendido fuego,
por todos los caminos procurando
aquietar el común desasosiego,

---

[46] Para este tipo de acumulación nominal con valor superlativo, que vuelve a usarse en 51,8 y en 69,7 v. III, n. 39.

[47] Para esta junta de teólogos y juristas, cfr. A. Dávila, *Felipe II y la sucesión de Portugal* Madrid, 1956.

[48] *bastante* 'competente' (XIII, n. 85).

[49] *libertado* 'osado' (I, n. 83).

[50] *intrínsico* por *intrínseco* es cultismo ya atestiguado a mediados del xv (C. C. Smith, 246) pero poco frecuente en textos áureos (no aparece en Garcilaso, ni en Herrera, Cervantes y Góngora; sí en *La Dorotea* de Lope, según *Aut.*). Para *inimicicia*, v. XXVI, n. 46; en 64,4, en este mismo canto, *enemicicia*.

que ya con libertad, sin corregirse[51]
comenzaba en el pueblo a descubrirse.

Para lo cual fue dél luego elegido   50
don Christóbal de Mora[52], en quien había
tantas y tales partes conocido
cuales el gran negocio requería:
de ilustre sangre en Portugal nacido
de quien como vasallo el Rey podría
·con ánimo seguro y esperanza
hacer también la misma confianza,

y enterarse del celo y sano intento
tantas veces por él representado,
entendiendo la fuerza y fundamento
de su causa y derecho declarado;
no traído por término violento
ni deseo de reinar desordenado
mas por rigor de la justicia pura,
por ley, razón, por fuero y por natura[53].

Así que esto por él reconocido
como de rey tan justo se esperaba,
mirase el gran peligro en que metido
el patrio[54] reino y christiandad estaba;
y tuviese por bien fuese servido
de sosegar la alteración que andaba,
declarándole en forma conveniente
por sucesor derecha y justamente.

Con que en el suelto[55] pueblo cesaría
el tumulto y escándalos estraños,

[51] *corregir* 'templar, aquietar' (X, n. 43).
[52] *Mora* o Moura era uno de los secretarios y favoritos de Felipe II quien, después de la caída de A. Pérez en 1579, pasó a hacerse cargo de lo asuntos relacionados con Portugal, su país de nacimiento.
[53] *natura* 'naturaleza' (VI, n. 65).
[54] *patrio* 'paterno' (XVI, n. 61).
[55] *suelto* 'atrevido, libre', como en 67,7 (*Aut.* con texto del contemporáneo fray Luis de Granada).

y su declaración atajaría
grandes insultos y esperados daños,
haciendo que en la forma que solía,
para después de sus felices años,
el reino le jurase según fuero,
por legítimo príncipe heredero.

Hecha por don Christóbal la embajada
y de Felipe la intención propuesta,
tibiamente de Enrique fue escuchada,
dando una ambigua y frívola respuesta,
que por más que le fue representada
la justicia del Rey tan manifiesta,
procuraba con causas escusarse
sin querella aclarar ni declararse.

Visto, pues, dilatar el cumplimiento   55
de negocio tan arduo e importante,
por donde el popular atrevimiento
iba, cobrando fuerzas, adelante,
don Felipe envió con nuevo asiento
largo poder y comisión bastante
para sacar resolución alguna
a don Pedro Girón, duque de Osuna,

y al docto Guardiola juntamente,
porque con más instancia y diligencia,
vista de la tardanza el daño urgente
contra la paz común y convenencia,
diesen claro a entender cuán conveniente
era en tan gran discordia y diferencia,
que el rey se declarase por decreto,
cortando a mil designios el sujeto[56].

Y porque cosa alguna no quedase
por hacer y tentar todos los vados[57],

---

[56] *sujeto* 'causa' (XVIII, n. 2 para otra acepción).

[57] *vado* 'remedio, expediente' es ac. figurada ya presente en textos desde 1460 (DCECH).

y la ciega pasión no perturbase
el sosiego y quietud de los estados,
antes que el odio oculto reventase,
dos eminentes hombres señalados
de los que en su Real Consejo había
últimamente a don Enrique envía:

uno Rodrigo Vázquez, que en prudencia,
en rectitud, estudio y diciplina
era de grande prueba y esperiencia,
de claro juicio y singular dotrina;
el otro de no menos suficiencia,
famoso en letras, el doctor Molina,
ambos varones raros, escogidos,
en gran figura y opinión tenidos;

para que Enrique, dellos informado,
y de todas las dudas satisfecho,
a las Cortes que ya se habían juntado
informasen también de su derecho,
y al pueblo contumaz y apasionado,
puesto delante el general provecho,
fueros y libertades prometiesen
con que a su devoción le redujesen.

Y aunque entendiese el viejo Rey prudente   60
ser esto lo que a todos convenía,
pues por la espresa ley derechamente
el reino a su sobrino le venía,
con larga dilación impertinente
el negocio suspenso entretenía,
a fin que aquellos súbditos y estados
fuesen con más ventaja aprovechados.

Pues como hubiese el tardo Rey dudoso
el término y respuesta diferido,
llegó aquél de la muerte presuroso,
del Autor de la vida estatuido:
por donde al sucesor le fue forzoso

viendo al rebelde pueblo endurecido,
juntar contra sus fines y malicia
las armas, y el poder con la justicia,

habiendo antes con todos procurado
muchos medios de paz por él movidos,
provocando al temoso[58] y porfiado
con dádivas, promesas y partidos[59];
mas el poblacho[60] terco y obstinado,
no estimando los bienes ofrecidos,
la enemistad del todo descubierta,
al derecho y razón cerró la puerta.

¡Quién pudiera deciros tantas cosas
como aquí se me van representando:
tanto rumor de trompas sonorosas[61],
tanto estandarte al viento tremolando
las prevenidas armas sanguinosas[62]
del portugués y castellano bando,
el aparato y máquinas de guerra,
las batallas de mar y las de tierra!

Veránse entre las armas y fiereza
materias de derecho y de justicia,
ejemplos de clemencia y de grandeza,
proterva[63] y contumaz enemicicia,
liberal y magnánima largueza
que los sacos hinchó de la codicia,
y otros matices vivos y colores
que felices harán los escritores.

---

58 *provocar* 'atraer' (XXXIII, n. 19). *Temoso* 'porfiado' (XVIII, n. 15).
59 *partido* 'ventaja' (XI, n. 87).
60 *poblacho* ant. *populacho* (*Aut.* con texto posterior; DCECH); tanto *ter-co* como *obstinado* se hallan en el *Corbacho* (1438) según C. C. Smith, pero se hacen más comunes en los textos áureos.
61 *sonoroso* 'sonoro' (III, n. 76).
62 *sanguinoso* 'sangriento' (V, n. 48).
63 *protervo* 'obstinado' es cultismo que C. C. Smith documenta previamente en Cetina; para *protervia,* v. XVI, n. 132.

Canten de hoy más los que tuvieren vena,   65
y enriquezcan su verso numeroso[64]
pues Felipe les da materia llena
y un campo abierto, fértil y espacioso:
que la ocasión dichosa y suerte buena
vale más que el trabajo infrutuoso,
trabajo infrutuoso como el mío,
que siempre ha dado en seco y en vacío[65].

¡Cuántas tierras corrí, cuántas naciones
hacia al helado norte atravesando,
y en las bajas antárticas regiones
el antípoda ignoto conquistando!
Climas pasé, mudé constelaciones
golfos innavegables navegando,
estendiendo, Señor, vuestra corona
hasta casi la austral frígida[66] zona.

¿Qué jornadas también por mar y tierra
habéis hecho que deje de seguiros?
A Italia, Augusta[67], a Flandes, a Inglaterra,
cuando el reino por rey vino a pediros;
de allí el furioso estruendo de la guerra
al Pirú me llevó por más serviros,
do con suelto furor tantas espadas
estaban contra vos desenvainadas.

---

[64] *numeroso* 'armonioso' es cultismo que toma Ercilla de Garcilaso (Égl. II, 1105) quien lo adapta de la ac. figurada latina 'cadencioso, con ritmo' (Cicerón, *Orator*, 166 y *De Oratore* 3, 185). Para *de huy más* 'a partir de hoy' en el verso anterior, Keniston, par. 39.6 con ejs. en prosa.

[65] *dar en seco y en vacío* 'sin lograr el resultado deseado' (DRAE) s.v. *vacío; Aut.* con este texto, pero con definición inadecuada.

[66] *frígido* es duplicado cultista ya registrado en A. de la Torre por C. C. Smith, 250; ausente en Garcilaso pero usual en Herrera, etc.

[67] *Augusta* es el nombre latino de numerosas ciudades. Pero tal vez se refiera a Augsburgo, en donde se celebró la dieta germánica en agosto de 1549 y a la que asistió el entonces príncipe Felipe, de quien era Ercilla paje (Medina, *Vida,* 28). V. I, n. 8.

Y el rebelde indiano castigado
y el reino a la obediencia reducido⁶⁸,
pasé al remoto Arauco, que alterado
había del cuello el yugo sacudido,
y con prolija guerra sojuzgado
y al odioso dominio sometido,
seguí luego adelante las conquistas
de las últimas tierras nunca vistas.

Dejo por no cansaros y ser míos,
los inmensos trabajos⁶⁹ padecidos,
la sed, hambre, calores y los fríos,
la falta irremediable de vestidos;
los montes que pasé, los grandes ríos,
los yermos despoblados no rompidos⁷⁰,
riesgos, peligros, trances y fortunas⁷¹
que aún son para contadas importunas⁷².

Ni digo cómo al fin por acidente   70
del mozo capitán acelerado⁷³,
fui sacado a la plaza injustamente
a ser públicamente degollado;
ni la larga prisión impertinente
do estuve tan sin culpa molestado⁷⁴
ni mil otras miserias de otra suerte,
de comportar más graves que la muerte.

Y aunque la voluntad, nunca cansada,
está para serviros hoy más viva,

---

⁶⁸ *reducir* 'volver, convertir' (I, n. 100).
⁶⁹ *trabajo* 'penuria' (I, n. 104).
⁷⁰ *rompido* 'atravesado' (*Aut.*) y aquí 'explorado'.
⁷¹ *fortuna* 'adversidad' (XIV, n. 19); en cambio, en 71,7 'hado' (II, n. 5).
⁷² En efecto, la versión de Madrid, 1589, había omitido los cantos XXXV y XXXVI en donde se relataba el viaje hasta «las últimas tierras nunca vistas».
⁷³ *acelerado* 'violento' en Cuervo, *Dicc.*, con este texto (VII, n. 38).
⁷⁴ Hechos ya relatados en el Canto XXXVI, 33-34.

desmaya la esperanza quebrantada
viéndome proejar[75] siempre agua arriba.
Y al cabo de tan larga y gran jornada
hallo que mi cansado barco arriba
y de la adversa fortuna contrastado
lejos del fin y puerto deseado.

Mas ya que de mi estrella la porfía
me tenga así arrojado y abatido,
verán al fin que por derecha vía
la carrera difícil he corrido;
y aunque más inste la desdicha mía,
el premio está en haberle merecido
y las honras consisten, no en tenerlas,
sino en sólo arribar a merecerlas.

Que el disfavor cobarde que me tiene
arrinconado en la miseria suma[76],
me suspende la mano y la detiene
haciéndome que pare aquí la pluma.
Así doy punto en esto pues conviene
para la grande innumerable suma
de vuestros hechos y altos pensamientos
otro ingenio, otra voz y otros acentos.

Y pues del fin y término postrero
no puede andar muy lejos ya mi nave,
y el tímido y dudoso paradero
el más sabio piloto no le[77] sabe,
considerando el corto plazo, quiero
acabar de vivir antes que acabe

---

[75] *proejar* 'remar contra el viento de proa' (XV, n. 100).

[76] El texto dice, por errata obvia, «mísera suma». No se sabe a qué «disfavor cobarde» se refiere el poeta (Medina, *Vida,* 151) y es posible suponer que se trata de un recurso retórico para introducir el final de la obra, de arrepentido sentimiento, a tono con la metáfora tópica de la vida como barquilla.

[77] Para los casos de leísmo, v. XVII n. 112.

el curso incierto de la incierta vida,
tantos años errada y destraída[78].

Que aunque esto haya tardado de mi parte 75
y a reducirme a lo postrero aguarde,
sé bien que en todo tiempo y toda parte
para volverse a Dios jamás es tarde;
que nunca su clemencia usó de arte[79]
y así el gran pecador no se acobarde,
pues tiene un Dios tan bueno, cuyo oficio
es olvidar la ofensa y no el servicio.

Y yo que tan sin rienda[80] al mundo he dado
el tiempo de mi vida más florido,
y siempre por camino despeñado
mis vanas esperanzas he seguido,
visto ya el poco fruto que he sacado
y lo mucho que a Dios tengo ofendido,
conociendo mi error, de aquí adelante
será razón que llore y que no cante.

FIN DE LA TERCERA PARTE DE LA ARAUCANA

---

[78] *destraído* 'apartado de virtud'.
[79] *arte* 'engaño' (Nebrija).
[80] *rienda* 'moderación' (*Aut.*).

DECLARACIÓN DE ALGUNAS DUDAS QUE SE PUEDEN OFRECER EN ESTA OBRA

PORQUE MUCHOS NO ENTENDERÁN ALGUNOS VOCABLOS O NOMBRES QUE, AUNQUE DE INDIOS, SON TAN RECEBIDOS Y USADOS EN AQUELLA TIERRA DE LOS NUESTROS, QUE NO LOS HAN MUDADO EN NUESTRO LENGUAJE, SERÁ BIEN DECLARARLOS AQUÍ; PORQUE YO, POR VARIAR, USO ALGUNA VEZ DE ELLOS, EL QUE LEYERE ESTE LIBRO NO TENGA QUE PREGUNTAR

Chili es una provinca grande, que contiene en sí otras muchas provincias: toma el nombre Chili toda la provincia del cual tuvieron noticia los españoles por el oro que en él se sacaba. Y como entraron en su demanda a toda la pusieron nombre de Chili hasta el Estrecho de Magallanes.

El estado de Arauco es una provincia pequeña de veinte leguas de largo y siete de ancho poco más o menos, que produce la gente más belicosa que ha habido en las Indias y por eso es llamado el *Estado indómito*: llámanse los indios dél araucanos, tomando el nombre de la provincia.

Puelches se llaman los indios de la sierra, que son fortísimos y ligeros, aunque de menos entendimiento que los otros.

Arcabuco es una espesura grande de árboles altos y boscaje.

Bohío es una casa pajiza grande de sola una pieza sin alto.

Llauto es un troncho o rodete redondo, ancho de dos dedos, que ponen por la frente y les ciñe la cabeza: son labrados de oro y chaquira, con muchas piedras y dijes en ellos, en los cuales asientan las plumas o penachos de que ellos son muy

975

amigos: no los traen en la guerra, porque entonces usan celadas.

Chaquira son unas cuentas muy menudas a manera de aljófar, que las hallan por las marinas, y cuanto más menudas, son más preciadas: labran y adornan con ella sus llautos, y las mujeres sus vinchos, que son como una cinta angosta que les ciñe la cabeza por la frente, a manera de bicos; andan siempre en cabello, y suelto por los hombros y espaldas.

Yanaconas son indios mozos amigos, que sirven a los españoles; andan en su traje, y algunos muy bien tratados, que se precian mucho de policía en su vestido; pelean a las veces en favor de sus amos, y algunos animosamente, especial cuando los españoles dejan los caballos y pelean a pie, porque en las retiradas los suelen dejar en las manos de los enemigos, que los matan cruelísimamente.

Palla es lo que llamamos nosotros señora: pero entre ellos nos alcanza este nombre sino la noble de linaje y señora de muchos vasallos y haciendas.

Apó es señor o capitán absoluto de los otros.

Eponamón es nombre que dan al demonio, por el cual juran cuando quieren obligarse infaliblemente a cumplir lo que prometen.

Caciques, quiere decir señor de vasallos, que tiene gente a su cargo. Los *Caciques* toman el nombre de los valles de donde son señores, y de la misma manera los hijos o sucesores que suceden en ellos. Declárase esto, porque los que mueren en la guerra se oirán después nombrar en otra batalla: entiéndase que son los hijos o sucesores de los muertos.

Coquimbo es el primer valle de Chile donde pobló el capitán Valdivia un pueblo que le llamó *la Serena,* por ser él natural de la Serena: tiene un muy buen puerto de mar, y llámase también el pueblo Coquimbo, tomando el nombre del valle.

Mapochó es un hermoso valle, donde los españoles poblaron la ciudad de *Santiago,* y llámase asimismo el pueblo Mapochó.

Penco es un valle muy pequeño y no llano; pero porque es puerto de mar, poblaron en él los españoles una ciudad, la cual llamaron la *Concepción.*

Angol se llama el valle donde poblaron otra ciudad, y le pusieron nombre de los *Confines de Angol.*

Cautén es un valle hermosísimo y fértil, donde los españoles fundaron la más próspera ciudad que ha habido en aquellas partes, la cual tenía trescientos mil indios casados de servicio: llamáronla *Imperial,* porque cuando entraron los españoles en aquella provincia, hallaron sobre todas las puertas y tejados águilas imperiales de dos cabezas hechas de palo a manera de timbre de armas, que cierto es estraña cosa y de notar, pues jamás en aquella tierra se ha visto ave con dos cabezas.

Villarrica es otro pueblo que fundaron los españoles a la ribera de un lago pequeño cerca de los volcanes, que lanzan a tiempos tanto fuego y tan alto, que acontece llover en el pueblo ceniza.

Valdivia es un pueblo bueno y provechoso: tiene un puerto de mar por un río arriba tan seguro, que varan las naos en tierra, y está fundado no muy lejos de un gran lago, al cual y a la ciudad llamó Valdivia de su nombre. Entiéndese que cuando se fundaron estos pueblos, era Valdivia capitán general de los españoles, y a él se atribuye la gloria del descubrimiento y población de Chili.

Caupolicán fue hijo de *Leocán,* y *Lautaro* hijo de *Pillán.* Declaro esto, porque como son capitanes señalados, de los cuales la historia hace muchas veces mención, por no poner tantas veces sus nombres, me aprovecho de los de sus padres.

Mita es la carga o tributo que trae el indio tributario.

Mitayo es el indio que la lleva o trae.

FIN

Tabla de las cosas notables que hay en esta Primera parte de *La Araucana*[1]

---

[1] Conservamos el orden según aparece en la edición que seguimos. Cambiamos el número de folio por Canto y octava y modernizamos la ortografía en lo que no afecta al orden alfabético original.

C

D

E

F

981

Tabla de las cosas notables que se tratan en la Segunda parte deste libro

D

E

F

G

H

J

L

M

O

R

T

Tabla de las cosas más notables desta Tercera parte de *La Araucana*

P

R

FIN DE LA TABLA

Índice de notas

Se recogen en este índice las notas de interés literario, histórico y filológico. Quedan excluidas las secundarias, que remiten a la nota principal que aquí se encuentra, y las de variantes textuales. Quedan señalados los significados correspondientes en los casos de usos especiales o acepciones infrecuentes. Los números corresponden a Canto y nota.

992

993

999

1001

1003

1004

1009

1011

1012

1017

Índice

PRIMERA PARTE

1021

SEGUNDA PARTE

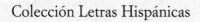
Colección Letras Hispánicas